AF238063

ACCESO GRATIS a la Lectura en la Nube

Para visualizar el libro electrónico en la nube de lectura envíe junto a su nombre y apellidos una fotografía del código de barras situado en la contraportada del libro y otra del ticket de compra a la dirección:

ebooktirant@tirant.com

En un máximo de 72 horas laborales le enviaremos el código de acceso con sus instrucciones.

ORDEN EUROPEA DE INVESTIGACIÓN Y PRUEBA TRANSFRONTERIZA EN LA UNIÓN EUROPEA

ORDEN EUROPEA DE INVESTIGACIÓN Y PRUEBA TRANSFRONTERIZA EN LA UNIÓN EUROPEA

DIRECTORA:

Mª Isabel GONZÁLEZ CANO

AUTORES:

Marien AGUILERA MORALES

Coral ARANGÜENA FANEGO

Teresa ARMENTA DEU

Raquel BORGES BLÁZQUEZ

Gianluca BORGIA

María José CABEZUDO BAJO

Serena CACCIATORE

Sonia CALAZA LÓPEZ

Roser CASANOVA MARTÍ

Elisabet CERRATO GURI

Montserrat DE HOYOS SANCHO

Lidia DOMÍNGUEZ RUIZ

Lucana Mª ESTÉVEZ MENDOZA

Anna FIODOROVA

Pedro Miguel FREITAS

Fernando GASCÓN INCHAUSTI

Francisco Salvador GIL GARCÍA

Luis GÓMEZ AMIGO

Mª Isabel GONZÁLEZ CANO

Alicia GONZÁLEZ NAVARRO

Alejandro HERNÁNDEZ LÓPEZ

Sandra JIMÉNEZ ARROYO

Mar JIMENO BULNES

María Elena LARO GONZÁLEZ

Rubén LÓPEZ PICÓ

Francisco MATÍAS LÁZARO

Juan Alejandro MONTORO SÁNCHEZ

Jordi NIEVA-FENOLL

Pilar PEITEADO MARISCAL

Enrique César PÉREZ-LUÑO ROBLEDO

Ana SÁNCHEZ RUBIO

Mercedes SERRANO MASIP

Elisa SIMÓ SOLER

M.ª Dolores RAMÍREZ BENAVENTE

Nicolás RODRÍGUEZ-GARCÍA

Mª Isabel ROMERO PRADAS

John A.E. VERVAELE

Rocío ZAFRA ESPINOSA DE LOS MONTEROS

tirant lo blanch

Valencia, 2019

GOBIERNO DE ESPAÑA · MINISTERIO DE ECONOMÍA Y COMPETITIVIDAD

Unión Europea
Fondo Europeo de
Desarrollo Regional

"Una manera de hacer Europa"

Este libro ha sido realizado en el marco del Proyecto de Investigación I+D+I de Excelencia DER2015-63942P (Ministerio de Economía y Competitividad), sobre *Instrumentos para el reconocimiento mutuo y ejecución de resoluciones penales: incorporación al Derecho español de los avances en cooperación judicial en la Unión Europea*

Colección Derecho Procesal de la Unión Europea

Directora:

MARÍA ISABEL GONZÁLEZ CANO
Catedrática de Derecho Procesal

© VV. AA.

© TIRANT LO BLANCH
EDITA: TIRANT LO BLANCH
C/ Artes Gráficas, 14 - 46010 - Valencia
TELFS.: 96/361 00 48 - 50
FAX: 96/369 41 51
Email: tlb@tirant.com
www.tirant.com
Librería virtual: www.tirant.es
DEPÓSITO LEGAL: V-1527-2019
ISBN: 978-84-1313-618-9
MAQUETA: Innovatext

Si tiene alguna queja o sugerencia, envíenos un mail a: *atencioncliente@tirant.com*. En caso de no ser atendida su sugerencia, por favor, lea en *www.tirant.net/index.php/empresa/politicas-de-empresa* nuestro Procedimiento de quejas.

Responsabilidad Social Corporativa: *http://www.tirant.net/Docs/RSCTirant.pdf*

Índice

SEGUNDA PARTE
LA COOPERACIÓN JUDICIAL
EN MATERIA PROBATORIA EN LA UNIÓN EUROPEA.
ASPECTOS GENERALES Y SUPUESTOS PARTICULARES

Capítulo II
AS EQUIPAS DE INVESTIGAÇÃO CRIMINAL CONJUNTAS
Pedro Miguel Freitas

Capítulo III

**GARANTÍAS DEL INVESTIGADO Y ACUSADO EN ORDEN
A LA OBTENCIÓN, CESIÓN Y TRATAMIENTO DE DATOS
PERSONALES EN EL PROCESO PENAL. A PROPÓSITO
DE LA DIRECTIVA (UE) 2016/680 Y SU IMPACTO
EN MATERIA DE PRUEBA PENAL**

Mª Isabel González Cano

Capítulo IV

**PRUEBA PENAL ELECTRÓNICA EN LA UNIÓN EUROPEA:
LAS FUTURAS ÓRDENES EUROPEAS
DE ENTREGA Y CONSERVACIÓN**

Luis Gómez Amigo

Capítulo V

**BREVE ANÁLISIS ACERCA DEL FUTURO
REGLAMENTO COMUNITARIO "E-EVIDENCE"
SOBRE LAS ÓRDENES EUROPEAS DE CONSERVACIÓN
Y ENTREGA DE PRUEBS Y EVIDENCIAS ELECTRÓNICAS
A EFECTOS DE ENJUICIAMIENTO PENAL**

Juan Alejandro Montoro Sánchez

Capítulo VI

**EL USO DE DATOS PERSONALES INHERENTES
A LAS PRUEBAS ELECTRÓNICAS OBTENIDAS
MEDIANTE LA ORDEN EUROPEA DE INVESTIGACIÓN**

Ana Sánchez Rubio

Capítulo VII

**LA TUTELA PROCESAL EN LA TRANSMISIÓN
DE DATOS PERSONALES EN CAUSAS PENALES
EN LA UNIÓN EUROPEA**
Enrique César Pérez-Luño Robledo

Capítulo VIII

**REFLEXIONES EN TORNO A LA EXCLUSIÓN
DE LOS EQUIPOS CONJUNTOS
DE INVESTIGACIÓN EN LA DIRECTIVA 2014/41/UE**
Alejandro Hernández López

Capítulo IX

**SERVICIOS DE INTELIGENCIA
Y ORDEN EUROPEA DE INVESTIGACIÓN**
Alicia González Navarro

Capítulo X

ADMISIBILIDAD Y VALOR PROBATORIO DE LOS INFORMES FINALES DE LA OLAF EN EL PROCESO PENAL ESPAÑOL

Francisco Salvador Gil García

Capítulo XI

PLANTEAMIENTO PARA UN USO EFICAZ DE LA PRUEBA DE ADN A NIVEL NACIONAL Y TRANSFRONTERIZO

María José Cabezudo Bajo

Capítulo XII

PRUEBAS TRANSFRONTERIZAS EMERGENTES Y PRINCIPIO DE OPORTUNIDAD

Sonia Calaza López

Capítulo XIII

EL PROCESO LEGISLATIVO ORDINARIO PARA LA CREACIÓN DE UN PROCESO PENAL EUROPEO, ¿EXISTE CONFIANZA MUTUA ENTRE LOS ESTADOS?

Raquel Borges Blázquez

TERCERA PARTE
ANTECEDENTES, EVOLUCIÓN, Y ASPECTOS FUNDAMENTALES SOBRE EL AMBITO Y CONTENIDO DE LA ORDEN EUROPEA DE INVESTIGACIÓN

Capítulo XIV

ORDEN EUROPEA DE INVESTIGACIÓN: ASPECTOS GENERALES DEL NUEVO INSTRUMENTO DE OBTENCIÓN DE PRUEBA PENAL TRANSFRONTERIZA
CORAL ARANGÜENA FANEGO

Capítulo XV

A MODO DE PROPUESTA-FICCIÓN: LA ORDEN EUROPEA DE INVESTIGACIÓN APLICADA A LOS DELITOS DE VIOLENCIA DE GÉNERO
ELISA SIMÓ SOLER

Capítulo XVI

**CONSIDERACIONES SOBRE LA APLICACIÓN DE LA ORDEN EUROPEA
DE DETENCIÓN Y ENTREGA EN EL PROCESO PENAL
DE MENORES EN ESPAÑA**

Sandra Jiménez Arroyo

Capítulo XVII

**EL TRASLADO TEMPORAL DE PERSONAS PRIVADAS DE LIBERTAD
AL AMPARO DE LA ORDEN EUROPEA DE INVESTIGACIÓN:
ESPECIALIDADES SEGÚN LA REGULACIÓN ESPAÑOLA**

Lucana Mª Estévez Mendoza

Capítulo XVIII

**ORDEN EUROPEA DE INVESTIGACIÓN
Y ENTRADA Y REGISTRO**

Francisco Matías Lázaro

Capítulo XIX

PRÁCTICA DE LA PRUEBA PERICIAL EN LA ORDEN EUROPEA DE INVESTIGACIÓN

María Dolores Ramírez Benavente

Capítulo XX

LAS OPERACIONES ENCUBIERTAS AL HILO DE LA OEI

Rocío Zafra Espinosa de los Monteros

Capítulo XXI

DERECHO DE LAS VÍCTIMAS RESIDENTES EN OTRO ESTADO MIEMBRO A DECLARAR TRAVÉS DE VIDEOCONFERENCIA

Mercedes Serrano Masip

Capítulo XXII

**LA ADAPTACIÓN DE LA ORDEN EUROPEA DE INVESTIGACIÓN
EN ITALIA. ASPECTOS GENERALES DEL DECRETO LEGISLATIVO
DEL 21 DE JUNIO DE 2017, NÚM. 108**
Serena Cacciatore

**CUARTA PARTE
LAS AUTORIDADES COMPETENTES
PARA LA EMISIÓN Y EJECUCIÓN
DE LA ORDEN EUROPEA DE INVESTIGACIÓN.
ESPECIAL CONSIDERACIÓN DEL PAPEL
DEL MINISTERIO FISCAL**

Capítulo XXIII

**ORDEN EUROPEA DE INVESTIGACIÓN:
AUTORIDADES COMPETENTES EN EL ESTADO
EMISOR Y DE EJECUCIÓN. ESPECIAL CONSIDERACIÓN
DEL PAPEL DEL MINISTERIO FISCAL**
Jordi Nieva-Fenoll

Capítulo XXIV

**NUEVAS COMPETENCIAS PARA
EL MINISTERIO FISCAL CON OCASIÓN
DE LA ORDEN EUROPEA DE INVESTIGACIÓN**

Marien Aguilera Morales

**QUINTA PARTE
LA EMISIÓN Y TRANSMISIÓN
DE LA ORDEN EUROPEA DE INVESTIGACIÓN**

Capítulo XXV

**ORDEN DE INVESTIGACIÓN EUROPEA:
ESPAÑA COMO PAÍS DE EMISIÓN**

Nicolás Rodríguez-García

Capítulo XXVI

EMISIÓN DE LA ORDEN EUROPEA DE INVESTIGACIÓN DESDE LA PERSPECTIVA DEL DERECHO A SOLICITARLA

ANNA FIODOROVA

Capítulo XXVII

ALGUNAS CONSIDERACIONES EN TORNO A LA EMISIÓN DE UNA ORDEN EUROPEA DE INVESTIGACIÓN POR LAS AUTORIDADES JUDICIALES ESPAÑOLAS

ELISABET CERRATO GURI

Capítulo XXVIII

EL RÉGIMEN DE LOS RECURSOS EN LA ORDEN EUROPEA DE INVESTIGACIÓN EN MATERIA PENAL

RUBÉN LÓPEZ PICÓ

SEXTA PARTE
RECONOCIMIENTO Y EJECUCIÓN DE LA ORDEN EUROPEA DE INVESTIGACIÓN. ESPECIAL CONSIDERACIÓN DE LAS CAUSAS DE DENEGACIÓN

Capítulo XXIX

RECONOCIMIENTO MUTUO Y PRUEBA ADMINISTRATIVA Y PENAL EUROPEA EN EL ESPACIO EUROPEO DE JUSTICIA PENAL
John A.E. Vervaele

Capítulo XXX

RECONOCIMIENTO Y EJECUCIÓN DE LA ORDEN EUROPEA DE INVESTIGACIÓN
Montserrat de Hoyos Sancho

Capítulo XXXI

LAS DISTINTAS POSIBILIDADES DE ACTUACIÓN TRAS EL RECONOCIMIENTO DE UNA ORDEN EUROPEA DE INVESTIGACIÓN EN ESPAÑA

LIDIA DOMÍNGUEZ RUIZ

Capítulo XXXII

RECONOCIMIENTO Y EJECUCIÓN DE LA ORDEN EUROPEA DE INVESTIGACIÓN: ALTERNATIVAS AL RECONOCIMIENTO O LA EJECUCIÓN

Mª ISABEL ROMERO PRADAS

Capítulo XXXIII

**LOS MOTIVOS DE DENEGACIÓN DEL LA OEI A LA LUZ
DE LA LEGISLACIÓN ITALIANA DE TRASPOSICIÓN:
ENTRE EL RECONOCIMIENTO MUTUO Y LAS GARANTÍAS
DE LOS SUJETOS IMPLICADOS**

GIANLUCA BORGIA

Capítulo XXXIV

¿ES ACERTADO FUNDAR LA DENEGACIÓN DE LA EJECUCIÓN DE UNA OEI EN LA POTENCIAL VULNERACIÓN DE DERECHOS FUNDAMENTALES POR PARTE DEL ESTADO EMISOR?

Pilar Peiteado Mariscal

SÉPTIMA PARTE
LA PRUEBA TRANSFRONTERIZA Y SU INCORPORACIÓN AL PROCESO PENAL ESPAÑOL. REGLAS DE EXCLUSIÓN, ADMISIBILIDAD E IMPUGNACIÓN

Capítulo XXXV

LA PRUEBA TRANSFRONTERIZA Y SU INCORPORACIÓN AL PROCESO PENAL ESPAÑOL

Mar Jimeno Bulnes

Capítulo XXXVI

**ORDEN EUROPEA DE INVESTIGACIÓN Y EXCLUSIÓN
PROBATORIA. ADMISIBILIDAD, IMPUGNACIÓN Y DENEGACIÓN
EN EL ESTADO DE ENJUICIAMIENTO O EN EL DE EJECUCIÓN
CUANDO SE APRECIE VULNERACIÓN DE UN DERECHO
FUNDAMENTAL**
TERESA ARMENTA DEU

Capítulo XXXVII

**LA ORDEN EUROPEA DE INVESTIGACIÓN.
ESPECIAL CONSIDERACIÓN DE LOS PROBLEMAS
QUE PLANTEA EL DOBLE CONTROL
DE ADMISIBILIDAD EN LA OBTENCIÓN DE PRUEBA**

María Elena Laro González

Capítulo XXXVIII

**LA PRUEBA EN LA ORDEN EUROPEA DE INVESTIGACIÓN
Y SU REPERCUSIÓN EN EL PROCESO PENAL ESPAÑOL**

Roser Casanova Martí

PRESENTACIÓN

Mª Isabel González Cano
Catedrática de Derecho Procesal
Universidad de Sevilla

El estudio y análisis de un instrumento tan novedoso y trascendente como la Orden Europea de Investigación en materia penal, regulada en la Directiva 2014/41/CE del Parlamento Europeo y del Consejo, de 3 de abril de 2014, es necesario y oportuno una vez que, además, ha comenzado la andadura en la aplicación de la Ley española para su transposición.

Efectivamente, la norma que en nuestro país implementa la Directiva sobre la orden europea de investigación, la Ley 3/2018, de 11 de junio, por la que se modifica la Ley 23/2014, de 20 de noviembre, de reconocimiento mutuo de resoluciones penales en la Unión Europea, para regular la orden europea de Investigación, ha asumido, con mayor o menor fortuna, el reto de regular un funcionamiento eficaz de este instrumento de cooperación judicial penal en la Unión Europea, esencialmente en lo que hace a los aspectos más importantes de la obtención y utilización de la prueba penal transfronteriza en el espacio judicial europeo.

Este instrumento de la integración europea en materia de Justicia penal, es uno de los que se abordan en el Proyecto de Investigación I+D+I de Excelencia DER2015-63942P (Ministerio de Economía y Competitividad), sobre *Instrumentos para el reconocimiento mutuo y ejecución de resoluciones penales: incorporación al Derecho español de los avances en cooperación judicial en la Unión Europea,* y fue objeto de tratamiento monográfico en el *Congreso Internacional sobre la Orden europea de investigación y la prueba transfronteriza en la Unión Europea,* celebrado en la Facultad de Derecho de la Universidad de Sevilla, en noviembre de 2018.

La presente obra, con la que comienza su andadura la Colección de la Editorial Tirant lo Blanch *Derecho Procesal de la Unión Europea,* recoge los estudios derivados de las ponencias de dicho Congreso Internacional, y de las comunicaciones presentadas en el mismo. Sirvan estas líneas para agradecer a los autores y las autoras de esta obra, el análisis de los problemas y retos de la cooperación judicial internacional para la obtención y transmisión de prueba penal, en especial en el ámbito de la Unión Europea.

La publicación aborda así el ámbito y contenido de la orden europea de investigación, las autoridades competentes, con especial atención al destacado papel que asume el Ministerio Fiscal, la emisión y transmisión de la orden de investigación, su reconocimiento y ejecución, con particular consideración de las causas de denegación, así como los problemas que plantea la incorporación de la prueba obtenida en otro Estado al proceso penal español. Todo ello, a través de estudios detallados y pormenorizados, a los que acompañan reflexiones más breves y puntuales sobre algunos aspectos concretos.

Ciertamente, la Directiva de 2014 implicó un significativo avance respecto al escenario de la asistencia mutua en materia probatoria, probablemente confuso y compuesto por un gran número de normas aplicables. La necesidad de profundizar en el principio de reconocimiento mutuo entre los Estados miembros, en materia de obtención y transmisión de prueba penal, ha dado lugar a un verdadero cambio de paradigma, evolucionándose desde el sistema del exhorto europeo de obtención de prueba, basado en la transmisión de la prueba ya existente en el Estado requerido, a un sistema que permite que las autoridades de un Estado puedan pedir medidas de investigación a la autoridad competente de otro Estado, de tal manera y con las garantías que permitan que surtan efectos probatorios en el Estado de emisión.

El cambio cualitativo es fundamental, ya que la orden europea de investigación pretende protagonizar el paso de la asistencia judicial internacional, y de los clásicos instrumentos convencionales, así como de la práctica de las tradicionales comisiones rogatorias, a un sistema que basado en el principio de reconocimiento mutuo (salvo para Irlanda y Dinamarca, que no participan en este instrumento), aplicado a la práctica de la investigación y a la obtención lícita y eficaz de fuentes de prueba en otro Estado.

Pero este tránsito no está exento de dificultades, ya que la vigencia de diferentes sistemas penales, y de diferentes modelos de investigación en los Estados miembros, los distintos estándares de garantías existentes, aún tras la homogeneización de garantías procesales que la Unión Europea acometió a partir de 2010, así como los diferentes sistemas de exclusión probatoria y control de admisibilidad, no permiten hablar fácilmente de reconocimiento mutuo y confianza recíproca en estas materias.

De ahí que voces autorizadas se refieran al carácter mixto de este instrumento, que contiene exigencias y límites que le alejan de ser un verdadero instrumento de reconocimiento mutuo, salvo para un concreto número de diligencias de investigación que son de inexcusable ejecución, y por tanto responden a un reconocimiento mutuo pleno; mientras que para el resto de las diligencias, las posibilidades de denegación son tan amplias que no podría hablarse en puridad de reconocimiento mutuo.

Relacionado con lo anterior, aunque sin ánimo de tratar en estas líneas todas las cuestiones abordadas en la obra, sí que debemos hacer mención a las propuestas de nuevos Reglamentos sobre *E-Evidence*, que supondrán en su momento que concretas diligencias de investigación quedarán fuera de la regulación de la Directiva de 2014, para ser reguladas a través de las nuevas Órdenes de Preservación y de Producción de Prueba Electrónica. Estos nuevos instrumentos, significarán además un enorme impacto en la investigación y en la propia configuración de la cooperación judicial, ya que convertirán de forma generalizada a las empresas prestadoras de servicios de la comunicación, en obligados en la conservación y transmisión de la información, pero también en garantes de los datos personales y de los derechos de las personas investigadas, oponiéndose en algunos casos a las órdenes judiciales.

A esta situación se unen problemas como el representado por la solicitud de diligencias en procedimientos a cargo de autoridades administrativas, algo que conlleva desigualdad entre los Estados miembros que, como España, no tienen procedimientos administrativos con recursos ante Tribunales con competencia penal, y aquellos que si tienen esta regulación y que remiten habitualmente órdenes europeas de investigación por infracciones administrativas de escasa entidad.

Todos estos temas conducen a la reflexión sobre si, o bien nos limitamos a una asistencia judicial reforzada, o bien intentamos adaptar el funcionamiento de la orden europea de investigación a un proceso para la homogeneización de mínimos comunes en materia de práctica, exclusión y control de admisibilidad de la prueba penal, aspiración que desde luego no es sencilla de materializar ni de articular.

Por otra parte, y no menos importante, el sistema organizativo y competencial para la emisión y para el reconocimiento y ejecución de la orden europea de investigación, gira en torno al principio de especialización, y se centra en las atribuciones del Ministerio Fiscal. Ciertamente, el retraso en el desarrollo e implementación de la Directiva en el ordenamiento español no impidió la debida ejecución de órdenes de investigación remitidas a las autoridades españolas por las autoridades judiciales de los países europeos. Así, el Dictamen 1/2018 de la Fiscal de Sala de Cooperación Internacional, aportó orientaciones para esta aplicación anticipada.

No podemos obviar pues que el nuevo marco competencial, convierte al Ministerio Fiscal en la única autoridad receptora de las órdenes europeas de investigación, y la única autoridad competente para la ejecución de todas las órdenes europeas de investigación que no afectan a derechos fundamentales. Este cambio de paradigma necesita de un análisis riguroso, aunque partiendo de que puede favorecer no sólo una gestión más eficaz, sino también la necesaria unidad de criterios en la aplicación del instrumento.

Sirva esta obra pues, como un intento de reflexión científica sobre los retos a los que debemos enfrentarnos en la materia, y como un punto de partida para estudios posteriores.

Sevilla, abril de 2019

PRIMERA PARTE

LA COOPERACIÓN JUDICIAL INTERNACIONAL PARA LA OBTENCIÓN Y LA TRANSMISIÓN DE PRUEBA PENAL: CONVENIOS INTERNACIONALES. CONVENIOS E INSTRUMENTOS DEL CONSEJO DE EUROPA Y DE LA UNIÓN EUROPEA

Capítulo I

LA EFICACIA DE LAS PRUEBAS PENALES OBTENIDAS EN EL EXTRANJERO AL AMPARO DEL RÉGIMEN CONVENCIONAL: APOGEO Y DECLIVE DEL PRINCIPIO DE NO INDAGACIÓN

Fernando Gascón Inchausti
Catedrático de Derecho Procesal
Universidad Complutense de Madrid

SUMARIO: 1. INTRODUCCIÓN. 2. LA REGULACIÓN DE LA CUESTIÓN EN LOS CONVENIOS Y EN LA NORMATIVA INTERNA ANTERIOR A LA ENTRADA EN FUNCIONAMIENTO DE LA ORDEN EUROPEA DE INVESTIGACIÓN: UNA CUESTIÓN SILENCIADA, PERO DEDUCIBLE DE LA RELACIÓN ENTRE *LEX LOCI Y LEX FORI*. 3. LA PRAXIS JURISPRUDENCIAL ESPAÑOLA AL AMPARO DEL RÉGIMEN CONVENCIONAL: CONSAGRACIÓN DEL «PRINCIPIO DE NO INDAGACIÓN». 3.1. Una premisa aparentemente sensata. 3.2. La permisividad en la práctica del Tribunal Supremo con las pruebas procedentes del extranjero: la consagración en la práctica del «principio de no indagación». 3.3. Una crítica al argumentario del Tribunal Supremo en defensa del principio de no indagación. 3.4. Una paradoja adicional: la doctrina del Tribunal Constitucional sobre la entrega de personas condenadas en rebeldía. 4. EL INESPERADO DECLIVE DEL PRINCIPIO: EL TRIBUNAL SUPREMO HACE UN *OVERRULING* CON OCASIÓN DE LA *«LISTA FALCIANI»*. 5. REFLEXIONES FINALES.

RESUMEN: De forma tradicional, los tribunales penales españoles –y muy especialmente el Tribunal Supremo- han sido proclives a conceder plena eficacia a las pruebas penales obtenidas en el extranjero, sin efectuar un análisis riguroso acerca del modo en que dichas pruebas se hubieran obtenido –en ocasiones a resultas de comisiones rogatorias, en otros casos no-. Este criterio permisivo, elaborado durante la vigencia del Convenio Europeo de Asistencia Judicial en Materia Penal, se ha venido sosteniendo en el llamado "principio de no indagación", que combina en parte una confianza casi ciega en la actuación de las autoridades de persecución penal de otros países y asume, por otro, la falta de competencia de nuestros tribunales para enjuiciar o valorar con arreglo a nuestros cánones normativos la actuación de esas autoridades extranjeras. Esta forma de operar, muy criticable desde la perspectiva de la tutela de los derechos fundamentales, comienza a ser objeto de progresivo abandono, como se puso de manifiesto en la sentencia dictada por el Tribunal Supremo en el asunto de la llamada "Lista Falciani". Tal vez haya tenido algo que ver en ello la presión de la normativa europea y su constante preocupación por las garantías procesales de sospechosos y acusados.

ABSTRACT: Traditionally, the Spanish criminal courts - and especially the Supreme Court - have been prone to grant full effectiveness to criminal evidence obtained abroad, without making a rigorous analysis of the manner in which such evidence had been gathered - sometimes as a result of letters rogatory, in other cases not-. This permissive criterion, developed under the European Convention on Mutual Assistance in Criminal Matters, has been supported by the so-called "principle of non-inquiry", which partly combines an almost blind trust in foreign criminal prosecution authorities and which also assumes, on the other hand, the lack of competence of our courts to assess, according to our own standards, the activity of these foreign authorities. This way of operating, highly criticizable from the perspective of the protection of fundamental rights, begins to be the object of progressive abandonment, as was made clear in the judgment issued by the Supreme Court in the case of the so-called "Falciani List". Perhaps the pressure of European legislation and its constant concern for the procedural guarantees of suspects and accused persons have had something to do with it.

PALABRAS CLAVE: Prueba penal, prueba obtenida en el extranjero, principio de no indagación, investigación penal, confianza mutua, tutela de los derechos fundamentales, lex loci-lex fori

KEYWORDS: Criminal evidence, evidence obtained abroad, principle of non-inquiry, criminal investigation, mutual trust, protection of fundamental rights, lex loci-lex fori

1. INTRODUCCIÓN

Una investigación penal es transfronteriza cuando el proceso penal se está desarrollando en un Estado pero es precisa, para su avance, la realización de alguna diligencia de investigación en otro, pues es en él donde se encuentran los objetos o las personas sobre los que debe proyectarse la pesquisa. Para lograr ese objetivo es necesario acudir a la cooperación judicial internacional, pues las autoridades de persecución penal de un Estado carecen como regla de competencia para desarrollar labores de investigación penal en el territorio de otro. Si la diligencia de investigación practicada en otro país tiene resultado positivo, nos hallaremos ante una prueba obtenida en el extranjero, pero con vocación de desplegar su eficacia ante las autoridades de un Estado diverso al de su procedencia.

La praxis penal de nuestro país está abierta a la existencia de investigaciones transfronterizas de forma clara desde la década de los años 90 del siglo pasado, sobre todo en dos ámbitos concretos, la persecución del tráfico de drogas y la persecución del terrorismo.

Ha sido y sigue siendo, pues, frecuente que las autoridades de persecución penal españolas soliciten la cooperación de autoridades extranjeras a la hora de obtener pruebas. También lo es que las autoridades de persecución penal españolas reciban y cumplimenten comisiones rogatorias y, en consecuencia, desarrollen diligencias de investigación en apoyo de procesos penales en el extranjero; más aún, no es extraño que la cumplimentación de peticiones de cooperación judicial internacional procedentes del extranjero acabe determinando la apertura de procesos penales en nuestro país, ante el descubrimiento, con ocasión de su ejecución, de hechos punibles cometidos en nuestro territorio.

Cuando se solicita cooperación judicial internacional en materia penal en relación con una investigación[1], lo que se pretende es acceder a

---

[1]   En nuestro país, a título no exhaustivo, y desde un plano más bien general, cfr. AGUILERA MORALES, Marien, "El exhorto europeo de investigación: a la búsqueda de la eficacia y la protección de los derechos fundamentales en las investigaciones penales transfronterizas", *Boletín del Ministerio de Justicia*, N° 2145, 2012, pp. 1-27; ARANGÜENA FANEGO, Coral, "Orden europea de investigación: próxima implementación en España del nuevo instrumento de obtención de prueba penal transfronteriza", *Revista de Derecho Comunitario Europeo*, n° 58, 2017, pp. 905-939; BACHMAIER WINTER, Lorena, "El exhorto europeo de obtención de pruebas en el proceso penal. Estudio y perspectivas de la propuesta de Decisión Marco", en ARMENTA DEU, Teresa, GASCÓN INCHAUSTI, Fernando y CEDEÑO HERNÁN, Marina (coords.), *El Derecho Procesal Penal en la Unión Europea. Tendencias actuales y perspectivas de futuro*, Colex, Madrid, 2006, pp. 131-178; "Obtención de pruebas en Europa: la función del TEDH en la implantación del principio de reconocimiento mutuo en el proceso penal", *Revista de Derecho Procesal*, 2006, pp. 53-77; "La Orden Europea de Investigación: la propuesta de Directiva europea para la obtención de pruebas en el proceso penal", *Revista Española de Derecho Europeo*, núm. 37, enero-marzo 2011, pp. 71-93; "La orden europea de investigación y el principio de proporcionalidad", *Revista General de Derecho Europeo* 25 (2011); "Prueba transnacional penal en Europa: la Directiva 2014/41 relativa a la Orden Europea de Investigación", *Revista General de Derecho Europeo*, N°. 36, 2015; ESCRIBANO MORA, Ana, "El exhorto europeo de obtención de pruebas y la Orden Europea de Investigación", en GONZÁLEZ CANO, María Isabel (dir.), *Cooperación judicial penal en la Unión Europea: Reflexiones sobre algunos aspectos de la investigación y el enjuiciamiento en el espacio europeo de justicia penal*, Tirant lo Blanch, Valencia, 2015, pp. 499-522; GRANDE SEARA, Pablo, "Reconocimiento y ejecución en España de una Orden Europea de Investigación", en GONZÁLEZ CANO, María Isabel (dir.), *Integración europea y justicia penal*, Tirant lo Blanch, Valencia, pp. 436-482; GRANDE-MARLASKA GÓMEZ, Fernando y DEL POZO PÉREZ,

información y, sobre todo, a fuentes de prueba que se puedan utilizar en un eventual juicio penal. Por este motivo, es necesario tener claros los estándares de admisibilidad y de licitud que habrán de aplicarse a las pruebas penales obtenidas en el extranjero o a resultas de actos de cooperación judicial penal solicitados desde el extranjero. En concreto, se trata

---

Marta, "La obtención de fuentes de prueba en la Unión Europea y su validez en el proceso penal español", *Revista General de Derecho Europeo*, núm. 24, 2011, pp. 1-41; JIMÉNEZ-VILLAREJO FERNÁNDEZ, Francisco, "Orden europea de investigación: ¿adiós a las comisiones rogatorias?", en ARANGÜENA FANEGO, Coral, *Cooperación judicial civil y penal en el nuevo escenario de Lisboa*, Comares, Granada, 2011, pp. 175-204; JIMENO BULNES, Mar, "Orden europea de investigación en materia penal", en JIMENO BULNES, Mar, *Aproximación legislativa versus reconocimiento mutuo en el desarrollo del espacio judicial europeo: una perspectiva multidisciplinar*, J.M. Bosch, Barcelona, 2016, pp. 151-208; MARTÍN GARCÍA, Antonio Luis y BUJOSA VADELL, Lorenzo, *La obtención de prueba en materia penal en la Unión Europea*, Atelier, Barcelona, 2016; MARTÍNEZ GARCÍA, Elena, *La orden europea de investigación: actos de investigación, ilicitud de la prueba y cooperación judicial transfronteriza*, Tirant Lo Blanch, Valencia, 2016; "La orden europea de investigación", en GONZÁLEZ CANO, María Isabel (dir.), *Integración europea y justicia penal*, Tirant lo Blanch, Valencia, 2018, pp. 403-435; MORÁN MARTÍNEZ, Rosa Ana, "Obtención y utilización de la prueba transnacional", *Revista de Derecho Penal*, núm. 30, 2010; ORMAZABAL SÁNCHEZ, Guillermo, *Espacio penal europeo y mutuo reconocimiento (Perspectivas alemana y española)*, Ed. Marcial Pons, Madrid-Barcelona, 2006, pp. 45 y ss.; RODRÍGUEZ-MEDEL NIETO, Carmen, *Obtención y admisibilidad en España de la prueba penal transfronteriza. De las comisiones rogatorias a la orden europea de investigación*, Aranzadi, Cizur Menor, 2016; ROMERO PRADAS, María Isabel, "La prueba penal en Europa, una cuestión compleja: La orden europea de investigación como nuevo instrumento de obtención de pruebas en procesos penales transnacionales y su próxima incorporación al Derecho español", en GONZÁLEZ CANO, María Isabel (dir.), *Integración europea y justicia penal*, Tirant lo Blanch, Valencia, 2018, pp. 343-402; TINOCO PASTRANA, Ángel, "La transposición de la orden europea de investigación en materia penal en el ordenamiento español", *Freedom, Security & Justice: European Legal Studies*, N°. 3, 2018, pp. 116-145. En la doctrina extranjera, entre muchos otros, cfr. DE FROUVILLE, Olivier (dir.), *La preuve pénale. Internationalisation et nouvelles technologies*, La Documentation française, París, 2007; GLEB, Sabine *Beweisrechtsgrundsätze einer grenzüberschreitenden Strafverfolgung*, Nomos Verlag, Baden-Baden, 2006; "Free movement of evidence in Europe", en ARMENTA DEU, Teresa, GASCÓN INCHAUSTI, Fernando y CEDEÑO HERNÁN, Marina (coords.), *El Derecho Procesal Penal en la Unión Europea. Tendencias actuales y perspectivas de futuro*, Colex, Madrid, 2006, pp. 121-131; MANGARIACINA, Annalisa, "A new and controversial Scenario in Gathering of Evidence at the European Level: The Proposal for a Directive on the European Investigation Order", *Utrecht Law Review*, 10-1, 2014; MITSILEGAS, Valsamis, *EU Criminal Law after Lisbon. Rights, Trust and the Transformation of Justice in Europe*, OUP, 2016; RUGGERI, Stefano (ed.), *Transnational Inquiries and the Protection of Fundamental Rights in Criminal Proceedings*, Springer Verlag, Viena, 2011; VERVAELE, John (ed.), *European Evidence Warrant. Transnational Judicial Inquiries in the EU*, Intersentia, Amberes-Oxford, 2005.

de determinar hasta qué punto la obtención transfronteriza de la prueba o el origen transfronterizo de la investigación pueden, de algún modo, afectar a su eficacia ante nuestros tribunales. Y ello, a su vez, depende del peso que se dé a la *lex loci* y a la *lex fori*, así como de las facultades que se reconozcan al tribunal para analizar de manera autónoma la forma de obtención de la prueba o de la *notitia criminis* que provocó la incoación del proceso.

En efecto, debe tenerse en cuenta que, en ocasiones, la cooperación pedida y/o prestada comporta el desarrollo de actuaciones restrictivas de derechos fundamentales: es lo que ocurre, v.g., cuando se trata de practicar registros en domicilios o intervenciones de telecomunicaciones. Pero, en todo caso, aunque la cooperación resulte en apariencia más sencilla y no lesiva de derechos (v.g., cuando se trata de tomar declaración a un testigo), debe reconocerse que siempre está en juego el derecho fundamental a un proceso justo y con todas las garantías.

Por ello, lo relevante en este terreno no es sólo determinar de qué modo puede pedirse o prestarse cooperación para la realización de investigaciones transfronterizas (asistencia judicial internacional), sino también qué requisitos han de darse para que el resultado de esas investigaciones acabe teniendo eficacia probatoria, esto es, pueda utilizarse válidamente como prueba sobre la que fundar legítimamente una sentencia de condena penal.

El régimen jurídico de estas cuestiones se ha visto profundamente afectado por la normativa adoptada por la Unión Europea en desarrollo del principio del reconocimiento mutuo: en una primera versión, a través del exhorto europeo de obtención de pruebas; finalmente, a través de la orden europea de investigación y, de cara al futuro, mediante el peculiar régimen de obtención de pruebas en los procesos penales que recaigan en el ámbito de competencia de la Fiscalía Europea. Pero debe tenerse en cuenta que, hasta la entrada en funcionamiento del sistema singular de la orden europea de investigación, esta cooperación se ha instrumentado a través de la vía de las comisiones rogatorias establecidas en los convenios multilaterales y bilaterales que vinculan a nuestro país. De hecho, la vía convencional seguirá siendo de aplicación en todas las situaciones en que no resulte posible acudir a la orden europea de investigación. Resulta por ello relevante conocer cómo se aborda y se resuelve la cuestión de la eficacia de las investigaciones transfronterizas en este marco convencional, que constituye sin duda el *acquis*, el punto de partida desde el que sin duda tenderán a abordarlo nuestros tribunales en lo sucesivo.

2. LA REGULACIÓN DE LA CUESTIÓN EN LOS CONVENIOS Y EN LA NORMATIVA INTERNA ANTERIOR A LA ENTRADA EN FUNCIONAMIENTO DE LA ORDEN EUROPEA DE INVESTIGACIÓN: UNA CUESTIÓN SILENCIADA, PERO DEDUCIBLE DE LA RELACIÓN ENTRE *LEX LOCI* Y *LEX FORI*

Excluidas la Directiva sobre la OEI y su normativa de trasposición en la LRM, las normas de origen supranacional constituyen el núcleo básico en el que las autoridades españolas han encontrado apoyo para pedir o prestar asistencia en investigaciones penales transfronterizas –y seguirán hallándolo en aquellos ámbitos en que la utilización de la normativa europea no sea procedente–. Al margen de los textos aprobados en el seno de las Naciones Unidas[2], de aplicación muy limitada en la práctica[3], son tres los textos convencionales básicos:

–　En primer lugar, y en el contexto del Consejo de Europa, resulta básico el Convenio de Europeo de asistencia judicial en materia penal de 1959 (CCE/1959, en vigor para España desde el 16 de noviembre de 1982): este texto ha sido –y sigue siéndolo todavía en muy gran medida– la pieza clave sobre la que se han construido la praxis y la doctrina jurisprudencial españolas en esta materia.

　　Además, y siempre en el ámbito del Consejo de Europa, nuestro país también es parte en el Convenio Europeo sobre transmisión de procedimientos en materia penal de 1972 (CCE/1972, en vigor para España desde el 12 de noviembre de 1988): esta norma resulta de gran interés, pues regula en su artículo 26 la eficacia de las actuaciones de investigación penal llevadas a cabo en el extranjero; sin embargo, su aplicación práctica –al menos en nuestro país– parece haber sido muy limitada, cuando no nula.

---

[2]　La Convención de 1988 contra el tráfico ilícito de estupefacientes y sustancias psicotrópicas (en vigor para España desde el 11 de noviembre de 1990); el Convenio de 2000 contra la delincuencia organizada transnacional (en vigor para España desde el 29 de septiembre de 2003); el Convenio de 1999 para la represión de la financiación del terrorismo (en vigor para España desde el 9 de mayo de 2002); y la Convención de 2003 contra la corrupción (en vigor para España desde el 19 de julio de 2006).

[3]　En la práctica, la Convención de 1988 contra el tráfico de estupefacientes es la más frecuentemente invocada por los tribunales, aunque debe reconocerse que no recibe una aplicación directa: la asistencia judicial se suele prestar al amparo de textos normativos más concretos y las alusiones a los textos de Naciones Unidas suelen ser parte de *obiter dicta*, utilizados para enfatizar los argumentos extraídos de otras normas.

- En segundo término, y ya en el ámbito de la Unión Europea, debe tenerse en cuenta el Convenio de Aplicación del Acuerdo de Schengen de 19 de junio de 1990 (CAAS, en vigor para España desde el 1 de marzo de 1994), frecuentemente invocado por los tribunales españoles por su carácter complementario del Convenio de 1959, sobre todo en materia de entregas vigiladas de drogas.

- Por último, se halla el Convenio Europeo relativo a la asistencia judicial en materia penal entre los Estados miembros de la Unión, hecho en Bruselas el 29 de mayo de 2000 (CUE/2000), cuya utilización práctica –como era de esperar– se ha convertido en algo cada vez más cotidiano, pues el ámbito europeo es aquél en que más frecuentemente se desenvuelven las actuaciones de cooperación penal internacional de las autoridades españolas.

Estas tres normas –CCE/1959, CAAS y CUE/2000– han constituido los pilares normativos sobre los que se ha desarrollado la cooperación judicial internacional penal en nuestro país en las últimas décadas. Aunque en gran medida están llamadas a verse desplazadas por la OEI, la praxis desarrollada bajo su vigencia forma, sin duda, el punto de partida sobre el que habrán de asentarse los desarrollos futuros. Ninguna de ellas contiene una regulación específica en relación con la eficacia de las investigaciones transfronterizas. Ahora bien, de forma indirecta, sí que contienen las bases del sistema, a través de la combinación entre *lex loci* y *lex fori*: la cooperación se desarrollará por defecto conforme a la legislación nacional del Estado requerido (esto es, la *lex loci*), aunque la autoridad requirente podrá solicitar que se respeten ciertas previsiones o especialidades de su legislación interna (*lex fori*), a lo que habrá de acceder la autoridad requerida salvo que las considere incompatibles con su propio ordenamiento. Esta regla la formula en positivo el artículo 3 CCE/1959 y la actualiza el artículo 4.1 CCU/2000, que parte como premisa implícita de la aplicación de la *lex loci* y se ocupa de establecer la obligación del Estado requerido de adaptarse a las peticiones formuladas por la autoridad requirente al amparo de la *lex fori* siempre que no sean contrarias a los principios fundamentales del ordenamiento del Estado requerido.

Se sientan con ello las bases de un sistema de confianza recíproca, en virtud del cual los Estados contratantes asumen que las legislaciones procesales nacionales, a pesar de sus diferencias, a estos efectos se han de ver por defecto como equivalentes a las propias, lo que a su vez permite construir una suerte de presunción de validez y eficacia, que ha servido de fundamento para la consolidación en nuestra jurisprudencia del llamado «principio de no indagación».

Estos esquemas, de hecho, son también una constante en la mayoría de los tratados bilaterales que se ocupan de regular la asistencia judicial en asuntos penales y que abordan la cooperación para la obtención de pruebas y el desarrollo de actos de investigación transfronterizos.

En el ámbito interno, debe partirse de que la LECrim no contiene ninguna regulación de las investigaciones transfronterizas ni de la posibilidad de obtención de pruebas en el extranjero. La LOPJ contiene en sus arts. 276 a 278, reformados en 2015, una regulación muy genérica de la cooperación judicial internacional en todos los ámbitos (no sólo el penal), que se remite de forma genérica a la normativa supranacional, al Derecho de la Unión Europea y a la legislación interna que resulte de aplicación. En cualquier caso, se establece que la cooperación podrá ser denegada «cuando el objeto o finalidad de la cooperación solicitada sea manifiestamente contrario al orden público» (art. 278.1.4º LOPJ): dentro de esa noción tan amplia podría, en su caso, encajar la infracción o la restricción ilegítima de derechos fundamentales con ocasión de la investigación o la obtención transfronteriza de pruebas.

En términos más concretos debe destacarse la Ley 16/2015, de 7 de julio, por la que se regula el estatuto del miembro nacional de España en Eurojust, los conflictos de jurisdicción, las redes judiciales de cooperación internacional y el personal dependiente del Ministerio de Justicia en el Exterior (que sustituye a la Ley 16/2006, de 26 de mayo, por la que se regula el Estatuto del Miembro Nacional de Eurojust y las relaciones con este órgano de la Unión Europea). Su artículo 27 se ocupa de la remisión a España de las actuaciones penales iniciadas en otro Estado miembro de la Unión Europea, cuando se solicita la iniciación de un proceso penal o la ampliación a otros hechos de un proceso ya abierto en España; en estos casos, si se acepta la iniciación o la ampliación del proceso, el apartado 4 establece que «se considerarán válidos en España los actos de instrucción realizados por el Estado que remite el procedimiento, *siempre que no contradigan los principios fundamentales del ordenamiento jurídico español*. En caso de delito que no fuese perseguible en España sino a instancia de parte, se considerará válida la instrucción comenzada en el Estado de remisión sin este requisito si la persona que tiene derecho a formular la acción penal expresamente acepta la investigación realizada, al tiempo que interpone la correspondiente querella.»

De forma bastante más secundaria, también guarda relación con esta materia la Ley 31/2010, de 27 de julio, sobre simplificación del intercambio de información e inteligencia entre los servicios de seguridad de los Estados miembros de la Unión Europea, que incorpora al ordenamiento español la Decisión Marco 2006/960/JAI, de 18 de diciembre. El artículo 7.4 de la ley desarrolla el artículo 1.4 de la DM en relación con la posibilidad de utilizar como prueba la información o la inteligencia obtenida de los servicios de seguridad de otro Estado miembro: será preciso obtener el consentimiento del Estado miembro que haya facilitado la información o inteligencia, a no ser que dicho consentimiento ya se hubiera prestado en el momento de transmisión de la inteligencia o información.

Podemos decir, en definitiva, que la normativa aplicable, tanto la interna como la convencional, parte de una suerte de premisa general consistente en la validez de las pruebas obtenidas en el extranjero o, si se quiere ser más preciso, en la prohibición de cuestionar su validez por el mero hecho de haberse obtenido en el extranjero con arreglo a una regulación diversa a la interna.

Debe reconocerse, no obstante, que no estamos ante un problema de mera «legalidad ordinaria», sino que tiene en todo caso repercusiones constitucionales. Las tiene, desde luego, cuando las medidas de investigación practicadas en el extranjero que han permitido la obtención de la prueba que pretende utilizarse ahora ante nuestros tribunales han restringido derechos fundamentales. Pero la relevancia constitucional no se limita a estos casos, pues el modo en que se han obtenido las pruebas sobre las que fundar la acusación forma parte de las garantías esenciales del proceso (art. 6 CEDH, arts. 47 y 48 CDFUE, art. 24 CE, art. 11.1 LOPJ).

Y, aunque la normativa convencional e interna previa a la orden europea de investigación permita sostener una premisa general –y, no lo dudemos, deseable y positiva– de confianza, lo cierto es que también le subyace la preocupación de que la cooperación judicial internacional conduzca a resultados ineficaces.

De un lado, como se ha apuntado antes, están los textos normativos que se ocupan de la asistencia judicial para la obtención de pruebas: en ellos esta materia se aborda cuando se define el rol que han de desempeñar la *lex loci* y la *lex fori* a la hora de proceder al cumplimiento de la medida de investigación solicitada: el artículo 3 CCE/1959 y el artículo 4.1 CUE/2000 permiten a la autoridad requirente solicitar que, en el desarrollo de la comisión rogatoria, se observen ciertos trámites o procedimientos especiales (propios de la *lex fori*), aunque no esté prevista su observancia por la *lex loci*. Cabe entender que si el Estado requirente solicita que se observen trámites o procedimientos concretos (v.g., que los testigos o peritos declaren bajo juramento: art. 3.2 CCE/1959) es porque esos trámites o procedimientos son necesarios para que se respeten garantías exigidas por la *lex fori* que, a su vez, resultan necesarias para la validez de las pruebas obtenidas en el extranjero.[4] Del mismo modo, cuando se da cabida a la aplicación de la *lex fori* para ejecutar el acto de investigación en el Estado de cumplimiento, los textos más avanzados incluyen siempre como condición que las especialidades solicitadas no sean contrarias a «los principios fundamentales» del Derecho del Estado en el que deba desarrollarse la actuación, pues también importa el respeto a las garantías esenciales en el territorio del Estado de ejecución de la medida de investigación, aunque no sean sus tribunales quienes vayan a utilizar las pruebas que se obtengan.[5]

En cuanto a los textos que regulan la incorporación a un proceso penal de actuaciones, pruebas y materiales obtenidos en el extranjero, el artículo 26.1 CCE/1972 es bastante permisivo cuando señala que «Todo acto que tenga por objeto la instrucción de procedimiento, efectuado en el Estado requirente, de conformidad con las leyes y reglamentos vigentes en dicho Estado, tendrá en el Estado requerido la misma validez que hubiera tenido ese acto efectuado por las autoridades de este Estado, sin que esa asimilación pueda tener como efecto conferir a dicho acto una fuerza probatoria superior a la que tiene en el Estado requirente». Según esto, la observancia de la *lex loci* parece comportar la presunción *iuris et de iure* de que se han salvaguardado todas las exigencias y garantías establecidas por la *lex fori*. De forma diversa, la exigencia de respeto a los «principios fundamentales» sí que aparece en el artículo 27 de la Ley 16/2015, cuando considera válidos en España «los actos de instrucción realizados por el Estado que remite el procedimiento, *siempre que no contradigan los principios fundamentales del ordenamiento jurídico español*».

---

[4]　Como ha señalado ROMERO PRADAS, «esta cierta asunción del principio *forum regit actum*, aunque condicionado a los principios fundamentales del Derecho del Estado miembro requerido, facilita que las medidas ejecutadas en el Estado requerido sean admisibles en el Estado solicitante» (ROMERO PRADAS, María Isabel, "La prueba penal en Europa, una cuestión compleja: La orden europea de investigación como nuevo instrumento de obtención de pruebas en procesos penales transnacionales y su próxima incorporación al Derecho español", en GONZÁLEZ CANO, María Isabel (dir.), *Integración europea y justicia penal*, Tirant lo Blanch, Valencia, 2018, pp. 343-402, p. 350).

[5]　En relación con estas cuestiones, aunque ya respecto del régimen de la orden europea de investigación, cfr. KOSTORIS, Roberto, "Orden europea de investigación y derechos fundamentales", en ARANGÜENA FANEGO, Coral y DE HOYOS SANCHO, Montserrat (dirs.), *Garantías Procesales de Investigados y Acusados: Situación Actual en el Ámbito de la Unión Europea*, Tirant lo Blanch, Valencia, 2018, pp. 321-336, esp. pp. 325-328.

Estas referencias que las normas supranacionales e internas sobre asistencia judicial internacional y sobre incorporación de pruebas extranjeras efectúan a los «principios fundamentales del ordenamiento» son, en realidad, una forma de aludir a la necesidad de que las actuaciones se desarrollen respetando las garantías esenciales del proceso penal y, en concreto, aquéllas que se refieren a la adquisición de las fuentes de prueba a través de los correspondientes actos de investigación.

3. LA PRAXIS JURISPRUDENCIAL ESPAÑOLA AL AMPARO DEL RÉGIMEN CONVENCIONAL: CONSAGRACIÓN DEL «PRINCIPIO DE NO INDAGACIÓN»

3.1. *Una premisa aparentemente sensata*

De todo cuanto se ha señalado hasta ahora puede deducirse que la normativa convencional –y también la interna– previa a la orden europea de investigación permite a los tribunales del Estado requirente juzgar las pruebas «llegadas del extranjero» a través de alguna de las herramientas de cooperación judicial internacional desde el prisma del respeto a las garantías procesales fundamentales

Dando por supuesto que se ha respetado lo establecido en la norma que regule en cada caso concreto la prestación de la asistencia penal internacional, ese análisis o control habría de centrarse en el modo en que se ha desarrollado la actividad en el Estado requerido dirigida a obtener la prueba[6]: *v.g.*, cómo se ha practicado la declaración de un testigo, el registro en un lugar cerrado, la intervención de una comunicación telefónica o la infiltración de un agente encubierto. Cada legislación nacional puede contemplar formas diversas de llevar a cabo un acto concreto de investigación, maneras que pueden resultar irrelevantes o que, por el contrario, pueden tener incidencia sobre los principios fundamentales de nuestro ordenamiento.

Precisamente para evitar que las divergencias entre ordenamientos provoquen la inutilizabilidad de las pruebas, los textos convencionales, como

---

[6]   En este sentido, apuntan MARTÍN GARCÍA y BUJOSA VADELL que puede excluirse la valoración de aquellas pruebas en cuya obtención se haya contravenido la legalidad del ordenamiento en que se desarrollaron las correspondientes diligencias de investigación (MARTÍN GARCÍA, Antonio Luis y BUJOSA VADELL, Lorenzo, *La obtención de prueba en materia penal en la Unión Europea*, cit., p. 29).

se ha señalado ya, abren la puerta a la aplicación de la *lex fori*, frente a la *lex loci* o junto a ella: el juez español no sólo solicita la práctica de una actuación concreta, sino también que durante el desarrollo de esa actuación se cumplan ciertas exigencias, tal vez ajenas a la ley o a la praxis del lugar, pero imprescindibles para garantizar la eficacia probatoria del resultado en España.

De hecho, conocer de antemano las divergencias existentes entre los sistemas de investigación penal vigentes en los Estados implicados por la cooperación debería ser de gran utilidad, pues simplificaría la identificación de las especialidades de la *lex fori* (la española, en lo que ahora importa) que son esenciales para la validez de las pruebas y que no se cumplirían aplicando sin más la *lex loci*. Ahora bien, el juez español que dirige una comisión rogatoria a otro país para que allí se desarrolle un registro domiciliario no tiene por qué conocer de antemano el modo en que se practican los registros en dicho país para, en vista del resultado, definir en su comisión rogatoria los trámites y procedimientos especiales que deban observarse. De forma diversa, lo relevante es que el juez español tenga claro, respecto de la actuación que solicita, cuáles son los principios fundamentales de su sistema y que, en consecuencia, solicite que se cumplan los trámites y procedimientos oportunos…, que pueden coincidir con los que como regla se aplicarían también en el Estado requerido: y es que *lex fori* y *lex loci* no tienen por qué ser realmente diferentes.

En definitiva, cuando un juez español solicita la asistencia de las autoridades de otro Estado en la investigación necesaria para la obtención de pruebas penales, lo que de verdad importa es que tenga claras cuáles son las garantías realmente esenciales según el sistema español, que condicionan la eficacia posterior de las pruebas, pero sin exageraciones ni hiperformalismos: en otros términos, qué mínimos han de haberse respetado en el extranjero para que el resultado de la investigación valga después como prueba en España.

3.2. La permisividad en la práctica del Tribunal Supremo con las pruebas procedentes del extranjero: la consagración en la práctica del «principio de no indagación»

Ocurre, sin embargo, que la premisa anterior, por muy razonable que parezca, se ha revelado incorrecta en la práctica, al menos hasta fechas muy recientes. En efecto, de forma muy sintética podría decirse que para el Tribunal Supremo «todo vale» si se respeta la *lex loci*: las pruebas obtenidas en otros países europeos[7] y las pruebas que han sido el resultado de investigaciones transfronterizas serán válidas y eficaces en los procesos penales españoles si las actuaciones que se hayan desarrollado en el extranjero se han efectuado de conformidad con la legislación vigente en su lugar de práctica. Debe advertirse que esta doctrina de la Sala Segunda del Tribunal Supremo se ha fraguado siempre en relación con diligencias de investigación que se han desarrollado en otros países europeos; y ésta es tal vez la razón de su enorme permisividad.[8]

A este enfoque de la cuestión de la admisibilidad de la prueba transfronteriza se lo ha denominado «principio de no indagación», en referencia al rechazo manifiesto a analizar el contenido de la actividad procesal desarrollada en el extranjero. De hecho, este «principio» presenta una doble vertiente:

a) De un lado, la negativa –que acabo de mencionar– a examinar las actuaciones desarrolladas en el extranjero bajo el prisma de la *lex loci*: en otros términos, se da por supuesto el respeto a la *lex loci*, se rechaza cualquier posible alegación de infracción legal con potencial repercusión sobre los derechos fundamentales y garantías procesales y se niega que la autoridad judicial española requirente esté facultada para valorar si, conforme a la legislación de la autoridad requerida, las actuaciones se desarrollaron adecuadamente. En términos que la jurisprudencia del Tribunal Supremo ha reiterado constantemente, «no cabe convertir a los Tribunales españoles en custodios de la legalidad de las actuaciones efectuadas en otro país de la Unión Europea», de modo que «no procede tal facultad de "supervisión"». Se pone coto con ello a cualquier eventual pretensión defensiva de cuestionar la legalidad de las actuaciones desarrolladas en ejecución de la comisión rogatoria –sin asegurarse, eso sí, de que en el Estado requerido pudieran de algún modo impugnarse y que un eventual resultado positivo de esa impugnación tuviera repercusiones en el Estado requirente–.

b) De otro lado, la negativa a someter las actuaciones realizadas en el extranjero al filtro de las garantías procesales nacionales: el principio de no indagación, según el Tribunal Supremo, impide «some-

---

[7] Se trata, como regla, de países de la Unión Europea, aunque en una ocasión las mismas consideraciones se hicieron respecto de Suiza (STS de 21 de diciembre de 1999, ROJ 8670/1999).

[8] Cfr. RODRÍGUEZ-MEDEL NIETO, Carmen, *Obtención y admisibilidad en España de la prueba transfronteriza*, cit., pp. 462-464.

ter dichas pruebas [en referencia a las obtenidas en el extranjero] al contraste con la legislación española», de suerte que «[N]o es exigible a los funcionarios de otros países que apliquen la legislación española cuando actúan en el suyo y mucho menos que deban someterse a la interpretación que haya hecho esta Sala en puntos concretos no exigidos expresamente por los acuerdos y tratados internacionales».

Resulta especialmente significativa en este punto la STS de 9 de junio de 2013[9]: «Es evidente que el ordenamiento jurídico interno de cada país ahonda sus raíces en sus propias tradiciones jurídicas y que pueden coexistir diferencias notables entre las diversas regulaciones nacionales respecto de las materias o procedimientos de obtención de pruebas. Incluso determinadas diligencias injerentes en un país se reservan a la propia autorización judicial (por ejemplo secreto comunicaciones, inviolabilidad domicilio, etc.), otros países pueden llevarlas a cabo el Fiscal, Ministerio del Interior, o incluso la policía. Estas simples diferencias no suponen óbice para que se les reconozca el mismo valor que tendrían en la propia normativa nacional del Estado requerido y tampoco pueden establecerse diferencias en relación con la autoridad que decrete la medida injerentes, pues el art. 24 del Convenio Europeo de Asistencia Judicial en materia penal, hecho en Estrasburgo el 20.4.59, permite que toda parte contratante pueda aclarar, conforme a su ordenamiento jurídico interno, qué autoridades nacionales deberán ser consideradas como autoridades judiciales a los efectos del Convenio.»

Esta segunda vertiente del principio de no indagación supone un reconocimiento del valor primordial de la *lex loci*, con el que el Tribunal Supremo renuncia a exigir que en la práctica de una medida de investigación en el extranjero se cumplan formalidades o garantías que, en cambio, sí que exigiría si la medida se hubiera practicado en nuestro territorio y que el juez requirente español podría haber solicitado al juez requerido. Se priva con ello de relevancia a la falta de empleo por parte del juez requirente español de las facultades de solicitar la aplicación de la *lex fori*, a pesar de que podría –*rectius*, debería– ser un factor importante a la hora de valorar la eficacia de la actividad procesal desarrollada en el Estado requerido, cuando fuera cuestionada por la defensa.

Veamos con algo más de detalle las principales manifestaciones prácticas de la vigencia de este principio de no indagación.

---

[9]   STS 456/2013, ROJ 2930/2013.

El ejemplo más claro y frecuente lo ofrecen las operaciones de entrega vigilada de drogas[10]: según nuestra legislación y nuestra jurisprudencia, la apertura de un paquete postal para comprobar si contiene droga y, en su caso, poner en marcha una operación de entrega vigilada ha de ser autorizada por un juez (art. 263 bis 4 LECrim). En otros países, sin embargo, no es así y son en ocasiones los funcionarios policiales o de aduanas quienes pueden proceder *motu proprio* a esa apertura, o basta con la autorización de un fiscal. El Tribunal Supremo se ha enfrentado en decenas de ocasiones con la misma cuestión: en un aeropuerto extranjero (alemán, italiano, holandés, inglés, francés) se detecta un paquete postal sospechoso con destino a España y que es abierto sin autorización judicial; tras comprobar que el paquete contiene drogas, se organiza una entrega vigilada que culmina en España con la detención de las personas que reciben el paquete postal y su posterior condena. Los sujetos condenados por tráfico de drogas recurren en casación ante el Tribunal Supremo afirmando que la prueba se ha obtenido ilícitamente, pues el paquete postal se abrió en el extranjero sin autorización judicial: de haber sucedido toda la operación en España, habría que contar con una anulación de la condena por nulidad de las pruebas, pero, en cambio, al tratarse de un supuesto transfronterizo, la vigencia de la *lex loci* legitima la actuación de las autoridades extranjeras, razón por la cual el Tribunal Supremo, sistemáticamente, confirma en estos casos las condenas[11].

---

[10]   Cfr., por todos, MONTERO AROCA, Juan, *Detención y apertura de la correspondencia y de los paquetes postales en el proceso penal*, Tirant lo Blanch, Valencia, 2000; VEGAS TORRES, Jaime, "Detención y apertura de paquetes postales: especial consideración de la apertura de paquetes en el marco de las entregas vigiladas", *Tribunales de Justicia*, n° 8-9, 1997, págs. 849-864; GÓMEZ DE LIAÑO FONSECA-HERRERA, Marta, *Criminalidad organizada y medios extraordinarios de investigación*, Colex, Madrid, 2004, pp. 275 y ss.

[11]   En relación con las operaciones transfronterizas de entrega vigilada, pueden verse las siguientes resoluciones del Tribunal Supremo: STS de 16 de junio de 1997 (ROJ 4234/1997); STS de 14 de febrero de 2000 (ROJ 1064/2000); STS de 8 de marzo de 2000 (ROJ 1841/2000); STS de 19 de enero de 2001 (ROJ 3586/2001); STS de 27 de febrero de 2001 (ROJ 1459/2001); STS de 3 de mayo de 2001 (ROJ 3586/2001); STS de 18 de mayo de 2001 (4082/2001); STS de 21 de mayo de 2001 (Roj: STS 4136/2001); STS de 14 de septiembre de 2001 (ROJ STS 6785/2001); STS de 21 de diciembre de 2001 (ROJ 10246/2001); STS de 1 de octubre de 2002 (ROJ 6360/2002); STS de 18 de noviembre de 2002 (ROJ 7646/2002); STS de 10 de enero de 2003 (ROJ 39/2003); STS de 17 de febrero de 2003 (ROJ 1001/2003); STS de 5 de mayo de 2003 (ROJ 3023/2003); STS de 24 de mayo de 2004 (ROJ 3530/2004); STS de 3 de noviembre de 2010 (ROJ 6214/2010); STS de 8 de abril de 2011 (ROJ 2624/2011); STS de 22 de junio de 2011 (ROJ 4791/2011); ATS de 16 de mayo de 2013 (JUR\2013\213878, ROJ: ATS 5863/2013); STS de 7 de julio de 2017 (RJ\2017\3601, ROJ 2763/2017).

Es cierto que los supuestos de entrega vigilada son singulares, en la medida en que en ellos la actuación de las autoridades extranjeras no es la respuesta a una previa petición de las autoridades españolas, con lo que no hay margen para que en dicha petición, al amparo de la *lex fori*, se solicitara la intervención de un juez como trámite o procedimiento especial. Ahora bien, el criterio del Tribunal Supremo es el mismo también respecto de otras medidas de investigación, en las que la actuación de las autoridades extranjeras obedece a la solicitud formulada por una autoridad española y en relación con las cuales el valor de la *lex loci* sigue siendo el criterio determinante.

Un supuesto bastante habitual, en este sentido, es el de los registros domiciliarios practicados en el extranjero, habitualmente en Francia en el contexto de investigaciones por terrorismo de ETA: es opinión reiterada del Tribunal Supremo que lo relevante para la validez como pruebas de los documentos y objetos hallados en éste es que el registro se haya practicado en Francia con arreglo a la legislación francesa[12], sin verificar si ésta respeta las garantías esenciales que la legislación española establece para la validez de los registros.

El mismo criterio se ha aplicado para dar eficacia probatoria al registro efectuado en un barco y en un hotel por la autoridad policial portuguesa y ordenado por la Fiscalía en cumplimiento de una comisión rogatoria expedida por un juez español.[13]

El principio de no indagación ha sido también la base para no formular objeciones a la eficacia probatoria en un elenco heterogéneo de situaciones:

– Declaración como testigo de la víctima de una violación, prestada ante la Policía alemana, sin presencia de un juez[14].

– Adveración de documentos mercantiles y declaraciones de testigos en Suecia sin la intervención del abogado del acusado, en relación con un delito de malversación de caudales públicos cometido por un funcionario español de la Oficina de Turismo de España en Estocolmo[15].

---

[12] En este sentido, STS de 18 de noviembre de 1999 (ROJ 7315/1999); STS de 3 de marzo de 2000 (ROJ 1701/2000); STS de 9 de mayo de 2003 (ROJ 3146/2003); STS de 1 de octubre de 2007 (ROJ 7635/2007); y STS de 13 de octubre de 2010 (ROJ 6139/2009).

[13] STS de 8 de octubre de 2013 (RJ\2013\6912, ROJ 4777/2013).

[14] STS de 19 de enero de 1995 (140/1995).

[15] STS de 9 de diciembre de 1996 (ROJ 7041/1996).

- Obtención de documentos en Suiza[16].

- Intervención de las comunicaciones telefónicas realizada en Francia[17].

- Obtención de documentos en poder de una persona detenida en Francia por colaboración con ETA[18].

- Análisis de drogas realizados en Alemania en el marco de una entrega vigilada, sin especificar los métodos y protocolos seguidos, pero al que se aplica nuestra jurisprudencia interna sobre pruebas periciales realizadas por laboratorios oficiales[19]; en términos similares, análisis de drogas intervenidas en Inglaterra al acusado, sin que el informe fuera después ratificado en el juicio oral.[20]

- Interrogatorio policial en Suiza sin contar con asistencia letrada (por renuncia de los sospechosos).[21]

Un tratamiento especial merecen los casos en que ha sido la ejecución por autoridades españolas de comisiones rogatorias la que ha conducido a la apertura de procesos penales en España: las escuchas telefónicas o los registros solicitados desde el extranjero ponen de manifiesto la comisión de delitos en territorio español, lo que motiva la incoación de un proceso penal en el que, entre otros elementos, se utilizan los resultados de dichas escuchas o registros. En estos casos, las defensas de los acusados aducen la infracción de los derechos fundamentales en las actuaciones desarrolladas por el órgano competente con carácter previo o con ocasión de la formulación de la comisión rogatoria a las autoridades españolas, que «contaminarían» la actuación de estas e invalidarían la prueba. No puede decirse que exista prueba transfronteriza en sentido estricto, porque la diligencia de investigación la han ejecutado nuestras autoridades de persecución penal; ahora bien, no la han ejecutado en el marco de un proceso penal abierto, sino en el de un expediente de cooperación judicial internacional, en el que no se controla el fundamento o legitimidad de la decisión de la autoridad extranjera requirente, singularmente cuando se trata de una medida restrictiva de derechos fundamentales. Por eso mismo, lo que sí puede cuestionarse es la base sobre la que se asienta la

---

[16] STS de 21 de diciembre de 1999 (ROJ 8670/1999).
[17] STS de 25 de septiembre de 2002 (ROJ 6159/2002).
[18] STS de 2 de noviembre de 2004 (ROJ 7024/2004).
[19] STS de 7 de julio de 2017 (RJ\2017\3601; ROJ 2763/2017).
[20] STS de 9 de junio de 2013 (RJ\2013\7644, ROJ 2930/2013).
[21] SAP Barcelona (Sección 9ª) de 6 de abril de 2017 (JUR\2017\158910; ROJ: SAP B 3514/2017).

resolución que ordena la adopción de la medida, de la que puede depender a la postre la eficacia de su resultado. El Tribunal Supremo, no obstante, se sirve del principio de no indagación para ofrecer la misma respuesta que en los supuestos ordinarios: no resulta posible enjuiciar la actuación de las autoridades de origen, ni menos con arreglo a nuestros propios parámetros.[22]

Similares a estos son los casos en que son informaciones suministradas por autoridades de persecución penal extranjeras las que transmiten la *notitia criminis* que determina la incoación de una causa penal en España. Tampoco aquí nos hallamos ante prueba transfronteriza, pero debería resultar posible cuestionar el modo en que las autoridades extranjeras tomaron conocimiento de la información que después suministran a las autoridades españolas. En concreto, una eventual obtención de esa información con vulneración de derechos fundamentales podría determinar la contaminación de la investigación posterior en su conjunto. El Tribunal Supremo, también aquí, se sirve del principio de no indagación para dar respuesta a las alegaciones de la defensa y sienta, entre otros, los siguientes postulados:

- No supone ninguna anomalía o extravagancia que la utilización de un mecanismo jurídico de cooperación policial sea el presupuesto de incoación de un proceso penal por órganos españoles.[23]

- La procedencia de la *notitia criminis* de una autoridad policial extranjera no precisa la inclusión de las fuentes de conocimiento de la misma, de modo que la exigencia de que la fuente de conocimiento precise también sus propias fuentes de conocimiento no se integra en el contenido del derecho a un proceso con todas las garantías.[24] No vulnera, pues, el derecho a la prueba ni ningún otro de los derechos que definen el proceso justo la falta de constancia

---

[22]   STS de 29 de octubre de 2015 (RJ\2015\4799; ROJ: STS 4459/2015), en relación con unas escuchas telefónicas solicitadas por la Fiscalía de Bolonia; SAP Barcelona (Sección 9ª) de 14 de marzo de 2014 (100/2014; JUR\2014\234376), en relación con unas escuchas telefónicas solicitadas por la Fiscalía de Ginebra sobre la base de las declaraciones vertidas ante la policía suiza por dos personas detenidas, que fueron interrogadas en ausencia de letrado (por renuncia expresa) y sin que una de ellas fuera advertida de su derecho a no declarar contra su pareja.

[23]   STS de 30 de septiembre de 2014 (RJ\2014\4707; ROJ: STS 3808/2014).

[24]   STS de 20 de noviembre de 2014 (RJ\2014\6198; ROJ: STS 4961/2014); STS de 8 de noviembre de 2012 (RJ\2012\11360; ROJ: STS 8293/2012); STS de 24 de junio de 2015 (RJ\2015\3432; ROJ: STS 3230/2015).

de la información de un órgano extranjero que pudiera estar en los antecedentes de la causa penal iniciada en nuestro territorio[25].

– Cuando las intervenciones telefónicas acordadas en España se han basado en datos procedentes de investigaciones policiales o judiciales extranjeras, no corresponde a los órganos jurisdiccionales de nuestro país comprobar el ajuste de aquellas al ordenamiento jurídico español ni al vigente en el lugar donde se han llevado a cabo[26].

3.3. Una crítica al argumentario del Tribunal Supremo en defensa del principio de no indagación

Los argumentos en que se funda esta construcción jurisprudencial son, básicamente, los siguientes:[27]

a) Debe otorgarse un valor primordial a la *lex loci* porque así viene establecido por los convenios internacionales: inicialmente se aludía al CCE/1959, pero son también habituales las referencias al CAAS y al CUE/2000[28].

En este sentido, la STS de 8 de abril de 2011[29] señala que «(...) de acuerdo con el Convenio Europeo de Asistencia Judicial en materia Pe-

---

[25] STS de 30 de septiembre de 2014 (RJ\2014\4707; ROJ: STS 3808/2014). De hecho, en la STS de 26 de septiembre de 2012 (RJ\2012\9085; ROJ: STS 6245/2012), en la STS de 28 de junio de 2013 (RJ\2013\8067; ROJ: STS 3693/2013) y en la STS de 17 de julio de 2013 (RJ\2013\2305; ROJ: STS 4293/2013) se aplica este criterio a informaciones suministradas por la DEA estadounidense, esto es, fuera del ámbito de la Unión Europea: «[...] carece de trascendencia que el oficio inicial de la DEA no fuera unido a las actuaciones, y que tampoco tomara conocimiento de la información en él contenida, de manera directa, el Juez de instrucción, sino a través de la información que la policía española facilitó cumplida y pormenorizadamente. Y es que la actividad descrita en su conjunto se apoya en el principio de reciprocidad y cooperación internacional entre instituciones, también las policiales, que necesariamente lleva a que el funcionamiento de esta colaboración se desenvuelva inspirada por el principio de confianza, tanto en los medios y en las formas utilizadas en la investigación como en los resultados obtenidos y en la fiabilidad de las informaciones facilitadas, máxime teniendo en cuenta la fuente de procedencia en el presente caso.»

[26] STS de 24 de junio de 2015 (RJ\2015\3432; ROJ: STS 3230/2015); STS de 28 de septiembre de 2012 (RJ\2012\10547; ROJ: STS 6768/2012); STS de 26 de septiembre de 2012 (RJ\2012\9085; ROJ: STS 6245/2012); STS de 17 de julio de 2012 (RJ\2012\8216; ROJ: STS 5606/2012).

[27] En sentido igualmente crítico, cfr. RODRÍGUEZ-MEDEL NIETO, Carmen, *Obtención y admisibilidad en España de la prueba penal transfronteriza*, cit., pp. 464-469.

[28] STS de 22 de junio de 2011 (ROJ 4791/2011).

[29] ROJ 2624/2011.

nal, hecho en Estrasburgo el 20 de abril de 1959, *la legislación del país en el que se obtienen y practican las pruebas es la que rige en cuanto al modo de practicarlas u obtenerlas, por lo que no es dable entrar en valoraciones o distinciones sobre las garantías de imparcialidad de unos u otros jueces o autoridades, ni del respectivo valor de los actos ante ellos practicados en la forma que la legislación del país establece.»*

Al hacer estas afirmaciones, no obstante, el Tribunal Supremo parece ignorar la importancia que, según se ha señalado ya, otorgan los textos normativos supranacionales a la *lex fori*, en particular a la posibilidad de solicitar el desarrollo de las diligencias de investigación con arreglo a especialidades que se consideren esenciales para la eficacia probatoria del material que se obtenga.

b) Los tribunales españoles no pueden controlar o verificar el modo en que los tribunales y autoridades extranjeros aplican su propia legislación, es decir, no pueden analizar si el modo en que una medida de investigación se ha desarrollado en el extranjero es conforme o no con la *lex loci*.

Así, la STS de 16 de junio de 1997[30] afirma que «(…) es obvio que ningún tipo de quebranto legal, ni en aquel país ni en el nuestro, se produjo, pues, como señala el Tribunal sentenciador, la participación activa de los órganos jurisdiccionales alemanes en la apertura del paquete que llegó a Colonia determinó que *tal actuación deba entenderse correcta y desde luego no tachable de ilegal por los jueces españoles, ya que la competencia de estos, dada la territorialidad de las normas procesales, no puede extenderse a declarar nulas diligencias llevadas a cabo en otros países por sus organismos judiciales de acuerdo a sus correspondientes legislaciones (…)»*

Y, de forma más explícita, la STS de 5 de mayo de 2003[31], entre otras muchas, señala que «*los Tribunales españoles no pueden ser custodios de la legalidad de las actuaciones efectuadas en otro país de la Unión ni someter aquellas actuaciones al tamiz de la Ley procesal española*».

Se trata, nuevamente, de un criterio discutible, pues si se suma al argumento anterior conduce a una paradoja absurda: si lo primordial es el respeto a la *lex loci*, pero los tribunales españoles no pueden verificar que la *lex loci* se haya respetado, entonces no habría posibilidad alguna de rechazar las pruebas procedentes del extranjero, a pesar de que se hubieran obtenido vulnerando derechos fundamentales…

---

[30]   ROJ 4234/1997.
[31]   ROJ 3023/2003.

c) No se puede exigir a los tribunales ni autoridades extranjeros, encargados de cumplimentar la cooperación penal, que conozcan el ordenamiento español ni, menos aún, el desarrollo que la jurisprudencia española ha hecho de ciertas garantías procesales relacionadas con la obtención de las pruebas.

> Así, la STS de 8 de marzo de 2000[32], respecto de la apertura de paquetes postales para el desarrollo de operaciones de entrega vigilada de drogas, señala lo siguiente: «*Lo que no se puede exigir es que los funcionarios de aduanas ingleses, cuando actúan en su país, se deban someter a la interpretación que ha hecho esta Sala* [es decir, el Tribunal Supremo español] *de equiparar determinados paquetes a correspondencia, a los efectos de las garantías a adoptar*». Y la STS de 14 de septiembre de 2001[33], en sentido similar, señala que «*No es exigible a los funcionarios de otros países que apliquen la legislación española cuando actúan en el suyo y mucho menos que deban someterse a la interpretación que ha hecho esta Sala de equiparar determinados paquetes a correspondencia, a los efectos de las garantías* [a] *adoptar*».

Este argumento, sin embargo, queda desvirtuado en cuanto se advierte que, con arreglo a los convenios más utilizados, las autoridades españolas que solicitan cooperación sí que pueden indicar a las autoridades extranjeras cuáles son las garantías y especialidades que, con arreglo a la *lex fori*, deberían respetarse al dar cumplimiento a la petición.

d) De forma más genérica, se hace alusión al hecho de que, tratándose de actuaciones desarrolladas en otros países europeos, debe imperar la confianza recíproca, propia de la construcción del espacio judicial europeo y que se ve reforzada por el hecho de que todos los Estados implicados son firmantes del Convenio Europeo de Derechos Humanos[34] y por la apreciación de que todos ellos tienen estándares similares y aceptables de respeto a los derechos fundamentales.

> Así, la STS de 9 de diciembre de 1996[35] señala que «*en el ámbito del espacio judicial europeo no cabe hacer distinciones sobre las garantías de imparcialidad de unos y otros jueces ni del respectivo valor de los actos ante ellos practicados en forma*». La STS de 18 de mayo de 2001[36], por su parte, afirma que «*cuando*

---

[32] ROJ 1841/2000.

[33] ROJ 6785/2001.

[34] STS de 2 de noviembre de 2004 (ROJ 7024/2004); STS de 8 de octubre de 2013 (RJ\2013\6912); SAP Barcelona (Sección 9ª) de 6 de abril de 2017 (JUR\2017\158910; ROJ: SAP B 3514/2017); SAP Barcelona (Sección 9ª) de 14 de marzo de 2014 (100/2014, JUR\2014\234376).

[35] ROJ 7041/1996.

[36] ROJ 4082/2001.

> *como ocurre en el presente caso, son países de la Unión Europea supone una vincu-*
> *lación más fuerte en la medida que el cuadro de valores y garantías que vertebran el*
> *sistema de justicia penal tanto en sus aspectos procesales como sustantivos es común*
> *cuando corresponde a un único espacio de libertad, seguridad y justicia* –art. 29
> del Tratado de la Unión Europea en la versión consolidada dada por el
> Tratado de Ámsterdam de 2 de Octubre de 1997–. Consecuencia de ello
> es que *la colaboración entre los países de la Unión en lo que se refiere a las materias*
> *de justicia debe partir del común standard de derechos y garantías,* de suerte que
> por lo que se refiere al presente caso, no le corresponde a la autoridad
> judicial española verificar la cadena de legalidad por los funcionarios de
> los países indicados y en concreto, el cumplimiento por las autoridades
> policiales holandesas de la legalidad de aquel país, y menos someterla al
> contraste de la legislación española». Por último, también es de interés la
> STS de 25 de septiembre de 2002[37]: «En definitiva, podemos afirmar que
> existe al respecto un consolidado aspecto jurisprudencial en relación a las
> *consecuencias derivadas de la existencia de un espacio judicial europeo, en el marco*
> *de la Unión fruto de la comunión en unos mismos valores y garantías compartidos*
> *entre los países de la Unión, aunque su concreta positivación dependa de las tradi-*
> *ciones jurídicas de cada Estado, pero que en todo caso salvaguardan el contenido*
> *esencial de aquellos valores y garantías.»*

Este último argumento resulta desconcertante: aparentemente, la construcción de nuestra jurisprudencia sólo vale para las diligencias de investigación desarrolladas en otros países europeos, pero quizá no para las desarrolladas en otros países no europeos, de cuyos sistemas de justicia penal
parece desconfiarse. No hace falta poner ejemplos de países cuyos sistemas
judiciales pueden ofrecer claros reparos en cuanto al nivel de respeto de
los derechos fundamentales en los procesos penales: sin embargo, resulta llamativo comprobar cómo con algunos de ellos España tiene suscritos
convenios bilaterales sobre asistencia judicial internacional en los que se
proclama el valor primordial de la *lex loci*.

3.4. Una paradoja adicional: la doctrina del Tribunal Constitucional sobre la entrega de personas condenadas en rebeldía

Por otra parte, resulta también paradójico comprobar cómo el respeto a
lo actuado bajo la *lex loci*, que es el *leitmotiv* de la jurisprudencia que sostiene el principio de no indagación, no tiene el mismo valor en el otro gran
sector de la cooperación judicial internacional en materia penal, que es el
de la extradición y la entrega de personas.

---

[37]   ROJ 6159/2002.

En concreto, el Tribunal Constitucional se ha enfrentado en varias ocasiones al problema que supone la extradición para el cumplimiento de penas graves dictadas en ausencia del sujeto condenado. La dificultad tiene su origen en el hecho de que nuestro ordenamiento, como es bien sabido, sólo admite la celebración de juicios penales en ausencia del acusado cuando la pena solicitada es poco elevada (un máximo de dos años de prisión, art. 786.1 LECrim); y, a juicio del Tribunal Constitucional, el derecho del acusado a participar en la vista oral y a defenderse por sí mismo forma parte del núcleo esencial del derecho fundamental a la defensa penal y a un proceso con todas las garantías (art. 24.2 CE). Por eso, el Tribunal Constitucional ha declarado que vulnera ambos derechos la decisión de un órgano judicial español de acceder a la entrega incondicionada para cumplimiento de condenas graves dictadas en ausencia del reclamado en el marco de un procedimiento de extradición, a no ser que se garantice al extraditado el derecho a impugnar la condena en el Estado de origen[38].

Para hacerlo, el Tribunal Constitucional ha construido la doctrina de la «vulneración indirecta» de los derechos fundamentales.[39] Es cierto que, según la legislación procesal del Estado de celebración del proceso penal (es decir, según la *lex loci*), la imposición de condenas graves en ausencia del acusado es algo constitucionalmente legítimo; sin embargo, desde la concepción española, resulta contrario al derecho fundamental a un juicio justo y a la defensa. Por eso, los tribunales españoles estarían vulnerando de forma indirecta los derechos fundamentales de la persona condenada en ausencia si ésta fuera entregada en el marco de un proceso de extradición sin someter la entrega a la condición de que el condenado pueda impugnar su condena, como forma de salvaguardar sus derechos de defensa.

Al hacerlo, el Tribunal reconoce que los tribunales españoles deben comprobar si los tribunales de otro Estado han respetado o no los dere-

---

[38] Cfr. STC 91/2000, de 30 de marzo; STC 134/2000, de 16 de mayo; STC 162/2000, de 12 de junio; STC 156/2002, de 23 de julio; y STC 183/2004, de 2 noviembre.

[39] Cfr. PÉREZ MANZANO, Mercedes, "El Tribunal Constitucional español ante la tutela multinivel de derechos fundamentales en Europa. Sobre el ATC 86/2011, de 9 de junio", *Revista Española de Derecho Constitucional*, núm. 95, 2012, pp. 311-345; CEDEÑO HERNÁN, Marina, "Vulneración indirecta de derechos fundamentales y juicio en ausencia en el ámbito de la orden europea de detención y entrega. A propósito de la Sentencia del Tribunal Constitucional 199/2009, de 28 de septiembre", *Revista General de Derecho Europeo*, nº 20, 2010; DE HOYOS SANCHO, Montserrat, "Algunas dificultades y cuestiones pendientes en la cooperación judicial penal en el ámbito de la Unión Europea relativas a las garantías procesales", en GONZÁLEZ CANO, María Isabel, *Integración europea y justicia penal*, Tirant lo Blanch, Valencia, 2018, pp. 89-123.

chos fundamentales del acusado y, en su caso, pueden negarse a prestar cooperación en los casos de infracción. El estándar para valorar el nivel de respeto a los derechos fundamentales, además, es el que se deriva del propio sistema español de protección a los derechos fundamentales, aunque de forma limitada: el Tribunal Constitucional no permite que se controle la legitimidad de las actuaciones en el extranjero como si se hubieran desarrollado en España, sino que limita el control a las exigencias más básicas o fundamentales (pero entre ellas se encuentra, claro está, la presencia del acusado en el juicio cuando se pretende una condena grave).

Como es bien sabido, el traslado de esta construcción al ámbito de aplicación de la orden europea de detención y entrega[40] acabó motivando el planteamiento de la cuestión prejudicial al Tribunal de Justicia de la Unión Europea que dio lugar a la Sentencia *Melloni*[41], en la que se estableció que resulta incompatible con la Carta de Derechos Fundamentales de la Unión Europea y con la Decisión Marco 2002/584 que un Estado miembro subordine la entrega de una persona condenada en rebeldía a la condición de que la condena pueda ser revisada en el Estado miembro emisor, para evitar una vulneración del derecho a un proceso con todas las garantías y de los derechos de la defensa protegidos por su Constitución. En la sentencia subsiguiente[42], sin embargo, el Tribunal Constitucional no abandonó su doctrina de la vulneración indirecta y de la eficacia *ad extra* del contenido esencial de los derechos fundamentales: simplemente se limitó a reconocer que, en materia de sentencias dictadas en rebeldía, ese contenido esencial debía considerarse más reducido.

El fundamento de esta construcción se encuentra, por tanto, en la necesidad de que los tribunales españoles se aseguren en todo caso un respeto al contenido esencial de los derechos fundamentales de aplicación al proceso penal y, por eso mismo, no tiene por qué ceñirse en exclusiva al contexto de la extradición y la entrega de personas. En consecuencia, podría trasladarse también al ámbito probatorio y permitiría a los tribunales españoles rechazar la eficacia en España de pruebas obtenidas en el extranjero con arreglo a métodos y formas que son válidas según la *lex loci*, pero que según la ley española serían contrarias al contenido esencial de alguno de nuestros derechos fundamentales.

---

[40] Lo ha hecho en la STC 177/2006, de 5 de junio y en la STC 199/2009, de 28 de septiembre.

[41] STJUE (Gran Sala) de 26 de febrero de 2013, asunto C-399/11, *Stefano Melloni c. Ministerio Fiscal* (ECLI:EU:C:2013:107).

[42] STC 26/2014, de 13 de febrero.

4. EL INESPERADO DECLIVE DEL PRINCIPIO: EL TRIBUNAL SUPREMO HACE UN *OVERRULING* CON OCASIÓN DE LA «*LISTA FALCIANI*»

Puede comprobarse, en definitiva, cómo la construcción jurisprudencial del principio de no indagación resulta más que paradójica y muy problemática desde un punto de vista teórico y lógico, especialmente cuando su aplicación se hace a ultranza, como ha sido la pauta durante mucho tiempo. Era, por ello, cuestión de tiempo que acabara cuestionada por el propio Tribunal Supremo, como sucedió en 2017 con ocasión de uno de los procesos motivados por la conocida como «Lista Falciani», según se verá seguidamente.

Antes de ese momento pudo advertirse algún que otro atisbo de excepción o moderación al principio, tanto en el propio Tribunal Supremo como en la jurisprudencia menor.

Así, en algunas resoluciones el Tribunal Supremo sí que había admitido, aunque sólo en abstracto, que la ilegalidad según la *lex loci* de la medida de investigación desarrollada en el extranjero podría comportar la invalidez de la prueba en nuestro país[43]. Ahora bien, en todos esos casos, el Tribunal Supremo salió del atolladero afirmando que correspondía al sujeto perjudicado por la prueba demostrar la ilegalidad, o sosteniendo que dicha ilegalidad no se había demostrado en el caso concreto, de modo que no se llegó nunca a negar eficacia a las pruebas.

En cambio, en relación con una investigación transfronteriza por terrorismo islamista, la Sentencia de la Sala Penal de la Audiencia Nacional de 30 de abril de 2009[44] sí que consideró nulas unas intervenciones de comunicaciones electrónicas efectuadas en Estados Unidos a resultas de una comisión rogatoria emitida por un Juez de Instrucción español, por ausencia de control judicial: el juez español no había dictado una resolución motivada justificando la necesidad de la intervención, sino que se había limitado a remitir una comisión rogatoria a las autoridades estadounidenses para que lo hicieran; en Estados Unidos, sin embargo, se ocuparon del asunto autoridades policiales, al amparo de la legislación especial contra el terro-

---

[43] Entre ellas, la STS de 14 de febrero de 2000 (ROJ 1064/2000), la STS de 27 de febrero de 2001 (ROJ 1459/2001) y la STS de 22 de junio de 2011 (ROJ 4791/2011). También la SAP Barcelona (Sección 22ª) de 22 de enero de 2015 (JUR\2016\124712; ROJ: SAP B 13549/2015).

[44] ROJ [SAN] 2051/2009.

rismo, pero no intervino juez alguno, lo que motivó en último término la nulidad de las pruebas.

El vuelco, en todo caso, lo protagonizó la propia Sala Segunda del Tribunal Supremo con ocasión de la sentencia recaída respecto de la «Lista Falciani»[45]. La prueba de cargo, como seguramente recordará el lector, tenía su origen en una lista de clientes con cuentas abiertas en una entidad bancaria situada en Suiza, elaborada con datos obtenidos por un empleado de dicha entidad al margen de sus atribuciones laborales, que se hallaba en poder de las autoridades tributarias francesas –a resultas de un registro en el domicilio de dicho empleado–. A petición de las autoridades tributarias españolas, las autoridades francesas les entregaron los datos incluidos en la lista relativos a personas residentes en nuestro país, lo que determinó la incoación de diversas causas penales por delito fiscal. En una de esas causas, el acusado solicitó que la prueba se declarase nula, debido a su ilegítima obtención en el extranjero. En primera instancia, la Audiencia Provincial de Madrid rechazó esta alegación con base en la doctrina tradicional del principio de no indagación[46]. Al resolver el recurso de casación, sin embargo, la Sala Segunda, de manera un tanto inesperada, rompe en buena medida con su propia configuración previa del principio de no indagación, en unos términos que son sobradamente elocuentes por sí mismos:

> «Sin embargo, el *principio de no indagación* no puede convertirse en la pieza maestra con la que resolver las dudas de ilicitud cuando los documentos bancarios ofrecidos por las autoridades policiales de un Estado extranjero han podido obtenerse con vulneración de algún derecho fundamental. De entrada, porque las citas jurisprudenciales a que hemos hecho referencia tienen en común el venir referidas a sentencias dictadas cuando la queja sobre su validez constitucional se produce en el marco de un acto de cooperación jurídica internacional y lo que se cuestiona es la falta de semejanza entre los requisitos que en uno y otro sistema disciplinan la práctica de ese acto probatorio. Es lógico que la validez en el proceso penal español de actos procesales practicados en el extranjero no se condicione al grado de similitud entre las reglas formales que, en uno y otro Estado, singularizan la práctica de esa prueba. Al juez español no le incumbe verificar un previo proceso de validación de la prueba practicada conforme a normas procesales extranjeras. Pero la histórica vigencia del principio *locus regit actum*, de dimensión con-

---

[45]   STS de 23 de febrero de 2017 (RJ\2017\1908; ROJ: STS 471/2017).
[46]   SAP Madrid (Sección 23ª) de 29 de abril de 2016 (núm. 280/2016, JUR\2016\96862; ROJ: SAP M 3742/2016).

ceptual renovada a raíz de la consolidación de un patrimonio jurídico europeo, no puede convertirse en un trasnochado adagio al servicio de la indiferencia de los órganos judiciales españoles frente a flagrantes vulneraciones de derechos fundamentales. Incluso en el plano semántico la expresión *principio de no indagación*, si se interpreta desbordando el ámbito exclusivamente formal que le es propio, resulta incompatible con algunos de los valores constitucionales comprometidos en el ejercicio de la función jurisdiccional.

Esta idea tampoco es ajena a la jurisprudencia de esta Sala. De hecho, en la STS 829/2006, 20 de julio, en una causa incoada por delito de terrorismo, negábamos validez a la valoración de una "*entrevista policial*" de dos agentes españoles a un preso interno en la base militar de Guantánamo, cuyo testimonio fue recuperado como indicio probatorio de refuerzo de la declaración prestada por el acusado. Decíamos entonces que "*... la detención de cientos de personas, entre ellas el recurrente, sin cargos, sin garantías y por tanto sin control y sin límites, en la base de Guantánamo, custodiados por el ejército de los Estados Unidos, constituye una situación de imposible explicación y menos justificación desde la realidad jurídica y política en la que se encuentra enclavada. Bien pudiera decirse que Guantánamo es un verdadero «limbo» en la Comunidad Jurídica*". La cita de este fragmento sugiere una doble reflexión. De una parte, se opone de manera frontal a la proclamación del *principio de no indagación* como una regla de valor apodíctico en nuestra jurisprudencia. La Sala *indagó* y lo hizo para concluir la falta de virtualidad probatoria de un testimonio de referencia, por más que procedía de agentes de la autoridad españoles expresamente desplazados a territorio estadounidense para la práctica de un interrogatorio que fue ajeno a los principios estructurales de contradicción y defensa y que, por si fuera poco, se practicó en el entorno de coacción moral que es imaginable en un centro de reclusión concebido en los términos en los que aquél fue diseñado. De otra parte, la lectura de ese razonamiento es bien expresiva de la necesidad de no fijar reglas generales que en su inflexibilidad no tomen en consideración la rica variedad de supuestos que nos ofrece la práctica. La intensidad de la vulneración de derechos denunciada admite matices de los que no puede prescindirse en el momento de fijar el alcance de la regla de exclusión.

En definitiva, el *principio de no indagación* no puede interpretarse más allá de sus justos términos. Su invocación debería operar en el marco exclusivamente formal que afecta a la práctica de los actos de investigación en uno u otro espacio jurisdiccional. De tal forma que la flexibilidad admisible en los *principios del procedimiento* –adecuados por su propia naturaleza a cada sistema procesal– no se extienda a la obligada indagación de la vigencia de los *principios estructurales del proceso*, sin cuya realidad y constatación la tarea jurisdiccional se aparta de sus principios legitimadores.»

Como puede apreciarse, bajo una apariencia de modulación o matización, se produce un abandono sustancial del principio de no indagación, tal y como había venido siendo puesto en práctica: reducido a cuestiones puramente formales, pero sin dar cobertura a lo que el Tribunal denomina «principios estructurales del proceso» y que, en realidad, no son sino las garantías procesales básicas. Si, como apunta el Tribunal, nuestros tribunales no pueden permanecer indiferentes ante flagrantes vulneraciones de derechos fundamentales, se abren las puertas a que los abogados defensores demuestren la infracción de la *lex loci* en la práctica de una investigación transfronteriza o la no observancia de la *lex fori* en los términos solicitados por la autoridad requirente, siempre que dichos defectos comporten la lesión de un derecho fundamental con arreglo a nuestros propios cánones.

Teniendo en cuenta el desenlace final de la argumentación del Tribunal Supremo en el asunto en cuestión, se puede especular con la posibilidad de que, a la hora de proceder a este claro *overruling*, hayan influido en la Sala los desarrollos normativos en materia de prueba transfronteriza impulsados por el legislador europeo y, muy especialmente, la regulación de la orden europea de investigación, singularmente preocupada por la protección de los derechos fundamentales. En este sentido, puede pensarse que el Tribunal Supremo ha aspirado también a sentar las bases sobre las que afrontar los desarrollos futuros a que dé lugar la orden europea de investigación, de manera especial a la luz del artículo 186.1 II LRMRP, en virtud del cual «[s]e considerarán válidos en España los actos de investigación realizados por el Estado de ejecución, siempre que no contradigan los principios fundamentales del ordenamiento jurídico español ni resulten contrarios a las garantías procesales reconocidas en éste».[47]

En cualquier caso, esta resolución ha abierto las puertas a otras posteriores, que han confirmado una nueva tendencia en materia de eficacia de pruebas obtenidas en otros Estados al amparo del régimen convencional.

Especialmente significativa es la reciente STS de 17 de octubre de 2018[48]: entre las críticas a la sentencia de instancia formuladas en casación se hallaba la de haber valorado como prueba unas grabaciones ambientales de conversaciones entre los investigados, efectuadas por las autoridades italianas antes del 6 de diciembre de 2015, fecha en que entró en vigor en

---

[47]   Advierte MARTÍNEZ GARCÍA, en relación con este precepto, de que los problemas podrán surgir «sobre todo en materia de ilicitud probatoria» [MARTÍNEZ GARCÍA, Elena, "La orden europea de investigación", en GONZÁLEZ CANO, María Isabel (dir.), *Integración europea y justicia penal*, Tirant lo Blanch, Valencia, 2018, pp. 403-434, p. 410].

[48]   JUR\2018\285231; ROJ: STS 3541/2018.

nuestro país la reforma de la LECrim que les dio reconocimiento legal expreso. El Tribunal Supremo asume que la nueva concepción del principio de no indagación le obliga a analizar en qué medida dicha circunstancia determina o no la ilicitud de las grabaciones y lo hace, de hecho, conforme a los cánones constitucionales internos... aunque sea para llegar a la conclusión de que, en este caso concreto, no se produjo tal lesión, debido a que el derecho fundamental en liza sería la intimidad y su restricción podía considerarse proporcionada.

El *overruling*, de hecho, también afecta a los casos, antes mencionados, en que es la ejecución en España de una comisión rogatoria solicitada desde otro Estado la que acaba desencadenando la incoación en nuestro país de una causa penal. En el asunto resuelto por la STS de 16 de julio de 2018[49] se cuestionó por el acusado la legitimidad de una comisión rogatoria solicitada por la Fiscalía Antimafia de Bari como fundamento para la práctica de una intervención telefónica en nuestro país. Y lo que acabó haciendo el Tribunal Supremo fue someter dicha comisión rogatoria al examen de los requisitos exigidos por nuestra propia doctrina jurisprudencial para la validez de las medidas de injerencia en el derecho al secreto de las comunicaciones, singularmente en relación con la necesidad de que preexista una apariencia delictiva que impida su utilización para realizar una investigación prospectiva.[50]

5. REFLEXIONES FINALES

He de insistir, en todo caso, en que el cambio en la doctrina del Tribunal Supremo no supone abandono total de aquellos elementos que, de forma razonable, sostienen el principio de no indagación: resulta adecuado confiar en la licitud de la actuación de las autoridades judiciales que prestan cooperación internacional a nuestros tribunales. Pero la tutela de los dere-

---

49   RJ\2018\3588; ROJ: STS 2952/2018.
50   En concreto, concluye la resolución lo siguiente: «Acreditada, pues, la apertura de una investigación penal en Italia llevada a cabo por la autoridad competente, identificados los partícipes en una organización internacional dedicada al narcotráfico y determinada su conexión con el usuario del teléfono a intervenir residente en España con la finalidad de transportar sustancias estupefacientes a Italia, la medida resultaba proporcional y necesaria para avanzar en la investigación y se enmarca en el marco de la cooperación jurídica internacional, sin que sea misión del Juez español examinar la legitimidad de las actuaciones practicadas en Italia conforme a su legislación interna, una vez acreditada la existencia de indicios objetivos que amparaban la medida de injerencia.»

chos fundamentales resulta un imperativo ineludible, que obliga, cuando se aporten datos o elementos que así lo hagan abonado, a verificar si la actividad investigadora desarrollada en el extranjero ha vulnerado algún derecho fundamental de quien está siendo acusado ante un tribunal español. Esa verificación, posiblemente, no comporte un análisis de observancia «milimétrica» de nuestra regulación: por eso el Tribunal Supremo quiso dejar claro que la indiferencia inaceptable sería la que se produjera respecto de vulneraciones «flagrantes» de derechos fundamentales, que «deslegitimen» la actuación de nuestras autoridades de persecución penal.[51]

Definir cuáles son los cánones para efectuar este control a la luz de la nueva versión atenuada del principio de no indagación no es sencillo.[52] Lo razonable, a mi juicio, es aprovechar la doctrina del Tribunal Constitucional sobre el «contenido esencial» de los derechos fundamentales en relación con su «vulneración indirecta» y su «eficacia *ad extra*», en los términos a que se ha hecho antes referencia. Se trata de una labor necesaria, en todo caso, para determinar cuáles son las garantías esenciales que, según el ordenamiento español, han de respetarse en las investigaciones transfronterizas al amparo del régimen convencional,[53] de modo que: a) los jueces

---

[51] MARTÍNEZ GARCÍA, sin embargo, observa cómo los estándares de tutela de los derechos fundamentales son más elevados en nuestro país que en muchos de los de nuestro entorno, lo que «traducido en materia de regla de exclusión probatoria supone que los riesgos de que el fruto de la colaboración sea impugnado en España es superior a otros países, pues la ejecución de dichas medidas en terceros países podría ser abusiva desde nuestra práctica constitucional nacional»; y esto, a la postre, puede acabar redundando en una rebaja de los estándares internos de garantías (cfr. MARTÍNEZ GARCÍA, Elena, *La orden europea de investigación*, cit., p. 42). Del mismo riesgo de rebaja de garantías advierte también KOSTORIS, Roberto, "Orden europea de investigación y derechos fundamentales", cit., p. 325.

[52] De hecho, ni siquiera se ofrecen pautas a los jueces españoles a la hora de especificar en la cumplimentación de comisiones rogatorias –al amparo del régimen convencional– o de formularios europeos cuáles pueden ser las singularidades o especialidades de la *lex fori* que conviene solicitar al órgano judicial requerido. El reciente Reglamento 1/2018 del Consejo General del Poder Judicial, sobre auxilio judicial internacional y redes de cooperación jurídica internacional, nada dice al respecto: tan solo se ocupa de los aspectos práctico-burocráticos de los desplazamientos de jueces y magistrados españoles para realizar actuaciones procesales en otro Estado –y esa intervención, sin duda, puede ser una de las especialidades adicionales que se soliciten–.

[53] En relación con el régimen de la orden europea de investigación, pero en relación con la cuestión del alcance que debe darse a la *lex fori*, señala KOSTORIS que «las autoridades de emisión deberían solicitar a aquellas de ejecución el respeto de las disposiciones de la *lex fori verdaderamente indispensables* para garantizar que el acto sea utilizable» (la cursiva es mía) ("Orden europea de investigación y derechos fundamentales", cit., p. 327).

españoles puedan pedir que se cumplan en tanto que *lex fori*, cuando soliciten asistencia judicial internacional; b) los jueces españoles puedan juzgar si las pruebas recibidas como resultado de una solicitud de cooperación, o como resultado de una remisión de procedimientos, pueden utilizarse válidamente para fundar una condena penal en España.

En mi opinión, esas garantías esenciales pueden concretarse, posiblemente, en las tres siguientes: jurisdiccionalidad de las medidas restrictivas de derechos fundamentales; respeto al derecho de defensa; autenticidad y cadena de custodia.

– En cuanto a la jurisdiccionalidad, debe observarse cuando la asistencia tenga por finalidad la práctica en el extranjero de un acto de investigación que sea *per se* restrictivo de derechos fundamentales (v.g., un registro domiciliario o una intervención de telecomunicaciones). En estos casos, lo importante es que sea el tribunal español el que, antes de cumplimentar la comisión rogatoria o petición equivalente, dicte una resolución motivada y respetuosa con el principio de proporcionalidad en la que ordene la medida restrictiva de derechos (es decir, es necesaria la decisión judicial *en origen*)[54]. En cambio, no es esencial que esa decisión tenga que ser ratificada por una autoridad judicial en el Estado de ejecución, si no lo exige la *lex loci*, pues al Estado de ejecución no le corresponde decidir nada, sino dar cumplimiento a lo decidido por un juez español. A lo sumo puede plantearse la necesidad de que una autoridad judicial en el Estado requerido lleve a cabo los controles periódicos que requiera la naturaleza de la medida acordada (v.g., en el contexto de una intervención de comunicaciones o de una operación encubierta de larga duración).[55]

– Además, y dado el valor esencial del derecho de defensa y de la asistencia de abogado, es imprescindible que todos los actos de investigación desarrollados en el extranjero en los que deba participar personalmente el sujeto imputado o acusado (como puede ser tomarle declaración, o someterlo a una rueda de reconocimiento, o extraer una muestra de ADN) se realicen permitiéndole estar asistido de un abogado y, dado el caso, ofreciéndole la designación de

---

[54]　Como se expuso antes, ésta es la razón por la cual la SAN de 30 de abril de 2009, antes citada, declaró la ilicitud de unas intervenciones de las telecomunicaciones practicadas en USA.

[55]　Cfr. también KOSTORIS, Roberto, "Orden europea de investigación y derechos fundamentales", cit., p. 327.

un abogado de oficio si carece de abogado o si no dispone de recursos económicos.[56] Asimismo, y desde la vertiente del derecho de contradicción, salvo en los supuestos legítimos de secreto, debería ofrecerse al encausado la posibilidad de intervenir, por sí o a través de un abogado o representante, en el desarrollo de la comisión rogatoria en el extranjero, cuando se trate de medidas de obtención de prueba que, por su propia naturaleza, admitan la participación del encausado (v.g., al tomar declaración a un testigo).

– Finalmente, también resulta esencial para la validez de las pruebas obtenidas en el extranjero que pueda acreditarse la autenticidad de las actuaciones llevadas a cabo[57]: para ello lo habitual será la presencia de fedatarios (como los secretarios judiciales) durante la práctica de los actos derivados de la comisión rogatoria. Además, cuando la investigación transfronteriza tenga por finalidad la obtención de documentos y objetos, será esencial que pueda acreditarse la «cadena de custodia» –aunque en relación con esto cabe partir de una premisa de confianza entre Estados–.

Si la *lex loci* garantiza en abstracto que en el desarrollo de la investigación transfronteriza se respetarán estas condiciones, no habrá problema en atribuir eficacia probatoria en España a la prueba obtenida en el extranjero. Tampoco habrá problema si la *lex loci* no asegura *a priori* este resultado, pero la autoridad judicial española solicita en su comisión rogatoria o petición equivalente que el acto de investigación se lleve a cabo de modo que se cumplan las referidas garantías (*lex fori*).

En cambio, si se demuestra en el proceso penal español que la *lex loci* no garantiza este resultado (y que el problema no se ha subsanado desarrollando la medida de investigación con las especialidades necesarias a tal fin), la prueba obtenida sería ilícita con arreglo a los parámetros de legitimidad españoles, de modo que no debería poder utilizarse. El acusado, en esta tesitura, podría promover que se declarara la ilicitud de la prueba si acredita que el sistema de la *lex loci* no asegura de forma suficiente el respeto a las garantías esenciales.

---

[56]   También insisten en el valor primordial del derecho de defensa MARTÍNEZ GARCÍA, Elena, *La orden europea de investigación*, cit., pp. 47-50; y KOSTORIS, Roberto, "Orden europea de investigación y derechos fundamentales", cit., p. 327.

[57]   En relación con esto, pueden verse la STS de 18 de noviembre de 1999 (ROJ 7315/1999), la STS de 17 de febrero de 2003 (Roj 1001/2003) o la STS de 1 de octubre de 2007 (Roj 7635/2007).

También puede suceder que, en abstracto, el sistema de la *lex loci* sea compatible con las garantías que se deben considerar esenciales desde la óptica del ordenamiento español, pero que, en el caso concreto, esas garantías no se hayan respetado al dar cumplimiento a la petición de asistencia formulada por la autoridad española. En este caso, nuevamente, la consecuencia debería ser la ilicitud y la ineficacia de la prueba, aunque sería carga del acusado demostrar la infracción de la *lex loci*.

En definitiva, los tribunales españoles deben poder controlar que la *lex loci* respeta las garantías *esenciales* del proceso penal español y también que en el caso concreto se ha respetado la *lex loci*: al hacerlo, los tribunales españoles no estarían invadiendo la soberanía de los Estados extranjeros, pues no pretenderían invalidar lo actuado por los tribunales extranjeros, sino decidir acerca de la validez de unas pruebas que pretenden utilizarse ante los tribunales españoles; y lo estarían haciendo como forma –como única forma– de controlar –indirectamente, por supuesto– el respeto a los derechos fundamentales reconocidos a los acusados por la Constitución. No puede nunca olvidarse qué es lo importante en este punto: no cabe considerar como legítima una condena fundada sobre la base de pruebas obtenidas vulnerando el contenido esencial de derechos fundamentales, aunque esa vulneración se haya producido en el extranjero. El reciente cambio de rumbo en la doctrina del Tribunal Supremo, aunque de forma incipiente, abre la puerta a desarrollos futuros en este sentido, así como a una interacción recíproca con la praxis que se genere en relación con esta cuestión al aplicar la orden europea de investigación y, más a largo plazo, el artículo 37.1 del Reglamento sobre la Fiscalía Europea: «No se inadmitirán las pruebas presentadas a un órgano jurisdiccional por los fiscales de la Fiscalía Europea o por el acusado por el mero hecho de que las pruebas hayan sido obtenidas en otro Estado miembro o de conformidad con el Derecho de otro Estado miembro».[58]

---

[58]   ALLEGREZZA, Silvia y MOSNA, Anna, "Admisibilidad de la prueba transnacional en los procedimientos de la Fiscalía Europea", en BACHMAIER WINTER, Lorena (coord.), *La Fiscalía Europea*, Marcial Pons, Madrid-Barcelona-Buenos Aires-Sao Paulo, 2018, pp. 173-193.

SEGUNDA PARTE

LA COOPERACIÓN JUDICIAL EN MATERIA PROBATORIA EN LA UNIÓN EUROPEA. ASPECTOS GENERALES Y SUPUESTOS PARTICULARES

Capítulo II

AS EQUIPAS DE INVESTIGAÇÃO CRIMINAL CONJUNTAS[1]

Pedro Miguel Freitas
Professor Universitário
Faculdade de Direito da Universidade Católica Portuguesa

SUMARIO: 1. INTRODUÇÃO. 2. FONTES JURÍDICAS SUPRANACIONAIS. 2.1. Nações Unidas. 2.1. União Europeia. 3. EQUIPAS DE INVESTIGAÇÃO CONJUNTAS. 3.1. Definição. 3.2. O pedido de criação de uma equipa de investigação conjunta. 3.3. Composição das equipas de investigação conjuntas. 3.3.1. Chefia das equipas de investigação conjuntas. 3.4. Âmbito da investigação criminal. 3.4.1. Objetivo da investigação criminal. 3.4.2. Limitação geográfica. 3.4.3. Limitação temporal. 3.4.4. Limitação jurídica. 3.4.5. Responsabilidade penal e vitimização dos agentes. 3.4.6. Responsabilidade civil dos agentes. 3.5. Análise crítica da figura das equipas de investigação conjuntas. 4. ORDENAMENTO JURÍDICO PORTUGUÊS. 4.1. Apontamentos históricos. 4.2. O regime atual. 4.2.1. Pressupostos de criação das equipas de investigação conjuntas. 4.2.2. A atividade de investigação criminal pela equipa de investigação conjunta. 4.2.2.1. Utilização e partilha de informações. 4.2.2.2. Responsabilidade dos membros das equipas de investigação conjuntas. 4.2.3. Articulação do regime jurídico das equipas de investigação conjuntas com o regime jurídico da Decisão Europeia de Investigação em Matéria Penal. 5. IMPLEMENTAÇÃO DAS EQUIPAS DE INVESTIGAÇÃO CONJUNTAS. 6. CONCLUSÃO.

RESUMO: Diante de uma criminalidade complexa, organizada e transnacional, que se desenvolve sucessiva e/ou simultaneamente no território de mais de um país, os meios tradicionais de investigação tornam-se ineficazes, desde logo porque se tenta investigar de forma espartilhada e territorialmente delimitada fenómenos que não se compadecem com limites territoriais ou espaços de soberania nacional. Neste quadro de criminalidade, tornou-se imprescindível a criação de mecanismos como as equipas de investigação conjuntas.

Iremos analisar a sua natureza, finalidade, âmbito de aplicação e modo de articulação com os demais instrumentos de cooperação internacional. Merecerão ainda atenção os diplomas portugueses aplicáveis neste domínio.

---

[1]   O presente texto corresponde, com algumas alterações, a uma comunicação oral apresentada no Seminário Internacional "La orden europea de investigación y la prueba transfronteriza en la unión europea", na Universidade de Sevilla, em 29 de Novembro de 2018. Por esse motivo, o texto contém apenas o aprofundamento doutrinário absolutamente necessário para suportar as ideias apresentadas pelo Autor.

PALAVRAS-CHAVE: Equipas de investigação conjuntas; direito penal europeu; cooperação; investigação criminal.

ABSTRACT: In the face of complex, organized and transnational criminality, which takes place in the territory of more than one country, traditional means of investigation have become ineffective. The reason behind this inefficacy lies in the tradicional territorial way of investigating crimes which is not adequate to the specific characteristics of the new criminality.

In this context of criminality, it has become essential to create mechanisms such as joint investigation teams.

We will analyze its nature, purpose, scope and articulation with the other instruments of international cooperation. The relevant Portuguese law will also be analyzed.

KEYWORDS: Joint investigation teams; European criminal law; cooperation; criminal investigation."

1. INTRODUÇÃO

Tradicionalmente confinada às fronteiras estatais – reduto da soberania estatal –, a investigação criminal teve de adaptar-se aos tempos mais modernos. Como acontece em tantos outros ramos jurídicos, o direito processual penal agiu reactivamente à realidade. Agiu no sentido de que, para cumprir as finalidades que lhe são adstritas, teve de criar mecanismos jurídicos novos e mais adequados a um tipo de criminalidade que não encaixava nos cânones tradicionais com que estava habituado a lidar.

Isto não significou, naturalmente, uma completa transmutação do que é o direito processual penal e das suas caraterísticas estruturantes. O princípio base da territorialidade continua a ser pedra basilar da atuação processual. Basta ler, a título de exemplo, o artigo 6.º do Código do Processo Penal português (CPP): "[a] lei processual penal é aplicável em todo o território português e, bem assim, em território estrangeiro nos limites definidos pelos tratados, convenções e regras do direito internacional". Porém, as finalidades do direito processual penal como a realização da justiça e restabelecimento da paz jurídica sairiam goradas caso se permanecesse obstinadamente num paradigma exclusivamente nacional. Ora, diante de uma criminalidade complexa, organizada e transnacional, que se desenvolve sucessiva e/ou simultaneamente no território de mais de um país, os meios tradicionais de investigação tornam-se ineficazes, desde logo porque se tenta investigar de forma espartilhada e territorialmente delimitada fenómenos que não se compadecem com limites territoriais ou espaços de soberania nacional. Neste quadro de criminalidade, que se adjetiva de nova há décadas, tornou-se imprescindível a criação de mecanismos de colaboração e cooperação entre os diversos Estados.

2. FONTES JURÍDICAS SUPRANACIONAIS

2.1. Nações Unidas

A nível internacional, são vários os instrumentos jurídicos que preveem mecanismos de cooperação no domínio da investigação criminal, nomeadamente as equipas de investigação conjuntas.

Destes instrumentos jurídicos, merece uma referência especial, pela sua importância histórica a vários níveis, a Convenção das Nações Unidas contra o Tráfico Ilícito de Estupefacientes e Substâncias Psicotrópicas, concluída em Viena em 19 de Dezembro de 1988 e aberta para assinatura a parir de 20 de Dezembro de 1988. Esta Convenção estabelece como objetivo a promoção da cooperação entre Estados no âmbito da luta contra o tráfico ilícito de estupefacientes e substâncias psicotrópicas. Para este fim, para além do auxílio judiciário mútuo e possível transmissão de processos criminais, foram consagradas, no artigo 9.º, outras formas de cooperação, entre elas a das equipas conjuntas. De acordo com o artigo 9.º, n.º 1, al. c), devem os Estados, com base em acordos ou protocolos bilaterais ou multilaterais, criar equipas mistas, vista a necessidade de proteger a segurança das pessoas e das operações, para fortalecerem a eficácia das ações de deteção e de repressão.

Por seu turno, a Convenção contra a Criminalidade Organizada Transnacional, concluída em Palermo a 15 de Novembro de 2000, dedica um artigo autónomo à questão das investigações conjuntas. Falamos do artigo 19.º. Nele, os Estados são instados a celebrar acordos bilaterais ou multilaterais, ou na falta destes acordos *ad hoc*, para se permitir a criação de investigações conjuntas. Também neste artigo, tal como acontecia na Convenção das Nações Unidas contra o Tráfico Ilícito de Estupefacientes e Substâncias Psicotrópicas, se verifica a proteção da soberania estatal, pois, ainda que de mecanismos de cooperação internacional estejamos a falar, a verdade é que ambas as Convenções são perentórias a garantir que a soberania do Estado Parte em cujo território decorre a operação não pode sair beliscada com a implementação destes mecanismos. As investigações conjuntas são apenas possíveis quando assentes no respeito pleno pela soberania do Estado onde têm lugar. De certo modo, a soberania estatal aparece aqui não como obstáculo ao desenvolvimento de atividades de investigação criminal tradicionalmente reconhecidas aos Estados, mas antes como pressuposto e, nessa medida, fator catalisador do progresso da cooperação internacional. Parece paradoxal dizê-lo, mas a consagração do princípio do respeito pleno da soberania estatal mitigou os receios que os Estados pudessem ter diante de uma possível "ameaça" à sua soberania trazida por estes mecanismos de cooperação internacional, não sendo por esse motivo completamente descabido afirmar que, pelo menos nestas Convenções, o primeiro degrau para uma maior integração, união e colaboração na prevenção e repressão da criminalidade internacional encontra-se no reconhecimento da soberania de cada um dos Estados em relação às atividades que têm lugar no seu território.

Não podíamos concluir este apartado sem referir a Convenção das Nações Unidas contra a Corrupção, concluída em Nova Iorque a 31 de Outubro de 2003. O artigo que se ocupa da temática das investigações conjuntas, artigo 49.º, acaba por replicar o artigo 19.º da Convenção contra a Criminalidade Organizada Transnacional: "[o]s Estados Partes deverão considerar a celebração de acordos ou outros instrumentos jurídicos, bilaterais ou multilaterais, por força dos quais, relativamente às matérias que são objecto de investigações, de processos ou de procedimentos judiciais num ou em vários Estados, as autoridades competentes envolvidas possam criar equipas de investigação conjuntas. Na ausência desses acordos ou outros instrumentos jurídicos, as investigações conjuntas podem ser decididas numa base casuística. Os Estados Partes em causa deverão assegurar que a soberania do Estado Parte em cujo território decorre a investigação seja plenamente respeitada".

2.1. União Europeia

Tendo em conta o contexto geográfico de países como Portugal e Espanha, faz todo o sentido mencionar, desde logo, as Conclusões do Conselho Europeu de Tampere de 15 e 16 de Outubro de 1999[2]. Encontramos nas conclusões uma referência expressa às equipas de investigação conjunta e

---

[2]   Já em 1997, com o Acto do Conselho de 18 de Dezembro de 1997 que estabelece, com base no artigo K.3 do Tratado da União Europeia, a Convenção relativa à assistência mútua e à cooperação entre as administrações aduaneiras, se descobriam referências às equipas de investigação conjuntas. Chamando à colação o artigo 24.º da Convenção relativa à assistência mútua e à cooperação entre as administrações aduaneiras verificávamos o seguinte: "1. De comum acordo, as autoridades de vários Estados-membros

sua necessidade no contexto da investigação da criminalidade organizada e transnacional ao nível da União Europeia. Em particular, o ponto 43, enquadrado na secção relativa à intensificação da cooperação em matéria de luta contra a criminalidade, constitui um apelo do Conselho Europeu aos Estados-Membros para que estes criem equipas de investigação conjuntas para a repressão do tráfico de drogas e de seres humanos e do terrorismo. É particularmente relevante notar o papel incrementalmente importante da Europol neste domínio, não apenas como entidade que vem reforçar as equipas de investigação conjuntas criadas pelos Estados-membros, mas também, e sobretudo, pela proposta encontrada no ponto 45, para que a Europol possa criar equipas de investigação conjuntas em alguns domínios da criminalidade.

A mesma perspetiva sobre este assunto pode ser encontrada nas recomendações 12 e 13 da Estratégia da União Europeia para o início do novo milénio, a propósito da prevenção e controlo da criminalidade organizada, publicada em 3 de Maio de 2000. Principalmente na recomendação 13, realçou-se o papel que a Europol poderia ter no desenvolvimento de ações operacionais de equipas conjuntas.

Porém, só com a Convenção Relativa ao Auxílio Judiciário Mútuo em Matéria Penal entre os Estados Membros da União Europeia, assinada em Bruxelas em 29 de Maio de 2000 e a Decisão-Quadro do Conselho de 13 de Junho de 2002 relativa às equipas de investigação conjuntas é que nos

---

podem constituir uma equipa de investigação especial comum, implantada num Estado-membro e composta por agentes especializados nos domínios em causa.
À equipa de investigação especial comum serão atribuídas as seguintes tarefas:
— execução de investigações difíceis que requeiram grandes meios, destinadas a averiguar infracções específicas que exijam um procedimento simultâneo e concertado nos Estados-membros participantes,
— coordenação de actividades comuns destinadas a impedir ou averiguar certos tipos de infracções e obter informações sobre as pessoas implicadas, o meio em que se movem e o seu modo de actuação.
2. As equipas de investigação especial comuns operarão nas seguintes condições gerais:
a) Serão constituídas apenas para um fim determinado e por um período de tempo limitado;
b) A direcção da equipa ficará a cargo de um agente do Estado-membro em cujo território a equipa tenha de intervir;
c) Os agentes participantes ficarão sujeitos à legislação do Estado-membro em cujo território a equipa tenha de intervir;
d) O Estado-membro em cujo território a equipa intervém criará as condições de organização necessárias ao seu funcionamento.
3. A participação na equipa não confere aos agentes que a constituem poderes de intervenção no território de outro Estado-membro."

deparamos com uma construção mais acabada do mecanismo das equipas de investigação conjuntas[3].

Normalmente a Convenção Relativa ao Auxílio Judiciário Mútuo em Matéria Penal entre os Estados Membros da União Europeia de 2000 é referida como o instrumento jurídico que verdadeiramente deu início às equipas de investigação conjuntas. Contudo, como as ratificações dos diversos Estados foram acontecendo a um ritmo lento, decidiu o Conselho da União Europeia avançar com um instrumento juridicamente vinculativo dos Estados-membros. A Decisão-Quadro do Conselho de 13 de Junho de 2002 explica-se então, nas palavras do Conselho da União Europeia, pela circunstância de este considerar que "para combater a criminalidade internacional com a maior eficácia possível, será conveniente nesta fase aprovar a nível da União Europeia um instrumento específico juridicamente vinculativo em matéria de equipas de investigação conjuntas que se aplicará a investigações conjuntas relativas a tráfico de droga e de seres humanos, assim como ao terrorismo" (considerando 6). Não obstante, o Conselho não deixou de apelar no considerando 4 "à adopção de todas as medidas que garantam o mais rapidamente possível, e em qualquer caso no decurso de 2002, a ratificação dessa convenção".

3. EQUIPAS DE INVESTIGAÇÃO CONJUNTAS

3.1. Definição

Uma equipa de investigação conjunta é um especial mecanismo de cooperação internacional através do qual se forma uma equipa multinacional que tem como objetivo a realização de investigações criminais no território de pelo menos um dos Estados-membros que estão representados nessa equipa, durante um período de tempo limitado[4].

---

[3] A um nível europeu, mais alargado que a União Europeia, temos, a propósito das equipas de investigação conjuntas, o artigo 20.º do Segundo Protocolo Adicional à Convenção Europeia de Auxílio Judiciário Mútuo em Matéria Penal, de 8 de novembro de 2001.

[4] Uma outra definição é encontrada na Network of National Experts on Joint Investigation Teams (JITs Network), "Equipas de Investigação Conjuntas: Guia Prático, 2017", p. 4, disponível em http://www.eurojust.europa.eu/doclibrary/JITs/JITs%20 framework/JITs%20Practical%20Guide/JIT-GUIDE-2017-PT.pdf, consultado em 15 de Janeiro de 2019: "Uma equipa de investigação conjunta é um instrumento de cooperação internacional assente num acordo entre autoridades competentes – tanto do foro judicial (juízes, procuradores, juízes de instrução...) como do foro da aplicação da lei – de dois ou mais Estados, criado por um período limitado e com

Com base nesta definição podemos, pois, destacar os seguintes elementos caraterizadores das equipas de investigação conjuntas[5]:

1) Mecanismo de cooperação jurídica internacional;

2) Existência de um acordo entre os Estados envolvidos;

3) Composição por membros provenientes de mais um Estado;

4) Atuação no território de um ou mais Estados;

5) Múltiplas medidas de investigação específicas;

6) Período de tempo determinado;

7) Objetivo determinado;

8) Clareza sobre as funções e responsabilidades dos elementos da equipa de investigação conjunta.

3.2. *O pedido de criação de uma equipa de investigação conjunta*

Quer a Decisão-Quadro quer a Convenção estipulam o mesmo quanto aos elementos que devem fazer parte do pedido de criação de equipas de investigação conjuntas. Este deve incluir os elementos referidos nas disposições pertinentes do artigo 14.º da Convenção europeia de auxílio judiciário mútuo em matéria penal e no artigo 37.º do Tratado do Benelux de 27 de Junho de 1962, alterada pelo protocolo de 11 de Maio de 1974[6], bem como propostas relativas à composição da equipa (artigo 1.º, n.º 2 da Decisão-Quadro do Conselho de 13 de Junho de 2002 relativa às equipas de investigação conjuntas e, no mesmo sentido, artigo 13.º, n.º 2 da Convenção Relativa ao Auxílio Judiciário Mútuo em Matéria Penal entre os Estados Membros da União Europeia). Uma maior concretização destes elementos pode ser encontrada no modelo de acordo para a criação de uma equipa de investigação conjunta.

---

um objetivo específico, a fim de realizar investigações penais num ou vários Estados envolvidos".

[5] Seguimos muito de perto a sistematização oferecida pela Dirección General de Cooperación Regional e Internacional da República Argentina, *Equipos Conjuntos de Investigación: Estrategias de trabajo articulado para investigar y perseguir al crimen organizado*, Buenos Aires, 2017, p. 6, disponível em https://www.mpf.gob.ar/cooperacion-ai/files/2017/04/ECI_DIGCRI.pdf, consultado em 15 de Janeiro de 2019.

[6] Ou seja, indicação da autoridade que emana o pedido de criação, objeto e motivo do pedido, identidade e nacionalidade da pessoa em causa e, se necessário, nome e endereço do destinatário.

Com vista a facilitar o processo de criação das equipas de investigação conjunta e, concomitantemente, acelerar a implementação a Decisão-Quadro, o Conselho avançou em 8 de maio de 2003 com uma recomendação (2003/C121/01) sobre o modelo de acordo a seguir para a criação das equipas de investigação conjunta[7]. Este modelo foi, entretanto, substituído e atualizado pela Resolução 2010/C70/01 do Conselho, relativa a um modelo de acordo para a criação de equipas de investigação conjuntas, de 26 de fevereiro de 2010, e, mais recentemente, pela Resolução (2017/C18/01) do Conselho relativa a um modelo de acordo para a criação de equipas de investigação conjuntas.

Atendendo ao modelo de acordo que advém da Resolução (2017/C18/01), os Estados devem primeiramente indicar qual a base jurídica do acordo que propõem, nomeadamente um dos seguintes diplomas:

– Artigo 13.º da Convenção relativa ao Auxílio Judiciário Mútuo em Matéria Penal entre os Estados-Membros da União Europeia, de 29 de maio de 2000;

– Decisão-Quadro do Conselho, de 13 de junho de 2002, relativa às equipas de investigação conjuntas;

– Artigo 1.º do Acordo entre a União Europeia e a República da Islândia e o Reino da Noruega sobre a aplicação de determinadas disposições da Convenção de 29 de maio de 2000 relativa ao Auxílio Judiciário Mútuo em Matéria Penal entre os Estados-Membros da União Europeia e do Protocolo de 2001 a esta Convenção, de 29 de dezembro de 2003;

– Artigo 5.º do Acordo entre a União Europeia e os Estados Unidos da América sobre Auxílio Judiciário Mútuo;

– Artigo 20.º do Segundo Protocolo Adicional à Convenção Europeia de Auxílio Judiciário Mútuo em Matéria Penal, de 20 de abril de 1959;

– Artigo 9.º, n.º 1, alínea c), da Convenção das Nações Unidas contra o Tráfico Ilícito de Narcóticos e Substâncias Psicotrópicas (1988);

– Artigo 19.º da Convenção das Nações Unidas contra a Criminalidade Organizada Transnacional (2000);

– Artigo 49.º da Convenção das Nações Unidas contra a Corrupção (2003);

---

[7]   Formato de acordo que não é vinculativo.

–   Artigo 27.º da Convenção de Cooperação Policial para a Europa do Sudeste (2006).

Definida a base jurídica, o acordo deve conter, entre outros elementos, a identificação das partes no acordo, a definição do objetivo de criação da equipa de investigação conjunta, o período de atuação da equipa de investigação conjunta, a designação do(s) chefe(s) de equipa e a identificação dos membros e dos participantes da equipa de investigação conjunta.

3.3. Composição das equipas de investigação conjuntas

A composição das equipas de investigação conjuntas é definida no acordo de criação da equipa (artigo 1.º, n.º 1 e 2 da Decisão-Quadro e artigo 13.º, n.º 1 e 2 da Convenção). Embora a Decisão-Quadro e Convenção não sejam claras quanto às autoridades ou serviços que podem ser representadas nas equipas de investigação, parece-nos claro, tendo em conta o objetivo da criação destas equipas, que devem integrá-las as autoridades judiciárias e policiais dos Estados-membros participantes[8, 9].

Os membros da equipa de investigação conjunta que não representem o Estado-membro onde a equipa intervém são denominados elementos "destacados" (artigo 1.º, n.º 4 da Decisão-Quadro e artigo 13.º, n.º 4 da Convenção). Aos membros destacados são aplicadas regras específicas que decorrem

---

[8]   Cf. Euclides Dâmaso Simões, "Informação básica sobre equipas de investigação conjunta no âmbito da União Europeia", 2008, p. 2, disponível em http://www.pgdlisboa.pt/ novidades/files/novidade_322.pdf, consultado em 15 de janeiro de 2019. Igualmente relevante, Network of National Experts on Joint Investigation Teams (JITs Network), "Equipas de Investigação Conjuntas: Guia Prático, 2017", p. 4, disponível em http:// www.eurojust.europa.eu/doclibrary/JITs/JITs%20framework/JITs%20Practical%20 Guide/JIT-GUIDE-2017-PT.pdf, consultado em 15 de Janeiro de 2019, que integra no conceito de autoridades competentes não apenas elementos do foro judicial –juízes, procuradores, entre outros– como do foro da aplicação da lei.

[9]   Conforme informa o The Network of National Experts on Joint Investigation Teams (JITs Network), "Equipas de Investigação Conjuntas: Guia Prático, 2017", p. 16, disponível em http://www.eurojust.europa.eu/doclibrary/JITs/JITs%20framework/ JITs%20Practical%20Guide/JIT-GUIDE-2017-PT.pdf, consultado em 15 de Janeiro de 2019, poderão participar nas equipas de investigação conjuntas pessoas que não pertençam às autoridades policiais ou judiciais. Aliás, "[a] exemplo do que sucede em qualquer outra investigação, o contributo de pessoas que não pertençam às autoridades policiais ou judiciais pode ser benéfico para o resultado do processo (por exemplo, peritos forenses ou organizações não governamentais, especialmente para efeitos de apoio à vítima). Caso se preveja esta participação, poderá ser útil que os parceiros debatam o assunto durante a fase de criação da EIC".

precisamente da circunstância de atuarem num território não pertencente ao Estado que representam. Essas regras estão previstas no artigo 1.º, n.º 5 e 6 da Decisão-Quadro e artigo 13.º, n.º 5 e 6 da Convenção. A primeira relaciona-se com o direito conferido aos elementos destacados de estar presentes em atos de investigação criminal que se realizem no Estado-membro de intervenção. Direito este que pode ser afastado por decisão fundamentada do chefe da equipa. A segunda tem que ver com a possibilidade de estes elementos destacados poderem ficar encarregues de executar, no Estado-membro onde decorre a investigação, medidas de investigação. Mais uma vez, o chefe da equipa assume um papel importante porque é a ele que incumbe a decisão de atribuir a tarefa de execução da medida de investigação ao elemento destacado, ainda que, para além disso, seja necessária aprovação pelas autoridades competentes do Estado-Membro onde decorre a intervenção e do Estado-Membro que procede ao destacamento.

Podem integrar as equipas de investigação conjuntas elementos que não representem os Estados-membros que criaram a equipa (artigo 1.º, n.º 12 da Decisão-Quadro e artigo 13.º, n.º 12 da Convenção), nomeadamente a OLAF, a Eurojust[10] e a Europol[11]. Não podemos esquecer que a Europol, por exemplo, tem desempenhado um papel importantíssimo de apoio às atividades das equipas de investigação conjunta, designadamente partilhando informação que tem ao seu dispor, suporte logístico e analítico, *expertise* forense e técnica. A participação de pessoal da Europol circunscreve-se, contudo, aos casos em que estejam a ser investigados crimes abrangidos pelos objetivos da Europol (artigo 5.º, n.º 1 do Regulamento (UE) 2016/794)[12], isto é, criminalidade grave que afete dois ou mais Estados-Membros, terroris-

---

[10]   Artigo 4, n.º 1, al. f) e artigo 8, n.º 1, al. d) do Regulamento (UE) 2018/1727 do Parlamento Europeu e do Conselho, de 14 de novembro de 2018, que cria a Agência da União Europeia para a Cooperação Penal (Eurojust), e que substitui e revoga a Decisão 2002/187/JAI do Conselho e artigo 9.º da Lei 36/2003, de 22 de Agosto. Apesar de optarmos por referenciar este regulamento, não podemos deixar de chamar a atenção para o facto de este regulamento só produzir efeitos a partir de 12 de dezembro de 2019. Cf. artigo 6, al. a), iv) e 7.º, al. a), iv) da Decisão 2002/187/JAI do Conselho.

[11]   Considerando 9 e artigo 1.º, n.º 12 da Decisão-Quadro e artigo 13.º, n.º 12 da Convenção. Cf. ainda The Network of National Experts on Joint Investigation Teams (JITs Network), "Equipas de Investigação Conjuntas: Guia Prático, 2017", p. 26, disponível em http://www.eurojust.europa.eu/doclibrary/JITs/JITs%20framework/JITs%20Practical%20Guide/JIT-GUIDE-2017-PT.pdf, consultado em 15 de Janeiro de 2019.

[12]   Regulamento (UE) 2016/794 do Parlamento Europeu e do Conselho, de 11 de maio de 2016, que cria a Agência da União Europeia para a Cooperação Policial (Europol) e que substitui e revoga as Decisões 2009/371/JAI, 2009/934/JAI, 2009/935/JAI, 2009/936/JAI e 2009/968/JAI do Conselho.

mo e formas de criminalidade que afetem um interesse a abrangido por uma política da União[13]. A participação da Europol ou Eurojust nas atividades de investigação não é obrigatória, sublinhe-se. Porém, para que uma equipa de investigação conjunta possa beneficiar de financiamento pela Eurojust, têm de ser convidados os membros nacionais da Eurojust do(s) Estado(s)-Membro(s) envolvidos a participar nas suas atividades.[14]

3.3.1. Chefia das equipas de investigação conjuntas

Nos termos do artigo 1.º, n.º 3, al. a) da Decisão-Quadro e artigo 13.º, n.º 3, al. a) da Convenção, a equipa de investigação conjunta é chefiada por um representante da autoridade competente que participar nas investigações criminais do Estado-Membro em que a equipa intervém, que, no caso português, segundo Euclides Dâmaso Simões, seria o magistrado do Ministério Público que dirigir o inquérito em causa[15]. À primeira vista, resulta daqui que a chefia da equipa de investigação conjunta é unisubjetiva ou singular, o que, aparentemente, seria o mais consentâneo com uma leitura literal das normas referidas.

---

[13]   Terrorismo; crime organizado; tráfico de estupefacientes; branqueamento de capitais; crimes associados a material nuclear e radiativo; introdução clandestina de imigrantes; tráfico de seres humanos; tráfico de veículos roubados; homicídio voluntário e ofensas corporais graves; tráfico de órgãos e tecidos humanos; rapto, sequestro e tomada de reféns; racismo e xenofobia; roubo e furto qualificado; tráfico de bens culturais, incluindo antiguidades e obras de arte; burla e fraude; crimes contra os interesses financeiros da União; abuso de informação privilegiada e manipulação do mercado financeiro; extorsão de proteção e extorsão; contrafação e pirataria de produtos; falsificação de documentos administrativos e respetivo tráfico; falsificação de moeda e de meios de pagamento; criminalidade informática; corrupção; tráfico de armas, munições e explosivos; tráfico de espécies animais ameaçadas; tráfico de espécies e variedades vegetais ameaçadas; crimes contra o ambiente, incluindo a poluição por navios; tráfico de substâncias hormonais e outros estimuladores de crescimento; abuso e exploração sexual, incluindo material relacionado com o abuso sexual de crianças e aliciamento de crianças para fins sexuais; genocídio, crimes contra a humanidade e crimes de guerra.

[14]   The Network of National Experts on Joint Investigation Teams (JITs Network), "Equipas de Investigação Conjuntas: Guia Prático", 2017, p. 14, disponível em http://www.eurojust.europa.eu/doclibrary/JITs/JITs%20framework/JITs%20Practical%20Guide/JIT-GUIDE-2017-PT.pdf e Eurojust, "Guia Prático de Financiamento de EICs", 2018, p. 3, disponível em http://www.eurojust.europa.eu/doclibrary/JITs/JITsfundingguidance_fundingguide/JITs%20Funding%20Guide/JITs-Funding-Guide_PT.pdf, ambos consultados em 15 de Janeiro de 2019.

[15]   No mesmo sentido, Euclides Dâmaso Simões, "Informação básica sobre equipas de investigação conjunta no âmbito da União Europeia", 2008, p. 2, disponível em http://www.pgdlisboa.pt/novidades/files/novidade_322.pdf, consultado em 15 de janeiro de 2019.

Porém, este entendimento não é o mais adequado à realidade da aplicação deste mecanismo de cooperação internacional. O Guia Prático para as equipas de investigação conjuntas apresentado pelo Secretariado da Rede de Equipas de Investigação Conjuntas e elaborado pela Rede de Equipas de Investigação Conjuntas, em colaboração com a Eurojust, a Europol e o OLAF[16], redigido com o propósito de prestar informação, orientação e aconselhamento aos profissionais sobre a criação de equipas de investigação conjuntas, abre portas a um entendimento diferente. Por um lado, ao detalhar a composição da equipa de investigação conjunta, afirma a necessidade de designação de um ou mais chefes da equipa que ficarão encarregues da supervisão das suas atividades[17]. Por outro lado, a experiência tem mostrado que em grande parte dos casos tem sido "designado pelo menos um chefe da EIC por cada um dos Estados nos quais a equipa intervém" e nada obsta, pelo menos de um ponto de vista conceptual-formal, a que um Estado-membro possa até designar vários chefes de equipa, designadamente naquelas hipóteses em que se prevê a participação de um magistrado do ministério público e de um juiz de instrução.[18] Dependerá, portanto, do modelo e regras processuais penais instituídas em cada Estado-Membro. Naturalmente que quanto maior for o número de pessoas ou entidades designadas como chefes, mais difícil se tornará, em regra, a articulação entre eles, o que pode trazer efeitos negativos em matéria de cumprimento dos objetivos da equipa de investigação conjunta.

3.4. Âmbito da investigação criminal

3.4.1. Objetivo da investigação criminal

A razão da existência das equipas de investigação conjuntas liga-se, como não podia deixar de ser, à sua finalidade de investigação criminal, que tem de ficar especificada no acordo de criação da equipa.

---

[16]   The Network of National Experts on Joint Investigation Teams (JITs Network), "Equipas de Investigação Conjuntas: Guia Prático", 2017, disponível em http://www.eurojust.europa.eu/doclibrary/JITs/JITs%20framework/JITs%20Practical%20Guide/JIT-GUIDE-2017-PT.pdf, consultado em 15 de Janeiro de 2019.

[17]   The Network of National Experts on Joint Investigation Teams (JITs Network), "Equipas de Investigação Conjuntas: Guia Prático", 2017, p. 8, disponível em http://www.eurojust.europa.eu/doclibrary/JITs/JITs%20framework/JITs%20Practical%20Guide/JIT-GUIDE-2017-PT.pdf.

[18]   The Network of National Experts on Joint Investigation Teams (JITs Network), "Equipas de Investigação Conjuntas: Guia Prático", 2017, p. 15, disponível em http://www.eurojust.europa.eu/doclibrary/JITs/JITs%20framework/JITs%20Practical%20Guide/JIT-GUIDE-2017-PT.pdf.

Ora, nos termos do artigo 13.º, n.º 1, da Convenção e artigo 1.º da Decisão-Quadro, "[a]s autoridades competentes de dois ou mais Estados membros podem criar, de comum acordo, uma equipa de investigação conjunta para um objectivo específico e por um período limitado, que poderá ser prolongado com o acordo de todas as partes, para efectuar investigações criminais num ou em vários Estados membros que criarem a equipa". A criação das equipas de investigação conjuntas, justificam-se, nomeadamente, "[n]o âmbito das investigações de um Estado membro sobre infracções penais, houver necessidade de realizar investigações difíceis e complexas com implicações noutros Estados membros" (artigo 13.º, n.º 1, al. a) da Convenção e artigo 1.º, n.º 1, al. a) da Decisão-Quadro) e quando "[v]ários Estados membros realizarem investigações sobre infracções penais que, por força das circunstâncias subjacentes, tornem indispensável uma acção coordenada e concertada nos Estados membros envolvidos" (artigo 13.º, n.º 1, al. b) da Convenção e artigo 1.º, n.º 1, al. b) da Decisão-Quadro).

A nosso ver, salvo melhor entendimento, não se procede a qualquer limite da criação das equipas de investigação conjuntas em função do tipo de criminalidade em causa, a não ser o de esta produzir efeitos em mais do que um país e demandar uma investigação criminal de especial dificuldade e complexidade. Os considerandos 6 e 7 da Decisão-Quadro parecem indicar, à primeira vista, entendimento contrário, na medida em que segundo estes considerandos o Conselho afigura conveniente criar um instrumento específico juridicamente vinculativo aplicável a investigações conjuntas relativas a tráfico de droga e de seres humanos, assim como ao terrorismo[19]. Contra este argumento podemos, porém, aduzir o seguinte. Em primeiro lugar, não se descobre no texto da Decisão-Quadro qualquer lista taxativa ou exemplificativa de tipos de criminalidade em relação aos quais se admitiria a criação de equipas de investigação conjuntas. Em segundo lugar, o próprio considerando 6 estabelece como objetivo o combate da criminalidade internacional com a maior eficácia possível[20].

---

[19]   Acrescentando que essas equipas deverão ser criadas, em primeira linha, para combater actos praticados por terroristas (considerando 7). De interesse, as Conclusões do Conselho Europeu de Tampere de 15 e 16 de Outubro de 1999, onde se apelou à criação de equipas de investigação conjuntas tendo em vista a repressão do tráfico de drogas, de seres humanos e terrorismo (ponto 43).

[20]   Para Euclides Dâmaso Simões, "Informação básica sobre equipas de investigação conjunta no âmbito da União Europeia", 2008, p. 2, disponível em http://www.pgdlisboa. pt/novidades/files/novidade_322.pdf, consultado em 15 de janeiro de 2019, "[q]uer a conclusão 43 de Tampere quer o ponto 6 do preâmbulo da
Decisão Quadro veiculam a ideia de que são especialmente objeto das E.I.C. as investigações relativas a tráfico de droga e de seres humanos e terrorismo", mas a "lei portu-

Como veremos na secção 5 deste capítulo, a realidade da aplicação prática do mecanismo das equipas de investigação conjuntas confirma a nossa opinião.

3.4.2. Limitação geográfica

As atividades das equipas de investigação conjuntas limitam-se geograficamente aos territórios dos Estados-membros que criaram a equipa (artigo 1.º, n.º 3 da Decisão-Quadro e artigo 13.º, n.º 3 da Convenção). Neste sentido, o acordo de criação da equipa de investigação conjunta, tal como decorre do modelo de acordo da Resolução (2017/C18/01) do Conselho, integra uma cláusula com a qual fica expresso que "[a] EIC atuará nos Estados Partes no presente acordo".

3.4.3. Limitação temporal

Tal como acontece em relação aos objetivos da criação da equipa de investigação, que têm de ficar especificados *ab initio*, a atuação da equipa de investigação conjunta é temporalmente limitada, não havendo lugar para qualquer indeterminação. Tem, pois, de ser concretizado um período de tempo durante o qual decorrerão as atividades da equipa de investigação conjunta (artigo 1.º, n.º 1 da Decisão-Quadro e artigo 13.º, n.º 1 da Convenção), tendo em conta os seus objetivos e tempo expectável de execução.

O legislador europeu permite, contudo, que o período de vigência do acordo de criação de uma equipa de investigação conjunta possa ser prorrogado por mútuo acordo. Esta possibilidade é de saudar na medida em que evita uma descontinuidade da cooperação internacional entre os vários Estados envolvidos que seria incontornável caso fosse imposta a redação e assinatura de um novo acordo de criação da equipa. Seria mesmo incoerente, de um ponto de vista político-criminal europeu, que se negasse normativamente a figura da prorrogação, pois significaria uma desconsideração absoluta pela vontade demonstrada pelos Estados em permanecer neste quadro de cooperação mútua. Não queremos com isto defender, bem pelo contrário, que, no quadro jurídico atual, seja compatível com os textos legais europeus que constituem o objeto da nossa análise a criação de equipas de investigação conjuntas sem uma finalidade específica ou temporalmente limitadas. O espírito das normas em questão não valida tal solução. Apesar disto, admite-se, como se viu, algu-

---

guesa não estabelece limitações ao objecto das E.I.C.", concluindo que teremos de estar perante crime grave e de investigação complexa para se poder usar este mecanismo.

ma flexibilidade, quer quanto à dimensão temporal da atuação das equipas – permitindo-se a prorrogação do acordo desde que tal se revele essencial para a prossecução do objetivo que norteou a criação da equipa de investigação –, quer quanto à finalidade específica da equipa, quer ainda quanto à sua composição – uma vez que estas hipóteses poderão originar alterações ao acordo inicial havendo o consentimento mútuo dos Estados.

3.4.4. Limitação jurídica

De um ponto de vista jurídico, a atividade de investigação levada a cabo pela equipa de investigação conjunta é, em certa medida, triplamente limitada. Em primeiro lugar, o chefe da equipa de investigação não pode ir além das competências que lhe são atribuídas pela legislação do Estado que representa (artigo 1.º, n.º 3, al. a) da Decisão-Quadro e artigo 13.º, n.º 3, al. a) da Convenção). Em segundo lugar, ainda que os elementos da equipa devam executar as suas missões sob a direção do chefe de equipa, a verdade é que têm também de respeitar as condições estipuladas pelas suas próprias autoridades no acordo que cria a equipa. Por fim, toda a equipa deve respeito escrupuloso à legislação vigente no território do Estado onde ocorre a intervenção, sob pena de responsabilidade, como veremos *infra*.

A questão da limitação jurídica da atuação das equipas de investigação conjuntas é particularmente importante para efeitos de admissibilidade processual da prova recolhida. Embora seja algo raro[21], pode acontecer que a admissibilidade das provas recolhidas pela equipa de investigação seja colocada em causa, minando assim todo o esforço de investigação. Impõe-se, por isso, um domínio profundo das leis nacionais dos Estados envolvidos de forma a antever e solucionar qualquer problema de admissibilidade de prova.

3.4.5. Responsabilidade penal e vitimização dos agentes

O artigo 2.º da Diretiva – assim como o artigo 15.º da Convenção – trata sob a epígrafe de "responsabilidade penal dos agentes" a questão da aplicação do direito penal em sentido amplo aos agentes que sejam vítimas ou autores de crimes cometidos durante as operações executadas pela equipa de investiga-

---

[21] Conforme The Network of National Experts on Joint Investigation Teams (JITs Network), "Equipas de Investigação Conjuntas: Guia Prático, 2017", p. 17, disponível em http://www.eurojust.europa.eu/doclibrary/JITs/JITs%20framework/JITs%20Practical%20Guide/JIT-GUIDE-2017-PT.pdf, consultado em 15 de Janeiro de 2019.

ção criminal. Sendo absolutamente rigorosos, uma coisa é a responsabilidade penal de quem comete um crime e outra, bastante diferente, é a dos direitos e garantias reconhecidos a quem é vítima de um crime. O legislador optou por redigir uma única norma com o objetivo de assinalar o princípio de igualdade ou paridade entre os membros do Estado-membro onde se desenvolve a atuação da equipa de investigação conjunta e os membros destacados para efeitos das infrações de que sejam vítimas ou que cometam. Embora se perceba e se possa aplaudir a solução jurídica adotada, temos dúvidas quanto à precisão da epígrafe escolhida para encabeçar os referidos artigos. Cremos que não reflete adequadamente o seu conteúdo material.

3.4.6. Responsabilidade civil dos agentes

É devida ainda uma palavra sobre o regime jurídico da responsabilidade civil pelos danos causados pelos membros das equipas de investigação conjuntas.

Conforme o artigo 3.º, n.º 1 da Diretiva e artigo 16.º, n.º 1 da Convenção, a responsabilidade pelos danos causados pelos membros destacados é atribuída ao Estado que representam. Por outras palavras, um Estado-Membro é responsável civilmente pelos danos causados pelos seus agentes, quando estes estejam integrados numa equipa de investigação conjunta, os danos hajam sido causados no desempenho das suas funções e se encontrem no território de um outro Estado-Membro. A aferição da responsabilidade civil dos agentes é realizada de acordo com a ordem jurídica do Estado-Membro onde os danos foram causados.

A reparação dos danos causados pelos elementos destacados é assegurada, em primeira linha, pelo Estado-Membro onde os danos ocorreram, sem prejuízo de um direito de regresso. De facto, o Estado-Membro que designou os membros destacados da equipa de investigação conjunta que causaram danos deve reembolsar o Estado-Membro que tenha procedido ao pagamento de quantias ressarcitórias às vítimas ou aos seus sucessores.

Fora estes casos e de exercício de direitos contra terceiros, cada Estado-Membro renuncia a solicitar a outro Estado-Membro o reembolso do montante dos danos por si sofridos.

3.5. Análise crítica da figura das equipas de investigação conjuntas

As vantagens apontadas às equipas de investigação conjuntas enquanto mecanismo de cooperação internacional são as mais variadas. Salientaremos apenas algumas.

Ao constituírem plataformas de colaboração internacional territorial e temporalmente estáveis, as equipas de investigação conjuntas dispensam, em grande medida, o uso de outros instrumentos de auxílio judiciário mútuo. Exceção feita aos casos em que se faça necessário o auxílio de um Estado-Membro que não tenha sido um dos que criaram a equipa, evita-se, com a criação da figura das equipas de investigação conjuntas, uma multiplicidade de pedidos de auxílio judiciário[22].

Constrói-se um espaço de partilha de informações e elementos de prova entre as entidades participantes, mas também de *know-how* e *expertise*, o que contribui sobremaneira para uma maior probabilidade de sucesso de cumprimento das finalidades específicas para as quais a equipa foi formada. Tudo somado, as equipas de investigação conjuntas "constituem um instrumento de cooperação muito eficiente e eficaz, que facilita a coordenação das investigações e ações judiciais realizadas paralelamente em vários Estados-Membros"[23].

Outro aspeto a realçar positivamente é o de que preenchidas determinadas condições, os elementos destacados da equipa de investigação conjunta poderem ficar encarregues de levar a cabo certas medidas de investigação no território do Estado-Membro de intervenção. Ademais, têm o direito a estar presentes na execução de medidas de investigação.

Todavia, a implementação desta figura não está isenta de dificuldades. Mencionamos aliás duas situações que podem trazer alguns óbices ao correto funcionamento das equipas de investigação conjuntas e, concomitantemente, ao cumprimento das suas finalidades. Desde logo não podemos olvidar que, apesar dos esforços integradores da União Europeia, inclusive em matéria penal, continuam a permanecer diferenças marcantes entre os ordenamentos jurídicos dos diversos Estados-Membros. No que ao direito processual penal diz respeito, há distintas visões sobre qual o modelo de processo penal mais adequado, entidades que devem ter um papel interventivo na investigação penal e quais as suas competências, os

---

[22] *Vd.* Dirección General de Cooperación Regional e Internacional da República Argentina, *Equipos Conjuntos de Investigación: Estrategias de trabajo articulado para investigar y perseguir al crimen organizado*, Buenos Aires, 2017, p. 9, disponível em https://www.mpf.gob.ar/cooperacion-ai/files/2017/04/ECI_DIGCRI.pdf, consultado em 15 de Janeiro de 2019.

[23] Cf. The Network of National Experts on Joint Investigation Teams (JITs Network), "Equipas de Investigação Conjuntas: Guia Prático, 2017", p. 4, disponível em http://www.eurojust.europa.eu/doclibrary/JITs/JITs%20framework/JITs%20Practical%20Guide/JIT-GUIDE-2017-PT.pdf, consultado em 15 de Janeiro de 2019.

meios de obtenção de prova e meios de prova, bem como as condições de sua admissibilidade, direitos e garantias do suspeito, da vítima, do lesado, entre muitas outras matérias. Esta diversidade demanda dos membros da equipa de investigação conjunta particular atenção no momento de planeamento e execução das medidas de investigação para que, por exemplo, as provas não fiquem inquinadas a ponto de serem proibidas e, por isso, inadmissíveis.

Além disso, têm surgido dúvidas sobre o modo e grau de articulação do regime jurídico das equipas de investigação conjuntas com os demais mecanismos de cooperação internacional. Em matérias tão sensíveis quanto estas, que mais a mais convocam quer a proteção quer a limitação de direitos fundamentais, seria de esperar maior clareza e certeza jurídica.

A cultura de cooperação judiciária internacional não está perfeitamente interiorizada pelas autoridades nacionais, verificando-se algum desconhecimento sobre o modo de funcionamento e finalidades das equipas de investigação conjuntas. Há um "medo do desconhecido"[24], o que leva à rejeição ou, pelo menos, relutância em criar ou participar em equipas de investigação conjuntas.

4. ORDENAMENTO JURÍDICO PORTUGUÊS

4.1. Apontamentos históricos

A lei atualmente em vigor em Portugal sobre cooperação judiciária internacional em matéria penal é a Lei n.º 144/99, de 31 de Agosto, que aprova a lei da cooperação judiciária internacional em matéria penal. Esta ocupa-se das diferentes formas de cooperação judiciária internacional, tais como a extradição, transmissão de processos penais, execução de sentenças penais, transferência de pessoas condenadas a penas e medidas de segurança privativas da liberdade, vigilância de pessoas condenadas ou libertadas condicionalmente e auxílio judiciário mútuo em matéria penal.

As raízes históricas deste diploma encontram-se no Decreto-Lei n.º 437/75 de 16 de Agosto e no Decreto-Lei n.º 43/91 de 22 de Janeiro.

---

[24] Network of National Experts on Joint Investigation Teams (JITs Network) e Eurojust, "Second JIT Evaluation Report. Evaluations received between: April 2014 and October 2017", 2018, p. 24, disponível em http://www.eurojust.europa.eu/doclibrary/JITs/JITsevaluation/Second%20JIT%20Evaluation%20Report%20(February%202018)/2018-02_2nd--Report-JIT-Evaluation_EN.pdf, consultado em 15 de Janeiro de 2019.

O mais antigo dos dois diplomas, o Decreto-Lei n.º 437/75, constituiu o primeiro avanço legislativo português na concretização de um regime jurídico sobre a extradição, abrangendo quer normas substantivas quer processuais. Como se pode inferir do preâmbulo do Decreto-Lei, a implementação de uma lei interna sobre a extradição era há muito devida pois, antes da sua existência, a extradição de um indivíduo obedecia "a simples prática administrativa, meramente discricionária, que não garant[ia] à pessoa reclamada o exercício de quaisquer direitos, designadamente o de contrariar o pedido ou, sequer, o de interferir no processo; por outras palavras, não exist[ia] a mais elementar garantia do direito de defesa do extraditando".

Com o desenvolvimento dos meios de comunicação e transporte, caraterísticos do fenómeno da globalização, assistimos a uma completa remodelação da vida em sociedade, incluindo, naturalmente, o modo como o crime passou a ser planeado e executado. Por essa razão, a cooperação internacional em matéria penal teve de ser repensada e expandida para além do mecanismo clássico de extradição. A efetiva aplicação do direito penal perante uma criminalidade cada vez mais organizada, complexa e transnacional, demandou uma intensificação da cooperação entre os vários Estados, nomeadamente entre aqueles que partilham projetos político-criminais semelhantes.

Foi neste estado de coisas que se desenvolveram outros mecanismos de cooperação internacional entre os quais a transmissão de processos penais, a execução de sentenças penais, a transferência de pessoas condenadas a penas e medidas de segurança privativas da liberdade, a vigilância de pessoas condenadas ou libertadas condicionalmente e o auxílio judiciário geral em matéria penal, os quais encontraram acolhimento no Decreto-Lei n.º 43/91 de 22 de Janeiro. Para a renovação da legislação portuguesa foi imprescindível o surgimento da Convenção de Auxílio Judiciário Mútuo em Matéria Penal, de 20 de abril de 1959, a Convenção para a Vigilância de Pessoas Condenadas ou Libertadas Condicionalmente, de 30 de Novembro de 1964, a Convenção Europeia sobre o valor internacional das sentenças penais, de 28 de Maio de 1970, a Convenção Europeia sobre a Transmissão de Processos Penais, de 15 de Maio de 1972, Convenção do Conselho da Europa em matéria de transferência de pessoas condenadas, de 21 de março de 1983 e a Convenção das Nações Unidas contra o tráfico ilícito de estupefacientes e substâncias psicotrópicas, de 20 de Dezembro de 1988[25, 26].

---

[25] Cf. preâmbulo do Decreto-Lei n.º 43/91 de 22 de Janeiro.
[26] Não esquecendo a Convenção Europeia de Extradição, de 13 de Dezembro de 1957, assinado por Portugal apenas em 27 de Abril de 1977.

A Lei n.º 144/99, de 31 de Agosto, que se está atualmente em vigor, com algumas alterações ao texto inicial, regula os mesmos mecanismos de cooperação judiciária internacional em matéria penal que já encontravam acolhimento no Decreto-Lei n.º 43/91 de 22 de Janeiro. Porém, a previsão normativa acerca das equipas de investigação conjunta aconteceu apenas em 2003, momento em que foram aditados dois novos artigos lei. Assim, com as alterações introduzidas pela Lei n.º 48/2003, de 22 de Agosto, passaram a existir os artigos 145.º-A e 145.º-B.

4.2. O regime atual

4.2.1. Pressupostos de criação das equipas de investigação conjuntas

Tal como a Diretiva e a Convenção, o legislador português elenca duas situações exemplificativas onde podem ser criadas equipas de investigação conjunta: no âmbito de investigação criminal de especial complexidade com implicações em Portugal ou noutro Estado; ou investigações criminais que tornem indispensável uma ação coordenada e concertada nos Estados envolvidos. O legislador optou assim por manter indefinidos os crimes específicos cuja investigação pode fundamentar o recurso à figura das equipas de investigação conjunta.

O recurso às equipas de investigação criminal conjuntas depende de um acordo entre o Estado Português e o Estado estrangeiro. O pedido de criação de equipas de investigação deve conter os elementos referidos nas disposições pertinentes do artigo 14.º da Convenção Europeia de Auxílio Judiciário Mútuo em Matéria Penal e do artigo 37.º do Tratado do Benelux de 27 de Junho de 1962, alterada pelo Protocolo de 11 Maio de 1974, assim como uma proposta relativa à composição[27]. De forma a tornar mais clara a operacionalização das equipas de investigação conjunta que envolvam o Ministério Público português, a Procuradoria-Geral da República, através do Despacho de 17 de janeiro de 2012[28], emitiu um conjunto de algumas linhas orientadoras da atuação dos magistrados quando se torne necessária a utilização deste mecanismo de cooperação.

O primeiro aspeto a salientar deste despacho é que aquando da criação de uma equipa de investigação conjunta deverão os magistrados solicitar o

---

[27]   Cf., contudo, o que ficou dito acerca da Resolução 2017/C18/01 do Conselho relativa a um modelo de acordo para a criação de equipas de investigação conjuntas.

[28]   Cf.   http://www.ministeriopublico.pt/sites/default/files/anexos/despachos/despacho-17jan.pdf, consultado em 15 de janeiro de 2019.

apoio do membro nacional da Eurojust[29] para o estabelecimento da comunicação com as entidades estrangeiras, para a elaboração do plano operacional e acordo de constituição e para o acesso, eventualmente necessário, a financiamento comunitário.

Um outro ponto, já desatualizado diga-se, é a obrigatoriedade de os magistrados elaborarem o acordo de criação das equipas de investigação conjunta conforme a Resolução 2010/C70/01 do Conselho. Desatualizado porque, como vimos, o modelo introduzido por esta Resolução foi substituído por aquele previsto na Resolução (2017/C18/01) do Conselho relativa a um modelo de acordo para a criação de equipas de investigação conjuntas.

Ademais, a constituição da equipa depende de autorização prévia do Procurador-Geral da República. Pedido de autorização esse que deve incluir o projeto de acordo e da fundamentação para a constituição da equipa e, bem assim, informação sobre as previsíveis implicações em matéria de custos inerentes ou decorrentes da formação da equipa. Incumbirá ao Ministro da Justiça português autorizar a constituição de equipas de investigação criminal conjuntas, sempre que esta constituição não for já regulada pelas disposições de acordos, tratados ou convenções internacionais (artigo 145.º, n.º 6, Lei n.º 144/99, de 31 de Agosto).

Se se verificar a necessidade de auxílio de um Estado que não participou na sua criação, o Ministro da Justiça português apresenta um pedido de auxílio às autoridades desse Estado. Sobre este aspeto, informa-nos o Despacho de 17 de janeiro de 2012, que o pedido de autorização para a intervenção de autoridades de Estados não participantes na criação da equipa de investigação conjunta deve ser encaminhado para a Procuradoria Geral da República.

De facto, a dinâmica da investigação criminal, perante a realidade das circunstâncias concretas do caso, vai evoluindo e, em determinadas ocasiões, faz-se necessário, para a realização eficaz dos objetivos delineados, alargar os mecanismos de cooperação inicialmente projetados. Nesse sentido, é imprescindível que haja flexibilidade e capacidade de adaptação ao longo do processo colaborativo interestatal, desde que, naturalmente, os pressupostos normativos de que dependem os mecanismos de cooperação se encontrem preenchidos. Exatamente por essa razão, se permite, respeitados os instru-

---

[29]   Cf. artigo 9.º da Lei n.º 36/2003, de 22 de Agosto.

mentos e as normas relevantes, a intervenção de um Estado que não tenha estado na génese da equipa de investigação criminal conjunta.

A participação nas equipas de investigação conjunta de representantes de Estados que não tenham feito parte da criação dessa mesma equipa é possível por via de acordo. Porém, estes representantes não gozam, em regra, dos mesmos direitos que são conferidos aos elementos destacados pelo Estado estrangeiro, que integra o acordo de criação da equipa de investigação conjunta (artigo 145.º-A, n.º 8, da Lei n.º 144/99, de 31 de Agosto)

4.2.2. A atividade de investigação criminal pela equipa de investigação conjunta

A equipa de investigação conjunta é chefiada por uma autoridade nacional portuguesa se a investigação ocorrer em Portugal[30] - Ministério Público. A escolha da nacionalidade da chefia não é tão clara na lei portuguesa, quanto na Decisão-Quadro, pelo artigo 1.º, n.º 3, al. a), e na Convenção, com o artigo 13.º, n.º 3, al. a), uma vez que, neste aspeto, o artigo 145.º-A da Lei n.º 144/99, de 31 de Agosto, não reproduz a Decisão-Quadro e Convenção. Entendemos, porém, que essa deve ser a solução a seguir, desde logo pelo respeito da força vinculativa e hermenêutica do direito europeu, a que se junta um argumento interpretativo assente na leitura do artigo 145.º-A, n.º 3 e 4, bem como do artigo imediatamente anterior, artigo 145.º, mais concretamente dos números 5 e 7. Explicitemos. O artigo 145.º, n.º 5 prevê a possibilidade de deslocação a Portugal de autoridades judiciárias e de órgãos de polícia criminal estrangeiros, para aqui participarem em atos de investigação criminal. Acrescenta o n.º 6 que os atos de investigação criminal são obrigatoriamente presenciados e dirigidos pelas autoridades portuguesas, e sob estrito cumprimento da lei processual penal portuguesa. Ora, se estes

---

[30] Questão prévia para o desenvolvimento das atividades de investigação é, pois, a definição de território português. O conceito de território português deverá ser construído a partir do sentido que lhe é dado pela Constituição. Assim, nos termos do artigo 5.º, o território português inclui o território historicamente definido no continente europeu e os arquipélagos dos Açores e da Madeira, águas territoriais, a zona económica exclusiva e fundos marinhos contíguos. Apesar de constitucionalmente omisso, entendemos, na linha do direito internacional aplicável nesta matéria, que o espaço aéreo sobre território e mar portugueses são parte integrante do espaço de soberania portuguesa. Cf. Convenções de Paris e de Chicago. De interesse o artigo 84.º, n.º 1, al. b) da Constituição portuguesa, segundo o qual pertencem ao domínio público as camadas aéreas superiores ao território acima do limite reconhecido ao proprietário ou superficiário.

atos forem praticados no âmbito de equipas de investigação conjuntas aplica-se exatamente a mesma regra, ou seja, a direção é atribuída à autoridade portuguesa, muito embora a equipa de investigação seja composta de elementos nacionais e estrangeiros. Para além disso, o artigo 145.°-A, n.° 3 e 4, se bem interpretados, conduzem à mesma conclusão. O número 3 deste artigo impõe a necessidade de decisão expressa e fundamentada da autoridade portuguesa que dirija a equipa de investigação quando pretenda excluir a presença de elementos destacados por um Estado estrangeiro aquando da prática de atos de investigação criminal em território português. Já o número 4 faz depender a possibilidade de prática de atos de investigação criminal em território português por elementos destacados por Estado estrangeiro de, *inter alia*, decisão da autoridade portuguesa que dirija a equipa.

Ao chefe de equipa, no caso o Ministério Público, incumbe tomar decisões como as de, excecionalmente, não permitir a presença de elementos destacados pelo Estado estrangeiro em atos de investigação criminal que se realizem em território português (artigo 1.°, n.° 5 da Decisão-Quadro, artigo 13.°, n.° 5 da Convenção, artigo 145.°-A, n.° 3, da Lei n.° 144/99, de 31 de Agosto) ou de autorizar a prática de atos de investigação criminal em território português pelos elementos destacados pelo Estado estrangeiro (artigo 1.°, n.° 6 da Decisão-Quadro, artigo 13.°, n.° 6 da Convenção, artigo 145.°-A, n.° 4, da Lei n.° 144/99, de 31 de Agosto)[31].

4.2.2.1. Utilização e partilha de informações

O legislador português estabeleceu o regime de utilização das informações obtidas pelos membros das equipas de investigação conjuntas durante o exercício da sua atividade no artigo 145.°-A, n.° 7, da Lei n.° 144/99, de 31 de Agosto, que, com poucas alterações, reproduz o artigo 1, n.° 10 da Decisão-Quadro. Nesta norma é postulado que as informações obtidas no decurso da investigação, que não sejam acessíveis por outra forma às autoridades competentes dos Estados, podem ser utilizadas em quatro hipóteses: para os efeitos para os quais foi criada a equipa; mediante autorização prévia do Ministro da Justiça, para efeitos de deteção, investigação e instauração de

---

[31] Neste último caso, para além da anuência da autoridade portuguesa que dirige a equipa, é ainda obrigatória a aprovação do Ministro da Justiça e da autoridade competente do Estado estrangeiro. Uma palavra ainda para dar conta que, nos termos do Despacho de 17 de janeiro de 2012, a aprovação do Ministro da Justiça pressupõe um pedido de autorização fundamentado e encaminhado, por via hierárquica, para a Procuradoria Geral da República.

procedimento judicial por outras infrações penais, desde que tal utilização não comprometa investigações em curso em Portugal, ou quando estejam em causa factos relativamente aos quais pode ser recusado pelo Estado em causa o auxílio mútuo, para evitar uma ameaça grave e imediata à segurança pública, e caso seja posteriormente instaurado procedimento penal ou para outros efeitos, desde que exista acordo dos Estados que criaram a equipa.

Como se pode ver não há qualquer tipo de hierarquização entre as diversas hipóteses, estando todas submetidas ao mesmo regime e pressupostos básicos que se encontram no início do n.º 7 do artigo 145.º-A da Lei n.º 144/99, de 31 de Agosto. Em nosso entender, teria sido melhor opção, tal como de resto na própria Decisão-Quadro, colocar em lugar destaque a utilização de informações obtidas durante as atividades da equipa de investigação conjunta para cumprimento dos objetivos que estiveram na base da criação da referida equipa, e, dessa forma, deixar para segundo plano as restantes situações. Na verdade, quase que seria desnecessário afirmar que a informação recolhida durante a investigação criminal é para ser usada para os fins da investigação (artigo 145.º-A, 7.º, al. a) da Lei n.º 144/99, de 31 de Agosto), mas tendo o legislador optado por expressar esta regra, então talvez fizesse mais sentido que fosse autonomizada relativamente às demais. Assim, teríamos uma regra base a utilização de informações obtidas durante as atividades da equipa de investigação conjunta para cumprimento dos objetivos que estiveram na base da criação da referida equipa, a qual, excecionalmente, poderia ser alargada em três situações: mediante autorização prévia do Ministro da Justiça, para efeitos de deteção, investigação e instauração de procedimento judicial por outras infrações penais, desde que tal utilização não comprometa investigações em curso em Portugal, ou quando estejam em causa factos relativamente aos quais pode ser recusado pelo Estado em causa o auxílio mútuo, para evitar uma ameaça grave e imediata à segurança pública, e caso seja posteriormente instaurado procedimento penal ou para outros efeitos, desde que exista acordo dos Estados que criaram a equipa.

Finalmente, no que diz respeito à possibilidade de transmissão de informações por membros destacados por Portugal, esta ter lugar desde que seja para efeitos das investigações conduzidas pelas equipas de investigação conjunta.

4.2.2.2. Responsabilidade dos membros das equipas de investigação conjuntas

Sobre a questão de uma eventual responsabilidade penal dos membros das equipas de investigação conjunta por factos ocorridos durante as atividades da equipa o legislador português, contrariamente ao que se pode encontrar no artigo 2.º da Decisão-Quadro e artigo 15.º da Convenção, não lhe dedica nenhum artigo na Lei n.º 144/99, de 31 de Agosto, aplicando-se por isso as regras gerais do direito penal português.

Quanto à responsabilidade civil, porém, a situação é diferente. O artigo 145.º-B, n.º 1, da Lei n.º 144/99, de 31 de Agosto define claramente que o "Estado estrangeiro responde pelos danos que os elementos por si designados para a equipa de investigação conjunta causarem a terceiros no desempenho das suas funções, de acordo com a legislação do Estado onde os danos são provocados". Para além disso, é dito no número seguinte que o "Estado Português assegura a reparação dos danos causados em território nacional por elementos destacados por Estado estrangeiro, devendo exercer o seu direito de regresso relativamente a tudo o que tenha pago". O Estado Português assume ainda o pagamento das quantias que um Estado terceiro pagou a terceiros devido a danos causados pelos membros das equipas de investigação conjunta por si designados. Por fim, informa-nos o artigo 145.º-B, n.º 4 da Lei n.º 144/99, de 31 de Agosto, que o Estado Português "renuncia a solicitar ao Estado estrangeiro a reparação dos danos por si sofridos, provocados pelos membros das equipas de investigação conjuntas designados pelo Estado estrangeiro, sem prejuízo do exercício dos seus direitos contra terceiros".

4.2.3. Articulação do regime jurídico das equipas de investigação conjuntas com o regime jurídico da Decisão Europeia de Investigação em Matéria Penal

Desde 2017, com a Lei n.º 88/2017, de 21 de Agosto, que Portugal conta com diploma legal especificamente pensado para o problema da emissão, transmissão, reconhecimento e execução de decisões europeias de investigação em matéria penal. Com esta lei transpôs a Diretiva 2014/41/UE do Parlamento Europeu e do Conselho, de 3 de abril de 2014, relativa à decisão europeia de investigação em matéria penal, e ao mesmo tempo revogou a Lei n.º 25/2009, de 05 de Junho, que estabelecia o regime jurídico da emissão e da execução de decisões de apreensão de bens ou elementos de prova na União Europeia, em cumprimento da Decisão Quadro n.º 2003/577/JAI, do Conselho, de 22 de Julho.

Porquê uma referência a este diploma quando o tema que nos move é o das equipas de investigação conjunta, poderá perguntar-se. Ora, sabendo que a decisão europeia de investigação é "uma decisão emitida ou validada por uma autoridade judiciária de um Estado membro da União Europeia para que sejam executadas noutro Estado membro uma ou várias medidas de investigação específicas, tendo em vista a obtenção de elementos de prova" (artigo 2.º, n.º 1, da Lei n.º 88/2017, de 21 de Agosto), como se compatibiliza e articula com a figura das equipas de investigação conjunta? É o ato de criação de uma equipa de investigação conjunta uma medida de investigação que integra a decisão europeia de investigação?

Respeitando, como não podia deixar de ser, o artigo 3.º da Diretiva 2014/41/UE, o legislador português define, no artigo 2.º e 3.º da Lei n.º 88/2017, de 21 de Agosto, o âmbito material da decisão europeia de investigação de modo a abranger qualquer medida de investigação emitida ou validada por um Estado-membro e destinada a ser executada num outro Estado membro. Exceciona, porém, a criação de equipas de investigação conjuntas e a obtenção de elementos de prova por essas equipas, não as incluindo então como uma das medidas a ser tomadas ao abrigo da decisão europeia de investigação. Assim sendo, o regime jurídico das equipas de investigação conjuntas permanece inalterado e autonomizado diante da entrada em vigor da lei relativa à decisão europeia de investigação.

O considerando 8.º da Diretiva 2014/41/UE é absolutamente perentório quanto a este aspeto. Apesar de ser reconhecido à decisão europeia de investigação um âmbito horizontal, que abrange todas as medidas de investigação que visem a recolha de provas, foi propositadamente autonomizado o regime jurídico relativo à criação das equipas de investigação conjuntas uma vez que estas "requerem regras específicas que é melhor tratar separadamente". Se a opção europeia é definitivamente clara, as razões que a suportam não o são, de longe. Justificar-se-ia uma explicação minimamente densa sobre a não inclusão das equipas de investigação conjunta na Diretiva 2014/41/UE, tanto mais que um dos objetivos desta diretiva foi precisamente o da eliminação da fragmentariedade e complexidade do tecido jurídico europeu em matéria de recolha de elementos de prova e, consequentemente, a construção de um sistema global que abranja tanto quanto possível todos os tipos de elementos de prova. Um dos problemas que daí que resulta é a necessidade de se articularem dois institutos jurídicos que, no caso português, se encontram em diplomas diferentes, o que pode ocasionar, no momento da sua aplicação, dúvidas hermenêuticas quanto ao seu sentido e alcance.

Na Lei n.º 88/2017, de 21 de Agosto, esta articulação é desde logo visível naqueles casos em que uma equipa de investigação conjunta, para o cumprimento dos seus objetivos, entende ser necessária a prática de uma medida de investigação no território de um Estado-membro que não integra a referida equipa. A solução portuguesa foi no sentido de que a equipa de investigação conjunta não pode dispensar o recurso à decisão europeia de investigação e, portanto, qualquer medida de investigação a executar num Estado membro que não participa na equipa de investigação decorre de uma decisão europeia de investigação determinada pela autoridade judiciária competente de um dos Estados membros que fazem parte da equipa de investigação conjunta (artigo 4.º, n.º 2 da Lei n.º 88/2017, de 21 de Agosto).

Segundo este artigo, a autoridade judiciária competente de qualquer um dos Estados que integrem a equipa pode usar este instrumento. A pergunta que fica é em que medida esta solução é compatível, se é que algum problema se levanta, com o que está no disposto no artigo 145.º-A, n.º 5 da Lei n.º 144/99, de 31 de Agosto, nos termos do qual havendo a necessidade de auxílio de um Estado que não participou na criação da equipa de investigação conjunta, pode o pedido de auxílio ser apresentado pelo Ministro da Justiça às autoridades competentes do Estado em questão. Igualmente interessante será perceber até que ponto a possibilidade de participação nas equipas de investigação conjuntas de pessoas que não sejam representantes dos Estados que as criaram (artigo 145.º-A, n.º 8 da Lei n.º 144/99, de 31 de Agosto) afetará ou não a necessidade de recurso à decisão europeia de investigação.

5. IMPLEMENTAÇÃO DAS EQUIPAS DE INVESTIGAÇÃO CONJUNTAS

O documento de referência em relativamente à aplicação prática do mecanismo das equipas de investigação conjuntas é o Segundo Relatório de Avaliação das Equipas de Investigação Conjuntas, da responsabilidade da Network of National Experts on Joint Investigation Teams e Eurojust, e que se refere ao período temporal compreendido entre Abril de 2014 e Outubro de 2017[32].

---

[32] Network of National Experts on Joint Investigation Teams (JITs Network) e Eurojust, "Second JIT Evaluation Report. Evaluations received between: April 2014 and October 2017", 2018, disponível em http://www.eurojust.europa.eu/doclibrary/JITs/JITsevalua-

Relativamente ao processo de criação das equipas de investigação conjuntas é salientado no relatório que uma em cada cinco equipas envolveu mais de dois Estados. Assiste-se a uma tendência de crescimento no número de equipas de investigação em que participam mais de dois Estados: de uma em cada seis equipas, entre Abril de 2014 e Outubro de 2015, passamos, no relatório mais recente, para uma em cada cinco. Olhando de uma outra perspetiva, podemos dizer que as equipas de investigação conjunta continuam a ser, predominantemente, um mecanismo de cooperação internacional entre dois países.

Comparativamente à Europol, a Eurojust tem assumido um papel mais interventivo em várias dimensões das equipas de investigação conjuntas: envolvimento, participação, apoio na fase operacional e financiamento. Quanto a este último aspeto, assistiu-se em 2017 a um número recorde de equipas de investigação conjuntas financiadas pela Eurojust, 128. Entre 2010 e 2017, o número mais baixo de financiamentos ocorreu precisamente em 2010: 25. Paralelamente, também se assiste a um crescimento do número de equipas de investigação conjuntas criadas com a assistência da Eurojust, cifrando-se no ano de 2017 em 87 equipas, ao passo que em 2010 esse número reduzia-se a 20.

A tipologia de crimes que é investigada pelas equipas de investigação conjuntas é diversa e inclui, entre outros, branqueamento de capitais, tráfico de estupefacientes, grupos criminosos organizados, fraude, tráfico de seres humanos, auxílio à imigração ilegal, cibercrime, corrupção, extorsão, contrafação, falsificação de documentos, terrorismo e crimes contra a vida.

A experiência portuguesa de recurso às equipas de equipas de investigação conjuntas tem sido tímida e incipiente.

Foram desenvolvidas juntamente com países como Espanha, França, Reino Unido e Suíça, tendo como objeto a investigação de crimes como o tráfico de estupefacientes, o auxílio à imigração ilegal, a associação criminosa ou o tráfico de pessoas.[33]

---

tion/Second%20JIT%20Evaluation%20Report%20(February%202018)/2018-02_2nd--Report-JIT-Evaluation_EN.pdf, consultado em 15 de Janeiro de 2019. As informações que se seguem foram retiradas deste relatório, salvo indicação em contrário.

[33]   Cf., a este propósito, as press releases publicadas em http://www.eurojust.europa.eu/press/PressReleases/Pages/2019/2019-01-15.aspx e http://www.eurojust.europa.eu/press/PressReleases/Pages/2012/2012-11-20.aspx, consultadas em 16 de janeiro de 2019.

6. CONCLUSÃO

Aqui chegados cumpre-nos tecer algumas considerações finais que exponham de forma sumária e interligada as ideias que foram sendo desfiadas ao longo deste texto.

Os objetivos centrais deste nosso contributo foram simples, mas desafiantes.

Em primeiro lugar, explicitar as principais caraterísticas deste instrumento de cooperação judiciária internacional que é a equipa de investigação conjunta. Embora não sendo recente, continua a suscitar dúvidas quanto à sua finalidade, âmbito de aplicação e modo de articulação com os demais instrumentos de cooperação internacional. Dúvidas essas que vão sendo renovadas continuamente com a proposta e surgimento de outros instrumentos como a da decisão europeia de investigação em matéria penal ou a proposta de ordens europeias de entrega ou de conservação de provas eletrónicas em matéria penal.

Em segundo lugar, dar conta da evolução do ordenamento jurídico português. Não apenas quanto ao regime jurídico das equipas de investigação conjuntas, mas também sobre a decisão europeia de investigação em matéria penal. Esperamos que a análise feita às soluções jurídicas portuguesas se revista de utilidade para aqueles que procuram no direito comparado formas diferentes de ver a mesma questão.

Em terceiro lugar, contribuir com um breve apontamento sobre a realidade prática da implementação das equipas de investigação conjuntas.

Se, pelo menos, conseguimos com este texto despertar a curiosidade dos leitores para esta temática tão atual quanto importante, daremos por cumprido o nosso objetivo.

Capítulo III

GARANTÍAS DEL INVESTIGADO Y ACUSADO EN ORDEN A LA OBTENCIÓN, CESIÓN Y TRATAMIENTO DE DATOS PERSONALES EN EL PROCESO PENAL. A PROPÓSITO DE LA DIRECTIVA (UE) 2016/680 Y SU IMPACTO EN MATERIA DE PRUEBA PENAL[1]

Mª Isabel González Cano
Catedrática de Derecho Procesal
Universidad de Sevilla

SUMARIO: 1. APROXIMACIÓN AL PRINCIPIO DE DISPONIBILIDAD DE LOS DATOS PERSONALES COMO INSTRUMENTO DE LA COOPERACIÓN JUDICIAL PENAL EN LA UNIÓN EUROPEA. 2. EL PRINCIPIO DE DISPONIBILIDAD EN SU INICIAL CONFIGURACIÓN: DESDE EL TRATADO DE PRÜM HASTA LA DECISIÓN MARCO 2008/976/JAI, DE 27 DE NOVIEMBRE DE 2008. 3. LA DOCTRINA DEL TRIBUNAL DE JUSTICIA DE LA UNIÓN EUROPEA SOBRE LOS PRINCIPIOS DE DISPONIBILIDAD Y PROPORCIONALIDAD EN LA OBTENCIÓN Y CESIÓN DE LOS DATOS PERSONALES. 4. LA PROTECCIÓN DE LOS INTERESADOS EN EL TRATAMIENTO DE DATOS PERSONALES, PARA LA PREVENCIÓN, INVESTIGACIÓN, DETECCIÓN O ENJUICIAMIENTO PENAL. LA DIRECTIVA (UE) 2016/680 Y ALGUNAS REFLEXIONES SOBRE SU IMPACTO EN EL PROCESO PENAL ESPAÑOL. 4.1. Ámbito de aplicación y principios rectores. 4.1.1. El principio de disponibilidad y libre circulación. 4.1.2. El principio de proporcionalidad. Las garantías básicas de la cesión y el tratamiento de datos personales en la cooperación judicial penal. 4.2. La aproximación normativa en materia de protección de los derechos del interesado. 4.2.1. El derecho de información. 4.2.2. El derecho de acceso a los datos personales. 4.2.3. El derecho de rectificación o supresión de datos personales y limitación a su tratamiento.

---

[1] Este trabajo es una versión ampliada y actualizada del publicado en, VVAA (coord.. por CACHÓN CADENAS y FRANCO ARIAS), *Derecho y proceso. Liber amicorum del Profesor Francisco Rámos* Méndez, Atelier, Barcelon, 2018, vol II, pp. 1073 y ss.; .y se ha elaborado en el marco de los siguientes Proyectos de investigación: Proyecto I+D+I de Excelencia DER2015-63942P (Ministerio de Economía y Competitividad), *"Instrumentos para el reconocimiento mutuo y ejecución de resoluciones penales: incorporación al Derecho español de los avances en cooperación judicial en la Unión Europea";* Generalitat Valenciana *"Claves de la justicia civil y penal en la sociedad del miedo"* –Prometeo 2018/2011-.

RESUMEN: La recogida u obtención, la cesión y el tratamiento de datos personales, en cuanto vía de investigación y obtención de material incriminatorio respecto al titular de tales datos, implican medidas que afectan a un derecho fundamental, el derecho a la protección de datos de carácter personal. Siendo ello así, la intromisión legítima de las autoridades competentes a los fines de represión, investigación y enjuiciamiento penal, deberá acomodarse a los estándares garantistas y a los principios rectores de toda medida de investigación que afecte a derechos fundamentales, tanto para legitimar tal medida como para la obtención de prueba de cargo o incriminatoria lícita. Así, la recogida, obtención y tratamiento de datos personales, a través de las medidas de investigación pertinentes, se deberá regir por los principios de especialidad, idoneidad, excepcionalidad, necesidad y proporcionalidad de dichas medidas, a ponderar por la autoridad judicial que las autorice, con arreglo al art. 588 bis a. de la Ley de Enjuiciamiento Criminal

ABSTRACT: Collection, transfer and processing of personal data, as a means of investigation and obtaining incriminating material regarding the owner of such data, involve measures that affect a fundamental right, the right to the protection of personal data . This being the case, the legitimate interference of the competent authorities for the purposes of repression, investigation and criminal prosecution, must conform to the guarantee standards and the guiding principles of any investigation measure that affects fundamental rights, both to legitimize such measure and to Obtaining evidence of legal charge or incrimination. Thus, the collection, collection and processing of personal data, through the relevant investigation measures, shall be governed by the principles of specialty, suitability, exceptionality, necessity and proportionality of said measures, to be weighed by the judicial authority authorizing them, in accordance with art. 588 bis a. of the Law of Criminal Procedure.

PALABRAS CLAVE: Cesión datos personales, proceso penal, prueba, principio de disponibilidad

KEY WORDS: Transfer of personal data, criminal process, evidence, principle of availability

1. APROXIMACIÓN AL PRINCIPIO DE DISPONIBILIDAD DE LOS DATOS PERSONALES COMO INSTRUMENTO DE LA COOPERACIÓN JUDICIAL PENAL EN LA UNIÓN EUROPEA

En el desarrollo del Derecho europeo en materia de protección de datos personales, no se trata tan solo de regular el tratamiento de los datos personales desde una perspectiva general garantista, sino también desde el punto de vista de la cooperación judicial penal, y por tanto desde la perspectiva del llamado principio de disponibilidad de los datos personales, para facilitar la persecución, investigación y enjuiciamiento de fenómenos criminales transfronterizos[2].

Ciertamente, la vía general y garantista, es la primera que se desarrolla en el ámbito del Derecho Europeo, a través de la Directiva general de protección de datos personales de 1995, que conllevó la Ley española de protección de datos personales de 1999; la Directiva de 1997, sobre el tratamiento de los datos personales y la protección de la intimidad en las comunicaciones electrónicas, y la Directiva de 2002, en materia de telecomunicaciones, sobre las que volveremos más adelante[3].

Todas ellas son normas cuya finalidad esencial es la protección del titular de los datos personales, consagrando el control por el mismo, en orden a la necesidad de su consentimiento para la recogida, transmisión y procesamiento, y el derecho a la información, acceso, rectificación, cancelación y oposición.

Sin embargo, hay otra vertiente del Derecho europeo sobre protección de datos que resulta imprescindible, la referida a la prevención, investigación y represión del delito, la vertiente especial y excepcional, que incide en la recogida de datos y su tratamiento en orden a la investigación y enjuiciamiento de la delincuencia, y en la que el titular de los derechos en materia de datos personales es a su vez sospechoso, investigado o encausado en un proceso penal.

Por tanto, la recogida u obtención, la cesión y el tratamiento de datos personales, en cuanto vía de investigación y obtención de material incriminatorio respecto al titular de tales datos, implican medidas que afectan a un derecho fundamental, el derecho a la protección de datos de carácter personal. Siendo ello así, la intromisión legítima de las autoridades competentes a los fines de represión, investigación y enjuiciamiento penal, deberá acomodarse a los estándares garantistas y a los principios rectores de

---

[2]   GONZÁLEZ CANO, *"Nuevos paradigmas de la cooperación judicial penal en la Unión Europea"*, en VVAA (ed. por BARONA VILAR), *Justicia civil y penal en la era global*, Tirant lo Blanch, Valencia, 2017, pp. 339 y ss.

[3]   Sobre los orígenes de la protección de datos en Europa, v. VILLARINO MARZO, *"La Unión Europea ante los retos de la era digital. La reforma de la política europea de protección de datos"*, en VVAA (dir. por PASCUA MATEO), *Derecho de la Unión Europea y Tratado de Lisboa*, Civitas, Madrid, 2013, pp. 561 a 565; GONZÁLEZ CANO, *"Algunas reflexiones sobre protección de datos personales, proceso penal y cooperación judicial penal en la Unión Europea"*, en Cuadernos digitales de formación del Consejo General del Poder Judicial, Nº 29-2012.

toda medida de investigación que afecte a derechos fundamentales, tanto para legitimar tal medida como para la obtención de prueba de cargo o incriminatoria lícita.

Así pues, tales medidas pueden limitar el derecho a la protección de datos, concebido como un derecho fundamental autónomo respecto al derecho a la intimidad del art. 18.1 de la Constitución Española (en adelante, CE), en el sentido apuntado por el Tribunal Constitucional (en adelante, TC)[4].

Por tanto, la recogida, obtención y tratamiento de datos personales, a través de las medidas de investigación pertinentes, deberá regirse por los principios de especialidad, idoneidad, excepcionalidad, necesidad y proporcionalidad de dichas medidas, a ponderar por la autoridad judicial que las autorice, con arreglo al art. 588 bis a. de la Ley de Enjuiciamiento Criminal (en adelante, LECRIM).

Esta vertiente o perspectiva ligada a la investigación y obtención de fuentes de prueba, está conectada ineludiblemente a la cooperación policial y judicial penal en la Unión Europea (en adelante, UE), y por tanto a la lucha contra la criminalidad transfronteriza, que cuenta con importantes instrumentos y sistemas de investigación y tratamiento de datos personales, así como para el intercambio de datos sobre personas y objetos, tales como SIS (Sistema de información de Schenguen)[5], Europol, Eurojust, OLAF (Oficina europea de lucha contra el fraude), o el Sistema de información aduanero (SID)[6].

A raíz de los trágicos acontecimientos de 2001 en Nueva York, 2004 en Madrid o 2005 en Londres, se produce un punto de inflexión en la lucha contra las formas más graves de criminalidad. A partir de estos momentos, marcados por la llamada descentralización o globalización del fenómeno terrorista, comienza un intenso e imparable proceso en aras de la priorización de esa vía especial y excepcional sobre obtención, cesión y tratamiento de los datos personales, la vía represiva, representada por ejemplo por

---

[4]   Así, la STC 292/2000, de 30 de noviembre.
[5]   Decisión 2007/533/JAI del Consejo, de 12 de junio de 2007, relativa al establecimiento, funcionamiento y utilización del Sistema de Información de Schenguen de segunda generación (SIS II) (DO L 205 de 7 de agosto de 2007, p. 63).
[6]   V. DREWER-GUTIERREZ ZARZA-MORÁN MARTINEZ, *"Intercambio de información y protección de datos personales en el ámbito de Eurojust, Europol y OLAF"*, en VVAA (coord. por GUTIERREZ ZARZA), *Nuevas tecnologías, protección de datos personales y proceso penal*, La Ley, Madrid, 2012, pp. 129 y ss.

Eurojust, o por la Directiva de 2006 sobre conservación de datos en comunicaciones electrónicas, a la que nos referiremos más adelante.

La clave de este proceso se encuentra en el nuevo paradigma en la materia, que no es otro que el llamado principio de disponibilidad[7], con arreglo al cual, las autoridades competentes de los Estados de la UE tendrían acceso y podrían disponer de las informaciones en materia de investigación y enjuiciamiento penal, en las mismas condiciones con las que cuenta el Estado en el que la información está registrada[8].

El principio de disponibilidad supone, por una parte, la obligación de tener los datos disponibles y cederlos a estos fines, es decir, para la investigación y el enjuiciamiento penal (principio de finalidad); y, por otra, la posibilidad de que esta cesión de datos no venga regida con carácter general por el principio de especialidad, es decir, la posibilidad de que la autoridad del Estado cesionario los utilice para investigar o enjuiciar un delito diferente de los alegados para solicitar y justificar la cesión.

2. EL PRINCIPIO DE DISPONIBILIDAD EN SU INICIAL CONFIGURACIÓN: DESDE EL TRATADO DE PRÜM HASTA LA DECISIÓN MARCO 2008/976/JAI, DE 27 DE NOVIEMBRE DE 2008

La más reciente evolución del principio de disponibilidad, su ámbito de aplicación, principios rectores y las garantías aplicables al interesado, pasa por varios hitos normativos.

---

[7]   Sobre la evolución de este principio en la cooperación policial y judicial, como elemento clave tanto en la inicial cooperación intergubernamental, como en los más recientes procesos de intercambio de información, FIODOROVA, *"La transmisión de información personal y datos personales en la Unión Europea para fines de investigación de delitos"*, en VVAA (dir. por COLOMER HERNÁNDEZ), *La transmisión de datos personales en el seno de la cooperación judicial penal y policial en la Unión Europea*, Aranzadi, Pamplona, 2015, pp. 126 a 132; IDEM, *"Cesión de datos personales en posesión de Europol"*, en VVAA (dir. por COLOMER HERNÁNDEZ), *Cesión de datos personales y evidencias entre procesos penales y procedimientos administrativos sancionadores o tributarios*, Aranzadi, Pamplona, 2017, pp. 145 y ss.

[8]   GALÁN MUÑOZ, *"La protección de datos de carácter personal en los tratamientos destinados a la prevención, investigación y represión de delitos: hacia una nueva orientación de la política criminal de la Unión Europea"*, en VVAA (dir. por COLOMER HERNÁNDEZ), *La transmisión de datos personales...*, op. cit, pp. 42 y ss; IDEM, *"Los nuevos instrumentos de prevención y lucha contra el nuevo terrorismo: malas noticias para la intimidad y otros derechos fundamentales"*, en VVAA, *Cesión de datos personales y evidencias...*, op. cit., pp. 81 y ss.

La circulación de datos personales a efectos de la persecución penal, ya se contempló en el Programa de Tampere. Así, las Conclusiones del Consejo Europeo de Tampere de octubre de 1999, confirmaron la necesidad de mejorar el intercambio de información entre las autoridades policiales de los países de la UE, y el Programa de La Haya de 2004 a 2009 la corroboró en noviembre de 2004.

Por su parte, el Programa de La Haya de 2005 a 2010, específicamente recoge el citado principio de disponibilidad en todo el territorio de la Unión a efectos represivos, de tal manera que se hagan compatibles la protección de los derechos fundamentales y la seguridad al compartir la información (art.2.1).

A) El Tratado de Prüm para la profundización de la cooperación transfronteriza, en particular en materia de lucha contra el terrorismo, la delincuencia transfronteriza y la migración ilegal, firmado el 27 de mayo de 2005 entre Bélgica, Alemania, España, Francia, Luxemburgo, Países Bajos y Austria (y posteriormente suscrito por Italia, Finlandia, Portugal, Bulgaria, Hungría, Rumanía, Eslovaquia y Eslovenia), establece los procedimientos para optimizar el intercambio de información en las investigaciones criminales.

En este sentido, el Tratado prevé dos sistemas para acceder a la información, o para disponer de la misma: la primera, el acceso directo o en línea a las bases de datos electrónicos de otro Estado (así por ejemplo, para los registros de matriculación de vehículos); y, la segunda, el acceso a datos de un índice que remite a lo que no esté disponible en línea, con solicitud posterior de esto último al Estado en cuestión (así el acceso a índices de referencia de datos de ADN y de datos dactiloscópicos)[9] .

Pero son dos los textos en los que este paradigma de la disponibilidad está más presente. Nos referimos a la Decisión de 2008 del Consejo, sobre cooperación transfronteriza en materia de terrorismo y delin-

---

[9]   Estos sistemas de acceso se incorporaron en su momento a la Propuesta de la Comisión de DM del Consejo sobre intercambio de información en virtud del principio de disponibilidad (COM (2005) 490 final). Por otra parte, hay que tener presente que las primeras iniciativas en orden a la utilización de perfiles de ADN en la investigación y el enjuiciamiento criminal se remontan a la Resolución del Consejo 97/C 193/02, sobre intercambio de resultados de análisis de ADN, de la que parte la creación de bases de datos nacionales de ADN para el intercambio automatizado de datos entre los Estados miembros. Igualmente, la Resoluciones del Consejo 2001/C-187/1, y 2009/C–296/1, sobre determinación de marcadores de ADN a utilizar en las analíticas y para facilitar el intercambio de resultados de las mismas.

cuencia organizada, la llamada Decisión Prüm; y a la DM de 2006/960, sobre simplificación en el intercambio e inteligencia de los Servicios de Seguridad.

En cuanto a la DM 2006/960/JAI, del Consejo, de 18 de diciembre, sobre simplificación del intercambio de información e inteligencia entre los Servicios de Seguridad de los Estados miembros de la UE, su trasposición se llevó a cabo en España a través de la Ley 31/2010, de 27 de julio, sobre simplificación del intercambio de información e inteligencia, que establece el intercambio de datos entre autoridades policiales con arreglo al principio de especialidad, es decir, realizando la cesión conectada al uso para cuya finalidad se concertó en dicha transmisión.

La Decisión 2008/615/JAI, del Consejo, de 23 de junio de 2008, sobre profundización de la cooperación transfronteriza, en particular en materia de lucha contra el terrorismo y la delincuencia transfronteriza, llamada Decisión Prüm[10], tiene como objetivo integrar o trasponer las disposiciones del anteriormente citado Tratado de Prüm de 2005 en el marco jurídico de la UE[11].

Téngase presente que el Tratado Prüm de 2005 se basaba realmente en la cooperación intergubernamental reforzada, por lo que inicialmente sus previsiones no formaban parte del Derecho comunitario, ni se encuadraban en su estructura legislativa e institucional, ni quedaban bajo el control del Tribunal de Justicia de la Unión Europea (en adelante, TJUE). Como apunta FREIXES SANJUAN[12], el objetivo del Tratado era establecer los fundamentos del principio de disponibilidad en materia de protección de datos e intercambio de información en determinadas áreas prioritarias, como los datos dactiloscópicos y los de ADN, su posterior integración en los orde-

---

[10] DO L 210, de 6 de agosto de 2008.

[11] Sobre los antecedentes y la estructura de la Decisión Prüm, DE HOYOS SANCHO, *"Profundización en la cooperación transfronteriza en la Unión Europea: obtención, registro e intercambio de perfiles de ADN de sospechosos"*, en VVAA (dir. por ARANGUENA FANEGO), *Espacio europeo de libertad, seguridad y justicia: últimos avances en cooperación judicial penal*, Lex Nova, Valladolid, 2010, pp. 152 y ss.

Idénticas finalidades se persiguen en la más reciente Directiva 2017/541 relativa a la lucha contra el terrorismo, y que remplaza la Decisión Marco de 2002/2008. (OJ L 88/6, 31.03.2017); sobre la misma, VERVAELE, *"¿La asociación organizada terrorista y sus actos anticipativos: un derecho penal y política criminal sin límites?"*, en VVAA (dir. por GONZALEZ CANO), *Integración europea y justicia penal*, Tirant lo Blanch, Colección Alternativas, Valencia, 2018, pp. 207 y ss.

[12] FREIXES SANJUAN, *"Protección de datos y globalización. La Convención de Prüm"*, en Revista de Derecho Constitucional europeo, nº 7, enero – junio de 2007, p. 4

namientos estatales y, finalmente, en el ordeñamiento comunitario. De ahí la necesidad de llevar a cabo esa labor de transposición e incorporación al Derecho de la UE, a través de la Decisión de 2008, cuyo objetivo esencial era la intensificación de la cooperación policial y judicial penal transfronteriza entre los países de la UE, que se concreta en el intento de mejorar los intercambios de información entre las autoridades encargadas de prevenir e investigar los delitos.

Así, sobre la base del principio de disponibilidad en el intercambio de la información sobre datos personales, y en el marco de un óptimo aprovechamiento de las innovaciones tecnológicas, la Decisión establece una serie de disposiciones sobre:

- el acceso a ficheros automatizados de análisis de ADN, sistemas automatizados de identificación dactiloscópica y datos de los registros de matriculación de vehículos nacionales. Y, en segundo lugar,

- sobre los sistemas de consulta/intercambio, basados en los criterios de rapidez y eficiencia. En este punto, se incorporan dos disposiciones importantes. Por una parte, el procedimiento de coincidencia/no coincidencia, con el cual las partes garantizan unas a otras un acceso limitado a los índices de referencia de sus bases de datos de ADN y huellas dactilares nacionales, y el derecho a emplear estos datos en comprobaciones automatizadas de huellas dactilares y perfiles de ADN. La información personal vinculada al índice de referencia no se encuentra disponible para la parte requirente. Y, por otra, se prevé un procedimiento de acceso en línea para consultar las bases de datos de otro, otros o todos los países de la UE[13].

Como cuestiones más relevantes, a los efectos del presente trabajo, debemos mencionar fundamentalmente la creación de bases de datos nacionales de ADN y perfiles dactiloscópicos, y el acceso automatizado a la información[14], como piezas esenciales en orden al tratamiento e intercambio

---

[13]   Igualmente, se incorporan disposiciones relativas al suministro de datos referentes a grandes acontecimientos; el suministro de información destinada a evitar actos terroristas; y otras medidas para reforzar la cooperación policial transfronteriza.

[14]   Con arreglo a los arts. 2 a 5 de la Decisión 2008/615, los países de la UE tienen que crear archivos de análisis de ADN nacionales con fines de investigación de los delitos. Deben poner a disposición de otros países de la UE índices de referencia, consistentes en una parte no codificante del ADN y un número de referencia que imposibilite la identificación del interesado, para que estos puedan realizar búsquedas

de información genética como medio de investigación y prueba científica preconstituida en las causas penales. En este punto, e independientemente de la falta de transposición de la Decisión, hay que tener presente, como afirma DE HOYOS SANCHO[15], que la aprobación del Tratado Prüm por España motivó la aprobación de la LO 10/2007, de 8 de octubre, reguladora de la base de datos policial sobre identificadores obtenidos a partir de ADN, por lo que realmente no es relevante si hay transposición de la citada Decisión de 2008[16,17].

---

automáticas. Dichas búsquedas se llevarán a cabo a través de los puntos de contacto nacionales, donde se consultarán los perfiles de ADN únicamente para casos concretos y mediante un sistema de coincidencia. Si durante la búsqueda se halla una coincidencia, el punto de contacto nacional que esté llevando a cabo la investigación recibirá el índice de referencia de forma automática. Si no se encuentra el perfil concreto de una persona que esté siendo investigada o contra la que se haya interpuesto una acción penal, el país de la UE al que se dirija la solicitud podrá verse obligado a establecer un perfil de ADN para dicha persona. Sobre esta prueba científica, su validez como medio de investigación y sus consecuencias probatorias, v. especialmente GÓMEZ COLOMER, *La prueba de ADN en el proceso penal*, Tirant lo Blanch, Valencia, 2014; igualmente, ETXEBERRIA GURIDI, *"La protección de datos de ADN en la Unión Europea"*, en VVAA (dir. por CABEZUDO BAJO), *Las bases de datos policiales de ADN ¿son una herramienta realmente eficaz en la lucha contra la criminalidad grave nacional y transfronteriza?*, Dykinson, Madrid, 2013.

Por su parte, los arts. 8 a 12 de la Decisión 2008/615 establecen que los países de la UE también tienen que permitir el acceso a índices de referencia procedentes de los sistemas automatizados de identificación dactiloscópica nacionales. En estos casos, los índices de referencia únicamente contendrán la información dactiloscópica y un número de referencia. Estas búsquedas sólo se realizarán mediante comparación de los datos dactiloscópicos y, al igual que las investigaciones de ADN, para casos concretos y mediante la comprobación de coincidencia.

[15] DE HOYOS SANCHO, *"Profundización en la cooperación transfronteriza en la Unión Europea: obtención, registro e intercambio de perfiles de ADN de sospechosos"*, op. cit., pp. 161 y ss.

[16] Los arts. 13 a 15 se refieren al suministro de información en los casos de acontecimientos importantes con una dimensión transfronteriza, en los que los países de la UE deberán facilitarse otros datos no personales a través de sus puntos de contacto nacionales si con ello pueden evitar la comisión de delitos y mantener el orden público y la seguridad. Los datos de carácter personal únicamente se podrán suministrar en caso de que la persona a la que estos se refieran se considere una amenaza para el orden público y la seguridad, o se crea que va a cometer un delito durante este tipo de acontecimientos. No obstante, esta información solamente podrá emplearse en relación con el acontecimiento en cuestión, y deberá eliminarse una vez que haya servido a su fin en un plazo de un año a partir del momento en que fue facilitada.

[17] Igualmente, y sobre suministro de información para la lucha contra el terrorismo, el art. 16 prevé que, únicamente en casos concretos, y si determinados hechos justifican la presunción de que se van a cometer atentados terroristas, los países de la UE estarán autorizados a facilitarse los datos que se enumeran a continuación a través de sus puntos

Estas vías de cooperación para la obtención y transmisión de datos personales, cuentan además en la Decisión 2008/615, con algunas disposiciones sobre la protección de datos personales y las principales garantías del interesado, que actúan como límites del principio de disponibilidad. En tal sentido, se establece que los países de la UE deben garantizar que su legislación nacional proteja los datos tratados en virtud de esta Decisión. Solamente podrán procesar datos de carácter personal las autoridades competentes pertinentes, debiendo quedar garantizada la exactitud y actualidad de dichos datos, y la adopción de las medidas para rectificar o cancelar los datos incorrectos o los que se hayan transmitido por error. Los datos de carácter personal deberán eliminarse cuando ya no sean necesarios para el fin con que se transmitieron o cuando haya vencido su plazo de conservación según lo dispuesto en la legislación nacional.

Igualmente, las autoridades pertinentes deben adoptar medidas técnicas y organizativas para proteger los datos personales de su posible destrucción, pérdida, acceso no autorizado, alteración o divulgación. Se establece así que todos los ciudadanos tienen derecho a obtener información sobre los datos procesados en relación con su persona, incluido el origen de estos, sus destinatarios y el objetivo y fundamento legal de su procesamiento. Todos los ciudadanos pueden solicitar que sus datos procesados se rectifiquen o se cancelen en caso de que sean imprecisos o hayan recibido un tratamiento ilícito. Además de las garantías mencionadas, se dispone que el acceso a los datos, su consulta automatizada y comparación, vienen referidas a los fines de prevención y persecución del delito (principio de finalidad), en casos concretos o individuales (principio de especialidad), es decir, referidos a una determinada investigación o enjuiciamiento[18].

B) Es la DM 2008/977/JAI, de 27 de noviembre de 2008, sobre protección de datos en el marco de la cooperación judicial en materia penal[19],

---

de contacto nacionales al objeto de prevenir este tipo de delitos: nombres y apellidos; fecha y lugar de nacimiento; y descripción de las condiciones que hacen sospechar de la posible comisión de delitos. Los países que proporcionen estos datos podrán imponer determinadas condiciones sobre el uso de los mismos al país receptor.

[18]   Sobre el Tratado de Prüm y las Decisiones para su implementación, GONZÁLEZ CANO, *"Cesión y tratamiento de datos personales, principio de disponibilidad y cooperación judicial penal en la Unión Europea"*, en VVAA, *Cesión de datos personales y evidencias...*, op. cit., pp. 41 y ss.

[19]   DM 2008/977/JAI del Consejo, de 27 de noviembre de 2008, relativa a la protección de datos personales tratados en el marco de la cooperación policial y judicial en mate-

la que consagra el paradigma de la disponibilidad en la transmisión de datos personales en causas penales, un paradigma ya contemplado como hemos visto en el Tratado de Prüm y en las Decisiones para su implementación.

A nuestro entender, la DM 2008/977 merece ser objeto de una doble valoración, la primera referente a sus logros, y la segunda a los motivos de su escaso éxito, del cual derivan las iniciativas que han conducido a la Directiva 2016/680, de la que nos ocuparemos a continuación.

En cuanto a la primera de las valoraciones propuestas, la DM de 2008 se refiere a la necesidad de establecer el marco de la protección de datos en el ámbito de su cesión y tratamiento a efectos penales entre Estados, y de garantizar en cualquier caso la legalidad y la licitud en el tratamiento de dichos datos a intercambiar, y la exactitud de los datos, fundamental para su uso en una causa penal.

No debemos olvidar en este punto que, como veíamos en las páginas iniciales de este trabajo, con anterioridad a la DM 2008/977, el panorama normativo sobre esta materia, y también el plano institucional, la estructura orgánica de la cooperación judicial y el propio sistema de fuentes empleado, eran complejos y enrevesados. Por una parte, los primeros desarrollos del principio de reconocimiento mutuo, desde 2002 a 2010, no se centraron tanto en la aproximación normativa como en la armonización en cuanto a instrumentos de investigación y enjuiciamiento. Y, además, existen regulaciones que afectan a estas materias en Decisiones, Convenios o Reglamentos, sin contar con la normativa de las diversas agencias y organismos europeos que de forma más o menos directa se ocupan de la protección de datos y también de su cesión y tratamiento a efectos policiales y judiciales, como es el caso de Eurojust o Europol, o los ya citados SIS, ECRIS, SIV (Sistema de información de visados), EURODAC (Sistema de comparación de huellas dactilares) o el SIA (Sistema de información aduanera)[20].

Ante tan ingente cuerpo normativo, ciertamente consideramos que la DM de 2008 procuró al menos establecer una serie de principios rectores

---

ria penal (DO L 350 de 30 de diciembre de 2008, p. 60).

[20] Una relación de estos instrumentos, en FIODOROVA, *"La transmisión..."*, op. cit., pp. 134 y 135. Igualmente, BAYO DELGADO – GUTIERREZ ZARZA – MICHAEL ALEXANDER, *"Intercambio de información, protección de datos y cooperación judicial penal"*, en VVAA (coord. por GUTIERREZ ZARZA), *Nuevas tecnologías...*, op. cit., pp. 195 y ss.

en orden al tratamiento y protección de datos en causas criminales, siempre en la confianza de que esos mínimos facilitarían la cooperación judicial y policial transfronteriza.

Y es que el principio de disponibilidad, para la cooperación judicial y policial, necesita de una regulación por varias razones. Por un lado para poner orden en la enorme relación de normas que directa o indirectamente afectan a la materia, desde las de naturaleza aduanera hasta las que regulan el decomiso, pasando por el acceso a base de datos de ADN o de datos dactiloscópicos; evitando así regulaciones contradictorias, regímenes de autoridades competentes dispares, criterios objetivos y subjetivos diferentes a la hora de implementar medidas para recabar, almacenar y transmitir datos personales, y procedimientos de solicitud y transmisión distintos y con formularios también diferentes, lo que complica y ralentiza la labor policial y judicial.

Y, por otro lado, es precisa la regulación del principio de disponibilidad ante la necesidad de homogeneizar las garantías de las personas afectadas por estos procedimientos, como una base sólida y eficaz para la cooperación transfronteriza, como veremos más adelante.

Así, la DM de 2008 prevé la necesidad de articular normas comunes sobre el tratamiento posterior de los datos cedidos, una vez concluido su uso en la causa penal o investigación penal, así como sobre el tiempo de conservación de los datos, y su transmisión posterior a particulares.

E, igualmente, prevé la necesidad de normas comunes sobre confidencialidad y seguridad en el tratamiento de los datos cedidos, así como de normas comunes que garanticen un adecuado nivel de protección. Entre otras garantías, se menciona la información al interesado sobre la obtención de los datos, recopilación, tratamiento y cesión a otro Estado a efectos de investigación o enjuiciamiento penal, y sus consiguientes excepciones en aras de la consecución de los propios fines del intercambio, es decir, la investigación o el enjuiciamiento del delito.

Pero a pesar de todo ello, la DM de 2008 tuvo escaso éxito. Y ello, a nuestro modo de ver, por tres razones.

La primera, la naturaleza y alcance del propio instrumento normativo, la DM, que no tenía efecto directo en los ordenamientos de los Estados, lo que daba lugar a grandes diferencias en la materia a la hora de la transposición a los ordenamientos internos, y por tanto a la falta de la armonización normativa buscada.

La segunda, y como en tantas ocasiones, la limitación de la DM al ámbito transfronterizo, regulando el intercambio de datos entre Estados miembros y autoridades y sistemas de información europeos, pero sin que fuera vinculante para los asuntos internos de los Estados. Por tanto, se excluyen del ámbito de aplicación de la DM la recopilación y el tratamiento de los datos nacionales o "domésticos". Ello daría lugar a la divergencia entre los estándares de garantías establecidos en la DM respecto a la transferencia transfronteriza de datos personales, y el nivel garantista del Derecho interno para su tratamiento dentro del propio Estado. Aunque la propia DM indica que el intercambio de datos a efectos penales se facilita cuando los Estados garantizan que el nivel de protección interno es el mismo que el de la DM para temas transfronterizos, sin embargo la misma no puede impedir que los Estados establezcan garantías mayores, aunque ello en principio no debe impedir ni obstaculizar la cooperación transfronteriza. No debe obstaculizarla, pero lo hace, ya que la DM no era un instrumento de aproximación normativa sino de establecimiento de mínimos para asuntos transfronterizos.

Y, la tercera, la circunstancia de que la DM de 2008 no estableciera el principio de especialidad. Aunque el art. 3 de la DM, como veíamos anteriormente, se refiere a un tratamiento lícito, adecuado, pertinente y no excesivo de los datos personales (principios de legalidad, finalidad y proporcionalidad), y a pesar de que se afirma que los datos sólo podrán utilizarse para el fin para el que se recabaron, tanto el art. 3.2 como el art. 11 de la DM permiten el tratamiento de dichos datos para otros fines o usos compatibles, de manera que el Estado receptor podría usar dichos datos, sin el consentimiento del sujeto afectado ni del Estado cedente, para otras finalidades diferentes de las que fundamentaron la transmisión, por ejemplo para la investigación o enjuiciamiento de otro delito, la ejecución de una pena, o en caso de graves e inmediatas amenazas a la seguridad pública. E incluso, el art. 13 prevé en el mismo sentido la transferencia a un tercer Estado, aunque en este caso se requiere el consentimiento del Estado que cedió inicialmente los datos.

A nuestro entender, esta posibilidad de que el Estado cesionario utilice los datos obtenidos para otros fines y para la investigación y enjuiciamiento de otros delitos, directamente relacionados o no con aquellos para cuya investigación y enjuiciamiento se cedieron, aunque parece responder al principio de proporcionalidad y necesariedad, sin embargo desconoce el principio de especialidad, lo que conlleva un grave déficit de garantías para el sujeto sospechoso o acusado, y, además, puede dar lugar a graves reticencias por parte del Estado cedente.

Por tanto, la DM de 2008 no sólo no establecía el principio de especialidad, sino que, como vemos, permitía la utilización de los datos transmitidos para para otros fines previstos en el Derecho interno, a diferencia incluso de instrumentos posteriores, como la antes citada DM 2009/315/JAI,[21] sobre intercambio de antecedentes penales (sistema ECRIS), cuyo art. 9, que establece las condiciones de uso de los datos de carácter personal, dispone que los datos de carácter personal comunicados para su uso en un procedimiento penal (supuestos del art. 7.1 de la DM) solo podrán ser utilizados por el Estado miembro requirente en el marco del procedimiento penal para el cual se solicitaron.

Incluso los datos de carácter personal comunicados para su uso fuera de un procedimiento penal, solo podrán ser utilizados por el Estado miembro requirente, con arreglo a su Derecho nacional, para los fines para los que los haya solicitado y dentro de los límites especificados por el Estado miembro requerido (art. 9.2 de la DM 2009/315).

Además, se prevé en el art. 9.3 de esta DM, que los Estados miembros adoptarán las medidas oportunas para garantizar que, si se transmiten a un tercer país datos de carácter personal que hayan recibido de otro Estado miembro, dichos datos estén sujetos a las mismas restricciones de utilización aplicables en un Estado miembro requirente del art. 9.2. Los Estados miembros especificarán que los datos personales que se transmitan a un tercer país a efectos de un procedimiento penal, solo podrán ser utilizados ulteriormente por dicho tercer país a efectos de un procedimiento penal[22].

Ante esta situación, el Programa de Estocolmo de 2010 a 2014, siguiendo la línea de la doble vía, la general de protección, y la excepcional y especial en materia de represión del delito, prevé la necesidad, por una parte, de un nuevo Reglamento general de protección de datos personales, que sustituyese a la Directiva de 1995 y, por otra, de una nueva Directiva sobre transmisión de datos personales en la cooperación penal, que vendría igualmente a sustituir a la citada DM de 2008.

Obviamente, al tratarse de una Directiva y no ya de una DM, el efecto armonizador sería más potente. E igualmente, se trataba de fomentar que

---

[21]   DM 2009/315/JAI del Consejo, de 26 de febrero de 2009, relativa a la organización y al contenido del intercambio de información de los registros de antecedentes penales entre los Estados miembros (DO L93 de 7 de abril de 2009).

[22]   V. BLANCO QUINTANA, *"La comunicación de antecedentes penales entre los Estados. El Sistema europeo de información de antecedentes penales"*, en BMJ, 2013, p. 23.

el instrumento no se limitase a reglamentar únicamente los intercambios transfronterizos de datos, sino que a través de la aproximación normativa también fuera aplicable al tratamiento interno de datos a efectos penales, estableciéndose el mismo nivel o estándar garantista para cualquier asunto penal, interno o transnacional.

No pasaban desapercibidas algunas cuestiones esenciales en esta proyectada aproximación normativa, como la transmisión de datos a autoridades de terceros países de la UE, y por tanto el distinto nivel garantista en los mismos. O, la posibilidad de excepcionar el principio de especialidad, es decir, establecer si el dato personal cedido a otro Estado a efectos penales, podía usarse para otros fines que, aunque legítimos, fueran ajenos al proceso penal en curso.

3. LA DOCTRINA DEL TRIBUNAL DE JUSTICIA DE LA UNIÓN EUROPEA SOBRE LOS PRINCIPIOS DE DISPONIBILIDAD Y PROPORCIONALIDAD EN LA OBTENCIÓN Y CESIÓN DE LOS DATOS PERSONALES

Las líneas esenciales de esa nueva proyectada Directiva sobre cesión y tratamiento de datos personales en materia de cooperación judicial penal en la UE, vienen expuestas fundamentalmente en tres Sentencias del TJUE.

La primera es la STJUE de 8 de abril de 2014, que resuelve varias cuestiones prejudiciales acumuladas (asuntos C-293/12 y C-594/12), planteadas respectivamente por la Corte Suprema de Irlanda y el TC de Austria[23]. Y la segunda, la STJUE de 21 de diciembre de 2016 (asuntos acumulados C-203/15 –Tele2 Sverige AB/Post-och telestyrelsen– y C-698/15 –Secretary of State for the Home Departament/Tom Watson y otros–). Más recientemente, la STJUE de 2 de octubre de 2018 (asunto c 207/16), que resuelve una petición de decisión prejudicial planteada por la Audiencia Provincial de Tarragona.

---

[23]   Tribunal de Justicia de la Unión Europea, Gran Sala, Sentencia de 8 de abril de 2014, C-293/2012, Repertorio mensual de jurisprudencia, n° 6, 2014, p. 5.
Una completa exposición de las cuestiones prejudiciales irlandesa y austriaca en GONZÁLEZ PASCUAL, *"El TJUE como garante de los derechos de la UE a la luz de la Sentencia Digital Right Ireland"*, en Revista de Derecho Comunitario Europeo, n° 49, 2014, pp. 943 y ss.

A) En la STJUE de 8 de abril de 2014, estas cuestiones se centraban en la adecuación de la Directiva 2006/24/CE, del Parlamento Europeo y del Consejo, de 15 de marzo de 2006, sobre la conservación de datos generados o tratados en relación con la prestación de servicios de comunicaciones electrónicas de acceso público o de redes públicas de comunicaciones[24], a los arts. 7, 8 y 11 de la Carta de Derechos fundamentales de la UE (en adelante, CDFUE), que establecen el derecho a la vida privada y la intimidad, a la protección de los datos personales y a la libertad de expresión.

Se trataba pues de examinar si el almacenamiento generalizado de datos de telecomunicaciones y retención de datos externos de las comunicaciones de los clientes por los proveedores de servicios, en orden a su posible tratamiento y posterior utilización en investigaciones penales[25], implicaban una intromisión ilegítima en los derechos a la intimidad y a la protección de datos personales.

El TJUE parte de que la Directiva de 2006 incide y afecta, mediante su intromisión y limitación, en tales derechos. Ahora bien, también apunta que la represión del delito, y por tanto, su investigación y enjuiciamiento, es un objetivo legítimo y de interés general, que justifica la limitación de los derechos en juego y la interferencia en su disfrute, sin que ello en principio implique una vulneración de los derechos concernidos.

El TJUE estima pues que la Directiva de 2006 afectaba a los derechos a la protección de datos y a la intimidad, aunque sin lesionar sus contenidos esenciales, ya que las medidas de retención no implicaban el acceso al contenido de las comunicaciones (aunque si a la manera de rastrear el origen y destino de una comunicación, fecha y hora de la misma, su duración, el equipo del usuario y su localización, nombre y dirección del abonado, números de teléfono de origen y destino y en su caso dirección IP), y existían medidas en la norma para preservar ante posibles abusos en el uso de los datos por parte de las empresas.

---

[24]   DO L 105, de 13 de abril de 2006. La Directiva de 2006 anulada por el TJUE, modificó en su momento la Directiva 2002/58/CE de 12 de julio de 2002 sobre tratamiento de datos personales y protección a la intimidad en el sector de comunicaciones electrónicas.

[25]   Se establecía un sistema de tratamiento y almacenamiento de datos provenientes de las comunicaciones electrónicas de clientes de redes de acceso público. Este tratamiento y almacenamiento se encomendaba a las empresas encargadas de la prestación de los servicios de comunicaciones electrónicas, a efectos de que si fuera necesario se utilizaran los datos en investigaciones penales de delitos graves. El almacenamiento se establecía por un plazo de entre 6 a 24 meses.

Pero estas limitaciones o injerencias en los derechos a la intimidad y a la protección de los datos personales deben responder a unos principios rectores que son los que legitiman su uso para investigar y enjuiciar el delito. Por una parte, debe tratarse de medidas adecuadas y de previa configuración legal. Y, por otra, estas limitaciones responderán en todo caso al principio de proporcionalidad, por lo que la limitación o injerencia en el derecho debe adecuarse a la finalidad que la justifica, es decir, debe ser idónea; y, además, dicha limitación debe ser necesaria en orden a los fines de la investigación y el enjuiciamiento.

El TJUE entendió que había tres filtros que debía superar la Directiva de 2006. El primero, si afectaba, vulnerándolos, a los derechos fundamentales en cuestión; el segundo, si la Directiva pretendía la consecución de un interés general legítimo, la lucha contra la delincuencia grave; y, el tercero, si la Directiva era adecuada y necesaria para conseguir ese fin legítimo. La Directiva superó los dos primeros filtros, pero no el tercero, el juicio de proporcionalidad.

En tal sentido, la Sentencia de 2014 apuntaba como la Directiva de 2006 establecía medidas adecuadas de injerencia en los derechos fundamentales apuntados, en cuanto a su previsión legal general y en cuanto a que los fines perseguidos no implicaban en sí mismos una vulneración de tales derechos. Pero, sin embargo, estas medidas no se ajustaban a los cánones de proporcionalidad por varias razones.

El sistema de captación, recopilación y almacenamiento de datos se llevaba a cabo aún sin indicio penal alguno de comisión de un delito, y sin un catálogo preestablecido de delitos para los que podía acudirse a estas medidas, no siendo suficiente, a juicio del Tribunal, la referencia de la Directiva a delitos graves, sin ninguna otra precisión, catálogo o criterio al respecto.

En definitiva, el TJUE estableció cinco criterios esenciales sobre el principio de proporcionalidad, referido a la disponibilidad a efectos penales de los datos personales.

a) En primer lugar, el principio de disponibilidad en orden a la captación y almacenamiento de datos orientadas a la investigación y el enjuiciamiento penal, debe convivir con el respeto a los derechos fundamentales (intimidad y protección de datos personales), a través del establecimiento del principio de proporcionalidad, de manera que tales medidas respondan a los parámetros de necesidad e idoneidad.

b) En segundo lugar, es necesario preestablecer legalmente los datos objetivos y subjetivos en función de los cuales pueda justificarse la necesidad de estas medidas, es decir, la existencia de indicios contra la persona sospechosa o investigada, la discriminación en función de la persona afectada, la localización geográfica que precise el uso de la medida, el tiempo necesario para conservar los datos, etc., más allá de la genérica cláusula de la lucha contra delitos graves, que no aporta en sí misma ningún nexo de unión entre los datos que se obtengan y la finalidad perseguida.

c) En tercer lugar, es precisa también la existencia de un órgano autónomo que autorice o limite el acceso a los datos, exigencia que tampoco cumplía la Directiva.

d) En cuarto lugar, debe establecerse un marco de seguridad y protección suficiente, atendiendo a la cantidad de datos, su posible carácter sensible o los riesgos de acceso ilícito o de abusos al respecto. En tal sentido, con arreglo a la Directiva, las medidas de seguridad adecuadas de los proveedores de servicios para evitar abusos dependían de la valoración de los costes económicos para su implantación, lo cual no garantizaba la misma.

e) Y, en quinto lugar, la disponibilidad debe adecuarse al principio de especialidad, de manera que los datos recabados y cedidos lo sean en función de una causa penal concreta, en cuyo curso y sustanciación se pide la cooperación.

El principio de especialidad, que exige la relación de la investigación con un delito concreto, no impide, sin embargo, el trasvase o cesión de los datos personales recabados en una causa a otro proceso penal, con arreglo al art. 579 bis de la LECRIM. Ello queda condicionado a la constatación de la legitimidad de la injerencia en los derechos fundamentales del investigado llevada a cabo en la primera causa. Pero dicha legitimidad para el trasvase de la información, también debería hacerse depender de otra circunstancia relevante, que no es otra que la concurrencia en la segunda causa de los presupuestos del art. 588 bis a., es decir, la procedencia (necesidad, excepcionalidad, idoneidad, etc.) en el segundo procedimiento de la medida de investigación que conduce a tales datos o informaciones[26]. Si en el segundo proceso no hubiera sido posible acordar, por ejemplo, la medida de registro remoto del equipo informático,

---

[26] Problema que apunta COLOMER HERNÁNDEZ, *"La inclinación de la problemática provocada por la transmisión y cesión de datos personales obtenidos en un proceso penal desde el mar-*

por no tratarse de ninguno de los delitos del art. 588 septies a. de la LECRIM, ¿podría incorporarse la información obtenida con esta medida en la primera causa, sin ponderar si tal medida hubiera sido posible decidirla en el segundo proceso? A nuestro entender habría que contestar negativamente a la pregunta, de manera que sería preciso valorar la legitimidad de la adopción de la medida en el proceso de origen y en el segundo proceso. E idéntica solución en orden a la doble ponderación de la legitimidad de la medida, entendemos debe aplicarse en el ámbito de la cooperación transfronteriza.

B) Por su parte, la STJUE de 21 de diciembre de 2016, viene a resolver varias cuestiones prejudiciales acumuladas. Al día siguiente del pronunciamiento de la sentencia Digital Rights Ireland de 2014, la empresa de telecomunicación Tele2 Sverige notificó a la autoridad sueca de control de los servicios de correos y telecomunicaciones su decisión de no seguir conservando los datos y su intención de suprimir los datos ya registrados (asunto C-203/15). El Derecho sueco obliga en efecto a los proveedores de servicios de comunicaciones electrónicas a conservar de modo sistemático y continuado, sin ninguna excepción, todos los datos de tráfico y de localización de todos sus abonados y usuarios registrados en relación con todos los medios de comunicación electrónica. Por su parte, en el asunto C-698/15, los Sres. Tom Watson, Peter Brice y Geoffrey Lewis interpusieron recursos contra la normativa británica de conservación de datos que permite al Ministro del Interior obligar a los operadores de telecomunicaciones públicas a conservar todos los datos relativos a las comunicaciones durante un período máximo de doce meses, estando excluida la conservación del contenido de esas comunicaciones.

El Kammarrätten i Stockholm (Tribunal de Apelación de lo Contencioso-Administrativo de Estocolmo) y la Court of Appeal, England and Wales, Civil Division (Tribunal de Apelación del Reino Unido), solicitan al TJUE que indique si las normativas nacionales que imponen a los proveedores una obligación general de conservación de datos y que prevén el acceso de las autoridades nacionales competentes a los datos conservados, sin limitar este acceso a los casos de lucha contra la delincuencia grave y sin supeditar el acceso a un control previo por un órgano jurisdiccional o una autoridad administrativa independiente, son compatibles con el Derecho de la Unión (en el presente caso, la Directiva sobre la privacidad y las comunicaciones electrónicas, interpretada a la luz de la CDFUE.

---

co normativo comunitaria a la regulación y praxis española", en VVAA, (dir. por COLOMER HERNÁNDEZ), *La transmisión de datos personales...,*, op. cit., p. 838.

La STJUE de 21 de diciembre de 2016, viene a establecer que los Estados miembros no pueden imponer una obligación general de conservación de datos de comunicaciones y geolocalización (datos de tráfico y localización), a los proveedores de servicios de comunicaciones electrónicas.

Y ello, básicamente, porque la conservación y almacenamiento de dichos datos personales, a efectos de prevención y persecución del delito, además de por razones relativas a la seguridad pública y nacional, incide en derechos fundamentales. Por ello, hay que conceptuarlo como un instrumento excepcional, que sólo puede utilizarse en casos tasados y con arreglo al principio de proporcionalidad, sin que quepan justificaciones abstractas como la referencia a delincuencia grave, que o bien se especifica en la Ley o debe ser objeto de interpretación individualizada en el caso concreto.

a) En definitiva, en virtud del principio de especialidad, el Derecho de la UE se opone a una conservación generalizada e indiferenciada de los datos de tráfico y de localización, pero los Estados miembros podrán establecer, con carácter preventivo, una conservación selectiva de esos datos con la única finalidad de luchar contra la delincuencia grave, siempre que tal conservación se limite a lo estrictamente necesario por lo que se refiere a las categorías de datos que deban conservarse, los medios de comunicación a que se refieran, las personas afectadas y el período de conservación establecido. El acceso de las autoridades nacionales a los datos conservados debe estar sujeto a requisitos, entre los que se encuentran en particular un control previo por una autoridad independiente, así como la conservación de los datos en el territorio de la Unión.

b) Por lo que se refiere al acceso de las autoridades nacionales competentes a los datos conservados, el TJUE confirma que la normativa nacional no puede limitarse a exigir que el acceso responda a alguno de los objetivos contemplados en la Directiva, ni siquiera el de la lucha contra la delincuencia grave, sino que debe establecer también los requisitos materiales y procedimentales que regulen el acceso de las autoridades nacionales competentes a los datos conservados.

Esta normativa debe basarse en criterios objetivos para definir las circunstancias y los requisitos conforme a los cuales debe concederse a las autoridades nacionales competentes el acceso a los datos. En principio sólo podrá concederse un acceso, en relación con el objetivo de la lucha contra la delincuencia, a los datos de personas de las que se sospeche que planean, van a cometer o han cometido un delito grave o que puedan estar implicadas de un modo u otro en un delito grave.

No obstante, en situaciones particulares, como aquellas en las que intereses vitales de la seguridad nacional, la defensa o la seguridad pública estén amenazados por actividades terroristas, podría igualmente concederse el acceso a los datos de otras personas cuando existan elementos objetivos que permitan considerar que esos datos podrían, en un caso concreto, contribuir de modo efectivo a la lucha contra tales actividades.

c) En nuestro ordenamiento, será igualmente el Juez el que autorice la incorporación o cesión a la causa de los datos electrónicos de tráfico o asociados, conservados por los prestadores de servicios en cumplimiento de las normas de conservación, o bien por iniciativa de la Policía o del Ministerio Fiscal (art. 588 octies), o por propia iniciativa comercial (art. 588 ter de la LECRIM). Los proveedores de servicios de comunicaciones no están pues obligados a una conservación general de datos de sus usuarios.

Así, el art. 588 octies de la LECRIM, constitutivo del capítulo X (medidas de aseguramiento) del Título VIII (medidas de investigación limitativas de los derechos del art. 18 de la CE, establece la llamada "orden de conservación de datos", emitida por la Policía Judicial o por el Ministerio Fiscal a fin de requerir a cualquier persona física o jurídica la conservación y protección de datos o informaciones concretas incluidas en un sistema informático de almacenamiento que se encuentren a su disposición, hasta que se obtenga la autorización judicial correspondiente para su cesión. Los datos se conservarán durante un período máximo de 90 días, prorrogable una sola vez hasta que se obtenga la autorización judicial de la cesión o se cumplan 180 días. El requerido vendrá obligado a prestar la colaboración y asistencia, y a guardar secreto sobre esta diligencia, con arreglo al art. 588 ter e. de la LECRIM.

Por su parte, el art. 588 ter j. (datos obrantes en archivos automatizados de los prestadores de servicios), dispone que los datos electrónicos conservados por los prestadores de servicios o personas que faciliten la comunicación en cumplimiento de la legislación sobre retención de datos relativos a las comunicaciones electrónicas o por propia iniciativa por motivos comerciales o de otra índole y que se encuentren vinculados a procesos de comunicación, solo podrán ser cedidos para su incorporación al proceso con autorización judicial. Igualmente, cuando el conocimiento de esos datos resulte indispensable para la investigación, se solicitará del juez competente autorización para recabar la información que conste en los archivos automatizados de los prestadores de servicios, incluida la búsqueda entrecruzada o inteligente de datos, siempre que se precisen la naturaleza de los datos que hayan de ser conocidos y las razones que justifican la cesión.

C) En tercer lugar, nos referimos a la STJUE de 2 de octubre de 2018 (asunto C 207/16), que resuelve una petición de decisión prejudicial planteada por la Audiencia Provincial de Tarragona, en un proceso penal incoado por el Ministerio Fiscal. En la misma, como veremos a continuación, se analiza el criterio relativo a la gravedad del delito, en orden a la legitimidad o justificación de la injerencia en los derechos fundamentales reconocidos en los arts. 7 y 8 de la CDFUE, y si hay que atender únicamente a la pena que pueda imponerse al delito que se investiga o es necesario, además, identificar en la conducta delictiva particulares niveles de lesividad para bienes jurídicos individuales y/o colectivos.

Los hechos de los que trae causa el proceso en España, parten de una denuncia presentada ante la Policía por un robo con violencia, durante el cual el denunciante resultó herido y le sustrajeron la cartera y el teléfono móvil. La Policía Judicial presentó un oficio ante el juez instructor solicitando que se ordenase a diversos proveedores de servicios de comunicaciones electrónicas la transmisión de los números de teléfono activados, desde el 16 de febrero hasta el 27 de febrero de 2015, con el código relativo a la identidad internacional del equipo móvil (en adelante, código IMEI) del teléfono móvil sustraído, así como los datos personales o de filiación de los titulares o usuarios de los números de teléfono correspondientes a las tarjetas SIM activadas con dicho código, como su nombre, apellidos y, en su caso, dirección.

El juez instructor denegó la diligencia solicitada por dos motivos. Por un lado, consideró que esta no era idónea para identificar a los autores del delito. Por otra parte, denegó la solicitud porque la Ley 25/2007, de 28 de octubre, de conservación de datos relativos a las comunicaciones electrónicas y a las redes públicas de comunicaciones, limitaba la cesión de los datos conservados por las operadoras de telefonía a los delitos graves que, con arreglo a los arts. 13.1 y 33.1 del Código Penal (en adelante, CP), son, entre otros, los sancionados con una pena de prisión superior a cinco años, siendo que los hechos investigados no parecían ser constitutivos de delito grave.

El Ministerio Fiscal interpuso recurso de apelación contra dicho auto ante la Audiencia Provincial, alegando que, dada la naturaleza de los hechos y habida cuenta de una sentencia del Tribunal Supremo, de 26 de julio de 2010, relativa a un caso similar, debería haberse acordado la cesión de los datos de que se trata. Al respecto hay que tener en cuenta que tras los hechos de los que trae causa esta cuestión prejudicial, y con posterioridad a dicho auto de la AP, la LO 13/2015, de 5 de octubre, de modificación de la LECRIM, para el fortalecimiento de las garantías procesales y la regulación de las medidas de investigación tecnológicas, supuso, atendiendo a la jurisprudencia del TC y del TS, la introducción respecto de determinadas medidas de investigación, de dos nuevos criterios alternativos para determinar el nivel de gravedad de un delito y, por tanto, establecer dicha gravedad como presupuesto para autorizar la medida. Se trata, por un lado, de un estándar material identificado por conductas típicas de particular y grave relevancia criminógena que incorporan particulares tasas de lesividad para bienes jurídicos individuales y colectivos, tales como los delitos cometidos en el seno de organizaciones criminales o en materia de terrorismo. Por otro, la LECRIM ha introducido un criterio normativo- formal basado en la pena prevista para el delito de que se trate, de manera que hay medidas de investigación tecnológica que sólo pueden decretarse respecto a delitos dolosos castigados con pena con límite máximo de, al menos, tres años de prisión (así, con arreglo a los arts. 579.1.1° y 588 ter a. de la LECRIM respecto a la interceptación de comunicaciones telefónicas y telemáticas).

Todo ello, como alega la AP, sin perjuicio de que el interés del Estado en castigar las conductas infractoras no puede justificar injerencias desproporcionadas en los derechos fundamentales consagrados en la CDFUE. Además, al plantear la cuestión prejudicial, la AP de Tarragona afirma que la STJUE de 8 de abril de 2014 –caso Digital Rights Ireland y otros– declaró la invalidez de la Directiva 2006/24/CE del Parlamento Europeo y del Consejo, de 15 de marzo de 2006, sobre la conservación de datos generados o tratados en relación con la prestación de servicios de comunicaciones electrónicas de acceso público o de redes públicas de comunicaciones, reconociendo el TJUE que la conservación y cesión de datos de tráfico constituyen injerencias especialmente graves en los derechos garantizados por los arts. 7 y 8 de la CDFUE, e identificando los criterios de apreciación del respeto del principio de proporcionalidad, entre ellos la gravedad de los delitos que justifican la conservación de estos datos y el acceso a ellos para la investigación de un delito.

Las cuestiones prejudiciales planteadas, y que son el objeto de la sentencia, son dos, y giran en torno al principio de proporcionalidad en su vertiente de gravedad del delito investigado u objeto de acusación y enjuiciamiento, como elemento determinante de la legitimidad del acceso a los datos personales derivados de comunicaciones electrónicas (datos personales de tráfico y geolocalización). De esta manera se pregunta al TJUE[27]:

a) ¿Cómo se identifica el criterio relativo a la gravedad del delito, en orden a la legitimidad o justificación de la injerencia en los derechos fundamentales reconocidos en los arts. 7 y 8 de la CDFUE? ¿Hay que atender únicamente a la pena que pueda imponerse al delito que se investiga o es necesario, además, identificar en la conducta delictiva particulares niveles de lesividad para bienes jurídicos individuales y/o colectivos?

b) En su caso, si se ajustara a los principios constitucionales de la UE, utilizados por la STJUE de 8 de abril de 2014 (Digital Rights Ireland y otros) como estándares de control estricto de la Directiva de 2002 antes citada, y la determinación de la gravedad del delito atendiera solo a la pena imponible, ¿cuál debería ser ese umbral mínimo? ¿Sería compatible con una previsión general de límite en tres años de prisión?

---

[27]   Creemos que resulta de interés la resolución de la excepción de incompetencia planteada por el Gobierno español, en relación con actuaciones estatales en materia de protección de datos, en cuanto aclara el ámbito de protección y tutela jurisdiccional de los datos personales en el ámbito del proceso penal. El Gobierno español alegó la incompetencia del TJUE ya que esa solicitud de acceso se inscribía en el ejercicio del ius puniendi por las autoridades nacionales, de modo que forma parte de la actividad del Estado en materia penal, incluida en la excepción prevista en el art. 3, apartado 2, primer guion, de la Directiva 95/46 y el art. 1, apartado 3, de la Directiva 2002/58. El TJUE desestima la incompetencia alegada, afirmando que las medidas legales que obligan a los proveedores de servicios de comunicaciones electrónicas a conservar datos personales o conceder a las autoridades nacionales competentes el acceso a estos datos implican necesariamente un tratamiento de dichos datos por esos proveedores (en este sentido, la ya citada STJUE de 21 de diciembre de 2016, Tele2 Sverige y Watson y otros, apartados 75 y 78). Por tanto, tales medidas, en cuanto regulan las actividades de dichos proveedores, no pueden asimilarse a actividades propias de los Estados, mencionadas en el art. 1, apartado 3, de la Directiva 2002/58. En el presente asunto, la solicitud controvertida en el litigio principal, por la que la Policía Judicial solicita autorización judicial para acceder a datos personales conservados por proveedores de servicios de comunicaciones electrónicas, tiene como fundamento la Ley 25/2007, de 18 de octubre, en relación con la LECRIM, que regula el acceso de las autoridades públicas a estos datos. Dicha normativa permite a la Policía Judicial, en caso de concederse la autorización judicial solicitada, exigir a los proveedores de servicios de comunicaciones electrónicas, que pongan a su disposición datos personales y que, de este modo, lleven a cabo, habida cuenta de la definición que figura en el artículo 2, letra b), de la Directiva 95/46, aplicable en el contexto de la Directiva 2002/58 en virtud del art. 2, párrafo primero, de ésta, un tratamiento de tales datos, en el sentido de esas dos Directivas. En consecuencia, la citada normativa regula las actividades de los proveedores de servicios de comunicaciones electrónicas y por lo tanto está incluida dentro del ámbito de aplicación de la Directiva 2002/58.

Con carácter inicial, el TJUE recuerda que el acceso de las autoridades públicas a estos datos personales, constituye una injerencia en el derecho fundamental al respeto de la vida privada, consagrado en el art. 7 de la CDFUE, incluso a falta de circunstancias que permitan calificar esta injerencia de «grave», y sin que sea relevante que la información relativa a la vida privada de que se trate tenga o no carácter sensible, o que los interesados hayan sufrido o no inconvenientes en razón de tal injerencia. Tal acceso también constituye una injerencia en el derecho fundamental a la protección de los datos personales garantizado por el art. 8 de la CDFUE, puesto que constituye un tratamiento de dichos datos.

Ahora bien, por lo que respecta a los objetivos que pueden justificar una norma nacional, como la controvertida en el litigio principal, que regula el acceso de las autoridades públicas a los datos conservados por los proveedores de servicios de comunicaciones electrónicas y, por tanto, establece una excepción al principio de confidencialidad de las comunicaciones electrónicas (Ley 25/2007, de 18 de octubre), es resaltable que la enumeración de los objetivos que figuran en el art. 15.1, primera frase, de la Directiva 2002/58, tiene carácter exhaustivo, de modo que dicho acceso ha de responder efectiva y estrictamente a uno de ellos (en este sentido, la STJUE 21 de diciembre de 2016 (Tele2 Sverige y Watson y otros, apartados 90 y 115). Siendo el objetivo la prevención, investigación, descubrimiento y persecución de delitos, procede observar que el tenor del art. 15. 1, primera frase, de la Directiva 2002/58 no limita este objetivo a la lucha contra los delitos graves, sino que se refiere a los «delitos» en general.

A este respecto, es cierto que el TJUE ha declarado que, en materia de prevención, investigación, descubrimiento y persecución de delitos, solo la lucha contra la delincuencia grave puede justificar un acceso a datos personales conservados por los proveedores de servicios de comunicaciones electrónicas que, considerados en su conjunto, permiten extraer conclusiones precisas sobre la vida privada de las personas cuyos datos han sido conservados (STJUE de 21 de diciembre de 2016, Tele2 Sverige y Watson y otros, apartados 99 y 115). El TJUE ha motivado esa interpretación basándose en que el objetivo perseguido por una norma que regula este acceso, debe guardar relación con la gravedad de la injerencia en los derechos fundamentales en cuestión.

Es decir, conforme al principio de proporcionalidad, en el ámbito de la prevención, investigación, descubrimiento y persecución de delitos solo puede justificar una injerencia grave, el objetivo de luchar contra la delincuencia que a su vez esté también calificada de «grave». Pero cuando la injerencia que implica dicho acceso no es grave, puede estar justificada por el objetivo de prevenir, investigar, descubrir y perseguir «delitos» en general.

Por tanto, el TJUE se plantea si en el presente asunto, en función de las circunstancias del caso de autos, la injerencia en los derechos fundamentales reconocidos en los arts. 7 y 8 de la CDFUE, que entraña el acceso de la Policía Judicial a los datos de que se trata en el litigio principal, debe considerarse «grave». A este respecto, el oficio por el que la Policía Judicial solicita, a efectos de la investigación de un delito, autorización judicial para acceder a los datos personales conservados por los proveedores de servicios de comunicaciones electrónicas, tiene por único objeto identificar a los titulares de las tarjetas SIM activadas, durante un período de doce días, con el número IMEI del teléfono móvil sustraído. De este modo, esta solicitud no tiene más objeto que el acceso a los números de teléfono correspondientes a las tarjetas SIM, así como a los datos personales o de filiación de los titulares de dichas tarjetas, como su nombre, apellidos y, en su caso, la dirección. En cambio, esos datos no se refieren a las comunicaciones efectuadas con el teléfono móvil sustraído ni a la localización de este.

Así, los datos a que se refiere la solicitud de acceso controvertida en el litigio principal, sólo permiten vincular, durante un período determinado de doce días, la tarjeta o tarjetas SIM activadas con el teléfono móvil sustraído y los datos personales o de filiación de los titulares de estas tarjetas SIM. Sin un cotejo con los datos relativos a las comunicaciones realizadas con esas tarjetas SIM y de localización, estos datos no permiten conocer la fecha, la hora, la duración o los destinatarios de las comunicaciones efectuadas con las tarjetas SIM en cuestión, ni los lugares en que estas comunicaciones tuvieron lugar, ni la frecuencia de estas con determinadas personas durante un período concreto. Por tanto, dichos datos no permiten extraer conclusiones precisas sobre la vida privada de las personas cuyos datos se ven afectados.

En tales circunstancias, el acceso limitado únicamente a los datos cubiertos por la solicitud controvertida en el litigio principal, no puede calificarse de injerencia «grave» en los derechos fundamentales de los individuos cuyos datos se ven afectados. En consecuencia, la injerencia que supone el acceso a dichos datos puede estar justificada por el objetivo de prevenir, investigar, descubrir y perseguir «delitos» en general, objetivo al que se refiere el art. 15. 1, primera frase, de la Directiva 2002/58, sin que sea necesario que dichos delitos estén calificados como «graves».

Habida cuenta de las consideraciones anteriores, con arreglo al art. 15, apartado 1, de la Directiva 2002/58, a la luz de los arts. 7 y 8 de la CDFUE, el acceso de las autoridades públicas a los datos que permiten identificar a los titulares de las tarjetas SIM activadas con un teléfono móvil sustraído, como los nombres, los apellidos y, en su caso, las direcciones de dichos titulares, constituye una injerencia en los derechos fundamentales de estos, que no presenta una gravedad tal que dicho acceso deba limitarse, en el ámbito de la prevención, investigación, descubrimiento y persecución de delitos, a la lucha contra la delincuencia grave.

En virtud de todo lo expuesto, el TJUE (Gran Sala) declara que el art. 15.1 de la Directiva 2002/58/CE del Parlamento Europeo y del Consejo, de 12 de julio de 2002, relativa al tratamiento de los datos personales y a la protección de la intimidad en el sector de las comunicaciones electrónicas (Directiva sobre la privacidad y las comunicaciones electrónicas), en su versión modificada por la Directiva 2009/136/CE del Parlamento Europeo y del Consejo, de 25 de noviembre de 2009, a la luz de los arts. 7 y 8 de la CDFUE, debe interpretarse en el sentido de que el acceso de las autoridades públicas a los datos que permiten identificar a los titulares de las tarjetas SIM activadas con un teléfono móvil sustraído, como los nombres, los apellidos y, en su caso, las direcciones de dichos titulares, constituye una injerencia en los derechos fundamentales de estos, que no presenta una gravedad tal que dicho acceso deba limitarse, en el ámbito de la prevención, investigación, descubrimiento y persecución de delitos, a la lucha contra la delincuencia grave.

Como decíamos más arriba, hay que tener presente que con posterioridad a los hechos del litigio principal, la LECRIM ha sido modificada por la LO 13/2015, de 5 de octubre, para el fortalecimiento de las garantías procesales y la regulación de las medidas de investigación tecnológica. Dicha Ley, que entró en vigor el 6 de diciembre de 2015, reforma la intervención de comunicaciones telefónicas o telemáticas, y introduce en la LECRIM la cuestión del acceso a los datos relativos a las comunicaciones telefónicas y telemáticas conservados por los proveedores de servicios de comunicaciones electrónicas, con arreglo a lo previsto en la Ley 25/2007, de 18 de octubre, de conservación de datos relativos a las comunicaciones electrónicas y a las redes públicas de comunicaciones.

Así, el art. 588 ter a., sobre interceptación de comunicaciones telefónicas y telemáticas, en su versión resultante de la LO 13/2015, dispone, por remisión al art. 579.1.1º, que esta medida puede decretarse siempre que la investigación tenga por objeto alguno de los siguientes delitos: 1.º Delitos dolosos castigados con pena con límite máximo de, al menos, tres años de prisión; 2.º Delitos cometidos en el seno de un grupo u organización criminal; y, 3.º Delitos de terrorismo.

Por tanto, y salvo en casos de delitos cometidos en el seno de grupo u organización criminal o en los delitos de terrorismo, sólo cabría la interceptación de comunicaciones telefónicas y telemáticas respecto a delitos con límite máximo de al menos 3 años de prisión.

Advertimos pues que estamos ante una injerencia grave en los derechos fundamentales del investigado, que requiere venir referida a la investigación de un delito "grave", en el sentido que apunta la STJUE de 2 de octubre de 2018, tal y como lo defina la legislación estatal, e independientemente, al parecer, del concepto formal de delito grave de los arts. 13.1 y 33.1 del CP. Dicha gravedad se configura, como presupuesto de la medida de investigación, atendiendo pues a dos criterios alternativos para determinar el nivel de gravedad de un delito y, por tanto, establecer dicha gravedad como presupuesto para autorizar la injerencia grave en los derechos fundamentales. Se trata, por un lado, de un estándar material identificado por conductas típicas de particular y grave relevancia criminógena, tales como los delitos cometidos en el seno de organizaciones criminales o en materia de terrorismo. Por otro, la LECRIM ha introducido un criterio normativo-formal basado en la pena prevista para el delito de que se trate, de manera que hay medidas de investigación tecnológica que sólo pueden decretarse respecto a delitos dolosos castigados con pena con límite máximo de, al menos, tres años de prisión (así, con arreglo a los arts. 579.1.1º y 588 ter a de la LECRIM respecto a la interceptación de comunicaciones telefónicas y telemáticas). Este límite máximo de al menos tres años de prisión, actúa como presupuesto de la medida, y entendemos que prevalece respecto al establecido en el art. 1 de la Ley 25/2007, que se refiere a delito grave.

Por su parte, el art. 588 ter j) de la LECRIM establece que los datos electrónicos conservados por los prestadores de servicios o personas que faciliten la comunicación en cumplimiento de la legislación sobre retención de datos relativos a las comunicaciones electrónicas o por propia iniciativa por motivos comerciales o de otra índole y que se encuentren vinculados a procesos de comunicación, solo podrán ser cedidos para su incorporación al proceso con autorización judicial. Cuando el conocimiento de esos datos resulte indispensable para la investigación, se solicitará del juez competente autorización para recabar la información que conste en los archivos automatizados de los prestadores de servicios, incluida la búsqueda entrecruzada o inteligente de datos, siempre que se precisen la naturaleza de los datos que hayan de ser conocidos y las razones que justifican la cesión. El precepto no exige ningún presupuesto relativo a la gravedad de la penalidad del delito investigado, lo que no implica que no deba ajustarse a la proporcionalidad general exigida en el art. 588 bis de la LECRIM en orden a la idoneidad, necesidad y excepcionalidad de la medida de investigación.

De esta manera, y con arreglo a la doctrina fijada por la STJUE de 2 de octubre de 2018, se trata de una injerencia que implica un acceso que no es grave, por lo que puede estar justificada por el objetivo de prevenir, investigar, descubrir y perseguir «delitos» en general.

Ahora bien, la entidad y alcance de las medidas previstas en el art. 588 ter j), incluye, no sólo las que son objeto del pleito principal del caso (acceso de las autoridades públicas a los datos que permiten identificar a los titulares de las tarjetas SIM activadas con un teléfono móvil sustraído, como los nombres, los apellidos y, en su caso, las direcciones de dichos titulares), que constituyen una injerencia en los derechos fundamentales de estos, que no presenta una gravedad tal que dicho acceso deba limitarse, en el ámbito de la prevención, investigación, descubrimiento y persecución de delitos, a la lucha contra la delincuencia grave.

También se refiere el citado precepto a otras medidas que sí podrían calificarse como injerencias graves, en orden a la afección de los derechos fundamentales de los arts. 7 y 8 de la CDFUE y 18 de la CE, como los datos de tráfico y datos de localización, respecto de los que, con arreglo al art. 1 de la Ley 25/2007, de 18 de octubre, de conservación de datos relativos a las comunicaciones electrónicas y a las redes públicas de comunicaciones, el acceso se condiciona a la autorización judicial previa y, además, a que se trate de la investigación de delitos graves, requisito éste último no incluido en el art. 588 ter j).

Por delincuencia grave, consideramos que deberá entenderse en este caso, delitos cometidos en el seno de organizaciones criminales o en materia de terrorismo, así como delitos dolosos castigados con pena con límite máximo de, al menos, tres años de prisión, de manera que prevalece la configuración de delito grave de los arts. 579.1.1° y 588 ter de la LECRIM, respecto a la del art. 1 de la Ley 25/2007. Es decir, conforme al principio de proporcionalidad, tal y como lo configura la STJUE de 2 de octubre de 2018, en el ámbito de la prevención, investigación, descubrimiento y persecución de delitos, las medidas del art. 588 ter j) incluye injerencias graves para luchar contra la delincuencia que a su vez esté también calificada de «grave», e injerencias que no son graves, y que por tanto se pueden decretar respecto a todo delito.

El TJUE ha declarado que, en materia de prevención, investigación, descubrimiento y persecución de delitos, solo la lucha contra la delincuencia grave puede justificar un acceso a datos personales conservados por los proveedores de servicios de comunicaciones electrónicas que, considerados en su conjunto, permiten extraer conclusiones precisas sobre la vida privada de las personas cuyos datos han sido conservados (así, la STJUE de 21 de diciembre de 2016, Tele2 Sverige y Watson y otros, apartados 99 y 115). El TJUE ha motivado esa interpretación basándose en que el objetivo perseguido por una norma que regula este acceso, debe guardar relación con la gravedad de la injerencia en los derechos fundamentales en cuestión que supone la operación.

Es decir, conforme al principio de proporcionalidad, en el ámbito de la prevención, investigación, descubrimiento y persecución de delitos, solo puede justificar una injerencia grave el objetivo de luchar contra la delincuencia que a su vez esté también calificada de «grave».

Pero, cuando la injerencia que implica dicho acceso no es grave, puede estar justificada por el objetivo de prevenir, investigar, descubrir y perseguir «delitos» en general. El art. 588 ter j) de la LECRIM no exige ningún presupuesto relativo a la gravedad de la penalidad del delito investigado, lo que no implica que no deba ajustarse a la proporcionalidad general exigida en el art. 588 bis de la LECRIM.

De esta manera, y con arreglo a la doctrina fijada por la STJUE de 2 de octubre de 2018, se trata de una injerencia que implica un acceso que no es grave, por lo que puede estar justificada por el objetivo de prevenir, investigar, descubrir y perseguir «delitos» en general.

Ahora bien, la entidad y alcance de las medidas previstas en el art. 588 ter j), incluye, no sólo las que son objeto del pleito principal del caso (acceso de las autoridades públicas a los datos que permiten identificar a los titulares de las tarjetas SIM activadas con un teléfono móvil sustraído, como los nombres, los apellidos y, en su caso, las direcciones de dichos titulares), que constituyen una injerencia en los derechos fundamentales de estos, que no presenta una gravedad tal que dicho acceso deba limitarse, en el ámbito de la prevención, investigación, descubrimiento y persecución de delitos, a la lucha contra la delincuencia grave.

También se refiere el citado precepto a otras medidas que sí podrían calificarse como injerencias graves, en orden a la afección de los derechos fundamentales de los arts. 7 y 8 de la CDFUE y 18 de la CE, como los datos de tráfico y datos de localización, respecto de los que, con arreglo al art. 1 de la Ley 25/2007, de 18 de octubre, de conservación de datos relativos a las comunicaciones electrónicas y a las redes públicas de comunicaciones, el acceso se condiciona a la autorización judicial previa y, además, a que se trate de la investigación de delitos graves, requisito éste último no incluido en el art. 588 ter j), sin que pueda entenderse que el apartado 1 del precepto realice una remisión general a la legislación sobre retención de datos relativos a las comunicaciones electrónicas (Ley 25/2007).

Es decir, conforme al principio de proporcionalidad, tal y como lo configura la STJUE de 2 de octubre de 2018, en el ámbito de la prevención, investigación, descubrimiento y persecución de delitos, las medidas del art. 588 ter j) incluye injerencias graves para luchar contra la delincuencia que a su vez esté también calificada de «grave», e injerencias que no son graves, y que por tanto se pueden decretar respecto a todo delito.

4. LA PROTECCIÓN DE LOS INTERESADOS EN EL TRATAMIENTO DE DATOS PERSONALES, PARA LA PREVENCIÓN, INVESTIGACIÓN, DETECCIÓN O ENJUICIAMIENTO PENAL. LA DIRECTIVA (UE) 2016/680 Y ALGUNAS REFLEXIONES SOBRE SU IMPACTO EN EL PROCESO PENAL ESPAÑOL

4.1. Ámbito de aplicación y principios rectores

La Directiva UE 2016/680, de 27 de abril de 2016[28], del Parlamento Europeo y del Consejo, sobre protección de las personas físicas en lo que respecta al tratamiento de datos personales por parte de las autoridades competentes para fines de prevención, investigación, detección o enjuiciamiento de infracciones penales o de ejecución de sanciones penales, y sobre la libre circulación de dichos datos, que deroga la DM

---

[28]   Directiva (UE) 2016/680, del Parlamento Europeo y del Consejo, de 27 de abril de 2016, relativa a la protección de las personas físicas en lo que respecta al tratamiento de datos personales por parte de las autoridades competentes para fines de prevención, investigación, detección o enjuiciamiento de infracciones penales o de ejecución de sanciones penales, y a la libre circulación de dichos datos y por la que se deroga la DM 2008/977/JAI del Consejo (DO L 119 de 4 de mayo de 2016, p. 89).

2008/977[29,30], responde a una serie de principios generales que parten de las líneas de actuación del Programa de Estocolmo, así como de los criterios del TJUE antes expuestos.

Entendemos que esta nueva regulación sobre el tratamiento y análisis de datos personales en causas penales, que ya trasciende del ámbito transfronterizo y parece optar por la aproximación normativa en orden a facilitar la cooperación judicial penal, trae causa de unos primeros trabajos de la Comisión Europea que datan de 2009[31] y que defienden una política más coherente e integradora del derecho fundamental a la protección de datos personales en todos los contextos. Estos trabajos fructifican en sendas propuestas legislativas en 2012[32], aunque habría que esperar a 2016 para ver culminados los trabajos y publicados, por una parte el Reglamento (UE) 2016/679, sobre protección de datos y, por otra, la Directiva (UE)

---

[29]   Hay que hacer mención igualmente de la Directiva de 27 de abril de 2016 sobre utilización de datos del PNR (Registro de nombres de pasajeros), fundamentalmente en materia de terrorismo y formas graves de delincuencia, recogidas en un catálogo expreso, y encaminada a la prevención, detección, investigación y enjuiciamiento de tales delitos.

Se prevén en este sentido, cuatro formas de intercambio de este tipo de datos: entre las UIP (Unidad de Información de Pasajeros) de los Estados, directamente en casos de urgencia; entre las autoridades competente de los Estados y la UIP de un Estado requerido; a través del acceso de Europol a dichos registros con la colaboración de la UIP de los Estados; y, mediante la transferencia a terceros países.

[30]   La DM de 2008 queda derogada con efecto a partir del 6 de mayo de 2018, fecha límite establecida para la transposición de la nueva Directiva 2016/680 (arts. 59 y 63).

[31]   Comunicación de la Comisión al Parlamento Europeo, al Consejo, al Comité Económico y Social Europeo y al Comité de las Regiones, *Internet de los objetos. Un plan de acción para Europa,* de 18 de junio de 2009, COM (2009) 278 final. V. igualmente, *Programa de Estocolmo. Una Europa abierta y segura que sirva y proteja al ciudadano,* DO C 115 de 4 de mayo de 2010, p. 1; Comunicación de la Comisión *Un enfoque global de la protección de datos personales en la Unión Europea* COM (2010) 609 final. Hay que mencionar también las iniciativas sobre construcción del mercado digital único, entre cuyas acciones se menciona la necesidad de reforma normativa, con tres grandes finalidades: superar las divergencias en la implantación de la Directiva de 1995, adaptarse a los nuevos avances tecnológicos, y afrontar la dimensión globalizada del tratamiento de datos personales en el ámbito penal y policial, *European Data Protection Supervisor, Opinion on the data protection reform package,* de 7 de marzo de 2012 (cit, por VILLARINO MARZO , *"La Unión Europea ante los retos de la era digital…",* op. cit, p. 570).

[32]   Propuesta de nuevo Reglamento sobre protección de datos –COM (2012) 11 final 2012/0011/COD–, y Propuesta de Directiva sobre tratamiento de datos personales para fines de investigación y enjuiciamiento –COM (2012) 10 final 2012/0010/COD–. V. GONZÁLEZ CANO, *"Algunas reflexiones sobre protección de datos personales, proceso penal y cooperación judicial penal en la Unión Europea",* op. cit.

2016/680, sobre el tratamiento de datos personales en causas penales, a la que nos venimos refiriendo en estas páginas.

Durante estos años, no debemos olvidar que el TJUE y sus líneas maestras sobre los principios de legalidad y proporcionalidad, han influenciado decididamente la redacción de la nueva Directiva de 2016, aunque sin obviar esa orientación de política criminal centrada en el principio de disponibilidad de los datos personales a efectos penales, y el afán de compatibilizar una más eficaz persecución, investigación y enjuiciamiento del delito, aprovechando eficientemente los avances tecnológicos, con el respeto de los derechos fundamentales del titular de los datos personales, a la vez sospechoso, investigado o encausado.

En tal sentido, pasamos a continuación a exponer brevemente estos principios generales.

4.1.1. El principio de disponibilidad y libre circulación

La libre circulación de datos personales recogidos e intervenidos por las autoridades competentes de un Estado, debe responder a fines explícitos y legítimos de la cooperación judicial penal. Como afirma COLOMER HERNÁNDEZ[33], existe una especial vinculación entre la finalidad para la que se recaba o recoge el dato personal y el uso que después se le da en el Estado requirente o cesionario, o incluso en un tercer Estado diferente del que solicitó la transmisión.

Así, se pone de manifiesto como la rapidez de la evolución tecnológica y la globalización conllevan nuevos retos respecto a la protección de los datos personales, en cuanto derecho fundamental con arreglo a los arts. 8, apartado I de la CDFUE, y 16, apartado I, del TUE. Pero, igualmente, esa masiva recogida e intercambio de datos, sin lugar a dudas supone un activo importante en la investigación y enjuiciamiento del delito.

La libre circulación de datos entre las autoridades competentes en la investigación y enjuiciamiento del delito, debe ser facilitada en el ámbito de

---

[33] COLOMER HERNÁNDEZ, *"La inclinación de la problemática..."*, en VVAA, (dir. por COLOMER HERNÁNDEZ), *La transmisión de datos personales...*, op. cit., p. 831. IDEM, *"La cesión de datos de las comunicaciones electrónicas para su uso en investigaciones criminales: una problemática en ciernes"*, en VVAA (dir. por JIMÉNEZ CONDE), *Adaptación del Derecho Procesal español a la normativa europea y su interpretación por los tribunales*, Tirant lo blanch, 2018, pp. 77 y ss.; RICHARD GONZÁLEZ, *"La conservación y utilización de datos de las comunicaciones en la investigación criminal. Problemas que resultan de la aplicación de la doctrina del TJUE"*, en VVAA, *Adaptación...*, op. cit. pp. 475 y ss.

la cooperación penal y como instrumento para la creación y fortalecimiento del espacio europeo de libertad, seguridad y justicia, aunque siempre en un marco sólido y coherente de protección y de garantías adecuadas y efectivas de los titulares de los datos personales.

Es pues evidente que la propia eficacia de la cooperación judicial penal depende de que previamente se cree y asegure en todos los Estados miembros, un nivel uniforme y equivalente de protección de los datos personales y de su tratamiento.

Si bien es cierto que el nuevo Reglamento general 2016/679[34], de protección de datos, establece las normas generales para la protección de las personas físicas en relación con el tratamiento de sus datos personales, y para garantizar la libre circulación de datos personales en la UE, también lo es que resulta imprescindible la elaboración de una serie de normas específicas sobre protección de datos y libre circulación de los mismos en el ámbito de la cooperación penal a la que se refiere el art. 16 del TUE, es decir, en orden a la investigación y enjuiciamiento de delitos por autoridades competentes (Jueces, Fiscales, Policía), y en general por todo organismo o entidad que tenga encomendado el tratamiento de estos datos a tales fines.

Téngase presente que la labor normativa de la UE en materia de protección de datos comenzó con la Directiva 1995/46/CE, intentando reforzar la libre circulación de datos personales en el marco del mercado único comunitario[35], dispensando para ello un marco de protección que se extendió a datos contenidos en soporte informático o en cualquier tipo de soporte o archivo adecuado o idóneo para su tratamiento. A partir de ahí, los avances tecnológicos por una parte y, por otra, la necesidad de la obtención y tratamiento de los datos personales en el ámbito de la cooperación judicial penal, han dado lugar, como afirma GALÁN MUÑOZ, a la doble vía de protección de los datos de carácter personal, es decir, la vía garantista general, en orden a preservar ante la libre circulación de datos personales, los derechos de información, acceso, rectificación, cancelación y oposición; y, la vía excepcional o especial, la relacionada con la represión, la investigación y el

---

[34] Reglamento (UE) del Parlamento Europeo y del Consejo, de 27 de abril de 2016, relativo a la protección de las personas físicas en lo que respecta al tratamiento de datos personales y a la libre circulación de estos y por el que se deroga la Directiva 95/46/CE (Reglamento general de protección de datos) (DO L 119, de 4 de mayo de 2016, p. 1.).

[35] PARIENTE DE PRADA, *El Espacio de libertad, seguridad y justicia: Schenguen y protección de datos*, Aranzadi, Cizur Menor, 2013, pp. 127 y ss.

enjuiciamiento del delito, que requiere un tratamiento especial[36] en cuanto se trata de medios de investigación y obtención de fuentes probatorias preconstituidas y, en definitiva, de prueba de cargo en orden a la imposición de consecuencias jurídicas sancionadoras de naturaleza penal.

Aunque ciertamente los primeros pasos normativos se dieron en el ámbito general y garantista de la protección de datos personales en un mercado único con libre circulación de servicios, bienes y personas, realmente el desarrollo legislativo más importante se ha producido en el ámbito de la utilización de datos personales como material de investigación y preconstitución probatoria de cargo, tal y como hemos visto en páginas anteriores.

Se trata pues de garantizar un mismo nivel de protección en este ámbito de la cooperación judicial penal, normas armonizadas y aproximación normativa que no deben contribuir a debilitar los estándares de protección de los Estados. Muy al contrario, los Estados, partiendo de los mínimos que se establezcan, e independientemente de la nacionalidad o residencia del titular de los datos (Considerando 17 de la Directiva 2016/680), de que sea persona identificada o identificable, y de que se trate de tratamiento automatizado o no de los datos (neutralidad tecnológica para evitar el riesgo de elusión del estándar de protección, con arreglo al Considerando 18), podrán lógicamente disponer mayores garantías en sus ordenamientos. Igualmente, las normas procesales penales de los Estados miembros podrán contener sus propias prescripciones sobre obtención y tratamiento de datos personales en causas penales, así como sobre identificación, datos genéticos, relativos a la salud, económicos o financieros.

Por tanto, el ámbito de aplicación de la Directiva de 2016 se amplía en relación a la DM de 2008, aunque ello convive con algunas limitaciones, ya que la Directiva no se aplica al tratamiento de datos personales en el ejercicio de actividades no comprendidas en el ámbito de aplicación del Derecho de la UE, ni por parte de instituciones, órganos u organismos de la UE (art.2.3). Igualmente, la Directiva no es aplicable a actividades en materia de recogida y tratamiento de datos personales relacionadas con la seguridad nacional (Considerando 14), aunque hay que decir que la excepción relativa a los intereses de seguridad nacional, a pesar de quedar fuera de la cobertura de ese sistema coherente y uniforme de protección del sujeto, constituye o forma parte a su vez del régimen de excepciones o limitacio-

---

[36] Sobre la doble vía apuntada, v. igualmente, SOLAR CLAVO, *"La doble vía europea en protección de datos"*, en La Ley, nº 2832, 2012.

nes del derecho de información o del derecho de acceso del interesado a los datos personales (arts. 13 y 15), sobre el que volveremos más adelante.

Sin embargo, consideramos positiva la previsión a la que se refiere el Considerando (25) de la Directiva 2016/680, que dispone la aplicabilidad de la Directiva a las transmisiones de datos desde los Estados de la UE a Interpol y a países donde la organización tiene destinados miembros. Así, la obtención, almacenamiento y distribución de datos personales para combatir la delincuencia internacional a través de intercambio de datos con Interpol, debe garantizar el respeto a los derechos y libertades fundamentales, básicamente en orden al tratamiento automatizado de los datos.

Igualmente, los principios de libre circulación y disponibilidad incluyen las transferencias de datos personales a terceros países u organizaciones internacionales. Así, el art. 35 establece los principios generales de estas transferencias de datos personales, que quedan condicionadas por cinco presupuestos.

a) Que la transferencia sea necesaria a los fines de la cesión y el tratamiento que con carácter general establece el art. 1.1, y sobre los que trataremos a continuación.

b) Que los datos personales se transfieran a un responsable del tratamiento de un tercer país u organización internacional que sea una autoridad pública competente a los fines mencionados en el art. 1.1.

c) Que, en caso de que los datos personales se transmitan o procedan de otro Estado miembro, dicho Estado miembro haya dado su autorización previa para la transferencia de conformidad con el Derecho nacional.

d) Que la Comisión haya adoptado una decisión de adecuación o de evaluación del nivel de protección en el Estado cesionario o, a falta de la misma, la transferencia se condicione a la aportación por dicho Estado de las garantías apropiadas (arts. 36 y 37)[37]. Y,

---

[37] Al evaluar la adecuación del nivel de protección, la Comisión tendrá en cuenta, en particular, los elementos siguientes:

a) el Estado de Derecho, el respeto de los derechos humanos y las libertades fundamentales, la legislación pertinente, tanto general como sectorial, incluidas la seguridad pública, la defensa, la seguridad nacional, el Derecho penal y el acceso de las autoridades públicas a los datos personales, así como la aplicación de dicha legislación, las normas de protección de los datos, las normas profesionales y las medidas de seguridad, incluidas las normas para las transferencias ulteriores de datos personales a otro tercer país u organización internacional que se apliquen en el tercer

e) que se valore especialmente la proporcionalidad de la cesión en orden a todos los factores pertinentes, entre estos la gravedad de la infracción penal, la finalidad para la que se transfirieron inicialmente los datos personales, y el nivel de protección de los datos personales existente en el tercer país u organización internacional a los que se transfieran ulteriormente los datos personales.

¿Se ajusta nuestra jurisprudencia a las previsiones sobre el principio de disponibilidad de la Directiva de 2016? La STS de 23 de febrero de 2017 (STS 116/2017), ha avalado la condena por fraude fiscal, fundada en una prueba de cargo derivada directamente de la ilícita obtención de archivos informáticos por un particular (el Sr. Falciani), en los que se contenían datos de las cuentas bancarias del acusado.

La información sustraída por el Sr. Falciani (datos bancarios incluidos en listados del banco suizo HSBC), fue intervenida por la autoridad francesa en un registro judicial en su domicilio, previa petición de cooperación internacional por la autoridad de Suiza en la investigación de delitos contra el secreto bancario. Posteriormente estos datos (material incriminatorio inicialmente incautado para la causa penal en Suiza), fue remitida a la AEAT española mediante un DVD creado a partir de los referidos archivos informáticos aprehendidos en poder de Falciani, que contenían datos de los contribuyentes posteriormente acusados en España.

Se trata pues de dar validez como prueba de cargo a la información y datos personales obtenidos ilegitimamente por un particular en Suiza, posteriormente intervenida por un juez francés en la investigación de los delitos cometidos por dicho particular previa petición de cooperación internacional por Suiza en la investigación de delitos contra el secreto bancario, y remitida a la autoridad española (la Agencia española

---

país o en la organización internacional en cuestión, la jurisprudencia, así como los derechos del interesado efectivos y exigibles y un derecho de recurso administrativo y judicial efectivo de los interesados cuyos datos personales son transferidos;

b) la existencia y el funcionamiento efectivo de una o varias autoridades de control independientes en el tercer país o a las que esté sujeta una organización internacional, con la responsabilidad de garantizar y ejecutar el cumplimiento de las normas en materia de protección de datos, incluidos los poderes ejecutivos adecuados, de asistir y asesorar a los interesados en el ejercicio de sus derechos y de cooperar con las autoridades de control de los Estados miembros, y,

c) los compromisos internacionales asumidos por el tercer país o la organización internacional correspondiente, u otras obligaciones que deriven de convenios o instrumentos jurídicamente vinculantes o de su participación en sistemas multilaterales o regionales, en particular en relación con la protección de datos personales (art. 36.2).

de administración tributaria) que los pidió a la autoridad administrativa
francesa en virtud del Convenio de 1995 para evitar la doble imposición
y prevenir el fraude fiscal.

El Tribunal Supremo concluyó que la *lista Falciani* es prueba de cargo
válida *por tener la convicción* de que, aunque los datos se obtuvieron de manera ilícita, la finalidad directa o indirecta no era de utilizarlos en un proceso, ni medió acuerdo o connivencia con las autoridades de ningún país.

Además de otras relevantes cuestiones dignas de ser analizadas en esta
STS, tales como el alcance del principio de no indagación, la validación de
la cadena de custodia, la aplicación de la regla de exclusión por la vulneración del derecho a la protección de datos en la obtención de la información,
etc.[38], hay que convenir que la cesión de datos personales por parte de la autoridad francesa a la española, y su preconstitución como prueba de cargo,
plantea algunas cuestiones relevantes a efectos de la persecución criminal.

a) En primer lugar, estamos ante un caso de cooperación judicial penal,
para obtener de otro Estado datos personales para la investigación y el enjuiciamiento de un delito. Una cesión de datos (que el TS llega a calificar
como mera denuncia ya que los datos provienen de un particular), que debe
solicitarse atendiendo al principio de especialidad, en el curso de una causa
abierta, y por los cauces oportunos de obtención de material incriminatorio
en un Estado distinto al del proceso (exhorto europeo o bien Orden Europa
de investigación (en adelante, OEI).

El TS apunta que la utilización de estas pruebas para desvirtuar la
presunción de inocencia requiere, por una parte, la convicción de que
no hay intencionalidad procesal ni conexión policial alguna en la obtención de los datos, es decir que el particular no los sustrajo para sus-
tentar una causa penal; y, por otra, que deberá ponderarse en cada
caso, por un lado la gravedad de la lesión al derecho fundamental (en
este caso intimidad y protección de datos) y la gravedad del delito descubierto (fraude fiscal).

---

[38]   La defensa del condenado había formulado recurso de casación alegando la doctrina
       según la cual las pruebas derivadas de una actuación ilegítima quedan contaminadas
       de dicha ilicitud y por tanto no son válidas como prueba de cargo para desvirtuar la
       presunción de inocencia del acusado. Sin embargo el TS ha entendido que puede
       constituir prueba de cargo válida y suficiente para fundar la condena, un elemento de
       convicción derivado de una actividad ilícita llevada a cabo por un particular, siempre
       que dicho elemento no se haya obtenido con la finalidad de utilizarlo en un proceso; y
       la persona que lo obtiene que no sea un agente encubierto o conectado con la policía
       o aparatos del Estado.

Sin embargo, la desconfianza sobre los datos "traspasados", no se debe a quien los obtiene (un particular por motivos económicos o mediáticos, o la policía en el curso de una investigación), sino por la ilicitud de la obtención de los indicios y los datos, ya que la obtención y cesión no se fundamenta en los principios de disponibilidad, especialidad y proporcionalidad.

Dejamos pues planteadas nuestras dudas sobre la observancia en este caso de los contenidos mínimos del principio de especialidad, ya que la incautación de los archivos informáticos en Francia, trae causa de una petición de cooperación judicial de Suiza, país en el que se sigue la causa por los delitos contra el secreto bancario. La cesión de los datos a Suiza se realiza con un fin explícito y determinado, que no es otro que el enjuiciamiento del Sr. Falciani, y no el uso de tales datos en la causa posterior en España.

Aprovechar ese cauce de cooperación bilateral, por un delito concreto y con un imputado individualizado, para que la información acabe siendo prueba de cargo en un proceso posterior que se abre en un tercer Estado, España, supone una vulneración del principio de especialidad. La transferencia a España, y por tanto el uso de los datos para el mismo fin pero en otra causa penal por otros delitos y contra otros sujetos, está contemplada en el art. 4.2 de la Directiva 2016/680, al modo de una manifestación ampliada del principio de disponibilidad, pero siempre contando con la autorización previa de Suiza, país que inicia la primera investigación penal.

b) En segundo lugar, el principio de especialidad, que exige la relación de la investigación con un delito concreto, no impide, sin embargo, el trasvase o cesión de los datos personales recabados en una causa a otro proceso penal, con arreglo al art. 579 bis i. de la LECRIM. Ello queda condicionado a la constatación de la legitimidad de la injerencia en los derechos fundamentales del investigado llevada a cabo en la primera causa, que en este caso es la tramitada en Suiza con la cooperación de la autoridad francesa.

Pero dicha legitimidad para el trasvase de la información, también debería hacerse depender de otra circunstancia relevante, que no es otra que la concurrencia en la segunda causa, es decir, la tramitada en España, de los presupuestos del art. 588 bis a., es decir, la procedencia (necesidad, excepcionalidad, idoneidad, etc.) en el segundo procedimiento de la medida de investigación que conduce a tales datos o informaciones[39]. Si en

---

[39] Problema que apunta COLOMER HERNÁNDEZ, "*La inclinación de la problemática provocada por la transmisión y cesión de datos personales obtenidos en un proceso penal desde el marco normativo comunitaria a la regulación y praxis española*", en VVAA, (dir. por COLOMER HERNÁNDEZ), *La transmisión de datos personales...,*, op. cit., p. 838.

el segundo proceso, seguido en España, no hubiera sido posible acordar, por ejemplo, la medida de registro remoto del equipo informático para obtener los datos bancarios del acusado, por no tratarse de ninguno de los delitos del art. 588 septies a. de la LECRIM, que no incluye los delitos contra la Hacienda Pública, ¿podría incorporarse la información obtenida con esta medida en la primera causa, sin ponderar si tal medida hubiera sido posible decidirla en el segundo proceso en España? A nuestro entender habría que contestar negativamente a la pregunta, de manera que sería preciso valorar la legitimidad de la adopción de la medida en el proceso de origen y en el segundo proceso. La doble ponderación de la legitimidad de la medida, entendemos debe aplicarse igualmente en el ámbito de la cooperación transfronteriza.

4.1.2. El principio de proporcionalidad. Las garantías básicas de la cesión y el tratamiento de datos personales en la cooperación judicial penal

A) El at. 4.1 de la Directiva 2016/680, establece los principios relativos al tratamiento de datos personales, de manera que *"..los Estados miembros dispondrán que los datos personales sean:*

a)   *tratados de manera lícita y leal;*

b)   *recogidos con fines determinados, explícitos y legítimos, y no ser tratados de forma incompatible con esos fines;*

c)   *adecuados, pertinentes y no excesivos en relación con los fines para los que son tratados;*

d)   *exactos y, si fuera necesario, actualizados; se habrán de adoptar todas las medidas razonables para que se supriman o rectifiquen sin dilación los datos personales que sean inexactos con respecto a los fines para los que son tratados;*

e)   *conservados de forma que permita identificar al interesado durante un período no superior al necesario para los fines para los que son tratados;*

f)   *tratados de tal manera que se garantice una seguridad adecuada de los datos personales, incluida la protección contra el tratamiento no autorizado o ilícito y contra su pérdida, destrucción o daño accidentales, mediante la aplicación de medidas técnicas u organizativas adecuadas"*

La Directiva 2016/680 se refiere pues a un tratamiento de datos personales exactos y actualizados, conservados adecuadamente y tratados de manera segura, en el ámbito de la investigación y enjuiciamiento penal. Un tratamiento lícito, leal y transparente, adecuado y no excesivo, y llevado a cabo únicamente en función de los fines legales preestablecidos (art. 4.1). Ello implica que la medida que conlleve el tratamiento de datos personales debe responder a los siguientes presupuestos.

a)   Estar prevista en la ley, resultar necesaria, adecuada, útil, pertinente y proporcionada a los fines de la investigación o del enjuiciamiento de un concreto delito. Así, debe justificarse su pertinencia en cuanto a los fines que se persiguen, y garantizarse que los datos en cuestión no son excesivos para lo que se investiga, ni que se conservarán más tiempo del necesario para los fines que se persiguen, es decir para culminar una investigación o el enjuiciamiento de un delito concreto contra una persona determinada, investigada o encausada.

b)   Ser objeto de información al sujeto, especialmente en lo relativo a sus derechos y a los cauces para su defensa, o para hacerlos valer con relación al caso concreto.

c)   Y, contar con fines específicos y legítimos, a determinar en el momento de la recopilación u obtención de los datos.

En tal sentido, el art. 8 establece los presupuestos de la licitud del tratamiento de los datos, que son la necesidad en función de los fines de investigación o enjuiciamiento, y la fundamentación de su objetivo, de manera que los Estados deberán prever en sus ordenamientos al menos los objetivos del tratamiento, los datos personales que vayan a ser objeto del mismo y las finalidades del tratamiento.

Ahora bien, si esta es la regla general, la Directiva también dispone diversos regímenes de excepciones al elenco de derechos que consagra, y que, no lo olvidemos, vienen referidos a un sospechoso, investigado o encausado en un proceso penal.

Así, el principio rector es que los datos personales se recogen con fines determinados, explícitos y legítimos (art. 4.1), y que fuera del caso concreto debe primar la confidencialidad, impidiendo accesos no autorizados a los datos. Sin embargo, ello no obsta para que estos datos puedan ser usados para otros fines, siempre que no sean incompatibles con los relativos a la investigación y el enjuiciamiento.

En este sentido, el art. 4.2 de la Directiva 2016/680, permite el tratamiento de los datos personales, para fines del art. 1.1 (investigación y enjuiciamiento) distintos de aquel para el que se recogieron, es decir para la investigación o enjuiciamiento de otros hechos delictivos atribuibles a la misma persona o a otra hasta el momento no investigada.

Es decir, un tratamiento de los datos con el mismo fin pero en distinta causa penal. Y ello será posible si el responsable del tratamiento está autorizado, y si es necesario y proporcional con ese otro fin o causa penal. Este es pues el régimen excepcional del principio de especialidad, o régimen de disponibilidad ampliada de la Directiva.

Al respecto, sólo dos apreciaciones. La primera, es relativa a la autoridad que puede utilizar, ceder o transmitir esos datos personales para la investigación o enjuiciamiento de otra causa, que no es aunque debiera serlo, el Juez o el Fiscal, sino el responsable del tratamiento. Dicho responsable deberá valorar la necesidad y proporcionalidad del trasvase de datos al otro proceso, a ese otro "fin no incompatible", así como la legitimidad de la cesión inicial (el doble control de legitimidad al que nos referíamos en páginas previas).

La segunda, reconocer que la disponibilidad ampliada de la Directiva 2016/680 tiene un ámbito más reducido que el previsto en el art 3.2 de la DM 2008/977. La Directiva de 2008 se refería al uso para otro fin, con el único condicionante de la compatibilidad con el fin para el que se recogieron los datos, mientras el art. 4.2 de la Directiva de 2016, al menos requiere que ese fin debe ser el genérico y único, es decir, la investigación o enjuiciamiento de un delito, aunque en otra causa por hechos o contra personas diferentes. Con ello entendemos que al menos se cierra la puerta a la posibilidad del uso de datos recabados y cedidos en función de una concreta causa criminal a otras vías sancionadoras administrativas o particulares, posibilidad que la redacción del art. 3.2 de la DM de 2008 parecía permitir. En este sentido, se especifica en el Considerando (34) que el tratamiento de datos personales, recopilados para los fines penales previstos en la Directiva, para otros fines diferentes, se regirá en cualquier caso por la Reglamento general 2016/679.

En cualquier caso, la Directiva plantea la necesidad de que los ordenamientos internos cuenten con una base jurídica clara y precisa sobre los objetivos y finalidades del tratamiento de los datos personales, los procedimientos para el mantenimiento de su integridad y confidencialidad, así como los necesarios en orden a su destrucción, con las garantías suficientes en orden a evitar abusos y arbitrariedades.

El tratamiento de los datos personales, en orden a los fines de prevención, detección, investigación y enjuiciamiento, y en su caso ejecución de resoluciones penales, abarca toda operación con datos o conjuntos de datos personales, de forma automatizada o no, entre las que se encuentran la recopilación, registro, organización, estructuración, almacenamiento, adaptación o modificación, recuperación, consulta, utilización, cotejo o combinación, limitación de tratamiento, destrucción y supresión (Considerando 34).

El objeto de la cesión deben ser datos exactos, completos y actualizados, a fin de una eficaz cooperación con datos fiables, actuales, íntegros y exactos, así como de la protección del interesado. Estos principios, recogidos en el art. 4.1, d), e) y f), además se completan en el art. 5, sobre las reglas mínimas en materia de plazos de conservación de los datos, disponiendo que los Estados miembros fijarán plazos apropiados para la supresión de los datos personales o para una revisión periódica de la necesidad de conservación de los datos personales. Las normas de procedimiento garantizarán el cumplimiento de dichos plazos.

En este punto, el art. 588 bis k. de la LECRIM establece las reglas aplicables sobre destrucción y conservación de registros electrónicos e informáticos utilizados en la medida de investigación. En tal sentido, se prevé el borrado y la eliminación de los registros originales y de las copias conservadas cuando transcurran cinco años desde la ejecución de la pena, su prescripción, el sobreseimiento libre o la sentencia absolutoria firme, siempre que no se estime necesaria la conservación a juicio del tribunal.

Igualmente, el art. 6,2, establece que los Estados miembros dispondrán que las autoridades competentes verifiquen la calidad de los datos, y por tanto adopten todas las medidas razonables para garantizar que los datos personales que sean inexactos, incompletos o que no estén actualizados no se transmitan ni se pongan a disposición de terceros. Para ello, dicha autoridad competente, en la medida en que sea factible, controlará la calidad de los datos personales antes de transmitirlos o ponerlos a disposición de terceros[40].

B) Obviamente, la transmisión y cesión de datos, a efectos de la cooperación judicial penal, tiene su repercusión fundamental en materia de prueba, en este caso transnacional.

Conviene recordar que el art. 8 de la CDFUE, dispone que el tratamiento de datos personales se realizará de modo leal, para fines concretos, sobre la base del consentimiento del sujeto o, en su caso, en virtud de otro fundamento legal y legítimo como o es la represión, investigación y enjuiciamiento del delito.

---

[40] Sobre la seguridad en el tratamiento de los datos, v. los arts. 29, 30 y 31.

Estos principios rectores de finalidad, especialidad y proporcionalidad, ya vistos en páginas anteriores, condicionan la obtención de datos personales y su consiguiente cesión y tratamiento a efectos penales, constituyendo pues los presupuestos habilitantes de las medidas de investigación que inciden o limitan el derecho fundamental a la protección de datos personales.

Partíamos en este punto de un casi vacío normativo en la materia, ante la inaplicación práctica del instrumento que regulaba el exhorto europeo de obtención de prueba (DM 2008/978)[41]. El exhorto no era sino una manifestación del auxilio judicial a través de la transferencia a la autoridad judicial de otro Estado de elementos probatorios que ya se tienen en un causa penal[42].

El estrecho ámbito de aplicación de la DM 2008/978[43], sobre el exhorto europeo de obtención de prueba, destinado a recabar objetos, documentos y datos, pero no a llevar a cabo pruebas transfronterizas, dio lugar a que el instrumento gozase de escaso éxito. Por ello, se vino reclamando un único instrumento sobre cooperación judicial que incluyera la mayor parte de medidas de investigación transfronteriza. Las iniciativas a este respecto dieron lugar a la Directiva 2014/41/CE, del Parlamento Europeo y del Consejo, de 3 de abril de 2014, sobre la orden europea de investigación en materia penal (en adelante OEI)[44], que establece la prueba transnacional, en definitiva un auténtico sistema de equivalencia y confianza recíproca para la ejecución de la orden emitida por la autoridad judicial de un Estado, a fin de la obtención de fuentes de prueba a practicar por el Juez de otro Estado.

Evidentemente, como afirma MARTINEZ GARCÍA[45], hay una diferencia esencial entre ambos sistemas de cooperación judicial. El exhorto europeo parte de una prueba, de datos o de una fuente de prueba ya obtenidas por el Estado requerido, y cuya transferencia se pide por el

---

41   DM 2008/978/JAI, del Consejo, de 18 de diciembre de 2008, relativa al exhorto europeo de obtención de prueba (DO L 350 de 30 de diciembre de 2008).

42   GONZÁLEZ CANO, *"La propuesta de DM relativa al exhorto europeo de obtención de pruebas para recabar objetos, documentos y datos"*, en VVAA, *La prueba en el espacio de libertad, seguridad y justicia*, Cizur Menor, 2006, pp. 95 a 116.

43   Entre otros, v. AGUILERA MORALES, *"El exhorto europeo de investigación. A las búsqueda de la eficacia y la protección de los derechos fundamentales en las investigaciones penales transfronterizas"*, en BIMJ, nº 2145, agosto de 2012.

44   DO L 130, de 1 de mayo de 2014.

45   MARTINEZ GARCIA, *La orden europea de investigación. Actos de investigación, ilicitud de prueba y cooperación judicial transfronteriza*, Tirant Lo Blanch, Valencia, 2016, pp. 52 y 53.

Estado emisor, lo que implica poco más que la asistencia judicial en su concepción más clásica. Sin embargo, la OEI puede suponer una mayor profundización en el principio de reconocimiento mutuo, ya que se pide al Estado requerido la práctica de una medida de investigación y la obtención de una fuente de prueba a utilizar como material incriminatorio en el Estado emisor.[46]

El mandato de transposición de la Directiva 2014/41, sobre la OEI, se cumple con la modificación de la Ley 23/2014, de 20 de noviembre, de reconocimiento mutuo de resoluciones penales en la UE, operada por la Ley 3/2018, de 11 de junio, que regula la OEI.

Una inicial aproximación a las referencias sobre cesión y protección de datos personales, tanto en la Directiva 2014/41, como en la Ley 23/2018 para su transposición, nos llevan a algunas reflexiones.

a) Por una parte, de esencial importancia serán las previsiones sobre la prueba transfronteriza obtenida mediante la emisión y posterior reconocimiento y ejecución de una OEI, sobre todo en lo que hace referencia a la posible denegación de ejecución por ser un medio probatorio de imposible realización en el Estado receptor, o por no venir referido a una causa concreta (principio de especialidad).

Igualmente, serán de máxima importancia las garantías para su obtención, en definitiva la licitud de la misma, en orden a su utilización en el Estado receptor como prueba de cargo suficiente para desvirtuar la presunción de inocencia.

En tal sentido, el art. 14 de la Directiva de 2014 sobre la OEI, prevé el derecho al recurso, al igual que, como veíamos, la Directiva 2016/680 se refiere a los derechos de acceso, rectificación o supresión (arts. 13 a 18).

El art. 189.3 de la Ley 23/2014, disponía respecto al exhorto europeo para obtención de pruebas penales, que la prueba obtenida mediante exhorto producía efectos plenos, sin posibilidad de recurso para controlar las garantías en su obtención. Esta previsión del art. 189.3 de la Ley 23/2014, no atendía a los parámetros de proporcionalidad y defensa que deben re-

---

[46] Realmente el art. 1 de la Directiva 2014/41, establece un ámbito de cooperación más amplio, ya que incluye la petición de práctica de actividad probatoria, la obtención de pruebas que ya obren en poder del Estado requerido, e incluso la realización de medidas de aseguramiento de fuentes de prueba.

gir en esta materia[47] . Téngase presente, como apunta BACHMAIER[48], que la norma estaba disponiendo la extensión del reconocimiento mutuo a la admisión de la prueba obtenida en otro Estado, opción del Legislador español que no venía impuesta por la DM y que podía resultar discutible, ya que para establecer una norma de reconocimiento mutuo, no sólo en cuanto a la obtención de la prueba, sino también en materia de admisión de la prueba y valoración de la misma como prueba de cargo, sería imprescindible llevar a cabo la armonización o incluso aproximación normativa necesaria, como diremos más adelante.

b) Por otra parte, y en segundo lugar, la utilización de la OEI, para la obtención de datos personales que obren en Registros de otros Estados miembros, plantea relevantes cuestiones desde el punto de vista del derecho de defensa, y en cuanto a los principios rectores de una medida tal, es decir, la proporcionalidad, la ponderación entre los efectos de la medida y la trascendencia del delito a investigar o enjuiciar, el posible catálogo de delitos en los que utilizar esta medida, así como la idoneidad y la necesidad de la misma.

El Estado emisor de una OEI debe realizar en la propia solicitud y en la resolución que la respalda, un juicio de ponderación sobre la proporcionalidad de la medida que pide, relativo a la especialidad, finalidad, necesidad e idoneidad, en definitiva al cumplimiento de los principios rectores para llevar a cabo toda medida de investigación limitativa de los derechos del art. 18 de la CE (tal y como dispone el art. 588 bis a. de la LECRIM), entre ellas las que impliquen limitación del derecho a la protección de datos.

Así, el art. 6 de la Directiva 2014/41 dispone como condición para la emisión y transmisión de la OEI, la necesidad y proporcionalidad de la misma respecto al procedimiento en el que se va a incorporar la fuente de prueba que se obtenga a partir de la medida de investigación que se solicita, y en relación a los contenidos especificados en el art. 5 (datos de la causa, objeto y motivos de la OEI, delitos y hechos enjuiciados y concreta medida pedida).

---

[47]   MARTINEZ GARCÍA, *La orden europea de investigación...*, op. cit., pp. 43 y 44.

[48]   BACHAMAIER WINTER, *"El exhorto europeo de obtención de pruebas: análisis normativo"*, en VVAA (dir. y coord. por ARANGUENA FANEGO, DE HOYOS SANCHO y RODRÍGUEZ-MEDEL NIETO), *Reconocimiento mutuo de resoluciones penales en la Unión Europea*, Aranzadi, Navarra, 2015, pp. 516 a 519. Igualmente, MARTINEZ GARCIA, *La orden europea..*, op. cit., pp. 43 y 44.

En el mismo sentido, el art. 20 de la Directiva 2014/41 sobre la OEI, prevé expresamente la protección de los sujetos investigados en orden al tratamiento de datos de carácter personal, en cuanto derecho fundamental del art. 8 de la CDFUE y del art. 16.I del TFUE. En concreto, se dispone que los datos personales obtenidos en virtud de una OEI se procesarán y tratarán de forma leal y transparente, cuando sea necesario y proporcionado para fines compatibles con la prevención, detección, investigación y enjuiciamiento de delitos, la aplicación de sanciones penales y el ejercicio de los derechos de defensa. Igualmente, el art. 20 se remite en orden a los derechos y a la protección del investigado, a la DM 2008/977, ahora entendemos que a la Directiva 2016/680 y por tanto a los principios rectores de la misma que veíamos en páginas previas, y que condicionarán la validez de la recogida, tratamiento y transferencia a efectos probatorios penales de los datos personales. Estas previsiones deberán aplicarse no sólo en relación con la OEI, por lo que la Ley española de transposición (Ley 3/2018), ha recogido estos principios generales en materia de protección de datos personales de investigados o encausados, no en el articulado referido a la OEI, sino en la DA 5ª de la Ley de reconocimiento mutuo, que dispone que "*los datos de carácter personales obtenidos como consecuencia de la emisión o ejecución de un instrumento de reconocimiento mutuo estarán protegidos de conformidad con lo dispuesto en la normativa europea y española de protección de datos de carácter persona*l".

Mas específicamente, el art. 193 de la Ley 23/2014, sobre la utilización en España de los datos personales obtenidos en la ejecución de la orden europea de investigación en otro Estado miembro, dispone que los datos personales obtenidos de la ejecución de una orden europea de investigación sólo podrán ser empleados en los procesos en los que se hubiera acordado esa resolución, en aquellos otros relacionados de manera directa con aquél o excepcionalmente para prevenir una amenaza inmediata y grave para la seguridad pública. Se trata pues de una suerte de transposición del principio de disponibilidad ampliada recogido en la Directiva 2016/680, que tratábamos en páginas anteriores.

Además, el precepto establece que para utilizar con otros fines los datos personales obtenidos, la autoridad española competente deberá recabar el consentimiento de la autoridad del Estado de ejecución o del titular de los datos.

Ello se completa con la previsión de que cuando en un caso concreto así lo requiera la autoridad competente del Estado de ejecución, la autoridad española competente le informará del uso que haga de los datos personales que se hubieran remitido a través de una orden europea de investigación, con excepción de aquéllos obtenidos durante su ejecución en España.

En este sentido es importante resaltar que con arreglo al ordenamiento procesal penal español, las medidas de investigación que impliquen limitaciones de los derechos fundamentales del art. 18 de la CE deben contar con autorización judicial previa a instancia de la Policía Judicial o del MF (arts. 588 bis a. b. y c.). Será el Juez el que realice la ponderación sobre la adecuación de la medida a los principios rectores mencionados (art. 588 bis c.), independientemente de las facultades que en determinados casos ostenta el MF y la Policía Judicial para la obtención de datos previos para elaborar la solicitud de tales medidas (así, el acceso a datos de identificación de usuarios, terminales y dispositivos de conectividad de los arts. 588 ter l. y m.).

c) En tercer lugar, bien es cierto que se ha avanzado considerablemente en el ya citado programa de aproximación normativa en materia de garantías procesales penales de sospechosos e investigados, y fundamentalmente en materia de presunción de inocencia. Sin embargo, la reciente Directiva en esta materia 2016/343, de 9 de marzo de 2016[49], es parca y limitada, con algunas referencias muy genéricas a la carga de la prueba, al derecho al silencio, al derecho a estar presente en el juicio, al recurso, y a la presunción de inocencia. Y desde luego no llega en ningún caso a superar las diferencias entre modelos de investigación y enjuiciamiento en materia de prueba y de obtención de fuentes de prueba, sobre todo si el medio de investigación implica injerencia en los derechos fundamentales.

En tal sentido, dejamos apuntadas una serie de cuestiones, a nuestro entender muy relevantes, y cuyo tratamiento merece una más amplia investigación.

La primera de estas cuestiones se refiere a si la actividad probatoria objeto de la ejecución de una OEI, y la preconstitución probatoria resultado de la misma, en este caso en orden a datos personales cedidos y tratados, se va a regir por los stándares del TJUE, que deberá determinar si la Directiva 2016/680 se adecúa o no al CEDH y a la CDFUE, y siendo probable que se cuestione de nuevo la preeminencia de estos estándares independientemente de los estándares probatorios de los TC de los Estados.

Y, la segunda cuestión, directamente relacionada con la primera. En caso de prueba transfronteriza relativa a datos personales del investigado o

---

49   DO L 65, de 11 de marzo de 2016.

acusado, ¿será necesaria la aproximación normativa en orden al establecimiento de la regla de exclusión como prueba de cargo válida y suficiente? ¿Se reproducirán situaciones como la del Caso *Melloni* o como la del caso *Pupino*, y por tanto la imposiblidad de denegar el reconocimiento mutuo por motivos diferentes a los que derivan de la Directiva en cuestión, como normas mínimas que vinculan a los Estados, aunque sus estándares propios de protección sean superiores? En estos casos ¿prevalecerá la regla de exclusión probatoria que determine el TJUE en materia de prueba ilícita?[50]

La obtención, cesión y tratamiento de datos personales mediante la OEI, y de acuerdo a los principios rectores de la nueva Directiva 2016/680, nos conducen ineludiblemente a reflexionar sobre estas cuestiones de la licitud y la valoración de esta prueba transnacional . El art. 3 de la Directiva 2014/41, establece que la OEI comprende todas las medidas de investigación que pueden adoptarse en un proceso penal; de manera que la OEI tiene un carácter general y horizontal, tal y como se recoge en el Considerando (8) de la Directiva.

Evidentemente, si bien es verdad que la falta de definición de un concepto de medida de investigación, contribuye a entender que caben todas aquellas que sean necesarias en el Estado de ejecución, también es cierto que puede ocasionar graves problemas respecto a su valor probatorio, tema fundamental en el proceso penal.

Y es que tanto en este punto, como en materia de reglas de control de legalidad y proporcionalidad, no existe armonización normativa, estableciéndose en cambio un sistema de doble control de estas garantías, tanto en el Estado de emisión de la OEI, imprescindible para después contar con la admisibilidad probatoria, como en el Estado de ejecución, que no supervisa el control en origen, pero atendiendo a su Derecho interno sí que determina la aceptación de la OEI, o bien la sustitución por otra más idónea o menos onerosa, o la denegación (art. 206.5 de la Ley de reconocimiento mutuo).

Este sistema de doble control nos hace pensar que la OEI, más que un mandato de actividad para llevar a la practica una medida de investigación concreta, es un mandato de resultado, con lo cual puede dudarse de su naturaleza como auténtico instrumento de reconocimiento mutuo.

---

[50]   MARTINEZ GARCIA, *"La orden de investigación europea: las futuras complejidades previsibles en la implementación de la Directiva en España (I)"*, en La Ley, nº 106, enero – febrero de 2014.

La admisibilidad de la prueba transfronteriza eludiendo este sistema, sólo resultaría posible consiguiendo stándares comunes de proporcionalidad, homogeneización de garantías en las medidas de investigación limitativas de derechos fundamentales, y armonización de reglas de exclusión probatoria.

Mientras ello no sea posible o viable, es imprescindible, por una parte, acudir a un sistema de doble control de admisbilidad en los Estados de emisión y ejecución y, por otra, frente al reconocimiento incondicional del exhorto europeo que se establecía en el anterior art. 189.3 de la Ley de reconocimiento mutuo, aplicar el paradigma de los nuevos arts. 186.1 y 207.1, que condiciona la validez en España de actos de investigación realizados por el Estado de ejecución, al respeto a los principios fundamentales del ordenamiento español así como a las garantías procesales reconocidas en éste.

4.2. *La aproximación normativa en materia de protección de los derechos del interesado*

La cooperación judicial penal se facilita si se parte de un nivel uniforme de garantías. Así, la aproximación normativa debe existir, entre otros aspectos, en materia del tiempo de conservación de los datos, de evitación de utilización no autorizada, o de prohibición de utilización fuera de la investigación concreta.

Además, los derechos del interesado en cuanto sospechoso, investigado o condenado, en orden a la información, al acceso a los datos, las posible limitaciones al mismo que deben estar preestablecidas en función de las necesidades de la investigación, así como el derecho a la rectificación, supresión y limitación del tratamiento, se encuentran regulados en el capítulo III de la Directiva de 2016[51].

---

[51]   En su momento, el Parlamento Europeo se centró decididamente en las cuestiones relativas a las garantías de los derechos fundamentales del investigado o acusado, básicamente, intimidad, protección de datos y libertad de expresión. V. la Resolución del Parlamento Europeo de 6 de julio de 2011 sobre un enfoque global de la protección de los datos personales en la Unión Europea (2011/2025 (INI). En parecidos términos se pronunció el Supervisor Europeo de Protección de datos (SEPD), en su Dictamen de 7 de marzo de 2012 (DOUE), llegando incluso a apuntar la oportunidad de que la protección de datos en orden a la cooperación penal y policial adoptara la forma de Reglamento y no Directiva, para potenciar la aplicación directa y el mismo tratamiento que a la protección de datos general o de carácter civil y comercial.

4.2.1. El derecho de información

Con arreglo al art. 13.1, los Estados miembros dispondrán que el responsable del tratamiento de los datos ponga a disposición del interesado al menos la siguiente información:

a) la identidad y los datos de contacto del responsable del tratamiento;

b) en su caso, los datos de contacto del delegado de protección de datos;

c) los fines del tratamiento a que se destinen los datos personales;

d) el derecho a presentar una reclamación ante la autoridad de control y los datos de contacto de la misma; y,

e) la existencia del derecho a solicitar del responsable del tratamiento el acceso a los datos personales relativos al interesado, y su rectificación o su supresión, o la limitación de su tratamiento.

El apartado 2 del art. 13 dispone igualmente que a la información general o de mínimos sobre los extremos anteriores, se una en casos concretos, la siguiente información adicional, a fin de permitir al interesado el ejercicio de sus derechos:

a) la base jurídica del tratamiento;

b) el plazo durante el cual se conservarán los datos personales o, cuando esto no sea posible, los criterios utilizados para determinar ese plazo;

c) cuando corresponda, las categorías de destinatarios de los datos personales, en particular en terceros países u organizaciones internacionales; y,

d) cuando sea necesario, más información, en particular cuando los datos personales se hayan recogido sin conocimiento del interesado.

La facilitación de información sobre los contenidos apuntados, debe realizarse con arreglo a las directrices previstas en el art. 12, que son fundamentalmente las siguientes:

a) que se lleve a cabo en forma concisa, inteligible y de fácil acceso, con un lenguaje claro y sencillo, y de forma gratuito. La información será facilitada por cualquier medio adecuado, inclusive por medios electrónicos. Como norma general, el responsable facilitará la información por medio idéntico al utilizado para la solicitud.

b) Y, en su caso, el responsable del tratamiento debe facilitar el ejercicio de los derechos del interesado, fundamentalmente los relativos al acceso, rectificación, supresión y limitación de tratamiento, y debe disponerse que el responsable del tratamiento informe por escrito al interesado, sin dilación indebida, sobre el curso dado a su solicitud.

Pero no podemos obviar que el art. 13.3 de la Directiva dispone que los Estados miembros podrán adoptar medidas legislativas por las que se retrase, limite u omita la puesta a disposición del interesado de la información adicional del art. 13.2, es decir, la relativa a la base jurídica del tratamiento de los datos, el plazo de conservación y los criterios utilizados para su determinación, así como otros datos recogidos sin conocimiento del interesado.

Esta restricción del derecho a la información se condiciona con carácter general a la necesidad y proporcionalidad de la medida, *"teniendo debidamente en cuenta los derechos fundamentales y los intereses legítimos de la persona física afectada"*.

Consideramos que este *régimen de excepciones al derecho a la información del interesado,* plantea algunas dificultades. Por una parte, utilizar la ambigua delegación en los Estados para que decidan o no que sus ordenamientos limiten o restrinjan al interesado la información sobre el tratamiento de los datos, sin perfilar un plazo máximo para ese *retraso* de la información, ni las bases de la limitación de la información, o incluso de la omisión de la misma, nos parece una forma de debilitar ese pretendido marco uniforme y coherente de garantías en el uso y cesión de los datos personales en materia penal.

El precepto obvia el establecimiento de plazos máximos para estas limitaciones de la puesta a disposición de la información, y ni tan siquiera dispone alguna cláusula general relativa al tiempo estrictamente necesario, lo que hubiera sido más acorde con los principios de necesidad y proporcionalidad que justifican la medida. Evidentemente, no establecer ninguna regla sobre duración de estas limitaciones no es una opción muy respetuosa con el principio de proporcionalidad.

Sin embargo, el precepto sí especifica con cierto detalle las excepciones al derecho, que pueden consistir en limitaciones o restricciones, reduciendo la información o tasándola; o en omisiones de la misma, es decir, prescindiendo de la información, suprimiéndola o excluyéndola, lo cual tampoco nos parece muy proporcional por mucho que se condicione la medida al respeto de los derechos fundamentales.

Por otra parte, las finalidades de la limitación, e incluso de la omisión, de la información se circunscriben a cinco:

a) evitar que se obstaculicen indagaciones, investigaciones o procedimientos oficiales o judiciales;

b) evitar que se cause perjuicio a la prevención, detección, investigación o enjuiciamiento de infracciones penales o a la ejecución de sanciones penales;

c) proteger la seguridad pública;

d) proteger la seguridad nacional; o,

e) proteger los derechos y libertades de otras personas.

Las dos primeras finalidades son merecedoras, a nuestro juicio, de alguna consideración crítica.

Así, limitar la información para evitar obstaculizar investigaciones o procedimientos judiciales (apartado a), entendemos que se refiere al procedimiento para el que se han recabado los datos y se ceden (principio de especialidad). Si ello es así, para evitar dicha obstaculización bastaría con aplicar el régimen de secreto de las actuaciones o de piezas secretas separadas que disponga cada ordenamiento interno. Claro está, siempre que el artículo no se esté refiriendo a otras investigaciones u otros procesos a los que se trasvase o transfiere la información de manera reservada. Esta posibilidad de transferencia de la información a otras causas, como apuntábamos en páginas anteriores, creemos que debe quedar condicionada al doble juicio de legitimidad que exige el principio de especialidad, es decir, en el proceso de origen, para cuya sustanciación se autorizó *la* cesión, y en la segunda causa, en la que hay que examinar si tal medida es procedente con arreglo al principio de proporcionalidad.

Por otra parte, limitar u omitir la información al interesado, investigado o encausado, para evitar perjuicios a la prevención, detección, investigación o enjuiciamiento (apartado b), incluye situaciones muy diversas, que van desde las razones de seguridad pública o nacional, ya establecidas en los apartados siguientes c) y d), hasta razones relativas a la necesidad de proteger a otros interesados distintos del encausado, tales como víctimas o testigos, que podría entenderse incluidas en el apartado e). Por tanto, ¿cuál es la razón para limitar la información en el apartado b) del art. 13.3? Si nos referimos a una causa penal abierta en fase de investigación o enjuiciamiento, en la que hay en su caso un investigado o encausado, el supuesto sería idéntico al del apartado a). Claro está, a no ser que el art. 13.3.b) se refiera, y eso sí que no sería aceptable, a limitar u omitir la información a sujetos respecto de los que no existen indicios suficientes para proceder contra ellos. Ello implicaría que se podrían mantener reservadamente informaciones sobre datos personales sin causa penal abierta o judicializada, lo cual vulneraría abiertamente el principio de especialidad.

4.2.2. El derecho de acceso a los datos personales

El art. 14 de la Directiva 2016/680 dispone que los Estados miembros reconocerán el derecho del interesado a obtener del responsable del tratamiento, confirmación de si se están tratando o no datos personales que le conciernen y, en caso de que se confirme el tratamiento, acceso a dichos datos personales y la siguiente información:

a) los fines y la base jurídica del tratamiento;

b) las categorías de datos personales de que se trate;

c) los destinatarios o las categorías de destinatarios a quienes hayan sido comunicados los datos personales, en particular los destinatarios establecidos en terceros países o las organizaciones internacionales;

d) cuando sea posible, el plazo contemplado durante el cual se conservarán los datos personales o, de no ser posible, los criterios utilizados para determinar dicho plazo;

e) la existencia del derecho a solicitar del responsable del tratamiento la rectificación o supresión de los datos personales relativos al interesado, o la limitación de su tratamiento;

f) el derecho a presentar una reclamación ante la autoridad de control y los datos de contacto de la misma; y,

g) la comunicación de los datos personales objeto de tratamiento, así como cualquier información disponible sobre su origen.

Por su parte, el art. 15 establece el régimen de limitaciones del derecho de acceso que podrán establecer los Estados miembros. De nuevo se apela a la necesidad y a la proporcionalidad como títulos legitimadores de estas limitaciones, consistentes en la restricción parcial o completa de los contenidos del derecho (al menos aquí no se habla de omisión, como en el art. 13).

Damos aquí por reproducidas las observaciones críticas hechas respecto a las limitaciones al derecho a la información. La ausencia de plazo máximo de duración de esta restricción, así como las finalidades para las que podrá regularse esta limitación, que coinciden con las previstas en el art. 13.3 para la limitación del derecho a la información, creemos que igualmente contrarían abiertamente el principio de especialidad y el de proporcionalidad.

Los Estados miembros dispondrán que el responsable del tratamiento informe por escrito al interesado, sin dilación indebida, y de manera fundada, de cualquier denegación o limitación de acceso, y de las razones de la denegación o de la restricción. Esta información podrá omitirse cuando el suministro de dicha información pueda comprometer uno de los fines anteriores. Los Estados miembros dispondrán que el responsable del tratamiento informe al interesado de las posibilidades de presentar una reclamación ante la autoridad de control y de interponer un recurso judicial (art. 15.3).

4.2.3. El derecho de rectificación o supresión de datos personales y limitación a su tratamiento

En primer lugar, con arreglo al art. 16.1, los Estados miembros reconocerán el derecho del interesado a obtener del responsable del tratamiento sin dilación indebida, la rectificación de los datos personales que le conciernan cuando tales datos resulten inexactos. Teniendo en cuenta la finalidad del tratamiento, los Estados miembros dispondrán que el interesado tenga derecho a que se completen los datos personales cuando estos resulten incompletos, en particular mediante una declaración suplementaria.

En segundo lugar, los Estados miembros exigirán al responsable del tratamiento suprimir los datos personales sin dilación indebida, y dispondrán el derecho del interesado a obtener del responsable del tratamiento la supresión de los datos personales que le conciernan sin dilación indebida cuando el tratamiento infrinja los artículos 4, 8 o 10, o cuando los datos personales deban ser suprimidos en virtud de una obligación legal a la que esté sujeto el responsable del tratamiento (art. 16.2).

En tercer lugar, como alternativa a la supresión, el responsable del tratamiento limitará el tratamiento de los datos personales cuando:

a) el interesado ponga en duda la exactitud de los datos personales y no pueda determinarse la exactitud o inexactitud, o

b) los datos personales hayan de conservarse a efectos probatorios (art. 16.3).

El art. 16.4, introduce de nuevo una limitación al derecho a la información, en términos muy parecidos a los del art. 13.3, en este caso sobre cualquier denegación de rectificación o supresión de los datos personales, o de limitación de su tratamiento, y de las razones de la denegación. Los

Estados miembros podrán adoptar medidas legislativas por las que se restrinja, total o parcialmente, la obligación de proporcionar tal información, siempre y cuando dicha limitación del tratamiento constituya una medida necesaria y proporcional, teniendo debidamente en cuenta los derechos fundamentales y los intereses legítimos de la persona física afectada, para:

a) evitar que se obstaculicen indagaciones, investigaciones o procedimientos oficiales o judiciales;

b) evitar que se cause perjuicio a la prevención, detección, investigación o enjuiciamiento de infracciones penales o a la ejecución de sanciones penales;

c) proteger la seguridad pública;

d) proteger la seguridad nacional; o,

e) proteger los derechos y libertades de otras personas.

En los casos de limitación del derecho a la información, restricción del derecho de acceso, y limitación del derecho a la información sobre denegaciones de rectificaciones, supresiones o limitaciones del tratamiento, previstos en los arts. 13.3, 15 y 16.4, el art. 17 prevé que los Estados miembros adopten medidas por las que se disponga que los derechos del interesado también puedan ejercerse a través de la autoridad de control competente, a fin de que efectúe todas las comprobaciones necesarias o la revisión correspondiente. La autoridad de control informará también al interesado de su derecho a la tutela judicial.

La cláusula de cierre del art. 18, establece que Los Estados miembros podrán disponer que el ejercicio de los derechos a los que se hace referencia en los arts. 13, 14 y 16 (información, acceso, rectificación, supresión o limitación), se lleve a cabo de conformidad con el Derecho del Estado miembro cuando los datos personales figuren en una resolución judicial o en un registro o expediente tramitado en el curso de investigaciones y procesos penales.

Esta facultad de los Estados de encomendar a la autoridad judicial encargada del proceso penal, las decisiones relativas a las limitaciones de los derechos del investigado o encausado sobre la cesión y tratamiento en la causa de sus datos personales, entendemos que debería ser configurada como una obligación. De esta forma se garantizaría que fuera la autoridad judicial de la causa la que velara sobre los derechos del investigado en estas materias, directamente relacionadas con los principios rectores de toda medida de investigación que limite el derecho fundamental a la protección de datos personales, y con el uso lícito a efectos probatorios de los mismos.

La Directiva dispone el prestablecimiento de una serie de mecanismos de tutela (arts. 52 y ss.), entre los que se incluyen, por una parte, la vía judicial contra las decisiones de las autoridades de control, fundamentalmente en lo referente al contenido de dicha decisión o bien contra la ausencia de tal decisión en la tramitación; y, por otra, contra las decisiones de los encargados o responsables del tratamiento de los datos.

En orden a las personas afectadas por la recogida y cesión de los datos personales, la Directiva 2016/680 establece una interesante previsión relativa al establecimiento de distintas categorías de personas interesadas, tales como sospechosos, investigados o encausados (entendemos que independientemente de que lo sean en calidad de autor, participe, cómplice, encubridor, etc.), víctimas, o terceros (entre los que se incluirían los testigos). La finalidad de esta distinción no es otra a nuestro entender que definir con claridad el alcance subjetivo de la presunción de inocencia y el resto de garantías procesales que deben ser tenidas en cuenta.

Capítulo IV

PRUEBA PENAL ELECTRÓNICA EN LA UNIÓN EUROPEA: LAS FUTURAS ÓRDENES EUROPEAS DE ENTREGA Y CONSERVACIÓN[1]

Luis Gómez Amigo
Catedrático de Derecho Procesal
Universidad de Almería

SUMARIO: 1. INTRODUCCIÓN. 2. CARACTERIZACIÓN DE LAS ÓRDENES EURO-PEAS DE ENTREGA Y CONSERVACIÓN.

RESUMEN: En este trabajo se estudia la iniciativa europea para establecer dos nuevos instrumentos de reconocimiento mutuo en materia penal: las órdenes europeas de entrega y conservación de pruebas penales electrónicas.

ABSTRACT: This paper studies the European initiative to establish two new instruments of mutual recognition in criminal matters: European Production and Preservation Orders for electronic evidence in criminal matters.

PALABRAS CLAVE: orden europea de entrega y orden europea de conservación; pruebas electrónicas; reconocimiento mutuo en materia penal.

KEYWORDS: European Production Order and European Preservation Order; electronic evidence; mutual recognition in criminal matters.

1. INTRODUCCIÓN

Con la promulgación de la Directiva 2014/41/CE, del Parlamento Europeo y del Consejo, de 3 de abril de 2014, relativa a la orden europea de investigación en materia penal (en adelante, OEI), se produce un importante avance en materia de obtención de prueba penal transfronteriza en el ámbito de la Unión Europea[2].

---

[1] Estudio realizado en el Marco del Proyecto de Investigación, *Asignaturas pendientes del sistema procesal español* (DER2017-83125-P), Ministerio de Economía, Industria y Competitividad (Gobierno de España); cofinanciado con FEDER.
[2] En cuanto al ordenamiento español, la incorporación de la OEI se realiza en virtud de la reforma de la Ley 23/2014, de 20 de noviembre, de reconocimiento mutuo de

La Directiva sobre la OEI establece un sistema ágil y rápido para la obtención y traslado entre los Estados miembros de cualquier tipo de prueba (con excepción de la creación de equipos conjuntos de investigación y la obtención de pruebas en dichos equipos: art. 3), aplicable tanto a las medidas de investigación propias de la instrucción como a pruebas en sentido estricto, y abarcando la obtención de prueba y también el traslado de pruebas que ya obren en poder de las autoridades del Estado de ejecución, así como las medidas de aseguramiento de la prueba. La eficacia y agilidad de este nuevo instrumento de reconocimiento mutuo se consigue configurando la OEI como una resolución judicial que se transmite directamente entre autoridades judiciales (u otras autoridades competentes para la investigación en procesos penales, requiriéndose en este caso la validación de la OEI por una autoridad judicial), por medio de formularios, debiendo ser reconocida y ejecutada en el Estado de ejecución, salvo que concurran una serie de motivos tasados de denegación, y estableciéndose plazos breves para el reconocimiento y la ejecución de la OEI.

A partir de los atentados terroristas de París de noviembre de 2015 y Bruselas de marzo de 2016, la Unión Europea ha establecido como una de sus prioridades esenciales en materia penal facilitar la obtención de pruebas electrónicas de carácter transfronterizo, esenciales para poder investigar, y así evitar y perseguir de manera eficaz los delitos graves, en especial, los atentados terroristas. Téngase en cuenta, además, que a menudo las redes sociales y los servicios de correo electrónico y de mensajería son el único lugar donde los investigadores pueden hallar pistas para investigar el delito y pruebas para perseguirlo. Es verdad que la Directiva sobre la OEI cubre todas las medidas de investigación, incluido el acceso a las pruebas electrónicas, pero no contiene disposiciones específicas sobre este tipo de pruebas. Por ello, estas pruebas pueden seguir obteniéndose a través de la OEI, pero la Unión ya ha presentado una iniciativa legislativa para establecer instrumentos de reconocimiento mutuo con esa finalidad de obtener pruebas penales electrónicas en otro Estado miembro, que se adapten mejor a las particularidades de esta clase de pruebas: la orden europea de entrega y la orden europea de conservación[3]. Se trata de la *Propuesta de Reglamento del Parlamento Europeo y del Consejo sobre las órdenes europeas de entrega*

---

[3]   resoluciones penales en la Unión Europea, operada por la Ley 3/2018, de 11 de junio. Sobre este tema puede verse mi trabajo, "Nuevas perspectivas para la obtención transfronteriza de prueba penal electrónica en la Unión Europea", *Diario La Ley*, nº 9340, de 18 de enero de 2019.

y conservación de pruebas electrónicas a efectos de enjuiciamiento penal, de 17 de abril de 2018 [COM (2018) 225 final].

Con esta iniciativa legislativa, se pretenden establecer instrumentos penales de reconocimiento mutuo adaptados al carácter volátil y la dimensión transfronteriza de las pruebas electrónicas, de manera que una autoridad judicial de un Estado miembro pueda ordenar a un proveedor que ofrezca servicios de comunicaciones electrónicas y de la sociedad de la información en la Unión que entregue o conserve pruebas electrónicas, a través de una orden europea de entrega o una orden europea de conservación. Y es que una de las novedades más relevantes de esta iniciativa legislativa reside en que las órdenes europeas de entrega y conservación no se dirigen a una autoridad del Estado de ejecución, sino directamente al proveedor de servicios establecido o representado en otro Estado miembro, que es el que deberá cumplirlas, interviniendo sólo la autoridad competente del Estado de ejecución en caso de incumplimiento por el proveedor de servicios, adoptando aquélla las medidas necesarias para su ejecución.

Con carácter complementario a la Propuesta de Reglamento sobre las órdenes europeas de entrega y conservación y en la misma fecha, la Unión Europea ha presentado otra iniciativa legislativa: la *Propuesta de Directiva del Parlamento Europeo y del Consejo por la que se establecen normas armonizadas para la designación de representantes legales a efectos de recabar pruebas para procesos penales,* de 17 de abril de 2018 [COM (2018) 226 final]. En ella, se establece la obligación de que los proveedores de servicios designen un representante legal en la Unión para la recepción, el cumplimiento y la ejecución de las resoluciones y órdenes emitidas por las autoridades competentes de los Estados miembros a efectos de recabar pruebas para procesos penales. Con ello, se consigue que exista siempre un claro destinatario de dichas resoluciones y órdenes, y se facilita a los proveedores de servicios el cumplimiento de las mismas, ya que será el representante legal el responsable de recibir y cumplir las resoluciones y órdenes en nombre del proveedor de servicios.

2. CARACTERIZACIÓN DE LAS ÓRDENES EUROPEAS DE ENTREGA Y CONSERVACIÓN

Atendiendo a su objeto, definiciones y ámbito de aplicación (arts. 1-3), la Propuesta de Reglamento sobre las órdenes europeas de entrega y conservación regula las ordenes que la autoridad de un Estado miembro pueden dirigir a un proveedor que ofrezca servicios en la Unión y esté establecido o representado en otro Estado miembro, para que entregue pruebas penales electrónicas (orden europea de entrega) o las conserve de cara a una solicitud de entrega subsiguiente (orden europea de conservación).

Conforme a su ámbito de aplicación, sólo pueden dirigirse estas órdenes a proveedores que ofrezcan sus servicios en la Unión y en el ámbito de investigaciones o procesos penales sobre infracciones penales determinadas, "*tanto durante las fases previas al juicio como durante la fase procesal*" (art. 3.2)[4]. Además, las órdenes europeas de entrega y conservación sólo son aplicables en el caso de que el proveedor de servicios esté establecido o representado en otro Estado miembro (y no en un contexto puramente nacional)[5], es decir, en supuestos transfronterizos, aunque la Propuesta de Reglamento no utilice este término.

Entran dentro de la categoría de proveedores de servicios, las personas físicas o jurídicas que presten servicios de alguna de las siguientes clases (art. 2.2): *a)* servicios de las comunicaciones electrónicas[6]; *b)* servicios de la sociedad de la información, según se definen en el art. 1.1.b) de la Directiva (UE) 2015/1535 del Parlamento Europeo y del Consejo, por la que se establece un procedimiento de información en materia de reglamentaciones técnicas y de reglas relativas a los servicios de la sociedad de la información; y que cuenten con el almacenamiento de datos como componente esencial del servicio, en particular, las redes sociales, los mercados en línea que faciliten transacciones entre sus usuarios y otros servicios de alojamiento de datos[7]; *c)* servicios de asignación de nombres de dominio

---

[4]   Según la explicación del artículo 3, "*la vinculación con una investigación específica distingue estas órdenes de las medidas preventivas o de las obligaciones de conservación de datos establecidas por ley, y garantiza la aplicación de los derechos procesales aplicables en los procesos penales. La competencia para iniciar investigaciones respecto de una infracción específica constituye, por tanto, una condición necesaria para la aplicación del Reglamento*" (Exposición de Motivos de la Propuesta de Reglamento sobre las órdenes europeas de entrega y conservación).

[5]   Cfr. el Considerando 15.

[6]   "*Los servicios de las comunicaciones electrónicas se definen en la Propuesta de Directiva por la que se establece el Código Europeo de las Comunicaciones Electrónicas. Aquí se incluyen las comunicaciones interpersonales tales como los servicios de voz sobre IP, los servicios de mensajería instantánea y los servicios de correo electrónico*" (Considerando 16).

[7]   Se incluyen estos otros servicios de alojamiento de datos, "*incluso en los casos en que el servicio se presta a través de la computación en la nube. Los servicios de la sociedad de la información que no cuentan con el almacenamiento de datos como componente esencial del servicio prestado al usuario, y para los que solo es de carácter secundario, como los servicios jurídicos, de arquitectura, de ingeniería y de contabilidad prestados en línea a distancia, deben quedar excluidos del ámbito de aplicación del presente Reglamento, aun cuando puedan corresponder a la definición de servicios de la sociedad de la información según lo establecido en la Directiva (UE) 2015/1535*" (Considerando 16).

de internet y de direcciones IP, tales como proveedores de direcciones IP y registradores de nombres de dominio, así como servicios de privacidad y representación relacionados[8].

De entre las definiciones del art. 2, son especialmente relevantes las que hacen referencia a las categorías de datos almacenados que pueden solicitarse a través de las órdenes europeas de entrega y conservación[9]: *a) datos de los abonados*: cualquier dato relacionado con la identidad del abonado o cliente y el tipo de servicio y su duración; *b) datos relativos al acceso*: los relativos al inicio y final de una sesión de acceso del usuario a un servicio, que sean estrictamente necesarios con el único fin de identificar al usuario del servicio; *c) datos de transacciones*: datos sobre transacciones relacionadas con la prestación de un servicio ofrecido por un proveedor que sirvan para facilitar información contextual o adicional sobre dicho servicio y sean generados y tratados por un sistema de información del proveedor; *d) datos de contenido*: todo dato almacenado en formato digital, como texto, voz, vídeos, imágenes y sonidos, distintos de los datos de los abonados, datos relativos al acceso y datos de transacciones.

Todas estas categorías de datos contienen datos personales y están cubiertas por las garantías establecidas en el acervo de la Unión sobre protección de datos, aunque la intensidad de su impacto sobre los derechos fundamentales varía en cada categoría, debiendo distinguirse entre los datos de los abonados y los relativos al acceso, por una parte, en los que la afectación es menor; y los datos de transacciones y de contenido, en los que la afectación a los derechos fundamentales es mayor. Así, mientras que los datos de los abonados y los datos relativos al acceso son útiles para obtener unos primeros indicios en una investigación sobre la identidad de un sospechoso, los datos de transacciones y los datos de contenido son más relevante como material probatorio[10]. De ahí que las condiciones y requisi-

---

[8]   "*Estos proveedores disponen de datos que revisten especial relevancia para las investigaciones penales, ya que pueden permitir la identificación de una persona física o jurídica responsable de un sitio web utilizado en actividades delictivas, o la identificación de la víctima de la actividad delictiva en el caso de un sitio web comprometido que haya sido secuestrado por delincuentes*" (Considerando 18).

[9]   La propuesta de Reglamento sólo regula la obtención de datos almacenados, esto es, la obtención de datos que obren en poder del proveedor cuando reciba una orden europea de entrega o de conservación. Pero no establece una obligación general de conservación de los datos, ni permite la interceptación de datos o la obtención de datos futuros. Cfr. el Considerando 19.

[10] La clasificación entre datos de los abonados, datos de transacciones y datos de contenido era ya conocida en los ordenamientos de numerosos Estados miembros. Los datos relativos al acceso son una nueva categoría de datos introducida por la Propuesta de

tos para obtener los datos del segundo grupo sean distintos y más rigurosos que en el caso de los primeros[11].

Esta diferencia de régimen está presente en la regulación de las autoridades emisoras y las condiciones para la emisión de las ordenes europeas de entrega y conservación. En cuanto a las autoridades emisoras, el art. 4 establece que las órdenes europeas de entrega relativa a datos de los abonados y datos relativos al acceso, así como las órdenes europeas de conservación, podrán ser emitidas por un juez, tribunal, juez de instrucción o fiscal competente; o por cualquier otra autoridad competente que actúe como autoridad de investigación en procesos penales y que tenga competencia para ordenar la obtención de pruebas, aunque en este caso la orden europea de entrega o de conservación debe ser validada por alguna de las autoridades judiciales anteriormente señaladas. En cambio, los fiscales no tienen competencia para emitir o validar una orden europea de entrega relativa a datos de transacciones y datos de contenido[12].

Conforme al art. 5, la emisión de una orden europea de entrega con respecto a datos de transacciones o datos de contenido[13] está sometida a requisitos más rigurosos que cuando se soliciten datos de los abonados o datos relativos al acceso. Así, además de cumplir con los requisitos generales (necesidad y proporcionalidad de la medida solicitada y previsión de una medida similar para la misma infracción penal en el ordenamiento nacional), los datos de los abonados y los relativos al acceso pueden solicitarse en la investigación de cualquier infracción penal. Mientras que sólo puede emitirse una orden europea de entrega relativa a datos de transacciones o de contenido con respecto a: *a)* infracciones penales punibles en el Estado

---

Reglamento, que debe asimilarse a la de datos de los abonados, ya que su finalidad es similar. En efecto, a diferencia de los datos de transacciones, que suelen buscarse para obtener información sobre los contactos y el paradero del usuario y pueden servir para establecer el perfil de un individuo, los datos relativos al acceso no sirven por sí solos para una finalidad similar, porque no revelan ninguna información sobre los interlocutores relacionados con el usuario. Cfr. los Considerandos 20 a 23.

[11]   Cfr. el Considerando 23.

[12]   En su Dictamen sobre la Propuesta de Reglamento, el Comité Económico y Social Europeo no considera adecuado que los fiscales puedan emitir ordenes europeas de entrega en ningún caso, entendiendo preferible que la obtención de datos de carácter personal se someta siempre a la autorización de un juez (DOUE C 367, de 10 de octubre de 2018, pág. 88).

[13]   En este punto, la Propuesta de Reglamento contiene un error en el art. 5.4, puesto que aplica requisitos más rigurosos a la entrega de datos de transacciones o de "*datos relativos al acceso*". El error se comprueba fácilmente acudiendo a los Considerandos 31 y 32 y a la explicación del art. 5 de la Exposición de Motivos.

emisor con una pena máxima de privación de libertad de al menos tres años; *b)* las infracciones penales, cometidas total o parcialmente por medio de un sistema de información, definidas en los arts. 3 a 5 de la Decisión Marco 2001/413/JAI del Consejo, de 28 de mayo de 2001, sobre la lucha contra el fraude y la falsificación de medios de pago distintos del efectivo; los arts. 3 a 7 de la Directiva 2011/93/UE del Parlamento Europeo y del Consejo, de 13 de diciembre de 2011, relativa a la lucha contra los abusos sexuales y la explotación sexual de los menores y la pornografía infantil; y los arts. 3 a 8 de la Directiva 2013/40/UE del Parlamento Europeo y del Consejo, de 12 de agosto de 2013, relativa a los ataques contra los sistemas de información; *c)* las infracciones penales definidas en los arts. 3 a 12 y 14 de la Directiva (UE) 2017/541 del Parlamento Europeo y del Consejo, de 15 de marzo de 2017, relativa a la lucha contra el terrorismo.

Por su parte, según el art. 6, una orden europea de conservación podrá emitirse cuando sea necesaria y proporcionada para impedir la retirada, supresión o alteración de datos con vistas a una posterior solicitud de entrega de esos datos a través de la asistencia judicial mutua, una OEI o una orden europea de entrega, pudiendo emitirse con respecto a cualquier infracción penal.

Como puede apreciarse, se condiciona, con carácter general, la entrega de datos de transacciones y de contenido a un umbral de gravedad del delito investigado que es proporcionado, pues circunscribe dicha entrega a casos de investigación de delitos de determinada gravedad, pero sin restringirlos excesivamente, y utilizando un criterio que es fácilmente aplicable en la práctica[14]. Sin aplicar el umbral de pena, también es posible la solicitud de datos de transacciones y de contenido para la investigación de determinadas infracciones en las que las pruebas están normalmente disponibles sólo en formato electrónico, que por su naturaleza es especialmente volátil. Tampoco es aplicable el umbral de pena para la investigación de los delitos relacionados con el terrorismo[15].

Las órdenes europeas de entrega y conservación deben remitirse directamente al representante legal designado por el proveedor de servicios a efectos de recabar pruebas para procesos penales, y si no se ha designa-

---

[14]   Por su parte, en su Dictamen sobre la Propuesta de Reglamento, el Comité Económico y Social Europeo ha considerado que el objetivo de que la orden europea de entrega sólo sea aplicable para formas graves de delitos, se lograría mejor mediante un umbral mínimo de pena de tres meses que mediante un umbral máximo de tres años (DOUE C 367, de 10 de octubre de 2018, pág. 88).

[15]   Cfr. los Considerandos 31 y 32 y la explicación del art. 5 de la Exposición de Motivos.

do un representante legal específico, pueden remitirse a cualquier establecimiento del proveedor en la Unión (art. 7). La transmisión se realiza por medio de un certificado de orden europea de entrega, contenido en el anexo I del Reglamento e identificado en la propia Propuesta como EPOC[16]; o de un certificado de orden europea de conservación, contenido en el anexo II del Reglamento e identificado en la propia Propuesta como EPOC-PR[17]. Tanto el EPOC como el EPOC-PR deben contener toda la información exigida para la emisión de las órdenes europeas de entrega y conservación, respectivamente, salvo la justificación de la necesidad y la proporcionalidad de la medida u otras precisiones adicionales sobre la investigación[18]; se transmitirán directamente por cualquier medio que pueda dejar constancia escrita y permita al destinatario determinar su autenticidad[19]; y en caso necesario, se traducirán a la lengua oficial de la Unión aceptada por el destinatario (art. 8).

Los arts. 9 y 10 regulan, respectivamente, la ejecución del EPOC y del EPOC-PR. No obstante, no se trata de una ejecución en sentido propio, sino del cumplimiento de los mismos por parte del destinatario, es decir, el representante legal designado por el proveedor de servicios. El procedimiento de ejecución en sentido propio se regula en el art. 14 y se atribuye a la autoridad competente del Estado de ejecución para el supuesto de que destinatario no haya cumplido un EPOC o un EPOC-PR.

Se establecen breves plazos para el cumplimiento del EPOC por el destinatario: diez días desde su recepción, salvo que la autoridad emisora haya indicado razones para una entrega más rápida[20]; y sin demora en los casos urgentes[21], a más tardar en un plazo de seis horas. El anexo III de la Pro-

---

[16]   Por sus siglas en inglés: *European Production Order Certificate*.
[17]   Por sus siglas en inglés: *European Preservation Order Certificate*.
[18]   Para no poner en peligro la investigación, aunque el sospechoso podrá conocerlas e impugnarlas posteriormente durante el proceso penal. Cfr. el Considerando 38.
[19]   Como el correo certificado, correo electrónico seguro, plataformas u otras vías seguras, incluidas las puestas a disposición por el proveedor de servicios, aunque éstas deberán permitir la presentación del EPOC y del EPOC-PR en el formato establecido en los anexos I y II, sin solicitar datos adicionales relativos a la orden. Cfr. el Considerando 39 y la explicación del art. 8 de la Exposición de Motivos.
[20]   *"Además del peligro inminente de supresión de los datos solicitados, tales motivos podrían incluir circunstancias relacionadas con una investigación en curso, por ejemplo cuando los datos solicitados estén asociados a otras medidas de investigación urgentes que no puedan realizarse sin los datos en cuestión o que dependan de ellos de otro modo"* (Considerando 40).
[21]   Conforme al art. 2.14 de la Propuesta de Reglamento sobre las órdenes europeas de entrega y conservación, por casos urgentes deben entenderse las situaciones en las que exista una amenaza inminente para la vida o la integridad física de una persona

puesta de Reglamento contiene un formulario para que el destinatario del EPOC comunique a la autoridad emisora las circunstancias que le impiden su cumplimiento, que pueden ser de distintos tipos. Así, puede, en primer lugar, que el destinatario deba recurrir a dicho formulario para comunicar que el EPOC está incompleto, contiene errores manifiestos o no contiene suficiente información para poder cumplirlo. En segundo lugar, puede que tenga que utilizarlo para informar a la autoridad emisora que no puede cumplir el EPOC por causas de fuerza mayor o imposibilidad material no imputable al destinatario o al proveedor de servicios, en particular, cuando la persona cuyos datos se solicitan no sea cliente suyo o cuando los datos se hayan suprimido antes de recibir el EPOC, lo que dará lugar, una vez comprobados los motivos, a que la autoridad emisora retire la orden[22]. Además, el destinatario también utilizará el formulario del anexo III en todos los casos en los que, por otros motivos, no aporte la información solicitada o no la facilite de forma exhaustiva o en el plazo establecido, pudiendo la autoridad emisora fijar un nuevo plazo al proveedor para la entrega de los datos.

A diferencia de los supuestos anteriores, cuando el destinatario considere que el EPOC no puede ejecutarse por ser claramente contrario a la Carta de los Derechos Fundamentales de la Unión Europea o manifiestamente abusivo, debe enviar el formulario del anexo III, pero en este caso a la autoridad de ejecución competente de su propio Estado miembro (Estado de ejecución), quien podrá solicitar aclaraciones a la autoridad emisora, directamente o a través de Eurojust o la Red Judicial Europea.

Cuando no entregue inmediatamente los datos solicitados, cualquiera que sea el motivo, y para garantizar su disponibilidad, el destinatario deberá conservarlos, siempre que pueda identificar los datos requeridos.

En cuanto al cumplimiento del EPOC-PR, el destinatario debe conservar, sin demora injustificada, los datos solicitados durante sesenta días, salvo cuando la autoridad emisora confirme que ha puesto en marcha la subsiguiente solicitud de entrega, en cuyo caso el destinatario deberá con-

---

o para una infraestructura esencial, entendida esta última tal y como se define en el art. 2.a) de la Directiva 2008/114/CE del Consejo, de 8 de diciembre de 2008, sobre la identificación y designación de infraestructuras críticas europeas y la evaluación de la necesidad de mejorar su protección.

[22]   La comunicación a la autoridad emisora en estos casos permite que ésta pueda reaccionar con rapidez, solicitando las pruebas electrónicas a otro proveedor, y evita que inicie un procedimiento de ejecución en supuestos en que no tiene sentido. Cfr. la explicación del art. 9 de la Exposición de Motivos.

servarlos hasta su entrega. El destinatario también debe utilizar el formulario del anexo III para indicar a la autoridad emisora que no puede cumplir el EPOC-PR por las mismas tres primeras causas que para el EPOC, pero no en el cuarto caso, que daba lugar a la comunicación a la autoridad de ejecución, que no se contempla para la orden de conservación.

Conforme al art. 11, el destinatario debe garantizar la confidencialidad del EPOC o del EPOC-PR y, cuando se lo solicite la autoridad emisora, se abstendrá de informar a la persona cuyos datos se solicitan, con el fin de salvaguardar la investigación penal, pudiendo la propia autoridad emisora aplazar la necesaria comunicación a la persona afectada sobre la entrega de los datos durante el tiempo necesario y proporcionado[23].

El art. 14 regula el procedimiento de ejecución, aplicable a los casos de incumplimiento por parte del destinatario. La autoridad emisora trasladará la orden europea de entrega o conservación completa, incluyendo la justificación de su necesidad y proporcionalidad, junto al respectivo certificado[24], a la autoridad competente del Estado de ejecución, la cual deberá ejecutarla de conformidad a su legislación nacional. Por su parte, el destinatario puede oponerse a la ejecución en virtud de una serie de motivos tasados[25], decidiendo finalmente la autoridad de ejecución, que también puede denegar el reconocimiento y la ejecución cuando considere que los datos en cuestión están protegidos por privilegios o inmunidades con arreglo a su legislación nacional o que su revelación puede afectar a sus intereses fundamentales, como la seguridad y la defensa nacionales. Antes de denegar el reconocimiento o la ejecución de una orden europea, la autoridad de ejecución debe consultar a la autoridad emisora.

---

[23] La exigencia de comunicación no se aplica a la orden europea de conservación, dada su menor injerencia en los derechos afectados (cfr. la explicación del art. 11 de la Exposición de Motivos), lo cual es coherente con la regulación del derecho al recurso del art. 17, aplicable sólo a la orden europea de entrega.

[24] Cfr. el Considerando 44.

[25] El art. 14.4 y 5 enumera las siguientes causas de denegación, aplicables tanto al EPOC como al EPOC-PR: *1)* la orden no ha sido emitida o validada por una autoridad emisora válida; *2)* el destinatario no ha podido cumplir la orden por imposibilidad material o fuerza mayor, o aquélla contiene errores manifiestos; *3)* la orden no se refiere a datos almacenados por el destinatario en el momento de su recepción; *4)* el servicio no está cubierto por el Reglamento; *5)* la orden es claramente contraria a las Carta de Derechos Fundamentales de la Unión Europea o manifiestamente abusiva. Además, existe un motivo de denegación que sólo es aplicable a la orden europea de entrega y es que, solicitándose datos de transacciones y de contenido, la infracción penal no sea de las que permiten la entrega de este tipo de datos.

Los arts. 15 y 16 prevén un procedimiento de reexamen aplicable sólo a las ordenes europeas de entrega[26], en casos de contradicción con la legislación de un país tercero, basada en la protección de derechos o intereses fundamentales de dicho país, o cuando la contradicción se funde en razones de otro tipo. En el primer supuesto, cuando el destinatario considere que existe un conflicto entre la orden europea de entrega y la legislación del país tercero que prohíbe revelar los datos en cuestión para proteger los derechos fundamentales de los interesados o los intereses fundamentales del país relacionados con la seguridad y la defensa nacionales, notificará a la autoridad emisora su oposición motivada, a través del formulario del anexo III. La autoridad emisora revisará la orden, pudiendo anularla. Pero si entiende que procede su confirmación, debe solicitar una revisión por el órgano jurisdiccional competente de su propio Estado miembro, quien a su vez, si entiende que puede existir el conflicto planteado, deberá consultar a la autoridad central del país tercero, y si ésta se opone a la ejecución de la orden, el órgano jurisdiccional competente la anulará.

Cuando se trate de la contradicción con la legislación de un país tercero no destinada a proteger los derechos fundamentales ni los intereses fundamentales del país, el procedimiento se desarrolla del mismo modo, pero en este caso es el órgano jurisdiccional competente del Estado emisor el que decide en todo caso sobre la existencia o no del conflicto, confirmando o anulando la orden europea de entrega, sin consulta a la autoridad central del país tercero. Si el órgano jurisdiccional competente considera que no existe conflicto relevante confirmará la orden, y cuando compruebe que la legislación del país tercero prohíbe la revelación de los datos solicitados confirmará o retirará la orden, ponderando una serie de elementos que pretenden determinar el grado de vinculación de la causa penal en la que se ha emitido la orden con cualquiera de las dos jurisdicciones, sus respectivos intereses para obtener los datos o impedir su revelación, y las posibles consecuencias que para el proveedor de servicios conlleva el cumplimiento de la orden, incluidas las sanciones que puedan aplicarse[27].

Como ambos supuestos de reexamen suspenden la ejecución de la orden europea de entrega, los datos deben conservarse durante su tramitación, y cuando la orden se anule, puede emitirse una orden europea de conservación para garantizar la disponibilidad de los datos

---

[26]   Debido al mayor grado de injerencia en los derechos de las personas afectadas.
[27]   Cfr. el Considerando 52.

y permitir que la autoridad emisora los solicite por otras vías, como la asistencia judicial mutua[28].

Conforme al art. 17, aplicable también únicamente a las órdenes europeas de entrega, todas las personas afectadas deben poder impugnar la orden, tanto los sospechosos o acusados, durante el propio proceso penal en el que se haya emitido la orden; como los que no lo son, que también deben tener vías de recurso efectivas en el Estado emisor[29]. Este precepto parece limitar la impugnación a la incorporación de la prueba al proceso penal, pues se refiere específicamente a los *datos obtenidos*. Estos recursos se ejercitarán ante un órgano jurisdiccional del Estado emisor conforme a su legislación nacional, y deberán incluir en todo caso la posibilidad de impugnar la legalidad, la necesidad y la proporcionalidad de la orden europea de entrega[30].

Finalmente, se establecen determinadas cautelas en relación con las órdenes europeas de entrega, para respetar los privilegios e inmunidades establecidos en la legislación del Estado de ejecución. Así, cuando los datos de transacciones o los datos de contenido *solicitados* a través de una orden europea de entrega estén protegidos por privilegios o inmunidades concedidos en virtud de la legislación del Estado miembro del destinatario, o afecten a intereses fundamentales de dicho Estado miembro, como la seguridad y la defensa nacionales, la autoridad emisora deberá pedir aclaraciones (incluso mediante consulta a las autoridades competentes del Estado miembro de ejecución) antes de emitir la orden, y si considera que, en efecto, los datos solicitados están protegidos por privilegios e inmunidades, o que su revelación afectaría a intereses fundamentales del Estado miembro de ejecución, no emitirá la orden europea de entrega (art. 5.7). Por su parte, cuando los datos de transacciones o los datos de contenido

---

[28]   Cfr. el Considerando 53 y la explicación de los arts. 15 y 16 de la Exposición de Motivos.

[29]   Todo ello, sin perjuicio de que tanto los sospechosos y acusados como las demás personas afectadas por la orden puedan ejercer las vías de recurso disponibles con arreglo a la Directiva (UE) 2016/680 del Parlamento Europeo y del Consejo, de 27 de abril de 2016, relativa a la protección de datos de las personas físicas en lo que respecta al tratamiento de datos personales por parte de las autoridades para fines de prevención, investigación, detección o enjuiciamiento de infracciones penales o de ejecución de sanciones penales, y a la libre circulación de dichos datos (*Directiva sobre protección de datos en el ámbito penal*); y el Reglamento (UE) 2016/679 del Parlamento Europeo y del Consejo, de 27 de abril de 2016, relativo a la protección de las personas físicas en lo que respecta al tratamiento de datos personales y a la libre circulación de estos datos (*Reglamento general de protección de datos*).

[30]   En este sentido, el Reglamento no debe limitar los posibles motivos para impugnar la orden. Cfr. el Considerando 54.

obtenidos por medio de una orden europea de entrega estén protegidos por los referidos privilegios e inmunidades o afecten a los mencionados intereses fundamentales, el órgano jurisdiccional del Estado emisor garantizará que durante el proceso penal respectivo esos motivos sean tenidos en cuenta en las mismas condiciones que si estuvieran previstos por su legislación nacional, al evaluar la pertinencia y la admisibilidad de las pruebas en cuestión (art 18).

Capítulo V

BREVE ANÁLISIS ACERCA DEL FUTURO REGLAMENTO COMUNITARIO "E-EVIDENCE" SOBRE LAS ÓRDENES EUROPEAS DE CONSERVACIÓN Y ENTREGA DE PRUEBS Y EVIDENCIAS ELECTRÓNICAS A EFECTOS DE ENJUICIAMIENTO PENAL

Juan Alejandro Montoro Sánchez[1]
Investigador Predoctoral FPI
Universidad Pablo de Olavide de Sevilla

SUMARIO: 1. INTRODUCCIÓN. 2. DESTINATARIOS Y OBLIGACIÓN DE DESIGNA-CIÓN DE UN REPRESENTANTE: PROVEEDORES DE SERVICIOS. 3. EMISORES DE UNA ORDEN DE CONSERVACIÓN O ENTREGA: LA AUTORIDAD DE EMISIÓN. 4. LOS INSTRUMENTOS PREVISTOS EN EL REGLAMENTO E-EVIDENCE. 4.1. La orden europea de entrega. 4.2. La orden europea de conservación. 5. OBJETO DE LAS ÓRDE-NES EUROPEAS DE ENTREGA Y CONSERVACIÓN. 6. CONDICIONES Y SUPUESTOS HABILITANTES PARA LA EMISIÓN DE UNA ORDEN DE CONSERVACIÓN O ENTRE-GA DE EVIDENCIAS ELECTRÓNICAS. 6.1. Requisitos exigidos para la emisión de una orden europea de entrega. 6.2. Requisitos exigidos para la emisión de una orden europea de conservación. 7. TRAMITACIÓN Y EJECUCIÓN DE LA ORDEN EUROPEA. 7.1. Eje-cución EPOC. 7.2. Ejecución EPOC-PR. 8. VÍAS DE RECURSO. 9. CONCLUSIONES. 7.3. Procedimiento de ejecución en supuestos de oposición o incumplimiento.

RESUMEN: El objeto del presente trabajo es el de realizar un sucinto aná-lisis del contenido de la propuesta legislativa planteada por la Comisión Eu-ropea relativa al Reglamento comunitario denominado "E-evidence", por el que se proyecta la creación de las órdenes europeas de entrega y conservación de datos a efectos de posibilitar la obtención transfronteriza, directa y ágil de pruebas y evidencias de naturaleza electrónica con la finalidad de permitir la investigación o enjuiciamiento eficaces de determinados delitos.

ABSTRACT: The purpose of this paper is to carry out a brief analysis of the content of the legislative proposal put forward by the European Commission

---

[1] Vinculado al Proyecto de Investigación de Excelencia del Ministerio de Economía y Competitividad (DER 2014/56401-P): Cesión de datos personales entre procesos pe-nales y procedimientos sancionadores o tributarios en España y la Unión Europea.

regarding the EU Regulation called "E-evidence", which projects the creation of European orders for the delivery and conservation of data for the purpose of enabling the cross-border, direct and agile collection of electronic evidences in order to allow the effective investigation or prosecution of certain crimes.

PALABRAS CLAVE: Prueba electrónica, prueba transfronteriza, reconocimiento mutuo, cooperación judicial, investigación criminal, derecho comunitario.

KEYWORDS: Electronic evidence, cross border evidence, mutual recognition, judicial cooperación, criminal investigation, European Community law.

1. INTRODUCCIÓN

El pasado 17 de abril de 2018 la Comisión Europea aprobó sus dos últimas iniciativas legislativas en el marco de la cooperación y asistencia jurídica en materia penal de los Estados miembros. Hablamos concretamente de las propuestas relativas al Reglamento sobre las órdenes europeas de entrega y conservación de pruebas electrónicas a efectos de enjuiciamiento penal[2] y a la Directiva por la que se establecen normas armonizadas para la designación de representantes legales a efectos de recabar pruebas para procesos penales[3].

El fundamento de las reseñadas propuestas legislativas comunitarias debemos hallarlo en el creciente y cada vez más generalizado uso de servicios de comunicaciones electrónicas y de la sociedad de la información, servicios que paralelamente son utilizados indebidamente para la comisión de delitos o para facilitar su comisión en una proporción cada vez mayor[4]. En tales supuestos, los datos de tráfico generados por las comunicaciones electrónicas o por los servicios o aplicaciones digitales son esenciales[5], y en

---

[2]   COM (2018) 225 final, 2018/0108 (COD).

[3]   COM (2018) 226 final, 2018/0107 (COD).

[4]   Según los datos manejados por la Comisión Europea, más de la mitad de las investigaciones criminales incoadas en la actualidad prevén al menos una solicitud transfronteriza para acceder a pruebas electrónicas, tales como textos, correos electrónicos o aplicaciones de mensajería. https://ec.europa.eu/info/policies/justice-and-fundamental-rights/criminal-justice/e-evidence-cross-border-access-electronic-evidence_en.

[5]   Como indica el Considerando 2 de la propuesta de Reglamento E-evidence, las medidas de obtención y conservación de pruebas electrónicas son cada vez más importantes en la lucha contra la criminalidad cibernética, dada su probada eficacia en la investigación penal. Por tal motivo, desde la Declaración conjunta, de 22 de marzo de 2016, de los ministros de Justicia e Interior y de los representantes de las instituciones de la Unión Europea sobre los atentados terroristas de Bruselas se subrayó la necesidad, como cuestión prioritaria, de encontrar formas de obtener y asegurar pruebas electrónicas de forma más rápida y eficaz, y de establecer medidas concretas para abordar este asunto.

bastantes supuestos los únicos que pueden servir para obtener evidencias de la comisión y de la autoría de una infracción penal.

Teniendo en cuenta que, especialmente los servicios de la sociedad de la información pueden prestarse desde cualquier lugar del mundo, sin que exijan la presencia física[6] del proveedor en territorio de la Unión Europea y que los datos generados por estos servicios pueden ser fugaces, la Comisión ha propuesto la creación de dos instrumentos jurídicos que permitan a las autoridades judiciales de los Estados miembros, obtener o garantizar el acceso futuro a tales datos de forma directa y ágil, evitando los instrumentos de cooperación habituales que pueden impedir la efectividad de la investigación. Se trata de las órdenes europeas de conservación y de entrega de evidencias electrónicas. Asimismo, mediante la Directiva complementaria, se obligaría a todos los proveedores de servicios electrónicos que operen en la Unión Europea a designar a un representante legal a efectos de posibilitar la gestión de las órdenes de entrega y conservación.

2. DESTINATARIOS Y OBLIGACIÓN DE DESIGNACIÓN DE UN REPRESENTANTE: PROVEEDORES DE SERVICIOS

El art. 3.1 de la propuesta de Reglamento E-evidence recoge como posibles destinatarios de una orden europea de conservación o entrega de evidencia electrónica a cualquier proveedor que ofrezca servicios en el ámbito de la Unión Europea, con independencia de si éstos están establecidos o no en su territorio mediante un establecimiento permanente.

La definición que la propuesta legislativa establece de proveedor de servicios es amplia, con el objetivo de englobar a cualquier prestador cuyos servicios se vinculen o canalicen a través de una red de comunicaciones electrónicas y sean prestados en el territorio de la Unión Europea. Por tanto, el ámbito de aplicación subjetivo tal y como prevé la definición 2ª de su art. 2 abarcaría a las personas físicas o jurídicas que presten individual o conjuntamente servicios de comunicaciones electrónicas[7], servicios de la

---

[6]   Este hecho implica que gran parte de los datos electrónicos generados en la red se almacenan fuera del territorio de la Unión Europea, habiéndose multiplicado con ocasión del mayor uso de los servicios electrónicos, las solicitudes transnacionales de cooperación judicial, cuyo marco jurídico plantea serias dificultades dada la fragmentación y diversidad.

[7]   El precepto alude concepto de servicios de comunicaciones electrónicas previsto en el art. 2.4 de la futura Directiva por la que se establece el Código Europeo de Comunica-

sociedad de la información[8] o incluso, con carácter novedoso, servicios de asignación de nombres de dominio y de direcciones IP[9].

Por otro lado, el Reglamento E-evidence delimitaría su ámbito geográfico sin exigir necesariamente un concreto nexo o vínculo territorial del prestador de servicios mediante la presencia de un establecimiento permanente físico en algún punto del territorio comunitario. Sino que, con un criterio extensivo, abarcaría a cualquier proveedor de servicios que posibilitara la utilización de sus servicios a personas físicas o jurídicas de al menos un Estado miembro, exigiendo, además, la existencia de una estrecha vinculación con dichos territorios.

Dicha vinculación, se verificaría directamente por el mero hecho de contar con un establecimiento en cualquiera de los Estados miembros, si bien en su defecto, el Reglamento prevé una serie de criterios orientadores que permitirían atribuir dicha vinculación del proveedor, tales como la existencia de un número significativo de usuarios, la orientación de actividades a un Estados miembro mediante disposición de aplicaciones móviles, la emisión de publicidad, la utilización del idioma o moneda utilizados en el Estado para la prestación de sus servicios. En definitiva, se puede intuir como la finalidad del legislador es la de posibilitar el uso de la orden frente a cualquier proveedor que prestara un servicio que pudiera ser utilizado por un individuo localizado en territorio de la Unión en la comisión de algún ilícito penal.

Asimismo, se prevé que todos los prestadores de servicios destinatarios del Reglamento como sujetos obligados, con independencia de que cuenten o no con un establecimiento permanente en territorio de la Unión, la obliga-

---

ciones Electrónicas, que sería *"el prestado por lo general a cambio de una remuneración o a través de redes de comunicaciones electrónicas, que incluye el «servicio de acceso a internet»*, entendido según la definición del artículo 2, apartado 2 del Reglamento (UE) 2015/2120; y/o el «servicio de comunicaciones interpersonales»; y/o servicios consistentes , en su totalidad o principalmente, en el transporte de señales, como son los servicios de transmisión utilizados para la prestación de servicios máquina a máquina y para la radiodifusión, pero no de los servicios que suministren contenidos transmitidos mediante redes y servicios de comunicaciones electrónicas o ejerzan control editorial sobre ellos".

[8]   Para definir a servicio de la sociedad de la información se remite el Reglamento a la definición prevista en el art.1.1.b) de la Directiva (UE) 2015/1535 del Parlamento Europeo y del Consejo, esto es, *"todo servicio prestado normalmente a cambio de una remuneración, a distancia, por vía electrónica y a petición individual de un destinatario de servicios"*.

[9]   El Reglamento dispone de una serie de ejemplos de prestadores de servicios que se englobarían bajo tal descripción a fin de ilustrar a los eventuales destinatarios de la norma, reseñando entre otros a proveedores de direcciones IP y registradores de nombres de dominio, así como servicios de privacidad y representación relacionados.

ción de designar a un representante legal a efectos de recepcionar, cumplir y ejecutar las resoluciones y órdenes que pudieren ser emitidas a efectos de recabar pruebas. Debiendo el representante legal residir o estar establecido en al menos uno de los Estados miembros en los que se ofrezcan servicios. Es precisamente la regulación de esta obligación, el objeto exclusivo de la Directiva por la que se establecen normas armonizadas para la designación de representantes legales a efectos de recabar pruebas para procesos penales, norma complementaria al Reglamento E-evidente y totalmente necesaria e indispensable para garantizar la efectividad del mismo.

3. EMISORES DE UNA ORDEN DE CONSERVACIÓN O ENTREGA: LA AUTORIDAD DE EMISIÓN

El art. 4 del Reglamento E-evidence recoge y enumera las distintas autoridades competentes facultadas para la emisión de una orden de entrega o conservación. Primeramente, se prevén competentes con carácter general para la emisión de sendos instrumentos tanto a la autoridad judicial como al Ministerio Fiscal, si bien, debe acudirse a la legislación interna procesal de cada Estado miembro para poder concretar cuál sería la autoridad competente para tal cometido.

Adicionalmente, el Reglamento contempla la posibilidad de que otras autoridades nacionales distintas de Juzgados y Ministerio Público puedan instar una orden de conservación o entrega, siempre que la legislación nacional del Estado emisor les atribuya facultades para ordenar la práctica de obtención de pruebas en el ámbito de la investigación penal, si bien, se exigirá en tales supuestos la validación de la orden por un Juez o Tribunal.

4. LOS INSTRUMENTOS PREVISTOS EN EL REGLAMENTO E-EVIDENCE

El objeto de la propuesta de Reglamento, es el de la creación de dos instrumentos jurídicos diferenciados con la finalidad de permitir la entrega y conservación de pruebas o evidencias de naturaleza eminentemente digital o electrónica, que se hallarían en disposición de proveedores que prestan servicios en un Estado miembro o en otro tercero distinto del territorio en el que se sigue la investigación o enjuiciamiento de un delito, siendo los siguientes:

4.1. La orden europea de entrega

Se constituye como un instrumento jurídico por el que se facultaría a una autoridad de emisión competente de un Estado miembro, para reclamar de forma directa la entrega de pruebas electrónicas a un proveedor que ofrezca servicios de comunicaciones electrónicas, de la sociedad de la información o de asignación de nombres de dominio e IPs en la Unión Europea y que esté establecido o representado en el territorio de un Estado miembro distinto al que pertenezca la autoridad de emisión.

4.2. La orden europea de conservación

Mediante la orden europea de conservación, se facultaría a una autoridad de emisión competente de un Estado miembro para que pueda obligar directamente a un proveedor que ofrezca servicios electrónicos en la Unión Europea a conservar pruebas electrónicas, con el objetivo de evitar su retirada, supresión o alteración, al ser necesarias para la investigación o enjuiciamiento de delitos y su entrega pueda demorarse, por preverse la utilización simultánea o posterior de otros instrumentos jurídicos de cooperación judicial de los previstos en el ordenamiento comunitario, tales como la orden europea de investigación o de entrega.

5. OBJETO DE LAS ÓRDENES EUROPEAS DE ENTREGA Y CONSERVACIÓN

Como se ha adelantado anteriormente y como claramente refleja la propia denominación del Reglamento E-evidence, el objeto sobre el que pivotan los distintos instrumentos jurídicos previstos en el mismo es la prueba o evidencia electrónica necesaria para la investigación o enjuiciamiento de ilícitos de carácter penal

El Reglamento define a la prueba electrónica como aquella que se almacena directamente en formato electrónico por un proveedor de servicios o indirectamente, por otro sujeto en su nombre[10]. Ahora bien, acto seguido,

---

[10]　Situación muy común, especialmente en el caso de prestadores de servicios de la sociedad de la información, que suelen externalizar los servicios de hosting y almacenamiento de sus espacios electrónicos. En tales supuestos el tercero ostentaría la condición de encargado del tratamiento de los datos del prestador de servicios electrónicos.

la norma distingue entre cuatro categorías distintas de datos electrónicas sobre los que es posible emitir una orden. Son las siguientes:

i.   Datos de los abonados: Son aquellos datos que tengan relación con:

    (a) la identidad del abonado o cliente, tales como el cómo nombre, fecha de nacimiento, dirección postal o geográfica, datos de facturación y pagos, teléfono o dirección de correo electrónico.

    (b) el tipo de servicio y su duración, incluidos los datos técnicos que identifiquen las medidas técnicas correspondientes o las interfaces, utilizadas o facilitadas al abonado o cliente, y los datos relativos a la validación del uso del servicio

ii. Datos relativos al acceso: Bajo tal categoría se encuadrarían los datos relativos al inicio y final de una sesión de acceso del usuario a un servicio, que sean estrictamente necesarios con el único fin de identificar al usuario del servicio, tales como la fecha y hora del acceso, o de conexión y desconexión al servicio, junto con la dirección IP asignada al usuario por el proveedor de servicios de acceso a internet, los datos identificativos de la interfaz utilizada y la identificación del usuario.

iii. Datos de transacciones: Se refiere a aquellos datos sobre transacciones relacionadas con la prestación de un servicio ofrecido por un proveedor de servicios que sirvan para facilitar información contextual o adicional sobre dicho servicio y sean generados o tratados por un sistema de información del proveedor de servicios, tales como el origen y destino de un mensaje u otro tipo de interacción, la ubicación del dispositivo, la fecha, la hora, la duración, el tamaño, la ruta, el formato, el protocolo utilizado y el tipo de compresión, a menos que estos datos constituyan datos relativos al acceso. Los tradicionalmente denominados datos de tráfico de las comunicaciones electrónicas se encuadrarían en la presente categoría.

iv. Datos de contenido: Comprendería a todo dato almacenado en formato digital, como texto, voz, vídeos, imágenes y sonidos, distintos de los que pudiere albergar las anteriores categorías. Es decir, comprende a los datos relacionados con el contenido de la comunicación que se hallen conservados por el prestados de servicios, sin que sea posible extenderse el objeto a los datos procedentes de una comunicación en tiempo real.

6. CONDICIONES Y SUPUESTOS HABILITANTES PARA LA EMISIÓN DE UNA ORDEN DE CONSERVACIÓN O ENTREGA DE EVIDENCIAS ELECTRÓNICAS

La propuesta de Reglamento establece en sus arts. 5 y 6 las condiciones y requisitos que deben concurrir para que una autoridad competente de un Estado miembro pueda emitir alguna de las órdenes reguladas, estableciendo un régimen diferenciado para cada uno de ellos, si bien gozan de ciertos aspectos comunes.

Así, en todo caso, cualesquiera de las órdenes deben estar vinculadas necesariamente a la tramitación de un proceso de naturaleza penal que se encuentre o bien en fase de instrucción o bien en una ulterior como la de enjuiciamiento. También es exigencia del Reglamento la realización por parte de la autoridad emisora de un juicio previo de necesariedad y proporcionalidad de la medida, en el que se deberá tener en cuenta todas las circunstancias obrantes de la investigación, como requisito de garantía sobre los derechos fundamentales en juego.

6.1. *Requisitos exigidos para la emisión de una orden europea de entrega*

En primer lugar, se exige que en el ordenamiento jurídico procesal penal del Estado emisor se prevea una medida o diligencia similar para la infracción penal concreta a la que se destinarán los datos. No obstante, el Reglamento omite si las condiciones y garantías de ejercicio de la diligencia en el ordenamiento interno deben ser equiparables a las del Estado emisor.

La orden europea de entrega relativa a datos de abonado o de acceso pueden ser emitidas para cualquier infracción penal, sin distinción alguna en atención a la gravedad u otro elemento. En cambio, la solicitud de entrega de datos de transacciones y contenido sí está sujeta a límites más estrictos, dada la sensibilidad de dichos datos y el nivel de injerencia que entraña en los derechos fundamentales de los investigados o procesados. Así pues, las órdenes solo pueden emitirse respecto emitirse respecto de infracciones penales punibles en el Estado emisor con una pena máxima de privación de libertad de al menos tres años. Además de los reseñados delitos también se prevé en todo caso y con independencia de la pena a que estén sujetos, para una serie de delitos previstos en determinadas normas comunitarias[11], siempre que se hayan cometido total o parcialmente a

---

11   Se trata de los delitos previstos en los siguientes actos legislativos de la Unión Europea: i) Decisión marco 2001/413/JAI del Consejo, sobre la lucha contra el fraude y la falsi-

través de sistemas electrónicos, tales los relacionados con grupos y organizaciones criminales, terrorismo, pornografía infantil, etc. Además, con independencia de que se hubieran utilizado o no servicios electrónicos para la comisión del delito y de la pena concreta contemplada, se prevé también para los delitos reflejados en la Directiva (UE) 2017/541 relativa a la lucha contra el terrorismo y por la que se sustituye la Decisión marco 2002/475/JAI del Consejo y se modifica la Decisión 2005/671/JAI del Consejo, dadas las específicas notas de gravedad que caracterizan a este tipo de delitos.

6.2. Requisitos exigidos para la emisión de una orden europea de conservación

La orden europea de conservación en cambio puede ser emitida para la investigación o enjuiciamiento de cualquier infracción penal, sin que exista ningún criterio restrictivo o limitador, si bien, el acto de cooperación judicial que se emita simultáneamente o con posterioridad por el que se acuerde la entrega de dichos datos, sí deberá acomodarse a los concretos requisitos exigidos en la normativa por el que se regule.

7. TRAMITACIÓN Y EJECUCIÓN DE LA ORDEN EUROPEA

En primer lugar, la autoridad competente requirente deberá de emitir la correspondiente orden europea de entrega o conservación, que deberá incorporar todos los requisitos exigidos para cada una de ellas de acuerdo con los arts. 6 o 7 del Reglamento.

Posteriormente, la autoridad competente deberá remitir directamente al representante legal designado por el proveedor de servicios –según la Directiva que obliga a la designación de representantes legales a los proveedores de servicios a efectos de recabar pruebas para procesos penales– el certificado de la concreta orden que proceda. Dichos certificados se anexan al Reglamento, denominándose EPOC al relativo a la orden europea de entrega y EPOC-PR al destinado a la orden europea de conservación. Si no se hubiera designado o no cumpliera el representante la orden, la autoridad podrá dirigirse directamente a cualquier establecimiento del proveedor que radique en la Unión.

---

ficación de medios de pago distintos del efectivo; ii) Directiva 2011/93/UE, relativa a la lucha contra los abusos sexuales y la explotación sexual de los menores y la pornografía infantil y por la que se sustituye la Decisión marco 2004/68/JAI del Consejo; y iii) Directiva 2013/40/UE, relativa a los ataques contra los sistemas de información y por la que se sustituye la Decisión marco 2005/222/JAI del Consejo

Cabe mencionar que en principio las autoridades del Estado miembro destinatario de cualquiera de las órdenes europeas no interviene en el procedimiento, ya que la autoridad emisora se relaciona directamente con el proveedor de servicios. Tan solo para el ciertos supuestos de oposición del proveedor de servicios destinatario de una orden europea de conservación o entrega se prevé la intervención de las autoridades del Estado receptor.

7.1. *Ejecución EPOC*

Una vez que el proveedor de servicios hubiere recepcionado el certificado EPOC, dispondría de un plazo de diez días para la entrega de los datos requeridos. Si bien en el caso de urgencia, el plazo de respuesta se reduciría ostensiblemente hasta las seis horas[12].

El sujeto requerido solo podría oponerse a la orden europea de entrega en los siguientes supuestos:

a) Ausencia requisitos: Cuando la orden europea de entrega no hubiera sido emitida o validada por una autoridad emisora competente o el servicio sobre el que se solicite no estuviere cubierto por el Reglamento.

b) Ausencia supuesto habilitante: Cuando la orden europea de entrega no hubiera sido emitida o validada respecto a una infracción prevista en el Reglamento.

c) Imposibilidad proveedor: Por imposibilidad material o fuerza mayor, porque el EPOC contuviera errores manifiestos o porque no se refiere a datos almacenados por el proveedor de servicios, o en su nombre, en el momento de la recepción del EPOC.

d) Ilegitimidad de la orden: Por basarse la orden en una manifiesta contrariedad de la Carta de los Derechos Fundamentales de la Unión Europea o en su carácter abusivo.

7.2. *Ejecución EPOC-PR*

Recibida la orden de conservación por un proveedor de servicios, éste tiene obligación de conservar sin demora los datos solicitados por un plazo

---

[12] En comparación con hasta los ciento veinte días que puede demorarse una Orden de Investigación Europea o el promedio de diez meses para completar una solicitud de Asistencia Legal Mutua según datos estadísticos de la Comisión Europea, puede comprobarse como la orden europea de entrega supone un importantísimo avance respecto a la eficiencia y eficacia en la obtención de pruebas electrónicas transfronteriza.

de sesenta días. No obstante, si la autoridad emisora le confirmara el inicio de la solicitud de entrega por cualquier otro instrumento jurídico de cooperación, deberá conservarlos hasta su total cumplimentación.

Los supuestos de oposición del proveedor para la orden de conservación son similares a los de la EPOC, excepto el supuesto reseñado en el apartado b) del anterior apartado al preverse para cualquier tipo de infracción penal sin ningún tipo de restricción.

7.3. *Procedimiento de ejecución en supuestos de oposición o incumplimiento*

Para el supuesto de que un proveedor de servicios destinatario de una orden europea de entrega o conservación, manifestara su oposición a la ejecución de la misma por cualquiera de las causas contempladas o incumpliere la misma en los plazos exigidos, el Reglamento prevé que la autoridad emisora pueda acudir a las autoridades de ejecución[13] del Estado miembro en que el proveedor o su representante esté establecido para su reconocimiento directo y ejecución, a los cuales está inicialmente obligado. Solamente en el supuesto de que la autoridad de ejecución considerase la concurrencia de alguno de los motivos oponibles por el proveedor o que los datos reclamados contaran con protección con ocasión del reconocimiento de privilegios o inmunidades de acuerdo con la legislación interna o en su caso afectaren a intereses fundamentales tales la seguridad y defensa nacional podría negar su ejecución, previa audiencia y consulta de la autoridad competente del país emisor.

Si la autoridad de ejecución reconociera la procedencia de la orden, pasaría a requerir al proveedor para su cumplimiento dentro del plazo que se le otorgara a tal efecto, si bien, tendría una nueva oportunidad de plantear objeciones con base en cualquiera de los motivos antes aludidos. En caso de que nuevamente el proveedor planteara oposición, la autoridad de ejecución resolvería definitivamente previo examen de las alegaciones vertidas por el proveedor y por la autoridad de emisión. Acordada la ejecución de una orden de entrega o conservación sin que se cumpliera en el plazo establecido, se podrían imponer al proveedor las sanciones pecuniarias establecidas en el ordenamiento jurídico del Estado de ejecución sin que procediera recurso alguno contra la resolución que las adopte.

---

[13] A las autoridades competentes del Estado de ejecución a la que la autoridad emisora transmita una orden europea de entrega o una orden europea de conservación a efectos de su ejecución se les denominada en el Reglamento, autoridades de ejecución.

8. VÍAS DE RECURSO

La propuesta de Reglamento pretende reconocer y garantizar a los individuos afectados directa o indirectamente por la obtención de sus datos electrónicos con ocasión de la ejecución de una orden europea de entrega, el acceso a dos vías diferentes de impugnación:

i. Una primera, en el que el afectado podría impugnar la validez de la orden en vía procesal, mediante los recursos y medios establecidos en el ordenamiento interno para atacar las diligencias y pruebas obtenidas en el proceso penal

ii. Una segunda vía, con el objeto de denunciar en sede administrativa la vulneración de los principios, derechos y garantías reconocidos por el derecho fundamental a la protección de datos y su normativa de desarrollo. Esta reclamación se debería interponer ante la Autoridad de Control competente, según si resultara aplicable el Reglamento General de Protección de Datos o bien la Directiva 2016/680/CE de protección de datos en el ámbito penal. En este concreto supuesto, surgiría la incógnita sobre la eventual influencia en el proceso o investigación penal de un pronunciamiento favorable de la Autoridad de Control al afectado, por haber sido vulnerado algún principio o garantía fundamental.

9. CONCLUSIONES

Los instrumentos que se pretenden introducir en el ordenamiento jurídico comunitario mediante la creación de las órdenes europeas de conservación y entrega, suponen un importante avance en el ámbito de la cooperación judicial penal y del reconocimiento mutuo, al permitir a las autoridades competentes de un Estado miembro para la investigación o enjuiciamiento de delitos la obtención directa, ágil y rápida de pruebas y evidencias de carácter electrónico, habida cuenta el creciente uso de las tecnologías de la información y comunicación para la actividad delictiva. A su vez, la Directiva complementaria al Reglamento es la pieza que permite dotar de plena efectividad al sistema de cooperación planteado.

La aprobación del analizado instrumento normativo supondría un importante salto cualitativo en los instrumentos de cooperación judicial comunitarios, al atribuir a las autoridades competentes para la investigación y enjuiciamiento penal de los Estados miembros, la facultad de reclamar evidencias electrónicas a proveedores de servicios localizados en otro Estado miembro, sin necesariamente contar con la intervención inicial de las autoridades competentes de los Estados destinatarios.

Dada la agilidad de los plazos previstos en el Reglamento, se permitirá plantear una lucha más eficaz y dinámica contra la delincuencia, especialmente contra la organizada, la transnacional y la llevada a cabo o apoyada en sistemas electrónicos o telemáticos, evitándose la pérdida o eliminación de los datos y evidencias electrónicas esenciales para la investigación con ocasión de los largos periodos de tiempo que se necesitan para la ejecución de otros instrumentos de cooperación.

Sin embargo, la innecesaridad de supervisión previa de una orden europea por las autoridades competentes del Estado miembro receptor y la imposibilidad de efectuar alegaciones por el afectado previamente tanto en el Estado emisor como en el destinatario, pueden implicar que en la tramitación inicial del instrumento no se garanticen plenamente derechos fundamentales del investigado, como el derecho a la defensa.

Se observa en cambio que se atribuye al prestador de servicios de un amplio margen para oponerse a la práctica de las órdenes, cuando éste ni es el investigado ni tiene por qué contar con conocimiento especializados en derecho y máxime del ordenamiento jurídico procesal y penal de terceros Estados miembros. Además, el análisis de dichas órdenes para en vista a su eventual oposición supondría un importante coste para el prestador. Lo que dará lugar a que de no mediar una flagrante contrariedad manifiesta de la solicitud respecto a la Carta de Derechos Fundamentales de la Unión Europea se den curso a la mayoría de las órdenes recibidas.

Igualmente, es imprescindible atender y atribuir la merecida importancia a la ponderación de los derechos del investigado o procesado respecto a los principios de proporcionalidad y necesariedad de ambos instrumentos, especialmente en la orden de entrega, para que la concurrencia de un delito de los previstos no permita la emisión automática.

Del texto propuesto pueden derivarse importantes y numerosas problemáticas en su aplicación, especialmente habida cuenta de la multiplicidad y diversidad de sistemas procesales, regulaciones de conservación de datos de tráfico, calificaciones penales, etc. Por todo ello se hará necesario que el legislador comunitario prevea los diferentes supuestos que pueden presentarse durante la aplicación del Reglamento, estableciendo normas al efecto para supuestos y lo más importante, que se continúe en la labor de armonización de la norma procesal y penal.

Capítulo VI

EL USO DE DATOS PERSONALES INHERENTES A LAS PRUEBAS ELECTRÓNICAS OBTENIDAS MEDIANTE LA ORDEN EUROPEA DE INVESTIGACIÓN

Ana Sánchez Rubio
Profesora Ayudante Doctora de Derecho Procesal
Universidad Pablo de Olavide de Sevilla

SUMARIO: 1. INTRODUCCIÓN. 2. LA UTILIZACIÓN DE DATOS DERIVADOS DE LAS DILIGENCIAS DE INVESTIGACIÓN TECNOLÓGICAS: EL PRINCIPIO DE ESPECIALIDAD EN LA OEI. 3. LA OEI Y SU CONEXIÓN CON LAS DIRECTIVAS DE PROTECCIÓN DE DATOS PERSONALES EN LA PREVENCIÓN DELICTIVA. 4. PERSPECTIVAS DE FUTURO.

RESUMEN: La normativa creada por la Unión Europea sobre el intercambio de datos personales con fines de prevención y represión de delitos ha sido profusa y variada, y su paulatina y sucesiva aprobación ha dado lugar a una regulación falta de coordinación. Este trabajo analiza cómo la transposición de la orden europea de investigación ha acentuado aún más esta situación, especialmente, en lo relativo a los datos electrónicos derivados de diligencias de investigación tecnológicas.

ABSTRACT: The legislation about personal data exchange in the framework of European Union to prevent or investigate crimes is abundant and diverse. As a result, this regulation has been the product of many gradual and sequential norms without coordination. This paper analyses how the implementation of European Investigation Order highlights this situation. Principally, as regards electronic data originated by tech criminal investigations.

PALABRAS CLAVE: Datos electrónicos, diligencias de investigación tecnológicas, orden europea de investigación

KEY WORDS: Electronic data, tech criminal investigations, European Investigation Order.

1. INTRODUCCIÓN

La creación de instrumentos de cooperación policial y judicial para la investigación de delitos en territorio europeo constituye una necesidad de primer orden. Por ello, en los últimos años la Unión Europea viene trabajando en la promulgación de normativa que facilite y agilice estos mecanismos[1]. En este sentido, la Orden Europea de Investigación en materia penal, establecida en la Directiva 2014/41/CE del Parlamento Europeo y del Consejo, de 3 de abril de 2014, y como es sabido, transpuesta en España por la Ley 3/2018, de 11 de junio, ha supuesto un gran avance en la obtención de prueba transfronteriza, pues crea un régimen único para el acopio de material probatorio, aunque establece normas adicionales para determinados tipos de medidas como el traslado temporal de detenidos, las comparecencias por teléfono, videoconferencia u otros medios de transmisión audiovisual, la obtención de información relacionada con cuentas o transacciones bancarias o financieras, las entregas vigiladas o las investigaciones encubiertas y la intervención de telecomunicaciones con asistencia de otro Estado miembro.

Esta última previsión, que es una de las vías posibles para obtener pruebas electrónicas transfronterizas, se antoja esencial en los tiempos que corren, dado que el empleo de la tecnología como medio de investigación de hechos delictivos está presente en el día a día de las causas penales[2]. No

---

[1]   Entre ellos, pueden destacarse, a modo de ejemplo, la Decisión Marco 2002/584/JAI del Consejo, de 13 de junio de 2002, relativa a la orden de detención europea y a los procedimientos de entrega entre Estados miembros; la Decisión marco 2003/577/JAI del Consejo, de 22 de julio de 2003, relativa a la ejecución en la Unión Europea de las resoluciones de embargo preventivo de bienes y de aseguramiento de prueba; la Directiva 2005/60/CE del Parlamento Europeo y del Consejo, de 26 de octubre de 2005, relativa a la prevención de la utilización del sistema financiero para el blanqueo de capitales y para la financiación del terrorismo; la Decisión Marco 2009/315/JAI del Consejo en lo que respecta al intercambio de información sobre nacionales de terceros países y al Sistema Europeo de Información de Antecedentes Penales (ECRIS) y por la que se sustituye la Decisión del Consejo 2009/316/JAI (sobre la que existe una propuesta de Directiva del año 2016); el Protocolo del Convenio relativo a la asistencia judicial en materia penal entre los Estados miembros de la Unión Europea, celebrado por el Consejo de conformidad con el artículo 34 del Tratado de la Unión Europea; la Directiva 2016/680, de 27 de abril de 2016, relativa a la protección de las personas físicas en lo que respecta al tratamiento de datos personales por parte de las autoridades competentes para fines de prevención, investigación, detección o enjuiciamiento de infracciones penales o de ejecución de sanciones penales, y a la libre circulación de dichos datos; y la Directiva 2016/681, de 27 de abril de 2016, relativa a la utilización de datos del registro de nombres de los pasajeros (PNR) para la prevención, detección, investigación y enjuiciamiento de los delitos de terrorismo y de la delincuencia grave.

[2]   Según la Comisión Europea, las pruebas electrónicas en cualquiera de sus formas son relevantes en alrededor del 85% del total de investigaciones criminales, y en casi dos tercios (65%) de éstas los proveedores de servicios a los que se les requieren están localizados en una jurisdicción diferente; la combinación de los dos porcentajes anteriores da como resultado que el 55% del total de investigaciones incluyen una solicitud de acceso

obstante, al mismo tiempo, se trata de una previsión insuficiente, ya que ni agota los modos en que pueden obtenerse pruebas electrónicas ni regula con detalle la salvaguarda de la información que contiene una *e-evidence*, esto es, los datos personales vinculados a la misma. Y es que, al fin y al cabo, la prueba electrónica, tal y como la entiende esta normativa, no es otra cosa que datos adquiridos del espacio digital[3], por lo que su regulación transnacional es una pieza clave en la investigación criminal.

En relación con ello, en lo que sigue se analizarán varios aspectos de los regulados por la Ley 3/2018 respecto a las pruebas electrónicas y los datos que derivan de ellas. Por un lado, nos detendremos en el cumplimiento del principio de especialidad, no recogido expresamente ni en la Directiva ni en su ley de transposición pero esencial para la validez de la utilización de información digital y, por otro, relacionaremos las consideraciones de la Orden Europea de Investigación con aquellas establecidas por otras normas como las Directivas 680/2016 y 681/2016, ambas relativas a la protección de datos personales utilizados con finalidades de prevención, investigación, detección o enjuiciamiento de ilícitos penales. Por último, finalizaremos con algunas reflexiones acerca de las existentes propuestas sobre entrega y conservación de prueba electrónica a nivel europeo y su desarrollo en un futuro próximo.

2. LA UTILIZACIÓN DE DATOS DERIVADOS DE LAS DILIGENCIAS DE INVESTIGACIÓN TECNOLÓGICAS: EL PRINCIPIO DE ESPECIALIDAD EN LA OEI

Como acaba de mencionarse, ni la Directiva 41/2014/CE ni la Ley 3/2018, recogen expresamente el principio de especialidad en relación

---

transfronterizo a pruebas electrónicas. Cifras extraídas del Staff Working Document de la Comisión Europea, *Impact Assessment accompanying the document Proposal for a Regulation of the European Parliament and of the Council on European Production and Preservation Orders for electronic evidence in criminal matters and Proposal for a Directive of the European Parliament and of the Council laying down harmonised rules on the appointment of legal representatives for the purpose of gathering evidence in criminal proceedings*, de 17 de abril de 2018, p. 14. Este texto puede ser localizado en [Última consulta: 14 de diciembre de 2018]: https://eur-lex.europa.eu/legal-content/EN/TXT/?uri=SWD%3A2018%3A118%3AFIN

[3]   Así lo afirma BUENO DE MATA, F., en «El desafío inminente de la cooperación procesal internacional: la prueba electrónica», en JIMÉNEZ CONDE, F. (dir.), FUENTES SORIANO, O., GONZÁLEZ CANO, M.I. (coord.), *Adaptación del derecho procesal español a la normativa europea y a su interpretación por los tribunales*, Tirant lo Blanch, Valencia, 2018, p. 274.

con la utilización de pruebas obtenidas en el marco de una Orden Europea de Investigación. Sin embargo, de la dicción del artículo 19.3 de la Directiva y del artículo 193 de la ley nacional puede interpretarse su inclusión como principio que impide, en líneas generales, el uso indiscriminado por el Estado emisor de la información obtenida por el Estado ejecutante. Ahora bien, ambos preceptos no son exactamente coincidentes ni, cabe advertir, se refieren únicamente a las pruebas electrónicas. Más bien al contrario, hacen alusión a la utilización de cualquier prueba, si bien en lo que aquí nos interesa destacaremos las implicaciones que este principio conlleva para las diligencias de investigación tecnológicas.

El legislador europeo recoge el principio de especialidad en el artículo en el que trata de la confidencialidad de la OEI (artículo 19). Este precepto, en su apartado tercero, establece que: «La autoridad de emisión, con arreglo a su propio Derecho interno y a menos que la autoridad de ejecución haya indicado otra cosa, no desvelarán cualquier prueba o información facilitadas por la autoridad de ejecución, excepto en la medida en que su revelación sea necesaria para las investigaciones o procedimientos descritos en la OEI», de donde se infiere la inclusión del principio de especialidad de la mano del de la confidencialidad.

De otra parte, el legislador nacional rubrica el artículo 193 "Utilización en España de los datos personales obtenidos en la ejecución de la orden europea de investigación en otro Estado miembro" y dispone a continuación que:

> «Los datos personales obtenidos de la ejecución de una orden europea de investigación sólo podrán ser empleados en los procesos en los que se hubiera acordado esa resolución, en aquellos otros relacionados de manera directa con aquél o excepcionalmente para prevenir una amenaza inmediata y grave para la seguridad pública.
>
> Para utilizar con otros fines los datos personales obtenidos, la autoridad española competente deberá recabar el consentimiento de la autoridad del Estado de ejecución o del titular de los datos».

Si comparamos ambos preceptos podemos apreciar algunas diferencias significativas. Por un lado, la Directiva se refiere a la prohibición de «desvelar pruebas o información» mientras que la norma nacional limita la especialidad de la información obtenida a los «datos personales» y no a cualquier otro dato que contenga esa prueba. La consecuencia de ello es que el ámbito de aplicación del principio de especialidad es menor en el territorio nacional, ya que queda circunscrito al concepto de dato personal, esto es, una información concerniente a personas físicas identificadas o identificables[4]. Pensemos, por ejemplo, en una prueba pericial sobre un objeto como pueden ser las huellas de los neumáticos de un vehículo robado con el que se atropelló a una víctima. No es un dato relativo a una persona física, ni identificada ni identificable, por lo que, siguiendo la literalidad de la norma nacional, esa información podría ser cedida a otro proceso sin consentimiento del Estado de ejecución, al contrario de lo que dispone la normativa europea, ya que esta prohíbe la cesión de pruebas entre procesos.

En el caso de las pruebas electrónicas, extraídas a través de diligencias de investigación tecnológicas, nos encontramos con que puede haber archivos en un ordenador o en la nube que sean de autor desconocido pero cuyo contenido o datos relativos a la hora en la que se hizo o se transmitió dicho archivo sean útiles para una investigación. Siendo así, dichos datos podrían ser transmitidos al no tener el carácter de dato personal, debido a que, como se ha apuntado, la ley española solo veta la transmisión de datos personales y no de cualquier información obtenida con base en la OEI.

Por otro lado, volviendo a la disposición de la Directiva, puede comprobarse que esta exige dos requisitos cumulativos para autorizar la cesión de información. En primer lugar, dicha cesión ha de estar contemplada en el Derecho interno del Estado emisor y, en segundo lugar, el Estado de ejecución ha de autorizar la utilización de la información en otros procesos. Ahora bien, acto seguido, se prevé la posibilidad de la revelación de la información sin que concurran dichos requisitos siempre y cuando sea necesario para la investigación en curso, es decir, aquella para la que se solicitó la OEI. En este sentido, el contenido del formulario de la OEI es la clave para declarar esa utilización de datos como prohibida o no, con base en la (in)existencia de autorización expresa, pues es este formulario el que fija el punto de partida y la posterior relación entre autoridades.

A este respecto, el artículo 193.1 de la Ley 3/2018 autoriza esa utilización «[e]n aquellos otros (procesos) relacionados de manera directa con aquel (el proceso en el que se hubo acordado la OEI) o excepcionalmente para prevenir una amenaza inmediata y grave para la seguridad pública», esta última previsión, como no, pensada para casos de terrorismo. No cabe duda de que el legislador español ha introducido esta regulación sobre la cesión de información obtenida a través de la OEI pensando en lo dispues-

---

[4]   Definición extraída del art. 3 a) LOPD, que literalmente define al dato de carácter personal como «cualquier información concerniente a personas físicas identificadas o identificables».

to por el artículo 579 bis LECrim, en virtud del cual, como es sabido, desde el año 2015 es posible utilizar la información obtenida en un proceso en otro distinto. Dicho precepto, junto con el 588 bis i) LECrim, relativo a datos electrónicos, autorizan una auténtica cesión de datos derivados de la práctica de diligencias de investigación tecnológicas. Por lo que, conforme a ambos artículos nacionales, es posible ceder la información obtenida en un proceso a otro distinto, sin que sea necesario que esté relacionado con el primero, lo que contraviene tanto la normativa europea como la Ley 3/2018. Así las cosas, ante una situación de cesión de datos transfronterizos entre distintos procesos, para observar las garantías necesarias, no queda más que interpretar que se requiere de autorización expresa por parte del Estado emisor, mientras que la libre cesión de datos entre procesos, conexos o no, es válida cuando los mismos se han obtenido en territorio español.

Por último, continua el art. 193.1 de la Ley 3/2018 permitiendo la utilización de datos personales para otros fines cuando se recabe el consentimiento de la autoridad del Estado de ejecución o, alternativamente, del titular de los datos. Este último inciso, que permite acudir directamente al titular de los datos, no está enmarcado, por tanto, en la cooperación judicial y policial europea, si no que obvia la necesidad de solicitar auxilio a las autoridades competentes. Ello conlleva el riesgo de que no se observen las formalidades necesarias en el país ejecutante, al ser, por ejemplo, un particular el requerido para emitir información, lo que, a nuestro juicio, menoscaba las garantías del proceso debido. De manera que, lo lógico será emitir una OEI siempre que se precise de información situada en otro estado miembro, para que todo intercambio de información quede notificado y bajo el control de la autoridad ejecutante.

3. LA OEI Y SU CONEXIÓN CON LAS DIRECTIVAS DE PROTECCIÓN DE DATOS PERSONALES EN LA PREVENCIÓN DELICTIVA

Como ha quedado de manifiesto, las disposiciones relativas a la OEI que pueden encuadrarse en la investigación tecnológica están íntimamente vinculadas tanto al principio de especialidad como al derecho de protección de datos de carácter personal. Conceptos que, pese a aparecer interrelacionados en la normativa expuesta, dada su importancia y enorme proyección procesal, han de ser analizados por separado. Por ello, una vez examinado el principio de especialidad, en este apartado nos detendremos en la incidencia que puede tener la normativa de protección de datos personales para la investigación penal en las previsiones que tanto la Directiva 41/2014/CE como la Ley 3/2018 recogen al respecto.

En lo que a ello concierne, es de obligado cumplimiento mencionar la Directiva 2016/680, de 27 de abril, relativa a la protección de las personas físicas en lo que respecta al tratamiento de datos personales por parte de las autoridades competentes para fines de prevención, investigación, detección o enjuiciamiento de infracciones penales o de ejecución de sanciones penales, y a la libre circulación de dichos datos[5]; y la Directiva 2016/681, de 27 de abril, relativa a la utilización de datos del registro de nombres de los pasajeros (PNR) para la prevención, detección, investigación y enjuiciamiento de los delitos de terrorismo y de la delincuencia grave[6]. Ambas normas contemplan, como su propio nombre indica, el tratamiento de datos personales en la prevención delictiva, algo que, como es sabido, no siempre permite nuestra legislación nacional cuando nos encontramos ante la obtención de prueba electrónica mediante diligencias de investigación tecnológicas, ya que se exige la existencia de una base objetiva para la práctica de tales medidas[7].

No obstante, en relación con este uso de datos tecnológicos para la prevención delictiva la tendencia europea es clara: ya no se trata, únicamente, de reaccionar frente al delito cometido, sino antes de eso impedir su comisión, anudando al sistema de justicia criminal una función de carácter anticipativo, que hasta ahora le ha sido ajena. Se trata de una modificación de gran calado, estrechamente ligada al desarrollo tecnológico, ya que la tecnología se convierte en el medio posibilitador de la evitación. En este sentido, la acumulación y tratamiento automatizado de la información

---

[5]   Cabe advertir que es a esta norma a la que debemos dirigirnos cuando el art. 20 de la Directiva 41/2014/CE de OEI hace alusión a la Decisión Marco 2008/977/JAI del Consejo, de 27 de noviembre de 2008, relativa a la protección de datos personales tratados en el marco de la cooperación policial y judicial en materia penal, ya que ha sido derogada por la Directiva 2016/680.

[6]   Los datos PNR contienen, según se describe en el artículo 3.5 de la Directiva 2016/681, «una relación de los requisitos de viaje impuestos a cada pasajero, que incluye toda la información necesaria para el tratamiento y el control de las reservas por parte de las compañías aéreas que las realizan y participan en el sistema PNR, por cada viaje reservado por una persona o en su nombre, ya estén contenidos en sistemas de reservas, en sistemas de control de salidas utilizado para embarcar a los pasajeros en el vuelo o en sistemas equivalentes que posean las mismas funcionalidades».

[7]   A este respecto, dispone literalmente el art. 588 bis a) LECrim en su apartado segundo que «[...] No podrán autorizarse medidas de investigación tecnológica que tengan por objeto prevenir o descubrir delitos o despejar sospechas sin base objetiva».

obrante en bases de datos con fines preventivos y predictivos son claros ejemplos del paralelismo existente entre el surgimiento de la evitación del delito como principal finalidad del sistema de justicia criminal y la revolución tecnológica[8].

En esta línea, ya en 2014 se preveía la utilización de datos personales con fines, no solo investigativos sino también preventivos, y precisamente lo hacía la Directiva que regula la OEI, que recoge en su considerando 42 que «Los datos personales obtenidos en virtud de la presente Directiva deben procesarse solo cuando sea necesario y ser proporcionados para fines compatibles con la *prevención*, investigación, detección y enjuiciamiento de delitos». En sintonía con este espíritu de cooperación y de prevención de delitos, el considerando 7 de la Directiva 2016/680 dispone que «Para garantizar la eficacia de la cooperación judicial en materia penal y de la cooperación policial, es esencial asegurar un nivel uniforme y elevado de protección de los datos personales de las personas físicas y *facilitar el intercambio de datos* personales entre las autoridades competentes de los Estados miembros. A tal efecto, el nivel de protección de los derechos y libertades de las personas físicas en lo que respecta al tratamiento de datos personales por parte de las autoridades competentes para fines de *prevención*, investigación, detección o enjuiciamiento de infracciones penales o de ejecución de sanciones penales, incluidas la protección y la *prevención* frente a las amenazas para la seguridad pública, debe ser equivalente en todos los Estados miembros». Y en el mismo sentido lo hace la Directiva 2016/681, lo que supone un replanteamiento de la normativa nacional al respecto.

La Ley 3/2018, parece haber dado un paso más hacia la prevención en la utilización de datos personales, pues incluye en el último inciso del artículo 193.1 párrafo 1º que podrán utilizarse en el Estado de emisión los datos personales facilitados por el Estado ejecutante para prevenir una amenaza inmediata y grave para la seguridad pública. Al respecto, no parece haber problema para obtener datos electrónicos, incluso con carácter preventivo, pues si la amenaza es inminente debe haber una base objetiva suficiente para calificarla como tal. No obstante, las Directivas 680/2016 y 681/2016 no solo recogen esta posibilidad para casos de terrorismo o de situación de peligro grave e inmediata, por lo que cabe preguntarse

---

[8]   Sobre el acopio indiscriminado de datos con fines preventivos vid. LÓPEZ ORTEGA, J. J., ALCOCEBA GIL, J. M., «Prevenir y evitar: consideraciones en torno a un modelo de intervención penal anticipativa», en *Derechos del condenado y necesidad de pena*, Aranzadi, Pamplona, 2018.

cómo debería actuar la autoridad española si esos datos derivan de una diligencia de investigación tecnológica ya que, como apuntábamos, dichas medidas no pueden emplearse si tienen por objeto prevenir o descubrir delitos sin base objetiva. Podría entenderse que al ser la Ley de Enjuiciamiento Criminal una ley orgánica y, consecuentemente, superior en rango a la Ley 3/2018, el acopio de información con fines preventivos carentes de base objetiva hoy por hoy no está permitido en nuestro país. Sin embargo, con vistas a cumplir con los mandatos europeos y facilitar la eficacia de la cooperación judicial y policial, urge una regulación nacional sobre la obtención de datos derivados de la prueba electrónica con finalidades proactivas. Regulación que, dada la tendencia europea, no puede ser más que favorable a dicha obtención preventiva de datos, ahora bien, delimitando con claridad para qué delitos, qué requisitos han de cumplirse y por cuánto tiempo pueden ser conservados dichos datos. De lo contrario, recibiremos directrices al respecto desde Europa, como ha sucedido con la reciente STJUE de 2 de octubre de 2018, respecto a la conservación de datos personales generados por las comunicaciones electrónicas y su compatibilidad con las recientes disposiciones de la LECrim[9].

4. PERSPECTIVAS DE FUTURO

De lo hasta ahora expuesto puede fácilmente colegirse que los datos electrónicos, o los datos personales derivados de pruebas electrónicas, ocupan un lugar primordial en la cooperación judicial y policial de la Unión Europea, tanto para investigar o prevenir la ciberdelincuencia como para hacer lo propio con delitos que no se cometen en Internet pero que dejan rastros de su comisión en dicho espacio. No obstante, la OEI no ha colocado en un lugar preeminente la regulación de la información obtenida a través de diligencias de investigación tecnológicas. Es por ello por lo que, en aras de paliar este defecto, el 17 de abril de 2018 salieron a la luz unas propuestas encaminadas a facilitar la obtención de datos generados por las comunicaciones electrónicas y tecnológicas[10]. Dichas propuestas se

---

9   El texto completo de esta sentencia puede consultarse en castellano en www.aepda.es/AEPDAAdjunto-2360-Sentencia.aspx [Última consulta: 14 de diciembre de 2018]

10   Cabe decir que la UE no solo está trabajando en esta dirección a nivel europeo, sino que también en el marco del Consejo de Europa se está trabajando a nivel internacional, pues se está negociando un protocolo del Convenio sobre la Ciberdelincuencia (también conocido como Convenio de Budapest) para mejorar el acceso a pruebas electrónicas alojadas en servidores en jurisdicciones extranjeras, múltiples o desco-

concretan por un lado, en un nuevo Reglamento sobre la Orden Europea de Entrega (European Production Order-EPOC) y sobre la Orden Europea de Conservación (European Preservation Order-EPOC-PR), y por otro lado, en una Directiva sobre la designación de un representante legal por los proveedores de servicios que operan en el territorio de la Unión, con la finalidad de facilitar la recepción, el cumplimiento y el control en la aplicación de las resoluciones judiciales y de las órdenes emitidas por las autoridades competentes de los estados miembros.

La principal novedad que comparten estas medidas es el hecho de que todas ellas permiten que un Estado se dirija directamente a los servidores de comunicaciones situados en otro Estado para solicitarles la información electrónica que obre en su poder y que sea necesaria para fines de prevención, investigación, detección o enjuiciamiento de infracciones penales. Estos mecanismos supondrían un avance nunca antes visto en el espacio de libertad, seguridad y justicia, pues llevan la confianza mutua al siguiente nivel, al poder la autoridad de un Estado miembro dirigirse a un proveedor situado en otro Estado miembro para que directamente le suministre datos sin pasar por la intermediación de las autoridades del Estado en el que se está ejecutando la medida, quienes no tendrían conocimiento de la cesión ya que la misma no le sería notificada a no ser que hubiera algún problema.

Dicha normativa está inspirada en la estadounidense Cloud Act, también denominada como la Ley de la Nube, que entró en vigor el 23 de marzo de 2018[11]. La promulgación de esta norma puso fin a un célebre caso de obtención de datos de comunicaciones electrónicas conocido como *United States v. Microsoft Corp.* Este caso se inició cuando Estados Unidos requirió a Microsoft, cuyos servidores están en Irlanda, la cesión de datos de un investigado por delito de narcotráfico. Microsoft se negó por cuestiones de jurisdicción, sin embargo, la Cloud Act, en un claro afán de difuminar

---

nocidas. Vid. sobre dicha negociación en GASCÓN MARCÉN, A., «La mejora de la obtención de pruebas electrónicas: avance necesario para la seguridad europea», en *La Unión Europea y la seguridad: defensa de los espacios e intereses comunes*, ICEI Occasional Papers, Madrid, 2018, pp. 16-21.

[11] Un análisis de los posibles conflictos entre esta ley y la normativa de la UE en materia de protección de datos puede encontrarse en STEFAN, M., GONZÁLEZ FUSTER, G., *Cross-border Access to Electronic Data through Judicial Cooperation in Criminal Matters. State of the art and latest developments in the EU and the US*, CEPS Papers in Liberty and Security in Europe, n. 2018-07, November, 2018.
Puede descargarse en [Última consulta: 14 de diciembre de 2018]
https://www.ceps.eu/system/files/MS%26GGF_JudicialCooperationInCriminalMatters.pdf

las fronteras de Internet, fue dictada para permitir a Estados Unidos llegar a acuerdos con otros países para acceder a información relacionada con usuarios y almacenada por compañías tecnológicas más allá de su territorio[12]. Cuando la Corte Suprema estudiaba el recurso planteado en este litigio, el Congreso norteamericano aprobó la Cloud Act, por lo que el Alto Tribunal decidió el 17 de abril de 2018 –misma fecha en la que se acordó por la UE el paquete de normas sobre entrega y conservación de *e-evidence*– que, en atención a la nueva normativa, la disputa planteada había quedado sin objeto[13].

Pues bien, como decíamos, algo similar a la Cloud Act plantea la propuesta de normativa europea sobre órdenes de entrega y conservación de prueba electrónica. Ahora bien, como estas órdenes pueden aplicarse a diferentes tipos de datos, se ha elaborado una regulación en función del nivel de injerencia que puedan suponer, con la finalidad de respetar el principio de proporcionalidad. Las categorías de datos que podrán obtener las autoridades competentes incluyen los datos de los abonados[14], los datos relativos al acceso[15], los datos de transacciones[16] (estas tres categorías de datos se denominan generalmente "datos no relativos al contenido" o

---

[12]   Un comentario crítico de dicha ley puede encontrarse en GALBRAITH, J., «Congress enacts the clarifying lawful overseas use of data (CLOUD) Act, Reshaping U.S. law governing cross-border access to data», in *American Journal of International Law*, vol. 112, nº 3, 2018, pp. 487-493.

[13]   Decisión 584 U.S. _ 2018 Microsoft

[14]   Cualquier dato en relación con: la identidad del abonado o cliente, como nombre, fecha de nacimiento, dirección postal o geográfica, facturación y pagos, teléfono o dirección de correo electrónico; o el tipo de servicio y su duración, incluidos los datos técnicos que identifiquen las medidas técnicas correspondientes o las interfaces, utilizadas o facilitadas al abonado o cliente, y los datos relativos a la validación del uso del servicio, excluyendo las contraseñas u otros medios de autentificación utilizados en lugar de una contraseña que hayan sido facilitados por el usuario o creados a petición del mismo.

[15]   Datos relativos al inicio y final de una sesión de acceso del usuario a un servicio, que sean estrictamente necesarios con el único fin de identificar al usuario del servicio, tales como la fecha y hora del acceso, o de conexión y desconexión al servicio, junto con la dirección IP asignada al usuario por el proveedor de servicios de acceso a internet, los datos identificativos de la interfaz utilizada y la identificación del usuario.

[16]   Datos sobre transacciones relacionadas con la prestación de un servicio ofrecido por un proveedor de servicios que sirvan para facilitar información contextual o adicional sobre dicho servicio y sean generados o tratados por un sistema de información del proveedor de servicios, tales como el origen y destino de un mensaje u otro tipo de interacción, la ubicación del dispositivo, la fecha, la hora, la duración, el tamaño, la ruta, el formato, el protocolo utilizado y el tipo de compresión, a menos que estos datos constituyan datos relativos al acceso.

"datos de tráfico y de abono") y los datos de contenido[17] almacenados. La orden de conservación puede emitirse respecto a cualquier tipo de datos y respecto a cualquier infracción penal; pero en la orden de entrega se van a encontrar diferentes categorías: mientras que la orden de entrega de datos de los abonados y de datos relativos al acceso puede emitirse respecto de cualquier infracción penal, la orden de entrega de datos de transacciones o de datos de contenido puede emitirse únicamente respecto de infracciones punibles en el Estado emisor con una pena de privación de libertad de al menos tres años, o respecto de delitos relacionados con el ciberespacio o cometidos mediante la utilización del ciberespacio, o delitos de terrorismo.

Ante esta propuesta de regulación se han alzado numerosas críticas por parte tanto del Consejo de la Unión Europea como del European Data Protection Board (EDPB), un órgano europeo independiente especializado en comprobar que la normativa de la Unión cumple con las exigencias de protección de datos y encargado de promover la cooperación entre las autoridades de protección de datos de los países europeos. Dichas objeciones han sido materializadas por parte del Consejo de la Unión Europea en una revisión del texto de la propuesta emitida el pasado 17 de octubre[18], y por parte del EDPB en un informe no vinculante publicado el pasado 26 de septiembre[19].

Tanto las enmiendas planteadas por el Consejo como las impugnaciones realizadas por el EDPB abogan por utilizar la OEI o los instrumentos de reconocimiento mutuo cuando estos fuesen menos invasivos que las propuestas de *e-evidence*, establecer una coordinación eficaz entre la autoridad representativa según el Reglamento General de Protección de Datos y la nueva figura que plantea la propuesta de Directiva, ya que van a confluir en numerosas funciones; restringir esta regulación a delitos graves o incluso elaborar una lista cerrada que recoja los delitos para los que esté previsto tal intercambio y tratamiento de datos (con vistas a cumplir con lo establecido por las sentencias del Tribunal de Justicia de la Unión Europea de 8 de abril de 2014 –Caso Digital Rights– y de 21 de diciembre de 2016 –Caso Tele2 Sverige–); reforzar la seguridad de los datos conservados y entrega-

---

[17] Todo dato almacenado en formato digital, como texto, voz, vídeos, imágenes y sonidos, distintos de los datos de los abonados, los datos relativos al acceso o los datos de transacciones.

[18] Puede consultarse el texto completo en: http://www.statewatch.org/news/2018/oct/eu-council-e-evidence-discussion-notification-procedures-12113-18-rev1.pdf   [Última consulta: 14 de diciembre de 2018]

[19] Puede consultarse el texto completo en: http://www.statewatch.org/news/2018/oct/eu-e-evidence-edpb-opinion-10-18.pdf [Última consulta: 14 de diciembre de 2018]

dos para garantizar la autenticidad de los mismos; flexibilizar los plazos de entrega, en función del país donde estén almacenados, la encriptación a la que estén sometidos y otras circunstancias que hagan más difícil su cesión.

A ello cabe añadir que el Consejo de la Unión Europea ha observado también la conveniencia de buscar una solución transaccional sobre la inclusión de algún tipo de procedimiento de notificación antes de acudir a los proveedores de servicio, para lo que es esencial atender al carácter sensible de las distintas categorías de datos y a cómo deben tratarse en caso de un posible procedimiento de notificación, así como determinar qué Estado miembro sería el más pertinente para recibir dicha notificación, en función de la jurisdicción en la que se encuentre el servidor y los Estados implicados en la causa penal. Todo con el propósito de evitar privatizar la aplicación de la ley a través de los proveedores de servicios de Internet, pues ello les convertiría en una especie de guardianes de la legalidad, con los riesgos que algo así conlleva. Y es que si se obvia la notificación de solicitud al Estado en el que están situados los servidores se dejaría en sus manos la oposición a la cesión o la aceptación de la misma, lo que socava el papel de los Estados de ejecución y, consecuentemente, debilita la cooperación judicial.

Por otro lado, EuroISPA, la asociación europea de proveedores de servicios de Internet, también ha subrayado las consecuencias negativas que surgirán de cualquier marco que privatice la aplicación de la ley sin garantías claras para los proveedores, una tendencia normativa actual de la UE. Además, ha enfatizado la necesidad de exenciones para PYME en aras de compensar la considerable carga administrativa, legal y financiera en la que podrían incurrir algunas de ellas. Ha avisado del riesgo de fragmentación debido a la categorización de los datos en la propuesta, especialmente para los metadatos, así como de la necesidad de implantar mayor coherencia con los estándares internacionales para las solicitudes de transferencias de datos. Por último, ha planteado la conveniencia de que los Estados miembros publiquen estadísticas con fines de transparencia y establezcan garantías claras sobre la protección de datos encriptados[20].

En definitiva, y en vistas de las enmiendas que han sufrido las propuestas analizadas, consideramos que las mismas precisan de un periodo de maduración mayor que el que parece van a tener. En el ámbito de la Unión Europea se ha apostado siempre por la confianza mutua entre Estados

---

[20]   EuroISPA, *Proposal for a regulation on European production and preservation orders for electronic evidence in criminal matters*, EuroISPA's considerations, junio, 2018. https://rm.coe.int/ ws1-1806-euroispa-e-evidence/16808c29c0 [Última consulta: 14 de diciembre de 2018]

pero dicha confianza no puede ser ciega y no debe sustituir a la autoridad de un Estado miembro por la voluntad de un servidor de datos, pues ello quiebra la cooperación judicial y policial. En este sentido, parece que se avecina un futuro próximo en el que el TJUE tendrá que frenar la primacía de la seguridad por otros valores como la libertad y la justicia, que cada vez están siendo más denostados por nuestros legisladores europeos. Todo ello plantea, sin duda, un reto reformador enorme para el regulador europeo; reto que, además, se verá incrementado como consecuencia de que dicho regulador deberá garantizar que sean sus articulados, y no los de las normativas nacionales, los que realmente definan los plazos, límites y condiciones que concreten las restricciones del derecho fundamental a la protección de datos personales, a la intimidad y a cuantos afecte la cesión transfronteriza de información electrónica.

Capítulo VII

LA TUTELA PROCESAL EN LA TRANSMISIÓN DE DATOS PERSONALES EN CAUSAS PENALES EN LA UNIÓN EUROPEA

Enrique César Pérez-Luño Robledo
Profesor Sustituto Interino de Derecho Procesal
Universidad de Sevilla

SUMARIO: 1. PLANTEAMIENTO. 2. LAS NUEVAS DIRECTIVAS EUROPEAS EN LO REFERENTE A LA PROTECCIÓN DE DATOS Y COOPERACIÓN JUDICIAL Y POLICIAL. 3. CONCLUSIÓN.

RESUMEN: El 17 de diciembre del año 2015, teniendo presente el Programa de Estocolmo y la Propuesta de Directiva del año 2012 del Parlamento Europeo y del Consejo relativa a la protección de las personas físicas en lo que respecta al tratamiento de datos personales por las autoridades competentes a efectos de la prevención, investigación, detección y enjuiciamiento de infracciones penales o la ejecución de sanciones penales, y a la libre circulación de estos datos, el Comité de Libertades Civiles del Consejo y del Parlamento de la UE aprobó dos Directivas que iban a repercutir de forma decisiva respecto a la tutela de los datos personales en el entorno comunitario. Dichas normas, fueron aprobadas por el Parlamento y el Consejo de la UE el 27 de abril del año 2016. Concretamente son la Directiva (UE) 2016/680 y la Directiva (UE) 2016/681. El presente trabajo tiene por objeto el análisis de las nuevas disposiciones de la UE con respecto a la tutela procesal en la transmisión de datos personales en causas penales en el entorno de la Unión Europea.

ABSTRACT: On 17 December 2015, taking into account the Stockholm Programme and the 2012 Proposal for a Directive of the European Parliament and of the Council on the protection of individuals with regard to the processing of personal data by the competent authorities for the purposes of the prevention, investigation, detection, prosecution of criminal offences or the execution of criminal penalties, and on the free movement of such data, the Civil Liberties Committee of the Council and Parliament of the EU adopted two Directives which would have a decisive impact on the protection of personal data in the Community environment. These rules were approved by the Parliament and the Council of the EU on 27 April 2016. Specifically, they are Directive (EU) 2016/680 and Directive (EU) 2016/681. The purpose of this work is to analyse the new EU provisions on procedural protection in the transmission of personal data in criminal cases within the European Union.

PALABAS CLAVE: Directiva (UE) 2016/680, Directiva (UE) 2016/681, cooperación judicial y policial, transmisión de datos personales, protección de datos, garantías procesales.

KEYWORDS: Directive (EU) 2016/680, Directive (EU) 2016/681, judicial and police cooperation, transmission of personal data, data protection, procedural guarantees.

1. PLANTEAMIENTO

Para favorecer la libre circulación y el intercambio de datos de carácter personal y, hacer más ágil la cooperación judicial y policial en el ámbito de la Unión Europea (UE), en el año 2010 fue elaborado por el Consejo Europeo el conocido como "Programa de Estocolmo: una Europa abierta y segura que sirva y proteja al ciudadano". En el año 2012, en el seno de las instancias legislativas de la UE, se elaboró por iniciativa de la Comisión Europea una Propuesta de Directiva del Parlamento Europeo y del Consejo relativa a la protección de las personas físicas en lo que respecta al tratamiento de datos personales por las autoridades competentes a efectos de la prevención, investigación, detección y enjuiciamiento de infracciones penales o la ejecución de sanciones penales, y a la libre circulación de estos datos. La entrada en vigor del Tratado de Lisboa en el 2009, permite el establecimiento de un marco de protección de datos que garantiza un alto nivel de protección de los derechos de los individuos a la vez que se respeta la naturaleza específica del ámbito de cooperación policial y judicial en materia criminal.

El Comité de Libertades Civiles del Consejo y del Parlamento de la UE, el 17 de diciembre del año 2015, teniendo presente el Programa de Estocolmo y la Propuesta de Directiva del 2012, aprobó dos Directivas que iban a repercutir de forma decisiva respecto a la tutela de los datos personales en el entorno comunitario. Dichas normas, fueron aprobadas por el Parlamento y el Consejo de la UE el 27 de abril del año 2016. Concretamente son la Directiva (UE) 2016/680 y la Directiva (UE) 2016/681.

Respecto de las nuevas disposiciones de la UE en materia de protección de datos y cooperación judicial y policial, puede afirmarse que el Parlamento y el Consejo europeos han tratado de establecer unas medidas y mecanismos de garantía de los datos personales tratando que las mismas no se vean afectadas por la necesidad de los Estados de responder a los atentados terroristas y las actividades de la criminalidad internacional organizada. La grave inquietud cívica y política que motivaron los últimos atentados terroristas perpetrados en Europa por organizaciones vinculadas al fundamentalismo islámico han creado un síndrome de alarma entre los ciudadanos de Europa. Hace algunos años el sociólogo alemán Ulrich Beck[1] definió a las sociedades actuales como "sociedad del riesgo". En los momentos actuales parece que nos hallamos ante una situación en la que podría hablarse de unas "sociedades del miedo". Esta nueva circunstancia obliga a los poderes públicos europeos a tomar medidas de protección y seguridad, pero ese tipo de medidas no puede vaciar de contenido las garantías de la libertad que constituyen el fundamento axiológico de la propia UE. Por ello, en los textos que analizo en la presente comunicación, se advierte esa búsqueda de un equilibrio adecuado entre las medidas de seguridad que requieren las sociedades actuales para luchar contra el terrorismo y la criminalidad y la tutela de las libertades que, en las sociedades tecnológicas europeas, tiene un capítulo de decisiva importancia en la garantía de los datos personales.

2. LAS NUEVAS DIRECTIVAS EUROPEAS EN LO REFERENTE A LA PROTECCIÓN DE DATOS Y COOPERACIÓN JUDICIAL Y POLICIAL

La Directiva 2016/680 relativa a la protección de las personas físicas en lo que respecta al tratamiento de datos personales por parte de las autoridades competentes para fines de prevención, investigación, detección o enjuiciamiento de infracciones penales o de ejecución de sanciones penales, y a la libre circulación de dichos datos y por la que se deroga la Decisión Marco 2008/977/JAI del Consejo permite el establecimiento de un marco de protección de datos que garantiza un alto nivel de protección de los derechos de los individuos a la vez que se respeta la naturaleza específica del ámbito de cooperación policial y judicial en materia criminal.

Su finalidad principal se cifra en conseguir que los datos personales utilizados dentro del ámbito de cooperación policial y judicial en materia criminal, sean tratados de modo que se garantice un nivel adecuado de seguridad y confidencialidad, en particular impidiendo el acceso sin autorización a dichos datos o el uso no autorizado de los mismos y del equipo utilizado en el tratamiento, teniendo en cuenta el desarrollo técnico exis-

---

[1]   BECK, Ulrich, *La sociedad del riesgo mundial: en busca de la seguridad perdida*, Trad. Cast., Paidós, Barcelona, 2008.

tente y la tecnología, los costes de ejecución con respecto a los riesgos y la naturaleza de los datos personales que deban protegerse.

El derecho de acceso a los datos personales, se encuentra reconocido en esta Directiva en su Capítulo III, referente a los derechos del interesado. A diferencia de lo que se había planteado en la Propuesta de esta Directiva del año 2012, en la que el derecho de acceso venia regulado en su art. 12, en el texto definitivo aparece en el art. 14, formulado en los siguientes términos:

"Derecho de acceso del interesado a los datos personales

Con sujeción a lo dispuesto en el artículo 15, los Estados miembros reconocerán el derecho del interesado a obtener del responsable del tratamiento confirmación de si se están tratando o no datos personales que le conciernen y, en caso de que se confirme el tratamiento, acceso a dichos datos personales y la siguiente información:

a) los fines y la base jurídica del tratamiento;

b) las categorías de datos personales de que se trate;

c) los destinatarios o las categorías de destinatarios a quienes hayan sido comunicados los datos personales, en particular los destinatarios establecidos en terceros países o las organizaciones internacionales;

d) cuando sea posible, el plazo contemplado durante el cual se conservarán los datos personales o, de no ser posible, los criterios utilizados para determinar dicho plazo;

e) la existencia del derecho a solicitar del responsable del tratamiento la rectificación o supresión de los datos personales relativos al interesado, o la limitación de su tratamiento;

f) el derecho a presentar una reclamación ante la autoridad de control y los datos de contacto de la misma;

g) la comunicación de los datos personales objeto de tratamiento, así como cualquier información disponible sobre su origen".

Las principales diferencias que se aprecian en el texto de la Directiva, con respecto a la redacción contenida en la Propuesta, versan sobre los siguientes aspectos:

1) En el texto definitivo al aludir al tratamiento, se añade la expresión "base jurídica".

2) Se añade en el apartado c) del nuevo texto una referencia expresa a las "organizaciones internacionales" como destinatarias de la transferencia de datos.

3) En el apartado d) del texto definitivo se sustituye la exigencia de un plazo taxativo de conservación de los datos personales, por la mera posibilidad de establecer ese plazo, exponiendo los criterios para determinar dicho plazo.

El nuevo marco regulatorio europeo establecido por esta Directiva pretende asegurar una protección de datos consistente y de alto nivel para mejorar la confianza mutua entre las autoridades policiales y judiciales de los diferentes Estados miembros de la UE, contribuyendo así a una mayor libertad de flujo de datos y una efectiva colaboración entre las autoridades policiales y judiciales[2].

El artículo 15 establece que los Estados miembros podrán adoptar medidas legislativas que restrinjan el derecho de acceso, si así lo exige la naturaleza específica del tratamiento de datos en los ámbitos policial y de la justicia penal, y sobre la información del interesado relativa a una restricción de acceso.

En el art. 16 se establecen los distintos supuestos y modalidades del ejercicio del derecho de rectificación o supresión de datos personales y limitación de su tratamiento. A su vez, en el art. 17 se prescribe que, cuando se restrinja el acceso directo, el interesado debe ser informado de la posibilidad de recurrir al acceso indirecto a través de la autoridad de control, que debe ejercer el derecho en su nombre y ha de informar al interesado del resultado de sus verificaciones.

Desde el punto de vista procesal posee también interés incuestionable cuanto dispone el artículo 18 en relación con la tutela del derecho de acceso, respecto con datos utilizados en procedimientos penales. En dicho texto se prescribe que los Estados miembros dispondrán que los derechos de información, acceso, rectificación, supresión y limitación del tratamiento reconocidos en la Directiva, se ejercerán de conformidad con las normas nacionales de enjuiciamiento cuando los datos personales figuren en una resolución judicial o en un registro tratado en el curso de investigaciones y procedimientos penales.

En este artículo se establece, por tanto, que cuando los datos personales se sometan a tratamiento en el transcurso de investigaciones y procedimientos penales, los derechos de información, acceso, rectificación, supre-

---

[2] Cfr. SÁNCHEZ DOMINGO, Mª Belén, "La protección de datos personales en el espacio de libertad, seguridad y justicia. Especial consideración a las transferencias de datos a terceros países y organizaciones internacionales según la directiva 2016/680", en *Revista de estudios europeos*, N.69, 2017, pp. 37-44.

sión y restricción del tratamiento pueden ejercerse de conformidad con las normas nacionales relativas a los procedimientos judiciales.

En el artículo 29 se establecen medidas tendentes a garantizar la seguridad de los datos. Entre ellas, tiene especial incidencia para el objeto de esta investigación, lo previsto en el artículo 29.2, cuando prevé que en lo referente al tratamiento automatizado de datos, cada Estado miembro dispondrá que el responsable o el encargado del tratamiento, a raíz de una evaluación de los riesgos, implementará medidas destinadas a:

Art.29.2.a) denegar el acceso a personas no autorizadas a los equipamientos utilizados para el tratamiento de datos personales (control de acceso a los equipamientos);

Art.29.2.e) garantizar que las personas autorizadas a utilizar un sistema de tratamiento automatizado de datos solo puedan tener acceso a los datos para los que han sido autorizados (control del acceso a los datos);

Por último, la Directiva al enumerar las funciones de las autoridades de control prescribe, en su artículo 46, la obligación de los Estados miembros de establecer las funciones de esas autoridades. De modo especial, se alude en dicho artículo a la necesidad de que se regule la admisión a trámite y la investigación de las reclamaciones y el fomento de la sensibilización de la opinión pública sobre riesgos, normas, garantías y derechos. Cuando se deniegue o restrinja el acceso directo, una función propia de las autoridades de control en el contexto de esta Directiva es el ejercicio del derecho de acceso por cuenta de los interesados y de verificación de la licitud del tratamiento de datos.

La Directiva pretende, que cuando los Estados miembros hayan adoptado medidas legislativas que restrinjan, total o parcialmente, el ejercicio del derecho de acceso a los datos personales, el interesado tenga derecho a solicitar que la autoridad nacional de control competente verifique la licitud del tratamiento. El interesado debe ser informado de este derecho. Cuando el acceso sea ejercido por la autoridad de control a petición del interesado, este debe ser informado del curso de su solicitud, por la autoridad de control, como mínimo, de que se han llevado a cabo las verificaciones necesarias y del resultado en cuanto a la licitud del tratamiento en cuestión.

Respecto al principio de tratamiento leal de los datos personales, la Directiva tiende a consagrar como garantía del interesado, que sea informado, entre otras cosas, de la existencia de la operación de tratamiento y sus fines, del plazo de conservación de los datos, de la existencia del derecho de acceso, rectificación o supresión y del derecho a presentar una reclamación. Cuando los datos se obtengan de los interesados, estos también deben ser informados de si están obligados a facilitarlos y de las consecuencias, en caso de que no lo hicieran.

Esta Directiva, encuentra su fundamento en el artículo 16, apartado 2, del Tratado de Lisboa, que es una nueva base jurídica específica para la adopción de normas relativas a la protección de las personas físicas con respecto al tratamiento de datos de carácter personal por parte de las instituciones, órganos y organismos, y por los Estados miembros en el ejercicio de las actividades comprendidas en el ámbito de aplicación del Derecho de la Unión, y de normas relativas a la libre circulación de estos datos.

En definitiva, esta Directiva de la UE, se propone garantizar un nivel uniforme y elevado de protección a las personas físicas titulares de los datos. Al propio tiempo, desea conjugar esta finalidad garantista con el reforzamiento de la confianza mutua entre las autoridades policiales y judiciales de los distintos Estados miembros y facilitando la libre circulación de datos y la cooperación entre las autoridades policiales y judiciales[3].

En la misma fecha que la Directiva ya analizada, la UE promulgó la Directiva 2016/681 relativa a la utilización de datos del registro de nombres de los pasajeros (PNR) para la prevención, detección, investigación y enjuiciamiento de los delitos de terrorismo y de la delincuencia grave. Este texto normativo tiene su antecedente en el "Programa de Estocolmo: una Europa abierta y segura que sirva y proteja al ciudadano", al que ya se aludió *supra*.

El objeto de esta Directiva 2016/681 consiste entre otras cosas, en garantizar la seguridad, proteger la vida y la seguridad de los ciudadanos y crear un marco jurídico para la protección de los datos PNR en lo que respecta a su tratamiento por las autoridades competentes[4].

En este texto se establecen algunas garantías básicas en materia de protección de datos. Entre ella, reviste especial interés la que en el ámbito del

---

[3] Sobre la futura transposición de esta Directiva a nuestro ordenamiento jurídico vid. COLOMER HERNÁNDEZ, Ignacio, "A Propósito de la compleja trasposición de la Directiva 2016/680 relativa al tratamiento de datos personales para fines penales", *Diario La Ley*, Nº 9179, 2018.

[4] Para una valoración general de esta Directiva vid. CATALINA BENAVENTE, María Ángeles, "La Directiva Europea (UE) 2016/681, de 27 de abril de 2016, relativa a la utilización de los datos por en la lucha contra el terrorismo y la delincuencia grave (1), *Diario La Ley*, Nº 8801, 2016.

tratamiento de los datos PNR, hace referencia a que los Estados miembros velarán para que el responsable de la protección de datos tenga acceso a todos los datos tratados por la UIP (unidad única de información sobre los pasajeros). Si el responsable de la protección de datos considera que el tratamiento de un dato cualquiera no ha sido lícito, podrá remitirlo a la autoridad nacional de control (art. 6.7).

La Directiva establece, en su art. 10.1, que Europol tendrá derecho a solicitar datos PNR o el resultado del procesamiento de dichos datos a las UIP de los Estados miembros dentro de los límites de sus competencias y para el desempeño de sus funciones.

Tiene especial relevancia, a efectos de la tutela de los datos personales, cuanto proclama el art. 12. En cuyo apartado 1 se prescribe que: "Los Estados miembros se asegurarán de que los datos PNR proporcionados por las compañías aéreas a la UIP se conservan en una base de datos de la Unidad durante un plazo de cinco años a partir de su transmisión a la UIP del Estado miembro en cuyo territorio tenga su punto de aterrizaje u origen el vuelo".

Este artículo aparece como una cláusula que corrobora el interés de la UE por garantizar el derecho al olvido estableciendo un plazo máximo para la conservación de los datos. Para reforzar esta garantía en el apartado 2 de dicho art. 12 se dispone que al finalizar un plazo de seis meses desde la transmisión de datos PNR mencionada en el apartado 1, todos los datos PNR deberán ser despersonalizados mediante enmascaramiento de los siguientes elementos que podrían servir para identificar directamente al pasajero al que se refieren los datos PNR:

a) nombre(s) y apellido(s), incluidos los de otros pasajeros que figuran en el PNR y número de personas que figuran en el PNR que viajan juntas;

b) dirección y datos de contacto;

c) rodos los datos sobre el pago, incluida la dirección de facturación, en la medida en que contengan información que pueda servir para identificar directamente al pasajero al que se refiere el PNR, o a cualquier otra persona;

d) información sobre viajeros asiduos;

e) observaciones generales, en la medida en que contengan información que pueda servir para identificar directamente al pasajero al que se refiere el PNR, y

f) toda la API (información anticipada sobre los pasajeros) recopilada.

Señala también el apartado 3 del art. 12 que al finalizar el período de seis meses mencionado en el apartado 2, solo se permitirá la divulgación de los datos PNR completos cuando:

a) se crea razonablemente que es necesario a los efectos establecidos en el artículo 6, apartado 2, letra b), y

b) haya sido aprobado por:

 i) una autoridad judicial, u

 ii) otra autoridad nacional competente para verificar si se cumplen las condiciones para la divulgación conforme al derecho nacional, con sujeción a la información y revisión a posteriori del responsable de la protección de datos de la UIP.

Asimismo se contempla en el apartado 4 del art. 12 que los Estados miembros se asegurarán de que los datos PNR sean suprimidos de modo permanente al finalizar el período a que se refiere el apartado 1. Esta obligación se entenderá sin perjuicio de aquellos casos en que se hayan transferido datos PNR específicos a una autoridad competente y se estén utilizando en el marco de un asunto específico a efectos de prevenir, detectar, investigar o enjuiciar los actos de terrorismo o delitos graves, en cuyo caso la conservación de los datos por la autoridad competente se regirá por el derecho nacional.

La disposición más importante de esta Directiva en relación con la garantía del *habeas data* se haya incluida en su art. 13. En dicho artículo se establece la plena garantía de los derecho ARCO consagrados por las normas de la UE y de los Estados que la integran (art. 13.1). Por tanto el *habeas data* está plenamente consagrado en este artículo. Se desprende de ello que medidas de seguridad y el tratamiento de la información policial con vistas a evitar posibles acciones criminales, en ningún momento podrán menoscabar las garantías de protección de datos establecidas en el marco de la UE.

En el apartado 4 de dicho art. 13 se afirma también que los Estados miembros prohibirán el tratamiento de datos PNR que revele el origen racial o étnico, las opiniones políticas, las creencias religiosas o filosóficas, la pertenencia a un sindicato, la salud, la vida sexual o la orientación sexual de una persona. En el caso de que la UIP reciba datos PNR que revelen tal información, los suprimirá inmediatamente.

En definitiva, se ofrece una garantía general del sistema consistente en la obligación de los Estados de la UE para velar por que sus UIP apliquen las medidas y los procedimientos técnicos y organizativos adecuados para garantizar el elevado nivel de seguridad correspondiente a los riesgos que entrañen el tratamiento y las características de los datos PNR (art. 13.7).

3. CONCLUSIÓN

Las nuevas normas europeas de protección de datos y cooperación judicial y policial, son el resultado de un largo y arduo proceso de elaboración. En particular, el *iter legis* de estas Directivas ha sido especialmente problemático, por afectar a valores e intereses públicos y privados que rebasan el ámbito europeo, para adquirir una dimensión planetaria. Los textos finales han debido superar las tentativas de mediatización de determinados gobiernos europeos más preocupados en el reforzamiento de la seguridad que en la garantía de los datos personales. La redacción de su normativa ha sido fruto de acuerdos, transacciones y compromisos por parte de las instancias europeas que han intervenido en su elaboración y aprobación. Por tal motivo, no han faltado valoraciones críticas sobre la calidad normativa de estas Directivas.

Estas consideraciones críticas, no deben dejar paso al pesimismo respecto a la futura eficacia del nuevo marco europeo de tutela de los datos personales y cooperación judicial y policial. Determinadas formulaciones imprecisas y equívocas de estas normas, podrán ser ulteriormente enmendadas por los desarrollos legislativos de las normativas nacionales europeas. Tampoco puede omitirse la importancia de los jueces y tribunales que al aplicar esta normativa en los casos concretos pueden contribuir a subsanar algunos de sus planteamientos. No huelga recordar que, el Derecho informático debe gran parte de su desarrollo a su dimensión "pretoriana", es decir, que han sido los jueces quienes han contribuido de forma decisiva a actualizar y corregir determinadas normas reguladoras de esta materia y a colmar las lagunas que continuamente se producen en ese *perpetuum mobile* en que la protección de los datos personales consiste[5].

El otro aspecto importante de la normativa reseñada, es el que atañe a la preocupación constante de la UE por mantener una normativa jurídica de protección de datos y cooperación judicial y policial actualizada, que responda a la constante evolución tecnocientífica. La UE ha sido sensible al impacto que sobre los derechos y libertades ejercen las Nuevas Tecno-

---

[5]   Cfr., PEREZ LUÑO, Antonio, *Libertad informática y leyes de protección de datos personales*, en colab. con Losano, Mario, y Guerrero Mateus, Mª Fernanda, Centro de Estudios Constitucionales, 1989, Madrid, pp. 57 ss.

logías NT y las Tecnologías de la Información y de la Comunicación TIC[6]. En el tiempo presente fenómenos tales como determinados programas de la neurociencia pueden invadir los estratos más reservados de la persona. Además, existen ya experiencias de *Big-Data*, que permiten un uso y un control masivo de informaciones referentes a un número ilimitado de personas y a un número ilimitado de situaciones[7]. Ese almacenamiento masivo de datos personales, que a través de los algoritmos, pueden permitir todo tipo de tratamientos, representan un gran reto para la tutela jurídica de dichos datos.

A partir de ahora se abre el banco de prueba para comprobar en qué medida la nueva normativa europea de protección de datos personales en la esfera de la cooperación judicial y policial resulta eficaz para responder a los retos actuales de la tecnociencia. El legislador europeo, ha diseñado mediante las dos disposiciones normativas, a cuyo estudio se han dedicado estas reflexiones un marco jurídico, amplio y flexible, aunque no exentos de algunas deficiencias a las que se ha tenido ocasión de aludir, con el deseo de que resulte idóneo para la regulación, en el presente y en el inmediato futuro, de los principales impactos tecnológicos en los datos personales de los ciudadanos de la UE. Conjeturar sobre el éxito de esa pretensión es algo que escapa a la finalidad de esta comunicación.

---

[6]   Sobre las relaciones entre las NT y las TIC y los derechos humanos existe hoy una amplia bibliografía. Síntoma ejemplar de esas investigaciones es la obra realizada en el seno del Programa CONSOLIDER, a cargo de PÉREZ LUÑO, Antonio, *Nuevas Tecnologías y Derechos Humanos*, Tirant lo Blanch, Valencia, 2014, en la que colaboran: Susana ALVAREZ, Miguel ALVAREZ ORTEGA, Ana GARRIGA, Rafael GONZALEZ-TABLAS, Fernando LLANO ALONSO y Cristina PAUNER. Vid, también, PEREZ LUÑO, Antonio, *Los derechos humanos en la sociedad tecnológica*, Universitas, Madrid, 2012.

[7]   GARRIGA DOMINGUEZ, Ana, *Nuevos retos para la protección de datos personales. En la Era del Big Data y de la computación ubicua*, Dykinson, Madrid, 2015.

Capítulo VIII

REFLEXIONES EN TORNO A LA EXCLUSIÓN DE LOS EQUIPOS CONJUNTOS DE INVESTIGACIÓN EN LA DIRECTIVA 2014/41/UE[1]

Alejandro Hernández López
Investigador predoctoral FPI-MINECO
Universidad de Valladolid

SUMARIO: 1. INTRODUCCIÓN. 2. DIFERENTE NATURALEZA JURÍDICA. 3. ÁMBITO DE APLICACIÓN OBJETIVO. 4. AUTORIDADES COMPETENTES Y PARTICIPACIÓN DE ORGANISMOS DE LA UE. 5. REQUISITOS FORMALES Y TEMPORALES. 6. OBTENCIÓN DE INFORMACIÓN, TRANSMISIÓN Y ADMISIBILIDAD DE LA PRUEBA. 7. CONCLUSIONES.

RESUMEN: Desde la entrada en vigor de la Decisión Marco 2002/465/JAI, los Equipos Conjuntos de Investigación (ECI) han demostrado ser instrumentos útiles para la obtención de pruebas en circunstancias transnacionales. Sin embargo, a pesar de que, aparentemente, este instrumento anterior al Tratado de Lisboa comparte objetivos comunes con la Orden Europea de Investigación (OEI), los Estados miembros decidieron excluir expresamente los ECI y su régimen de obtención de pruebas del ámbito de aplicación de la Directiva 2014/41/UE. El objetivo del presente trabajo es comparar ambos instrumentos con el fin de determinar si esta exclusión está justificada.

ABSTRACT: Since the entry into force of the Framework Decision 2002/465/JHA, Joint Investigation Teams (JIT) have proven to be useful tools for gathering evidences in transnational circumstances. However, even though this pre-Lisbon instrument and the European Investigation Order (EIO) apparently share common purposes, Member States decided to expressly exclude the JITs and the gathering of evidences within them from the scope of application of the Directive 2014/41/EU. This paper aims to compare both instruments in order to determine whether this exclusion is justified.

PALABRAS CLAVE: ECI, OEI, ELSJ, obtención y admisibilidad de prueba

---

[1]   El presente trabajo ha sido realizado en el marco de los proyectos de investigación "Garantías procesales de investigados y acusados: la necesidad de armonización y fortalecimiento en el ámbito UE" (MINECO, ref. DER 2016-78096-P) y "Sociedades seguras y garantías procesales: el necesario equilibrio" (JCYL, ref. VA135G18).

KEYWORDS: JIT, EIO, AFSJ, gathering and admissibility of evidence

1. INTRODUCCIÓN

De la misma manera que la adopción de la ODE supuso en su momento la superación del régimen tradicional de extradición en el ámbito de la UE, la Orden Europea de Investigación (OEI)[2], como instrumento de reconocimiento mutuo de última generación, está llamada a ser el mecanismo estrella para la obtención y transmisión de prueba transfronteriza entre los Estados miembros participantes. La adopción de la OEI supone la lógica superación de un variado elenco de instrumentos que venían utilizándose para fines análogos, desde la clásica comisión rogatoria[3] al más moderno y ya derogado exhorto europeo de obtención de pruebas[4]. No en vano, el régimen transitorio incluido en la propia Directiva OEI establece la preeminencia de este instrumento en las relaciones entre autoridades nacionales de Estados miembros de la UE que participan en él –todos los Estados miembros excepto Irlanda y Dinamarca–, salvo en el caso de que existan acuerdos bilaterales o multilaterales más favorables[5].

Una de las principales ventajas del instrumento radica en que su ámbito de aplicación abarca todo tipo de medidas de investigación, desde la declaración por videoconferencia a la intervención de un agente encubierto

---

[2]   Directiva 2014/41/UE del Parlamento Europeo y del Consejo, de 3 de abril de 2014, relativa a la orden europea de investigación en materia penal (DO L 130 de 1 de mayo de 2014), denominación conforme a la última corrección de errores (DO L 132 de 12 de diciembre de 2017).

[3]   Conforme al Convenio europeo de asistencia judicial en materia penal de 1959 (Estrasburgo, 20 de abril de 1959) y el Convenio 2000 de asistencia judicial en materia penal entre Estados miembros de la UE (DO C 197 de 12 de julio de 2000) y su protocolo (DO L 326 de 21 de noviembre de 2001).

[4]   Decisión Marco 2008/978/JAI del Consejo, de 18 de diciembre de 2008, relativa al exhorto europeo de obtención de pruebas para recabar objetos, documentos y datos destinados a procedimientos en materia penal (DO L 350 de 30 de diciembre de 2008), derogada expresamente por el art. 1 del Reglamento (UE) 2016/95 del Parlamento Europeo y del Consejo, de 20 de enero de 2016, por el que se derogan determinados actos en el ámbito de la cooperación policial y judicial en materia penal (DO L 26 de 2 de febrero de 2016). Este instrumento se vio lastrado, desde sus orígenes, por su limitado ámbito de aplicación objetivo, reservado a la obtención de pruebas preexistentes y no a la realización de medidas de investigación para la obtención de las mismas, lo que en la práctica abocaba a las autoridades nacionales a utilizar comisiones rogatorias complementarias.

[5]   Arts. 34 y 35 Directiva 2014/41/UE.

en territorio de otro Estado miembro. No obstante, y a pesar de la amplitud de medidas que con este instrumento se pueden acordar, el legislador europeo ha considerado conveniente excluir expresamente del ámbito de la OEI la constitución de un Equipo Conjunto de Investigación (ECI), así como su régimen específico de obtención de pruebas[6].

La constitución de un ECI supone la creación de un equipo investigador formado por autoridades –jueces, fiscales y/o policías– de dos o más Estados miembros, en el que también puede participar personal de agencias y organismos europeos e, incluso, de autoridades de terceros Estados, para llevar a cabo una investigación penal transfronteriza en común. En esencia, se trata de establecer formalmente un equipo de investigación de carácter multilateral, para unos fines de investigación determinados y que habrá de actuar con regularidad en las diferentes jurisdicciones de los Estados miembros que forman parte del ECI, por lo que su ámbito de aplicación objetivo natural lo constituyen investigaciones sobre hechos criminales de especial gravedad y de carácter transfronterizo. La regulación de este instrumento es anterior a la entrada en vigor del Tratado de Lisboa: tras el llamamiento del Consejo europeo de Tampere para el establecimiento de esta modalidad de cooperación con la mayor celeridad posible[7], aparece doblemente regulado en el art. 13 del Convenio 2000 y en una Decisión Marco específica[8] que reproduce su contenido[9].

Una de las principales ventajas que presenta la creación de un ECI para llevar a cabo una investigación penal transfronteriza estriba en el hecho de que, una vez constituido, sus miembros pueden solicitar y/o ejecutar medidas de investigación, presenciar dichas actuaciones, intercambiar libremente

---

[6]   Art. 3 Directiva 2014/41/UE.

[7]   *Vid.* Conclusiones 43 a 50 de la presidencia del Consejo Europeo reunido en Tampere los días 15 y 16 de octubre de 1999.

[8]   Decisión Marco 2002/465/JAI del Consejo, de 13 de junio de 2002, sobre equipos conjuntos de investigación (DO L 162 de 20 de junio de 2002), transpuesta en España mediante la Ley 11/2003, de 21 de mayo, reguladora de los equipos conjuntos de investigación penal en el ámbito de la UE (BOE n.° 282 de 21 de noviembre de 2014).

[9]   Esta doble regulación se explica por la necesidad de que esta medida estuviera operativa de manera urgente, a fin de permitir la colaboración estrecha entre autoridades en materia terrorista tras los trágicos sucesos del 11S, objetivo imposible de conseguir siguiendo el lento proceso de ratificación del Convenio 2000 (que finalmente entró en vigor en 2005 y, aún hoy, ni Grecia ni Irlanda han ratificado. Italia lo ha ratificado en febrero de 2018). Estas razones se pueden vislumbrar tras una lectura de los considerandos (2) a (7) de la Decisión Marco 2002/465/JAI, así como del considerando número (9), que menciona explícitamente la posibilidad de que autoridades policiales de EEUU puedan participar en un ECI.

la información recabada y, en su caso, utilizarla válidamente como prueba en los procesos penales desarrollados en los diferentes Estados miembros que forman parte del equipo. Ciertamente, se trata de un ámbito de aplicación que, *a priori*, puede parecer muy semejante al reservado para la OEI.

Teniendo en cuenta las similitudes que presentan en cuanto a su finalidad, ¿está justificada la exclusión del ECI del ámbito de aplicación objetiva de la Directiva OEI? En las siguientes líneas trataremos esta cuestión a través de un estudio comparativo que muestre las principales divergencias y convergencias entre ambos instrumentos, determinando cuál es su diferente papel en el desarrollo de investigaciones criminales con elementos transfronterizos en el ELSJ.

2. DIFERENTE NATURALEZA JURÍDICA

Probablemente, la principal diferencia entre ambos instrumentos se manifiesta a través del análisis de su diferente naturaleza jurídica. La OEI se trata, a todos los efectos, de una resolución judicial –bien originariamente, bien "homologada" tras su preceptiva validación en aquellos supuestos que así se requiere– emitida por la autoridad nacional competente de un Estado miembro, que debe surtir efectos en la jurisdicción de otro Estado miembro[10]. Consecuentemente, estamos ante un instrumento de la Unión basado en el principio de reconocimiento mutuo, pilar fundamental del desarrollo de la cooperación judicial en materia penal desde las conclusiones del Consejo Europeo de Tampere, si bien presenta características propias de la clásica asistencia judicial[11].

En contraposición, un ECI no es propiamente una resolución judicial, pues puede suceder que, para su válida constitución, ni tan siquiera sea preceptiva la participación de autoridad judicial alguna –tal es el caso de los ECI formados exclusivamente por autoridades policiales–. Tampoco puede ser considerado como una medida de investigación en sí misma, como erróneamente podría interpretarse tras una lectura *a contrario sensu* del art. 3 de

---

[10]   *Vid.* art. 1.1 Directiva 2014/41/UE.
[11]   Como muestra el amplio abanico de motivos de denegación del reconocimiento o la ejecución (*vid.* art. 11 Directiva 2014/41/UE). Una interesante reflexión sobre la naturaleza "mixta" del instrumento puede apreciarse en ARMADA, Inés, "The European Investigation Order and the Lack of European Standards for Gathering Evidence: Is a Fundamental Rights-Based Refusal the Solution?", *New Journal of European Criminal Law*, Vol. 6, issue 1, 2015, en especial pp. 22-24.

la Directiva OEI[12]. Por el contrario, el ECI se trata de un instrumento de cooperación judicial y/o policial avanzado, en cuyo marco es posible, ahora sí, adoptar un amplio abanico de medidas de investigación. Simplificando sobremanera, el ECI, a diferencia de la OEI, se asemeja más a un "contrato", en el que las partes contratantes serán los Estados miembros participantes, representados por los jefes del equipo –y las autoridades nacionales que deben autorizar su constitución–, cuyo objeto será una investigación penal determinada, y en el que se añadirán tantas cláusulas como sean necesarias para delimitar su organización, reglas de funcionamiento y su vigencia. No se trata de un instrumento puro de reconocimiento mutuo, pues la constitución de un ECI no está sometida a un régimen cuasiautomático de reconocimiento, ya que previamente requiere la consecución de un acuerdo entre las autoridades nacionales de los diferentes Estados miembros que participarán en el mismo para afrontar, de manera conjunta y coordinada, la investigación de unos hechos criminales. En dicho acuerdo, que variará conforme a las necesidades de cada investigación conjunta, se establecerán una serie de disposiciones necesarias –descripción del objeto de la investigación, fines comunes, duración–, se determinará su organización, su funcionamiento y se añadirán tantas otras disposiciones como se estimen convenientes.

3. ÁMBITO DE APLICACIÓN OBJETIVO

Puede emitirse una OEI tanto para el desarrollo de diligencias de investigación como para la obtención de pruebas preexistentes en relación con investigaciones y procedimientos penales en sentido amplio –incluyendo procedimientos administrativos sancionadores de carácter punitivo[13] susceptibles de revisión por un órgano jurisdiccional–. La emisión de la OEI no

---

[12]   El art. 3 de la Directiva parte de una premisa que, a mi juicio, es errónea, pues al afirmar que "La OEI comprenderá todas las medidas de investigación con excepción de la creación de un equipo conjunto de investigación y la obtención de pruebas en dicho equipo (…)" está asumiendo que el ECI se trata de una medida de investigación, negando su condición de instrumento de cooperación autónomo y específico.

[13]   Sobre su carácter penal, *cfr.* entre otras SSTEDH *Engel y otros c. Países Bajos*, de 8 de junio de 1976 (ECLI:CE:ECHR:1976:1123JUD000510071); *Grande Stevens y otros c. Italia*, de 4 de marzo de 2014 (ECLI: CE:ECHR:2014:0304JUD001864010); *A y B c. Noruega*, de 15 de noviembre de 2016 (ECLI: CE:ECHR:2016:1115JUD002413011); SSTJUE asunto Åkerberg *Fransson*, C-617/10, de 26 de febrero de 2013 (ECLI: EU:C:2013:105); asunto *Menci*, C-524/15, de 20 de marzo de 2018 (ECLI: EU:C:2018:197); asunto *Garlsson Real Estate y otros*, C-537/16, de 20 de marzo de 2018 (ECLI: EU:C:2018:193); asuntos acumulados *Di Puma y Zecca*, C-596/16 y C-597/16, de 20 de marzo de 2018 (ECLI:EU:C:2018:192).

está condicionada, por norma general[14], a la observancia de limitaciones de carácter sustantivo, tales como la categoría o tipo penal o la gravedad de la pena asociada, pero el contenido de ésta sí que deberá cumplir siempre y respetar los principios de proporcionalidad, necesidad y legalidad[15]. Se trata, por lo tanto, de un ámbito de aplicación objetivo amplio, fruto de la voluntad europea de que el uso de este instrumento se generalice y sustituya eficazmente a los mecanismos e instrumentos preexistentes.

Comparativamente, es cierto que el ámbito de aplicación objetivo de un ECI presenta ciertas similitudes. En primer lugar, debemos entender nuevamente que la constitución de un ECI está permitida para el desarrollo de investigaciones penales *lato sensu*, ya que la Decisión Marco no excluye expresamente de su ámbito de aplicación los procedimientos sancionadores de carácter punitivo, al mismo tiempo que reconoce la posibilidad de participación de representantes de la OLAF o la Comisión. Además, una lectura conjunta de los arts. 3 y 13 del Convenio 2000 permite entender incluidos este tipo de procedimientos en su ámbito de aplicación.

En segundo lugar, en cuanto a la existencia de limitaciones de carácter sustantivo, la regulación de los ECI tampoco incluye presupuestos materiales de exclusión. Por el contrario, la limitación del ámbito de aplicación del ECI se configura a través de la instauración de dos presupuestos necesarios para su constitución, de carácter alternativo, y que utilizan fórmulas jurídicamente indeterminadas. Así, el establecimiento de un ECI estará justificado siempre que la investigación de infracciones penales en un Estado miembro requiera investigaciones difíciles que impliquen la movilización de medios considerables y afecten también a otros Estados miembros[16]; y/o cuando varios Estados miembros realicen investigacio-

---

[14] Como regla especial, la autoridad de ejecución puede denegar el reconocimiento si, conforme a su derecho nacional, la ejecución de la medida está reservada a determinados tipos delictivos o a delitos castigados con penas a partir de un determinado umbral (*vid.* art. 11.1 h) Directiva 2014/41/UE). No obstante, quedan excluidos de la aplicación de este motivo de denegación las medidas contempladas en el art. 10.2 de la Directiva 2014/41/UE. Sobre la transposición de este motivo de denegación en el ordenamiento jurídico español, *vid.* GRANDE SEARA, Pablo, "Reconocimiento y ejecución en España de una Orden Europea de Investigación", en GONZÁLEZ CANO, Mª Isabel (Dir.), *Integración europea y justicia penal*, Valencia, Tirant lo Blanch, 2018, pp. 472-473.

[15] Para un análisis más detallado de los principios que actúan como presupuesto para la emisión de una OEI, *vid.* ARANGÜENA FANEGO, Mª del Coral, "Orden Europea de Investigación: próxima implementación en España del nuevo instrumento de obtención de prueba penal transfronteriza", *Revista de Derecho Comunitario Europeo*, n.º 58, 2017, pp. 922-925.

[16] Art. 13.1 a) Convenio 2000 y art. 1.1 a) Decisión Marco 2002/465/JAI.

nes que, debido a las circunstancias del caso, requieran una actuación coordinada y concertada[17].

A pesar de las similitudes que se pueden apreciar, parece claro que la intencionalidad del legislador al regular el ámbito de aplicación de uno y otro instrumento difiere. Mientras que respecto de la OEI subyace la voluntad de que ésta pueda utilizarse en cualquier clase de investigación o procedimiento penal que presente elementos transfronterizos y requiera la colaboración de otro Estado miembro –carácter horizontal del instrumento[18]–, el ECI aparece reservado para aquellas situaciones en las que el elemento transfronterizo no se trata solo de un hecho circunstancial, sino que es el elemento que caracteriza a todo el procedimiento y/o investigación penal, convirtiéndola en especialmente compleja y justificando así una colaboración regular, flexible y coordinada en el tiempo entre las autoridades nacionales implicadas.

4. AUTORIDADES COMPETENTES Y PARTICIPACIÓN DE ORGANISMOS DE LA UE

La diferente naturaleza jurídica de ambos instrumentos influye necesariamente en el régimen de autoridades competentes. En el caso de la OEI, al tratarse de un instrumento de reconocimiento mutuo basado en el intercambio directo de resoluciones judiciales, las autoridades de emisión y ejecución serán las autoridades nacionales competentes reconocidas a tal efecto por la normativa interna de cada Estado miembro. En este sentido, si bien es verdad que cabe la posibilidad de que órganos administrativos o policiales puedan emitir también una OEI en aquellos ordenamientos que así lo prevean –no así en el caso de España[19]–, esta emisión estará siempre subordinada a su posterior validación por parte de una autoridad judicial[20].

---

[17] Art. 13.1 b) Convenio 2000 y art. 1.1 b) Decisión Marco 2002/465/JAI.
[18] En este mismo sentido, *vid.* la redacción del considerando (8) de la Directiva.
[19] En España, las únicas autoridades nacionales competentes para la emisión y ejecución de una OEI son los jueces y magistrados y el Ministerio Fiscal. En este último caso, siempre y cuando la medida de investigación solicitada no afecte a derechos fundamentales. *Vid.* art. 187 de la Ley 23/2014, de 20 de noviembre, de reconocimiento mutuo de resoluciones penales en la Unión Europea (BOE n.º 282 de 21 de noviembre de 2014), tras las modificaciones introducidas por la Ley 3/2018, de 11 de junio (BOE n.º 142 de 12 de junio de 2018). Sobre esta cuestión, *vid.* GRANDE SEARA, Pablo, "Reconocimiento y ejecución en España de una Orden Europea de Investigación"..., *op. cit.,* pp. 440-442.
[20] Art. 1 Directiva 2014/41/UE.

La normativa permite que la OEI pueda ser emitida de oficio –supuesto común– o a instancia de parte[21], si bien en este último supuesto el alcance de la legitimación de las partes para solicitarla estará fuertemente condicionado a lo dispuesto procesalmente a nivel nacional. La participación de organismos de la UE en la OEI, en especial, Eurojust y la RJE, se vincula a una labor asistencial durante su transmisión y al desempeño de las funciones que éstas tienen encomendadas en su regulación específica, que, conforme al actual marco normativo, y a la espera de que el recientemente aprobado Reglamento de Eurojust sea aplicable[22], son principalmente de carácter facilitador.

En el caso del ECI, la decisión sobre la oportunidad de constituirlo nacerá de la voluntad de las autoridades nacionales autorizadas, sin que quepa interesar su constitución a instancia de parte[23]. Sin perjuicio de lo anterior, comparativamente presenta un ámbito de aplicación subjetivo más amplio, pues pueden ser miembros de un ECI tanto autoridades judiciales de los Estados miembros en el sentido europeo del término (jueces y fiscales) como autoridades policiales. Además, están habilitados para participar activamente en el equipo representantes de agencias y organismos europeos, como es el caso de Eurojust[24] o Europol[25], así como representantes de la Comisión (principalmente, a través de la OLAF[26]), e incluso representan-

---

[21]   Art. 1.3 Directiva 2014/41/UE, art. 189.1 Ley 23/2014.

[22]   Hecho que no sucederá hasta el 12 de diciembre de 2019. *Vid.* art. 82.2 Reglamento (UE) 2018/1727 del Parlamento Europeo y del Consejo, de 14 de noviembre de 2018, sobre la Agencia de la Unión Europea para la Coperación Judicial Penal (Eurojust) y por la que se sustituye y deroga la Decisión 2002/187/JAI del Consejo (DO L 295 de 21 de noviembre de 2018).

[23]   No obstante, en el ámbito judicial, Eurojust puede interesar la constitución de un ECI (art 6.1 a) iv; art. 7.1 a) iv de la Decisión de Eurojust), aunque esta solicitud no tendrá carácter vinculante.

[24]   La participación de miembros nacionales de Eurojust aparece expresamente reconocida en el art. 9 *septies* de la Decisión de Eurojust, tras las modificaciones operadas por la Decisión 2009/426/JAI del Consejo, de 16 de diciembre de 2008 (DO L 138 de 4 de junio de 2009), así como en el nuevo Reglamento de Eurojust (*vid.* 8.1 d)). Eurojust lleva a cabo una importantísima labor de apoyo y promoción de los ECI, incluida su financiación, supeditada esta última a la participación de los miembros nacionales de los Estados miembros implicados.

[25]   Art. 5 Reglamento (UE) 2016/794 del Parlamento Europeo y del Consejo, de 11 de mayo de 2016, relativo a la Agencia de la Unión Europea para la Cooperación Policial (Europol) (DO L 135 de 24 de mayo de 2016), siempre y cuando la investigación se refiera a delitos que entren dentro de su ámbito de competencia.

[26]   La participación de miembros de la OLAF se adecuará a los límites establecidos en su marco legal y está subordinada a la firma de un acuerdo entre las autoridades nacionales competentes y el Director de la Oficina, acuerdo que será incluido como anexo del acuerdo constitutivo del ECI.

tes de terceros Estados[27]. Ahora bien, la posibilidad de ser miembro de un ECI no implica potestad para constituirlo libremente, ya que el régimen de autorización para constituir el equipo varía conforme a lo previsto en cada normativa nacional[28]. Ni tampoco iimplica, necesariamente, la habilitación de sus miembros para adoptar autónomamente las medidas de investigación que, durante el desarrollo de la investigación, se vayan precisando, pues la aprobación de estas medidas estará naturalmente sometida al régimen legal de autorización y a los requisitos vigentes en cada Estado miembro.

5. REQUISITOS FORMALES Y TEMPORALES

Como sucede con otros instrumentos de reconocimiento mutuo, la OEI cuenta con su propio formulario estandarizado, incluido en la propia Directiva en forma de anexo, que las autoridades nacionales deben manejar para emitir su solicitud. Dicha solicitud deberá incluir la información mínima que detalla el art. 5 de la Directiva[29], debiéndose transmitir directamente a la autoridad de ejecución competente por medio que deje constancia escrita y respetando todos los aspectos formales enunciados en el art.7 de la Directiva.

El plazo para reconocer o ejecutar la OEI –el instrumento diferencia nítidamente entre ambos momentos– puede variar, existiendo un plazo general de 30 días a contar desde la recepción de la solicitud para que la autoridad de ejecución decida sobre el reconocimiento o ejecución de la OEI[30], que podrá prorrogarse por otros 30 días más[31]. Reconocida la OEI,

---

[27] Considerando (9) Decisión Marco 2002/465/JAI. Desde una vision práctica, ZAHARIEVA, Rositsa, "The European Investigation Order and the Joint Investigation Team– which road to take. A practitioner's perspective", *ERA FORUM*, vol.18, n.º3, 2017, pp. 400-401.

[28] En el caso español, de acuerdo con el art. 3 de la Ley 11/2003, la autoridad competente para autorizar la constitución de un ECI difiere en función de la competencia para enjuiciar y la condición de los miembros que participan en él, pudiendo autorizarlo, en función de estas circunstancias, la Audiencia Nacional, el Ministerio de Justicia o incluso el Ministerio del Interior.

[29] En particular, los datos de la autoridad de emisión y, cuando proceda, de la autoridad validadora, el objeto y motivos de la emisión de la OEI, la información sobre las personas afectadas, la descripción del hecho criminal objeto de investigación o proceso, así como las disposiciones legales penales aplicables en el Estado de emisión, la descripción de la medida o medidas de investigación que se solicitan y las pruebas a obtener.

[30] Art. 12.3 Directiva 2014/41/UE.

[31] Art. 12.5 Directiva 2014/41/UE.

la autoridad de ejecución dispone de un plazo máximo de 90 días para llevar a cabo la medida de investigación solicitada, salvo que alegue como motivo de no ejecución que la medida no tiene cabida en su derecho nacional
y no pueda sustituirse por una de naturaleza análoga[32]. Existe también la
posibilidad de que la autoridad de emisión proponga en su solicitud un
plazo menor al anteriormente expuesto, o que solicite que la medida se
realice en un término concreto por razones de interés procesal. En cualquier caso, atendiendo a lo dispuesto en el art. 12.6 de la propia Directiva[33]
y aplicando *mutatis mutandis* la jurisprudencia del TJUE en relación con la
naturaleza de los plazos de la ODE[34], los plazos anteriormente expuestos
no son de naturaleza preclusiva, por lo que, en caso de incumplimiento, el
estado de ejecución seguirá obligado a ejecutar la medida. Cuestión diferente será determinar la responsabilidad de la autoridad de ejecución por
los posibles efectos adversos (*v.g.* la pérdida de una fuente de prueba) que
el incumplimiento del plazo pueda acarrear para la investigación o procedimiento nacional en curso en el Estado de emisión[35].

En contraposición, el acuerdo de constitución de un ECI se rige por el
principio de libertad de forma, de tal manera que las autoridades nacionales pueden y deben adaptar la forma y el contenido de cada acuerdo
con base en las necesidades específicas que presente cada investigación

---

[32]   Supuesto del art. 10.5 de la Directiva 2014/41/UE. Sobre esta cuestión, *vid.* RODRÍ-
GUEZ-MEDEL NIETO, Carmen, *Obtención y admisibilidad en España de la prueba penal
transfronteriza. De las comisiones rogatorias a la orden europea de investigación*, Cizur Menor,
Thomson Reuters-Aranzadi, 2016, pp. 408-409; ARANGUENA FANEGO, Mª del Co-
ral, "Orden Europea de Investigación: próxima implementación en España del nuevo
instrumento de obtención de prueba penal transfronteriza" ..., *op. cit.*, p. 934; RO-
MERO PRADAS, Mª Isabel, "La prueba penal en Europa, una cuestión compleja. La
orden europea de investigación como nuevo instrumento de obtención de pruebas en
procesos penales transnacionales y su próxima incorporación al Derecho español" en
GONZÁLEZ CANO, Mª Isabel (Dir.), *Integración europea y justicia penal...*, *op.cit.*, p. 390.

[33]   Cuando no pueda respetarse el plazo máximo de ejecución, deberá informarse a la
autoridad del Estado de emisión de las razones que motivaron el incumplimiento y se
consensuará un nuevo plazo adecuado para llevar a cabo la medida.

[34]   *Cfr.* STJUE asunto *Lanigan*, C-237/15 PPU, de 16 de julio de 2015 (ECLI:EU-
:C:2015:474).

[35]   En este supuesto, considero que la cuestión deberá depurarse, primariamente, conforme a las normas de responsabilidad disciplinaria previstas a nivel nacional. En el caso
de España, podría apreciarse una infracción merecedora de sanción disciplinaria leve
establecida en el art. 419.4 LOPJ, sin perjuicio de que la reincidencia en la conducta
pudiera elevar este incumplimiento a falta grave de acuerdo con el art. 418.18 LOPJ.
En aquellos casos cuya competencia corresponda al Ministerio Fiscal, resultarían de
aplicación sanciones análogas a las anteriores en atención a lo dispuesto en los arts.
64.3 y 63.10 EOMF.

en concreto[36]. No obstante, y en aras de facilitar y promover su establecimiento, las autoridades nacionales tienen a su disposición un modelo actualizado de acuerdo de constitución de ECI elaborado por la Red de Equipos Conjuntos de Investigación, en colaboración con Eurojust, Europol y OLAF, que en la práctica es comúnmente utilizado como plantilla para su redacción[37].

En lo referente al contenido esencial del acuerdo, considerando que ni la Decisión Marco ni el art. 13 del Convenio 2000 parecen imponer unos requisitos mínimos, serán las legislaciones nacionales de cada Estado miembro las que determinen este aspecto. En consecuencia, la ley de transposición española estableció unos requisitos propios que debe respetar todo acuerdo de constitución de un ECI que actúe en territorio español[38]. Tampoco se prevé en la normativa un plazo máximo de vigencia del ECI, aunque es evidente que éste deberá estar limitado en el tiempo y que este plazo, así como su posible prórroga, lo acordarán los miembros del ECI y se plasmará en el propio texto del acuerdo.

6. OBTENCIÓN DE INFORMACIÓN, TRANSMISIÓN Y ADMISIBILIDAD DE LA PRUEBA

Como ya se ha puesto de manifiesto al comienzo de este estudio comparativo, la OEI puede emplearse tanto para realizar medidas de investigación concretas como para solicitar la transmisión de pruebas preexistentes. Las medidas de investigación solicitadas por la autoridad de emisión se efectuarán, en principio, conforme a las disposiciones de la *lex loci*. Ahora bien, para garantizar que la información obtenida podrá ser válidamente utilizada en la investigación y/o procedimiento penal pendiente en el Estado miembro solicitante, se permite que la autoridad de emisión haga constar la necesidad de que se respeten determinadas formalidades o que solici-

---

[36]   Libertad que caracteriza a este instrumento y que BACHMAIER WINTER ha oportunamente calificado como aplicación del principio de autonomía de la voluntad de los Estados miembros implicados. *Vid.* BACHMAIER WINTER, Lorena, "Prueba transnacional penal en Europa: la Directiva 2014/41 relativa a la Orden Europea de Investigación", *Revista General de Derecho Europeo*, n.º 36, 2015, p. 5.

[37]   *Vid.* Anexo III de la *Joint Investigation Teams (JITs) Practical Guide* (Documento 6128/1/17 de 14 de febrero de 2017). Este modelo también puede encontrarse en la Resolución 2017/C 18/01 del Consejo relativa a un modelo de acuerdo por el que se crea un Equipo Conjunto de Investigación (ECI) (DO C 18 de 19 de enero de 2017).

[38]   *Vid.* requisitos mínimos exigidos por el art. 5 Ley 11/2003.

te que estén presentes sus propias autoridades nacionales en el transcurso de la ejecución. La anterior previsión permite dar cabida a la observancia de determinados requisitos de la *lex fori* por parte de la autoridad del Estado de ejecución durante el desarrollo de la medida, siempre y cuando no resulten contrarios a los principios jurídicos fundamentales de su derecho nacional[39]. En realidad, este sistema de doble estándar no supone una novedad –el Convenio 2000 contiene disposiciones generales y específicas en este mismo sentido[40]– y, aunque añade complejidad a la ejecución de la OEI, es absolutamente necesario para garantizar que los resultados obtenidos puedan convertirse posteriormente en medios de prueba válidos para el Estado de emisión.

La información obtenida mediante la OEI estará sujeta, como regla general, al principio de especialidad, de tal manera que el Estado de emisión no podrá utilizarla para otras investigaciones y/o procedimientos penales diferentes a los descritos en su solicitud. No obstante, puede consentirse su uso en otros procedimientos siempre y cuando lo permita el derecho interno del Estado de emisión[41] y así lo autorice previamente la autoridad nacional del Estado de ejecución[42]. En cuanto a la admisibilidad de la prueba obtenida mediante la OEI, ante la parca regulación de este extremo que nos ofrece la Directiva, hemos de entender remitido este aspecto a lo dispuesto en las diferentes regulaciones nacionales de los Estados miembros. En este sentido, y como ya venía siendo habitual en esta materia[43], el

---

[39]   *Vid.* en este punto las reflexiones de KOSTORIS, Roberto E., "Orden Europea de Investigación y Derechos Fundamentales", en ARANGÜENA FANEGO, Mª del Coral, HOYOS SANCHO, Montserrat de (Dirs.) y VIDAL FERNÁNDEZ, Begoña (Coord.), *Garantías procesales de investigados y acusados: situación actual en el ámbito de la Unión Europea*, Valencia, Tirant lo Blanch, 2018, pp. 325-328.

[40]   *V.g.* arts. 4 y 10.2 Convenio 2000.

[41]   En España debe entenderse permitido tras la reforma operada por la LO 13/2015, tal y como argumenta RODRÍGUEZ-MEDEL NIETO, Carmen, *Obtención y admisibilidad en España de la prueba penal transfronteriza …, op. cit.*, p. 390.

[42]   La necesidad de autorización previa se deduce del tenor literal del art. 19.3 de la Directiva 2014/41/UE, que exige que "La autoridad de emisión, con arreglo a su propio Derecho interno y a menos que la autoridad de ejecución haya indicado otra cosa, no desvelarán cualquier prueba o información facilitadas por la autoridad de ejecución, excepto en la medida en que su revelación sea necesaria para las investigaciones o procedimientos descritos en la OEI." Así pues, ha de entenderse que la regla general será la vigencia del principio de especialidad, siendo necesaria la indicación en contrario –en otras palabras, la autorización– de la autoridad de ejecución para poder utilizar la información o prueba en una investigación o procedimiento diferente.

[43]   *Vid.* en este sentido el art. 189.3 de Ley 23/2014 en su redacción original, sobre la validez de las pruebas obtenidas a través de un exhorto europeo de obtención de pruebas.

legislador español ha sido especialmente ambiguo a la hora de transponer la Directiva, al prescribir que se considerarán válidos en España todos los actos de investigación realizados en el Estado de ejecución, con la única salvedad de que éstos no sean contrarios a los principios fundamentales de nuestro ordenamiento jurídico[44]. Así pues, será la jurisprudencia quien determine el alcance de este límite.

En el marco de un ECI, toda la información obtenida podrá ser utilizada por sus miembros para los fines de investigación para los que se creó el equipo[45]. También es posible intercambiar en el ámbito del equipo conjunto información de investigaciones obtenida previamente a su constitución, siempre y cuando así se declare en el acuerdo constitutivo. Este régimen constituye la razón de ser y la principal ventaja que brinda este instrumento, ya que permite el acceso rápido y el uso e intercambio de información entre los miembros del equipo sin necesidad de tener que emitir ulteriores peticiones de asistencia. La información obtenida en el transcurso de su actividad no está necesariamente sujeta al principio de especialidad, pues podrá utilizarse para otros fines o para la investigación y enjuiciamiento de hechos criminales diferentes a los que motivaron inicialmente la constitución del ECI. Esta posibilidad queda condicionada, de manera análoga a lo que sucede con la OEI, a que exista una autorización previa por parte de la autoridad competente del Estado miembro en el que se haya obtenido dicha información, posibilidad que, convencionalmente, puede reconocerse de manera general en una disposición *ad hoc* que formará parte del propio acuerdo de constitución. Además, también está permitida su utilización con el fin de evitar una amenaza inmediata y grave para la seguridad pública[46].

En relación con la transmisión de pruebas y su admisibilidad en los diferentes procedimientos nacionales, al contrario de lo que sucede con la OEI, la normativa sobre ECI guarda silencio sobre la posibilidad de que

---

[44] Art. 186.1 párrafo 2º Ley 23/2014.

[45] Art. 13.10 Convenio 2000 y art. 10 Decisión Marco 2002/465/JAI.

[46] En aplicación de lo dispuesto en la Directiva (UE) 2016/680 del Parlamento Europeo y del Consejo, de 27 de abril de 2016, relativa a la protección de las personas físicas en lo que respecta al tratamiento de datos personales por parte de las autoridades competentes para fines de prevención, investigación, detección o enjuiciamiento de infracciones penales o de ejecución de sanciones penales, y a la libre circulación de dichos datos y por la que se deroga la Decisión Marco 2008/977/JAI del Consejo (DO L 119, de 4 de mayo de 2016), el legislador español ha reconocido expresamente esta misma excepción al principio de especialidad en relación con el intercambio de datos personales en el marco de una OEI. *Vid.* art. 193.1 Ley 23/2014.

un Estado miembro pueda solicitar la aplicación de determinadas formalidades de la *lex fori* durante la ejecución de una medida, por lo que podría entenderse que la actividad de los miembros del ECI estará siempre sujeta al respeto de los requisitos y formalidades legales exigidos por la *lex loci*[47]. No obstante, y coincidiendo en este punto con la opinión expresada por RODRÍGUEZ-MEDEL[48], no tiene sentido entender que la omisión del legislador europeo equivale necesariamente a una prohibición absoluta de la *lex fori*. De hecho, en la práctica forense esta cuestión es objeto de debate previo, procurándose respetar el cumplimiento de los requisitos y formalidades imprescindibles para que los elementos de prueba puedan ser utilizados en todas las jurisdicciones de los Estados miembros representados en el equipo. En este aspecto, son normalmente los líderes del ECI y/o los miembros nacionales de Eurojust que participan en él los encargados de solventar las posibles cuestiones de admisibilidad que puedan surgir durante el transcurso de su actividad[49].

7. CONCLUSIONES

Tras el sucinto análisis comparativo realizado en estas líneas, hemos de entender justificada la decisión del legislador europeo de mantener el ECI como un instrumento independiente y su exclusión del ámbito de aplicación de la OEI[50], a pesar de la fragmentación normativa que ello pueda suponer en el ámbito de la obtención y transmisión de prueba transfronteriza en la UE.

Si bien es cierto que ambos instrumentos poseen una finalidad similar, en la práctica cumplen con objetivos diferentes. La OEI se postula inequívocamente como el principal instrumento de cooperación en materia probatoria transfronteriza en el ámbito de la Unión, aplicable de manera general a todo tipo de situaciones que requieran la obtención y transmisión transfronteriza de pruebas. Por el contrario, el ECI permanece como un instrumento secundario y específico, reservado para aquellas investigaciones que, además de presentar elementos transfronterizos, requieren

---

[47]   Art. 13.3 b) Convenio 2000 y art. 1.3 b) Decisión Marco 2002/465/JAI.
[48]   RODRÍGUEZ-MEDEL NIETO, Carmen, *Obtención y admisibilidad en España de la prueba penal transfronteriza, ... op. cit.*, pp. 145-147.
[49]   *Vid. Joint Investigation Teams (JITs) Practical Guide*, p. 17.
[50]   En opinión contraria, MARTÍNEZ GARCÍA, Elena, *La orden europea de investigación: actos de investigación, ilicitud de la prueba y cooperación judicial transfronteriza*, Valencia, Tirant lo Blanch, 2016, p. 55, nota al pie 9.

una actuación coordinada y continuada en el tiempo entre las autoridades nacionales de diferentes jurisdicciones penales para alcanzar objetivos comunes, siendo un instrumento muy eficaz para la prevención de situaciones especialmente problemáticas, tales como la aparición de conflictos positivos de jurisdicción, asociados comúnmente a la posible vulneración del principio *ne bis in idem* en su vertiente transnacional (art. 54 CAAS, art. 50 CDFUE).

Dicho esto, la independencia de ambos instrumentos no los hace, *per se*, incompatibles o excluyentes. Si bien es verdad que, constituido un ECI, se suprimirá la necesidad de intercambiar OEI entre sus miembros, la OEI seguirá siendo el instrumento idóneo para la realización de medidas de investigación y obtención de pruebas en territorio de otros Estados miembros que no formen parte del equipo. Por otra parte, y en sentido contrario, un intercambio constante de OEI entre autoridades nacionales puede hacer aflorar la necesidad de constituir un ECI con un fin común y que agilice el intercambio de información entre las diferentes investigaciones, especialmente cuando durante el intercambio haya participado alguna agencia u organismo europeo como Europol o Eurojust. Por otra parte, su diferente ámbito de aplicación espacial resulta convenientemente complementario: mientras que la vigencia de la OEI se circunscribe a los Estados miembros participantes en el instrumento, la flexibilidad que brinda un acuerdo de ECI permite ir más allá, posibilitando colaboraciones con terceros Estados.

No obstante, y debido a que toda la regulación sobre los ECI fue adoptada conforme a las limitaciones del antiguo tercer pilar, se aprecia en su normativa un descuido absoluto en aspectos tan trascendentales como los derechos y garantías del sospechoso o acusado. En este sentido, sería recomendable acometer una reforma de este instrumento para adecuarlo a las nuevas exigencias dimanantes de la entrada en vigor del Tratado de Lisboa. En mi opinión, solo en el momento en el que se decida abordar dicha reforma, cobrará sentido debatir sla posible inclusión específica o integración del ECI en el ámbito de aplicación de la OEI.

Capítulo IX

SERVICIOS DE INTELIGENCIA Y ORDEN EUROPEA DE INVESTIGACIÓN[1]

Alicia González Navarro
Profesora Titular de Derecho Procesal
Universidad de La Laguna (Tenerife)

SUMARIO: 1. INTRODUCCIÓN. 2. DE LA SEPARACIÓN AL SOLAPAMIENTO ENTRE LAS FUNCIONES DE INTELIGENCIA E INVESTIGACIÓN PENAL. 2.1. La situación en el derecho interno. 2.2. Orden europea de investigación y Decisión marco 2006/960 de 18 de diciembre de 2006. 3. CONCLUSIÓN.

RESUMEN: Este trabajo pretende dar cuenta de la medida en que las decisiones marco y las directivas que han sido objeto de transposición en los últimos años en nuestro país, han contribuido aún más al fenómeno de confusión entre las funciones de prevención (servicios de inteligencia) y de persecución penal (autoridades del proceso penal).

ABSTRACT: This paper intends to account for the extent to which the framework decisions and the directives that have been transposed in recent years in our country, have contributed even more to the phenomenon of confusion between the prevention functions (intelligence services) and criminal persecution (criminal prosecution authorities).

PALABRAS CLAVE: Servicios de inteligencia, prueba transfronteriza, orden europea de investigación, Decisión marco 2006/960

KEYWORDS: Intelligence services, cross-boarder evidence, European Investigation Order, Framework decision 2006/960

[1]   Este trabajo ha sido realizado en el marco del Proyecto I+D (Programa estatal de fomento de la investigación científica y técnica de excelencia): *Postmodernidad y proceso europeo: la oportunidad como principio informador del proceso judicial,* (DER2017-87114-P), así como del Proyecto I+D (Programa Estatal de Investigación, Desarrollo e Innovación Orientada a los Retos de la Sociedad): *Justicia penal preventiva y tutela del orden público,* (Referencia: DER2016-77947-R), ambos financiados por el Ministerio de Economía, Industria y Competitividad.

1. INTRODUCCIÓN

Atrás quedan aquellos tiempos, en realidad no tan lejanos, en los que el uso de medidas de investigación clandestinas constituía patrimonio exclusivo de los servicios secretos de los distintos Estados[2]. En la actualidad, como es sabido, la adopción de este tipo de medidas no resulta ni mucho menos ajena al ámbito propio de la persecución y castigo de los distintos hechos delictivos: en todo caso de aquellos más graves, como puedan ser los de terrorismo y los relativos a la criminalidad organizada, pero incluso también de todo un conjunto de delitos dolosos a los que el legislador solamente exige que estén "castigados con pena con límite *máximo*[3] de, al menos tres años de prisión".

A lo largo de estas páginas me propongo analizar, aunque sea brevemente, algunas consecuencias de la transformación señalada en líneas anteriores, al hilo de lo cual trataré de dar respuesta a la cuestión de si el régimen jurídico previsto tanto por el legislador europeo, como por el español para la orden de investigación europea puede entenderse –siquiera de forma refleja y por la vía de los hechos– aplicable al ámbito propio de los servicios de inteligencia.

---

[2]   ALBRECHT, Hans-Jörg, "Geheime Ermittlungsmaßnahmen im Strafprozess – Entwicklungen im Spannungsfeld von Sicherheit und Freiheitsrechten", p. 1, disponible en https://goo.gl/6wCSHo, (último acceso: 20 noviembre 2018), sitúa el comienzo del cambio en cuanto a esta cuestión en Alemania en torno a la década de los años 70 del siglo pasado, citando concretamente el año 1968 como aquél en que se introdujo por primera vez la regulación de las intervenciones telefónicas. En España, como es sabido, dicha medida no es objeto de regulación en el ámbito de los delito comunes hasta la LO 4/1988, de 25 de mayo, v. LÓPEZ-FRAGOSO ÁLVAREZ, Tomás, *Las intervenciones telefónicas en el proceso penal*, Colex, Madrid, 1991, pp. 8 y 9.

[3]   La cursiva es mía y tiene por objeto enfatizar sobre el escaso umbral de gravedad de la pena exigido en el artículo 588 ter a., en relación con el 579.1, así como en el 588 quater b., todos ellos de la LECrim. Esta circunstancia, puesta de relieve en el informe del CGPJ al anteproyecto de la actual LO 13/2015, deja un margen de discrecionalidad al juez que entiendo es excesivo y que, al menos, podría haberse atemperado con una cláusula del tipo "siempre que, también en el caso concreto, los hechos resulten de gravedad", similar a la contenida en el §100a I 2. StPO. En dicho informe, disponible en https://goo.gl/pYznXd (último acceso: 20 noviembre 2018), p. 85, el CGPJ presumía que la versión prevista en el anteproyecto suponía sólo un error, partiendo de la base de que la referencia que el precepto hacía a "pena cuyo límite máximo", debía entenderse hecha a "pena cuyo límite mínimo"... Sin embargo, este supuesto error no fue corregido en ninguna de las versiones del posterior proyecto de LO, ni tampoco, como hoy es sabido, en el texto definitivo de la vigente LO 13/2015.

2. DE LA SEPARACIÓN AL SOLAPAMIENTO ENTRE LAS FUNCIONES DE INTELIGENCIA E INVESTIGACIÓN PENAL

Efectivamente, en tiempos pasados podía constatarse una nítida separación entre las funciones preventivas y las propias de la persecución penal, lo cual, como se ha dicho, se ponía ya de manifiesto atendiendo a las medidas clandestinas de investigación, de habitual –y exclusiva– utilización en el ámbito de los servicios secretos o de inteligencia. Sin embargo, no es ésta la única diferencia entre una y otra función, pues las mismas se distinguen también como consecuencia del fin que persigue cada una: así, los servicios de inteligencia tratan de evitar que llegue a cometerse el delito, por lo que, en rigor, su labor debe efectuarse en el campo que es propio a la evitación de riesgos. Se trata, por lo tanto, de un enfoque hacia el futuro. Por el contrario, las autoridades que están al servicio de la represión y castigo del delito, originariamente han tenido como objeto de atención acontecimientos que ya han concluido[4].

La diferenciación también se ponía de manifiesto cuando se prestaba atención a los resultados. Así, los obtenidos con ocasión de las actividades realizadas por los agentes de inteligencia no podían ser tenidos en cuenta en un eventual proceso penal posterior y mucho menos llegar a alcanzar valor o eficacia probatoria alguna.

Esta circunstancia se ponía especialmente de relieve en Alemania, donde el principio de separación, *Trennungsgebot*, informaba la actuación de los agentes desde la creación de los servicios de seguridad en aquel país, en 1950. Con ello se trataba de evitar que pudiera volver a darse la situación propiciada durante la nefasta etapa nacionalsocialista, en la que las autoridades de persecución penal, la policía y los servicios secretos alemanes confluían en una única autoridad: el servicio central de seguridad[5].

Si bien esta diferenciación estricta empieza a desdibujarse ya desde el último cuarto del siglo pasado, los atentados de septiembre de 2001 han resultado determinantes a la hora de la definitiva confusión o solapamiento entre estas dos funciones referidas[6]. Así, por lo que se refiere a nuestro derecho interno, la mayor muestra de la convergencia entre las medidas

---

4   ALBRECHT, Hans-Jörg, ob. y lug. cit., explica que, al contrario de lo que sucede en el campo de la criminalidad que denomina tradicional, donde los hechos que son objeto de persecución se hallan ya concluidos, en el ámbito propio del tráfico de drogas y estupefacientes, se trata de la investigación de supuestos de hecho que no han concluido.

5   De todo ello, con más información, da cuenta BACHMAIER WINTER, Lorena, "Información de inteligencia y proceso penal", en *Terrorismo, proceso penal y derechos fundamentales* (coord. Bachmaier Winter), Marcial Pons, Madrid, 2012, pp. 55, 64 y ss.

6   V. BACHMAIER WINTER, Lorena, ob. cit., p. 56.

de investigación propias de los servicios de inteligencia y aquellas otras que están al servicio de los fines del proceso penal es la reforma operada por la Ley Orgánica 13/2015, de 5 de octubre, de modificación de la Ley de Enjuiciamiento Criminal para el fortalecimiento de las garantías procesales y la regulación de las medidas de investigación tecnológica.

El artículo 588 bis a. 2 LECrim (añadido a la LECrim por la antes citada LO 13/2015) consagra el principio de especialidad que debe informar la adopción de las medidas de investigación tecnológica. Así, tal y como dispone el precepto, dicho principio *"exige que una medida esté relacionada con la investigación de un delito concreto"*, añadiendo que *"no podrán autorizarse medidas de investigación tecnológica que tengan por objeto prevenir o descubrir delitos o despejar sospechas sin base objetiva"*.

Visto el tenor literal de este precepto y haciendo abstracción de la identidad entre las medidas al servicio de una y otra función, todo parecería apuntar hacia la más estricta separación entre las funciones de prevención y las de persecución. No obstante, parece constituir un hecho comúnmente admitido que los resultados de las investigaciones llevadas a cabo por los servicios de inteligencia no quedan en todos los casos extramuros del proceso penal[7]. En este contexto, debe llamarse la atención sobre la denominada *prueba pericial de inteligencia*, sobre cuya pretendida naturaleza como medio de prueba no puedo ocuparme en este trabajo, pero sí debo al menos señalar uno de los riesgos que puede entrañar, cual es el de convertirse en una vía *secreta* de entrada en el proceso penal de los resultados alcanzados por los agentes de inteligencia.

2.1. La situación en el derecho interno[8]

El ordenamiento jurídico de nuestro país no contempla la posibilidad de adopción de medidas de investigación tecnológica si las mismas no

---

[7]   BACHMAIER WINTER, Lorena, ob. cit., p. 88, quien afirma que, en su opinión, "sería irreal pensar que la información obtenida por agentes de inteligencia está plenamente desvinculada de la investigación penal, y que esa información obtenida fuera de un proceso penal no tenga reflejo alguno en los denominados «informes de inteligencia» que analiza nuestra jurisprudencia", si bien concluye afirmando que "no podemos elaborar conclusiones sobre hipótesis que no podemos contrastar...".

[8]   Si bien, como es sabido, la normativa que tiene su origen en la Unión Europea también pasa a integrar nuestro derecho interno, en este epígrafe he querido referirme de forma separada al derecho interno que, al contrario de lo que sucede en el caso de las Leyes 31/2010 y 23/2014, no trae causa de la transposición de directiva, ni decisión marco alguna.

guardan relación con la investigación de un delito determinado. A esta conclusión debe llegarse no sólo debido a que el artículo 11.1 f) de la Ley Orgánica 2/1986, de 13 de marzo, de Fuerzas y Cuerpos de Seguridad (en adelante, LOFCS), por su vaguedad, no pueda entenderse como norma habilitante para la adopción de estas medidas en un contexto de prevención de un riesgo. Además, como ya se ha indicado en el epígrafe anterior, el artículo 588 bis a. 2 LECrim, al regular los principios rectores que deben respetarse a la hora de decidir sobre la procedencia de la adopción de las medidas de investigación tecnológicas, zanja esta cuestión al disponer que "*el principio de especialidad exige que una medida esté relacionada con la investigación de un delito concreto. No podrán autorizarse medidas de investigación tecnológica que tengan por objeto prevenir o descubrir delitos o despejar sospechas sin base objetiva*".

En relación con la adopción de medidas de investigación tecnológica fuera del marco propio de un proceso penal ya iniciado y, por lo tanto, fuera del ámbito de regulación que le es propio a la LECrim, conviene también hacer referencia al uso de estas medidas por los servicios de inteligencia españoles y más concretamente al Centro Nacional de Inteligencia (CNI) y a la normativa por la que éste se rige: la Ley 11/2002, de 6 de mayo, reguladora del Centro Nacional de Inteligencia, así como la Ley Orgánica 2/2002, de 6 de mayo, reguladora del control judicial previo del Centro Nacional de Inteligencia[9].

---

[9] Debe llamarse la atención sobre el hecho de que, fuera del ámbito propio del CNI, nuestro ordenamiento no cuenta con regulación, ni referencia alguna a la posibilidad del uso por la policía de medidas de investigación clandestinas. En Alemania, el panorama es muy distinto, pues tanto la adopción de las medidas consistentes en la *Quellen-Telekommunikationsüberwachung o Quellen-TKÜ*, intervención de las telecomunicaciones que tienen lugar de forma encriptada, como en la *Online-Durchsuchung*, registro remoto de dispositivos, contaban con un fundamento legal en el ámbito preventivo-policial. Dicho fundamento legal está previsto en los §§49 y 51 del *Gesetz zur Neustrukturierung des Bundeskriminalamtgesetzes (BKA-NSG)*, que entró en vigor el 25 de mayo de este mismo año (hasta dicho momento el fundamento legal lo constituían los §§20 l y 20 k del hoy ya derogado *Bundeskriminalamtgesetz*). Sin embargo, no sucedía lo propio en los preceptos de la Ordenanza procesal penal alemana (*StPO*) que regulan la adopción de medidas de investigación tecnológicas, los cuales, no contemplaban la *Quellen TKÜ*, ni la *Online-Durchsuchung* hasta fechas muy recientes, concretamente, el 24 de agosto de 2017, día en que entró en vigor en el citado país el *Gesetz zur effektiveren und praxistauglicheren Ausgestaltung des Strafverfahrens*.
La clave distintiva del régimen jurídico por el que se rigen estas medidas acordadas en el ámbito preventivo, radica en que su adopción no requiere que concurra la sospecha –basada en hechos concretos– de la comisión de un delito grave, sino que basta con la concurrencia de un peligro futuro que amenace la seguridad del Estado, la

Esta última Ley Orgánica citada, dispone en el apartado primero de su artículo único que *"el Secretario de Estado Director del Centro Nacional de Inteligencia deberá solicitar al Magistrado del Tribunal Supremo competente, conforme a la Ley Orgánica del Poder Judicial, autorización para la adopción de medidas que afecten a la inviolabilidad del domicilio y al secreto de las comunicaciones, siempre que tales medidas resulten necesarias para el cumplimiento de las funciones asignadas al Centro"*. A tal efecto, la también única Disposición adicional de esta LO 2/2002 contempla la reforma de la Ley Orgánica del Poder Judicial (LOPJ) para incluir la previsión del nombramiento del Magistrado del TS que será competente para autorizar la adopción de las citadas medidas. Si bien dicha Disposición adicional da nueva redacción a los artículos 125 y 127 LOPJ con el fin de regular el nombramiento del Magistrado del TS competente para autorizar las medidas que el CNI le solicite adoptar, tras la reforma de la LOPJ operada por LO 4/2013, dichos preceptos fueron derogados, por lo que en la actualidad deben citarse los artículos 598,9ª LOPJ, según el cual, corresponderá a la presidencia del Consejo General del Poder Judicial (CGPJ) *"realizar la propuesta del Magistrado, de las Salas Segunda o Tercera del Tribunal Supremo, competente para conocer de la autorización de las actividades del Centro Nacional de Inteligencia que afecten a los derechos fundamentales reconocidos en el artículo 18.2 y 3 de la Constitución, así como del Magistrado de dichas Salas del Tribunal Supremo que le sustituya en caso de vacancia, ausencia o imposibilidad"*, y el artículo 599.1,4ª LOPJ, el cual prevé que entre las materias de las que conocerá exclusivamente el Pleno del CGPJ se encuentran *"todos los nombramientos o propuestas de nombramientos y promociones que impliquen algún margen de discrecionalidad o apreciación de méritos"*, como es el caso que nos ocupa.

Obsérvese que las previsiones contenidas en la LO 2/2002, no obstante contemplar la necesaria autorización judicial para la adopción de medidas que afecten a la inviolabilidad del domicilio o de las telecomunicaciones, no se enmarcan en el ámbito propio de la regulación del proceso penal, con las garantías que ello implicaría, sino que, por el contrario, se trata de

---

vida, la salud o la libertad de las personas o propiedades de un valor importante (VOGEL, Benjamin, Germany, en Access to Telecommunication Data in Criminal Justice. A Comparative Analysis of European Legal Orders, (eds. Sieber y von zur Mühlen), Duncker & Humblot, Berlin, 2016, p. 506). A pesar de que se trata de supuestos en los que no hay un proceso penal abierto, debido a que no se está persiguiendo un delito concreto, tanto la adopción de la *Online-Durchsuchung*, como de la *Quellen-TKÜ* sólo pueden ser autorizadas por la autoridad judicial a instancia del presidente de la Oficina federal de investigación criminal (*BKA*) o de quien le sustituya (§49.IV y §51. III *BKA-NSG*, respectivamente).

normas que regulan el procedimiento administrativo que habrá de respetarse para la válida adopción de tales medidas[10]. Por ello y a pesar de lo establecido en el artículo único.3, 2° de la LO 2/2002, según el cual *"el Magistrado dispondrá lo procedente para salvaguardar la reserva de sus actuaciones, que tendrán la clasificación de secreto"*, debe precisarse que si en el marco de un proceso penal se pretenden utilizar los datos averiguados con base en la actuación de los servicios secretos, la entrada de dicha información en el proceso penal deberá tener lugar de forma que se respeten los principios y garantías que son propios del enjuiciamiento penal, es decir, a través de un juicio oral y público regido por los principios de inmediación, igualdad de armas y contradicción[11].

Por último en cuanto a este ámbito de los servicios de inteligencia, conviene llamar la atención sobre el hecho de que el artículo único de la LO2/2002 solamente exige autorización judicial para *"la adopción de medidas que afecten a la inviolabilidad del domicilio y al secreto de las comunicaciones, siempre que tales medidas resulten necesarias para el cumplimiento de las funciones asignadas al Centro"*. En principio, esta previsión resulta coherente con el contenido del artículo 18 de nuestra Constitución, el cual, en efecto, sólo exige autorización judicial para la limitación de los derechos a la inviolabilidad del domicilio (18.2) y al secreto de las comunicaciones (18.3)[12]. Sin embargo, a pesar de la falta de previsión en la CE, el Tribunal Consti-

---

[10]   Véase en este sentido el documento resultante del informe a expertos que fue solicitado por la Comisión de Libertades civiles, Justicia y Asuntos de Interior del Parlamento Europeo (LIBE), *National Security and Secret Evidence in Legislation and Before the Courts: Exploring the Challenges*, disponible en https://goo.gl/mhM76e, p. 125 (último acceso: 20 noviembre 2018).

[11]   Puede consultarse en este sentido PÉREZ GIL, Julio, "Entre los hechos y la prueba: reflexiones acerca de la adquisición probatoria en el proceso penal", en *Revista Jurídica de Castilla y León*, n° 14, enero 2008, pp. 240 a 243, quien mantiene en relación con la denominada *inteligencia policial* que "hablar de una modalidad probatoria nueva es no querer asumir que estamos ante una mutación en las formas en las que se desenvuelven las operaciones policiales de búsqueda y recopilación de información".

[12]   Distinto es, también en cuanto a esta cuestión de la autorización judicial, la situación en Alemania, donde hay que partir de la regulación contenida en el *Gesetz zur Beschränkung des Post-, Brief- und Fernmeldegeheimnisses* (también conocida como *G 10*, debido a que es la Ley que desarrolla el artículo 10 *GG*, precepto que garantiza el derecho al secreto de las comunicaciones). El citado artículo 10 *GG*, tras proclamar, como regla general en su apartado primero la inviolabilidad del secreto de las comunicaciones, continúa en el apartado segundo disponiendo que las limitaciones a dicho derecho sólo podrán ser ordenadas con base en la ley, sin exigir, por lo tanto, autorización judicial para que se pueda proceder a la limitación del derecho al secreto de las comunicaciones.

tucional (TC) sí ha exigido, con carácter general y sin perjuicio de excepciones admisibles en casos de urgencia, la autorización judicial previa a la restricción o injerencia en el derecho a la intimidad personal[13]. Por ello, debido a la irrupción de los nuevos medios de investigación tecnológica y a la circunstancia de que los servicios de inteligencia recurrirán con toda probabilidad al uso de medidas como, por ejemplo, los registros remotos de dispositivos electrónicos (que sí están expresamente regulados en el ámbito propio de la persecución en el marco de un proceso penal en los artículos 588 *septies* LECrim), sería deseable que la eventual utilización de medidas tan invasivas como la citada, también estuviera prevista en la citada LO 2/2002 y, en consecuencia, fuera necesario para su adopción la autorización judicial previa.

En este sentido, debe tenerse en cuenta que la medida consistente en el registro remoto de dispositivos electrónicos, si bien potencialmente es apta para afectar a los derechos a la inviolabilidad del domicilio y al secreto de las comunicaciones (que son aquellos a los que expresamente se refiere la regulación de la LO 2/2002 que comentamos), no necesariamente afectará a los mismos. Pero es que incluso en el caso de que sí se vieran afectados los citados derechos fundamentales, ahí no habría acabado la injerencia, puesto que la invasión que ocasionan tales registros remotos en los derechos fundamentales ha llevado a que, con buen criterio, se hable tanto en la doctrina científica, como en la jurisprudencia, de un derecho fundamental de nueva generación (STS, 2ª, 204/2016, de 10 de marzo) para el que sin embargo aún no existe una denominación unánime. Así, si bien se han propuesto formulaciones como *derecho a la no intromisión en el entorno digital del individuo*[14], *derecho fundamental a que se garantice la confidencialidad e integridad de los sistemas informáticos*[15], en la actualidad parece irse

---

[13] SSTC 37/1989, de 15 de febrero; 57/1994, de 28 de febrero; 207/1996, de 16 de diciembre. Así lo ha entendido también el TEDH en su sentencia 45/2017, de 30 de mayo (sección 3ª), en el caso Trabajo Rueda contra España. Puede consultarse también el comentario a esta última resolución de PLANCHADELL GARGALLO, A., "Investigación penal y derecho a la intimidad personal: legitimidad de la injerencia", en *Revista Aranzadi de Derecho y Proceso Penal*, nº 47, (2017, octubre-diciembre), pp. 307-313.

[14] GONZÁLEZ-CUÉLLAR SERRANO, N., "Garantías constitucionales en la persecución penal en el entorno digital", en *Derecho y Justicia penal en el Siglo XXI. Liber amicorum en homenaje al Profesor Antonio González-Cuéllar García*, Colex, Madrid, 2006, pp. 288 y ss., cit. por ORTIZ PRADILLO, J.C., *Problemas procesales de la ciberdelincuencia*, Colex, Madrid, 2013, p. 185.

[15] BVerfG 27.02.2008, 1 BvR 370/07: *Grundrecht auf Gewährleistung der Vertraulichkeit und Integrität informationstechnischer Systeme*. Véase en relación con esta sentencia, en nues-

imponiendo la del *derecho al propio entorno virtual,* tal y como se desprende de la siguiente sentencia del Tribunal Supremo:

> *"(…) más allá del tratamiento constitucional fragmentado de todos y cada uno de los derechos que convergen en el momento del sacrificio, existe un derecho al propio entorno virtual. En él se integraría, sin perder su genuina sustantividad como manifestación de derechos constitucionales de nomen iuris propio, toda la información en formato electrónico que, a través del uso de las nuevas tecnologías, ya sea de forma consciente o inconsciente, con voluntariedad o sin ella, va generando el usuario, hasta el punto de dejar un rastro susceptible de seguimiento por los poderes públicos. Surge entonces la necesidad de dispensar una protección jurisdiccional frente a la necesidad del Estado de invadir, en las tareas de investigación y castigo de los delitos, ese entorno digital"*[16].

Por todo lo dicho, puede constatarse cómo la referencia de la LO 2/2002 únicamente a las medidas que afecten a la inviolabilidad del domicilio y al secreto de las comunicaciones ha quedado desfasada en la actualidad, por lo que convendría que la citada regulación hiciese también referencia a aquellas otras medidas que puedan afectar a este nuevo derecho fundamental (principalmente el registro remoto de dispositivos, pero como se verá más adelante también la intervención de las comunicaciones encriptadas), requiriendo también para su adopción la expresa y previa autorización judicial, pues, tal y como con buen criterio se ha afirmado en la jurisprudencia de la Corte Suprema de los Estados Unidos[17], este tipo de medidas puede suponer perfectamente una mayor invasión en la esfera privada y de los derechos fundamentales de la persona que la entrada en un domicilio para el más exhaustivo de los registros.

A análoga conclusión debe llegarse si se presta atención a la posible utilización de dispositivos o medios técnicos de seguimiento y localización. En este caso no se vería afectado el derecho fundamental al propio entorno virtual, sino el derecho a la intimidad, en cuanto que con la adopción de las referidas medidas puede llegar a elaborarse un perfil del sujeto investigado que potencialmente podría llegar a ser de enorme precisión y en este senti-

---

tro país, ORTIZ PRADILLO, J.C., *Problemas procesales de la ciberdelincuencia,* cit., 2013, pp. 182-185.

[16] STS 342/2013, de 17 de abril

[17] Decisión de la Corte Suprema de EE.UU en los casos *David Leon Riley v. California y United states v. Brima Wurie* [573 U.S. _ (2014)] *"a cell phone search would typically expose to the government far more than the most exhaustive search of a house: A phone not only contains in digital form many sensitive records previously found in the home; it also contains a broad array of private information never found in a home in any form– unless the phone is".* Disponible en https://goo.gl/DYQNAz (último acceso: 20 noviembre 2018).

do afectar a su derecho a la intimidad personal. Así, cada uno de los datos considerados aisladamente, quizás no sean susceptibles de afectar, por sí solos al derecho a la intimidad personal. El problema está en que con los citados dispositivos técnicos, puede llegar a acumularse gran cantidad de información, la cual, conjuntamente analizada, sí que puede ser apta para elaborar un perfil muy fiel de la personalidad del sujeto investigado[18].

A esta concreta circunstancia ha tenido ocasión de referirse el TC, el cual, si bien expresa las siguientes palabras en relación con medidas afectantes al examen del contenido de un sistema informático, entiendo que las mismas pueden ser también empleadas, *mutatis mutandis*, para aludir a lo que aquí se mantiene sobre los dispositivos de seguimiento y localización:

> *"Quizás, estos datos que se reflejan en un ordenador personal puedan tacharse de irrelevantes o livianos si se consideran aisladamente, pero si se analizan en su conjunto, una vez convenientemente entremezclados, no cabe duda que configuran todos ellos un perfil altamente descriptivo de la personalidad de su titular, que es preciso proteger frente a la intromisión de terceros o de los poderes públicos, por cuanto atañen, en definitiva, a la misma peculiaridad o individualidad de la persona"*[19].

Por lo tanto, en la medida en que el artículo único de la LO 2/2002 no alude a medidas que puedan afectar al derecho a la intimidad, nos encontramos con una situación similar a la descrita en líneas anteriores, lo cual sin embargo, no obsta para que, conforme ya se ha explicado y de acuerdo con la jurisprudencia ya citada de nuestro TC, deba exigirse autorización judicial al magistrado designado a tal efecto en el artículo 598,9ª LOPJ.

En otro orden de cosas, la jurisprudencia recaída en nuestro país en relación con la denominada prueba pericial de inteligencia constituye otro de los factores que ha contribuido de manera decisiva, si bien de forma un tanto larvada, a la convergencia entre las funciones de prevención y de persecución del delito.

---

[18]   PÉREZ GIL, Julio, "Medidas de investigación tecnológica en el proceso penal español: privacidad vs. eficacia en la persecución", en *Informatica giuridica e informatica forense al servizio della società della conoscenza. Scritti in onore di Cesare Maioli* (a cura di Brighi, Palmirani y Sánchez Jordán), Aracne editrice, Roma, 2018, pp. 195 a 198, realiza una interesante reflexión sobre la necesidad de que las garantías procesales a la hora de obtener información no sean solamente formales, debiendo extenderse el objeto de protección también al volumen de datos personales que con ocasión de la persecución penal se pueden llegar a acumular.

[19]   STC 173/2011, 7 de noviembre

En este sentido, la jurisprudencia del TS ha pretendido asignar a estos informes policiales de inteligencia naturaleza de medio de prueba, atribuyéndoles, por lo tanto, eficacia probatoria. Ni siquiera es unánime la jurisprudencia a la hora de decidirse sobre si constituyen un medio de prueba pericial, testifical o, incluso, si los agentes de inteligencia declaran en condición de testigos-peritos[20].

Sobre la pretendida atribución de naturaleza probatoria a estos informes policiales de inteligencia no puedo ocuparme en este trabajo, pero sí debo al menos señalar uno de los riesgos que puede entrañar, cual es el de convertirse en una vía secreta de entrada en el proceso penal de los resultados alcanzados por los agentes de inteligencia.

2.2. *Orden europea de investigación y Decisión marco 2006/960 de 18 de diciembre de 2006*

Antes de referirme brevemente a algunas cuestiones que se suscitan con ocasión de la entrada en vigor de la Orden europea de investigación (en adelante OEI), merece la pena mencionar la conveniencia de que contásemos en nuestro ordenamiento con una ley de cooperación judicial internacional en materia penal que mejorase la situación actual de dispersión normativa que existe en cuanto a esta –no precisamente sencilla– materia[21].

Dicho lo anterior, en las líneas siguientes pasaré a dar cuenta de aquellas normas vigentes en la actualidad y que guardan relación con la materia de la actuación de los servicios de inteligencia. No obstante, por motivos de espacio, no me detendré realizaré en un análisis ni mucho menos minucioso, sino que, antes al contrario, me limitaré a enunciar algunas previsiones contenidas en las normas que a continuación se citan, las cuales, en mi opinión, dejan meridianamente clara la confusión de funciones preventiva y de persecución penal.

En primer lugar, debe citarse la Decisión marco 2006/960/JAI del Consejo, de 18 de diciembre de 2006, sobre la simplificación del intercambio de información e inteligencia entre los servicios de seguridad de los Estados miembros de la Unión Europea, que ha sido incorporada a nuestro

---

[20]   Resulta muy ilustrativo el voto particular contenido en la STS 2ª, de 25 de octubre de 2011.

[21]   V. en este sentido, RODRÍGUEZ-MEDEL NIETO, Carmen, *Prueba penal transfronteriza: su obtención y admisibilidad en España*, en especial, pp. 92 y ss., disponible en https://eprints.ucm.es/41027/1/T38322.pdf (último acceso: 20 noviembre 2018)

ordenamiento jurídico con ocasión de la aprobación y entrada en vigor de la Ley 31/2010, de 27 de julio, sobre simplificación del intercambio de información e inteligencia entre los servicios de seguridad de los Estados miembros de la Unión Europea.

En principio, si siguiera vigente el principio de separación al que me refería en páginas anteriores, la regulación hasta aquí citada sería la de aplicación al tema que en estas páginas está siendo objeto de comentario. Sin embargo, en mi opinión, uno de los ámbitos en los que en mayor medida se pone de manifiesto el fenómeno de convergencia entre las funciones preventivas propias de los servicios de inteligencia y aquellas otras asignadas al proceso penal, es precisamente el de la regulación de la obtención de prueba transfronteriza en la Unión Europea.

Por ello, en segundo lugar, también debe tenerse en cuenta aquí la Directiva 2014/41, del Parlamento Europeo y del Consejo, de 3 de abril de 2014, relativa a la orden europea de investigación en materia penal. Como es sabido, esta Directiva ha sido objeto de transposición al ordenamiento interno español con ocasión de la entrada en vigor de la Ley 3/2018, de 11 de junio, por la que se modifica la Ley 23/2014, de 20 de noviembre, de reconocimiento mutuo de resoluciones penales en la Unión Europea, para regular la Orden Europea de Investigación.

Ya la lectura del artículo 1.1 de la citada Directiva nos llevaría a descartar la aplicabilidad de esta norma al ámbito de actuación propio de los servicios de seguridad, pues a la hora de definir la OEI afirma que se trata de una resolución judicial emitida (…) para llevar a cabo medidas de investigación (…) *con vistas a obtener pruebas* con arreglo a la citada Directiva.

Por su parte, el artículo 1.4 de la Decisión marco 2006/960 establece que "*La presente Decisión marco no impone a los Estados miembros obligación alguna de facilitar información e inteligencia para que se utilice como prueba ante una autoridad judicial, ni confiere derecho alguno a utilizar dicha información o inteligencia con ese fin*". Hasta aquí se respeta de forma exquisita el ámbito de actuación que tradicionalmente le fue propio a los servicios de inteligencia.

Sin embargo, el precepto todavía añade: "*Cuando un Estado miembro haya obtenido información o inteligencia de conformidad con la presente Decisión marco y desee utilizarla como prueba ante una autoridad judicial, deberá obtener el consentimiento del Estado miembro que haya facilitado la información o inteligencia empleando, cuando resulte necesario en virtud de la legislación nacional del Estado miembro que haya facilitado la información o inteligencia, los instrumentos vigentes sobre cooperación judicial entre los Estados miembros. No será necesario recabar dicho consentimiento si el Estado miembro requerido ya hubiera accedido, en el momento de la transmisión de la inteligencia o información, a que ésta se utilizara como prueba".*

El precepto transcrito es reproducido por el artículo 7.4 de la Ley 31/2010, por lo que puede observarse cómo por esta vía de la transposición de decisiones marco y de directivas parece darse por sobreentendido que los resultados de la investigación obtenidos en el ámbito propio de esta decisión marco[22] tendrá posteriormente entrada en el proceso penal, asignándoseles valor probatorio. En este sentido, parece que se echa en falta, tanto en la Decisión marco, como en la Directiva que brevemente han sido objeto de comentario, la habitual cláusula final sobre "no regresión".

3. CONCLUSIÓN

Las líneas anteriores dejan al descubierto una situación que bien podría tildarse de crítica para los cimientos sobre los que tradicionalmente se asentaba el proceso penal. En aras de la seguridad se ha dado validez y hasta se ha previsto en las leyes la entrada en el proceso de material de investigación cuya procedencia resulta incierta.

En el ámbito del derecho penal material hemos sido también testigos del denominado adelantamiento de la barrera punitiva, así como de la expansión de los delitos de preparación. Si bien se mira, el citado fenómeno ya lleva también implícito el correspondiente adelantamiento del momento a partir del cual podrían adoptarse medidas de investigación al amparo del principio de especialidad, en la medida en que el acto preparatorio ya es en sí mismo constitutivo de delito y, en consecuencia, apto para que, con base en él, se inicie la fase de investigación de un proceso penal.

A pesar de lo dicho, estas medidas legislativas constitutivas de lo que se ha dado en denominar como una justicia penal preventiva, adoptadas en el ámbito del derecho penal material y tan duramente criticadas por la

---

[22] Nótese que el artículo 1.3 de la Ley 31/2010, relativo al ámbito de aplicación de la Ley, dispone que "Esta Ley no será de aplicación al intercambio de información e inteligencia que lleve a cabo el Centro Nacional de Inteligencia en el ámbito de los Acuerdos Internacionales ratificados por el Reino de España en materia de protección mutua de la información clasificada y en el ámbito de las relaciones de cooperación y colaboración con servicios de inteligencia de otros países o de Organismos Internacionales para el mejor cumplimiento de sus objetivos". Por lo tanto, fuera de esos ámbitos, la Ley sí será de aplicación al intercambio de información e inteligencia que realice el CNI. En consecuencia, los resultados de tales investigaciones podrán alcanzar eficacia probatoria en el proceso penal correspondiente.

doctrina penalista, ni siquiera han servido para mitigar la confusión entre las funciones de prevención y de persecución penal de la que se ha venido dando cuenta en estas líneas.

No he pretendido defender en estas páginas la vuelta a ese pasado de nítida separación entre las funciones preventivas y de persecución del delito, pues tal postura sería tremendamente irrealista en los tiempos actuales. Sí me parecería razonable, siendo consciente de la conveniencia de cooperación entre ambas funciones, la necesidad de que dicha cooperación sea objeto de previsión legal, pues, si bien se mira, la transformación de la que he dado cuenta, ha tenido lugar sin que el legislador apenas se haya hecho eco de ella.

Capítulo X

ADMISIBILIDAD Y VALOR PROBATORIO DE LOS INFORMES FINALES DE LA OLAF EN EL PROCESO PENAL ESPAÑOL

Francisco Salvador Gil García
Doctorando en Derecho Procesal
Universidad de Sevilla

SUMARIO: 1. NUEVO MARCO JURÍDICO E INSTITUCIONAL PARA LA PROTEC-CIÓN DE LOS INTERESES FINANCIEROS DE LA UNIÓN EUROPEA. 2. INFORME FINAL. 2.1. Contenido mínimo. 2.2. Estándar de admisibilidad. 2.3. Valor probatorio en el proceso penal español.

RESUMEN: En este trabajo, se examina el contenido mínimo, las condiciones de admisibilidad y el valor probatorio que, tanto el *Reglamento (UE, Euratom) n.º 883/2013 del Parlamento Europeo y del Consejo, de 11 de septiembre de 2013, relativo a las investigaciones efectuadas por la Oficina Europea de Lucha contra el Fraude (OLAF) y por el que se deroga el Reglamento (CE) n.º 1073/1999 del Parlamento Europeo y del Consejo y el Reglamento (Euratom) n.º 1074/1999 del Consejo*, como la nueva *propuesta de Reglamento del Parlamento Europeo y del Consejo, por el que se modifica el Reglamento (UE, Euratom) n°. 883/2013, relativo a las investigaciones efectuadas por la Oficina de Lucha contra el Fraude (OLAF) en lo referente a la cooperación con la Fiscalía Europea y la eficacia de las investigaciones de la OLAF*, le confieren a los informes finales en el proceso penal español.

ABSTRACT: In this paper, we examine the minimum content, admissibility conditions and the probative value that the *Regulation (EU, Euratom) No. 883/2013 of the European Parliament and of the Council of 11 September 2013 concerning investigations conducted by the European Anti-Fraud Office (OLAF) and repealing Regulation (EC) No. 1073/1999 of the European Parliament and of the Council and Council Regulation (Euratom) No. 1074/1999* and the new *Proposal for a Regulation of the European Parliament and of the Council amending Regulation (EU, Euratom) No 883/2013 concerning investigations conducted by the European Anti-Fraud Office (OLAF) as regards cooperation with the European Public Prosecutor's Office and the effectiveness of OLAF investigations*, give to the final reports in the Spanish criminal process.

PALABRAS CLAVE: Oficina Europea de Lucha contra el Fraude (OLAF) – Fiscalía Europea – autoridades nacionales competentes – informe final – principio de cooperación leal – principio de subsidiariedad – principio de equivalencia – principio de admisibilidad – principio de contradicción – investigaciones administrativas – estándar de admisibilidad – *lex fori* – valor probatorio – procedimiento penal

KEYWORDS: European Anti-Fraud Office (OLAF) – European Public Prosecutor´s Office – competent national authorities – final report – principle of sincere cooperation – principle of subsidiarity – principle of equivalence – principle of admissibility – audi alteram partem – administrative investigations – standard admissibility – *lex fori* – evidentiary value – criminal proceeding

1. NUEVO MARCO JURÍDICO E INSTITUCIONAL PARA LA PROTECCIÓN DE LOS INTERESES FINANCIEROS DE LA UNIÓN EUROPEA

La protección de los intereses financieros de la Unión Europea (en adelante, «UE») se ha convertido en un elemento imprescindible de la agenda política de la Comisión, para consolidar e incrementar la confianza de los contribuyentes en las instituciones europeas (artículos 85, 86, 310.6 y 325 del TFUE)[1]; tanto es así, que el pasado día 2 de octubre de 2017, coinci-

---

[1]   A pesar de los avances realizados en esta materia, durante los últimos veinte años, la amplia diversidad de sistemas y tradiciones jurídicas de la UE ha provocado que la protección de los intereses financieros de la Unión se haya erigido en un desafío, especialmente, exigente. Por ello, resulta imprescindible contar con instrumentos jurídicos, políticas públicas integradas e instituciones europeas, destinados a superar las dificultades existentes en el ámbito de la detección, la prevención, la investigación, la sanción y la recuperación de aquellos fondos europeos, obtenidos o empleados indebidamente, (*cfr. Comunicación de la Comisión al Parlamento Europeo, al Consejo, al Comité Económico y Social Europeo y al Comité de las Regiones, sobre la protección de los intereses financieros de la Unión Europea a través del Derecho penal y de las investigaciones administrativas* [COM(2011) 293 final, de 26.5.2011]; *Documento de Trabajo del Personal de la Comisión. Aplicación del artículo 325 del TFUE por los Estados miembros en 2011* [SWD(2012) 227 final, de 19.7.2012]; *Documento de Trabajo del Personal de la Comisión. Seguimiento de las recomendaciones del informe de la Comisión, sobre la protección de los intereses financieros de la UE – Lucha contra el Fraude (2010)* [SWD(2012) 228 final, de 19.7.2012]; *Informe Anual de la Comisión al Parlamento Europeo y al Consejo. Protección de los intereses financieros de la UE – Lucha contra el Fraude (2011)* [COM(2012) 408 final, de 19.7.2012]; resultados del proyecto *«EURONEEDS: Evaluating the need for and the needs of a European Criminal Justice system»*, llevado a cabo por el Max Planck Institute for Foreign and International Criminal Law, en 2011. Disponible en la siguiente página web [recurso electrónico]: https://www.mpicc.de/files/pdf1/euroneeds_report_jan_2011.pdf (Última vez consultada el 08.10.2018); *Documento de Trabajo del Personal de la Comisión. Aplicación del artículo 325 del TFUE por los Estados miembros en 2012* [SWD(2013) 283 final, de 24.7.2013]; *Documento de Trabajo del Personal de la Co-*

diendo con la reciente entrada en vigor de la *Directiva (UE) 2017/1371 del Parlamento Europeo y del Consejo, de 5 de julio de 2017, sobre la lucha contra el fraude que afecta a los intereses financieros de la Unión a través del Derecho penal*[2], y con la aprobación del *Reglamento (UE) 2017/1939 del Consejo, de 12 de octubre de 2017, por el que se establece una cooperación reforzada para la creación de la Fiscalía Europea*[3] (en adelante, «FE»), que entró en vigor el 20 de noviembre, la Comisión elaboró un *Informe sobre la Evaluación de la aplicación del Reglamento (UE, EURATOM) n.° 883/2013 del Parlamento Europeo y del Consejo, de*

---

misión. Seguimiento de las recomendaciones del informe de la Comisión, sobre la protección de los intereses financieros de la UE – Lucha contra el Fraude (2011) [SWD(2013) 285 final, de 24.7.2013]; Informe Anual de la Comisión al Parlamento Europeo y al Consejo. Protección de los intereses financieros de la UE – Lucha contra el Fraude (2013) [COM(2013) 548 final, de 24.7.2013]; Documento de Trabajo del Personal de la Comisión. Aplicación del artículo 325 del TFUE por los Estados miembros en 2013 [SWD(2014) 243 final, de 17.7.2014]; Documento de Trabajo del Personal de la Comisión. Seguimiento de las recomendaciones del informe de la Comisión, sobre la protección de los intereses financieros de la UE – Lucha contra el Fraude (2012) [SWD(2014) 245 final, de 17.7.2014]; Informe Anual de la Comisión al Parlamento Europeo y al Consejo. Protección de los intereses financieros de la UE – Lucha contra el Fraude (2013) [COM(2014) 474 final, de 17.7.2014]; Documento de Trabajo del Personal de la Comisión. Aplicación del artículo 325 del TFUE por los Estados miembros en 2014 [SWD(2015) 154 final, de 31.7.2015]; Documento de Trabajo del Personal de la Comisión. Seguimiento de las recomendaciones del informe de la Comisión, sobre la protección de los intereses financieros de la UE – Lucha contra el Fraude (2013) [SWD(2015) 152 final, de 31.7.2015]; Informe Anual de la Comisión al Parlamento Europeo y al Consejo. Protección de los intereses financieros de la UE – Lucha contra el Fraude (2014) [COM(2015) 386 final, de 31.7.2015]; Documento de Trabajo del Personal de la Comisión. Aplicación del artículo 325 del TFUE por los Estados miembros en 2015 [SWD(2016) 234 final, de 14.7.2016]; Documento de Trabajo del Personal de la Comisión. Seguimiento de las recomendaciones del informe de la Comisión, sobre la protección de los intereses financieros de la UE – Lucha contra el Fraude (2014) [SWD(2016) 236 final, de 14.7.2016]; Informe Anual de la Comisión al Parlamento Europeo y al Consejo. Protección de los intereses financieros de la UE – Lucha contra el Fraude (2015) [COM(2016) 472 final, de 14.7.2016]; Documento de reflexión sobre el futuro de las finanzas de la UE [COM(2017) 358, de 28.6.2017]; Documento de Trabajo del Personal de la Comisión. Aplicación del artículo 325 del TFUE por los Estados miembros en 2016 [SWD(2017) 270 final, de 20.7.2017]; Documento de Trabajo del Personal de la Comisión. Seguimiento de las recomendaciones del Informe de la Comisión, sobre la protección de los intereses financieros de la UE – Lucha contra el Fraude (2015) [SWD(2017) 267 final]; Informe Anual de la Comisión al Parlamento Europeo y al Consejo. Protección de los intereses financieros de la UE – Lucha contra el Fraude (2016) [COM(2017) 383 final, de 20.7.2017]; Documento de Trabajo del Personal de la Comisión. Seguimiento de las recomendaciones del Informe de la Comisión, sobre la protección de los intereses financieros de la UE – Lucha contra el Fraude (2016) [SWD(2018) 383 final, de 3.9.2018]; y, finalmente, el Informe Anual de la Comisión al Parlamento Europeo y al Consejo, sobre la protección de los intereses financieros de la UE (2017) [COM(2018) 553 final, de 3.9.2018]).

[2]   DOUE n° L 198, de 28.7.2017.

[3]   DOUE n° L 283, de 31.10.2017.

11 de septiembre de 2013, relativo a las investigaciones efectuadas por la Oficina Europea de Lucha contra el Fraude (OLAF) y por el que se deroga el Reglamento (CE) n.° 1073/1999 del Parlamento Europeo y del Consejo y el Reglamento (Euratom) n.° 1074/1999 del Consejo[4] (en adelante, «el Reglamento»)[5], donde describía las opciones disponibles, para adaptar y reforzar el marco jurídico en que la OLAF lleva a cabo sus investigaciones (artículo 19 del Reglamento). En concreto, la evaluación se centró en la consecución de cuatro objetivos fundamentales: *i)* mejorar la eficacia, la eficiencia y la responsabilidad de la OLAF, preservando, al mismo tiempo, su independencia; *ii)* reforzar las garantías procedimentales y los derechos fundamentales de las personas investigadas[6]; *iii)* incrementar la cooperación con Estados miembros, instituciones, órganos y organismos de la Unión, terceros países y organizaciones internacionales[7]; y, *iv)* consolidar la gobernanza de la OLAF.

---

[4]   COM(2017) 589 final, de 2.10.2017.

[5]   DOUE n° L 248, de 18.9.2013.

[6]   A propósito de los derechos fundamentales y garantías procesales de las personas investigadas por la OLAF, *vid.* STOJANOVSKI, Voislav, "Procedural rights of persons under investigation by OLAF", *Eucrim: The European Criminal Law Associations´ forum*, núm. 3, 2011, pp. 127-132; ARANGÜENA FANEGO, Coral, "La elaboración de un estatus procesal de investigado/acusado en la Unión Europea. Balance del Plan de Trabajo del Consejo ocho años después", en ARANGÜENA FANEGO, Coral y DE HOYOS SANCHO, Montserrat (Dirs.), *Garantías procesales de investigados y acusados. Situación actual en el ámbito de la Unión Europea*, Tirant lo Blanch, 2018, pp. 21-51; DE HOYOS SANCHO, Montserrat, "Garantías procesales de las personas jurídicas investigadas y acusadas: armonización en el ámbito de la Unión Europea y situación actual en España", en ARANGÜENA FANEGO, Coral y DE HOYOS SANCHO, Montserrat (Dirs.), *Garantías procesales de investigados y acusados. Situación actual en el ámbito de la Unión Europea*, Tirant lo Blanch, 2018, pp. 53-83; y, LUCHTMAN, Michiel, "9. Transnational Multi-disciplinary Investigations and the Quest for Compatible Procedural Safeguards", en LIGETI, Katalin y FRANSSEN, Vanessa (Edits.), *Challenges in the Field of Economic and Financial Crime in Europe and the US*, Hart Studies in European Criminal Law, Oxford and Portland (Oregon), 2017, pp. 191-210.

[7]   Sobre la necesidad de mejorar la coordinación entre instituciones, órganos y organismos de la Unión, para combatir el fraude en el espacio europeo de libertad seguridad y justicia, *vid.* ARMADA, Inés, Weyembergh, Anne, y BRIÉRE, Chloé, "The Inter-Agency Cooperation and the Future Architecture of the EU Criminal Justice and Law Enforcement Area", *Study for the LIBE Committee of the European Parliament*, 2014; MARLETTA, Angelo, "Interinstitutional Relationship of European Bodies in the Fight against Crimes Affecting the EU's Financial Interests", *Eucrim: The European Criminal Law Associations´ Forum*, núm. 3, 2016, pp. 141-145; BOVEND´EERDT, Koen, "Reflecting on Regulation 883/2013 through Comparative Analysis", *Eucrim: The European Criminal Law Associations´ Forum*, núm. 4, 2017, pp. 188-192; y, VERVAELE, John, "8. Jurisdictional Issues in Transnational Multi-agency and Multi-disciplinary Investigations of Economic and Financial Crimes", en LIGETI, Katalin y FRANSSEN, Vanessa (Edits.), *Challenges in the Field of Economic and Financial Crime in Europe and the*

Aunque el Reglamento ha permitido, a la OLAF, cumplir su cometido y obtener resultados concretos, a través de una notable mejoría en la eficacia de las investigaciones y el intercambio de información con otras agencias europeas y autoridades nacionales competentes, la evaluación puso de manifiesto también algunas lagunas, entre las que figuran la eficiencia y la eficacia de sus investigaciones, la ejecución de sus competencias, la uniformidad de las condiciones de realización de las investigaciones internas, la realización de los peritajes técnico-legales digitales, las divergencias en el seguimiento de las recomendaciones de la OLAF, la ausencia de estándares mínimos comunes, en lo que respecta a la admisibilidad de los elementos y fuentes de prueba, obtenidas por la OLAF, durante sus investigaciones administrativas, o el cumplimiento de las obligaciones de cooperación de los Estados miembros y las instituciones, órganos y organismos de la Unión, que su actual Reglamento le impone.

A fin de dar respuesta a todas estas deficiencias, la Comisión aprobó, el pasado 25 de mayo, una nueva *propuesta de Reglamento del Parlamento Europeo y del Consejo, por el que se modifica el Reglamento n.º 883/2013, relativo a las investigaciones efectuadas por la OLAF en lo referente a la cooperación con la Fiscalía Europea y la eficacia de las investigaciones de la OLAF*[8], con la que trata de alcanzar los siguientes objetivos: *i)* adaptar el funcionamiento de la OLAF a la creación de la FE; *ii)* mejorar la eficacia de la función investigadora de la OLAF; y, *iii)* aclarar y simplificar una serie de disposiciones del Reglamento.

En definitiva, se espera que esta nueva propuesta de Reglamento ofrezca una mayor coherencia del marco jurídico existente, favorezca la relación entre las agencias europeas en el ámbito de la cooperación vertical, y mejore la protección de los intereses financieros de la UE.

2. INFORME FINAL

2.1. Contenido mínimo

Una vez concluidas las investigaciones pertinentes, la OLAF redactará, bajo la supervisión de su Director General, un informe, donde: *a)* señalará las fases procedimentales seguidas; *b)* enumerará los hechos probados; *c)* evaluará su posible carácter ilícito; *d)* calculará su incidencia financiera en

---

US, Hart Studies in European Criminal Law, Oxford and Portland (Oregon), 2017, pp. 167-190.

8   COM(2018) 338 final, de 23.5.2018.

el presupuesto de la Unión; *e)* revelará el nivel de cumplimiento de las garantías procedimentales (artículo 9); y, *f)* expondrá las conclusiones de las investigaciones llevadas a cabo (artículo 11.1, párr. 1°). Este informe podrá ir acompañado de recomendaciones, realizadas por el Director General a las autoridades europeas y/o nacionales competentes, sobre la conveniencia de adoptar medidas disciplinarias, administrativas, financieras o judiciales, destinadas a recuperar aquellas cantidades, presuntamente, defraudadas. Dichas recomendaciones deberán especificar las cantidades estimadas que se deben recuperar, así como la calificación jurídica preliminar de los hechos probados (artículo 11.1, párr. 2°).

2.2. *Estándar de admisibilidad*

El *principio de cooperación leal*[9] (artículos 4.3 y 280 TUE y 10 CE) no obliga, a las autoridades nacionales, a tener que adoptar medidas específicas, en relación con la información transmitida, dado que ello entra dentro del ámbito de discrecionalidad de que éstas gozan, en relación con la información que la OLAF recopila, a través de sus investigaciones externas (artículos 11.5 y 12)[10]. De hecho, las estadísticas más recientes muestran que las autoridades nacionales competentes solo actúan en uno de cada dos casos que la OLAF les remite[11]. La mitad restante se desestima, por diversos motivos; entre ellos, destaca la falta de pruebas obtenidas, conforme a los es-

---

[9]   La *cooperación leal* ha de ser entendida, como aquel principio, que obliga, a los Estados miembros, a adoptar todas aquellas medidas necesarias, para garantizar el alcance y la eficacia del Derecho de la UE, e impone a las instituciones comunitarias deberes recíprocos de cooperación con los Estados miembros (*cfr.* SSTJCE de 26 de noviembre de 2002 (apdo. 49); Decisión prejudicial; Caso *Comisión de las Comunidades europeas y First y Franex*; Asunto C-275/00; Recurso p. I-10943; ECLI:EU:C:2002:711 y Ponente: Sr. S. von Bahr; y, de 4 de marzo de 2004 (apdo. 79); Caso *República Federal de Alemania contra la Comisión de las Comunidades europeas*; Asunto C-344/01; Recurso p. I-2081; ECLI:EU:C:2004:121 y Ponente: Sr. C.W.A. Timmermans.

[10] SAN núm. 100/2016, Sala de lo Contencioso, Sección Primera; Recurso núm. 311/2013; ECLI:ES:AN:2015:4868 y Ponente: Ilmo. Sr. D. Eduardo Menéndez Rexach.

[11] En concreto, el índice de acusación, tras una recomendación judicial de la OLAF, fue del 52% (2008-2015), del 50% (2009-2016) y del 42% (2010-2017). Así lo revelan los informes anuales de la OLAF (*cfr. The OLAF Report 2017: Eighteenth report of the European Anti-Fraud Office, 1 January to 31 December 2017*, European Anti-Fraud Office, European Union, Luxemburg, 2018, p. 53; *The OLAF Report 2016: Seventeenth report of the European Anti-Fraud Office, 1 January to 31 December 2016*, European Anti-Fraud Office, European Union, Luxemburg, 2017, p. 33; *The OLAF Report 2015: Sixteenth report of the European Anti-Fraud Office, 1 January to 31 December 2015*, European Anti-Fraud, European Union, Luxemburg, 2016, p. 29).

tándares mínimos de admisibilidad, fijados por su Derecho interno[12]. Ello significa que existe una laguna en la aplicación del sistema de protección de los intereses financieros de la UE, que cuestiona la coherencia del marco jurídico en que la propia OLAF desarrolla sus investigaciones y obtiene elementos de prueba[13]. En particular, existen tres elementos, que inciden sobre la admisibilidad de los informes finales de la OLAF en los procedimientos judiciales: *a)* las fragmentadas facultades de investigación de la OLAF; *b)* la norma de admisibilidad, prevista en su actual Reglamento; y, *c)* el nivel de protección de las garantías procesales en las investigaciones de la OLAF.

> Durante la elaboración de la propuesta, la Comisión tomó en consideración el Dictamen n.º 2/2017 del Comité de Vigilancia de la OLAF, sobre la aplicación del Reglamento n.º 883/2013, elaborado un año antes, y donde se insistía en la necesidad de que esta nueva propuesta atribuyese un conjunto de facultades mínimas de investigación a las autoridades judiciales competentes de los diferentes Estados miembros, con el objetivo de evitar la fragmentación y las dificultades de interpretación existentes, a la hora de admitir elementos de prueba en el proceso penal.

---

[12]   COVOLO, Valentina, "From Europol to Eurojust – towards a European Public Prosecutor: Where Does OLAF Fit In", *Eucrim: The European Criminal Law Associations´ Forum*, núm. 2, 2012, pp. 83-88.

[13]   Con relación a los obstáculos con que se encuentra la OLAF, a la hora de llevar a cabo sus investigaciones en colaboración con las autoridades administrativas competentes de diferentes Estados miembros, *vid.* SIMONATO, Michele, "OLAF Investigations in a Multi-Level System. Legal Obstacles to Effective Enforcement", *Eucrim: The European Criminal Law Associations´ Forum*, núm. 3, 2016, pp. 136-141; NICOLICCHIA, Fabio, "1. Dynamics and Operational Models of Financial-Economic Investigations in Italy", BERNARDI, Alessandro y NEGRI, Daniele (Edits.), *Investigating European Fraud in the EU Member States*, Bloomsbury, 2016, pp. 7-30; NIETO MARTÍN, Adán y GONZÁLEZ LÓPEZ, Juan José, "2. Investigating Economic Crimes in Spain: An Attempt to Find Order in Chaos", BERNARDI, Alessandro y NEGRI, Daniele (Edits.), *Investigating European Fraud in the EU Member States*, Bloomsbury, 2016, pp. 31-56; CAHN, Olivier, "3. Criminal Investigations in Financial-Economic Matters in France", BERNARDI, Alessandro y NEGRI, Daniele (Edits.), *Investigating European Fraud in the EU Member States*, Bloomsbury, 2016, pp. 57-84; BÖSE, Martin, "4. The Investigation and Prosecution of Economic and Financial Crimes-Role and Function of Administrative Authorities in Germany", BERNARDI, Alessandro y NEGRI, Daniele (Edits.), *Investigating European Fraud in the EU Member States*, Bloomsbury, 2016, pp. 85-102; NOWAK, Celina, "5. The Role of Fiscal Administrative Authorities in Poland", BERNARDI, Alessandro y NEGRI, Daniele (Edits.), *Investigating European Fraud in the EU Member States*, Bloomsbury, 2016, pp. 103-118; y, MITSILEGAS, Valsamis y CHRISTOU, Theodora, "6. The Dynamics of investigating and Prosecuting Financial and Economic Crimes in the UK", BERNARDI, Alessandro y NEGRI, Daniele (Edits.), *Investigating European Fraud in the EU Member States*, Bloomsbury, 2016, pp. 119-136.

Con relación a todos estos elementos, se pronuncia la nueva propuesta de Reglamento, al introducir, por un lado, el denominado *principio de admisibilidad*, el cual admite su uso, como elemento de prueba, en los procedimientos administrativos y judiciales de carácter *no penal*, en los que, tras comprobar *su autenticidad* (artículo 11.2), la autoridad judicial competente del Estado miembro interesado deberá comprobar que los mismos han sido elaborados, respetando la *lex fori*[14]; y, ampliar, por otro, el *principio de equivalencia*, que ya existía en la regulación anterior, y que permite a los informes, elaborados por la OLAF, erigirse en elementos de prueba admisibles, en procedimientos penales, del mismo modo y en las mismas condiciones, que los informes administrativos, redactados por los inspectores de las Administraciones nacionales (Considerando 28, *in fine*, y artículo 12.4)[15].

Así pues, la nueva propuesta establece un principio general, conforme al cual, las pruebas, obtenidas en una investigación administrativa, pueden circular libremente por el territorio de la Unión, en base al *principio de reconocimiento mutuo*[16]. No obstante, esta libertad no es absoluta, está sujeta al cumplimiento de una serie de condiciones, establecidas por las reglamen-

---

[14]   Sobre esta cuestión, *vid.* NOWAK, Celina (Edit.), *Evidence in EU fraud cases*, Warsaw, 2013.

[15]   En este sentido, *léase* JÄHNKE, Burkhard y SCHRAMM, Edward, *Europäisches Strafrecht*, Walter de Gruyter GmbH, Berlin, 2017, pp. 480-481; KUHL, Lothar, "7. Cooperation Between Administrative Authorities in Transnational Multiagency Investigations in the EU: Still a Long Road Ahead to Mutual Recognition?", en LIGETI, Katalin y FRANSSEN, Vanessa (Edits.), *Challenges in the Field of Economic and Financial Crime in Europe and the US*, Hart Studies in European Criminal Law, Oxford and Portland (Oregon), 2017, pp. 135-165; LIGETI, Katalin, *The protection of the procedural rights of persons concerned by OLAF administrative investigations and the admissibility of OLAF Final Reports as criminal evidence*, European Parliament, July, 2017; AMBOS, Kai, *European Criminal Law*, Cambridge University Press, Cambridge (United Kingdom), 2018, pp. 560-563; y, DE AMICIS, Gaetano, y KOSTORIS, Roberto, "Chapter 5. Vertical Cooperation", en Kostoris, Roberto (Edit.), *Handbook of European Criminal Procedure*, Springer, 2018, pp. 202-210.

[16]   En relación con el principio de reconocimiento mutuo, léase MORENO CATENA, Víctor, "El cambio de paradigma y el principio de reconocimiento mutuo y sus implicaciones. Perspectivas del Tratado de Lisboa", en CARMONA RUANO, Miguel, GONZÁLEZ VEGA, Ignacio y MORENO CATENA, Víctor (Dirs.), *Cooperación judicial penal en Europa*, Dykinson, Madrid, 2013, pp. 41-77; Erbežnik, Anže, "Mutual recognition in EU criminal law and its effects on the role of a national judge", en Peršak, Nina (Edit.), *Legitimacy and trust in criminal law, policy and justice*, Routledge, London, 2014, pp. 131 y ss.; FAGGIANI, Valentina, "El principio de reconocimiento mutuo en el espacio europeo de justicia penal: elementos para una construcción dogmática", *Revista General de Derecho Europeo*, núm. 38, 2016; KLIMEK, Libor, *Mutual Recognition of Judicial Decisions in European Criminal Law*, Springer, The Hague, 2017; y, SPENCER, John, "Chapter 7. The Principle of Mutual Recognition", en KOSTORIS,

taciones nacionales: una clara señal del deseo de evitar toda restricción de la *soberanía nacional* en un área, especialmente, sensible, para poder culminar el proceso de integración europea[17]. De este modo, el deber de cumplir el orden jurídico interno de cada Estado miembro, en relación con el uso del material administrativo en los procedimientos penales, reduce, en gran medida, el alcance de este principio general.

La evaluación de la Comisión constató que, en determinados Estados miembros, el *principio de equivalencia* no garantiza la eficacia de las actividades de investigación, llevadas a cabo por la Oficina[18]. Por ello, la nueva propuesta otorga el mismo valor probatorio, que ostentan los informes elaborados por los inspectores de las Administraciones Públicas nacionales, a los informes finales, redactados por la OLAF[19].

Roberto (Edit.), *Handbook of European Criminal Procedure*, Springer, The Hague, 2018, pp. 281-295.

[17] Sobre el proceso de integración europea, *vid.* GONZÁLEZ CANO, María Isabel, "Capítulo 11. Nuevos paradigmas de la cooperación judicial penal en la Unión Europea", en BARONA VILAR, Silvia (Edit.), *Justicia civil y penal en la era global*, Tirant lo Blanch, Valencia, 2017, pp. 339-362; FREITAS, Pedro Miguel, "Capítulo 1. Novos paradigmas na criaçao do espaço europeu de justiça penal", en GONZÁLEZ CANO, María Isabel (Dir.), *Integración europea y justicia penal*, Tirant lo Blanch, Valencia, 2018, pp. 25-52; y, GONZÁLEZ CANO, María Isabel, "Justicia penal e integración europea: hacia nuevos modelos de cooperación judicial penal", en ETXEBARRÍA ESTANKONA, Katixa, ORDEÑANA GEZURAGA, Ixusko y OTAZUA ZABALA, Goizeder (Dirs.), *Justicia con ojos de mujer. Cuestiones procesales controvertidas*, Tirant lo Blanch, Valencia, 2018, pp. 779-803.

[18] *Informe de la Comisión al Parlamento Europeo Evaluación de la aplicación del Reglamento (UE, EURATOM) n.º 883/2013 del Parlamento Europeo y del Consejo, de 11 de septiembre de 2013, relativo a las investigaciones efectuadas por la Oficina Europea de Lucha contra el Fraude (OLAF) y por el que se deroga el Reglamento (CE) n.º 1073/1999 del Parlamento Europeo y del Consejo y el Reglamento (Euratom) n.º 1074/1999 del Consejo* [COM/2017/0589 final, de 2.10.2017].

[19] A este respecto, se recomienda la lectura de la STS de 5 de diciembre de 2013 (FJ. 4º), Sala de lo Contencioso-Administrativo, Sección Segunda; Recurso de Casación núm. 5564/2011; ES:TS:2013:6138 y Ponente: Excmo. Sr. D. Juan Gonzalo Martínez Mico, cuyo razonamiento atribuye a los informes finales, elaborados por los inspectores de la OLAF, «*la condición de elemento de prueba admisible en los procedimientos administrativos o judiciales del Estado miembro donde resulte necesaria su utilización, en los mismos términos y condiciones que los informes administrativos redactados por las autoridades nacionales, estando sujetos a las mismas normas de apreciación y teniendo un valor idéntico a los informes administrativos de las administraciones nacionales, por lo que el informe en el que se recogen las investigaciones llevadas a cabo por la Oficina Europea de Lucha contra el Fraude en colaboración con los Estados miembros afectados y las autoridades de la India tiene valor jurídico de prueba suficiente*».

2.3. Valor probatorio en el proceso penal español

Al ofrecer su asistencia a los órganos jurisdiccionales españoles, los inspectores de la OLAF actúan, en base a conocimientos científicos o artísticos que, por exceder del ámbito jurídico, el juez o tribunal no tiene por qué conocer o, aún conociéndolos, no podrá incorporarlos al proceso, si no es, a través de la intervención de un experto, ajeno al mismo. Ahora bien, ¿son los miembros de la Oficina, simples auxiliares del órgano judicial (*consulente tecnico*[20]), ó es el informe pericial, emitido por éstos, un auténtico medio de prueba?

La naturaleza jurídica de la pericia ha sido una de las cuestiones más debatidas en el ámbito del Derecho Procesal. Sin embargo, las garantías y los principios procesales más básicos han inclinado la balanza hacia su consideración como medio de prueba, es decir, como actividad procesal necesaria para incorporar tales conocimientos específicos al proceso (artículos 723-725 LECrim.)[21]. Esta actividad es, precisamente, la que desempeñan, en el proceso penal, los miembros de la Oficina, al estar obligados a verificar y valorar todos los elementos de hecho disponibles, ya sea para confirmar las alegaciones de una de las partes, ya sea para refutarlas. A este respecto, sus informes están sujetos a «*los mismos criterios de apreciación que*», actualmente, se aplican, por parte de las autoridades judiciales nacionales, «*a los informes administrativos de los inspectores de las Administraciones nacionales y tendrán el mismo valor probatorio que aquéllos*» (artículos 11.2, párr. 3º, de la propuesta de Reglamento y 143.1 de la LGT)[22].

---

[20]   Artículos 61 del Código de Procedimiento Civil y 225 del Código de Procedimiento Penal.

[21]   Sobre la naturaleza jurídica de la pericia y su valor probatorio en el procedimiento penal español, *vid.* ETXEBBERRÍA GURIDI, José Francisco, "Capítulo X. Prueba pericial", en GONZÁLEZ CANO, María Isabel (Dir.), *La Prueba en el proceso penal*, Tomo II, Tirant lo Blanch, Valencia, 2018, pp. 655-715.

[22]   Según la STC núm. 76/1990, de 26 de abril (FJ. 8º), Pleno; Recurso de inconstitucionalidad núm. 695/1985; ECLI:ES:TC:1990:76 y Ponente: D. Jesús Leguina Villa, «*[h] a de excluirse a limine que el art. 145.3 de la LGT establezca una presunción legal que dispense a la Administración, en contra del derecho fundamental a la presunción de inocencia, de toda prueba respecto de los hechos sancionados, puesto que el precepto parte justamente de la existencia de un medio probatorio válido en Derecho. Es igualmente evidente que la norma impugnada no establece tampoco una presunción iuris et de iure de veracidad o certeza de los documentos de la Inspección (que sería también incompatible con la presunción constitucional de inocencia), ya que expresamente admite la acreditación en contrario. El precepto combatido constituye un primer medio de prueba sobre los hechos que constan en las actas y diligencias de la Inspección tributaria, cuyo valor o eficacia ha de medirse a la luz del principio de la libre valoración de la prueba. A ello debe añadirse que ese valor probatorio sólo puede referirse a los hechos comprobados directamente*

«*En consecuencia, ninguna extravagancia encierra el hecho de que el Juez de Instrucción o el órgano decisorio admitan la pertinencia de un informe técnico ofrecido por quienes, por su proximidad a los hechos investigados, por su cualificado nivel de formación en materias contables y financieras y, en fin, por los principios constitucionales que han de inspirar su actuación, están en las mejores condiciones de hacer realidad el asesoramiento que requiere algunas formas de delincuencia*»[23]; es más, la experiencia ha demostrado que, en este ámbito, «*un intrincado laberinto de sociedades interpuestas y la multiplicación de asientos contables puramente nominales, suelen ser práctica habitual mediante la que se pretende dificultar la investigación y camuflar operaciones defraudatorias*». De ahí que no deba haber ningún obstáculo, para que los inspectores de la OLAF realicen ese análisis contable y financiero, primero, durante la fase de investigación, fijando las cuantías defraudadas, y después, en el plenario, ofreciendo, al órgano jurisdiccional competente, «*las explicaciones necesarias, para la proclamación del factum. Nada de ello es incompatible con la aplicación general de las normas previstas en la LECrim. para asegurar la imparcialidad de aquellos funcionarios*», dado que la idoneidad del inspector de la OLAF, al igual que la relativa a los peritos de la Agencia Tributaria española, «*no se sustrae […] a las exigencias generales de la prueba pericial*». Por tanto, no debe existir ningún impedimento, para que dicho perito pueda ser, en su caso, recusado, «*conforme a las previsiones de los arts. 468 y concordantes de la LECrim.*».

«*Por otra parte, resultaría inaceptable que la llamada de esos expertos al proceso penal estuviera justificada por un asesoramiento jurídico en materias que, por su complejidad e ingente producción normativa, pudieran llegar a desbordar el nivel de conocimientos de un Juez instructor no familiarizado con las categorías tributarias. Con ello se correría el riesgo de adulterar el genuino sentido del informe pericial. El verdadero perito valora, con arreglo a las máximas de experiencia manejadas por un determinado saber especializado, algún hecho o circunstancia que han sido adquiridos con anterioridad por otros medios de investigación y sean de interés o necesidad para la investigación. El perito no informa sobre conceptos jurídicos, ni complementa los conocimientos jurídicos del titular del órgano jurisdiccional. Y por más que las implicaciones jurídico-penales del hecho investigado exijan el empleo de conceptos normativos singularmente especializadas, éstas han de ser traídas al proceso –sin excepciones– por el Juez. La intromisión de un tercero en la fijación del derecho aplica-*

---

[23]   *por el funcionario, quedando fuera de su alcance las calificaciones jurídicas, los juicios de valor o las simples opiniones que los inspectores consignen en las actas y diligencias*».
STS núm. 494/2014, de 18 de junio; Sala Segunda, Sección Primera; Recurso de Casación núm. 54/2014; RJ 2014\4377 y Ponente: Excmo. Sr. D. Manuel Marchena Gómez.

ble supondría una injustificada invasión del ámbito funcional que nuestro sistema reserva a quienes asumen el ejercicio de funciones jurisdiccionales»[24].

Así pues, los informes de la OLAF, al igual que los informes de los inspectores nacionales, deberán someterse a las reglas de interpretación y valoración de los medios de prueba (artículos 741 y 973 de la LECrim.)[25], por lo que el informe final de la OLAF –de exigencia inexcusable, según el artículo 11.1 del Reglamento– no constituye una prueba preconstituida[26] con validez indiscutible[27], dado que existe la posibilidad formal de rebatirlo o,

---

[24] A este respecto, *vid.* MORENO CATENA, Víctor, "Capítulo III. La prueba preconstituida", en GONZÁLEZ CANO, María Isabel (Dir.), *La Prueba en el proceso penal*, Tomo II, Tirant lo Blanch, Valencia, 2018, pp. 149-315.

[25] STSJ de la Comunidad Valenciana, núm. 137/2013, de 13 de febrero de 2013 (FJ. 4°), Sala de lo Contencioso-Administrativo, Sección Tercera; Recurso contencioso-administrativo núm. 839/2010; ECLI:ES:TSJCV:2013:953 y Ponente: Ilmo. Sr. D. Gonzalo Ignacio Barra Pla.

[26] En este orden, resulta interesante poner en relación lo expuesto con la SAN de 25 de junio de 2001 (FJ. 4°), Sala de lo Contencioso-Administrativo, Sección Séptima; Recurso contencioso-administrativo núm. 296/1999; ES:AN:2001:4107 y Ponente: Ilma. Sra. Dña. Ana Isabel Resa Gómez. En este caso, la AN afirmó que «ni siquiera los *escritos que la dirección general XXI y la UCLAF de la Comisión Europea remiten a las autoridades aduaneras españolas pueden considerarse como prueba preconstituida, no solo porque el segundo de ellos sea de fecha posterior al inicio de las actuaciones administrativas, sino porque su contenido no deja de ser el criterio que tales organismos mantienen en relación con las conclusiones de las misiones comunitarias, sin concretar cuantos certificados de origen se encuentran afectados de nulidad y en qué, lo que sería preciso acreditar fehacientemente para poder denegar a las importaciones los beneficios del SPG, ya que en tanto dichos certificados se encuentren vigentes otorgan a su titular los derechos que le son propios como así lo reconoce el artículo 19 del Reglamento CEE 693/88, (…) deben anularse las actas que en dichas pruebas se basan y con ello las liquidaciones practicadas*».

[27] Con relación al valor probatorio que, por sí mismo y de forma aislada, puedan ostentar los informes finales de la OLAF, se pronunció la STSJ de la Comunidad Valenciana, núm. 9/2006, de 2 de enero de 2006 (FJ. 2°), Sala de lo Contencioso-Administrativo, Sección Primera; Recurso contencioso-administrativo núm. 2752/2003; Ref. ES:TSJ-CV:2006:31 y Ponente: Ilmo. Sr. D. Agustín Gómez Moreno Mora, al declarar que «*no puede hablarse de acta al no constar [en ella] los requisitos, datos y circunstancias exigidos para ello y, tampoco el de certificado por cuanto adolece de firma alguna por lo que en tal sentido, se le pueda reconocer tal valor la Sala no puede otorgarle el valor probatorio que le es reconocido por la Administración por lo que debe estarse con la tesis de la demandante, muy en particular en cuanto al carácter de presunción «ius tantum» que debe otorgarse a los informes emitidos por la Administración sin ser admisible tachar de falsa la documentación aportada por la actora o presumirla como tal sin previamente iniciar, en base a la gravedad de la imputación, un expediente tendente a la comprobación de los hechos imputados y, no girar de forma automática una liquidación «a posterior», máxime con origen en un mero informe sin firma alguna de autoridad que lo legitime, y no constatado, por lo que en este punto debe admitirse íntegramente la tesis de la actora negando al informe remitido por la OLAF, por si mismo, valor para tachar de falsos tanto el conocimiento*

en su caso, cuestionarlo, mediante la alegación de argumentos en contra, por las partes (principio de contradicción[28])[29]. Ahora bien, ¿qué sucedería si se tratase del único medio de prueba aportado al proceso penal? A este respecto, el Tribunal Superior de Justicia de Murcia ha afirmado, en diversas ocasiones, que, al ser el único documento probatorio de los hechos, «*el informe gozará de la presunción total de veracidad, en cuanto a los hechos en él recogidos, puesto que la parte actora no aporta prueba alguna que los desvirtúe, pudiendo haberlo hecho, ya que conocía el contenido del mismo*»[30].

---

de embarque como el certificado del origen de las mercancías transportadas adjuntados en su momento a la declaración de aduanas, ello sin olvidar la documental aportada, por la actora, copia de certificado de origen de la Cámara de Comercio de Taiwan, al que se le podría, en todo caso otorgar, al menos, la misma eficacia que al informe de la OLAF, con lo cual, el contenido del mismo podría contrarrestar el de este; eliminando la sombra de la atribuida falsedad a los documentos antes mencionados».

[28] Para un exhaustivo examen del *principio de contradicción* y su relevancia en cualquier procedimiento judicial de naturaleza penal, *véase* el extenso y detallado estudio que, del mismo, realiza RUGGERI, Stefano, en *Audi Alteram Partem in Criminal Proceedings: Towards a Participatory Understanding of Criminal Justice in Europe and Latin America*, Springer, The Hague, 2018.

[29] En este mismo sentido, *léase* BOSCH CHOLBI, José Luis, "Las actuaciones de la Oficina de Lucha contra el Fraude a la Hacienda de la Unión Europea (OLAF) y las exigencias de coordinación con los Estados miembros, en GARCÍA PRATS, Alfredo (Coord.), *Gobernanza económica e integración fiscal en la Unión Europea*, Tirant lo Blanch, Valencia, 2016, pp. 143-178.

[30] SSTSJ de Murcia, núm. 429/2001, de 6 de mayo de 2001 (FJ. 4°), Sala de lo Contencioso-Administrativo, Sección Segunda; Recurso núm. 1704/1998; ES:TSJMU:2001:1220 y Ponente: Ilma. Sra. Dña. Gloria Alarcón García; y, núm. 245/2003, de 31 de marzo de 2003 (FJ. 3°), Sala de lo Contencioso-Administrativo, Sección Segunda; Recurso núm. 1703/1998; ES:TSJMU:2003:748 y Ponente: Ilmo. Sr. D. Joaquín Moreno Grau.

Capítulo XI

PLANTEAMIENTO PARA UN USO EFICAZ DE LA PRUEBA DE ADN A NIVEL NACIONAL Y TRANSFRONTERIZO[1]

María José CABEZUDO BAJO
Profesora Titular de Derecho Procesal
Universidad Nacional de Educación a Distancia (UNED)

SUMARIO: 1. MOTIVACIÓN. 2. IDENTIFICACIÓN DE PROBLEMAS E HIPÓTESIS DE PARTIDA. 3. METODOLOGÍA. 4. NUESTRO PLANTEAMIENTO. 5. CONCLUSIONES.

RESUMEN: En este trabajo expondremos nuestra contribución para el logro de una prueba de ADN eficaz a nivel nacional y transfronterizo. Para ello, en primer lugar, hemos identificado algunos problemas que impiden la eficacia de este medio de prueba, seguidamente, hemos establecido nuestra hipótesis de partida y enfoque metodológico y, finalmente, hemos planteado nuestra propuesta.

ABSTRACT: In this paper we will present our contribution to achieve an effective DNA evidence at a national and cross-border level. For this, first, we have identified some problems that impede the effectiveness mencioned, then, we have established our hypothesis and methodological approach and, finally, we have proposed our proposal.

PALABRAS CLAVE: Prueba de ADN, cuestiones científico-tecnológicas y de probabilidad, fiabilidad de la prueba.

KEY WORDS: DNA evidence, scientific-technological and probability issues, reliable evidence.

---

[1] Este trabajo se enmarca en el Proyecto de investigación "Avances en la incorporación de la prueba científica de ADN en el proceso penal y su aplicabilidad a otras ciencias forenses" DER 2014-57133-R financiado por el Ministerio de Economía y Competitividad español.

1. MOTIVACIÓN

Uno de los principales objetivos que persiguen los Estados a nivel mundial es el logro de sociedades más seguras y con una administración de justicia más eficaz, debido fundamentalmente al aumento de la criminalidad grave nacional y transfronteriza, esencialmente, la criminalidad organizada y el terrorismo. Para ello, se ha apostado, desde muy diversos ámbitos y en los últimos años, por el uso de la ciencia forense[2] y, en concreto, por la prueba de ADN. En este sentido, con independencia de la sociedad científica internacional, sector doctrinal, legislador o, incluso, formador, que estudia o toma en cuenta algunas de las perspectivas desde la que puede abordarse la prueba de ADN, todos ellos comparten el hecho de que con la prueba de ADN se ha de contribuir al logro de una sociedad más segura y con una administración de justicia más eficaz. Y, para alcanzarlo, están dirigiendo sus esfuerzos en conseguir que la prueba de ADN constituya una herramienta realmente eficaz en la lucha contra la criminalidad grave, nacional y transfronteriza, especialmente, la criminalidad organizada y el terrorismo.

Sin embargo, todavía tenemos un largo camino por recorrer hasta lograrlo. Bastaría para demostrarlo con hacernos las siguientes preguntas: En relación con la fase de obtención de la muestra: ¿En qué norma se prevé cómo debe recogerse la muestra de ADN? ¿Y la cadena de custodia? ¿Qué protocolo de actuación, respecto de las cuestiones científicas que afectarán a la fiabilidad de la prueba, debe llevarse a cabo? ¿Son los mismos en todos los Estado que intercambian perfiles? ¿Qué formación exige la Ley que hayan de tener los que llevan a cabo esta actuación? Respecto a la etapa del análisis del perfil: ¿Cuáles son los marcadores que utiliza la Policía científica española? ¿Están previsto en la Ley? ¿Analizan la parte codificante? ¿La Ley se lo impide? ¿Utilizan todos los Estados que intercambian perfiles los mismos marcadores? ¿Y los mismos procedimientos científicos de análisis del perfil? ¿En qué se traduce la norma EN ISO/IEC 17025, relativa a la acreditación de laboratorios, en relación con la prueba de ADN? ¿Algún Estado lo ha concretado? ¿Qué formación exige la Ley que hayan de tener los que llevan a cabo esta actuación? En cuanto a la fase del tratamiento del dato en la base de datos: ¿Qué norma establece cómo se inscriben los per-

---

[2]   En este punto, asumimos la distinción entre ciencias forenses de primera y segunda generación efectuada por MURPHY, Erin., "The new forensics: criminal justice, false certainty, and the second generation of scientific evidence", *California Law Review*, vol. 95, nº 3, June 2007, disponible asimismo en: http://papers.ssrn.com/sol3/papers.cfm?abstract_id=89612.

files de ADN? ¿Qué información se contiene en la base de datos respecto a los perfiles? ¿Todos los Estados incluyen la misma información? ¿Cómo se cuantifica la probabilidad de que habiendo una coincidencia se trate del mismo sujeto? ¿Se ha identificado el modelo estadístico correspondiente aplicando el Teorema de Bayes? ¿En otro teorema? Están previstos estos cálculos matemáticos en alguna norma? ¿Se han identificado las fuentes de incertidumbre que pueden concurrir en la obtención de la muestra, análisis del perfil y el tratamiento del dato de ADN en la base de datos? ¿Existe alguna norma que lo prevea? ¿Qué formación exige la Ley que hayan de tener los que llevan a cabo esta actuación? Y, en relación con las tres fases indicadas: ¿Existe un mínimo común sobre protección de los derechos fundamentales afectados con las actividades realizadas en cada una de las tres etapas? ¿A qué obedece la prácticamente inexistente regulación sobre las cuestiones científico-tecnológicas y de probabilidad asociadas a la prueba de ADN? Y, finalmente, y como colofón: ¿Cómo incide esto en la proposición, práctica y esencialmente valoración de la prueba de ADN en el marco del proceso penal del Estado en cuya jurisdicción se desarrolle el proceso penal? Por el hecho de no existir regulación en muchas de las cuestiones anteriormente planteadas, ¿debieran concurrir problemas de licitud y fiabilidad de la prueba que determine que pueda ser nula o válida? Y, en este segundo caso, aun siendo válida ¿cómo incidiría en la valoración de su fiabilidad?

A la vista de las cuestiones planteadas, nuestro trabajo pretende ser una contribución más para ayudar a dar algunas respuestas.

2. IDENTIFICACIÓN DE PROBLEMAS E HIPÓTESIS DE PARTIDA

En relación con una prueba de ADN que ha sido obtenida a nivel nacional o transfronterizo con el fin de ser practicada y valorada en un proceso penal español, el problema principal que hemos identificado se pueden reconducir a lo siguiente: a pesar de los avances ya alcanzados en el campo de la prueba de ADN, en la actualidad, estamos aún muy lejos de la pretendida armonización legislativa a nivel internacional, UE y España, de las cuestiones científico-tecnológicas de probabilidad y jurídicas (en adelante, cuestiones CTPJ) involucradas en la obtención de la prueba de ADN. Y, ello, porque no se ha logrado la plena internacionalización y sinergia (en adelante, IyS) en el análisis previo y conjunto de las cuestiones CTPJ que conforman la prueba de ADN utilizable en un proceso penal y, en consecuencia, ni en la regulación de este medio de prueba, ni en la formación de las partes intervinientes en el proceso penal. Asimismo, tampoco existe una legislación española adecuada sobre la práctica y valoración de la prueba de ADN que posibilite el respeto al principio de contradicción y libre valoración de la prueba. Y, todo ello, puede traer como consecuencia la injustificada, en unos casos, sobrevaloración, o en otros supuestos, minusvaloración de dicho medio de prueba y, con ello, la posible ocurrencia de sentencias erróneas de condena o absolución, respectivamente.

Desde nuestro punto de vista, tomando en cuenta el proceso penal español donde se practica y valora una prueba de ADN obtenida en España o transfronterizamente (a nivel internacional o UE), este problema obedece, esencialmente, a dos grupos de motivos referidos a la obtención de la prueba y, además, a su práctica y valoración judicial.

El primero es la falta o defectuosa regulación de la multitud de aspectos referidos a la obtención de dicha prueba, tanto de naturaleza jurídica como, esencialmente, de carácter científico-tecnológico de probabilidad (en adelante, CTP). En concreto, en relación con las cuestiones CTP y en los tres niveles indicados, nacional, UE e internacional, debieran ser objeto de regulación, al menos, en la fase de obtención de la muestra, las tecnologías para recabar, conservar, trasladar y entregar la muestra en el laboratorio junto con sus márgenes de error asociados que han de cuantificarse, así como la cualificación del personal que desempeña tales actividades; en la fase de análisis en el laboratorio, los requisitos de acreditación de los laboratorios, las técnicas de análisis utilizadas en el laboratorio y el margen de incertidumbre asociado a ellas que han de cuantificarse y la cualificación del personal encargado de llevar a cabo tales actuaciones; en la fase de tratamiento del dato, las tecnologías empleadas para llevar a cabo las búsquedas y comparaciones de perfiles de ADN y sus fuentes de incertidumbres que han de cuantificarse, el método para llevar a cabo los resultados coincidentes en términos de probabilidad y la cualificación del personal que desempeña tales funciones.

En cuanto a los aspectos jurídicos y en los mencionados tres niveles, se requiere de una regulación, como mínimo, y respecto a la obtención de la muestra, que sea respetuosa con los derechos fundamentales afectados, esencialmente cuando la muestra se toma de una persona identificada; en cuanto al análisis del perfil, deben ser objeto de regulación y reforma, las cuestiones jurídicas íntimamente relacionadas con las cuestiones científico-tecnológicas involucradas en la extracción del perfil, particularmente, en la delimitación de la parte codificante o no codificante del ADN que puede ser analizada, y en la identificación de los marcadores que han de ser analizados, junto con el establecimiento de una adecuada regulación del control legal y jurisdiccional de la muestra una vez efectuado el correspondiente análisis y, en su caso, del plazo para la destrucción de dicha muestra; y, finalmente, respecto al tratamiento del dato de ADN en la base de datos, ha de establecerse un eficaz régimen de protección del dato de ADN, a nivel UE y español y, particularmente, respecto de los criterios de inclusión y cancelación de perfiles, así como de los derechos de información del interesado, junto con la previsión normativa de las búsquedas del ADN de familiares y una más completa previsión legislativa de la información que debiera dar el perito en su informe.

Y, finalmente, y en relación con los aspectos CTPJ, conjuntamente considerados, al menos, debiera preverse normativamente en los citados tres niveles internacional, de la UE y española la cadena de custodia que habría de regularse a lo largo de las sub-fases ya reiteradas por las que se obtiene progresivamente una prueba de ADN.

El segundo obedece a la deficiente garantía de los principios de contradicción y de libre valoración de la prueba en el momento de la práctica y valoración de la prueba de ADN en el juicio oral. Y, ello, debido, al menos, a dos factores. El primero se refiere, como hemos señalado anteriormente, a la incompleta información que el perito, según la normativa vigente, ha de suministrar al juez en su informe pericial y, por ello, en su posterior declaración en el juicio oral. Y el segundo tiene que ver con la inexistente exigencia legal sobre la adecuada formación que ha de tener no solo el perito sino también y el jurista (abogado, fiscal y juez) sobre los referidos aspectos CTPJ. Debido a esta doble circunstancia, se dificulta el efectivo cuestionamiento de la prueba de ADN por la parte defensora y su libre valoración judicial. Es por ello por lo que debemos buscar la forma de asegurar, vía legislativa, que el jurista y el científico, en definitiva, las partes intervinientes en la obtención, práctica y valoración de la prueba, tengan un conocimiento efectivo de estas materias CTPJ. Y, todo ello, para lograr, en última instancia, un mejor funcionamiento del proceso penal y así evitar condenas injustas debido a una sobrevaloración o minusvaloración injustificada de la prueba de ADN. Es por ello, por lo que, a continuación, vamos a continuar desarrollando nuestro razonamiento para llegar a la hipótesis de partida que asumimos en nuestro trabajo.

En este sentido, para que la prueba científica de ADN pueda contribuir a dar respuesta a la necesidad de lograr una sociedad más segura y una administración de justicia eficaz no es suficiente con que se avance en el ámbito científico-tecnológico-probabilístico, por un lado, y en el jurídico, por otro, sin reconocer efectivamente la sinergia que opera entre ambos y, en todo caso, llevando a cabo dicha sinergia sobre la base de un conocimiento que ha de consensuarse en primer lugar a nivel internacional y, posteriormente, a nivel supranacional (UE) y nacional (español). Por el contrario, es necesario seguir evolucionando en la línea de llevar a cabo trabajos que complementen los realizados hasta ahora en los ámbitos procesal[3], de la medicina legal[4] o por biólogos[5] y que, además, constituyan un progreso significativo respecto del estado de la cuestión porque se avance en las cuestiones CTPJ desde la mencionada doble perspectiva de la IyS. Y, fundamentalmente, recogerlos en una norma jurídica porque es el producto final donde deben concretarse dichos avances. En consecuencia, para contribuir al progreso en esta materia es necesario seguir mejorando en el análisis interdisciplinar y, asimismo, internacionalizado y trasladarlo a la regulación correspondiente.

Identificados los problemas que suscita la regulación de las cuestiones CTPJ a nivel internacional, UE y español, podemos afirmar, como hipótesis de partida, que es posible su solución, esto es, el logro, de un lado,

---

[3]   ETXEBERRÍA GURIDI, José Francisco, "La identificación de personas mediante pruebas genéticas y bancos de perfiles de ADN: evolución normativa en el contexto europeo", *Revista de derecho y genoma humano*, Número extraordinario, pp. 135-156; 2014; ESCALADA LÓPEZ, María Luisa, "El dictamen de perito en la LEC. Aspectos generales: especial referencia a su naturaleza jurídica", *Revista de Derecho Procesal*, nº 1, 2007, pp. 297-352; NIEVA FENOLL, Jordi, *La valoración de la prueba*, Marcial Pons, Madrid, 2010; SARRIÓN ESTEVE, Joaquín, "La garantía del plazo de cancelación de datos en el intercambio de perfiles de ADN en la Unión Europea" en Cabezudo Bajo, M. J., *Las bases de datos policiales de ADN ¿son una herramienta realmente eficaz en la lucha contra la criminalidad grave nacional y transfronteriza*, Dykinson, Madrid, 2013, pp. 297-324;; SOLETO MUÑOZ, Helena., "DNA and Law Enforcement in the European Union: tools and human rights", *Utrecht Law Review*, nº 10, 2014; *La identificación del imputado*, Tirant lo Blanch, Valencia, 2009; GOMEZ COLOMER, Juan Luis, (Coord), *La prueba de ADN en el proceso penal*, Valencia, 2014.

[4]   PRIETO SOLLA, Lourdes, CARRACEDO ÁLVAREZ, Ángel, "La valoración estadística de la prueba de ADN para juristas, ADN" en Cabezudo Bajo, M. J., (Coord), *Las bases de datos policiales de ADN ¿son una herramienta realmente eficaz en la lucha contra la criminalidad grave nacional y transfronteriza*, Dykinson, Madrid, 2013, pp. 277-296.

[5]   MARTINEZ DE PANCORBO, M.; FERNÁNDEZ-FERNANDEZ, I., "Límites de la tecnología basada en el ADN", *Eguzkilore*, 12, 1998; NUÑEZ DOMINGO, Carolina; BAETA BAFALLUY, Miriam, et al, "A global analysis of Y-chromosomal haplotype diversity for 23 STR loci", *Forensic Sci Int Genet.* 2014.

de una legislación armonizada en cuanto a la obtención de la prueba, y, de otro, una regulación española adecuada a los correspondientes principios procesales que rigen las fases referidas a su práctica y valoración, en ambos casos, de las cuestiones CTPJ involucradas en la prueba de ADN, mediante la asunción de la plena IyS en el análisis de las mencionadas cuestiones. Desde un punto de vista científico-tecnológico de probabilidad, el logro de esta regulación armonizada en su obtención y, asimismo, adecuada a los mencionados principios en sus fases de práctica y valoración puede ser viable porque la prueba de ADN tiene base científica y está siendo objeto de investigación por diversas sociedades científicas internacionales, así como por expertos en los campos científico-tecnológico y de probabilidad involucrados. Desde una perspectiva jurídica, aun cuando no existen asociaciones internacionales de juristas encargados del estudio de la prueba de ADN y, menos aún, ámbitos de colaboración entre científicos y juristas, podría ser factible, aunque con mayores dificultades, alcanzar una regulación armonizada y adecuada que fuera el resultado de un análisis en el que se asuma la plena IyS del conjunto de las cuestiones CTPJ asociadas a la prueba de ADN. Y en ambos casos, para las cuestiones CTP y jurídicas, podría lograrse en el marco de las Comisiones Internacional y Europea, junto con la española, sobre el uso forense del ADN, que hemos propuesto. En concreto, y en relación con la obtención de la prueba, sería posible alcanzar una regulación armonizada, bajo la condición de que únicamente permitiera la obtención de una prueba válida y con un elevado y cuantificable valor probatorio. Y, respecto a su práctica y valoración, sería factible el logro de una regulación, no tanto armonizada, cuanto adecuada con los principios procesales que rigen estas fases del proceso penal español que posibilitara el real cuestionamiento y libre valoración judicial, tanto de su validez como de su elevada y cuantificada fiabilidad.

Conforme a la hipótesis de partida planteada, es claro que debemos seguir avanzando en la asunción de la plena IyS en el análisis de las cuestiones del conjunto de las cuestiones CTPJ que están involucradas en la prueba de ADN. Y, ello, teniendo en cuenta que dicho avance ha de realizarse, no sólo en el previo estudio de las cuestiones CTPJ, sino esencialmente en su posterior concreción en la legislación armonizada y, en su caso, adecuada de tales aspectos. En definitiva, debe progresarse, desde el punto de vista IyS, en cómo incorporar, practicar y valorar eficazmente en un proceso penal los conocimientos CTPJ que sustentan la prueba de ADN.

Con el fin de precisar desde un punto de vista jurídico-procesal cómo puede ello concretarse es por lo que, a continuación, expondremos nuestro enfoque metodológico.

3. METODOLOGÍA

Vamos a exponer cómo avanzar, en primer lugar, hacia dicha normativa armonizada y condicionada a la obtención de una prueba válida y con un elevado y cuantificable valor probatorio y, en segundo término, hacia una regulación española que establezca de forma adecuada cómo debe desarrollarse la práctica y valoración judicial conforme a los principios procesales que rigen ambas fases, asumiendo, en ambos casos, la plena internacionalización y sinergia del conjunto de las cuestiones científico-tecnológicas y de probabilidad y jurídicas asociadas a la prueba de ADN. Para ello, hemos adoptado una metodología. En virtud de dicho enfoque metodológico podremos establecer un marco común al que poder reconducir el conjunto de las cuestiones científico-tecnológicas de probabilidad y jurídicas y, asimismo, nos posibilitará llevar a cabo un análisis sistemático de todas ellas, desde un punto de vista procesal y, en concreto, desde la óptica de la prueba, para formular soluciones coherentes y jurídicamente bien construidas. Dicha metodología consistirá en la realización de las tres siguientes actuaciones desarrolladas en trabajos previos[6].

En primer lugar, en la incluiremos a la prueba de ADN en una categoría. Ello supondrá considerarla como una prueba científico-tecnológica de probabilidad, lo que constituye su naturaleza jurídica. Así, podremos concretar, desde un punto de vista jurídico-procesal, los requisitos que han de cumplir las mencionadas legislaciones para que posibiliten la obtención, práctica y valoración de la prueba de ADN en el doble sentido anteriormente indicado, esto es, armonizada en su obtención y adecuada con los principios procesales que han de cumplirse en su práctica y valoración. Este método nos ayudará asimismo en la identificación de las cuestiones sobre las que deben estar formadas las partes intervinientes en estas tres etapas en relación con la prueba de ADN.

---

[6]   CABEZUDO BAJO, María José. *Propuestas para una regulación armonizada de la obtención de la prueba de ADN como prueba científica-tecnológica de probabilidad en el proceso penal*, Navarra, 2017.

En segundo término, atribuida dicha naturaleza jurídica, ha de conceptuarse la prueba de ADN como prueba científico tecnológica de probabilidad que es, lo que nos permitirá distinguir sus tres elementos esenciales. En este sentido, la prueba de ADN, como prueba científica-tecnológica de probabilidad, es aquella que ha de cumplir dos condiciones. La primera es que ha de ser una prueba que se obtenga de la forma más fiable posible, lícitamente y con un valor probatorio que ha de poder cuantificarse en términos de probabilidad con la mayor precisión posible, para lo cual así se ha de establecer en la legislación internacional, europea y española armonizada en la que debe regularse esta primera fase. La segunda condición es que ha de practicarse y valorarse, en relación a los tres elementos anteriormente indicados, referidos a su fiabilidad, licitud y cuantificación en términos de probabilidad, bajo una efectiva contradicción y verdadera libertad en su valoración, para lo que se ha de prever en la legislación española en la que ha de regularse de manera tal que posibilite el efectivo cumplimiento de tales principios procesales en esta segunda y tercera fase por la que discurre la prueba.

Finalmente, debe proyectarse cada uno de sus elementos esenciales sobre las fases a través de las cuales transcurre la prueba de ADN, como son las de obtención, práctica y valoración. Con ello, puede efectuarse una primera aproximación sobre la prueba de ADN y sus tres etapas, como una prueba científica-tecnológica de probabilidad, que constituirá la base sobre la que seguir profundizando.

Conforme a las tres actuaciones que configuran nuestro enfoque metodológico, es posible contribuir al progreso hacia esencialmente los dos tipos de regulación mencionados anteriormente, con la ayuda de la asunción de la internacionalización y sinergia en el análisis del conjunto de las cuestiones científico-tecnológicas, de probabilidad y jurídicas asociadas a la prueba de ADN. En concreto, nos permitirá avanzar hacia, de un lado, una legislación armonizada y condicionada a que únicamente posibilite la obtención de prueba de ADN lo más fiablemente posible y de forma lícita y cuya fiabilidad pueda cuantificarse con la mayor precisión posible en términos de probabilidad, tanto a nivel internacional, UE y español; y, de otro, una regulación adecuada, en el sentido de que permita que las mencionadas cuestiones relativas a la fiabilidad, licitud y cuantificación de dicha fiabilidad en términos de probabilidad, sean discutidas y valoradas bajo los principios procesales el principio de contradicción y el de libre valoración de la prueba. Y, todo ello, sin perjuicio de que, al hilo de ambos desarrollos, vayamos incidiendo en la necesaria regulación acerca de la cualificación de las partes intervinientes en el proceso sobre estas cuestiones.

4. NUESTRO PLANTEAMIENTO

Consideramos que para alcanzar una prueba de ADN eficaz, desde un punto de vista procesal, a nivel nacional y transfronterizo, debiéramos avanzar en dos vías, referidas al ámbito legislativo y, previamente, al campo del conocimiento en relación a las cuestiones científico-tecnológicas, de probabilidad y jurídicas (en adelante, CTPJ) asociadas a la prueba de ADN. Y, en relación con ambas vías, hemos de incidir asimismo en la necesaria exigencia legal acerca de la adecuada formación de las partes intervinientes en el proceso penal sobre las citadas cuestiones CTPJ. Por lo tanto, el objetivo ultimo sería lograr una legislación armonizada sobre las cuestiones CTPJ a nivel internacional (y conforme a él, a nivel supranacional-UE y nacional-español) para lo que sería necesario lograr consensos sobre el conocimiento de tales cuestiones CTPJ entre científicos y juristas en los mencionados niveles. Vamos a explicar mejor a continuación ambos caminos de avance en los que es preciso seguir progresando.

Desde un punto de vista cronológico, el primer avance ha de realizarse en el ámbito del conocimiento. En este sentido, proponemos el logro de un conocimiento consensuado sobre las cuestiones CTPJ involucradas en la prueba de ADN entre científicos y juristas, en primer lugar, a nivel internacional que se traslade a los niveles supranacionales y nacionales y que sirva de base para establecer una regulación armonizada a nivel mundial. Ello implica que el análisis de las cuestiones CTPJ asociadas a la prueba de ADN se ha de llevar a cabo asumiendo, no solo que ha de efectuarse primeramente a nivel internacional, esto es, reconociendo la plena internacionalización de dicho conocimiento, sino también la sinergia que ha de operar en el estudio de las cuestiones científico-tecnológicas de probabilidad (en adelante, CTP), de un lado y jurídicas, de otro. En definitiva, dicho avance se ha de efectuar aceptando la internacionalización y sinergia (en adelante, IyS) que ha de asegurarse en el análisis de tales cuestiones CTPJ. Dicho en otras palabras, solo si asumimos que el conocimiento de las citadas cuestiones CTPJ ha de ser el resultado de lograr un consenso acerca de cómo ha de obtenerse la prueba, que se ha ido recabando progresivamente en cada una de sus tres sub-etapas, en los niveles internacional y, conforme a él, en el ámbito supraestatal (en nuestro caso, en el ámbito de la UE) y, en su virtud, en el ámbito estatal, en el que se reconozca la plena IyS que ha de operar en el estudio de los mencionados temas CTPJ, podremos estar en disposición de llegar a alcanzar una regulación armonizada de la obtención de la prueba de ADN en los tres niveles mencionados.

Como hemos señalado, para lograrlo, se debería, en primer lugar, llegar a un consenso a nivel internacional entre las asociaciones científicas y jurídicas internacionales, expertas en las pruebas científicas y, particularmente, en la prueba de ADN, sobre las cuestiones CTPJ involucradas en este medio de prueba. Ello implicaría que, debieran crearse, en el caso de que no existiesen y, seguidamente, lograr, las sociedades científicas, por un lado, y las jurídicas, por otro, un acuerdo previo sobre las correspondientes materias que caen en su ámbito de trabajo. Tales consensos, el de las sociedades científicas, por un lado y jurídicas, por otro, junto con el acuerdo final entre ambas, podría alcanzarse en el marco de una Comisión Internacional para el uso forense de las pruebas científicas y, particularmente, de la prueba de ADN, cuya creación proponemos.

Ciertamente, a nivel científico, existen multitud de organizaciones internacionales encargadas de estudiar las pruebas científicas, particularmente, la prueba de ADN, que han desarrollado valiosos trabajos en este sentido. Sin embargo, no parece que se hayan articulado mecanismos para alcanzar un acuerdo entre ellas sobre el conjunto de cuestiones CTP involucradas en la prueba de ADN. Tales cuestiones pueden ser esencialmente las tecnologías más adecuadas para obtener la prueba con la identificación y cuantificación de sus márgenes de incertidumbre asociados, la formación exigible a los que las utilizan, así como el establecimiento del modelo estadístico para efectuar los correspondientes cálculos de probabilidad.

Asimismo, debiera alcanzarse un pacto en relación con las materias jurídicas sobre las que incide la prueba de ADN por parte de sociedades internacionales de juristas expertos en pruebas científicas, como la referida al ADN. Dicho acuerdo habría de lograrse, especialmente, en lo relativo al establecimiento del límite al uso de las TUFADN para que no se menoscaben los derechos fundamentales y otras garantías jurídicas esenciales que pudieran verse afectadas por su utilización. Sin embargo, no es posible llegar a dicho acuerdo porque ni siquiera se han creado tales organizaciones internacionales de juristas, expertos en estas materias, que tengan como objetivo alcanzar un consenso sobre tales cuestiones jurídicas.

Pero es que, aun cuando los ámbitos científicos y jurídicos se encontrasen debidamente organizados a nivel internacional en el sentido expuesto, faltarían cauces para su deseable interconexión que permitiese que el conocimiento científico generado por las sociedades científicas se pudiese trasladar a los grupos de juristas y que el conocimiento jurídico alcanzado por los grupos de juristas se comunicase a las sociedades científicas, en ambos casos, para ser revisado y acordado. Ello podría lograrse en el marco de la, ya propuesta por nosotros, Comisión Internacional sobre pruebas científicas, que incluya la prueba de ADN.

Ahora bien, suponiendo que tales consensos pudieran alcanzarse a nivel internacional sobre las cuestiones CTPJ asociadas a la prueba de ADN consensuado entre científicos y juristas en el marco de una hipotética Comisión internacional sobre pruebas científicas, que incluya el uso forense del ADN, por lo tanto, asumiendo la I-S, ello no sería suficiente para lograr nuestro propósito. Sería además necesario que la correspondiente normativa estableciese la obligatoriedad de cumplir con dicho conocimiento y, por ello, el carácter vinculante de las propuestas legislativas en las que debiera incorporarse la esencia del conocimiento consensuado. Y, en concreto, que resultase exigible en los ámbitos inferiores, esto es, los supranacionales (ámbito europeo, iberoamericano…) y estatales, que son, desde la perspectiva española, los niveles UE y español. Es por ello por lo que proponemos, porque las consideramos necesarias, la creación de una Comisión Europea sobre pruebas científicas que incorpore el uso forense del ADN, así como la reforma del RD 1977/2008, de 28 de noviembre sobre la composición y funciones de la Comisión Nacional para el uso forense del ADN, con el fin de asegurar una mayor sinergia entre los grupos de carácter científico y jurídico existentes en el marco de la española Comisión Nacional para el uso forense del ADN. Y, ello, sin perjuicio de que tanto la Comisión Europea como la Española pudieran avanzar autónomamente en el conocimiento de las cuestiones CTPJ, pero, entendemos, bajo la condición de que los consensos alcanzados en sus respectivos ámbitos y, en su caso, las propuestas legislativas fueran en la línea de los acuerdos alcanzados en el nivel inmediatamente superior que, como hemos indicado, debieran resultar de obligado cumplimiento. La razón de esta propuesta estriba en que, lo contrario, impediría una regulación armonizada a nivel mundial y, en consecuencia, la falta de eficacia procesal de la prueba de ADN en esencia obtenida transfronterizamente.

Una vez se fueran llevando a cabo los progresos expuestos en el ámbito del conocimiento, la segunda vía que hemos propuesto para avanzar hacia una prueba de ADN eficaz desde un punto de vista procesal consiste en el logro de una legislación armonizada en los tres niveles indicados, internacional, supranacional y estatal que, como hemos reiterado, permita la obtención transfronteriza de una prueba de ADN eficaz desde un punto de vista procesal.

En este sentido, y volviendo al mundo ideal planteado, en el hipotético caso de que ambos tipos de organizaciones científicas y jurídicas existiesen en los tres niveles expuestos, y hubiesen llegado a un consenso cada una de ellas por separado y después conjunto, en el ámbito de las Comisiones internacional, supranacional (europea, iberoamericana…) y estatales para las pruebas científicas como el uso forense del ADN que hemos propuesto más arriba, ello significaría ciertamente un gran avance. Y, ello, porque la conclusión final a la que hubiesen llegado, aglutinando los tipos de conocimientos CTPJ involucrados, podría constituir la base necesaria para proponer, una legislación armonizada en los tres niveles expuestos. Esta es la segunda vía hacia la que debe avanzarse para lograr la eficacia procesal de la prueba de ADN, esto es, el progreso hacia una legislación armonizada a nivel internacional, supranacional y estatal. En concreto, y como ya se han señalado, desde la perspectiva española, dicha legislación armonizada comprendería la internacional y, conforme a ella, la propia de la UE y la española. Ello supondría, además, debido a la sinergia que debe operar entre las cuestiones CTPJ, de un lado, y jurídicas, de otro, que las normas aprobadas en los tres niveles indicados tendrían que contemplar el adecuado punto de equilibro entre las cuestiones CTP, de un lado, y las cuestiones jurídicas, de otro, si se quiere obtener una prueba lícita. Sería, el supuesto, por ejemplo, de la identificación de la parte del ADN que debiera ser únicamente objeto de análisis para extraer el perfil. Junto con ello, debieran incluirse en la normativa el conjunto de las cuestiones CTP, de un lado, y jurídicas, de otro, que no se interrelacionan, como es el caso de la regulación, por ejemplo, del modelo estadístico que permita efectuar los cálculos de probabilidad correspondientes y de los delitos graves por los que procede la inclusión de perfiles en la base de datos, respectivamente. Para ello, insistiremos en que debiera atribuirse, a las comisiones internacionales, supranacionales y nacionales anteriormente indicadas, la función de efectuar propuestas legislativas de acuerdo a los consensos alcanzados, las cuales debieran ser, al igual que tales acuerdos, vinculantes para las comisiones situadas en los niveles inferiores.

Afirmado lo anterior y, para concluir, si hemos indicado que para alcanzar una prueba de ADN eficaz en España, desde un punto de vista procesal, se ha de lograr una legislación armonizada en los tres ámbitos indicados, el internacional, UE y español en el sentido expuesto, para lo cual sería preciso alcanzar previamente un consenso a nivel internacional, que se trasladase al de la UE y español, sobre el conocimiento de las cuestiones CTPJ y que fuese vinculante al igual que las propuestas normativas en las que debiera concretarse, insisto, resulta necesario incidir en la necesidad de dicha armonización legislativa. Para ello, cabe destacar el hecho de que cada vez será más frecuente, precisamente para mejorar la lucha contra la criminalidad grave trasnacional, que puedan darse situaciones en las que la prueba se obtenga, ni solo con la aplicación de normas nacionales, como las españolas, ni únicamente conforme a normas internacionales o, en su caso, europeas. Esto es, puede darse el supuesto de que sea preciso tomar en cuenta tanto normas españolas como supranacionales para llevar a cabo cualquiera de las actividades necesarias para obtener la prueba de ADN. Ello acontece, por ejemplo, cuando un Estado es requerido por otro para recoger una muestra o analizar un perfil o cuando habiendo recogido una muestra y extraído su perfil en España sea objeto de ulteriores búsquedas y comparaciones automatizadas, con las bases de datos de otros Estados miembros de la UE o de terceros Estados. Por ello, si una prueba eficaz en tales casos, la regulación sobre la obtención progresiva de la prueba a través de sus tres fases (obtención de la muestra, análisis de su perfil y tratamiento del dato) ha de posibilitar que se obtenga, analice y trate a nivel nacional y transfronterizo (en el ámbito internacional y de la UE) de forma semejante o armonizada, para permitir su misma eficacia procesal a nivel nacional y transnacional en un proceso penal español.

5. CONCLUSIONES

I. Si queremos recabar una eficaz prueba científica de ADN en el proceso penal, es preciso lograr una legislación armonizada de las cuestiones CTPJ asociadas a ella a nivel internacional, supranacional y nacional.

II. La legislación armonizada sobre las cuestiones CTPJ puede lograrse si previamente se alcanzan consensos sobre el conocimiento de los temas CTPJ asociados a la prueba de ADN entre científicos y juristas, en primer lugar, a nivel internacional, en el marco de una Comisión internacional para el uso forense de las pruebas científicas como el ADN. Además a este organismo podría asignársele la función de efectuar, conforme a dicho conocimiento, propuestas de regulación. Ambas funciones debieran resultar vinculantes para el legislador (a nivel internacional) y las comisión supranacionales (iberoamericana, europea...). En el caso español, dicha comisión supranacional sería la Comisión Europea para el uso forense de las pruebas científicas como el ADN, cuya creación también proponemos. Y, ello, sin perjuicio de que esta Comisión europea pudiera avanzar en el conocimiento consensuado entre científicos y juristas sobre las cuestiones CTPJ, pero respetando lo acordado y propuesto por la Comisión internacional. Asimismo, los consensos y las propuestas de regulación efectuados por dicha Comisión europea debieran resultar vinculantes para las correspondientes comisiones nacionales.

III. Estas conclusiones son preliminares y continuamos avanzando en el estudio de este tema.

Capítulo XII

PRUEBAS TRANSFRONTERIZAS EMERGENTES Y PRINCIPIO DE OPORTUNIDAD[1]

Sonia CALAZA LÓPEZ
Catedrática de Derecho Procesal
Universidad Nacional de Educación a Distancia (UNED)

SUMARIO: 1. INTRODUCCIÓN. 2. CLASIFICACIÓN. 3. CONCEPTO. 4. CONSIDE-RACIONES FINALES.

RESUMEN: La regulación de un procedimiento probatorio autónomo, con especialidades propias, para verificar la realidad virtual –y, por tanto, transnacional– dimanada de cada uno de los mecanismos, instrumentos o técnicas de información y comunicación informáticos, electrónicos, telemáticos o tecnológicos, de uso habitual, dentro y fuera de nuestra Administración de Justicia, en lugar de su inercial dejación al albur de la buena praxis, con un plus de diligencia virtual, de los Jueces y Magistrados, iluminada por la jurisprudencia, supondría un avance sin precedentes en la seguridad jurídica que se debe presidir la realización de derechos fundamentales tan relevantes, en el marco del proceso judicial, como el derecho a la práctica de la prueba. Es por ello por lo que hemos considerado que, en ausencia de legalidad, una oportunidad se impone: la de abordar el estudio de la prueba electrónica. En este breve estudio nos conformamos con articular una clasificación y un ensayo de concepto, así como unas consideraciones generales.

ABSTRACT: The regulation of an evidential autonomous procedure, with own specialities, to check the virtual reality –and, therefore, transnational– flowed of each of the IT, electronic, telematic or technological mechanisms, instruments or technologies of information and communication, of habitual use, inside and out of our Administration of Justice, instead of his inercial abandonment to the risk of the good practice, with a bonus of virtual diligence, of the Judges and Justices, illuminated by the jurisprudence, would suppose an advance without precedents in the juridical safety that must preside at the accomplishment of

---

[1] Esta investigación se enmarca en el Proyecto de Excelencia I+D+I titulado "Postmo-dernidad y proceso europeo: La oportunidad como principio informador del proceso judicial", del Ministerio de Economía y competitividad, con REF DER 2017-87114-P, desde el 1 de enero de 2018 hasta el 31 de diciembre de 2020, del que la autora es Investigadora Principal.

fundamental such relevant rights, in the frame of the judicial process, as the right to the practice of the test. It is for it for what we have thought that, in absence of legality, an opportunity is imposed: her of approaching the study of the electronic test. In this brief study we agree to articulate a classification and a test of concept, as well as a few general considerations.

PALABRAS CLAVE: Pruebas transfronterizas, principio de oportunidad.

KEY WORDS: Cross-border tests, beginning of opportunity.

1. INTRODUCCIÓN

La imprescindible modernización, innovación y virtualización de la Justicia suponen, especialmente, en materia probatoria, la necesidad de arrasar, a través de una fuerte apuesta por la implementación de la e-Justicia, con la denominada *"brecha digital"*[2] o inconsciente rechazo y razonable temor a cualquier evidencia virtual, telemática, informática o tecnológica para alcanzar, al fin, una cada vez mayor seguridad jurídica electrónica[3]. Ciertamente, si hacemos uso de nuestra sabiduría popular, que nos aconseja "la evolución" en lugar de la "revolución", hemos de convenir que la innovación digital ha de integrarse en nuestros procesos judiciales a modo de paulatina evolución y no de repentina revolución, toda vez que la implementación de las TICs, especialmente en materia probatoria, médula del proceso, puede conllevar, de no acometerse de forma cautelosa, responsable y garantista, la quiebra de los derechos fundamentales más elementales de los justiciables. Y ello especialmente cuando los Jueces y Tribunales precisan, para otorgar adecuada respuesta a los ciber-justiciables, no sólo de un *apoyo técnico suficiente y eficiente* con la debida interoperabilidad (

---

[2]   BUJOSA VADELL, L.M., se refiere a esta "brecha digital" como "el desconocimiento, la impericia o incluso cierto respeto reverencial por los instrumentos informáticos que pueden incluir en la valoración judicial", en "La valoración de la prueba electrónica", en *Estudios sobre nuevas tecnologías y Justicia*, coordinado por BUENO DE MATA, F., Ed. Comares, Granada, 2015, p. 83.

[3]   Vid., DOLZ LAGO, M. J., cuando, en similar sentido, expone que "con independencia de que sería deseable un mejor desarrollo del tratamiento de la prueba electrónica en el proceso penal desde la misma LECrim., sin tener que acudir a la LECiv., por el carácter supletorio de esta norma contenido en su art. 4, ello no impide que en los casos penales que vaya presentándose esta prueba no se les pueda dar una respuesta conforme a la legalidad vigente, que permita conjugar el respeto a los derechos fundamentales con la eficacia de la investigación penal, dentro de lo que ya viene denominándose seguridad electrónica", en "¿Hacia una Jurisprudencia electrónica? (Breves reflexiones sobre SITEL)", en *La Ley Penal* n° 74, 2010, p. 15.

medios tecnológicos, informáticos y electrónicos imprescindibles, a disposición del Juzgador, para comunicarse y visualizar, de manera directa, todas las posibles contradicciones fácticas dimanantes de las nuevas TICs), sino también de *un auxilio pericial diligente* (medios humanos a disposición de los Jueces, especialistas informáticos independientes que iluminen y asesoren, en tiempo real, todos los juicios lógicos que van conformando el proceso, especialmente, en la fase probatoria) y la *superación exitosa de la "brecha digital", esto es, de todas las razonables dudas, sospechas o incertidumbres suscitadas ante la facilidad de su manipulación*[4]. Sin perjuicio de esta deseable evolución digital, no podemos obviar que las nuevas tecnologías de la información y la comunicación han irrumpido con tanta fuerza en nuestras relaciones sociales que ello ha conllevado, en paralelo, una auténtica revolución digital de la Justicia, de una manera especialmente intensa, en la asunción, estudio y validación de las denominadas "pruebas electrónicas".

Esta nueva forma de comunicación e interacción en el proceso judicial, generadora de grandes expectativas[5], con integración de la prueba electrónica, motor y sustento de la práctica totalidad de motivaciones judiciales, que ha superado la forma originariamente escrita; y se encuentra en vía de superar la forma de predominio oral, para dar paso a la forma, calificada

---

[4]　BORGES BLÁZQUEZ, R., ha advertido, a este respecto, que "pese a las buenas intenciones de legisladores europeos y nacionales, la prueba electrónica se está encontrando con una serie de inconvenientes técnicos. El primero es la realidad diaria de los tribunales, esto es, la falta de medios unida a la brecha tecnológica de los profesionales del sector. El segundo es la dificultad técnica implícita de un material probatorio conectado con las TICs que conlleva la necesidad de recurrir a profesionales para la prueba pericial – (…)-. El tercer inconveniente, y que deviene su máxima debilidad, es su alta volatilidad o facilidad de manipulación del documento", en "El sexting, la violencia de género y la prueba electrónica en el proceso penal", *Revista General de Derecho procesal* nº 44, 2018, p.6.

[5]　Vid., SANCHIS CRESPO, C., quién, de forma original, y en alusión a la famosa equiparación, atribuida a Carnelutti, de la Cenicienta con la Administración de Justicia por relación a las restantes Administraciones, señala lo siguiente: "Así como la Cenicienta no podía siquiera pensar en acudir al baile de palacio con el príncipe, la Administración de Justicia no podía acudir presurosa a la llamada del justiciable y mucho menos, acompañarle con pie firme hasta la consecución de un resultado procesal eficaz. Aunque claro está, Cenicienta al final del cuento consigue su propósito gracias al hada madrina y puede ser que a la Administración de Justicia española se le acabe de aparecer una ley con vocación salvadora: la Ley reguladora del Uso de las Tecnologías de la Información y la Comunicación en la Administración de Justicia", "La prueba en soporte electrónico" en *Las tecnologías de la Información y la Comunicación en la administración de Justicia. Análisis sistemático de la Ley 18/2011, de 5 de julio*, Ed. Aranzadi, Pamplona, 2012, pp. 707 y 708.

como "híbrida"[6], que singulariza a las nuevas tecnologías, conlleva la consecución de algunos retos (accesibilidad, celeridad, sencillez, transparencia, fluidez, inmediatez, dinamismo, economía, comodidad), pero también la asunción de otros tantos desafíos (recelo ante lo desconocido, temor fundado a lo inmaterial, ausencia de proximidad, despersonalización, acaso inhumanidad y, desde luego, relatividad de la inmediación) .

Finalmente hemos de admitir, muy a pesar del justificable recelo inicial a la integración de los novedosos medios de prueba electrónicos en nuestros procesos, que en múltiples ocasiones la probabilidad de error o fallo, fruto natural de la falibilidad humana, en el bien denominado "arte de juzgar"[7] se minimiza, muy considerablemente, ante la entrada al proceso de evidencias electrónicas irrebatibles.

2. CLASIFICACIÓN

La acelerada, innovadora, expansiva, casi vertiginosa, y siempre cambiante realidad tecnológica dificulta cualquier intento de concreción, unificación o acotamiento de cuáles fueren las específicas modalidades probatorias a las que pudiésemos calificar como propiamente "electrónicas" o "tecnológicas", en un ámbito de actuación tan transfronterizo como lo es el

---

[6]   AMRANI-MEKKI, S., señala, en este sentido, que "por una suerte de ley de substitución, cada modelo de procedimiento se exalta y después se desacredita en aras de esta búsqueda constante de la eficiencia personal. Tras la sucesión de la forma escrita, luego la oral, ahora toma el relevo esta forma híbrida que revisten las nuevas tecnologías, las cuales se supone aportarán un soplo de aire fresco al proceso civil. Aportan celeridad y calidad al procedimiento", "El impacto de las nuevas tecnologías sobre la forma del proceso civil", en *Oralidad y escritura en un proceso civil eficiente*, Ed. Universidad de Valencia, 2008, p. 101.

[7]   Vid., GORPHE, F., quién, tras advertir que "no cabría pretender, ante la Justicia, una rigurosa exactitud, como en la ciencia: la justicia continuará siendo siempre un arte, y un arte humano, falible en consecuencia. Más el progreso consiste en reducir los riesgos de error, en todo caso constitutivos de algo grave", señaló, a su vez, lo siguiente: "la finalidad de las pruebas debe consistir en obtener una certeza, aunque con frecuencia hagan alto en mitad de su camino; es decir, en una simple probabilidad o verosimilitud. No cabría aquí aspirar a una apodíctica certidumbre; y tan solo de excepcional manera se consigue una certeza física, basada sobre precisas comprobaciones materiales, como en los supuestos de identificación mediante rastros mensurables, especialmente con las **impresiones digitales**, que suelen proporcionar de ordinario la probabilidad de un sextillón contra una sola contingencia de error", en *Apreciación judicial de las pruebas*, traducido por ALCALÁ-ZAMORA CASTILLO, L., Ed. Hammurabi, Buenos Aires, 2007, pp. 403 y 404.

virtual, más allá los mecanismos tradicionales con la particularidad de que su canal, vía o cauce de conocimiento y/o comunicación sea informático o electrónico.

La obtención, custodia, introducción al proceso y valoración judicial de la prueba electrónica, ya sea fija y proveniente de un *equipo o dispositivo informático*, ya dinámica y fruto de una *comunicación o tráfico de datos telemático*, habrá ser respetuosa, al igual que acontece con cualquier prueba tradicional, tangible y material, con las garantías que

La volatibilidad, fugacidad, mutabilidad e intangibilidad de los contenidos electrónicos convierten a la *prueba anticipada*, –ulteriormente complementada con otras pruebas, generalmente con la pericial tecnológica para otorgarle un plus de fiabilidad, certeza y autenticidad– en la prueba por excelencia de los procesos de todos los órdenes jurisdiccionales dónde deban dilucidarse verdades materiales y virtuales, sustentadas, respectivamente, en hechos materiales canalizados a través de las TIC o, en su caso, en hechos tecnológicos o electrónicos.

La evidencia electrónica se constituye y erige, por lo demás, en un buen número de procesos, en *la única prueba de cargo*, tanto en los procesos penales, para desvirtuar la presunción de inocencia, como en los restantes procesos, dónde la relación conflictiva se hubiere originado, gestado y/o concluido por vía, exclusiva o fundamentalmente, telemática.

En un primer intento de aproximación a la emisión de un concepto global e integrador, cabe distinguir, en función de su soporte, entre la prueba contenida en un *equipo informático* y la incorporada en un *dispositivo electrónico*. Sin embargo, las diferencias existentes, hasta no hace mucho tiempo, entre los equipos informáticos (ordenadores) y los dispositivos electrónicos (móviles, una tabletas, smartphones) se han diluido casi por completo en la actualidad. La gran mayoría de dispositivos electrónicos de última generación superan, con creces, la capacidad, eficiencia y utilidad de muchos equipos informáticos. Es por ello por lo que la distinción residenciada, en exclusiva, en el soporte (equipo o dispositivo) pierde toda virtualidad, actualidad y eficacia, para evidenciar la mayor operatividad de la distinción entre una prueba y otra en función de la posibilidad o no de su concreta aprehensión física. Así, podríamos distinguir entre *prueba tangible sobre contenidos informáticos o electrónicos* como la resultante de la aprehensión física de los equipos informáticos o dispositivos electrónicos que deban inspeccionarse, de aquella otra *prueba intangible sobre contenidos informáticos o electrónicos* como la dimanante directamente de la red, de imposible aprehensión material, de acceso y custodia mediante la entrada en internet y la "traslación" a soporte físico o electrónico para su ulterior valoración. Entre tanto la prueba tangible sobre contenidos electrónicos, integrada en un equipo informático o dispositivo electrónico se caracteriza, merced a esta aprehensión física, por su aparente inmutabilidad, certeza, permanencia o fijeza; la prueba intangible sobre contenidos informáticos o electrónicos se caracteriza, sin embargo, por su incerteza, volatilidad y posible manipulación, incluso, destrucción o desaparición ulterior, fruto, precisamente, de su publicidad, interacción y dinamismo.

Si atendemos a la clásica distinción metodológica entre objeto, medio y fuente de prueba[8], cabría distinguir, en una tercera clasificación, entre la *prueba electrónica sobre un hecho virtual* (con apariencia delictiva en el entorno electrónico o telemático) y la *prueba electrónica sobre un hecho físico* (con apariencia delictiva en el entorno físico).

También podríamos distinguir, en función de la interacción entre los comunicantes y sus concretas vías de comunicación, la **prueba electrónica unidireccional**, contenida en internet y dirigida a una comunidad determinada o a la totalidad de usuarios de la red, según el sistema de publicidad elegido por el emisor de este contenido (así, a modo, de ejemplo, una información de un "muro" de una aplicación o de una página web); de la **prueba electrónica bidireccional**, respecto de comunicaciones mantenidas, con dinamismo, interacción y contacto virtual, entre, al menos, dos personas, tanto en la propia red (entre otras, las conversaciones mantenidas las aplicaciones de comunicación social) como en cualesquiera otros sistemas de comunicación (así, el telefónico o telemático). En esta misma línea de clasificación, por razón de las características de la propia comunicación, podríamos distinguir la **prueba electrónica verbal** como la dimanante del tráfico verbal, como las conversaciones orales grabadas; de la *escrita*, que caracteriza un buen número de comunicaciones electrónicas y telemáticas, como los mensajes escritos intervenidos.

Una sexta clasificación podría venir referida a la publicidad o privacidad de las informaciones o comunicaciones, emitidas o mantenidas, respectivamente, *on line*. Y en este sentido, cabría distinguir la **prueba electrónica pública** como aquella dimanante de la red, sin ningún filtro ni control de acceso (así, entre otros, una página web, un blog o la emisión abierta de

---

[8]   Vid., CARNELUTTI, F., cuando sintetiza lo siguiente: "de la estructura del proceso examinada resultan tres órdenes de elementos diversos: un hecho a probar (*objeto de la prueba*); una actividad del Juez (percepción, deducción: *medio de prueba*) y un hecho (o una serie de hechos) exterior (hecho que sirve para la deducción: *fuente de prueba*)", en *La prueba civil*, Ed. De Palma, Buenos Aires, 1982, p. 199.

publicidad), de la ***prueba electrónica privada*** como la proveniente de una comunicación electrónica privada entre particulares por canales informáticos o electrónicos (como una conversación escrita mantenida en una aplicación informática u otra verbal intervenida en un dispositivo electrónico).

Naturalmente, también cabía distinguir la ***prueba electrónica strictu sensu,*** como aquella que es, en su esencia y globalidad, totalmente electrónica o telemática, de aquella otra ***prueba física dimanante de un equipo o dispositivo electrónico***, que tan sólo puede catalogarse como "electrónica" por su proceso de creación o elaboración, pero por su resultado final (así, fotografías, planos o documentos procedentes de archivos electrónicos que ya tan sólo se conservan en formato físico).

Además de todas las anteriores disertaciones, y a efectos operativos en el marco del proceso, las pruebas electrónicas podrían clasificarse, en el momento actual y sin perjuicio de las nuevas modalidades surgidas con ocasión de los numerosos, expansivos, innovadores e incesantes avances tecnológicos que nos depare el futuro inmediato, en tres grandes categorías. En primer lugar, la ***prueba electrónica dimanante directamente de la red*** (páginas web, correos electrónicos, archivos informáticos, contenidos de la "nube", etc.), caracterizadas por su volatilidad, mutabilidad e intangibilidad, al carecer de soporte físico y ser pruebas exclusivamente virtuales. En segundo lugar, la ***prueba electrónica dimanante de equipos informáticos o dispositivos electrónicos*** (así, una CPU, un pendrive, un disco duro, una memoria externa, un CD, un DVD, etc.), así como, a modo de sub-categoría, dentro de esta misma modalidad, la ***dimanante de otra suerte de instrumentos o aparatos electrónicos*** (fotografías, vídeos, audios, etc.), singularizados por su tangibilidad, perdurabilidad o posibilidad de aprehensión para un ulterior análisis pericial y, en su caso, reconocimiento judicial. Y, al fin, en tercer lugar, la denominada ***prueba mixta***, por tratarse, según los autores pioneros en el estudio de esta temática[9], de una prueba convencional, clásica o tradicional en formato electrónico (así, la videoconferencia o la prueba pericial destinada al análisis de contenidos informáticos o electrónicos). La Ley de Enjuiciamiento Civil, de carácter

---

[9]   BUENO DE MATA, F., acuña esta original expresión para referirse a "una serie de pruebas mixtas en las que las pruebas tradicionales o clásicas entrarían en contacto o se fisionarían con las nuevas tecnologías de la información, con lo que nos encontraríamos ante un nuevo tipo de pruebas mutadas y que originaría una necesidad de ser consideradas como bloque individualizado o autónomo al resto", en "La prueba electrónica: importancia, problemática procesal y reconocimiento jurisprudencial de la prueba capital del siglo XXI", en *Derecho, eficacia y garantías en la sociedad global*, Ed. Atelier, 2013, p. 267.

supletorio en todos los órdenes, en su artículo 299.2º parece referirse, de manera conjunta e inclusiva, a las tres modalidades de pruebas relacionadas en nuestra clasificación, al establecer que "también se admitirán los medios de reproducción de la palabra, el sonido y la imagen, así como los instrumentos que permitan archivar y conocer o reproducir palabras, datos, cifras y operaciones matemáticas llevadas a cabo con fines contables o de otra clase, relevantes para el proceso".

3. CONCEPTO

La prueba electrónica o tecnológica, concepto amplio en el que cabe integrar como subespecies o tipos, a la prueba informática, digital, virtual, telemática o e-prueba, podrá definirse, en consecuencia, como aquella que permite verificar, acreditar o, según los casos, contrastar, tanto a través de los medios tradicionales de búsqueda de la verdad material o virtual (documental, pericial, testifical y reconocimiento judicial), como de novedosos medios ya regulados o, acaso, en vía de regulación (así, dispositivos de geolocalización, drones o, a saber, los agentes encubiertos informáticos[10] o, incluso, las máquinas de la verdad), de un lado, la identidad real de los sujetos en conflicto y, de otro, la autenticidad, veracidad e integridad de los hechos, palabras, sonidos e imágenes contenidos en equipos informáticos o dispositivos electrónicos donde aquellos sujetos han interactuado, y todo ello con arreglo a un procedimiento lícito, esto es, con el máximo respeto a las garantías procesales y derechos fundamentales más elementales de los justiciables.

La gran especialidad de esta prueba, en su modalidad informática, ausente en los restantes mecanismos probatorios, reside, según se ha expuesto[11], en su *soporte*. El soporte de toda prueba informática consta, al

---

[10]   Vid., una apuesta firme por su necesaria e inminente regulación, en BUENO DE MATA, F., "Un centinela virtual para investigar delitos cometidos a través de las redes sociales: ¿ Deberían ampliarse las actuales funciones del agente encubierto en internet?" en *El proceso penal en la sociedad de la información. Las nuevas tecnologías para investigar y probar el delito*, coordinado por PÉREZ GIL, J., Ed. La Ley, Madrid, 2012.

[11]   Vid., DE URBANO CASTRILLO, E., cuando, tras señalar esta afortunada disquisición, advierte lo siguiente: "en cuánto al *hardware*, debe comprobarse su incidencia en las etapas de elaboración del documento –disfunciones por temperaturas extremas, anomalías de la red eléctrica, corrientes electroestáticas, suciedad, humedad, vibraciones, fallos de los programas…–; y transmisión –acoplamientos en línea, superposición de flujos, acumulación desordenada de información proveniente de varias terminales de entrada, etc. Y, controlando el uso del *software*, ha de averiguarse si intervino en la confección del documento una persona no autorizada para operar en el sistema, o simple-

menos, de dos elementos que posibilitan el correcto funcionamiento de un equipo: un *hardware* y un *software*. El *hardware* incluye el conjunto de componentes físicos o partes materiales que integran el equipo, así, entre otros, el disco duro, teclado, ratón, monitor y CPU. El *software* integra, sin embargo, el conjunto de componentes electrónicos o partes inmateriales del equipo, así, entre otros, programas, navegadores, sistemas operativos, antivirus o aplicaciones. La interdependencia recíproca o imprescindible sintonía entre el *hardware* (equipo) y el *software* (programa), cuerpo y mente artificiales, es tal que no podrían funcionar el uno sin el otro. De ahí la conveniencia de que el Juez deba inspeccionar, vigilar y controlar –auxiliado, si fuere preciso, por especialistas informáticos– no sólo el correcto mantenimiento del *hardware* o cuerpo artificial –ajeno a cualesquiera anomalías técnicas, térmicas o eléctricas que dificulten o imposibiliten su adecuado funcionamiento–, sino también el cabal desarrollo y capacidad del *software* o mente artificial, mediante la verificación, en esta fase, de la auténtica identificación de quienes han interaccionado en el equipo.

La mayor parte de las pruebas electrónicas no son, en puridad, pruebas directas, unívocas o autónomas sino *indirectas, la antesala de las pruebas* o, tal y como se ha advertido con agudeza y precisión[12], las ***"pruebas sobre las pruebas"*** en la medida en que no están dirigidas a obtener, inmediatamente, la veracidad de los hechos y la identidad de las personas, sino a contrastar la licitud, autenticidad e integridad de las pruebas, que, mediatamente, llevarán a la valoración de resultado final.

4. CONSIDERACIONES FINALES

Una vez advertida la pertinencia y utilidad de la prueba propuesta, la primera dificultad reside en su *lícita obtención*, esto es, en su acceso sin vulneración de los más elementales derechos fundamentales de la perso-

---

mente alguien diferente a quién aparece, en principio, como el autor del documento, ya sea por entrada ilegal en el sistema, aprovechando una ausencia momentánea del titular, o por uso indebido de la clave del usuario autorizado, por ejemplo", en "La regulación legal de la prueba electrónica: una necesidad pendiente", *La Ley Penal* n° 82, 2011, p. 4.

[12] Vid., a este respecto, BUJOSA VADELL, L.M., cuando afirma que "se trata de *prueba sobre prueba* que va dirigida a obtener la convicción del Juez no sobre el objeto de la prueba, es decir, los hechos objeto de controversia, sino sobre la credibilidad del medio de prueba cuyo carácter genuino sea objeto de discusión", "La valoración de la prueba electrónica", en *Estudios sobre nuevas tecnologías y Justicia*, coordinado por BUENO DE MATA, F., Ed. Comares, Granada, 2015, p. 82.

na investigada. En este sentido, conviene advertir que existe una notable divergencia en el tratamiento que ha de conferirse a la obtención judicial de la información contenida en los dispositivos de la propia persona que propone la prueba y la incluida en los dispositivos ajenos a esta persona. Así, pues, la prueba solicitada y, de aceptarse, aportada por la parte a la que beneficia esta prueba, mediante la exhibición de sus dispositivos electrónicos, fijos o móviles, no presenta, en esta primera fase de "obtención", dificultad alguna, más allá de la ulterior demostración de la indemnidad, integridad y autenticidad del contenido de esa información.

Sin embargo, el acceso, la obtención y la intervención judicial de la información contenida en equipos o dispositivos, sean fijos o móviles, pero en todo caso pertenecientes al investigado presenta la dificultad de la posible vulneración de sus más elementales derechos fundamentales al honor, intimidad e imagen, secreto de las comunicaciones o, en su caso, inviolabilidad de domicilio electrónico, entre otros, de no realizarse con una previa y motivada autorización judicial.

La autorización judicial motivada, previa y expresa constituye, pues, una razonable *conditio sine qua non* de la licitud de cualesquiera aprehensión, acceso o intervención de equipos, dispositivos o instrumentos, fijos o móviles[13], dónde se encuentren datos personales propios de la persona investigada, salvo que medie su consentimiento, toda vez que la invasión en su intimidad y, acaso, en su dignidad es evidente. Ha de tenerse en cuenta, además, que esta motivación judicial debiera ser especialmente intensa

---

[13] PORTAL MANRUBIA, J., señala, en este sentido, que "el dispositivo informático es la prolongación de nuestra memoria. Esta memoria artificial conserva datos que permiten conocer las amistades, los pensamientos y las tendencias de una determinada persona, pudiendo realizar un perfil psicológico concreto si son analizados, así como conocer su vida económica, social y familiar. Además, se precisa, usualmente, una clave para acceder a toda esta información de carácter privado que únicamente conoce el propietario del dispositivo, sin la obligación, a mi juicio, de que el imputado la facilite. Por lo tanto, el dispositivo electrónico no puede asimilarse a un maletín, bolso o mochila, cuya inspección la policía judicial puede efectuar sin autorización del órgano jurisdiccional, con el fin de relacionar alguno de los objetos que contiene con un hecho punible. En definitiva, el examen de un dispositivo informático precisa autorización judicial porque no equivale a un registro policial ordinario, sino que supone una injerencia que atenta directamente a la libertad informática de una persona y a su autodeterminación informativa. Sentado lo anterior, el agente de policía infringe la libertad informática si examina un dispositivo electrónico, en búsqueda de indicios de una actividad criminal, sin autorización judicial y sin que el propietario haya prestado su consentimiento", en "La regulación de la prueba electrónica en el proceso penal", *Revista de Derecho y Proceso penal* núm. 31/2013, p. 5.

cuando su ámbito de actuación sea el informático y/o electrónico – con frecuencia denominado "entorno digital"[14]-, por su alcance mundial, toda vez que la inspección de los datos contenidos en los equipos y dispositivos de última generación conlleva no sólo la entrada a una comunicación o, incluso, a una localización determinadas[15], así como en su caso, la fiscalización y eventual aprehensión de unas concretas fuentes de prueba tecnológicas, sino toda una intromisión, invasión o intrusión, a la velocidad de la luz, en una indiscriminada y mayúscula cantidad de datos sensibles de las personas.

Ahora bien, esta autorización judicial resulta preceptiva para la intervención, interceptación o intervención forzosa de los equipos o dispositivos electrónicos, toda vez que, como se ha anticipado, la voluntaria aportación al proceso de conversaciones grabadas o de mensajes de texto, por uno de los interlocutores –es de suponer que sin el consentimiento del otro–[16], ha sido admitida, sin problema, por nuestros Tribunales, quedando residenciada la dificultad de este mecanismo probatorio en la acredi-

---

[14]   Vid., a propósito de los riesgos que conlleva la intervención de este entorno digital, conectado a nivel mundial, el estudio de ORTIZ PRADILLO, J. C., quién atestigua, tras reparar en la imposible equiparación entre domicilio físico y virtual, que "cuando se procede al registro de un equipo informático….se produce una importante ruptura entre el binomio *continente-contenido*", en "Nuevas medidas tecnológicas de investigación criminal para la obtención de prueba electrónica" en *El proceso penal en la sociedad de la información. Las nuevas tecnologías para investigar y probar el delito,* coordinado por PÉREZ GIL, J., Ed. La Ley, Madrid, 2012, p. 276.

[15]   Vid., PÉREZ GIL, J., quién se muestra partidario de la necesaria motivación previa, específica e individualizada para la lícita obtención de cada uno de los datos del tráfico, sin que datos tan dispares como la "localización" y/o la "comunicación" deban estimarse fusionados en una misma autorización judicial, al advertir que "no debería haber obstáculo alguno en que la distinción entre localización y comunicación pudiera tomar cuerpo, plasmándose en específicas diligencias de investigación sobre el contenido de la comunicación, sobre una parte de éste o, específicamente, sobre la localización", en "El nuevo papel de la telefonía móvil en el proceso penal: ubicación y perfiles de desplazamiento" en *El proceso penal en la sociedad de la información. Las nuevas tecnologías para investigar y probar el delito,* coordinado por PÉREZ GIL, J., Ed. La Ley, Madrid, 2012, p. 213.

[16]   MORENO PÉREZ, J.M., ha concluido, en este sentido, que "la grabación de una conversación obtenida por uno de los intervinientes, y no por tercero ajeno, no puede afectar a reservas de intimidad de los otros, si dicha grabación además es realizada para ser utilizada como prueba del que graba, siendo por tanto una prueba válida ya que no vulnera ningún derecho fundamental de los intervinientes, y al mismo tiempo es, para el que graba, una eficaz expresión en el ejercicio del derecho fundamental de tutela judicial, desde el derecho a la prueba que reconoce el art. 24.2 CE", en "Reafirmación del derecho a la tutela judicial efectiva desde el error patente por la inadmisión de una prueba y consideraciones a la prueba electrónica de reproducción de voz

tación, ante su eventual impugnación, tanto de la perfecta identificación de los emisores y receptores, como de la veracidad e integridad, esto, es indemnidad, totalidad o completitud (entendida como ausencia cortes), de la comunicación bidireccional, oral o escrita mantenida.

La entrada virtual a contenidos de equipos informáticos – sean de acceso púbico (entre otros, blogs o páginas web), y sin necesidad de consentimiento; sean de acceso privado y mediando la voluntad de quién los aporta (así, a modo de ejemplo, redes sociales o mensajes de correo electrónico con sus claves de usuario y contraseña)- o, en su caso, de dispositivos electrónicos (mensajes escritos o verbales de cualquier aplicación móvil de comunicación), no presenta, en consecuencia, dificultad distinta a la correcta elección de *cuál sea, en cada caso, el mecanismo probatorio más adecuado* para acreditar los perfiles reales de los interlocutores y la integridad del contenido de la información o conversación en el momento en que se produjo.

Así, a modo de ejemplo, entre tanto el *documento púbico notarial* será el mecanismo idóneo para acreditar la autenticidad e integridad de informaciones contenidas en soportes virtuales no perdurables, como las dimanantes directamente de la red (páginas web, blogs, muros de redes sociales, etc.); la *pericial informática* y el ulterior *reconocimiento judicial* serán las adecuadas para contrastar y constatar, ante el Juez, idéntica autenticidad e integridad de conversaciones integradas en soportes físicos duraderos (conversaciones escritas o verbales contenidas en el correo electrónico, en aplicaciones móviles o, incluso, en grabaciones domésticas[17]).

En contraste con lo anterior, conviene señalar que el *acta pública notarial* o, incluso, el *documento público del Letrado de la Administración de Justicia*, sean emitidos sobre la fuente original, sea sobre los vulgarmente denominados "pantallazos" no aportarán valor alguno, en términos de detección de la autoría de los intervinientes y consiguiente veracidad e integridad del con-

---

      en los procedimientos de vulneración de derechos fundamentales", *Temas Laborales* núm. 78/2005, p. 241.

17   Vid., al respecto de la necesidad de extremar el control de la corrección en la incorporación de material videográfico al proceso en los supuestos en que éste tenga un origen extraprocesal, y, por tanto, fuera del control judicial, ETXEBERRIA GURIDI, F., quién advierte que "en la mayoría de estos supuestos la incorporación de dicho material se canaliza como prueba documental que complementa como elemento corroborador la credibilidad del testimonio de quién ha practicado dichas grabaciones (prueba testifical)", "Videovigilancia y su eficacia en el proceso penal" en *El proceso penal en la sociedad de la información. Las nuevas tecnologías para investigar y probar el delito*, coordinado por PÉREZ GIL, J., Ed. La Ley, Madrid, 2012, pp. 371 y 372.

tenido de sus conversaciones[18], puesto que estas comunicaciones pudieron haber sido mantenidas bajo perfiles falsos, supuestos o anónimos y sus contenidos, manipulados con antelación al momento en que se solicita, de estos prestigiosos fedatarios públicos, el levantamiento de un *acta* que recogerá una realidad, acaso ficticia, de la que el Juez, en buena lógica, no podrá hacer uso, salvo que la contraste con otros mecanismos probatorios.

Asimismo y de nuevo en contradicción con las premisas generales, establecidas respecto de la más precisa adecuación entre las evidencias virtuales y las pruebas electrónicas, conviene advertir que la *pericial electrónica* carecerá de valor alguno si no se logra acreditar la preexistencia, en su día, de las informaciones o comunicaciones mantenidas, en un medio tan etéreo como la red, merced a una *documental pública* previa. Y ello debido a la fugacidad, mutabilidad y no perdurabilidad de aquellas informaciones y comunicaciones, objeto no sólo de manipulación, sino incluso de destrucción y consiguiente desaparición.

Se tratará, pues, de anticiparse, de un lado, a la averiguación de la mayor o menor vulnerabilidad de cada "información" o "contenido" sensibles y supuestamente ilícitos, en función de la fortaleza o debilidad de su posible manipulación; y de seleccionar, otro, caso por caso, el mecanismo idóneo para contrarrestar este riesgo de modificación y lograr el éxito probatorio. En este sentido, la posibilidad de manipulación de la videoconferencia es tan baja que se ha aceptado como una prueba *per se,* sin necesidad de refuerzo alguno mediante la asunción de mecanismos probatorios complementarios de ningún tipo.

Las modalidades de acceso a la información digital contenida en dispositivos ajenos pueden ser tan variadas, por lo demás, como la directa intervención o aprehensión de este dispositivo en lugar abierto, o en su caso, en lugar cerrado, tras la oportuna entrada y registro, así como el control remoto nacional o, incluso, tal y como se ha advertido[19], a través del registro transfronterizo.

La ***introducción al proceso de una evidencia electrónica*** pueda adoptar la forma de cualquier mecanismo probatorio, así, la documental, el interro-

---

18 GARÍN, S., ha señalado, con una expresión muy gráfica, que "no es correcta la solución que se ha encontrado en la práctica de realizar actas de constatación notariales de e-mails, páginas web, etc....dado que constituye una simple *ilusión de fidelidad*", en "Reflexiones sobre la incorporación de prueba electrónica al proceso civil", *Revista uruguaya de Derecho procesal* nº 1, 2016, p. 106.

19 Vid., al respecto, DELGADO MARTÍN, J., "La prueba digital. Concepto, clases. Aportación al proceso y valoración", *Diario La Ley* nº 6, abril, 2017. p. 3.

gatorio al investigado, la testifical, la pericial, e incluso, el reconocimiento judicial. El justificable temor a la manipulación de la prueba electrónica hace aconsejable que el justiciable a quién beneficie, presente, de manera complementaria y a modo de refuerzo, el concurso de varias pruebas destinadas a demostrar la fiabilidad, certeza, integridad e indemnidad del contenido de la comunicación mantenida o de la información suministrada.

Capítulo XIII

EL PROCESO LEGISLATIVO ORDINARIO PARA LA CREACIÓN DE UN PROCESO PENAL EUROPEO, ¿EXISTE CONFIANZA MUTUA ENTRE LOS ESTADOS?[1]

Raquel Borges Blázquez
*Investigadora Predoctoral FPI Ministerio
de Ciencia, Innovación y Universidades
Universitat de València*

SUMARIO: 1. COOPERACIÓN JUDICIAL PENAL COMO MOTOR PARA LA CONS-TRUCCIÓN DE EUROPA. 2. LA NECESIDAD DE UN DERECHO (SUSTANTIVO Y PROCESAL) PENAL EUROPEO. 3. EL PROCESO LEGISLATIVO ORDINARIO. 3.1. La Orden Europea de Protección. 3.2. La Orden Europea de Investigación. 4. BREVE REFLEXIÓN.

RESUMEN: La cooperación judicial penal es necesaria para la creación de un verdadero ELSJ. Pero para que exista una verdadera cooperación judicial penal debe existir confianza mutua entre los estados de la unión. Es por ello que debemos preguntarnos, ¿existe la confianza mutua necesaria para que el principio de reconocimiento mutuo funcione?

ABSTRACT: Judicial Cooperation in Criminal cases is required in order to create a real Space of Freedom, Security and Justice. Furthermore, for this cooperation to exist there must be mutual trust between the States of the European Union. This is why, we should ask ourselves: Does the required mutual trust exist in order to make the principle of mutual recognition work?

PALABRAS CLAVE: Proceso Penal - Unión Europea - Reconocimiento mutuo - Confianza mutua.

KEY WORDS: Criminal Procedure - European Union - Mutual Recognition - Mutual Trust.

---

[1]   *Esta contribución ha sido realizada en el marco de una estancia de investigación en el Max-Planck-Institut für auslandisches und internationales Strafrecht, Freiburg*

1. COOPERACIÓN JUDICIAL PENAL COMO MOTOR PARA LA CONSTRUCCIÓN DE EUROPA

Podría parecer que la cooperación judicial penal no construye Europa. Sin embargo, LIROLA DELGADO indica que, si pensamos en un ámbito material donde "el viejo planteamiento funcionalista de la bola de nieve pudiera resultar de aplicación", la cooperación judicial en materia penal verá confirmada su condición de "puntal esencial" para la configuración de la UE como un ELSJ. Así, el desarrollo del derecho penal europeo constituye uno de los elementos imprescindibles para garantizar las libertades y derechos de los ciudadanos en el marco del Estado de Derecho y de la Justicia como valores comunes (artículo 2 TUE).[2]

Parafrasea a ROXIN[3] de manera muy brillante AMBOS, "si el Derecho Procesal Penal es Derecho Constitucional aplicado, o incluso es calificado como *sismógrafo del sistema constitucional de un Estado*, consecuentemente el Derecho Procesal Penal de la Unión Europea muestra el grado de Estado de Derecho de la Europa integrada." Continúa el autor refiriendo que la situación del derecho penal –sustantivo y procesal– europeo actual basa la justicia penal de la UE en la simplificación y agilización de la cooperación policial y judicial de los artículos 30 y 31 TUE, pero sin crear, al mismo tiempo, un estándar adecuado de derechos fundamentales a nivel UE.[4]

Pero, ¿qué significa "derecho penal europeo"? Una interpretación literal del término podría referirse a un genuino derecho penal supranacional, es decir, a regulaciones por medio de las que la ciudadanía de la Unión se ve confrontada directamente con el poder penal soberano de la UE –el ius puniendi– como derecho penal directamente aplicable. No obstante, compartimos con AMBOS la opinión de que la posibilidad de establecer una verdadera legislación penal por parte de la Unión se encuentra restringida a pocas áreas y de modo explícito. Únicamente en este sentido cabe hablar de derecho penal europeo en el auténtico sentido supranacional y, posiblemente, incluso de un sistema de derecho penal en sentido estricto, esto es, de un ámbito limitado donde la UE por sí misma es la única creadora de normas de derecho penal, pero dependiendo de los estados miem-

---

2   LIROLA DELGADO, Isabel "La cooperación judicial en materia penal en el tratado de Lisboa: ¿Un doble proceso de comunitarización y consolidación a costa de posibles frenos y fragmentaciones?" *Revista General de Derecho Europeo* 16 (2008) p.2.
3   ROXIN, Claus *Strafverfahrensrecht*, 25 Aufl., 1998 p. 9.
4   AMBOS, Kai *Ensayos actuales sobre Derecho Penal Internacional y Europeo.* Grijley, 2011 pp. 463-464.

bros para su aplicación. En lo demás, esta denominación es una especie de término genérico, que abarcaría todas aquellas normas y prácticas de derecho penal sustantivo y procesal basadas en el derecho y las actividades de la Unión –derecho europeo en sentido estricto– y del Consejo de Europa –derecho europeo en sentido amplio– y que apuntan en dirección a una armonización generalizada del derecho procesal penal nacional.[5]

Afirma NIETO MARTÍN que "el derecho penal europeo ha tenido la desgracia de nacer en un mal momento". Este autor reflexiona a propósito del populismo punitivo actual, así como la "tendencia a endurecer las penas y reaccionar con el derecho penal ante cualquier problema social, la consideración de las garantías como un estorbo en la lucha contra la criminalidad resultan una constante también en muchos países miembros". Y continúa diciendo que algunos legisladores nacionales, entre los que señala al español, están utilizando la armonización de las penas como excusa para elevar las propias.[6] En esta misma línea, BARONA VILAR pone de manifiesto que nos hemos acostumbrado a que se legisle desde el miedo, desde la falsa sensación de seguridad[7] que nos ofrece el aumento de las penas y la reducción de garantías procesales de aquellos a los que la autora denomina "ellos",[8] "los otros"[9] y desde la venganza. Olvidamos que para conseguir la seguridad ciudadana no debemos hacer (ab)uso del derecho penal, sino diseñar una política social adecuada.[10]

Por otra parte, no puede ocultarse la tensa relación existente entre soberanía estatal y derecho penal transnacional. Entra en una pugna por un

---

[5]   AMBOS, Kai *Derecho Penal Europeo*. Thomson Reuters, 2017 pp. 64-65.

[6]   NIETO MARTÍN, Adán "La armonización del derecho penal ante el tratado de Lisboa y el Programa de Estocolmo" *Revista general de Derecho Penal* 13, 2010 pp. 3-4.

[7]   Muestran esta misma preocupación QUINERO OLIVARES y GONZÁLEZ CUSSAC al indicar que "se reclama más y más seguridad a cualquier precio, sin reparar casi nunca en el precio de pérdida de patrimonio político ciudadano que eso puede comportar". En: QUINERO OLIVARES, Gonzalo; GONZÁLEZ CUSSAC, José Luis "Sobre una política criminal común europea." En: ÁLVAREZ GARCÍA, F. Javier (Dir.) ÁLVAREZ GARCÍA, F. Javier; MANJÓN-CABEZA OLMEDA. Araceli; VENTURA PÜSCHEL, Arturo (Coords.) *La adecuación del Derecho Penal Español al Ordenamiento de la Unión Europea. La política criminal europea* Tirant Lo Blanch, 2009 p. 40.

[8]   "El discurso del Derecho penal de la seguridad se fundamenta en la desigualdad, en la distinción entre nosotros – ciudadanos normales destinatarios de la protección del Estado- y ellos –criminales que hay que neutralizar-." BARONA VILAR, Silvia "Justicia penal *líquida* (desde la mirada de Bauman)" *Teoría & derecho. Revista de pensamiento jurídico sobre Derecho y Verdad*. Revista Semestral. Diciembre n° 22/2017. Tirant lo Blanch p. 73.

[9]   BARONA VILAR, Silvia "Justicia penal *líquida* (desde la mirada de Bauman)" *op.cit.* p. 81.

[10]   BARONA VILAR, Silvia "Justicia penal *líquida* (desde la mirada de Bauman)" *op.cit* p. 70.

lado la salvaguarda de los derechos fundamentales y por otro el mantenimiento de las diversas tradiciones de los estados miembros. En este punto se hace necesario superar la actual situación en la que la heterogeneidad de estándares de protección para investigados, sospechosos, encausados, imputados –véase que ni siquiera la denominación es unánime- deviene un obstáculo para la eficacia y eficiencia de los instrumentos de reconocimiento mutuo. Un primer paso para remediar esta situación sería la aproximación normativa de las garantías procesales.[11]

2. LA NECESIDAD DE UN DERECHO (SUSTANTIVO Y PROCESAL) PENAL EUROPEO

Así las cosas, este proceso de integración y de supresión de fronteras que trae consigo la libre circulación de personas, indudablemente beneficioso para la sociedad europea en su conjunto, trae consigo ciertos efectos secundarios no tan deseados.[12] Entre estos encontramos el riesgo de que se produzcan casos de criminalidad transfronteriza y que devienen más comunes de lo que a priori pudiera parecer. Esta dicotomía entre la vertiente seguridad y la vertiente libertad puede verse en la redacción del propio artículo 3.2 TUE *"la unión ofrecerá a sus ciudadanos un espacio de libertad, seguridad y justicia sin fronteras interiores, en el que esté garantizada la libre circulación de personas conjuntamente con medidas adecuadas en materia de control de fronteras exteriores, asilo, inmigración y prevención de la lucha contra la delincuencia."*

Afirma GONZÁLEZ CANO que los estados han mostrado su falta de capacidad para enfrentarse de manera individual a las nuevas formas de criminalidad que trae consigo la globalización. Ser conscientes de que el crimen es un problema que trasciende las fronteras nacionales hace que deje de ser una preocupación interna para convertirse en un problema de

---

[11]   GONZÁLEZ CANO, Mª Isabel "Justicia penal e integración europea: hacia nuevos modelos de cooperación judicial penal". En: ETXEBARRIA ESTANKONA, Katixa; ORDEÑANA GEZURAGA, Ixusco; OTAUZA ZABALA, Goixeder (Dirs.) *Justicia con ojos de mujer. Cuestiones procesales controvertidas.* Tirant Lo Blanch, 2018 pp. 793- 794.

[12]   Para una mejor comprensión: GONZÁLEZ VIADA, N. *Derecho Penal y Globalización Cooperación Penal Internacional.* Marcial Pons, 2009. Disponible en: http://idpbarcelona.net/docs/actividades/seminarioue/derecho_penal.pdf; MAPELLI MARCHENA, Clara. *El modelo Penal de la Unión Europea.* Aranzadi, 2014 pp. 35-87; FERNANDEZ OGALLAR, Beatriz. *El derecho penal armonizado de la Unión Europea.* Dykinson S.L., 2014 pp. 171-178.

toda la Unión.[13] La creación y el desarrollo del ELSJ ha fundamentado su crecimiento en el avance de la cooperación judicial en materia penal entre estados miembros haciendo uso del principio de reconocimiento mutuo[14] y su consecuencia lógica –y a la vez requisito inherente–, la confianza mutua,[15] que, aunque ha despertado una cierta concepción de justicia penal de la UE, no ha logrado generar un concepto de jurisdicción criminal aplicable en los estados miembros general y uniforme en todo el territorio de la Unión. De esta manera, autoridades nacionales y ciudadanos deben convivir con la realidad de habitar en un espacio aparentemente libre de fronteras interiores de acuerdo con el ya citado artículo 3.2 TUE, pero en el que persisten hasta 28 (27+1) sistemas procesales penales diferentes, con su propia jurisdicción de acuerdo con lo dispuesto en el artículo 67.1 TFUE *"la unión constituye un espacio de libertad, seguridad y justicia dentro del respeto de los derechos fundamentales y de los distintos sistemas y tradiciones jurídicas de los estados miembros".*[16]

La propia Comisión Europea, en un comunicado de prensa indicó que la lucha contra la criminalidad es una prioridad para los ciudadanos europeos, que *"esperan que los delincuentes no puedan esconderse al otro lado de las fronteras o exploten las diferencias entre sistemas jurídicos nacionales".* Pero, y continúa la Comisión, *"a la vez un derecho penal a nivel europeo sigue siendo un ámbito relativamente nuevo".* Y eso hace imprescindible el diseño de una política penal europea por medio de la cual la Unión defina cómo y cuándo

---

[13]   GONZÁLEZ CANO, Mª Isabel "Justicia penal e integración europea: hacia nuevos modelos de cooperación judicial penal" *op.cit.* p. 783.

[14]   A propósito de la OEDE como primer instrumento de reconocimiento mutuo reflexiona MARTÍN MARTÍNEZ acerca de que el uso de este principio trae consigo la "judicialización" del procedimiento, lo cual hará que los jueces tengan como únicas causas de denegación aquellas expresamente previstas en el instrumento de cooperación de acuerdo con el principio de legalidad. En: MARTÍN MARTÍNEZ, Magdalena M. "La implementación y aplicación de la orden europea de detención y entrega: luces y sombras" *Revista de Derecho de La Unión Europea.* Nº 10, 2006. Disponible en: http://e-spacio.uned.es/fez/eserv/bibliuned:19804/ImpApl.pdf pp. 183-185.

[15]   "Consequently, the traditional models of cooperation in the area of criminal law are being set aside in favor of new forms of legal assistance that are increasingly shaped by the jurisdictional aspects of legal proceedings, with dialogue between States being replaced by dialogue between courts" CAMALDO, Lucio "The European Investigation Order" En: RUGGIERI, Francesca (Ed.) *Criminal Proceedings, Languages and the European Union. Linguistic and Legal Issues.* Springer, 2014 p. 204.

[16]   HERNÁNDEZ LÓPEZ, Alejandro "Crimen transfronterizo y determinación de la jurisdicción en el espacio de libertad seguridad y justicia: ¿hacia una nueva normativa sobre resolución de conflictos de ejercicio de jurisdicción penal?" *Revista de Estudios Europeos* Nº 71, enero-junio, 2018 pp.221-222.

recurrir al derecho penal.[17] La Comisión reconoce que el uso de la sanción penal *"no es el mejor medio de aplicar todas las políticas. Pero la imposición de sanciones penales puede hacer más eficaces algunas normativas europeas, impidiendo, por ejemplo, la manipulación de los mercados o protegiendo del fraude el dinero de los contribuyentes de la UE. La imposición de sanciones penales debe reservarse a infracciones especialmente graves y venir precedida de un análisis serio y detallado"*.[18]

3. EL PROCESO LEGISLATIVO ORDINARIO

La armonización legislativa penal –sustantiva y procesal– a través del proceso legislativo ordinario –artículos 82, 83 y 84 del Tratado de Lisboa– se ha llevado a cabo con referencias de política criminal centradas en tipologías delictivas tales como el terrorismo, la delincuencia organizada, delitos económicos, el tráfico de drogas o la delincuencia informática. Para esto se ha intentado armonizar primero y aproximar más tarde las diferentes legislaciones de los estados miembros en materia de investigación, enjuiciamiento y ejecución. Apunta GONZÁLEZ CANO que no puede obviarse el hecho de que la cooperación judicial penal se ha comenzado a construir en un "entorno de predominio de la prevención y de la seguridad como intereses superiores, lo que no permite el mejor de los escenarios para construir un modelo de justicia penal coherente y respetuoso con las garantías de los sospechosos y acusados".[19]

Así, los dos primeros instrumentos que se legislaron haciendo uso de este proceso fueron la Orden Europea de Protección (OEP)[20] y la Orden Europea de Investigación (OEI),[21] ambos por medio de directivas. Y en

---

[17]   El Tratado de Lisboa prevé ya un marco que lo hace posible. Permite que la UE utilice el derecho penal para reforzar la aplicación de las políticas y las normativas europeas.

[18]   Comisión Europea. Comunicado de Prensa. Bruselas 20 de septiembre (2011) disponible en: http://europa.eu/rapid/press-release_IP-11-1049_es.htm?locale=FR

[19]   GONZÁLEZ CANO, Mª Isabel *"Justicia penal e integración europea: hacia nuevos modelos de cooperación judicial penal" op.cit.* p. 793

[20]   Debido a cuestiones de espacio, no podemos excedernos en la explicación del instrumento de la OEP. Para más información sobre este instrumento puede leerse: MARTÍNEZ GARCÍA, Elena (Dir.) VEGAS AGUILAR, Juan Carlos (Coord.) *La Orden de Protección Europea. La protección de las víctimas de violencia de género y cooperación judicial penal en Europa.* Tirant Lo Blanch, 2016; KLIMEK, Libor *Mutual Recognition of Judicial Decisions in European Criminal Law* Springer, 2017 pp. 461-500

[21]   Debido a cuestiones de espacio, no podemos excedernos en la explicación del instrumento de la OEI. Para más información sobre este instrumento puede leerse: MARTÍNEZ GARCÍA, Elena *La orden europea de investigación. Actos de Investigación, Ilicitud de la prueba y Cooperación judicial transfronteriza.* Tirant Lo Blanch, 2016; KLI-

ambos casos quedó patente que no existe una confianza mutua real entre los EEMM y que no estamos preparados para perder el último reducto de soberanía estatal.

Reflexiona NIETO MARTÍN a propósito del papel de las decisiones marcos y directivas, "la obligación de ser taxativo compete al legislador nacional. Si las normas europeas fueran muy taxativas, aminorarían el margen de maniobra del derecho penal lo que no resulta deseable". Una directiva debe enunciar los principios elaborando una definición que pudiera ser compartida por las diversas culturas jurídicas que conviven dentro de la Unión, pero también tiene que adecuar su contenido a las funciones que deberá desempeñar en la armonización y estructura de la Unión. Por ello "cuanto menos margen de apreciación otorgue una decisión marco o una directiva a los Estados miembros, con mayor intensidad ha de cumplir la norma jurídica con el principio de determinación. Cuando la norma europea tenga como finalidad la unificación, o la armonización total, de los tipos penales nacionales debe respetar de igual modo que un tipo penal el principio de determinación".[22]

3.1. La Orden Europea de Protección

No disponemos de un concepto generalmente aceptado sobre qué es una orden de protección. En el sistema anglosajón podemos encontrar términos sinónimos como *"non-contact order"*, *"restraining order"*, *"stay-away order"* o *"injuction order"*. Por lo que respecta a la forma, ésta puede ser una medida de protección obtenida a través de procedimientos civiles (Alemania),[23] penales (España) o incluso administrativos.[24]

Para ofrecer una definición del instrumento acudiremos al artículo 2.1 de la Directiva, que interpreta la OEP como *"una resolución adoptada por una*

MEK, Libor *Mutual Recognition of Judicial Decisions in European Criminal Law* Springer, 2017 pp. 421-460

[22] NIETO MARTIN, Adán "La armonización del derecho penal ante el tratado de Lisboa y el Programa de Estocolmo" pp. 4-5

[23] Más información sobre el sistema alemán en: DE HOYOS SANCHO, Montserrat, "El reconocimiento mutuo de las medidas de protección penal y civil de las víctimas en la Unión Europea: la Directiva 2011/99, el Reglamento 606/2013, y su respectiva incorporación a los ordenamientos español y alemán ", *Revista de Derecho y Proceso Penal*, n° 38, 2015, pp. 63-105.

[24] CARRASQUERO CEPEDA, Maoly "Orden Europea de Protección: Un paso adelante en la protección de las víctimas" *Cuadernos Electrónicos de Estudios Jurídicos*, n° 2, 2014 p. 98.

autoridad judicial o autoridad equivalente de un Estado miembro en relación con una medida de protección, en virtud de la cual una autoridad judicial o equivalente de otro Estado miembro adopta la medida o medidas oportunas con arreglo a su propio Derecho nacional a fin de mantener la protección de la persona protegida". En consecuencia, la OEP aspira a garantizar que "*la protección derivada de determinadas medidas de protección dictadas con arreglo al Derecho de un Estado miembro* (al que llamaremos Estado de emisión) *pueda ampliarse a otro Estado miembro en el que la persona objeto de la protección decida residir o permanecer (o Estado de ejecución)".*[25]

Apunta RODRÍGUEZ LAINZ que, en un contexto en el que la decidida superposición del derecho de la UE en los ordenamientos internos para salvaguardar el ELSJ se estaba convirtiendo en la hoja de ruta de los distintos estados miembros, el gigantesco paso atrás demostrado por la Directiva OEP no puede tener otra explicación que la existencia de "irreductibles planteamientos ideológicos y políticos que confrontarían la visión del problema de la violencia en el ámbito intrafamiliar, o específicamente de género", por parte de estados miembros obcecados en no ceder su soberanía en cuestiones tan delicadas. Establecer normas comunes o tipos penales específicos en dichos ámbitos punitivos y definir el contenido de medidas de protección homologables en todos los estados miembros es algo "técnicamente sencillo, baladí". Lo que resulta complicado es conseguir que todos los estados caminen en la misma dirección, aún en contra de sus diferentes historias legislativas.[26] Sentencia este autor que debieron ser razones políticas aquellas que "forzaron a los estados miembros a decantarse por trasnochadas técnicas jurídicas que

---

[25]   Con respecto a esta definición, CHAPARRO MATAMOROS reflexiona indicando que en un contexto en el que cada vez más le exigimos al legislador que descienda al detalle para así evitar problemas de interpretación de las leyes, no parece lo más adecuado abrir un pórtico a que cualquier órgano que tenga atribuidas facultades judiciales pueda dictar una Orden de Protección Europea. Por tanto, sin desconocer las ventajas que supone la posibilidad de la existencia de un mayor número de órganos para dictar Orden de Protección Europea, la falta de seguridad jurídica parece desacreditar la interpretación extensiva del concepto "autoridad equivalente". En: CHAPARRO MATAMOROS, Pedro "La orden europea de protección", *Revista Boliviana de Derecho,* n° 14, 2012, pp. 20-37.

[26]   Aunque referido a la orden europea de investigación, apunta BACHMAIER WINTER, "Los estados desean seguir manteniendo la posibilidad de rechazar una petición de prueba si la ejecución de la misma no se ajusta a los parámetros que en su sociedad se consideran proporcionales" En: BACHMAIER WINTER, Lorena "La Orden Europea de Investigación y el principio de proporcionalidad." *Revista General de Derecho Europeo* 25 (2011) p. 12.

rezumaban de un soberanismo poco comprensible en el actual esquema del reconocimiento mutuo (...) el fracaso de la iniciativa española no puede ser más patente".[27]

3.2. *La Orden Europea de Investigación*

Al igual que sucede con la OEP, la OEI no define qué debe entenderse por "medida de investigación". Durante las negociaciones del instrumento la Comisión propuso que se diera una definición de "medida de investigación", pero no prosperó.[28] Si acudimos al artículo 1.1 OEI podemos definirla como *"una resolución judicial emitida o validada por una autoridad judicial de un Estado miembro («el Estado de emisión») para llevar a cabo una o varias medidas de investigación en otro Estado miembro («el Estado de ejecución») con vistas a obtener pruebas".*[29]

La inexistente concepción común acerca del principio de proporcionalidad en materia de diligencias de investigación a nivel europeo hace que la OEI tenga que optar por flexibilizar la aplicación del principio de reconocimiento mutuo. Refiere BACHMAIER WINTER que es éste un "instrumento híbrido formalmente basado en el principio de reconocimiento mutuo, pero intrínsecamente análogo a los instrumentos de asistencia judicial mutua. O quizá a la inversa". Al tener que incluirse motivos de denegación y excepciones a la ejecución de la OEI, se desdibujaron las diferencias entre los instrumentos basados en el reconocimiento mutuo y los de cooperación propios de la asistencia judicial mutua. Pero la autora hace una lectura optimista de este fenómeno al indicar que "unos podrán afirmar que la EIO representa el fracaso del reconocimiento mutuo, mientras que otros podrán interpretarlo como la victoria del pragmatismo y un avance más hacia un espacio judicial europeo. Lo que resulta claro, es que este texto refleja que, en ausencia de una mayor armonización legislativa entre los diferentes estados miembros, no puede exigirse una confianza

---

[27]   RODRÍGUEZ LAINZ, José Luis "La orden europea de protección." *Diario La Ley* n° 7854, Sección Doctrina, 9 de mayo de 2012 p. 1.

[28]   RODRÍGUEZ-MEDEL NIETO, Carmen *Obtención y Admisibilidad en España de la Prueba Penal Transfronteriza De las comisiones rogatorias a la orden europea de investigación* Thomson Reuters Aranzadi, 2016 p. 308.

[29]   DIRECTIVA 2014/41/CE DEL PARLAMENTO EUROPEO Y DEL CONSEJO de 3 de abril de 2014 relativa a la orden europea de investigación en materia penal. Disponible en: https://eur-lex.europa.eu/legal-content/ES/TXT/PDF/?uri=CE-LEX:32014L0041&from=ES

mutua en materias tan sensibles[30] como las de acordar escuchas telefónicas o practicar una entrada y registro domiciliario".[31]

4. BREVE REFLEXIÓN

La protección de los derechos básicos de naturaleza procesal solo podrá considerarse efectiva en el momento en que se haya instituido y consolidado un sistema europeo de cooperación judicial (de carácter penal)[32] por medio de disposiciones que bien unifiquen o armonicen[33] las legislaciones procesales nacionales y doten así de operatividad al principio de reconocimiento mutuo de sentencias y resoluciones judiciales, pilar de la cooperación judicial.[34]

Nos encontramos muy lejos de poder contar con un código penal sustantivo y procesal común para todos los estados de la UE. En el momento actual resulta inviable pretender que todos los estados renuncien a sus sistemas jurídico-penales nacionales por unas categorías dogmáticas y unas definiciones de infracciones y sanciones comunes.[35] Desde esta perspecti-

---

[30]   A propósito de la prueba transfronteriza puede leerse: MARTÍNEZ GARCÍA, Elena *La orden europea de investigación. Actos de Investigación, Ilicitud de la prueba y Cooperación judicial transfronteriza. op. cit.* pp. 13-50.

[31]   En: BACHMAIER WINTER, Lorena "La Orden Europea de Investigación y el principio de proporcionalidad." *op. cit.* pp. 12-13.

[32]   Indica VERVAELE que los EEMM son libres para establecer las sanciones en vía civil, administrativa o penal de acuerdo con su tradición jurídica. Es el legislador comunitario en que tiene, consecuentemente, una competencia normativa centrada en la instauración y puesta en funcionamiento de los sistemas de tutela dentro de los distintos EEMM. Éstos deben presentar los resultados, pero son libres de elegir el instrumento a utilizar para alcanzarlos. VERVAELE, John A. E. "De Eurojust a la fiscalía europea en el espacio judicial europeo. ¿El inicio de un derecho procesal penal europeo?" En: ESPINOSA RAMOS, Jorge A.; VICENTE CARBAJOSA, Isabel (Dirs.) *La futura Fiscalía Europea*, 2009. Disponible en: https://www.fiscal.es/fiscal/PA_WebApp_SGNTJ_NFIS/descarga/Futura_Fiscalia%20ES.pdf?idFile=09a6aa50-b6be-4091-b699-7b0cd505091b p. 135.

[33]   A propósito de la armonización judicial de carácter penal, puede leerse: BURGOS LADRÓN DE GUEVARA, Juan "La Orden Europea de Investigación Penal en España: aplicación y contenido. Posible relación con la Orden Europea de Protección (1)" *Diario La Ley, Nº 8660, Sección Tribuna,* 7 de diciembre de 2015.

[34]   FAGGIANI, Valentina "I. Derechos y garantías procesales ante el reto del espacio de libertad, seguridad y justicia" En: GARRIDO CARRILLO, Francisco Javier; FAGGIANI, Valentina. "La armonización de los derechos procesales en la UE" *Revista General de Derecho constitucional* 16 (2013) p.7.

[35]   A propósito del "caso Puigdemont": "La razón que se aporta es que los hechos descritos en la orden de detención no resultan típicos conforme al delito de alta traición del

va, puede parecernos insuficiente el camino recorrido hasta ahora por el derecho penal dirigido hacia la armonización de las legislaciones penales nacionales en materia de delitos graves transfronterizos y el principio de reconocimiento mutuo de sentencias y resoluciones judiciales de los tribunales de los estados miembros, siendo este último la piedra angular del sistema. Pero, y reconociendo la dificultad de la tarea, consideramos que la consolidación de un derecho penal europeo es un "objetivo político ineludible" y es ésta la exigencia material que encontramos en la base del impulso político hacia un derecho penal –sustantivo y procesal– europeo.[36]

Código penal alemán. La discusión se ha centrado en torno al elemento típico violencia, que forma parte tanto del delito de rebelión del Código Penal español como del de alta traición del alemán. Según el tribunal alemán la violencia que requiere este delito ha de ser especialmente cualificada. Solo existe violencia cuando ésta tiene entidad suficiente como para doblegar la voluntad de un órgano constitucional. Aunque no se niega que los hechos descritos resultan violentos, la decisión considera que no son idóneos para ejercer la presión necesaria sobre un gobierno, hasta el punto de hacerlo claudicar. Conviene prestar atención al fuerte contenido valorativo que implica esta afirmación y tener en cuenta que una valoración realizada por un juez situado a más de 2000 kilómetros de distancia que apenas ha tenido contacto con los hechos, puede impedir al juez que le ha pedido auxilio continuar con su tarea, cerrándole totalmente el paso a sus posibilidades de investigar y juzgar los hechos. (…) La segunda característica del reconocimiento mutuo es que respeta la autonomía de los ordenamientos que participan en él. Los jueces intervienen en este sistema de cooperación conociendo que existen reglas materiales y procesales diferentes. Están dispuestos a ayudarse, aunque saben que pueden existir divergencias importantes entre sus sistemas. El mayor efecto que el reconocimiento de la autonomía ha traído consigo es la remodelación profunda del principio de doble incriminación, otro de los pilares de la cooperación clásica, donde sólo se cooperaba cuando se aseguraba que el otro estado en un caso similar cooperaría también." NIETO MARTÍN, Adán *Reconocimiento mutuo y doble incriminación* Disponible en: http://almacendederecho.org/reconocimiento-mutuo-doble-incriminacion/

[36] VILLAMERIEL PRESENCIO, Luis P. "La Legislación Penal Europea y las obligaciones que genera. El modelo de integración o armonización: Tercer pilar, Directivas y Decisiones Marco." En: ÁLVAREZ GARCIA, F. Javier (Dir.) ÁLVAREZ GARCÍA, F. Javier; MANJÓN-CABEZA OLMEDA. Araceli; VENTURA PÜSCHEL, Arturo (Coords.) *La adecuación del Derecho Penal Español al Ordenamiento de la Unión Europea. La política criminal europea* Tirant Lo Blanch, 2009 p. 25-26.

ANTECEDENTES, EVOLUCIÓN, Y ASPECTOS FUNDAMENTALES SOBRE EL AMBITO Y CONTENIDO DE LA ORDEN EUROPEA DE INVESTIGACIÓN

Capítulo XIV

ORDEN EUROPEA DE INVESTIGACIÓN: ASPECTOS GENERALES DEL NUEVO INSTRUMENTO DE OBTENCIÓN DE PRUEBA PENAL TRANSFRONTERIZA[1]

Coral ARANGÜENA FANEGO
Catedrática de Derecho Procesal
Universidad de Valladolid

SUMARIO: 1. INTRODUCCIÓN. REGULACIÓN Y PRECEDENTES. 2. NATURALEZA Y CARACTERÍSTICAS. 3. ÁMBITO DE APLICACIÓN OBJETIVO. 3.1. Medidas que pueden solicitarse. 3.2. Procedimientos en que puede adoptarse una OEI. 4. AUTORIDADES COMPETENTES. 4.1. Autoridad de emisión. 4.2. Autoridad de ejecución. 4.3. Autoridad central. 5. PRESUPUESTOS Y CONTENIDO DE LA OEI.

RESUMEN: Se analizan en este capítulo los aspectos generales de la Directiva 2014/41/UE sobre la orden europea de investigación (antecedentes, objeto, naturaleza, autoridades competentes, presupuestos y contenido) y su encaje en la Ley de Reconocimiento Mutuo de resoluciones penales en la Unión Europea tras la transposición efectuada por Ley 3/2018.

ABSTRACT: In this chapter, the general aspects of the Directive 2014/41/EU regarding the European Investigation Order will be analysed (background, purpose and scope, legal nature, competent authorities, content and conditions) and how it has been incorporated in the Act on mutual recognition of judicial decisions in criminal matters in the European Union after its transposition made by Act 3/2018.

---

[1]   Trabajo realizado en el marco de los Proyectos de investigación "Garantías procesales de investigados y acusados: necesidad de armonización y fortalecimiento en el ámbito de la Unión Europea" –MINECO DER 2016-78096-P–, "Sociedades seguras y garantías procesales: el necesario equilibrio" –Junta de Castilla y León, VA135G18– y "Claves de la Justicia civil y penal en la sociedad del miedo" –PROMETEO/2018/111 B Generalitat Valenciana– Constituye una versión actualizada de una parte del artículo que publiqué en 2017 en el número 58 (septiembre-diciembre) de la *Revista de Derecho Comunitario Europeo* sobre la base del Anteproyecto de ley con el título "Orden europea de investigación. Próxima implementación en España del nuevo instrumento de obtención de prueba penal".

PALABRAS CLAVE: Orden Europea de Investigación; OEI; obtención y admisibilidad mutua de pruebas; prueba transnacional; principio de reconocimiento mutuo; Espacio de Libertad, Seguridad y Justicia; ELSJ.

KEYWORDS: European Investigation Order; EIO; gathering and admissibility of evidence; transnational evidence; mutual recognitio principle; Area of Freedom, Security and Justice; AFSJ.

1. INTRODUCCIÓN. REGULACIÓN Y PRECEDENTES

Con algo más de un año de retraso ha sido transpuesta al ordenamiento jurídico español mediante ley 3/2018, de 22 de junio[2] la Directiva 2014/41/CE, de 3 de abril, relativa a la orden europea de investigación en materia penal (DOEI, en adelante)[3], primera Directiva europea en materia de prueba transnacional que ha sido adoptada al amparo del art. 82.1 del Tratado de Funcionamiento de la Unión Europea tras un largo y complejo proceso de negociación[4].

---

[2]   Recordemos que el plazo de transposición venció el 22 de mayo de 2017
[3]   Publicada en el DOUE L 130, de 1 de mayo de 2014.
[4]   Proceso sobre el cual no es posible detenernos, y para cuyo estudio es recomendable consultar los trabajos monográficos de BACHMAIER WINTER, Lorena, "La propuesta de Directiva europea sobre la orden de investigación penal: valoración crítica de los motivos de denegación", *Diario La Ley*, nº 7992, de 28 de diciembre de 2012; "Prueba transnacional penal en Europa: la Directiva 2014/41 relativa a la orden europea de investigación", *Revista General de Derecho Europeo* 36 (2015); "Transnational Evidence: Towards the Transposition of the Directive 2014/41 regarding the European Investigation Order in Criminal Matters", *Eucrim*, 2015/2. Asimismo, AGUILERA MORALES, Marién, "El Exhorto Europeo de Investigación: A la búsqueda de la eficacia y la protección de los Derechos Fundamentales en las investigaciones penales transnacionales", *Boletín del Ministerio de Justicia* nº 2145, agosto 2012; JIMÉNEZ-VILLAREJO FERNÁNDEZ, Francisco, "Orden europea de investigación: ¿adios a las comisiones rogatorias?", en ARANGÜENA FANEGO, Coral (ccord.), *Cooperación judicial civil y penal en el nuevo escenario de Lisboa*, Comares, Granada, 2010, págs.175-203; RODRÍGUEZ-MEDEL NIETO, Carmen, *Obtención y admisibilidad en España de la prueba penal transfronteriza. De las comisiones rogatorias a la orden europea de investigación*, Aranzadi, Cizur Menor, 2016, especialmente págs. 295 a 301; RUGGERI, Stefano "Transnational Prosecutions, Methods of Obtaining Overseas Evidence, Human Rights Protection in Europe", en S. RUGGERI (ed.) *Human Rights in European Criminal Law. New Developments in European Legislation and Case Law after the Lisbon Treaty* (Stefano Ruggeri, editor), Springer, Heidelberg New York Dordrecht London, 2015, págs.161-162; JIMENO BULNES, Mar, "Orden europea de investigación en materia penal", en M. JIMENO BULNES (dir.), *Aproximación legislativa versus reconocimiento mutuo en el desarrollo del espacio judicial europeo: una perspectiva multidisciplinar*, JM Bosch, Barcelona, 2016, págs.156-163.

No se trata de la primera norma de la Unión Europea en materia de prueba transnacional pero sí, desde luego, de la más relevante, potencialmente dotada de mayor eficacia en atención al tipo de norma jurídica en que se plasma –una Directiva–, y con un ámbito de aplicación mucho más amplio.

Antes de ella ya habían sido aprobadas dos normas sobre el particular, aunque bajo la forma jurídica de Decisiones marco (norma propia del antiguo tercer pilar), y con una muy limitada eficacia:

- En primer lugar, la Decisión marco 2003/577/JAI, de 22 de julio, relativa a la ejecución en la UE de las resoluciones de embargo preventivo de bienes y de aseguramiento de pruebas. Pese a su equívoca denominación, esta norma se ocupaba no del embargo cautelar, sino de la incautación o aseguramiento de documentos y objetos que pueden ser utilizados como prueba en un proceso penal con la finalidad de evitar su destrucción, transformación, desplazamiento o enajenación[5]. Sin embargo, este instrumento no permitía, tras la incautación o aseguramiento realizado, la posterior transmisión del objeto al Estado que emitió la orden de embargo o aseguramiento, lo que limitaba la eficacia del mismo al exigir acudir a una comisión rogatoria para el traslado propiciando un procedimiento que se denominó de "doble paso", que pugnaba con las mínimas exigencias de eficacia. Transpuesta en España inicialmente por medio de la Ley 18/2006, de 5 de junio, sobre la eficacia en la Unión Europea de las resoluciones de embargo y de aseguramiento de pruebas en los procesos penales, posteriormente se deroga para incorporarse en la Ley 23/2014, de reconocimiento mutuo de resoluciones penales en la UE (LRM en adelante)[6]. La transposición de la DOEI ha

---

[5] Sobre lo equívoco de la terminología empleada vid. GASCÓN INCHAUSTI, Fernando, "Reconocimiento mutuo de resoluciones de embargo preventivo y aseguramiento de prueba: análisis normativo" y NAVAS BLÁNQUEZ, Juan José, "Cuestiones prácticas al reconocimiento de resoluciones sobre embargo preventivo y aseguramiento de pruebas", ambos en *Reconocimiento mutuo de resoluciones penales en la Unión Europea: análisis teórico-práctico de la Ley 23/2014, de noviembre* (Coral Arangüena Fanego, Montserrat de Hoyos Sancho y Carmen Rodríguez-Medel Nieto, coordinadoras), Ed. Aranzadi, Cizur Menor, 2015, págs.. 3327 a 334 y 365 y 366, respectivamente. Asimismo, ANDÚJAR HERNÁNDEZ, Jorge, "Resoluciones de embargo preventivo de bienes y aseguramiento de pruebas y resoluciones de decomiso", ponencia del *Curso sobre Reconocimiento mutuo de resoluciones penales en el marco de la Unión Europea*, Centro de Estudios Jurídicos del Ministerio de Justicia, 2016.

[6] Véase, al respecto, entre los trabajos más recientes sobre el instrumento europeo y su transposición en la legislación española, GASCÓN INCHAUSTI, Fernando, "Recono-

exigido revisar algunas disposiciones del título VII de la LRM [las dedicadas al aseguramiento de prueba, que sustituye la OEI, manteniendo su vigencia las relativas al embargo para ulterior decomiso hasta fecha muy reciente, al haber sido sustituidas por las del nuevo Reglamento (UE) 2018/1805 del Parlamento europeo y del Consejo de 14 de noviembre de 2018 sobre el reconocimiento mutuo de las resoluciones de embargo y decomiso[7]].

– En segundo lugar, la Decisión marco 2008/978/JAI, de 18 de diciembre sobre el exhorto europeo de obtención de pruebas, que tenía por finalidad la ejecución de resoluciones judiciales dictadas en un Estado miembro de la UE que acordaran recabar en otro Estado miembro un objeto, documento o dato para su utilización como prueba en un proceso. Aunque supuso un avance sobre la anterior Decisión marco 2003/577/JAI en cuanto permitía no sólo el aseguramiento sino también el traslado del elemento probatorio asegurado sin necesidad de ulterior petición, su restringido ámbito de aplicación limitaba extraordinariamente su utilidad práctica puesto que sólo podía referirse a objetos o datos preexistentes, que estuvieran previamente identificados y resultara necesaria y proporcionada su obtención para el proceso[8]. Transpuesta tardíamente por Ley

---

cimiento mutuo….", op.cit,, págs. 323-362; NAVAS BLÁNQUEZ, Juan José, "Cuestiones prácticas….", op. cit., págs..363-385; TINOCO PASTRANA, Angel, "El embargo preventivo y el aseguramiento de pruebas en los procesos penales en la Unión Europea: novedades tras la Ley 23/2014, de reconocimiento mutuo de resoluciones penales en la Unión Europea y la Directiva 2014/41/CE relativa a la orden europea de investigación en materia penal", *Cuadernos europeos de Deusto*, núm. 52, 2015, pp. 121-146.

[7]   Vid. Considerando 52 del Reglamento (UE) 2018/1805.

[8]   Su restringido alcance se ponía de manifiesto además en las limitaciones impuestas por el art. 4.2 de la Decisión marco sobre el exhorto europeo y 187.2 LRM que excluyen de su ámbito de aplicación: la toma de declaraciones; registros corporales, toma de huellas o de ADN; información en tiempo real mediante intervención de comunicaciones, vigilancia o control de cuentas bancarias; periciales o análisis de objetos, documentos o datos existentes; cesión de datos de tráfico de comunicaciones retenidas por proveedores de un servicio de comunicaciones electrónicas accesibles al público o de una red de comunicaciones pública. En todos esos casos, no obstante, con la siguiente excepción: que ya obren en poder de la autoridad a la que se dirige el exhorto, caso en que sí pueden pedirse a través de este instrumento. Sobre este instrumento y su transposición en el ordenamiento español véase, *in extenso*, BACHMAIER WINTER, Lorena, "Exhorto europeo de obtención de pruebas: análisis normativo", y JIMÉNEZ CRESPO, Luis Miguel, "Cuestiones prácticas relativas al exhorto europeo de obtención de pruebas", ambos en *Reconocimiento mutuo de resoluciones penales en la Unión Europea: análisis teórico-práctico de la Ley 23/2014, de noviembre* (Coral Aragüena Fanego, Montserrat de Hoyos Sancho y Carmen Rodríguez-Medel Nieto, coordinado-

23/2014, de reconocimiento mutuo de resoluciones penales en la UE (LRM, título X), su aplicación ha sido poco significativa habida cuenta de las limitaciones antedichas, del hecho de que coexistiera con los mecanismos de asistencia judicial clásica convencionales (Convenio de asistencia judicial entre los estados miembros de la UE de 2000 y Convenio europeo de asistencia judicial penal del Consejo de Europa de 1959), y de que sólo fuera obligatorio recurrir a este instrumento de reconocimiento mutuo cuando toda la prueba que pretendiera obtenerse recayera dentro del tipo de prueba incluida en su ámbito[9]. A todo lo anterior se suma el hecho de la publicación en 2014 de la OEI llamada a sustituirla al poco tiempo de haber sido implementada; más aún, la Decisión marco fue paradójicamente derogada de manera precipitada[10] por el Reglamento (UE) 2016/95 de 20 de enero por el que se derogan determinados actos en el ámbito de la cooperación judicial y policial penal[11] antes de que hubiera vencido el plazo de transposición de la norma llamada a sustituirla; esto es, la DOEI[12].

---

ras), Ed. Aranzadi, Cizur Menor, 2015, págs.507-520 y 521-544, respectivamente. Sobre las diferencias entre el exhorto europeo de obtención de pruebas y la orden europea de investigación, MARTÍN GARCÍA, Antonio Luis y BUJOSA VADELL, Lorenzo, *La obtención de la prueba en materia penal en la Unión Europea*, Ed. Atelier, Barcelona, 2016, págs.118 a 122.

[9]   De ahí que la doctrina no acogiera con especial entusiasmo el instrumento ni, en consecuencia, tampoco la transposición que del mismo se hizo en la legislación española. Baste reproducir en este punto las palabras de Lorena BACHMAIER WINTER declarando que "lo mejor que podrá sucederle a la presente regulación sobre el exhorto europeo de obtención de pruebas es que tenga una vida efímera (...) para dejar paso cuanto antes a la orden europea de investigación" ("Exhorto europeo de obtención de pruebas...", op. cit., pág.520).

[10]   Gráficamente Francisco JIMÉNEZ-VILLAREJO FERNÁNDEZ se refiere al exhorto europeo como la crónica de una muerte anunciada, ya que el Reglamento UE/2016/95 ha dado muerte prematura mediante un instrumento de derogación anticipada a una norma inédita, sin perjuicio de la vigencia formal de las leyes de transposición nacionales ("Capítulo XII: Orden Europea de Investigación", en *Memento Experto Cooperación jurídica penal internacional*, Ed. Francis Lefebvre, Madrid, 2016, pág.12).

[11]   Publicado en el DOUE nº L 26, de 2 de febrero de 2016.

[12]   Pese a que inicialmente se consideró que tal derogación no afectaba directamente a la regulación interna española, planteaba problemas el que la aplicación del título X LRM no contara ya con el *paraguas* de la Decisión marco *madre* que regulaba el exhorto europeo, haciendo complejo el régimen jurídico de aplicación de este instrumento de reconocimiento mutuo que establece el art.4 LRM que, recordemos, indica en su apartado 3) que "la interpretación de las normas contenidas en esta Ley se realizará de conformidad con las normas de la Unión Europea reguladoras de cada uno de los instrumentos de reconocimiento mutuo".

Teniendo en cuenta tales precedentes, la finalidad de esta nueva norma europea era la de crear y reunir en torno a un instrumento jurídicamente vinculante un nuevo sistema global general para la obtención transnacional de pruebas que reemplazara a los instrumentos existentes y acabara con el fragmentado sistema que regía, caracterizado por la dispersión y confusión.

Y es que la coexistencia de instrumentos normativos de diverso tipo (Decisiones marco y Convenios de asistencia judicial), tuvo como resultado un auténtico puzle normativo que ha demostrado una ineficacia crónica. La perturbadora convivencia con los conocidos convenios de asistencia mutua (Convenio europeo de asistencia judicial penal del Consejo de Europa de 1959 y sus dos protocolos y el Convenio de aplicación de los Acuerdos de Schengen, Convenio de asistencia judicial entre los Estados miembros de la UE de 2000 y Protocolo de 2001) de mayor cobertura y flexibilidad y la transposición tardía de alguno de los instrumentos de reconocimiento mutuo –como el exhorto de obtención de prueba– hizo que estos últimos pasaran desapercibidos. El solapamiento de disposiciones ante el que se situaba al operador jurídico y el hecho de que no existiera una obligación de suficiente alcance para aplicar los instrumentos de reconocimiento mutuo frente a los convencionales, ha provocado que incluso se llegara a hablar de un cierto "ius shopping" para las autoridades judiciales[13].

El interés por una transposición en plazo de la OEI era, por tanto, incuestionable, dada la necesidad de poner fin a este estado de cosas. Objetivo que se lograría con la apuesta por un instrumento único en materia de prueba penal transfronteriza[14], sin perjuicio de que dos Estados miembros –Dinamarca e Irlanda– quedaran fuera del instrumento[15] y de que algunas de las normas a las que reemplaza –concretamente los Convenios de asis-

---

[13]   Así JIMÉNEZ-VILLAREJO FERNÁNDEZ, Francisco, "La nueva regulación del decomiso y la recuperación de activos delictivos en el ordenamiento jurídico español", en *Revista del Ministerio Fiscal*, número 0, 2015, pág.103 y "Capítulo XII: Orden Europea de Investigación", op.cit, nota 10 § 4274.

[14]   La doctrina ha considerado que la Directiva supone una auténtica mutación genética en la obtención transnacional de la prueba (así DANIELE, Marcello "La metamorfosi del diritto delle prove nella Direttiva sull'ordine europeo di indagine penale", *Diritto penale contemporáneo*, 4/2015, pág. 87)

[15]   Con la consecuencia de que en sus relaciones con los restantes miembros de la UE en materia de prueba penal transfronteriza Dinamarca seguirá aplicando el Convenio de asistencia judicial UE de 2000 y su Protocolo de 2001 mientras que Irlanda, al no haber ratificado dichos convenios, seguirá aplicando los emanados del Consejo de Europa (Convenio de asistencia judicial en materia penal de 1959 y sus Protocolos adicionales de 1978 y 2001).

tencia judicial penal citados– siguieran resultando aplicables para aquellas otras formas y modalidades de cooperación que no afectan a la obtención de pruebas propiamente dichas (art.34 DOEI) además de, con carácter general, para los dos referidos países (Dinamarca e Irlanda) que quedaron fuera del instrumento.

Lejos de haber sido así, España incumplió sus obligaciones en este punto (al igual que la mayor parte de los Estados miembros[16]), con el agravante de que a la fecha final de plazo de transposición de la Directiva (22 de mayo de 2017) ni siquiera disponía de texto proyectado alguno[17], lo que obligó a la Fiscalía General del Estado a salir al paso de la situación para hacer frente a las posibles OEIs que pudieran recibirse de Estados miembros que hubieran transpuesto la Directiva y otras situaciones generadas por el incierto régimen legal en el que se situaba, motivando la adopción del Dictamen 1/17 de la Fiscal de Sala de Cooperación penal internacional[18].

Solventado tanto en España como en el resto de los Estados miembros de la UE (con excepción de los dos citados) la transposición de la norma, asistimos finalmente hoy a un nuevo escenario en materia de obtención de prueba transfronteriza en el que la orden europea de investigación se configura como el instrumento fundamental para tal cometido. Sustituye a los instrumentos convencionales y de reconocimiento mutuo preexistentes en esta materia, si bien tal derogación no alcanza a la totalidad de las disposiciones sobre el particular por lo que hay que hay que estar a lo prevenido en el art.34 para dilucidar en qué medida la DOEI ha derogado el instrumento de cooperación judicial que pudiera resultar aplicable. Algo, por lo demás, complicado puesto que la propia Directiva no es clara a la hora de determinar el alcance de las "disposiciones correspondientes" de los convenios que sustituye. Se trata de una expresión excesivamente vaga que obligará a las autoridades nacionales a realizar un esfuerzo interpretativo adicional a la hora de establecer si una concreta medida a solicitar ha

---

[16] La consulta del estado de trasposición de la Directiva, disponible en la página de la RJE penal (https://www.ejn-crimjust.europa.eu/ejn/EJN_Library_StatusOfImpByCat.aspx?CategoryId=120) revela que a la fecha de transposición tan sólo Bélgica, Francia, Alemania y Letonia habían cumplido.

[17] No fue hasta el 14 de julio de 2018 cuando se informó en Consejo de Ministros el Anteproyecto remitido desde el Ministerio.

[18] Dictamen 1/17, de 19 de mayo de 2017, sobre el régimen legal aplicable debido a la no transposición en plazo de la Directiva de la Orden Europea de Investigación y sobre el significado de la expresión "disposiciones correspondientes" que sustituye dicha Directiva.

de canalizarse a través de los Convenios o de la OEI[19] teniendo en cuenta, por tanto, que los Convenios siguen siendo aplicables parcialmente.

Con base en el texto europeo y en la norma de transposición española, examinaremos a continuación su regulación general, sin entrar a abordar en detalle por razones de espacio las medidas que son objeto de un tratamiento específico en algunos capítulos de la Directiva, y sobre las cuales se centran otros capítulos de esta misma obra colectiva[20].

2. NATURALEZA Y CARACTERÍSTICAS

Según se ha indicado, esta Directiva supone el primer intento de regular a través de un instrumento unitario la obtención de pruebas trasfronterizas. Ahora bien, tal y como indica el propio Preámbulo de la norma europea, su base jurídica es el art.82.1 TFUE –fomento de la cooperación judicial a través del reconocimiento mutuo de resoluciones judiciales– pero no el art.82.2 TFUE que prevé la adopción de normas mínimas comunes sobre la "admisibilidad reciproca de las pruebas entre los Estados miembros", que tengan en cuenta las diferentes tradiciones jurídicas nacionales. Como ha advertido la doctrina, los tiempos no estaban todavía maduros para acometer un

Y esto se proyecta sobre la naturaleza de la OEI que si bien se configura como un instrumento de reconocimiento mutuo articulado sobre la base de una resolución judicial, emitida o validada por una autoridad judicial de un Estado miembro para llevar a cabo en otro una o varias medidas de investigación con vistas a obtener pruebas destinadas a su incorporación a un proceso (art. 1), aparece matizada por principios propios de la asistencia judicial al contemporizarse con soluciones y razones de la ley del Estado de ejecución.

En efecto, en su regulación la Directiva combina normas y principios propios del reconocimiento mutuo que ya se incluían en la Decisión mar-

---

19   Así se advierte en las págs. 10 y 11 del Dictamen 1/2017 citado supra (nota 18), indicando a modo de ejemplo algunas medidas de extraordinaria importancia recogidas en los Convenios que no serán sustituidas por la DOEI; entre otras la denuncia y transferencia de procedimientos (art. 21 del Convenio de 1959 y art.6 del Convenio de 2000) o el intercambio de información sobre antecedentes penales (art. 13 del Convenio de 1959 en relación a la Decisión marco 2009/315/JAI –ECRIS–).

20   Al margen de existir excelentes estudios sobre la materia. Vid., por todos, RODRÍGUEZ-MEDEL NIETO, Carmen, *Obtención y admisibilidad...*, op.cit., nota 4, págs. 315 a 346.

co sobre el exhorto europeo de obtención de pruebas, con normas del Convenio de asistencia judicial entre Estados miembros de la UE del 2000 procurando imprimir una cierta dosis de flexibilidad, propia de los instrumentos convencionales, puesta de manifiesto, especialmente, en la generosa facultad de sustitución de la medida solicitada que se confiere a la autoridad de ejecución.

Esto trae como consecuencia que el nuevo instrumento presente una naturaleza híbrida pues se configura como un instrumento de reconocimiento mutuo (aunque menos "invasivo" que otros precedentes, como la euroorden), atemperado por los perfiles típicos de la asistencia judicial[21].

Como principales características de esta regulación, además de la relevante concentración normativa que proporciona la creación de un instrumento *único* en materia de prueba europea transfronteriza[22], hay que destacar ante todo su configuración como una auténtica "orden" o título ejecutivo europeo, en la línea de la orden europea de detención y entrega. La denominación del instrumento es muy gráfica constituyendo un acierto el abandono de la terminología (exhorto) que aparecía en la inicial propuesta de Directiva[23].

Se articula, como es típico de los instrumentos de reconocimiento mutuo, sobre la base de una comunicación directa entre autoridades judiciales, sin perjuicio de las matizaciones que exige el hecho de que quepa la emisión de este instrumento por una autoridad no judicial siempre que esté "validada" o autorizada por una que sí tenga tal carácter. Téngase en cuenta, no obstante, que el concepto de autoridad judicial que se maneja aquí comprende no sólo órganos judiciales dotados de potestad jurisdiccional; también los miembros del Ministerio Fiscal sin que, por tanto, caso de ser competentes para expedir una OEI precisen de validación alguna[24].

---

[21] Vid. en este sentido KOSTORIS, Roberto., "Orden europea de investigación y derechos fundamentales", en Coral ARANGÜENA FANEGO, Montserrat DE HOYOS SANCHO (dirs.) y Begoña VIDAL FERNÁNDEZ (coord.), Tirant lo Blanch, Valencia, 2018, p.321: asimismo en *Processo penale e paradigmi europei*, Ed. G.Giappichelli, Torino, 2018, p.104.

[22] Esta proclamación general del art. 34 DOEI se matiza posteriormente en el art. 35 pues ha de ser conjugada con la vigencia de los diversos instrumentos normativos existentes, según hemos adelantado. Sobre ello véase JIMÉNEZ-VILLAREJO, Francisco, "Capítulo XII..." op.cit., nota 10, §§ 4320 a 4322.

[23] Y que sin embargo se desliza, por error de traducción, en la sección K del formulario de emisión de la OEI recogido en el Anexo A de la Directiva y llevado igualmente con idéntico error al Anexo XIII LRM.

[24] Lo que por otra parte se halla en plena armonía con la consideración general de que a efectos de cooperación judicial el Ministerio Fiscal tiene la consideración de autoridad

Y se diseña un auténtico procedimiento supranacional para la obtención transfronteriza de material probatorio, al ocuparse la Directiva de regular de manera bastante completa la emisión, reconocimiento, ejecución, confidencialidad de la investigación[25], plazos, costes, recursos y responsabilidad de quienes intervengan en la práctica de la diligencia de investigación.

Especialmente destacable en él la simplificación de trámites y requisitos formales mediante el empleo de formularios estandarizados (aunque excesivamente largos y complejos)[26] y la aceleración que se imprime en la obtención de prueba transnacional, mediante la fijación de plazos tanto para acuse de recibo de la orden de investigación,

Aspecto novedoso y digno de aplauso, la posibilidad conferida a la defensa de solicitar la emisión de una orden de investigación (art.1.3 DOEI). Así se reconoce en el art. 1.3 cuando admite la emisión de una OEI a solicitud de la "persona sospechosa o acusada (o por un abogado en su nombre) en el marco de los derechos de la defensa aplicables de conformidad con el procedimiento penal nacional". Se trata, como decimos, de una innovación positiva en el marco de la cooperación judicial UE, a la que siempre se ha reprochado el desplegarse siempre desde y a favor de las autoridades encargadas de la investigación y acusación, olvidando la posición de la defensa y acentuando la situación de desigualdad de las partes[27]. En España la LRM

---

judicial, algo ya acuñado en 1959 en el Convenio de Asistencia Judicial en materia Penal, ratificado por España mediante el correspondiente Instrumento de Ratificación en 1982.

[25]   Sin perjuicio de las matizaciones que puede experimentar esta regla fijada en el art. 19 DOEI para conjugarse con los derechos y garantías procesales del afectado por la medida.

[26]   Como ha sido advertido en el documento de la European Judicial Neetwork; *EJN Conclusions 2018 on the EIO*, Cover Note 14755/18, de 7 de diciembre de 2018,

[27]   Cierto que con la nueva solución la posición procesal de las partes no resulta totalmente equilibrada. La lógica en la que se mueve sigue siendo la de la "canalización" del acto hacia las autoridades públicas, con el efecto de obligar a la defensa a descubrir las propias cartas y las propias estrategias ante la autoridad de investigación del Estado de emisión, generalmente representada por el Ministerio fiscal, es decir su antagonista natural. Y posibilidad, por lo demás, no exenta de cierta complejidad puesto que la solicitud de una OEI por parte de la defensa presupone que ésta conozca la existencia de pruebas en el extranjero que merezca adquirir; lo cual implica que ésta disponga de una red de informaciones no fácilmente asequibles a los particulares. Vid, sobre estas cuestiones CAIANIELLO, Michele, *La nuova direttiva UE sull'ordine europeo di indagine penale tra mutuo riconoscimento e ammissione reciproca delle prove*, en *Processo penale e giustizia*, 2015, 3, p. 7; BACHMAIER WINTER, Lorena, *Towards the Transposition of Directive 2014/41 Regarding the European Investigation Order in Criminal Matters*, en *Eucrim*, 2015, 2, p. 50; KOSTORIS, Roberto, "Orden europea de investigación...", op.cit., nota 21, pp.329-330 y *Processo penale e paradigni...*op.cit, nota 21, pp.115 y 116.

ya preveía expresamente esta posibilidad de intervención con carácter general para los distintos instrumentos de reconocimiento mutuo que regula –art. 22. 1) y 3)– con anterioridad a la reforma llevada a cabo en 2018 para implementar la OEI. Una vez llevada a cabo la referida transposición y en armonía con las particularidades de nuestro sistema procesal penal en que junto al MF se permite la personación de otras acusaciones, el art.189.1 LRM emplea una terminología genérica que da cabida a que la petición pueda proceder también de tales sujetos (y no sólo de la defensa): "la autoridad de emisión podrá emitir, de oficio o a instancia de parte, una OEI…".

Como aspecto criticable, la amplia y asistemática regulación de causas de denegación que recoge la DOEI cuyo grado de dificultad para su comprensión no parece despejarse (sino todo lo contrario) tras su transposición en la LRM que precisamente en este punto adolece de una notoria complejidad[28].

En efecto, la Directiva hace una asistemática y compleja regulación de estas causas (configuradas todas ellas como facultativas) que componen un amplio listado diseminado a lo largo del articulado pues al precepto que en apariencia las enuncia con carácter general (art. 11) hay que añadir la potencial vulneración de derechos fundamentales que pueda entrañar su ejecución [art. 11. 1.f) y *Considerando* 19°]. Y sumar, asimismo, otras específicas para las concretas medidas de investigación reguladas en los capítulos IV y V.

Y en idénticos defectos incide también la ley española pues además de configurar como obligatorias todas estas causas[29], privando de posibilidad de apreciación alguna en el caso concreto a la autoridad de ejecución, las distribuye entre un precepto específico (el art. 207) al que suma (merced a la remisión expresa que desde aquí efectúa), todas las que figuran en el vigente art. 32.1 LRM algunas de las cuales, por cierto, repiten las de aquél, y algunas otras son de discutible aplicación en este procedimiento[30].

---

[28]   Véase sobre esta cuestión MORÁN MARTÍNEZ, Rosa Ana: "Parte general de la ley 23/2014, de 20 de noviembre de reconocimiento mutuo de resoluciones judiciales penales en la Unión Europea", ponencia del curso de formación sobre *Reconocimiento mutuo de las resoluciones penales en el marco de la Unión Europea*, Centro de Estudios Jurídicos de la Administración de Justicia, págs. 27 a 40. Respecto a las causas de denegación en este nuevo instrumento, me remito al capítulo que firma DE HOYOS SANCHO, Montserrat, "Reconocimiento y ejecución de la orden europea de investigación".

[29]   Adviértase la redacción del art.207.1 LRM: "La autoridad competente española *denegará* el reconocimiento y ejecución de la orden europea de investigación, además de en los supuestos del apartado 1 del art.32, en los siguientes casos:…."

[30]   V.gr. la del art.32.3 LRM; esto es que el delito se hubiera cometido en España, ya que no figura como motivo de no reconocimiento en el art.11 de la DOEI. Y por tanto

Sin olvidar otras muchas causas de denegación que se recogen para las medidas específicas en los arts. 214 a 221 LRM y alguna incidencia que sin ser propiamente un motivo de denegación, en la práctica puede conducir a similares consecuencias (v.gr. desacuerdo en el reparto de costes entre Estado de ejecución y emisión tras la intervención de la autoridad central).

A la vista de todo lo anterior y según se ha adelantado, hay que concluir que nos encontramos ante un instrumento de carácter híbrido, que aúna caracteres propios del reconocimiento mutuo (especialmente en los aspectos relativos a la emisión) con otros propios de la asistencia judicial clásica (evidenciados básicamente en los aspectos referidos al reconocimiento y ejecución con posibilidad de sustitución de la medida interesada e incluso de un cierto control –art.6.3 DOEI– por la autoridad de ejecución de la proporcionalidad y necesidad de emitir el instrumento por la de emisión).

3. ÁMBITO DE APLICACIÓN OBJETIVO

Teniendo muy presente el artículo 1 de la Directiva que define la OEI como una resolución judicial, emitida o validada por una autoridad judicial de un Estado miembro para llevar a cabo una o varias medidas de investigación en otro Estado miembro con vistas a obtener pruebas con arreglo a la Directiva, ha de advertirse como punto de partida, que este nuevo instrumento está centrado en las medidas de investigación a realizar, no en la prueba que con ellas se pretenda obtener (*Considerando* 10º). La Directiva no ha recogido el guante lanzado por el art.82.2 TFUE que, recordemos, prevé la adopción de normas mínimas comunes sobre la admisibilidad recíproca de pruebas entre los Estados miembros para facilitar el reconocimiento mutuo. Los tiempos no estaban todavía maduros para dar ese paso en un ámbito tan sensible[31] y de ahí los límites de la nueva norma evidenciados con toda claridad en el *Considerando* citado.

---

hubiera sido conveniente que se hubiera excepcionado su aplicación (como proponía el *Informe del Consejo Fiscal al Anteproyecto de ley por la que se modifica la Ley 23/2014 de reconocimiento mutuo de resoluciones judiciales penales en la Unión Europea, para regular la orden europea de investigación*, de 20 de septiembre de 2017, p.53) plasmándolo en la LRM, bien en el art.207 con un nuevo apartado en el que se indique el motivo de no reconocimiento del art.32.3 no es aplicable a la OEI, o bien mencionándolo así en el art. 32.3 LRM.

[31] KOSTORIS, Roberto., "Orden europea de investigación…", op.cit., nota 21, p.321 y *Processo penale e paradigmi europei*, op.cit. nota 21, p.104.

El ámbito de aplicación, no obstante, es muy amplio y gráficamente se habla (*Considerando* 8º DOEI) de que tiene carácter horizontal, puesto que se extiende prácticamente a la totalidad de las medidas de investigación (siendo mínimas las exclusiones) sin perjuicio de que el régimen general que diseña para su obtención se complete con normas específicas para determinadas medidas en particular (relativas al traslado de privados de libertad a fin de llevar a cabo una medida de investigación, comparecencia por videoconferencia u otros medios audiovisuales, declaración por conferencia telefónica, información sobre cuentas bancarias y financieras, información sobre operaciones bancarias y financieras, medidas de investigación que impliquen obtención de pruebas en tiempo real, investigaciones encubiertas, intervención de las comunicaciones y medidas cautelares para el aseguramiento de la prueba obtenida). Y todo ello con el objetivo de facilitar la obtención de pruebas que se encuentren o hayan de obtenerse en otro Estado miembro para los fines de un proceso penal o incluso de un proceso de infracción administrativa del cual pueda derivarse responsabilidad penal.

De este modo la nueva regulación determina tanto las medidas que caen bajo la cobertura del nuevo instrumento, como el tipo de procedimientos en que puede hacerse uso de él configurando ambos extremos con notable amplitud.

3.1. Medidas que pueden solicitarse

En cuanto a las medidas aplicables, la OEI se extiende a todas las de investigación relativas a la cooperación judicial (no policial) tendentes a la obtención de prueba con independencia de la fase procesal en que se requieran (*Considerando* 25º y art.3 DOEI; arts.186.1 y 187.1 LRM[32]).

El art. 2 DOEI que incorpora, como es tradicional, las definiciones básicas, omite sin embargo la de "medida de investigación" pese a constituir el núcleo central sobre el que gravita el instrumento y que además debiera haberse incorporado para su diferenciación respecto a las "medidas de aseguramiento" que también pueden constituir el objeto de la OEI. Por

---

[32] Ha de acudirse al art.187.1 LRM para deducir la admisibilidad de la emisión de OEIs en cualquier fase del procedimiento, aunque hubiera sido conveniente que se hubiera recogido de manera clara y expresa en el propio art.186 LRM como se recomendaba en el *Informe del CGPJ sobre el Anteproyecto de ley por la que se modifica la ley 23/2014, de 20 de noviembre, de reconocimiento mutuo de resoluciones penales en la Unión Europea, para regular la orden europea de investigación*, emitido el 28 de septiembre de 2017.

otra parte, y como ha sido advertido por la doctrina, si la necesidad de una mínima definición del concepto de medidas de investigación es una exigencia de la certidumbre y precisión jurídica que requiere el principio de legalidad, aquí se revela con mayor intensidad al manejarse por la Directiva un concepto amplio o genérico, que engloba también medidas restrictivas de derechos fundamentales[33].

Ni la Ley ni la Directiva establecen una relación de diligencias de investigación o de prueba que puedan practicarse al amparo de una OEI. Parten del principio general de que cualquier diligencia de investigación puede ser objeto de ella. No se establece un *numerus clausus* de medidas de investigación, aunque sí un *mínimum*[34] de medidas que la Directiva indica (art.10.2) y que el art.207.1 LRM acoge en tanto deben estar disponibles en las legislaciones internas de los Estados miembros[35] provocando, al menos en este extremo, un cierto efecto armonizador de las legislaciones procesales europeas siguiendo el ejemplo de otros instrumentos de reconocimiento mutuo[36].

Comprende no sólo medidas de investigación; también medidas para el aseguramiento cautelar de determinados objetos susceptibles de ser empleados en un proceso seguido en el Estado de emisión como medio de prueba o para su ulterior decomiso[37], evitando su destrucción, transforma-

---

[33]   Así lo advierte JIMÉNEZ-VILLAREJO FERNÁNDEZ, Francisco, "Capítulo XII...", op,-cit. nota 10, § 4350. Vid. asimismo, la crítica de MANGIARACINA, Annalisa, "A new and controversial scenario in the gathering of evidence and the European level: the Proposal for a Directive on the European Investigation Order", *Utrecht Law Review*, 2014, vol.14, nº 1, pág.120.

[34]   En expresión de LÓPEZ JARA, Manuel, "Transposición al Ordenamiento español de la Orden Europea de Investigación en materia penal: el procedimiento para su emisión", *Diario La Ley*, nº 9252, de 5 de septiembre de 2018.

[35]   Se trata de: a) la obtención de información o de pruebas que obren ya en poder de la autoridad de ejecución siempre que, de conformidad con el derecho nacional, esa información o esas pruebas hubieran podido obtenerse en el contexto de un procedimiento penal o a los fines de la OEI; b) la obtención de información contenida en bases de datos que obren en poder de las autoridades policiales o judiciales y que sean directamente accesibles en el marco de un procedimiento penal; c) la declaración de un testigo, un perito, una víctima, un investigado o un encausado o un tercero en territorio español; d) cualquier medida de investigación no invasiva definida con arreglo al derecho nacional; e) la identificación de personas que sean titulares de un número de teléfono o una dirección IP determinados.

[36]   V.gr. en la orden "orden europea de vigilancia" (medidas sustitutivas de la prisión provisional, Decisión marco 2009/829/JAI) o en la orden europea de protección (Directiva 2011/99/UE).

[37]   Téngase en cuenta (así lo advierte el CGPJ en su Informe al Anteproyecto, op.cit. nota 32, § 183) que la DOEI (Considerando 34) además de medidas cautelares encaminadas a la obtención de prueba, abarca también las que tienen por objeto el ulterior decomiso

ción, desplazamiento, transferencia o enajenación e incluso para que una vez asegurados sean transferidos (art. 32 DOEI y 203 LRM), si bien con un cierto carácter accesorio a la propia investigación que es la que reviste el carácter de objetivo principal del instrumento.

E incluye, asimismo, la obtención de fuentes de prueba que ya obran en poder de la autoridad de ejecución (pero también las no preexistentes, algo que no cubrían los precedentes instrumentos de reconocimiento mutuo –singularmente, el exhorto europeo– y que en la práctica provocaba su inaplicación[38]).

Se excluyen, no obstante, algunas medidas relevantes.

Por una parte, la creación equipos conjuntos de investigación (ECI) y la obtención pruebas en el equipo (art. 3 DOEI y art. 186.3 LRM), exclusión justificada puesto que los principios que rigen la creación del ECI se basan en la autonomía de la voluntad de los Estados miembros implicados, no en el reconocimiento mutuo como la OEI y los objetivos que persiguen ambas medidas son diversos[39]. Sin olvidar que un ECI puede involucrar también a terceros Estados (no miembros de la UE) y su mecanismo de cooperación, modo de operar, fundamento y ámbito de aplicación son distintos[40]. La citada exclusión admite como excepción que cuando un ECI necesite que

---

[38] del bien, algo que no ha sido reflejado correctamente en el art.203 LRM (emisión OEI), como sí lo ha hecho en el art.223 (ejecución OEI). Y que la correcta convivencia de este instrumento con el embargo preventivo de bienes y de aseguramiento de pruebas –recuérdese que la DOEI no deroga íntegramente la Decisión marco 2003/577/JAI, de 22 de julio, relativa a la ejecución en la UE de las resoluciones de embargo preventivo de bienes y de aseguramiento de pruebas– conduce a considerar que quedan dentro del ámbito de la OEI aquellas medidas cautelares sobre bienes adoptadas con la finalidad de aseguramiento de la prueba, aunque después dicho bien pueda ser objeto de decomiso; por el contrario, quedarían al margen de ella las medidas cautelares sobre objetos que no tengan valor probatorio, o que no puedan integrar un elemento de prueba en el proceso penal.

[38] Ya que al estar restringido el exhorto a la obtención de pruebas preexistentes, para cualquier otra petición probatoria o medida de investigación tendente a su obtención exigía cursar la correspondiente comisión rogatoria conforme a los Convenios de 1959 y de 2000, resultando menos complejo (e incluso más rápido) cursar la petición de todas las pruebas en una misma solicitud a través de los cauces tradicionales de asistencia para evitar fragmentar la petición.

[39] Para un análisis en profundidad de esta cuestión vid., en esta misma obra colectiva, HERNÁNDEZ LÓPEZ, Alejandro, "Reflexiones en torno a la exclusión de los Equipos conjuntos de investigación de la Directiva 2014/41/UE".

[40] Así BACHMAIER WINTER, Lorena, "Transnational Evidence...", op.cit., nota 4, pág. 48 y, asimismo, "Prueba transnacional penal en Europa...", op.cit., nota 4, págs. 5 y 6. Vid. la matización y crítica que efectúa RODRÍGUEZ-MEDEL NIETO, a esta limitación (*Obtención y admisibilidad...*op.cit., nota 4, págs.312 y 313).

las diligencias de investigación se practiquen en el territorio de un Estado miembro que no haya participado en el equipo podrá emitirse una orden europea de investigación a las autoridades competentes de dicho Estado[41].

También resulta excluida la vigilancia transfronteriza a la que se refiere el Convenio de aplicación del Acuerdo de Schengen (según indica expresamente el *Considerando* 9 DOEI) por tratarse de una medida propia de la cooperación policial (no judicial). La LRM no se ha hecho eco de esta exclusión y no la ha reflejado de manera expresa en el articulado, sin perjuicio, naturalmente, de su plena aplicación. Con todo esta exclusión suscita alguna duda cuando se trata de medidas que sin embargo en algunos ordenamientos domésticos precisan la autorización judicial para su adopción: v.gr. en España la vigilancia mediante dispositivos técnicos de seguimiento y localización – art. 588 quinquies b/ LECrim.– medida de carácter judicial y no policial; en tales casos podría sostenerse sin violentar el ámbito material que se deriva de la DOEI, que la OEI puede comprender este tipo de medidas en tanto que son adoptadas con intervención judicial[42].

Igualmente queda fuera el régimen de transmisión de los antecedentes penales (art.186.4 LRM), que se regirá por su normativa específica[43].

3.2. *Procedimientos en que puede adoptarse una OEI*

Nuevamente se muestra la referida amplitud pues no se limita a los procesos penales, sino que se extiende también a las diligencias preparatorias de los mismos e incluso a procedimientos administrativos de naturaleza sancionadora.

En efecto, una lectura del art. 4 DOEI permite ver que la OEI es de aplicación en procedimientos por delito: esto es, procesos de carácter penal tramitados por autoridades judiciales (jueces y fiscales) frente a personas físicas o jurídicas [art. 4.a) y d)].

---

[41]   Art.186.3.II LRM.

[42]   Así lo propugna el Informe del CGPJ al Anteproyecto, op.cit., nota 20, § 59 y, con anterioridad, RODRÍGUEZ-MEDEL NIETO, Carmen, *Obtención*....op.cit., nota 4, págs. 313 y 314.

[43]   Esta exclusión no deriva de la DOEI, sino de la Decisión marco 2008/315/JAI del Consejo, de 26 de febrero de 2009, relativa a la organización y al contenido del intercambio de información de los registros de antecedentes penales en los Estados miembros, que se articulan en torno a la asistencia a través de autoridades centrales, como también se prevé en el artículo 15 de la LO 7/2014, de 12 de noviembre, sobre intercambio de información de antecedentes penales y consideración de resoluciones judiciales penales en la Unión Europea.

Pero también en procedimientos por "infracción de disposiciones legales" (hechos no delictivos); por tanto, procedimientos no penales de tipo administrativo sancionador, seguidos frente a personas físicas o jurídicas que tengan una dimensión penal por ser revisables ante autoridades jurisdiccionales en materia penal [art. 4.b), c) y d)]. Este supuesto que en España no resulta posible desde la vertiente activa (en cuanto las autoridades españolas no podrían emitir una OEI en procedimientos administrativos de tipo sancionador al ser este tipo de sanciones recurribles únicamente ante la jurisdicción contencioso-administrativa), sí tiene operatividad desde la vertiente pasiva. De este modo las autoridades judiciales españolas de ejecución sí podrán ser requeridas para reconocer y ejecutar una OEI acordada en ese tipo de procedimientos (y así lo indica el art.186.2 LRM); pensemos por ejemplo en procedimientos administrativos de tipo sancionador seguidos frente a personas jurídicas en aquellos Estados miembros, como Italia o Alemania, que no prevén su responsabilidad penal. Más problemático resulta en cambio su requerimiento en relación con procedimientos de menor entidad (v.gr los referidos a multas de tráfico), pues la debida intelección del principio de proporcionalidad que ha de guiar la emisión de una OEI debería evitar recurrir a ella para tales casos menores.

Por lo demás, se trata de un supuesto respecto del que cabe un específico control mediante una adicional causa de denegación regulada en el art. 11.1 c) DOEI (que la medida de investigación solicitada no estuviese autorizada con arreglo al derecho del Estado de ejecución para un caso interno similar), y en el art.207.1 g) LRM.

La amplitud del ámbito de aplicación de la OEI se refrenda además al ser posible su emisión en cualquiera de las fases del procedimiento penal: no sólo durante la fase de investigación, que resulta el momento más usual de empleo del instrumento; también durante la fase de enjuiciamiento, como expresamente menciona el *Considerando* 25; e incluso en fase de ejecución en los sistemas legales que admitan medidas de investigación en ese momento procesal (v.gr. investigaciones financieras encaminadas a averiguar la solvencia del condenado a fin de asegurar la ejecución de la sentencia).

4. AUTORIDADES COMPETENTES

La OEI se articula, como es propio de los instrumentos de reconocimiento mutuo, sobre una comunicación directa entre autoridades judiciales. Cabe distinguir, por tanto, entre una autoridad judicial de emisión y otra de ejecución, definidas en el art. 2 DOEI y concretadas para España en el art.187 LRM.

4.1. Autoridad de emisión

Destaca nuevamente en este punto la amplitud de los términos manejados en la DOEI pues no sólo comprende a una "autoridad judicial", entendiendo por tal un "Juez, órgano jurisdiccional, Juez de instrucción, tribunal o fiscal competente para el asunto de que se trate". También cualquier autoridad competente, según la defina el Estado de emisión que, en el asunto específico de que se trate, actúe en calidad de autoridad de investigación en procesos penales y tenga competencia para ordenar la obtención de pruebas con arreglo al derecho nacional. En este caso es necesaria la "validación" de la OEI por una autoridad judicial en los términos anteriormente señalados (Juez, Tribunal, Fiscal), validación que no tiene un carácter meramente formal, sino que –como el propio art. 2.c) ii) DOEI precisa– implicará un control judicial de las condiciones establecidas en el art. 6 a que se condiciona la emisión (legalidad, admisibilidad, necesidad, proporcionalidad).

Tal amplitud se explica dada la disparidad de modelos procesales existentes en los 26 Estados miembros de la UE obligados por la Directiva y atendida la necesidad de dar cabida a sistemas nacionales en que las competencias de investigación las detentan autoridades policiales o administrativas[44]. Para estos casos será necesaria la validación por una autoridad judicial, como requisito indispensable para la emisión de la OEI[45]; sólo de ese modo podrá efectuarse el debido control previo acerca de la legalidad, necesidad, proporcionalidad y respeto de los derechos y garantías procesales del sospechoso o acusado previos. Como advierte BACHMAIER WINTER, se trata de una solución a la que se llegó tras las críticas recibidas por la inicial propuesta de Directiva (que no exigía el carácter judicial de la autoridad de emisión) y que, sin dejar de ser peculiar, ha de ser elogiada por su pragmatismo al afrontar la necesidad de hacer efectiva la cooperación judicial en materia de prueba, venciendo las dificultades que dimanan de la heterogeneidad de sistemas y culturas jurídicas[46].

---

[44] Algunos sistemas legales de *Common Law* y tradición anglosajona así como algunos Estados nórdicos la investigación corresponde a autoridades policiales e incluso administrativas (de la Administración tributaria o aduaneras). Vid. Mar JIMENO BULNES, "El proceso penal en los sistemas del *common law* y de *civil law*: los modelos acusatorio e inquisitivo en pleno siglo XXI", *Justicia* 2013/2, págs. 201– 304. Asimismo, y en esta obra colectiva, el capítulo que sobre el particular firma Jordi NIEVA FENOLL.

[45] Sin que se establezca como causa específica de denegación la falta de validación.

[46] BACHMAIER WINTER, Lorena "Transnational Evidence…", op.cit., nota 4, págs. 48-49.

En España la implementación en el seno de la LRM ha apostado por una competencia compartida entre Jueces y Fiscales, distribuida entre unos y otros en función del carácter invasivo o no de la medida.

De este modo la competencia para emitir OEI se confiere a "Jueces o Tribunales que conozcan del proceso penal en que se deba adoptar la medida de investigación o que hayan admitido la prueba si el procedimiento se encuentra en fase de enjuiciamiento", así como a "Fiscales en los procedimientos que dirijan, siempre que la medida que contenga la orden europea de investigación no sea limitativa de derechos fundamentales"[47].

La Ley contiene una mención específica a la emisión de OEIs en el proceso penal de menores (art.181.1.III) en atención a la cual durante la tramitación del expediente (fase de investigación) los Fiscales podrán también emitir la OEI conforme a la LECrim. y la Ley Orgánica 5/2000 (LORPM), salvo que supongan limitación de derechos fundamentales en cuyo caso corresponderá al Juez de Menores (en consonancia con lo dispuesto en el art. 26.3 LORPM).

Sean Jueces y/o Fiscales, se tratará, en todo caso, de autoridades judiciales en el sentido del instrumento[48], por lo que nunca será necesaria la "validación" judicial prevista por la DOEI para órdenes emitidas por autoridades no judiciales (policiales o administrativas).

Ahora bien, en función de la autoridad que hubiera acordado la medida de investigación, debe tenerse en cuenta que si fuera un Juez, el auto dictado (tanto si acuerda como si deniega la medida interesada) es susceptible de recurso[49], algo que no queda suficientemente claro en la norma general en materia de instrumentos de reconocimiento mutuo recogida en el art.

---

[47]   Conforme a lo dispuesto en el art. 187 LRM, en armonía con la Circular 4/2013, de la Fiscalía General del Estado, sobre las diligencias de investigación, Estatuto Orgánico del Ministerio Fiscal y Ley Orgánica 5/2000, reguladora de la responsabilidad penal del menor.

[48]   Ya el Instrumento de Ratificación del Convenio núm. 30 del Consejo de Europa sobre la Asistencia Judicial en Materia Penal, hecho en Estrasburgo el 20 de abril de 1959 (B.O.E. de 17.09.82), reconoce al Ministerio Fiscal español como autoridad judicial en materia de cooperación internacional, concretamente en el art. 24 del mismo, que declara expresamente que *"A los efectos del presente Convenio serán consideradas como autoridades judiciales: Los Jueces y Tribunales de la jurisdicción ordinaria; los miembros del Ministerio Fiscal y las autoridades judiciales militares"* habiéndose mantenido dicha declaración en el Convenio de asistencia judicial en materia penal entre los Estados miembros de la Unión Europea de 29 de mayo de 2000 (B.O.E., de 15 de octubre de 2003).

[49]   Algo inexistente en cambio si se trata de un decreto del Ministerio Fiscal.

13.1 LRM (no modificada en esta reforma de 2018)[50] y de conformidad con lo establecido en la DOEI cuyo art. 14 obliga a los Estados miembros a facilitar vías de recurso equivalentes a las existentes en un caso interno similar y en idénticos plazos, teniendo en cuenta que la OEI únicamente podrá impugnarse por motivos de fondo ante la autoridad de emisión. A ésta le corresponde informar a las partes interesadas de la existencia de tales medios de impugnación siempre que no socave la confidencialidad de la investigación, y notificar a la autoridad de ejecución la pendencia del recurso que en ningún caso tendrá carácter suspensivo.

Más problemático resulta cuando para la emisión de la OEI fuera competente el MF por no afectar la medida a derechos fundamentales. Especialmente si lo ponemos en relación con la posibilidad de la defensa y otras partes personadas de solicitar la emisión de una orden. Porque no sólo se veda de manera expresa la posibilidad de recurso cuando el instrumento de transmisión de un instrumento de reconocimiento mutuo lo lleva a cabo el MF (art.13.4 LRM); es que tampoco cabe impugnar la negativa de éste a acordar la medida interesada por cualquiera de las partes, dada la remisión de la LRM (art.24) al régimen general de la LECrim. Lo que deja en una posición de clara desventaja a defensa (y otras partes personadas)[51] que pueden ver frustradas sus expectativas y su estrategia probatoria.

4.2. Autoridad de ejecución

Conforme determina el art.2.d) DOEI lo es aquélla que tenga competencia para reconocer una OEI y asegurar su ejecución según el régimen interno del Estado de ejecución.

En España la legislación de transposición ha optado por un modelo dual y distribuye la competencia para la ejecución entre Jueces y Fiscales

---

[50]   Desoyendo las recomendaciones efectuadas por doctrina (v.gr. ARANGÜENA FANE-GO, Coral "Orden europea de investigación. Próxima implementación en España del nuevo instrumento de obtención de prueba penal", *Revista de Derecho Comunitario Europeo* núm. 58, septiembre-diciembre 2017, pp.926 y 927) y por el CGPJ en su Informe al Anteproyecto, op.cit, nota 32, § 100 y Conclusión decimonovena.

[51]   Téngase en cuenta que de manera inmediata a la entrada en vigor del instrumento se planteó por un tribunal búlgaro una cuestión prejudicial ante el TJUE planteándole precisamente la cuestión de si el artículo 14 DOEI otorga directamente al interesado el derecho a impugnar la resolución relativa a la OEI cuando en el Derecho nacional no esté prevista dicha posibilidad. Se trata del asunto C-324/17, *Ivan Gavanozov*, DO C 256 de 07.08.2017, p.16 en la que a fecha de enero 2019 se sigue a la espera de resolución.

en función de que la medida de investigación cuya ejecución se solicita sea limitativa o no de derechos fundamentales[52]. Se trata de una solución[53] no del todo novedosa en cuanto sigue el modelo ya abierto por el exhorto europeo, aunque arroja algunas dudas sobre algunas consecuencias ulteriores cuando la competencia se asume por el Fiscal (v.gr. carácter irrecurrible de sus decisiones) que deberían haber sido tomadas en consideración y solventadas durante la tramitación legislativa[54]. Máxime cuando el ámbito competencial del Fiscal es potencialmente de enorme amplitud ya que además de poder reconocer y ejecutar las medidas solicitadas no limitativas de derechos fundamentales, se le confiere la posibilidad de sustitución de la medida que sí lo sea, por otra que no lo sea sin más limitación que la derivada de la inclusión expresa en la solicitud recibida de que la medida de investigación deba ser ejecutada por un órgano judicial [art.187.2.b) LRM]. Ni qué decir tiene que el dispar régimen de recursos en función de cual sea la autoridad de ejecución, carece de sentido. Baste tener en cuenta que cuando la autoridad competente es un Juez o Tribunal, éste estará obligado –art.187 *in fine* LRM– a notificar al Fiscal el reconocimiento/ejecución; entre otras razones, a efectos de que pueda interponer un recurso frente a tal resolución. En cambio, cuando es el MF el competente, el régimen es absolutamente diverso al resultar inimpugnable el decreto dictado.

A efectos de recepción de la orden y de su análisis previo la LRM opta directamente por un criterio funcional[55] residenciando esta función en

---

[52] Adviértase, además, que de los términos del art.187.2.b) LRM queda claro que de contener la OEI varias medidas de investigación, basta que alguna de ellas sea limitativa de derechos fundamentales (y no susceptible de sustitución por otra que no lo sea) para que el Ministerio Fiscal deba remitir la OEI al órgano judicial para que sea éste quien proceda a su reconocimiento y ejecución.

[53] Excede de las pretensiones de este trabajo entrar en el análisis y crítica de esta solución adoptada por el legislador. Para una adecuada compresión de los argumentos en pro de que la ejecución pueda llevarla a cabo el Ministerio Fiscal o se residencie exclusivamente en Jueces vid., respectivamente, JIMÉNEZ-VILLAREJO, Francisco, "Capítulo XII…", op. cit., nota 10, §§ 4392 a 4416 y RODRÍGUEZ-MEDEL, Carmen, *Obtención y admisibilidad …*, op.cit., nota 4, págs. 396 a 403. Ambas posiciones enfrentadas aparecen, asimismo, en el *Informe del Consejo Fiscal al Anteproyecto de ley…*cit. nota 30, pp,31-34 y en el *Informe del CGPJ al Anteproyecto…*, op,cit. nota 32, §§ 71-79 y Conclusión décima.

[54] Del problema que plantea el carácter irrecurrible de las resoluciones del Ministerio Fiscal se hace eco el *Informe del CGPJ al Anteproyecto*, op.cit nota 32, §§ 100.

[55] En su adopción parece haber pesado el Informe de la sexta ronda de evaluaciones mutuas del grupo GENVAL del Consejo de la UE de 9 de octubre de 2014 sobre España, en cuyas Conclusiones se indicaba que «El sistema procesal penal español es extremadamente complejo y fragmentario; la cooperación en materia penal se caracteriza por la multiplicidad de actores y la falta de coordinación general, y por la carencia de

el Ministerio Fiscal. Se trata de una solución que encaja con lo previsto en el art.3 apartados 9° y 15° de su Estatuto Orgánico y que en principio resulta plenamente operativa atendida la estructura y organización de la Fiscalía española en torno al principio de especialización y coordinación centralizada[56].

En consecuencia, y además de reconocer y ejecutar todas aquellas medidas de investigación que entren dentro del ámbito funcional del MF en el procedimiento penal español, la Fiscalía es la encargada de recibir, acusar recibo, registrar todas las OEI que se reciban en España y asegurar su ejecución, incluso cuando la competencia final corresponda a un Juzgado de acuerdo con la legislación española, caso en que la OEI será remitida por el Ministerio Fiscal al órgano judicial competente objetiva y territorialmente para su reconocimiento y ejecución. En este último supuesto se exige que la remisión se acompañe de informe del Fiscal en el que se pronuncie sobre la concurrencia o no de causa de denegación del reconocimiento y si se entiende ajustada a Derecho la adopción de cada una de las medidas de investigación que la orden contenga con el objetivo implícito de facilitar una aplicación homogénea del instrumento[57] y evitar las dilaciones que produce el sistema hasta ahora vigente e inverso en el que el Juzgado recibe una solicitud y procede al traslado para informe del Ministerio Público [art.187.2. b) inciso final LRM].

---

un instrumento general para seguir el curso de las solicitudes de asistencia judicial» y entre las ocho recomendaciones principales, la segunda destacaba la necesidad de «Reflexionar sobre la función, atribuciones y obligaciones respectivas de todos los actores de la asistencia judicial en España (...) y sobre sus relaciones mutuas, y aclarar la situación al respecto a los demás Estados miembros con objeto de simplificar la cooperación judicial con España y reducir las lagunas y solapamientos».

[56] Véase ampliamente JIMÉNEZ-VILLAREJO, Francisco, "Capítulo XII ...", op. cit, nota 10, §§ 4397 y 4400. En contra, AGUILERA MORALES, Marién, "La Orden europea de investigación: nuevas atribuciones –para el Ministerio Fiscal", ponencia presentada en la Real Academia de Jurisprudencia y Legislación el 15 de noviembre de 2018 (pendiente de publicación) que niega estas posibles ventajas pues, a su juicio, basta consultar el Atlas de la Red Judicial Europea para comprobar que, en función de cuál sea la medida requerida y el concreto delito investigado, la autoridad de emisión tendrá que seleccionar a qué órgano remitir la OEI de entre una pluralidad de opciones; opciones que incluyen a la Fiscalía de la Audiencia Nacional, a las Fiscalías especiales "Antidroga o Anticorrupción"; a la Fiscalía provincial que corresponda al lugar en el que deba ejecutarse la medida y, en último extremo, a la Unidad de Cooperación Internacional de la Fiscalía General del Estado.

[57] La coordinación entre ambas autoridades se recoge además en el párrafo final del art. 187 LRM que incorpora la obligación a cargo del Juez de notificar al MF el reconocimiento y ejecución de las medidas y su remisión a la autoridad de emisión.

Teniendo en cuenta tales premisas, resultarán competentes los Jueces de Instrucción, de Menores, Centrales de Instrucción, Central de lo Penal o Central de Menores conforme a las reglas de competencia objetiva y territorial que establece el art. 187.3 LRM (que siguen el criterio del lugar donde deban practicarse las medidas, completándolo con otros criterios de conexión alternativos).

La competencia objetiva se confiere con carácter general a los Jueces de instrucción y a los de Menores. A los Juzgados Centrales de Instrucción se reserva la de las OEIs emitidas por delitos de terrorismo u otro de los delitos cuyo enjuiciamiento se reserva a la competencia de la Audiencia Nacional, y la de aquéllas OEIs cuya ejecución no presente ningún elemento de conexión territorial para poder concretar la competencia; también para recibir la notificación a que se refiere el art.222 LRM en los casos de intervenciones de telecomunicaciones con interceptación de la dirección IP de una persona investigada o encausada que se encuentre en España y cuya asistencia técnica no sea necesaria. Finalmente, a los Juzgados Centrales de lo Penal o Central de Menores la de las OEIs recibidas solicitando el traslado al Estado de emisión de personas privadas de libertad en España, de conformidad con lo previsto en el art.214 LRM.

Para los casos en que deban aplicarse normas de competencia territorial por corresponder la competencia a los Juzgados de instrucción o a los de Menores, se establece como fuero preferente el del lugar donde deban practicarse las medidas de investigación solicitadas. Como fueros subsidiarios para el caso de no poder ser aplicable el anterior, el lugar donde exista alguna otra conexión territorial con el delito, con el investigado o con la víctima. Y si pese a la amplitud de los referidos fueros supletorios y subsidiarios, no hubiera ningún elemento territorial para poder concretar la competencia, ésta se atribuye a los Juzgados Centrales de instrucción, criterio residual establecido para evitar situaciones claudicantes.

Con todo, pueden plantearse ciertas dificultades a la hora de determinar a qué órgano judicial ha de remitirse la OEI cuando ésta contenga varias medidas de investigación que precisen ser practicadas en lugares distintos.

La LRM opta por residenciar en un único órgano judicial el reconocimiento y ejecución de la OEI, solución absolutamente necesaria para evitar la fragmentación y ejecución parcial y descoordinada en distintos territorios, sin perjuicio de que la práctica de algunas de ellas deba realizarse en partido judicial distinto, por medio del auxilio judicial. Pero es al Ministerio Fiscal a quién corresponde determinar a qué órgano, de entre los competentes, debe remitir la OEI. Para ello y sin perjuicio de practicar las diligencias oportunas a fin de determinar el Juzgado competente al que remitir la orden, deberá tener en cuenta además de las reglas de competencia previstas en el art.187.3 LRM y que acaban de ser expuestas, "las normas de preferencia de la LECrim". De ahí que consideremos que en todos aquellos casos en que la OEI, entre otras, contenga alguna medida de investigación objetivamente reservada a los Juzgados Centrales de Instrucción, Centrales de lo Penal o Central de Menores en virtud de lo establecido en el art.187.3. b) y c), deba remitirse a ellos la OEI, por aplicación de lo dispuesto en el art.65 1° *in fine* LOPJ en relación con el art. 222 LECrim. Fuera de estos casos, la LRM deja un margen de discrecionalidad demasiado amplio en manos del Fiscal y hubiera sido conveniente fijar en la Ley criterios de preferencia como por ejemplo la del Juzgado que deba adoptar la medida o medidas restrictivas de derechos fundamentales de mayor entidad o aquel que tenga mayor número de diligencias personales a practicar, de cara a evitar alegaciones de *fórum shopping*[58]. La determinación por el Fiscal en estos casos, es decir, por una "parte" procesal, implica inseguridad, indeterminación y riesgo (o apariencia) de arbitrariedad.[59]

4.3. Autoridad central

La DOEI prevé también –art. 7.3– que los Estados puedan designar una autoridad central (o incluso más de una si su sistema jurídico lo permite) a efectos de auxiliar a las autoridades competentes. En España, la autoridad central es el Ministerio de Justicia con unas funciones limitadas a tareas de mera asesoría, apoyo material y llevanza de estadísticas (art. 6 LRM).

---

[58]   Así lo advertía y aconsejaba el *Informe del Consejo Fiscal al Anteproyecto*, op.cit., nota 30, pp.38-39.

[59]   Según advierte DE LA MATA ANAYA, José, en su ponencia sobre "Emisión y ejecución de la OEI, dificultades", pronunciada el 22 de agosto de 2018 en el marco del Encuentro Orden Europea de Investigación, celebrado en la UIMP, Santander, disponible en   http://www.uimptv.es/video-2542_orden-europea-de-investigacion-%C2%B7-xii. html# Vid. asimismo AGUILERA MORALES, Marién, "La Orden europea de investigación...", op.cit., nota 56, quien con cita de Díez-Picazo Giménez. («El derecho fundamental al Juez ordinario predeterminado por la Ley», *Revista española de Derecho Constitucional*, año 11, núm. 31, enero-abril, 1991, pp. 114 y ss) se plantea dudas sobre su adecuación a las exigencias del "juez ordinario predeterminado por la ley puesto que ninguna técnica legislativa que permita márgenes de discrecionalidad a algún órgano (administrativo o jurisdiccional) en la designación del Juez es, en principio, admisible, justamente por contravenir el 24.2. CE.

No obstante, téngase en cuenta que indirectamente su intervención puede resultar decisiva en los supuestos en que tras la emisión de una OEI se plantee por la autoridad de ejecución un reparto del importe de los gastos allí ocasionados. En tales supuestos, según indica el art.14 LRM, la propuesta presentada por la autoridad de ejecución debe ser aceptada por el Ministerio de justicia ya que en otro caso, la autoridad española de emisión decidirá si retira total o parcialmente la orden europea de investigación, o la mantiene, sufragando en este último caso los costes que se consideren excepcionalmente elevados, previsión ésta última difícilmente operativa por lo que en la práctica se estaría dejando en manos de la autoridad central la virtualidad misma de la OEI.

5. PRESUPUESTOS Y CONTENIDO DE LA OEI

Dado que es la autoridad de emisión la que está en la mejor situación para decidir, en función de los detalles de la investigación que lleva a cabo, a qué tipo de medida de investigación se debe recurrir, a ella se le confía la comprobación de la concurrencia de los presupuestos a que se condiciona la emisión de la OEI: necesidad, proporcionalidad y legalidad de la medida (art. 6 DOEI y art. 189 LRM).

Los dos primeros pueden considerarse íntimamente relacionados; especialmente si tenemos en cuenta que la primera de las exigencias que entraña el principio de proporcionalidad[60] es precisamente que la medida sea necesaria para alcanzar el objetivo previsto; esto es, que la medida cuya práctica se solicita en el Estado de ejecución sea indispensable a los fines de la investigación que se desarrolla en el de emisión e idónea para obtener mediante su ejecución los datos o pruebas necesarios.

La proporcionalidad en sentido estricto, que no define la DOEI ni tampoco explica de manera suficiente el *Considerando* 11, aludiría a la ponderación que ha de efectuarse entre la medida de investigación solicitada en relación con la gravedad del delito investigado, el grado de afección en la esfera individual de los sujetos afectados por su práctica [singularmente los derechos del investigado o encausado, como indica expresamente el art.189.1.a) LRM] y la inexistencia de una medida menos gravosa, pero

---

[60]   Sobre este punto véase GONZÁLEZ-CUELLAR SERRANO, Nicolás, *Proporcionalidad y derechos fundamentales en el proceso penal*, Colex, Madrid, 1990 y específicamente para la OEI, BACHMAIER WINTER, Lorena, "La Orden Europea de Investigación y el principio de proporcionalidad", *Revista General de Derecho Europeo*, número 25, 2011.

de idéntica eficacia, alternativa a la que se pretende incluir en la OEI. Sin duda este es el extremo que entraña una mayor complejidad para la valoración por la autoridad de emisión[61], si bien para su concreción cabe recurrir a la doctrina consolidada del TEDH[62] y del TJUE[63] sobre el particular, incluyendo los extremos que hemos indicado. Es más, habría que tomar en consideración, igualmente, las recomendaciones que se han efectuado tras la evaluación de otros instrumentos de reconocimiento mutuo (singularmente, de la euro orden)[64] en el sentido de que el test de proporcionalidad debería valorar también hasta qué punto procede o no implicar a otro Estado miembro en la obtención de dicha prueba por medio de la emisión de una OEI.

Es conveniente explorar previamente las posibilidades del auxilio informal antes de recurrir a la emisión de una OEI puesto que en muchos casos la autoridad requerida podría dar una respuesta puntual y eficaz a una solicitud planteada de este modo, especialmente cuando se trata de informaciones "rutinarias" y que no precisan de medidas coercitivas en el Estado requerido sin que haya razón alguna para que sean excluidas como material probatorio en el Estado requirente. Y, asimismo, y de cara a emitir una OEI, tener presente los costes de su ejecución que, como regla general recaerán sobre el Estado de ejecución, sin perjuicio de que si la autoridad de ejecución los considera excepcionales pueda abrir un trámite de consulta con la de emisión sobre la posibilidad de realizar un reparto que, en caso de no desembocar en un acuerdo, puede conducir a una retirada de la OEI por la autoridad de emisión (art. 21 DOEI y 14 LRM); de ahí la conveniencia de efectuar esta valoración con carácter previo.

Finalmente, y en lo relativo al requisito de la legalidad se deduce de lo establecido, con escasa precisión terminológica, en el art. 6.1.b) DOEI cuando indica que la medida de investigación contenida en la OEI "podría haberse dictado en las mismas condiciones" para un caso interno similar. Con ello se alude a que la medida de investigación de hecho tiene que ha-

---

[61]   Y así ha sido advertido en el documento de la European Judicial Neetwork; *EJN Conclusions 2018 on the EIO*, Cover Note 14755/18, de 7 de diciembre de 2018, p.7

[62]   V.gr. SSTEDH *Miailhe v. Francia,* 25 febrero 1993; *Niemitz v. Alemania,* 16 diciembre 1996; *Z. v. Finlandia,* 25 febrero 1997; *Smirnov v. Rusia,* 12 noviembre 2007.

[63]   V.gr. en las sentencias (Gran Sala) de 5 de abril de 2016 en los asuntos acumulados *Caldararu y Aranyosi,* C-404/15 y C-659/15 PPU, EU:C:2016:198, y de 6 de septiembre de 2016, asunto *Petruhhin,* C-182/15, EU:C:2016:630, en relación ambas con la euroorden.

[64]   Véase la última *Versión revisada del Manual europeo para la emisión de órdenes de detención europeas,* publicada en el DOUE C 335, de 6 de octubre de 2017.

berse acordado en el procedimiento nacional de origen por estar prevista en la legislación interna y permitido su empleo para ese caso concreto [según indica de modo bastante más claro el art.189.1.b) LRM], sirviendo la OEI únicamente de instrumento para su transmisión a otro Estado miembro al efecto de que las autoridades judiciales competentes de ese Estado acuerden su ejecución. Con este requisito se persigue evitar el llamado "forum shopping probatorio", recabándose fuera del Estado en que se tramita el procedimiento, lo que no podría haberse acordado para un caso interno similar. De modo que no pueda emitirse una OEI para obviar el cumplimiento de obligaciones legales que son de aplicación en una jurisdicción, pero no en otra.

Cumplidos los tres presupuestos indicados (necesidad, proporcionalidad y legalidad), la emisión de la OEI se realizará cumplimentando el formulario al efecto[65], firmado por la autoridad de emisión que certificará como exactas y correctas las informaciones que contiene referidas a los extremos que indica el art. 5 DOEI, coincidente en lo esencial con el que se incluye en el art. 188 LRM. Extremos referidos, en primer lugar, a los datos de la autoridad de emisión y, cuando proceda, de la "validadora" (previsión esta última ausente en el texto español, al no ser posible el supuesto de base, según lo ya adelantado). Además, y en segundo lugar una serie de datos de tipo objetivo que incluyen el objeto y motivos de la OEI (entendiendo por tales los hechos que son objeto de investigación y para cuyo esclarecimiento resulta necesaria la medida de investigación que se ordena); la descripción de la conducta delictiva que es objeto de la investigación o proceso y disposiciones aplicables del derecho penal del Estado de emisión (en nuestro caso, derecho penal español); la descripción de la medida o medidas de investigación que se solicitan, y pruebas a obtener mediante las mismas, así como información necesaria sobre las personas afectadas. Y, por último, formalidades y procedimientos cuya observancia solicita que sean respetadas por el Estado de ejecución[66].

Se trata de cuestiones respecto de las cuales es difícil precisar el grado de detalle con el que deben ser concretados el Anexo. Algunas (v.gr. la conducta delictiva que se está investigando), por ser una constante en los diversos instrumentos de reconocimiento mutuo es bien sabido que conviene descri-

---

[65] El del Anexo A de la Directiva de la Directiva que se corresponde con el Anexo XIII LRM

[66] Extremo este último no enunciado en el art. 5 DOEI, aunque sí en otros preceptos (art. 9.2) y que el legislador español ha considerado conveniente incorporar en este artículo.

birlas con una cierta amplitud, procurando hacer un resumen de los hechos suficientemente expresivo[67] para permitir el control de la doble incriminación al que en muchos casos puede estar sometido a este instrumento. Pero las restantes pueden resultar más complejas y si a juicio de la autoridad de ejecución se aprecia una falta de detalle en la descripción requerida, la solución a adoptar será acudir a una consulta directa entre ambas autoridades implicadas[68]. Por ello y puesto que la ejecución de las órdenes solicitadas se realizará conforme a las normas del Estado de ejecución, salvo que sea requerida expresamente la observancia de alguna formalidad concreta, es muy importante que la autoridad española efectúe con claridad la petición de cumplimiento de las formalidades necesarias para que la diligencia o prueba sean válidas conforme al ordenamiento español.

Al margen de este contenido básico de la OEI, la estructura del Anexo pone de manifiesto el diferente tratamiento que la DOEI y la LRM dispensan para determinadas medidas de investigación[69], dedicando una Sección concreta (la "H") a su enumeración.

Aunque nada se dice en la LRM, la emisión de la OEI exige el dictado de un auto si la emite un Juez, o un decreto, si lo hace el Fiscal, en el que acuerde la medida de investigación y justifique el cumplimiento de las condiciones exigidas por el art. 188 LRM y que hacen posible su transmisión a un concreto Estado miembro, con explicación justificativa de cualquier exigencia particular que pueda contener [v.gr. adopción en un plazo más breve al general según permite el art. 189.2 LRM; observancia en la ejecución de la medida de determinadas formalidades propias de la LECrim. –al amparo de lo establecido en el art. 188.1.f) LRM– o petición de que en ella participe una autoridad española –art. 191 LRM–, etc].

En realidad, y como apunta Rodríguez-Medel[70], se exigiría un doble proceso decisorio para obtener prueba en el extranjero. Sin perjuicio de

---

[67] Se trata de una recomendación (descripción expresiva y suficiente) que se ha efectuado ya a los Estados miembros respecto a otros instrumentos de reconocimiento mutuo al realizar las pertinentes evaluaciones (así, para el caso de la orden europea de detención y entrega, según puede verse en la *Versión revisada del manual europeo para la emisión de órdenes de detención europeas de 17 de diciembre de 2010* – 17195/1/10 REV 1/COPEN 275/EJN 72/EUROJUST 139). De ahí que, para el caso de España, resulte aconsejable especificar el tipo penal aplicable en el que se encuadra el hecho que se investiga, cómo viene tipificada la conducta penal en el Código Penal y la pena prevista.

[68] Aplicando la solución prevista en los arts.6.3 y 7.7 DOEI para completar la información requerida.

[69] Véanse capítulos IV, V y VI DOEI y Sección 2ª del capítulo II del Título X LRM.

[70] RODRÍGUEZ-MEDEL, Carmen, *Obtención y admisibilidad...*, op.cit. nota 4, pp. 476 y 477.

que puedan refundirse en una única resolución, el proceso se desdobla en: 1) una primera resolución –que sería idéntica a la que se dictaría en casos propiamente nacionales– acordaría la diligencia en sí. Autorizaría, por tanto, la intervención telefónica, el registro domiciliario o la declaración del investigado o del testigo; 2) a continuación debe dictarse una segunda resolución que acordaría acudir al instrumento de reconocimiento mutuo –OEI– para requerir que se practique en el extranjero. Sería preciso un auto (si es el Juez quien la solicita) o un decreto (si lo es el Fiscal) porque supone tomar decisiones que deben estar motivadas, sobre aspectos jurídicos esenciales (mecanismo de cooperación elegido) y, sobre todo, las formalidades o procedimientos que se solicita que sean respetados por la autoridad judicial requerida, dando así cabida a la *lex fori* en la ejecución de esa petición.

Téngase en cuenta que la mera emisión de la OEI no puede suplir el acto procesal de autorización de la diligencia (el paso número 1), pues sólo esta primera resolución satisface la exigencia constitucional de que la restricción de derechos se articule mediante una decisión judicial motivada. Por definición, solo ésta podrá ser recurrida. Si falta, debe tacharse de inadmisible la prueba obtenida en el extranjero (vid. en este sentido la sentencia de la AN 2051/2009, de 30 de abril). Pero la ausencia de resolución que justifique el concreto mecanismo de cooperación al que se ha recurrido (la OEI) también debería provocar la inadmisibilidad puesto que si no se dicta, difícilmente por ejemplo podrán las partes cuestionar si la diligencia acordada tiene cabida o no en el ámbito del instrumento de cooperación internacional, o la suficiencia de las formalidades o procedimientos exigidos en la solicitud.

La OEI deberá documentarse en el formulario que figura como Anexo A en la DOEI (y XIII LRM). Recordemos que, al haberse configurado este instrumento probatorio como una auténtica orden, basta la cumplimentación de este formulario para contar con un título ejecutivo europeo. Y, por tanto, será suficiente –art.7 LRM– con el envío del formulario firmado por la autoridad competente y traducido[71] al idioma oficial del Estado de

---

[71]   Cfr. los términos empleados en el art. 5.2 DOEI con los del *Considerando* 14º DOEI. Ambos coinciden en la exigencia a los Estados miembros de que incorporen junto a su lengua o lenguas oficiales, al menos otra igualmente admisible para remitir la OEI (lo que supone una novedad frente al carácter facultativo de otros instrumentos de reconocimiento mutuo) aunque luego difieren en cuanto a que esta lengua adicional sea una "de uso común en la Unión" (*Considerando* 14º) o una de las "lenguas oficiales de las instituciones europeas" (art.5.2 que restringiría así la elección al inglés o al fran-

ejecución o, en su caso, a la lengua oficial de las instituciones comunitarias que hubiera aceptado dicho Estado, salvo que disposiciones convencionales permitan en relación con dicho Estado, su remisión en español (v.gr. caso de Portugal[72]). La resolución de base (auto o decreto, según los casos) no será objeto de traducción, salvo que lo requiera la autoridad de ejecución, si bien en este caso los costes derivados de tal traducción deben ser de cuenta del Estado de ejecución que la reclama, lo cual puede ser fuente de problemas; entre otras cosas, por el silencio que guarda la LRM (cfr. arts. 7 y 17) sobre este extremo[73].

---

cés). La LRM española se ha decantado por esta segunda solución como se desprende de la lectura del art.7.3.

[72] Téngase en cuenta que el Convenio entre el Reino de España y la República Portuguesa relativo a la cooperación judicial en materia penal y civil, hecho en Madrid el 19 de noviembre de 1997 dispensa de traducción recíproca cuando en su art. 1 dispone que "Las solicitudes y documentos relativos al auxilio judicial internacional en materia penal y civil, transmitidos entre los Ministerios de Asuntos Exteriores y de Justicia, así como entre autoridades judiciales, podrán estar redactados en el idioma del Estado requirente, renunciando ambas partes a hacer uso de las reservas que hubiesen formulado a este respecto en los Tratados multilaterales en que sean partes."

[73] Véase, al respecto, *Informe del Consejo Fiscal...*, op.cit. nota 30, pp.12 y 13.

Capítulo XV

A MODO DE PROPUESTA-FICCIÓN: LA ORDEN EUROPEA DE INVESTIGACIÓN APLICADA A LOS DELITOS DE VIOLENCIA DE GÉNERO

Elisa Simó Soler
Contratada Predoctoral FPU[1]
Universitat de València

SUMARIO: 1. LA VIOLENCIA CONTRA LAS MUJERES COMO PROBLEMÁTICA SO-CIAL DE PRIMER ORDEN. 2. CONTEXTO EN EL QUE NACE LA ORDEN EUROPEA DE INVESTIGACIÓN. 3. SUPUESTO DE HECHO: LA OEI PARA UN ASUNTO DE VIOLENCIA DE GÉNERO.

RESUMEN: El presente trabajo tiene por objeto el análisis de la Orden Europea de Investigación desde una perspectiva de género con el objetivo de valorar la utilización y la eficacia de este instrumento de cooperación penal internacional en relación con las mujeres víctimas de violencia de género.

ABSTRACT: The project addresses the analysis of the European Protection Order from a gender perspective with the objective of assessing the use and the effectiveness of this legal instrument of international cooperation in criminal matters related to women who are victims of gender violence.

PALABRAS CLAVE: orden europea de investigación, violencia de género, víctima, Unión Europea, reconocimiento mutuo.

KEY WORDS: european investigation order in criminal matters, gender-based violence, victim, European Union, mutual recognition.

1. LA VIOLENCIA CONTRA LAS MUJERES COMO PROBLEMÁTICA SOCIAL DE PRIMER ORDEN

La violencia de género es un problema global y multifactorial, que afecta a las mujeres por el mero hecho de serlo.

---

[1]   Ministerio de Educación y Formación Profesional, Cultura y Deporte.

Son conocidos los datos de la European Union Agency for Fundamental Rights publicados en el año 2015 en los que se señala que una de cada tres mujeres en la Unión Europea (en adelante, UE) ha experimentado violencia física y/o sexual desde los 15 años de edad o que una de cada cuatro la ha sufrido por parte de su pareja o ex pareja[2] y que una de cada tres mujeres europeas ha sido maltratada psicológicamente a manos de su pareja actual o pasada[3].

Siendo las lesiones, las agresiones sexuales y el sometimiento las formas tradicionales con las que se identifica la violencia que se ejerce sobre las mujeres[4], en la nueva era ya instalada de las tecnologías de información y comunicación (TIC), se configuran nuevas pautas de comportamiento y, por consiguiente, nuevas conductas delictivas.

El móvil, el ordenador y, en definitiva, los terminales destinados al intercambio de contenidos y de comunicación devienen una extensión del sujeto-persona a través de la creación de una identidad virtual que contiene un nombre y una imagen, que puede ser más o menos ficticia y, por tanto, asemejarse más o menos a la realidad, con la posibilidad de suplantar identidades o de crear nuevas.

En este nuevo marco relacional, internet abre la puerta a la comisión de delitos, sin la necesidad de un contacto directo –modelo tradicional de comisión delictiva– y sin la necesidad de estar en un lugar concreto en un momento determinado[5]. Así, el ciberacoso está comprendido como una de las formas de violencia ejercida contra las mujeres. El 14 % de las mujeres de la UE entrevistadas ha sufrido acoso –mensajes ofensivos o amenazantes– a través de llamadas telefónicas, correos electrónicos o mensajería instantánea por parte de una misma persona. Es decir, aproximadamente 7 millones de mujeres en la UE han experimentado situaciones de acoso cibernético en el período del último año[6].

Pese a que las cifras que arroja la encuesta son suficientes para valorar la violencia de género como un fenómeno preocupante de gran magnitud, estos

---

[2]   FRA. European Union Agency for Fundamental Rights, *Violencia de género contra las mujeres: una encuesta a escala de la UE. Resumen de las conclusiones*, 2014, p. 17.

[3]   *Ídem*, p. 26.

[4]   Quizá por ser la más brutal, la que supone una agresión directa y tangible a la integridad física y moral de las mujeres.

[5]   "Suecia condena por primera vez por violación a un hombre que abusó de menores por Internet", *El País*, Jueves 30 de noviembre de 2017, disponible en:
https://elpais.com/internacional/2017/11/30/actualidad/1512065191_760123.html

[6]   FRA. European Union Agency for Fundamental Rights, *Violencia de género...op. cit.* p. 29.

datos no dejan de ser los testimonios tangibles de la violencia, la violencia revelada. Sin embargo, debido a las consecuencias de los actos de maltrato en las mujeres –no percepción del maltrato, esperanza de que él cambie, inseguridad y baja autoestima, indefensión aprendida, vergüenza y sentimiento de culpa, preocupación por hijos e hijas, aislamiento social, miedo a las represalias del agresor– y de su modalidad comisiva –la mayoría de los sucesos ocurren en el ámbito del hogar, entre las cuatro paredes que suelen ser consideradas el refugio frente a la hostilidad ambiental– todo hace pensar que son muchas más las mujeres, todavía silenciadas, víctimas de esta violencia.

Otra de las dificultades intrínsecas aparejada al abordaje de la violencia contra las mujeres es que al ser un problema multifactorial, el Derecho Penal no es la solución. La agravación de las penas privativas de libertad y la única aplicación del derecho punitivo sin la implementación simultánea de medidas preventivas y de sensibilización, no supone una disminución de los casos de violencia de género[7].

No obstante, en un mundo globalizado, sí es necesario adoptar una serie de medidas que garanticen que la libertad deambulatoria de una mujer no se vea limitada por miedo a ser atacada en su integridad física o moral.

Son muchas las mujeres que, de forma regular u ocasional, viajan o se desplazan de un Estado miembro (en adelante, EEMM) a otro. El derecho a la libre circulación en el territorio de la Unión Europea y la exigencia de poder hacerlo en un entorno libre de cualquier potencial riesgo a sufrir un nuevo acto de violencia de género, obliga a los EEMM a cooperar en el marco del derecho penal y procesal. Sin embargo, la disparidad normativa propia de una unión de países en la que el respecto a la soberanía nacional es un pilar fundamental, hace preciso un análisis riguroso acerca de la viabilidad práctica de los instrumentos legales creados al efecto.

2. CONTEXTO EN EL QUE NACE LA ORDEN EUROPEA DE INVESTIGACIÓN

La Unión Europea nace de la voluntad de crear una unidad económica favorecedora del libre mercado y del intercambio comercial. Alcanzada la

---

[7]   Sobre la ineficacia del derecho penal como recurso de primera ratio, BARONA VILAR, Silvia, "Mediación *post sententiam* en delitos de terrorismo. De la *Restaurative Justice* a la *Reconstructive Justice*", en JIMENO BULNES, Mar y PÉREZ GIL, Julio (Coord.), *Nuevos horizontes del Derecho procesal. Libro-Homenaje al Prof. Ernesto Pedraz Penalva*, Bosch Editor, Barcelona, 2016, p. 478.

integración económica con base en el principio de reconocimiento mutuo, en la década de los años noventa los EEMM de la Unión optan por extender las pautas librecambistas también al ámbito penal. Es decir, y a modo de símil, de igual modo que una mercancía producida y comercializada de acuerdo a las normas de un EEMM debía ser aceptada por el resto de Estados, a las resoluciones judiciales penales emitidas por los Estados pertenecientes a la Unión se les debía garantizar esa misma libertad circulatoria. En consecuencia, esta vocación expansiva del principio de reconocimiento mutuo (artículo 82.1 TFUE[8]) a la esfera penal y procesal tiene su plasmación en diferentes fuentes normativas.

En primer lugar, los días 15 y 16 de octubre de 1999 se celebró el Consejo Europeo de Tampere[9] por el que se declara que el principio de reconocimiento mutuo "debe ser la piedra angular de la cooperación judicial en materia civil y penal en la Unión"[10]. En la Cumbre hay un título dedicado a la construcción de "un auténtico espacio europeo de justicia" que reclama la necesidad de solventar "la incompatibilidad o la complejidad de los sistemas jurídicos y administrativos"[11] en favor del efectivo ejercicio de los derechos de las personas y las empresas. El capítulo se divide en tres apartados, uno de los cuales trata en exclusiva el "reconocimiento mutuo de resoluciones judiciales". En el mismo se establece que "la cooperación entre autoridades y la protección judicial de los derechos individuales"[12] exige el juego conjunto del reconocimiento mutuo –de resoluciones, sentencias judiciales y autos anteriores al juicio– y de la aproximación de las legislaciones, fijando entre ambos principios una relación de complementariedad.

El segundo hito fundamental viene dado por la aprobación del Tratado de Funcionamiento de Unión Europea. El Título V "Espacio de Libertad, Seguridad y Justicia" contiene cinco capítulos. En el primer capítulo, donde se contemplan las disposiciones generales, se proclama el principio de reconocimiento mutuo en materia penal (art. 67.3 TFUE) y civil (art. 67.4 TFUE) como medio para la consecución de un nivel elevado de seguridad –único valor mencionado, no la libertad ni la justicia en el primer caso y como garantía de la tutela judicial en el segundo.

---

[8]　　Tratado de Funcionamiento de la Unión Europea, publicación de la versión consolidada en DOUE, C 83, de 30 de marzo de 2010.

[9]　　Las conclusiones a las que se va a hacer referencia se pueden consultar en: http://www.europarl.europa.eu/summits/tam_es.htm [Consulta: 19 de octubre de 2018]

[10]　　Conclusión número 33.

[11]　　Conclusión número 28.

[12]　　Conclusión número 33.

En materia penal, el capítulo cuarto (arts. 82-86 TFUE) constituye la manifestación de la "comunitarización" de la cooperación judicial internacional en el orden penal. Es decir, la cooperación penal deja de ser un mecanismo de auxilio bilateral o multilateral entre Estados para formar parte del Derecho originario de la UE y, por tanto, sujeto a los requisitos vinculantes de este espacio supranacional. El artículo 82.2 TFUE permite al Parlamento Europeo y al Consejo establecer normas mínimas en materia de admisibilidad de pruebas, derechos durante el procedimiento penal y derechos de las víctimas de delito. Para ello, el instrumento empleado son directivas[13] adoptadas con arreglo al procedimiento legislativo ordinario[14] para facilitar la virtualidad práctica del principio de reconocimiento mutuo.

No obstante, se tendrá en cuenta a la hora de establecer ese mínimo legal común a todos los Estados, las diferentes tradiciones y sistemas jurídicos así como la posibilidad de que los Estados prevean mayores garantías que las fijada en virtud de la directiva. La importancia de este precepto reside en que establece las pautas de actuación para la cooperación penal transfronteriza en cuanto a objetivos, instrumentos y materias[15] pero, además, en que es el esquema seguido en el caso de la orden europea de investigación. En efecto, el objetivo de la misma es la obtención de prueba transfronteriza que, o bien, se practicará en el Estado de ejecución de la OEI o bien, ya obra en posesión de la autoridad de ejecución[16]. Por tanto, el objetivo trae consigo la implementación del principio de reconocimiento mutuo (art. 1.2 Directiva 2014/41/CE). El instrumento legislativo empleado es la Directiva 2014/41/CE del Parlamento Europeo y del Consejo de 3 de abril de 2014 relativa a la orden europea de investigación en materia penal. La materia que regula está relacionada con la admisibilidad mutua de pruebas entre los Estados miembros (art. 82.2.a TFUE y art. 1 Directiva 2014/41/CE).

---

[13] La directiva es el acto jurídico emanado de la Unión Europea "que obliga al Estado miembro destinatario en cuanto al resultado que debe conseguirse, dejando, sin embargo, a las autoridades nacionales la elección de la forma y de los medios" (art. 288 TFUE).

[14] El procedimiento legislativo ordinario se regula en los artículos 289.1 y 294 TFUE.

[15] ALVES COSTA, Jorge A. y LOREDO COLUNGA, Marcos, "El fortalecimiento de la confianza mutua: garantías procesales del imputado, estatuto de la víctima y protección de los datos personales" en CARMONA RUANO, Miguel, GONZÁLEZ VEGA, Ignacio U. y MORENO CATENA, Víctor (Dirs.), *Cooperación Judicial Penal en Europa*, Dykinson, Madrid, 2013, p. 81.

[16] Considerando 7 y artículo 1.1 de la Directiva 2014/41/CE del Parlamento Europeo y del Consejo de 3 de abril de 2014 relativa a la orden europea de investigación en materia penal.

En este orden de cosas y con la entrada en vigor del Tratado de Lisboa[17], se adopta en el Consejo Europeo celebrado los días 10 y 11 de diciembre de 2009 el Programa de Estocolmo[18] que establece un plan de trabajo quinquenal (período 2010-2014) para consolidar el Espacio de Libertad, Seguridad y Justicia en la Unión Europea. Entre las líneas de actuación, el epígrafe número tres "Facilitar la vida a las personas: una Europa de la ley y la justicia" contiene tres objetivos esenciales: Fomentar la aplicación del reconocimiento mutuo (3.1), Reforzar la confianza mutua (3.2) y Desarrollar un conjunto de normas mínimas comunes (3.3) tanto en materia civil como penal. En particular, en la esfera del reconocimiento mutuo de resoluciones penales se establece la posibilidad de crear un sistema general para obtener pruebas en los casos con dimensión transfronteriza[19] (3.1.1.); previsión perfectamente compatible con la orden europea de investigación.

3. SUPUESTO DE HECHO: LA OEI PARA UN ASUNTO DE VIOLENCIA DE GÉNERO

Tratándose de un primer estudio preliminar sobre la virtualidad teórica y práctica –en términos jurídicos– de la OEI aplicada a los delitos de violencia de género, el propósito de este apartado no es otro que plantear una serie de reflexiones que envuelven esta cuestión.

En primer lugar, cabría responder al interrogante de por qué la violencia de género debería ser considerada como actividad delictiva que merece colaboración transnacional para obtener prueba[20].

Desde la disciplina de la victimología y el movimiento restaurativo se ha iniciado una etapa de resignificación del proceso penal y de reivindica-

---

[17]   Tras el fracaso por crear una Constitución Europea, el 13 de diciembre de 2007 se adoptó el Tratado de Lisboa que modifica el Tratado de la Unión Europea y el de la Comunidad Europea el cual es rebautizado como Tratado de Funcionamiento de la Unión Europa. El Tratado de Lisboa entró en vigor el 1 de diciembre de 2009.

[18]   "Programa de Estocolmo. Una Europa abierta y segura que sirva y proteja al ciudadano" (2010/C 115/01) DOUE C 115, de 4 de mayo de 2010.

[19]   Prosigue el epígrafe indicando que "Los instrumentos existentes en este ámbito constituyen un sistema fragmentario. Es necesario un nuevo planteamiento, basado en el principio de reconocimiento mutuo, pero que tenga también en cuenta la flexibilidad del sistema tradicional de asistencia judicial. Este nuevo modelo podría tener un alcance más amplio y debería cubrir tantos tipos de pruebas como sea posible, teniendo en cuenta las medidas de que se trate".

[20]   MARTÍNEZ GARCÍA, Elena, *La orden europea de investigación. Actos de Investigación, Ilicitud de la prueba y Cooperación judicial transfronteriza*, Tirant lo Blanch, Valencia, 2016, p. 18.

ción para que las víctimas –en este caso, mujeres víctimas de violencia de género– ocupen la centralidad en el trato con los tribunales. Como acertadamente advierte Silvia Barona, "esta situación no supone en absoluto sustituir el *ius puniendi del Estado* por un *ius puniendi de las víctimas*"[21] pero sí supone reconocer que hay que remediar la vivencia de desprotección y maltrato que, por parte de un sistema jurisdiccional excesivamente rígido, experimentan las mujeres cuando entran en contacto con los tribunales y los operadores jurídicos. La falta de información, las concepciones estereotipadas que minimizan las situaciones de vulnerabilidad a las que han sido sometidas por parte de sus agresores, los interrogatorios y la intensidad de las declaraciones propios del proceso judicial penal, provocan en las mujeres el efecto de estar sufriendo una victimización secundaria[22] por parte de las autoridades intervinientes[23].

Si a esta reclamación de las mujeres por estar presentes en el proceso se une el carácter transnacional que ha adquirido la violencia de género fruto de los movimientos poblaciones y de las nuevas tecnologías de la comunicación que potencian la "europeización" de las conductas delictivas[24], el intento por aplicar la OEI a los supuestos de violencia de género queda justificada.

Aún más, en el ámbito europeo, el Convenio del Consejo de Europa sobre prevención y lucha contra la violencia contra las mujeres y la violencia doméstica[25] –conocido como Convenio de Estambul– define en el artículo

---

[21] BAROLA VILAR, Silvia, *Nociones y principios de las ADR (Solución extrajurisdiccional del conflicto)*, Tirant lo Blanch, Valencia, 2018, p. 102.

[22] Alusión expresa a este problema se encuentra en los Considerandos 55, 57 y 58 de la Directiva 2012/29/UE del Parlamento Europeo y del Consejo, de 25 de octubre de 2012 por la que se establecen normas mínimas sobre los derechos, el apoyo y la protección de las víctimas de delitos. *Diario Oficial de la Unión Europea L 315/57*, 14 de noviembre de 2012.

[23] "Tanto las personas pobres como aquellas estigmatizadas a través de los prejuicios, (negros, vagos, homosexuales, prostitutas…mujeres, discapacitados) frecuentemente han sido discriminados o silenciados por el derecho y en consecuencia tratados como "problemas" dentro del campo jurídico. Si las personas y/o grupos sociales son caracterizados como "indeseables", el derecho, que solo trata a personas y conflictos interpersonales de los "buenos padres de familia" no se ocupa de ellos. Pero, estas personas, existen, molestan, reclaman…" GONZÁLEZ, Manuela Graciela y SALANUEVA, Olga Luisa, "Las mujeres y el acceso a la justicia", *Revista Derecho y Ciencias Sociales*, n° 6, 2012, p. 94.

[24] Detallado en el apartado 1.

[25] Unión Europea, Consejo de Europa "Convenio del Consejo de Europa sobre prevención y lucha contra la violencia contra las mujeres y la violencia doméstica", (11 de mayo de 2011), disponible en: https://www.boe.es/boe/dias/2014/06/06/pdfs/BOE-A-2014-5947.pdf

3 letra a) la violencia contra las mujeres como "una violación de los derechos humanos y una forma de discriminación contra las mujeres" y reconoce como actos constitutivos de violencia de género aquellos "que implican o pueden implicar para las mujeres daños o sufrimientos de naturaleza física, sexual, psicológica o económica, incluidas las amenazas de realizar dichos actos, la coacción o la privación arbitraria de libertad, en la vida pública o privada". A tenor de esta conceptualización, podría plantearse su inclusión en el listado de delitos presente en el Anexo D de la Directiva 2014/41/CE siguiendo el modelo de otros delitos sí contemplados como la trata de seres humanos, racismo y xenofobia o violación.

En segundo lugar, como se ha avanzado, la violencia de género no se encuentra en el catálogo de delitos de la Directiva 2014/41/CE. No obstante, son múltiples los escenarios en los que una OIE podría ser emitida y/o ejecutada en el marco de la violencia de género. Sin ánimo de proporcionar un listado exhaustivo, pueden mencionarse los requerimientos de prueba por localizarse víctima y agresor en EEMM distintos por motivos de trabajo o por estancias con programas de movilidad en el ámbito académico o bien porque el delito (injurias, amenazas, sexting) se comete a través de medios telemáticos y se precisan medidas de investigación tecnológicas para conocer la identidad del presunto agresor.

Pese a que la OIE puede implementarse para obtención de prueba transfronteriza se trate de un delito transfronterizo o no, cabría preguntarse las consecuencias jurídicas –en términos de virtualidad práctica de la OIE– de conceptualizar la violencia de género a partir de este carácter transnacional. La propuesta es si puede, la violencia contra las mujeres, ser incluida dentro del listado de delitos "que sean de especial gravedad y tengan una dimensión transfronteriza derivada del carácter o de las repercusiones de dichas infracciones o de una necesidad particular de combatirlas". De ser así, el Parlamento Europeo y el Consejo podrían establecer normas mínimas relativas a la definición de las infracciones penales y de las sanciones mediante directivas según dispone el artículo 83.1 TFUE[26].

"This Convention constitutes a promising instrument in hands of European countries to enforce their declared pledge to eradicate gender based violence against women. This comprehensive document which is binding to all contracting parties, encompasses a wide range of legal and political concrete measures to prevent and combat this extended phenomenon which restrains gender equality, a core value of the European Union". THIL, Magaly, "States' duty to prevent and eliminate violence against women in the European Union", *Revista Universitaria Europea*, nº 21, 2014, p. 61.

[26] Esta misma propuesta fue lanzada por el Parmento Europeo en 2017 a propósito de "Calls on the Council to activate the passerelle clause by adopting a unanimous deci-

En tercer lugar, sobre la relación entre el principio de reconocimiento mutuo, los motivos de denegación presentes en la Directiva 2014/41/CE y los delitos de violencia de género, Elena Martínez ya ha planteado que, dado que existe una gran disparidad entre EEMM en cuanto a la detección de conductas machistas, al reconocimiento de la violencia de género como delito, su conceptualización y su tratamiento desde instancias judiciales, la potencial aplicación de la OIE en estos supuestos encontraría diversos obstáculos tales como los motivos de denegación de las letras e) y g) del artículo 11.1 de la Directiva 2014/41/CE[27]. Además, hay que hacer notar que el artículo 4 de la Directiva 2014/41/CE circunscribe el ámbito de aplicación de la OIE a "los procedimientos penales incoados por una autoridad judicial y a los procedimientos incoados por autoridades administrativas"[28]. En este sentido, en Estados como el español, en el que existen Juzgados especializados en Violencia sobre la Mujer con competencias en materia penal y civil (artículo 87 ter LOPJ), la OIE sólo podría emitirse o validarse respecto del proceso penal.

Por último, retomando el título de la comunicación, este texto deviene un ejercicio de técnica jurídica ficticia por cuanto la intención no es otra que la de plantear interrogantes para un futuro estudio de la OIE y la violencia de género. Sin embargo, retomo la imagen de Alicia Miyares[29] cuando argumentaba que asistimos a la cuarta ola del feminismo para la que las promesas o declaraciones de buenas intenciones son insuficientes y exige, de forma contundente e inmediata, la aplicación de las medidas dirigidas a la consecución efectiva de la igualdad y la eliminación de la violencia contra las mujeres. En este sentido, considero que cualquier cuestionamiento de los instrumentos legales que conforman el Derecho en pro de una efectiva salvaguarda de los derechos de las víctimas, sin cercenar ni limitar las garantías del investigado, supone un avance para el Derecho como herramienta de transformación al servicio de la sociedad.

---

sion to identify violence against women and girls (and other forms of gender-based violence) as a criminal offence under Article 83(1) TFEU". Draft report of 13 November 2017, on the implementation of Directive 2011/99/EU on the European Protection Order, PE 613.377v02-00.

[27]   MARTÍNEZ GARCÍA, Elena, *La orden europea de investigación... op. cit.*, pp. 75-76.

[28]   *Ídem,* pp. 56-58.

[29]   MIYARES FERNÁNDEZ, Alicia, "La cuarta ola del Feminismo: su agenda, Ponencia presentada en V Jornadas Clara Campoamor, Escuela de Pensamiento Feminista: Feminismo y Derechos Humanos, Fuenlabrada, 26 de abril de 2018.

Capítulo XVI

CONSIDERACIONES SOBRE LA APLICACIÓN DE LA ORDEN EUROPEA DE DETENCIÓN Y ENTREGA EN EL PROCESO PENAL DE MENORES EN ESPAÑA

Sandra Jiménez Arroyo
Doctoranda en Ciencias Jurídicas
Universidad de Granada

SUMARIO: 1. INTRODUCCIÓN. 2. LA APLICABILIDAD DE LA ORDEN EUROPEA DE DETENCIÓN Y ENTREGA EN LA JURISDICCIÓN DE MENORES ESPAÑOLA. 3. OMISIONES PRESENTES EN LA LRM EN RELACIÓN A LOS MENORES DE EDAD. 4. REFLEXIONES FINALES.

RESUMEN: La Orden Europea de Detención y Entrega (OEDE) tuvo su origen en la Decisión Marco del Consejo de Europa de 13 de junio de 2002 relativa a la orden de detención europea y a los procedimientos de entrega entre Estados miembros (2002/584/JAI) que fue modificada de forma parcial en 2009. Sin embargo, dicha Decisión tan sólo hace referencia al menor de edad en su art. 3.3, al establecer que no se ejecutarán aquellas órdenes en las cuales la persona reclamada no haya alcanzado la edad mínima de responsabilidad penal de acuerdo con la legislación interna del Estado miembro de ejecución. En el caso de España, esta cuestión viene regulada en la Ley 23/2014, de Reconocimiento Mutuo de Resoluciones Penales en la Unión Europea (LRM), especialmente en su título II. A pesar de ello, lo cierto es que esta Ley de Reconocimiento Mutuo presenta notorias lagunas y carencias que podrían resultar de suma importancia si la persona reclamada es un menor de edad. Carencias que, en muchas ocasiones chocan frontalmente con lo dispuesto en la Ley Orgánica reguladora de la Responsabilidad Penal del Menor (LORRPM) y que no han sido solventadas por la Ley 3/2018 que ha modificado la LRM al regular la Orden Europea de Investigación.

ABSTRACT: The European Arrest and Surrender Warrant (EASW) had its origin in the Council Framework Decision of 13 June 2002 on the European arrest warrant and the surrender procedures between Member States (2002/584/JHA) that was partially modified in 2009. Nevertheless, this Decision only refers to the minor in its art. 3.3, where it defines that execution will not be performed on those warrants in which the requested person has not reached the minimum age of criminal responsibility according to the internal legislation of the executing Member State. In the case of Spain, this issue is regulated in the Law 23/2014, of Mutual Recognition of Criminal Resolution in the European Union (LRM), especially in its Title II. However, the truth is that this Law of Mutual Recognition has obvious gaps and lacks that are paramount if the requested person is a minor. Very frequently, these lacks and gaps clash with the provisions of the Organic Law of the Criminal Responsibility of Minors (LORRPM) and have not yet been resolved by Law 3/2018 that has modified the LRM to regulate the European Investigation Order.

PALABRAS CLAVE: proceso penal, menor, orden europea de detención y entrega.

KEY WORDS: criminal process, minor, European Arrest and Surrender Warrant.

1. INTRODUCCIÓN

Una vez asumido por la Unión Europea (UE) el objetivo de construir un único espacio de libertad, seguridad y justicia (ELSJ), fue en el Consejo Europeo de Tampere de octubre de 1999 donde se estableció que el principio de reconocimiento mutuo se debería convertir en la piedra angular del sistema de cooperación judicial en materia penal[1]. Además, de conformidad con las conclusiones de dicho Consejo se estimó conveniente la supresión entre los Estados miembros del procedimiento formal de extradición para las personas que eluden la justicia después de haber sido condenadas por sentencia firme, así como la necesidad de acelerar los procedimientos de extradición de las personas sospechosas de haber cometido un delito y su sustitución por un sistema de entrega entre autoridades judiciales[2]. De ahí que fruto del mismo se adoptase la Decisión Marco del Consejo de 13

---

[1]   Sobre las principales aportaciones de los distintos tratados de la UE al sistema europeo de cooperación judicial, *vid.* entre otros, AGUILERA MORALES, Marien. "Justicia penal y Unión Europea: un breve balance en clave de derechos". *Diario La Ley*, n° 8883, 16 de Diciembre de 2016; ARANGÜENA FANEGO, Coral. (Dir.), *Espacio europeo de libertad, seguridad y justicia: últimos avances en cooperación judicial penal*, Lex Nova, Valladolid, 2010; ARANGÜENA FANEGO, Coral. (coord.), *Cooperación judicial civil y penal en el nuevo escenario de Lisboa.* Comares, Granada, 2011; FAGGIANI, Valentina. *La justicia penal en la Unión Europea. Hacia la armonización de los Derechos Procesales.* Tesis Doctoral, Universidad de Granada y Universidad de Ferrara, 2015; GARRIDO CARRILLO, Francisco, y FAGGIANI, Valentina. "La armonización de los derechos procesales en la UE". *Revista General de Derecho Constitucional* 16, 2013.

[2]   *Vid.* Apartado 35 de las Conclusiones de la Presidencia. Consejo Europeo de Tampere (Finlandia), 15 y 16 de octubre de 1999. Disponible a fecha de 8 de abril de 2018 en: [http://www.europarl.europa.eu/summits/tam_es.htm]

de junio de 2002 relativa a la orden de detención europea y a los procedimientos de entrega entre Estados miembros (2002/584/JAI), en la cual se concibe la orden de detención europea como la primera concreción en el ámbito del Derecho Penal del principio de reconocimiento mutuo como piedra angular de la cooperación judicial[3].

A partir de entonces se produjo un aumento de la producción normativa de las instituciones europeas basada en el principio de reconocimiento mutuo, ante lo cual, España decidió aglutinar tanto las decisiones marco y directivas pendientes de trasponer como las ya traspuestas en la Ley 23/2014, de 20 de noviembre, de reconocimiento mutuo de resoluciones penales en la Unión Europea (LRM)[4]. De este modo, en el Título I de la LRM se establecen, entre otras cuestiones, las reglas comunes que rigen tanto la transmisión de las órdenes europeas y resoluciones judiciales a

---

[3]   *Vid.* Considerandos 1, 5, 6 y 10 de la Decisión Marco del Consejo de 13 de junio de 2002 relativa a la orden de detención europea y a los procedimientos de entrega entre Estados miembros (2002/584/JAI).

[4]   Aunque la LRM se completa con la LO 6/2014, de 29 de 29 de octubre, por la que se modifica la LO 6/1985, de 1 de julio, del Poder Judicial (LOPJ) para actualizar las competencias de distintos juzgados y tribunales en materia de emisión y ejecución de instrumentos de reconocimiento mutuo, lo cierto es que aglutinando toda la normativa europea en materia de reconocimiento mutuo en la LRM España puso fin a la técnica empleada hasta el momento de incorporar de forma individual cada decisión marco o directiva europea en una ley ordinaria y su correspondiente ley orgánica complementaria. En tal sentido, el Preámbulo de la Ley 23/2014 (ap. II y XVI), indica que el legislador español opta finalmente por esta técnica para evitar una enorme producción y dispersión normativa, facilitar su conocimiento y manejo por los profesionales del Derecho y dar cabida a la incorporación de futuras directivas que puedan adoptarse en esta materia. Señala además, que la LO que la acompaña y que modifica la LOPJ evita las continuas reformas a las que ésta tendría que verse sometida si la tarea de transposición se realizase de manera individualizada. En definitiva, según expresa el ap. XVI del Preámbulo de la Ley 23/2014, ésta *"se configura como un instrumento integrador que, además de dar cumplimiento a las obligaciones normativas europeas, responde al compromiso de mejora de la cooperación judicial penal en la Unión Europea y la lucha contra la criminalidad, garantizando la seguridad y los derechos de los ciudadanos como fin irrenunciable del Estado".* Sin embargo, al respecto, AGUILERA MORALES. *"Justicia penal y Unión Europea..."*. *Op. Cit.* P. 5., tras recordar que durante todos estos años el Tribunal de Justicia de la Unión Europea (TJUE) por vía de las cuestiones prejudiciales se ha erigido en valedor de la construcción del ELSJ y de un proceso penal europeo, y precisar que desde el 1 de diciembre de 2014 éste tiene plena competencia para conocer de los procedimientos por incumplimiento contra los Estados que infrinjan las disposiciones europeas en materia de cooperación penal, atiende a la fecha de publicación de la LRM y se plantea si el verdadero motivo de la *ratio* de esta norma fue el expresado en su Preámbulo, más arriba indicado, *"o si fue más bien la de evitar la imposición de sanciones económicas por incumplimiento de los plazos de trasposición al ordenamiento español de alguna Directiva".*

otros Estados miembros como su ejecución en España, los motivos generales de denegación del reconocimiento y la ejecución, o las normas sobre recursos, dedicándose en especial el Título II a la Orden Europea de Detención y Entrega (OEDE)[5].

Con todo, lo cierto es que la regulación de la OEDE ha supuesto la materialización del principio de reconocimiento mutuo, del alto grado de confianza entre los Estados y de la cooperación judicial, siendo una muestra de la progresión del camino emprendido hacia la creación de un espacio único y común de seguridad y justicia europeas y constituyendo una importante manifestación de la lucha contra la criminalidad transfronteriza.

De forma más específica, y en lo que se refiere a la delincuencia juvenil, también existe en el seno de la Unión la pretensión de crear, dentro de este espacio de seguridad y justicia, un marco común europeo que permita proporcionar una respuesta integrada a fenómenos delictivos comunes ejercidos por menores de edad[6]. Así pues, el esfuerzo de la UE en prevenir y combatir la delincuencia juvenil se ha centrado en la creación de una estrategia común e integrada que, al igual que en el caso de la criminalidad

---

[5]   Lo cual ha supuesto la lógica derogación de lo anteriormente regulado al respecto en Ley 3/2003, de 14 de marzo, sobre la orden europea de detención y entrega.

[6]   En este sentido, también fue en las conclusiones del Consejo Europeo de Tampere de 1999 donde se estableció la prioridad y la importancia de la cooperación en la lucha contra la delincuencia juvenil (ap. 42). Con posterioridad, en 2006, el Comité Económico y Social Europeo en su *Dictamen sobre la prevención de la delincuencia juvenil, los modos de tratamiento de la delincuencia juvenil y el papel de la justicia del menor en la Unión Europea, de 15 de Marzo,* precisó que en todos los países miembros de la Unión Europea, en mayor o en menor grado, se producen fenómenos violentos relativamente similares cometidos por menores de edad e instó a ofrecer respuestas también parecidas, abogando por diseñar una estrategia común de lucha contra la delincuencia juvenil (ap. 7.1.1). Y más tarde, el Parlamento Europeo, *en su Resolución de 21 de Junio de 2007, sobre Delincuencia juvenil: papel de las mujeres, la familia y la sociedad* (ap. Q), destacó que para atajar esta problemática *"se requiere una estrategia integrada a escala tanto nacional como europea que combine medidas según tres directrices: medidas de prevención, medidas judiciales y medidas de inclusión social de todos los jóvenes"* (ap.1). Al respecto, *vid.* ARANGÜENA FANEGO, Coral. "Las garantías procesales de sospechosos e imputados en procesos penales". *Diario La Ley,* nº 8950, de 28 de marzo, 2017. Pp. 1-25; GONZÁLEZ TASCÓN, María Marta. *El tratamiento de la delincuencia juvenil en la Unión Europea. Hacia una futura política común.* Valladolid, Lex Nova, 2010. Pp. 23-116; JIMÉNEZ ARROYO, Sandra. "Garantías procesales del menor infractor en el marco de la violencia filio parental. Aportaciones desde la Directiva 2016/800/UE". *Revista de Estudios Europeos,* nº extraordinario monográfico, 1, 2017. Pp. 7-19; PÉREZ VAQUERO. Carlos. "La justicia juvenil en el Derecho Internacional". *Revista Derecho y Cambio Social,* nº 36, 2014. Pp. 1-19; PÉREZ VAQUERO. Carlos. "La justicia juvenil en el Derecho Europeo". *Revista Derecho y Cambio Social,* nº 37, 2014. Pp. 1-27.

globalmente considerada, se asienta principalmente sobre el espacio de libertad, seguridad y justicia y la cooperación judicial en materia penal[7]. Sin embargo, dadas las diferencias biológicas, psicológicas y sociales existentes entre menores de edad y adultos, que sustentan la idea de que aquellos menores que cometan hechos antijurídicos requieren un tratamiento jurídico diferenciado, resulta necesario reflexionar sobre la aplicabilidad de la OEDE a menores de edad y sobre las particularidades procesales y penales que la misma puede conllevar en la jurisdicción de menores española.

2. LA APLICABILIDAD DE LA ORDEN EUROPEA DE DETENCIÓN Y ENTREGA EN LA JURISDICCIÓN DE MENORES ESPAÑOLA

En el art. 3.3 de la Decisión Marco del Consejo de 13 de junio de 2002 relativa a la orden de detención europea y a los procedimientos de entrega entre Estados miembros (en adelante, la Decisión), al momento de establecer los motivos para la no ejecución obligatoria de la orden de detención europea, es prácticamente la única ocasión en la que se hace referencia a la cuestión de los menores de edad, y no una alusión directa y expresa sino implícita, indicando que: *"la autoridad judicial del Estado miembro de ejecución (denominada en lo sucesivo "autoridad judicial de ejecución") denegará la ejecución de la orden de detención europea (...) cuando la persona que sea objeto de la orden de detención europea aún no pueda ser, por razón de su edad, considerada responsable penalmente de los hechos en que se base dicha orden, con arreglo al Derecho del Estado miembro de ejecución"*[8].

---

[7]   Es conveniente mencionar que el esfuerzo de la UE en la prevención y la lucha contra la delincuencia juvenil ha supuesto también un reforzamiento de los derechos y garantías procesales de los menores infractores. Muestra de ello son algunos de los instrumentos jurídicos elaborados por la Unión específicamente sobre menores de edad con el fin de armonizar los diferentes ordenamientos de los distintos Estados Miembros. Entre ellos resulta obligado destacar la Directiva 2016/800/UE del Parlamento Europeo y del Consejo, de 11 de mayo de 2016, relativa a las garantías procesales de los menores sospechosos o acusados en los procesos penales, cuya transposición a nuestro ordenamiento jurídico, la cual ha de producirse antes del próximo 11 de junio de 2019, podría exigir la modificación de algunos preceptos de la Ley Orgánica Reguladora de la Responsabilidad penal de los Menores (LORRPM) con el objeto de dotarlos de mayor precisión y claridad o de eliminar posibles contradicciones, tal y como ya han precisado entre otros, ARANGÜENA FANEGO. *"Las garantías procesales..."*. *Op. Cit.* Pp. 8-10; JIMÉNEZ ARROYO. *"Garantías procesales..."*. *Op. Cit.* Pp. 12-17.

[8]   En el mismo sentido, la Decisión Marco de 2002 realiza otra referencia indirecta al menor de edad, mediante la remisión realizada al art. 3 en el art. 28.3 al regular la

Con dicha previsión la Decisión no excluye a todos los menores sino sólo a aquellos que, por razón de su edad, no puedan ser objeto de enjuiciamiento o condena penal en el Estado miembro de ejecución por los hechos de que se trate y, a falta de armonización en la materia, deja a los Estados miembros la posibilidad de determinar la edad mínima a partir de la cual una persona satisface los requisitos de edad para ser considerada responsable penalmente[9].

Al respecto, el art. 48.1, e) LRM reproduce prácticamente de forma literal lo ya establecido en la Decisión Marco, salvo por la individualización de *"la autoridad judicial de ejecución española"* y la sustitución de la expresión *"al Derecho del Estado miembro de ejecución"* por la referencia *"al Derecho español"*[10]. Dado que la LRM a lo largo de su articulado realiza algunas referencias expresas al Juez de Menores, Juez Central de Menores, a la medida de internamiento en régimen cerrado o a la LORRPM, no parece que el art. 48. 1, e) esté haciendo alusión a la edad a partir de la cual una persona que ha cometido una infracción penal queda sujeta al Derecho Penal común, sino al momento a partir del cual un menor que aún no ha cumplido los 18 años tiene la edad suficiente para ser responsable por la comisión de dicha infracción.

Con lo cual, según lo establecido tanto en la Decisión Marco como en la LRM, España habrá de denegar la entrega de un menor solicitada por otro Estado miembro si atendiendo a nuestra legislación interna éste aún no tiene la edad para ser considerado responsable penalmente de los hechos en los que se base la OEDE. En tal sentido, recordemos que la LORRPM es la normativa que, dotada de un carácter sancionador-educativo y partiendo siempre del interés superior del menor, se aplica en nuestro país para exigir responsabilidad penal a las personas que siendo mayores de 14 años y menores de 18 cometan un hecho tipificado como delito en el Código Penal o en las leyes penales especiales (art. 19 CP y art. 1.1 LORRPM)[11].

---

[9]   entrega o extradición ulterior.

        Compartiendo lo expresado por URCELAY LECUE, María Cruz. "La no ejecución de una orden de detención europea es una excepción que debe ser objeto de interpretación estricta. STJUE, de 23 de enero de 2018 (Gran Sala) (JUR 2018, 26734)". *Revista Aranzadi Doctrinal*, número 6, Jurisprudencia, 2018.

[10]   Hemos de matizar que este precepto no se ha visto modificado por la Ley 3/2018 por la que se modifica la Ley 23/2014, de 20 de noviembre de reconocimiento mutuo de resoluciones penales en la Unión Europea, para regular la Orden Europea de Investigación.

[11]   A pesar de la dicción literal de dichos preceptos al referirse a la comisión de "faltas", debemos precisar que tras la reforma operada en el Código Penal por la LO 1/2015,

De forma que, los menores que no hayan alcanzado los 14 años no se encuentran sujetos a responsabilidad penal alguna sino a las normas sobre protección de menores previstas en el Código Civil y demás disposiciones vigentes; los menores de entre 14 y 17 años son imputables, y por tanto, les pueden ser reprochadas jurídico-penalmente las conductas criminales que realizan, encontrándose sujetos a una responsabilidad penal peculiar y especialmente configurada para ellos; y, los mayores de 18 años son responsables penales en los términos establecidos por el CP[12].

En consecuencia, España apuesta por la aplicabilidad de la OEDE a menores que se encuentren en edad de responsabilidad penal de acuerdo con la LORRPM, esto es, que tengan una edad comprendida entre los 14 y 17 años, habiendo de denegar la ejecución o la entrega solicitada por otro Estado miembro cuando el menor sospechoso o acusado no haya cumplido aún los 14 años y encontrándose obligada a ejecutar dicha entrega si tiene 14 años y menos de 18 (y se cumplen el resto de requerimientos exigidos en la LRM). Sin embargo, aunque todo indica que en el seno de la UE nos dirigimos hacia una estrategia común e integrada en la lucha contra la delincuencia juvenil, hemos de tomar en consideración que a día de hoy, la edad mínima de responsabilidad penal de los menores fijada en otros países de nuestro entorno difiere de la establecida en España[13]. Además,

---

de 30 de marzo, en vigor desde el 1 de julio de 2015, algunas faltas han desaparecido, otras han sido derivadas a la vía administrativa y, finalmente, un tercer grupo ha sido convertido en delitos leves. En este sentido, habremos de tomar en consideración lo establecido en los arts. 13.3 y 33. 4 CP. Asimismo, hemos de tener en cuenta que la FGE en el Dictamen 1/2015 sobre criterios de adaptación de la LORRPM a la reforma del Código Penal por la LO 1/2015 (ap. II), señala que cualquier referencia realizada a la "falta" se considerará hecha al "delito leve". A este respecto, debemos plantear la posibilidad de una nueva reforma de la LORRPM para suprimir de su texto la alusión a las faltas.

[12] Con la LO 8/2006, de 4 de diciembre, por la que se modifica la LO 5/2000, de 12 de enero, reguladora de la Responsabilidad Penal de los Menores se suprime definitivamente la posibilidad de aplicar la Ley a menores con edades entre los 18 y los 21 años y las referencias a los mismos en los arts. 1.2 y 4 de la LORRPM, dejando vacío de contenido el art. 69 CP. Sobre el recorrido sufrido por el art. 69 hasta llegar a su vaciado de contenido, *vid.* JIMÉNEZ DÍAZ, Mª José. "Algunas reflexiones sobre la responsabilidad penal de los menores". *RECPC,* núm. 17-19, 2015. Pp. 5 y ss.

[13] Si atendemos a la mayor parte de países del entorno europeo a fecha de 2011, podemos observar que al igual que España la mayoría fijan esta edad a los 14 años (Albania, Alemania, Armenia, Austria, Bosnia, Bulgaria, Croacia, Dinamarca, Eslovaquia, Eslovenia, Hungría, Italia, Latvia, Lituania, Moldavia, Rumania, Rusia, o Ucrania); algunos optan por los 15-16 años (Bélgica, Finlandia, Islandia, Noruega, República Checa o Suecia); otros por los 13-12 (Estonia, Georgia, Holanda, Polonia o Turquía); y una minoría por los 10 años (Chipre, Inglaterra y Gales, Irlanda o Suiza). Datos extraídos

también hemos de tener en cuenta que para el establecimiento de la edad mínima de responsabilidad penal en nuestro país se ha seguido un criterio biológico puro atendiendo tan sólo a la edad, mientras que otros países han optado por el denominado "criterio mixto o *biopsicológico*" y junto a la edad toman en consideración otros aspectos o requisitos como pueden ser la presencia de un determinado grado de madurez que permita al menor comprender el carácter ilícito de su conducta o la concurrencia de determinadas circunstancias personales, sociales o familiares del menor[14]. Aspectos que en nuestro país no se tienen en cuenta para la exigencia de la responsabilidad penal del menor pero sí para la adopción judicial de la medida más idónea al caso concreto (art. 7.3 LORRPM).

Así pues, de acuerdo con todo lo expuesto, según se trate de la emisión de la orden o de la ejecución de la misma, en función de la edad del menor y dependiendo de la edad mínima y los criterios de responsabilidad penal del menor establecidos tanto en el Estado de emisión como en el Estado de ejecución, en España nos podemos encontrar ante varias situaciones, a saber:

– Cuando España sea el Estado de ejecución de la orden de detención y entrega de un menor sospechoso o acusado:

  • Habrá de denegar la ejecución de la orden si el menor no ha cumplido los 14 años (aunque en el Estado miembro que solicita la entrega la edad mínima de responsabilidad penal venga fijada en una edad inferior a los 14 años, pensemos por ejemplo, en el caso de Holanda, donde dicha edad se encuentra establecida en los 12 años).

  • A *sensu contrario*, estará obligada a ejecutar la entrega cuando el menor tenga 14 años o más.

– Cuando España sea el Estado emisor de la orden de detención y entrega de un menor sospechoso o acusado:

  • Solo podrá solicitar la entrega de un menor sospechoso o condenado cuando éste haya cumplido los 14 años, no antes.

Sin embargo, en este último caso debemos plantearnos dos interrogantes: ¿qué sucedería si en el Estado miembro al que se solicita la entrega y que debe ejecutarla, la edad mínima de responsabilidad penal viene esta-

---

de REDONDO ILLESCAS, Santiago, MARTINEZ CATENA, Ana, y ANDRÉS PUEYO Antonio, *Factores de éxito asociado a los programas de intervención con menores infractores.* Informes, estudios e investigación. Ministerio de Sanidad, Barcelona, 2011. P. 80 y ss.

[14]   *Vid.* VÁZQUEZ GONZÁLEZ, Carlos. *Derecho penal juvenil europeo.* Dykinson, 2005.

blecida en una edad superior a los 14 años?, ¿y si éste no ha seguido un criterio biológico puro y junto al de la edad ha establecido otros requisitos para la exigencia de la responsabilidad penal del menor? Pensemos por ejemplo, que España reclama un menor de 15 años a Portugal, donde la edad mínima de responsabilidad penal se sitúa en los 16 años. En tal caso, de acuerdo con lo establecido en la Decisión podemos entender que, como Estado de ejecución, Portugal podrá denegar la entrega ya que atendiendo a su derecho interno este menor no ha alcanzado la edad mínima de responsabilidad penal. Además, debería abstenerse de tomar en consideración cualesquiera otros requisitos por cuanto la Decisión nada menciona al respecto[15].

3. OMISIONES PRESENTES EN LA LRM EN RELACIÓN A LOS MENORES DE EDAD

Salvando la referencia realizada en su art. 3.3 a la edad de la persona que sea objeto de la OEDE, la Decisión no realiza referencia expresa alguna al caso de que la persona reclamada sea menor de edad, por lo que, con mayor o menor acierto, es la LRM la que se ocupa de contemplar y regular dicha posibilidad. En tal sentido, aunque algunos preceptos de la LRM aluden de forma implícita al menor de edad mediante referencias indirectas al mismo, sea haciendo mención a la LORRPM, a la medida de internamiento en régimen cerrado, al Juez de Menores, o a la edad de la persona en cuestión, también es cierto que, en particular, en su Título II, dedicado de forma específica a la regulación de la OEDE (arts. 34 a 62), se constatan notorias lagunas, carencias, y omisiones que podrían resultar de suma importancia en el supuesto de que la persona reclamada sea un menor de edad y que no han sido solventadas por la Ley 3/2018 que la ha modificado al regular la Orden Europea de Investigación[16].

---

[15]   De hecho el Tribunal de Justicia de la Unión Europea (TJUE) así lo confirmó en la sentencia Piotrowski, de 23 de enero de 2018 (C-367/16), donde resuelve la cuestión prejudicial planteada por el Tribunal de Apelación de Bruselas (Bélgica) en relación a la interpretación del art. 3.3 de la Decisión Marco. Para un mayor abundamiento en el análisis de esta sentencia, *vid.* BAHAMONDE BLANCO, Miriam. "La orden Europea de detención y entrega sobre menores y la sentencia Piotrowski, nueva afirmación del principio de reconocimiento mutuo como piedra angular de la cooperación judicial penal". *Diario La Ley, n° 9146, Sección Tribuna, Febrero,* 2018; URCELAY LECUE. *"La no ejecución de una orden de detención europea...". Op. Cit.*

[16]   Para una mayor profusión en relación a dichas carencias, *vid.* BAHAMONDE BLANCO. *"La orden Europea de detención y entrega sobre menores...". Op. Cit.* Pp. 50 y ss.; DE LAS

De esta forma, en relación a las autoridades judiciales competentes para ejecutar una OEDE contra un menor de edad cuya entrega es solicitada por otro Estado, el art. 35.2 LRM, haciendo alusión textual a *"cuando la orden se refiera a un menor"*, establece que la competencia corresponderá al Juzgado Central de Menores de la Audiencia Nacional. Sin embargo en su primer apartado, al establecer la autoridad competente para emitir una OEDE, el art. 35 LRM obvia cualquier consideración al menor de edad, indicando tan sólo que el competente será "el Juez o Tribunal que conozca de la causa en la que proceda tal tipo de órdenes". De ello y aunque no lo señale expresamente, debemos inferir e interpretar que, en el caso de menores de edad, el competente es el Juez de Menores que conozca del expediente de reforma incoado a dicho menor si se trata del ejercicio de acciones penales, y si se trata de la ejecución de una medida de internamiento en régimen cerrado, el Juez de Menores que la hubiera impuesto[17].

Por su parte, el art. 37 LRM regula el objeto de la OEDE en el caso de los menores de edad, y aludiendo de forma específica a la *"medida de internamiento en régimen cerrado"* indica cuándo la autoridad judicial española podrá dictar (emitir) una OEDE en relación a un menor. En tal caso, si el fin es proceder al ejercicio de acciones penales, cuando la ley penal española señale para los hechos una duración máxima de la medida de internamiento en régimen cerrado de, al menos, 12 meses; mientras que, si el fin es proceder al cumplimiento de una medida de internamiento en régimen cerrado ya impuesta y firme, cuando ésta no sea inferior a cuatro meses.

De la redacción de dicho precepto podemos deducir que cuando la LRM hace mención a la "medida de internamiento en régimen cerrado" se está refiriendo al supuesto de que el reclamado sea menor de edad, mientras que, cuando utiliza los términos de "pena o medida de seguridad" está aludiendo al reclamado mayor de edad. En tal sentido, cabe advertir que en el ámbito de la jurisdicción de menores de nuestro país no se hace referencia a "pena" sino a "medida", en tanto que ésta es concebida como la consecuencia jurídica que dotada de un contenido primordialmente educativo se impone a un menor de entre 14 y 18 años como responsable de

---

HERAS GARCÍA, María. "Adaptación de LO 23/2014, de reconocimiento mutuo de resoluciones en la Unión Europea, al ámbito de la Ley orgánica de Responsabilidad del menor. Órdenes europeas de detención y otras cuestiones de interés". Pp. 11 y ss. Recuperado el 11 de noviembre de 2018 de: [https://www.fiscal.es/fiscal/PA_WebApp_SGNTJ_NFIS/descarga/PONENCIA%20Sra.%20de%20Las%20Heras.pdf?idFile=40073ac7-e262-4ab1-b5ae-b11e7c70bf8e]

[17] Al respecto, *vid.* Instrucción nº 1/2017, de la Secretaría de Estado de Seguridad, por la que se actualiza el "Protocolo de actuación policial con menores" (ap. 4.21).

la comisión de un hecho delictivo. No obstante, hemos de tomar en consideración que no todos los países de nuestro entorno prevén la imposición de medidas con carácter sancionador educativo ante la infracción penal cometida por un menor de edad, sino que contemplan un sistema sancionatorio más cercano al régimen penal general establecido para los adultos, con las mismas penas susceptibles de ser impuestas a una persona mayor de edad pero con una duración atenuada y por tanto, la posibilidad de imponer una pena de prisión[18]. De esta forma, en la práctica es posible que la entrega de un menor no venga referida a una medida de internamiento en régimen cerrado, sino que sea solicitada con el objeto de que cumpla una pena de prisión o para su enjuiciamiento por un delito castigado en el Estado de emisión con una pena de prisión[19].

En la misma dirección, tal y como observa MONTERO HERNANZ, llama la atención que la LRM limita su aplicación a la medida de internamiento en régimen cerrado sin referencia alguna al resto de medidas de internamiento como son el abierto y el semiabierto[20]. Obviando también la existencia en la LORRPM de otras medidas privativas de libertad como el internamiento terapéutico en sus distintos regímenes o la permanencia de fin se semana.

Igualmente, el art. 36 LRM al regular el contenido de la OEDE no destaca ninguna especialidad en caso de que la persona objeto de la misma sea menor, como tampoco lo hace el art. 38 LRM al indicar que el Juez competente podrá solicitar autorización al Estado en el que se encuentre la persona reclamada con el fin de tomarle declaración a través de una solicitud de auxilio judicial, obviando por completo cualquier alusión a

---

[18]   Así por ejemplo, Alemania o, recientemente, Rumanía, al igual que en nuestro país, han configurado un sistema específico de sanciones aplicables a los menores de 18 años que contemplan medidas de internamiento privativas de libertad con una naturaleza propia y distinta de la prisión aplicable a los mayores de edad. Sin embargo, otros países como Italia, Portugal, Francia, Inglaterra, Austria o Bélgica, imponen a los menores las mismas penas que a los adultos, aunque frecuentemente con una duración atenuada. *Vid.* entre otros; GONZÁLEZ TASCÓN. *"El tratamiento...."*. *Op. Cit.* Pp. 151-342.

[19]   De esta forma lo pone de manifiesto BAHAMONDE BLANCO. *"La orden Europea de detención y entrega..."*. *Op. Cit.* Pp. 11-12., citando el AAN 69/2008, que acuerda entregar a Rumanía a un menor de 17 años para el cumplimiento de una pena de tres años de prisión o el AJCM, OEDE 4/2017, por el que se acuerda la entrega a Francia de un menor de 17 años para ser juzgado por distintos delitos que podrían alcanzar la pena de 7 años de prisión.

[20]   *Vid.* MONTERO HERNANZ, Tomás. *Responsabilidad Penal del Menor: la privación de libertad de menores en España y los estándares internacionales.* Tesis Doctoral, Madrid, 2016. P. 459.

las formalidades y garantías que se habrían de requerir ante la declaración de un menor de edad, tales como la necesaria presencia de su letrado y de aquéllos que ejerzan la patria potestad, tutela o guarda (de hecho o de derecho) o, en defecto de estos últimos, del Ministerio Fiscal[21].

Y es que, si bien algunos preceptos de la LRM han sido modificados por la Ley 3/2018, prácticamente en ningún caso ha sido con el objeto de introducir previsiones con respecto a los menores de edad, y así ha sucedido con los preceptos ya mencionados. De hecho, uno de los pocos preceptos de la LRM que se ha visto alterado en este sentido por la Ley de 2018 es el art. 50.1, donde se ha introducido la remisión a la Ley del Menor en cuanto a la forma, los requisitos y las garantías de la detención y puesta a disposición de la autoridad judicial de la persona reclamada, ya que con anterioridad tan sólo se hacía alusión a la Ley de Enjuiciamiento Criminal y no se contemplaban, por tanto, las prescripciones y garantías específicas que han de regir la detención de un menor de edad previstas en el art. 17.1 LORRPM. Además, en el art. 50.2 LRM se ha precisado que cuando la persona detenida sea menor de edad, el plazo para que sea puesta a disposición del Juzgado Central de Menores de la Audiencia Nacional se reducirá a 24 horas, ya que con anterioridad no se hacía alusión a este órgano y se establecía un plazo máximo de 72 horas, lo cual resultaba problemático con el plazo más breve de 24 horas que se establece para ello en el art. 17.4 LORRMP[22].

Sin embargo, a pesar de la mencionada modificación, curiosamente esta Ley 3/2018 no ha alterado la redacción del art. 51 de la LRM, que continúa haciendo referencia tan solo a la LECrim (no a la LORRPM) y que, en relación a la audiencia del detenido y la decisión sobre la entrega señala un plazo de 72 horas desde la puesta a disposición judicial, diferente al de 48 horas establecido en el art. 17.5 LORRPM, lo que genera innegables problemas prácticos en la selección de uno y otro plazo. En este sentido, y dado que el fin principal de esta audiencia es oír a la persona detenida

---

[21]   Garantías que no solamente vienen establecidas en la LORRPM, sino en la mayor parte de la normativa internacional referida a menores infractores o en conflicto con la ley y también en la Directiva relativa a las garantías procesales de menores sospechosos o acusados, aún por trasponer.

[22]   Al respecto, BAHAMONDE BLANCO. *"La orden Europea de detención y…"*. *Op. Cit.* Pp. 50 y ss., exponía que en la práctica se aplicaba este plazo de 72 horas previsto en la LRM, entre otros motivos, porque al ser el órgano competente el Juzgado Central de Menores, con sede en Madrid, devenía en ocasiones imposible el traslado del menor en un plazo tan perentorio. En consecuencia, autora proponía de *lege ferenda* la posibilidad de acudir al plazo de 24 horas previsto en la LORRPM efectuándose la declaración del menor por videoconferencia.

sobre la prestación de su consentimiento irrevocable a la entrega y si éste es positivo, sobre si renuncia al principio de especialidad, cuando se trate de un menor de edad se deberían respetar las especialidades previstas no solo en el art. 17 LORRPM, sino también en los arts. 28 y 29 LORRPM en cuanto a la necesidad de que asistan también el letrado del menor, las demás partes personadas, el representante del equipo técnico y el de la entidad pública de protección o de reforma de menores. Prescripciones que, asimismo, habrían de cumplirse a la hora de decidir sobre la situación personal del menor reclamado (art. 53 LRM).

Por último, debemos dejar cuanto menos apuntado que la Ley 3/2018 tampoco soluciona otras faltas de referencia al menor de edad existentes en la LRM, como son por ejemplo, las presentes en los arts. 39.2, 45.2 y 47.2, donde lo procedente hubiese sido hacer mención a los mismos.

4. REFLEXIONES FINALES

Tras el análisis de los distintos preceptos que resultan más controvertidos o que mayores problemas prácticos pueden ocasionar cuando la OEDE viene referida a un menor de edad, debemos concluir que, si bien la LRM es más explícita que la Decisión Marco en dicha materia, también es cierto que presenta notorias lagunas y carencias que no han sido solventadas mediante las modificaciones introducidas por la Ley 3/2018. Todo ello pone de manifiesto la necesidad de armonizar el contenido entre la LRM y la LORRPM. En este último caso, sería recomendable introducir las modificaciones necesarias al efecto aprovechando la trasposición a nuestro ordenamiento jurídico de la Directiva relativa a las garantías procesales de los menores sospechosos o acusados en los procesos penales, que ha de producirse antes del próximo 11 de junio de 2019, y que, por otra parte, también podría exigir la modificación de algunos preceptos de la LORRPM con el objeto de dotarlos de mayor precisión y claridad o de eliminar posibles contradicciones. Oportunidad en la cual también se podrían eliminar de este texto normativo las referencias a la falta, dada su desaparición del CP y su conversión en delitos leves, o las alusiones al antiguo Secretario Judicial, como sabemos, convertido en Letrado de la Administración de Justicia tras las últimas reformas procesales.

Capítulo XVII

EL TRASLADO TEMPORAL DE PERSONAS PRIVADAS DE LIBERTAD AL AMPARO DE LA ORDEN EUROPEA DE INVESTIGACIÓN: ESPECIALIDADES SEGÚN LA REGULACIÓN ESPAÑOLA

Lucana Mª Estévez Mendoza
Profesora Colaboradora Doctora de Derecho Procesal
Universidad CEU San Pablo

SUMARIO: 1. INTRODUCCIÓN. 2. EL TRASLADO TEMPORAL DE PERSONAS PRIVADAS DE LIBERTAD COMO MEDIDA DE ESPECÍFICA EN LA OEI. 2.1. Cuestiones conceptuales y generales de aplicación. 2.1.1. Concepto de privación de libertad en la legislación española. 2.1.2. El traslado temporal de privados de libertad en la OEI. 2.2. Cuestiones procedimentales. 2.2.1. Emisión de la OEI por traslado temporal. 2.2.2. Ejecución de la OEI por traslado temporal. 2.3. Luces y sombras de la OEI con traslado temporal de privados de libertad. 2.3.1. Ventajas. 2.3.2. Inconvenientes potenciales. 3. REFLEXIONES FINALES.

RESUMEN: La orden europea de investigación es un instrumento de cooperación judicial en materia penal entre Estados de la Unión Europea que establece un sistema general de obtención y utilización de pruebas en otros EM en supuestos de dimensión transfronteriza. Entre las medidas por las que se puede utilizar se encuentra el traslado temporal de personas privadas de libertad, que presenta especialidades procedimentales respecto al régimen general. Analizar estas peculiaridades, sus posibilidades de uso en el contexto actual y las ventajas e inconvenientes que en la práctica se pueden plantear, es el objeto de esta comunicación.

ABSTRACT: The European Investigation Order is an instrument of judicial cooperation in criminal matters between the States of the EU. It establishes a general system for obtaining and using evidence in other MS in cases of cross-border dimension. It is foreseen, among other aims, concerning the temporary transfer of persons deprived of liberty, who presents procedural specialties with respect to the general regime. The object of this communication is to analyze these peculiarities, their possibilities of use in the current context and the advantages and disadvantages that can arise in its implementation.

PALABRAS CLAVE: orden europea de investigación, medidas, traslado detenidos, régimen especial, sistema español.

KEY WORDS: European investigation order, measures, temporary transfer, deprived persons, special regime, Spanish system.

1. INTRODUCCIÓN

"Como los delincuentes y terroristas no conocen fronteras, hay que tratar de dotar a las autoridades judiciales de herramientas para que puedan combatir con mayor efectividad la delincuencia organizada, el terrorismo, el tráfico de drogas y la corrupción"[1].

Esta premisa está presente en el seno de la Unión Europea (UE) desde hace décadas, pero sigue siendo uno de los objetivos prioritarios en el desarrollo del Espacio de Libertad, Seguridad y Justicia (ELSJ), en el que resulta relevante el artículo 82 del TFUE, que comunitariza totalmente la cooperación judicial penal y la policial y habilita a las instituciones para adoptar normas mínimas en ámbitos concretos.

Una de las herramientas previstas para hacer frente a la delincuencia transnacional es la Orden Europea de Investigación (OEI), adoptada por la Directiva 2014/41/CE, de 3 de abril[2], con el propósito de establecer un sistema general de obtención y utilización de pruebas en otros Estados miembros (EM) de la Unión, en supuestos de dimensión transfronteriza. Esta norma ha sido transpuesta a nuestra legislación fuera de plazo[3], a través de la Ley 3/2018 de 11 de junio[4] (LOEI), que modifica, entre otras, la Ley 23/2014 de 20 de noviembre[5] (LRM), por la que se incorporan al sistema español, los instrumentos europeos de reconocimiento mutuo.

El objetivo de esta comunicación es analizar, brevemente, el sistema a seguir cuando el objetivo de la OEI es solicitar –o ejecutar– una de las diligencias específicas previstas por la regulación, en concreto, el traslado temporal de personas privadas de libertad.

---

[1]   Así se manifiesta Vera Jourová, Comisaria de justicia, igualdad de género y consumidores, impulsora de la OEI. GÓMEZ HERNÁNDEZ HERNÁNDES, M.G. Y MORILLAS, A.: "Orden Europea de Investigación en materia penal. Directiva 2014/41/CE del Parlamento Europeo y del Consejo, de 3 de abril de 2014", *Economist & Jurist,* Artículos Jurídicos, 1 de julio de 2017 http://www.economistjurist.es/articulos-juridicos-destacados/orden-europea-de-investigacion-en-materia-penal/

[2]   DO L 130, de 1.5.2015.

[3]   El plazo de transposición establecido por la Directiva finalizó 22 de mayo de 2017, aunque la ley nacional es posterior, entrando en vigor el 2 de julio de 2018. Ver DF 6 de la Ley 23/2014.

[4]   BOE 142, de 12.6.2018.

[5]   BOE 282, de 21.11.2014.

2. EL TRASLADO TEMPORAL DE PERSONAS PRIVADAS DE LIBERTAD COMO MEDIDA DE ESPECÍFICA EN LA OEI

2.1. *Cuestiones conceptuales y generales de aplicación*

2.1.1. Concepto de privación de libertad en la legislación española

Con carácter general, la privación de libertad se puede definir como la situación a la que se llega tras haber despojado a un sujeto de su libertad ambulatoria, procediendo a recluirle en un lugar cerrado destinado al efecto, con independencia de su voluntad. Es una medida que atenta contra los derechos fundamentales, en concreto contra el artículo 17 de la Constitución, aunque es cierto que no se trata de un derecho absoluto, sino que admite excepciones en los casos y formas previstas en la ley.

La Ley de Enjuiciamiento Criminal de 14 de septiembre de 1882 (LE-Crim) prevé los supuestos en que este derecho decae: cuando procede la detención, como diligencia policial o judicial (arts. 489 a 501); cuando se dicta una prisión provisional como medida cautelar (arts. 502 a 519) y cuando se impone una sentencia de condena privativa de libertad (arts. 741 a 742 y 983 a 999).

En el primer supuesto, las autoridades policiales y/o judiciales tienen la facultad, en realidad obligación, de proceder a privar de libertad a una persona durante un máximo de 72 horas, en el caso de adultos y de 24, en el caso de menores, si en ésta concurren alguna de las siguientes circunstancias:

- Las previstas en el artículo 490: intenta cometer un delito; en el momento de cometerlo le sorprenden cometiendo el delito; se encuentra fugado o sobre él pesa una orden de busca y captura por fuga o por ser condenado en rebeldía.

- Estar procesado por delito castigado con pena superior a la correccional (superior a 6 años en el sistema actual) o siendo ésta inferior, posea antecedentes penales o las circunstancias del hecho hagan presumir que no comparecerá cuando sea llamado por la autoridad judicial correspondiente. En este último caso, si no estuviera aun procesado, podrá ser detenido si existen motivos racionales para creer que concurre un hecho con caracteres delictivos o que tuvo participación en un hecho de este tipo (art. 492 LECrim).

La prisión provisional podrá ser decretada de manera excepcional por la autoridad judicial, previa petición a instancia de parte, tras haber oído al detenido, si se considera que se cumplen en el caso concreto los requisitos objetivos, subjetivos y teleológicos exigidos por la normativa (art. 503 LECrim). Esta medida cautelar supone la privación de libertad, provisional, del investigado, que tendrá que permanecer en un establecimiento penitenciario, en un módulo específico –si existe– durante el tiempo que dura el procedimiento y antes de ser juzgado, con los límites temporales establecidos, que no pueden superar, incluidas las posibles prórrogas, los 6 meses, si el fin fuera evitar la destrucción de pruebas, un 1 año y 6 meses, si el delito estuviera castigado con penas de prisión inferiores a 3 años y 4 años, si la pena prevista para los delitos investigados fuera superior a 3 años de prisión (art. 504 LECrim).

Celebrado el juicio, se podrá imponer una sentencia de condena cuya pena sea la privación de libertad, si así lo prevé para los hechos en cuestión el Código Penal, ha sido solicitado por las partes y la autoridad judicial ha encontrado elementos de prueba suficientes para decretarlo. En España, este tipo de penas tienen una duración determinada que oscila entre los 3 meses y los 20 años, en caso de prisión, hasta 6 meses en caso de localización permanente, o indefinida *a priori* en los casos de prisión permanente revisable. Todas estas penas, salvo la localización permanente, que se traduce en un arresto domiciliario, deberán cumplirse por el condenado en un centro penitenciario, normalmente en régimen cerrado (segundo grado), aunque hay que tener presente que, según las circunstancias del caso y del sujeto, se puede ingresar en un régimen distinto o cambiar de régimen mientras permanece privado de libertad (a primer o tercer grado).

2.1.2. El traslado temporal de privados de libertad en la OEI

El traslado temporal de personas privadas de libertad es una de las medidas de investigación o prueba de carácter específico por las que se puede pedir una OEI[6], una resolución penal emitida o validada por una autoridad competente de un EM para, en este caso, llevar a cabo tal medida en otro EM con vistas a obtener pruebas que puedan usarse en un proceso penal en el emisor (art. 186 de la LRM, en relación con los arts. 195 y 196).

Según estas disposiciones, cuando el objeto de la OEI sea esta diligencia concreta, se pueden diferenciar dos modalidades: por un lado, que

---

[6]   Las demás medidas específicas se prevén en la sección 2 del capítulo II del título X de la LRM.

el traslado se deba realizar desde el Estado de ejecución a España y, por otro lado, a la inversa, desde España al Estado de ejecución. "En ambos casos, la finalidad es su intervención en una diligencia acordada por las autoridades españolas que requieren la participación de otro Estado, el de ejecución"[7].

La LRM no especifica a cuáles de los supuestos de privación de libertad se está haciendo referencia al hablar de este traslado. Es lógico que la Directiva no lo hiciera, pues las circunstancias de privación de libertad varían en cada Estado, pero la norma española podría haberlo aclarado. Ante esta laguna y teniendo en cuenta los plazos de ejecución de una OEI, junto con los plazos máximos de las privaciones de libertad autorizadas en España, se ha de considerar que esta medida únicamente se podrá aplicar respecto de sujetos que se encuentren en situación cautelar de prisión provisional o de condenados a penas de prisión o a medida de seguridad similar, y más difícilmente a los condenados a penas de localización permanente. En la práctica, no parece viable su uso en detenidos, por una cuestión de coordinación temporal entre la OEI y la detención.

A sensu contrario, se ha de suponer que las razones por las que una persona puede encontrarse privada de libertad en otro EM han de ser al menos similares a éstas, aunque el hecho de que pueda proceder en cualquier procedimiento, sea cual sea la fase en que se encuentre, basta para entender que se pueden dictar sobre investigados, encausados y condenados.

En cuanto al ámbito de aplicación de una OEI con este objeto, no presenta especialidades en el plano espacial[8], pero sí en el subjetivo, pues si bien las OEI se pueden pedir respecto a personas físicas o jurídicas, con independencia de su nacionalidad, el traslado de privados de libertad solo procede respecto de personas físicas, ya que si el caso versara sobre una persona jurídica, a ésta en sí misma es imposible trasladarla, motivo por el cual dicha medida recaería en la persona física de sus representantes legales.

---

[7]   LÓPEZ JARA, M.: "Transposición al ordenamiento español de la Orden Europea de Investigación en materia penal: el procedimiento para su emisión", Tribuna, *Diario La Ley* n° 9252, 5 de septiembre de 2018 (p. 14)

[8]   Es de aplicación en todo el territorio de la UE en que la OEI está vigente (todos los Estados salvo en Irlanda y Dinamarca). Dado que la DOEI aún no ha sido traspuesta en la República Checa, Luxemburgo y Austria, a estos Estados se les puede solicitar la entrega temporal de un sujeto privado de libertad en sus territorios, pero en base a la Directiva, aunque ellos, de momento, no usarán dicha norma para solicitar una entrega similar.

2.2. Cuestiones procedimentales

En el procedimiento de la OEI, a semejanza de lo que ocurre con el resto de instrumentos de reconocimiento mutuo, se distinguen los trámites de emisión de los de reconocimiento y ejecución que, en este caso, se deben completar con las especialidades previstas para cuando el objeto de la orden es el traslado temporal de privados de libertad que se exponen a continuación.

2.2.1. Emisión de la OEI por traslado temporal

La emisión de una OEI que persiga un traslado temporal, ya sea del Estado de ejecución a España o al revés, está sometida a los mismos requisitos que las órdenes con petición de medidas diferentes. Aun así, conviene recordar las exigencias generales para hacer algunas apreciaciones:

- Cumplir los requisitos de necesidad, proporcionalidad, existencia de un proceso penal y equivalencia de la medida para un proceso nacional similar.

- Ser solicitada por las autoridades competentes, en el caso español (art. 187 LRM):

  • Si se pide en fase de instrucción, el Juez de Instrucción que conoce el proceso penal en que se acuerda, a menos que se trate de una investigación cuyas diligencias dirige el Ministerio Fiscal, caso en que corresponderá a éste la emisión, salvo que el objeto del traslado implique una actuación limitativa de derechos fundamentales, situación en que la competencia la mantiene la autoridad judicial.

  • Si se pide en fase de juicio oral, el Juez de lo Penal o tribunal encargado del enjuiciamiento en que se acuerda dicha prueba.

  • Si se pide en un proceso de menores, corresponderá al Fiscal en fase de instrucción y al Juez en la de enjuiciamiento, salvo que en investigación la medida implique vulneración de derechos fundamentales.

- Ser adoptada de oficio o a instancia de parte (art. 189 LRM). En fase de investigación, en nuestro país no es frecuente que tal iniciativa provenga de la parte, sino del juez; sin embargo, se da la circunstancia contraria en fase de enjuiciamiento, quedando la actuación de la autoridad judicial limitada, pues rige el principio de práctica de las pruebas propuestas por las partes (arts. 728 y 729 LECrim). Ahora bien, dado que en nuestro sistema el Fiscal es parte acusadora y autoridad competente para la emisión de determinadas OEI, éste podría actuar en todo momento, bien solicitándola directamente, bien instando al juez a ello.

–   Solicitarla a través del formulario diseñado al efecto (anexo XIII LRM), señalando en este caso la casilla de "traslado provisional del detenido al Estado de emisión o traslado provisional del detenido al Estado de ejecución" y sin que sea necesario cumplir la exigencia general de aportar testimonio de la resolución penal en la que se basa el certificado (art. 7.1 LRM). En cuanto al idioma en que debe ir el formulario, viene determinado por el país al que se dirige, debiendo traducirse a la lengua oficial del Estado de ejecución o a otra lengua oficial que dicho Estado haya señalado (art. 7.3 LRM)

–   El destinatario de estas OEI no varía por el objeto de la misma, de manera que serán las autoridades de recepción que cada Estado haya establecido y que, en caso de desconocerse, se pueden determinar recurriendo a la Red Judicial Europea[9].

Tratándose de una OEI en que se solicita, por parte de España, el traslado a nuestro país de un sujeto que está siendo investigando conforme a nuestro ordenamiento pero que se encuentra privado de libertad en otro EM (el de ejecución), ambas autoridades deberán acordar las condiciones prácticas del traslado (art. 195 LRM), en concreto: fechas de entrada y salida, condiciones de la privación de libertad atendiendo al estado físico y mental de la persona a trasladar y nivel de seguridad que deberá cumplir España durante el traslado.

Cuando el traslado sea al revés, de un sujeto que está detenido en territorio español al que se desea trasladar, por parte de España como Estado emisor, a otro EM –el de ejecución– para practicar en él una diligencia de prueba o investigación que requiere su presencia en ese territorio, el artículo 196 establece que será necesario contar con el consentimiento del sujeto. Además, para ello España también deberá acordar con el Estado de ejecución las cuestiones prácticas relativas al traslado, por así deducirse de la remisión que el artículo 196 hace al 214.

Resulta aplicable a ambos supuestos la disposición general prevista en el artículo 12 de la LRM, según el cual, cuando a la autoridad de emisión le conste que resulta necesario el tránsito del reclamado por un EM dis-

---

9   https://www.ejn-crimjust.europa.eu/ejn/EJN_Home.aspx

tinto del de ejecución, instará al Ministerio de Justicia para que solicite la autorización, remitiendo copia de la resolución judicial y del certificado, traducido éste a una de las lenguas que acepte el Estado de tránsito.

Llama la atención la inclusión de lo que se ha denominado principio de especialidad clásico en el primer supuesto de traslado temporal, pero no en el segundo, más cuando sí se prevé para el caso de que los traslados impliquen el tránsito del detenido por un tercer Estado. El artículo 195.4 impone la obligación, por parte del Estado español, respecto a la persona trasladada a nuestro país, de no perseguirla, detenerla o someterla a otras restricciones de su libertad personal por actos o condenas anteriores a su salida del Estado de ejecución y que no estuvieran especificados en la OEI, pero no exige una cláusula similar cuando solicita trasladar a una persona a otro Estado[10]. La única razón plausible para tal ausencia es que, si el Estado de ejecución es partícipe de la medida solicitada, el traslado es supervisado por España, debiendo entenderse entonces que corresponderá a las autoridades que efectúen el traslado garantizar que el sujeto no será sometido a tales circunstancias en el Estado de ejecución.

El artículo 12.2 LRM se refiere a este supuesto en los casos de traslado con tránsito, encomendando al Ministerio de Justicia la tarea de pedir al Estado de tránsito información necesaria para saber si éste puede garantizar que el sujeto no será perseguido, detenido ni sometido a ninguna otra restricción de su libertad individual en su territorio, por hechos o condenas anteriores, pudiendo entonces, en función de la respuesta obtenida y previa petición de la autoridad judicial de emisión, retirar la solicitud si ve peligrar las garantías exigidas.

2.2.2. Ejecución de la OEI por traslado temporal

El procedimiento de ejecución de una OEI, previsto en los artículos 205 y ss de la LRM es aplicable cuando el objeto de la misma sea una diligencia

---

[10] Al mismo tiempo se prevé una excepción a tal inmunidad cundo el traslado se efectúa desde el Estado de ejecución a España: se pierde cuando, habiendo tenido la oportunidad de regresar, el sujeto haya permanecido en España durante 15 días desde la fecha en que su presencia ya no fuera exigida por la autoridad española o haya regresado tras haber abandonado el país. Me resulta complejo imaginar un supuesto en que el levantamiento de la inmunidad concurra, si no es en supuestos en que se haya acordado la puesta en libertad del sujeto mientras se encontraba trasladado a nuestro país, en casos en que dicho sujeto se encontrase sometido a un nivel de seguridad bajo (similar a un tercer grado penitenciario) que le permitiera la entrada y salida, o un caso de fuga, en el que se plantearía un problema de responsabilidad más que de principio de especialidad.

que implique el traslado temporal de un privado de libertad, pero con algunas especialidades.

La primera de ellas se refiere a las <u>autoridades competentes</u>. Si bien no varía el hecho de que sea el Ministerio Fiscal quien debe recibirla, sí se produce una atribución competencial específica en caso de que éste considere que el traslado temporal solicitado implica una limitación de derechos fundamentales y que la medida no puede ser sustituida por otra[11]. El artículo 197.3 atribuye entonces la competencia a los Jueces Centrales de lo Penal (JCI) o Centrales de Menores (JCM), según la edad del sujeto.

El problema, en este sentido, es imaginar en qué supuestos se pedirá un traslado que implique una limitación de derechos, si no es porque la finalidad del traslado sea la práctica de otra diligencia que implique tal vulneración. Pero, aun así, el dilema es ¿cuál podría ser?. Personalmente considero que cualquiera de las diligencias posibles en este sentido podrían practicarse en nuestro país, sin necesidad de desplazamiento del sujeto (reconocimientos médicos) o estarían sometidas al régimen de otras medidas específicas (intervención de telecomunicaciones).

Adicionalmente, se podría plantear otra incógnita, qué ocurriría si la OEI se hubiese emitido, por delitos de terrorismo u otros previstos en el artículo 65 de nuestra LOPJ –cuyo enjuiciamiento se atribuye a la Audiencia Nacional– y su objeto sea el traslado de un detenido que, a su vez, implicara una limitación de derechos –si se encontrara tal supuesto quizás en derecho comparado–, pues se produciría un conflicto de competencia entre la atribución a los Juzgados Centrales de Instrucción, prevista para la primera parte del supuesto de hecho (artículo 183.3.b)) y los JCP o JCM, que operaría para la segunda parte (artículo 187.3 c)) que la norma no señala cómo resolver.

La segunda de las especialidades se refiere cuáles son los <u>motivos de denegación</u> que se pueden alegar, pues se combinan tres categorías de razones para decir que no a una OEI:

–   Motivos generales previstos para cualquier instrumento de reconocimiento mutuo en el artículo 32 de la LRM, siendo viables, en principio, todos ellos en caso de que la medida solicitada sea el traslado

---

[11]   ARANGÜENA FANEGO, C.: "Las formalidades en la obtención de las pruebas y dificultades para su valoración", Mesa redonda, *Encuentro sobre la Orden Europea de* Investigación, Universidad Internacional Menéndez Pelayo, 22 de agosto de 2018, http://www.uimptv.es/video-2545_orden-europea-de-investigacion--xv.html

temporal. Se pueden sostener los pros y contras que operan con carácter general, que sintéticamente se concretan en:

- Principio de *ne bis in ídem*, recordar que queda excluida la litispendencia internacional y únicamente podrá ser alegado a instancia de parte[12].

- Prescripción del delito o de la sanción según el Derecho español. Para valorar la prescripción se tendrá en cuenta el artículo 131 del CP, pero alegar la prescripción de una pena aún no impuesta, no resulta aplicable.

- Formulario incompleto o incorrecto, no subsanado (art. 19 LRM).

- Inmunidad, beneficio que, al carecer de definición a nivel de la UE, exige ser valorado conforme al Derecho español, en los términos señalados al hacer referencia al artículo 31 LRM. Ante las diferencias interpretativas que este motivo puede traer consigo, cabe la posibilidad de que sea objeto de futuras cuestiones prejudiciales al Tribunal de Justicia.

- Comisión del delito total o parcialmente en territorio español, podrá ser un motivo facultativo.

– Motivos de denegación específicos de una OEI, previstos en el artículo 207 LRM, operan con carácter imperativo y pueden ser:

- La existencia de un privilegio procesal en el Derecho del estado de ejecución que haga imposible ejecutar la OEI. Parece complejo encontrar un supuesto de este tipo cuando se solicita el traslado temporal de un detenido, pues por remisión al Derecho nacional, se referiría a las exenciones del deber de declarar como testigo por razón de parentesco o estar amparado por el secreto profesional (arts. 416, 417 y 707 LECrim).

- La presencia de normas sobre determinación y limitación de la responsabilidad penal en relación con la libertad de prensa y

---

[12] PILLADO GONZÁLEZ, E.: "Los motivos de denegación del reconocimiento y la ejecución por las autoridades españolas de una Orden Europea de Investigación que requiera medidas específicas de investigación", en JIMÉNEZ CONDE, F.: *Adaptación del Derecho Procesal Español a la normativa europea y a su interpretación por los tribunales*, Ed. Tirant Lo Blanch, Valencia, 2018 (p. 66) y GRANDE SEARA, P.: "Reconocimiento y ejecución en España de una Orden Europea de Investigación", en GONZÁLEZ CANO (Dir.): *Integración europea y justicia penal*, Ed. Tirant lo Blanch, Valencia, 2018 (p. 462)

la libertad de expresión en otros medios de comunicación que imposibiliten a la autoridad competente española la ejecución de la OEI. La falta de claridad de este motivo no permite saber si se refiere a fuentes de información que podrían estar sometidas a un sistema similar al del motivo anterior o si se trata de un supuesto de doble incriminación para perseguir delitos relacionados con el derecho a la libertad de expresión.

- La lesión potencial de intereses de seguridad nacional, protección de fuentes de información o utilización de información clasificada relacionada con actividades de inteligencia. Existe el riesgo de que se convierta en el recurso para denegar genéricamente cualquier OEI por cuestiones con implicaciones políticas.

- La comisión de los hechos en cuestión fuera del Estado emisor y total o parcialmente en territorio español, cuando la conducta respecto de la cual se emite la OEI no sea constitutiva de delito en España. Este motivo introduce la exigencia de la doble incriminación, lo que, en opinión de la doctrina que comparto, carece de sentido cuando se solicita una medida de investigación o prueba en el contexto del reconocimiento mutuo. Sin duda, denota falta de confianza en las legislaciones europeas, aunque se admita que confianza mutua no implica confianza ciega.

- La incompatibilidad de la ejecución con las obligaciones del artículo 6 del TUE y de la CDFUE. Si bien tiene sentido alegar la existencia de motivos fundados al respecto, puede plantear problemas en cuanto a los diversos estándares de protección existentes en la UE y, en especial, a la luz de la jurisprudencia del TJUE en este sentido, que parece abogar por un estándar medio inferior al vigente en España[13].

- La ausencia de la doble tipificación de los hechos que originan la OEI, motivo que decae: por un lado, por el tipo de delito de que se trate, esto es, se refiere a ilícitos incluidos en las categorías del artículo 20.1 LRM y sancionados en el Estado de emisión con penas o medidas de seguridad privativas de libertad previstas de

[13] GARCÍA MORENO, J.M.: "Las formalidades en la obtención de las pruebas y dificultades para su valoración", Mesa redonda, *Encuentro sobre la Orden Europea de Investigación*, Universidad Internacional Menéndez Pelayo, 22 de agosto de 2018, http://www.uimptv.es/video-2545_orden-europea-de-investigacion---xv.html

un máximo de al menos tres años y, por otro lado, por el tipo de medida solicitada, es decir, el objeto de la OEI es una de las medidas privilegiadas a las que se refiere el artículo 206 LRM.

- La imposibilidad de adoptar las medidas solicitadas, según el Derecho español, en un caso similar. Bajo esta rúbrica se sitúan los motivos de las letras f) y g) y si bien podrían darse situaciones en que se alegaran[14], aunque no vinculadas al traslado de privados de libertad, se da la peculiaridad de que no opera respecto de las medidas privilegiadas y de que, en relación a los demás supuestos, podría plantearse a la autoridad de emisión la sustitución de esta medida por otra, con lo que habría alternativas a la denegación de la OEI.

– Motivos de denegación que operan sólo cuando el objeto de la OEI es el traslado de personas privadas de libertad, haciéndolo de modo imperativo, son (artículos 214 y 215 LRM):

- La falta de consentimiento del sujeto o de su representante legal, en caso de que no pudiera otorgarlo por razón de edad, estado físico o psíquico, que opera tanto si el traslado es al Estado de emisión de privados de libertad en España, como a territorio español de privados de libertad en el Estado de emisión. Es una razón de denegación que, en primer lugar, no es acorde a la DOEI y, en segundo lugar, no tiene equivalencia en Derecho nacional, pues dentro de nuestro territorio no se requiere el consentimiento de un detenido para trasladarle de un partido judicial a otro a efectos de investigación y/o prueba. Su razón de ser vuelve a ser la desconfianza en el espacio judicial europeo.

- La posibilidad de que el traslado pueda causar la prolongación de la privación de libertad de la persona, alegable solo en el primer supuesto de traslado. Es un motivo que no encuentra razón de ser en el sistema previsto ya que, por un lado, la LRM establece la necesidad de acordar las condiciones del traslado entre las autoridades de emisión y ejecución y, por otro, la DOEI prevé la deducción de la prisión impuesta (provisional o definitivamente) del período de privación de libertad que el sujeto pase en el otro Estado, previsión con la que está en consonancia nuestra LECrim.

---

[14]   GRANDE SEARA, P.: "Reconocimiento y ejecución…" *op. cit.* (p. 472)

2.3. Luces y sombras de la OEI con traslado temporal de privados de libertad

2.3.1. Ventajas

A pesar de los problemas que la puesta en práctica de las OEI implica, ésta también conlleva ventajas aplicables a los casos en que su objeto es un traslado temporal de privados de libertad.

1. Implica el contacto directo entre autoridades judiciales y la posibilidad de que puedan consultarse casi constantemente durante el proceso de emisión y ejecución de las órdenes. Se superan así los contactos a través de autoridades ministeriales, propios de los sistemas convencionales, salvo en los casos en que, por la propia esencia del sistema judicial los EM se haya designado como autoridades competentes de emisión y/o ejecución a autoridades centrales. Además, como el resto de los instrumentos de reconocimiento mutuo regulados en la LRM, la OEI, cualquiera que sea su fin, se podrá transmitir a la autoridad judicial competente, recabándose, cuando proceda, la colaboración del Miembro Nacional de España en Eurojust.

2. A pesar de que el catálogo de autoridades intervinientes es amplio y variado si se toma en consideración la totalidad de los Estados de la UE, se elimina el riesgo de no saber quiénes son las autoridades competentes a las que acudir para pedir o ejecutar una OEI, pues cuando se desconozca dicha autoridad se podrá solicitar o recabar la información haciendo uso de todos los medios necesarios para ello, incluidos los puntos de contacto españoles de la Red Judicial Europea (RJE) y las demás redes de cooperación existentes (Atlas Judicial Europeo, Fichas Belgas, entre otros).

3. Se prevé la posibilidad de que las autoridades de emisión participen en la ejecución de la OEI, cualquiera que sea la medida que se solicita, con las ventajas que conlleva, pues además de dar seguridad jurídica en un entorno en que parece que la confianza mutua está mermada, se permite el envío directo de OEI complementarias a esta autoridad, así como asegurar la cadena de custodia.

4. El establecimiento de plazos de comunicación y de ejecución es un punto a favor de este instrumento, a pesar de que funcionen como máximos y de que, en ocasiones, en la práctica, haga falta no tenerlos en cuenta porque se haya marcado la casilla "urgente" en el formulario, debido a la necesidad de actuación prioritaria por alguna de las razones previstas en la legislación o porque la medida solicitada deba de ser realizada en una fecha concreta. Aun así, sirven de referencia para los solicitantes y para los destinarios, que pueden marcar la pauta de trabajo y su priorización.

En conjunto, "debería permitir una tramitación más ágil para la obtención de pruebas necesarias en el proceso penal, porque esa es la *ratio iuris* para el legislador nacional y el supranacional"[15].

2.3.2. Inconvenientes potenciales

A pesar de que en nuestro país la LOEI lleva solo unos meses en vigor, a la luz de su texto se prevén diversos problemas potenciales a los que no pretendo dar solución, sino simplemente plantear los que he detectado.

1. Cuando el objeto de la OEI es el traslado temporal de una persona privada de libertad, el inconveniente esencial es que no se han previsto mecanismos para saber cuándo el sujeto sobre el que versa la orden está en una situación de privación de libertad fuera de España. Es cierto que, si la persona ha sido condenada, se podrá acudir a los registros de penados que se entiende existen a nivel europeo en los distintos EM, pero la obtención de tal información se complica si lo que pesa sobre él es una prisión provisional. De ahí que, *a priori*, sean necesarias medidas adicionales de investigación para poder pedir, posteriormente, el traslado. Quizás en esta tarea sea necesaria la ayuda de las RJE.

2. Esta medida tiene un propósito limitado, por un lado, por los casos en que se podría motivar y, por otro lado, por exigir el consentimiento del sujeto a trasladar. En cuanto a los supuestos en que podría argumentarse como necesaria y proporcionada, únicamente se me ocurre que sea para llevar a cabo una reconstrucción de hechos, una rueda de reconocimiento o quizás un careo, pues en caso contrario podría sustituirse por alguna medida alternativa, como: la toma de declaración, que como medida privilegiada no requiere consentimiento del sujeto y que, aunque no se aclara en ninguna de las normas dónde se ha de llevar a cabo, se sobreentiende que podría ser en el Estado de ejecución –sin necesidad de traslado– quizás previo envío de las preguntas a formular; o una declaración por videoconferencia, otra medida específica sometida a un régimen distinto que, no obstante, aseguraría la contradicción y donde la falta de consentimiento sería un motivo de denegación facultativo.

---

[15] CARMONA ENJOLRAS, E.F.: "La nueva Orden de Investigación y el principio de reciprocidad", *Legal Today*, penal, 18 de septiembre de 2018 (p. 2) http://www.legaltoday.com/practica-juridica/penal/penal/la-nueva-orden-europea-de-investigacion-y-el-principio-de-reciprocidad

En relación a su procedencia, algún sector doctrinal es más radical y pone en duda su necesidad, por cuanto considera que podría ser una vía a utilizar para tomar declaración al sujeto con carácter previo a la emisión de una OEDE[16]. Personalmente opino que para este caso se recurriría a la medida prevista en el artículo 206 c) –toma de declaración de un testigo, víctima, investigado o encausado[17]– y no a esta alternativa, salvo en los casos en que se pueda motivar que es imprescindible la presencia del sujeto.

3. Respecto a una entrada y registro a realizar en España, en un lugar domicilio del sujeto privado de libertad, planea una incógnita, pues nuestra legislación exige para ello, además del consentimiento del sujeto, la presencia del titular del mismo, de un representante legítimo o, en su defecto, de dos testigos (art. 569 LECrim). Demostrar en estos casos la necesidad y proporcionalidad de la medida no es sencillo, pues se podrá recurrir a designar a un representante legal, pero éste suele ser un abogado o procurador, ¿supondría eso que para evitar el traslado es más adecuado obligar al sujeto a designar abogado o procurador aquí con los gastos que ello conlleva? Y, en caso de recurrir a la designación de testigos, cómo debería efectuarse y a quién podría designarse son preguntas a resolver, a lo que deben sumarse los inconvenientes adicionales que pueden surgir derivados, por ejemplo, de problemas idiomáticos implícitos en tales designaciones y del coste de la diligencia.

4. La LRM prevé la posibilidad de que en el marco de una OEI solicitada con objeto de un traslado temporal de un sujeto privado de libertad se puedan vulnerar derechos fundamentales. Sin embargo, resulta difícil pensar en un contexto práctico en que se plantee tal limitación de derechos y que la medida no pueda ser sustituida por otra, quizás sólo a efectos de una entrada y registro en la que deba estar presente el detenido y, de ahí, la necesidad del traslado. Ahora bien, implicaría eso que se tendrían que pedir en la OEI las dos medidas, ¿la del traslado y la de la entrada y registro? No parece que tenga que ser así en todos los supuestos, pero sí es posible que tal circunstancia se plantee.

5. En este caso, por otro lado, y al igual que cuando se solicitan varias medidas de investigación o prueba y una de ellas es específica y la otra no, surge otro obstáculo, cómo hacer compatibles las especialidades procedi-

---

[16]   LOPEZ JARA, M.: "Transposición al ordenamiento español..." *cit.* (p.14)

[17]   Se debería excluir al perito, por cuanto no será una persona que se encuentre privada de libertad ni un tercero que se encuentre en territorio español, no pudiendo ser objeto de una medida específica como la que se estudia.

mentales de éstas con el régimen común, pues no hay previsión al respecto, ni siquiera para resolver la autoridad judicial que debería pronunciarse al respecto (recuérdese la diferencia competencial entre Ministerio Fiscal o Juez Central de lo Penal, por ejemplo).

6. A pesar de que la LRM regula el sistema de distribución de gastos entre Estado de emisión y de ejecución de una OEI, tanto con carácter general como cuando implica traslado de privados de libertad, esta última medida exige que entre las autoridades se llegue a un acuerdo y si éste no se consigue, puede fracasar la ejecución de la medida. En casos de traslados de detenidos, algunos de los cuales pueden conllevar gastos de elevada cuantía, existen dudas de si por una cuestión económica la medida tendrá éxito o no, debido a la indefinición respecto a qué se consideran gastos excesivos que supongan poder acudir al Ministerio de Justicia para que sea éste el que medie con el otro EM.

7. Las condiciones prácticas a negociar en los traslados de este tipo pueden acarrear conflictos y complejidades cuando el sujeto a trasladar es objeto de protección al amparo de medidas o programas de protección de testigos, por ejemplo, circunstancias no especialmente extrañas según la gravedad de determinados delitos. En este sentido, existen diferentes medidas en el espacio judicial europeo, algunas de las cuales no tienen cabida en nuestro país y que pueden suponer un obstáculo en la negociación en sí misma y otras que, aunque si puedan garantizarse, podrían frenar la ejecución por motivos económicos, dado el coste que conlleva[18]. Desde el punto de vista de los gastos, la protección y el nivel de seguridad que puedan requerir puede generar gastos excesivos que habrá que valorar quién asume o cómo se reparten, para evitar que sea éste un motivo de no ejecución.

8. El tratamiento de datos personales es uno de los temas que requieren aun de concreción. Si bien la cláusula de confidencialidad (art. 193 LRM) es esencial, plantea problemas derivados de un principio de especialidad, no extradicional, sino de uso, de acuerdo con el cual se impone el tratamiento de los datos obtenidos como fruto de un traslado solo para el uso para el que fue solicitado, exigiendo autorización de la autoridad emisora de la OEI para un uso distinto[19]. Además, hay que tener en cuenta la remisión que la LRM hace a la legislación europea de protección de

---

[18]   ESTÉVEZ MENDOZA, L.: *Situación jurídica de la protección de testigos en España. Una visión comparada con otras áreas regionales.* Trabajo de Fin de Grado. Grado en Ciencias Criminológicas y de la Seguridad. Universidad CEU San Pablo, Madrid, 2018 (pp. 89 a 100)

[19]   ESPINA RAMOS, J.: "Relación de la OEI con los Convenios de Cooperación Internacional", *Encuentro sobre la Orden Europea de Investigación*, Universidad Internacional

datos, que complica el régimen de tratamiento a dispensar. Esta normativa la constituye, por un lado, Directiva 2016/680 de 27 de abril sobre el uso de datos en investigaciones penales[20], aun no transpuesta a la legislación española y, por otro, el Reglamento 2016/794 sobre de 11 de mayo relativo a Europol[21], que ha de operar cuando los datos o el sujeto a trasladar esté involucrado en un proceso en que haya participado Europol. Habrá que ver cómo hacer compatibles ambas normas con los supuestos concretos de medidas de investigación o prueba solicitados por una OEI.

3. REFLEXIONES FINALES

De manera general, se puede afirmar que la puesta en marcha de un instrumento de reconocimiento mutuo como la OEI, a pesar de las luces y sombras que se vislumbran en su funcionamiento, tanto en el contexto general de la UE, como en España, representa un avance, por leve que sea, en la consolidación del Espacio Judicial Europeo.

A nivel nacional, la emisión y recepción de este tipo de órdenes es ya una realidad en nuestro país, aunque el escaso período de tiempo transcurrido desde su entrada en vigor impide valorar si la mayor facilidad y rapidez para solicitar la asistencia judicial en las investigaciones penales que este instrumento implica ha supuesto o no un incremento en el número de solicitudes tramitadas, pues aún no se han publicado datos al respecto.

En cuanto a la medida específica que puede ser objeto de una OEI, consistente en el traslado temporal de personas detenidas de un EM a otro, seguramente se utilizará, aunque personalmente opino que adolece de errores y lagunas que pueden dar lugar a cierta casuística que, sin duda, será materia de estudio y valoración jurisprudencial, tanto a nivel nacional como europeo, a corto plazo.

Menéndez Pelayo, 21 de agosto de 2018, http://www.uimptv.es/video-2539_orden-europea-de-investigacion-%C2%B7-ix.html

[20]   DO L 119, de 4.5.2016.

[21]   DO L 135, de 24.5.2016.

Capítulo XVIII

ORDEN EUROPEA DE INVESTIGACIÓN Y ENTRADA Y REGISTRO

Francisco Matías Lázaro

*Magistrado (Juzgado de Primera Instancia e Instrucción n° 2
de Cáceres) Red Judicial Española de Cooperación Judicial Internacional*

SUMARIO: 1. INTRODUCCIÓN. 2. AUTORIDAD COMPETENTE, COMPETENCIA OBJETIVA Y TERRITORIAL. 3. RECONOCIMIENTO DE LA ORDEN. 4. EJECUCIÓN DE LA ORDEN. 5. ENTREGA DE LOS OBJETOS INCAUTADOS. 6. RÉGIMEN DE RECURSOS. 7. CONCLUSIÓN.

RESUMEN: Este trabajo trata de analizar los principales problemas que puede plantear el reconocimiento y ejecución en España de una diligencia de entrada y registro solicitada por otra autoridad de la UE mediante una orden europea de investigación.

ABSTRACT: This paper analyzes potencial problems arisen in the recognition and execution of search and seizure warrants in Spain requested by foreign EU authorities through European Investigation Orders.

PALABRAS CLAVE: Orden europea de investigación, entrada y registro.

KEY WORDS: European Investigation Order, search and seizure warrants.

1. INTRODUCCIÓN

La diligencia de entrada y registro en lugar cerrado es sin duda, una de las diligencias de investigación que inciden con mayor intensidad en los derechos fundamentales del investigado, fundamentalmente en la inviolabilidad del domicilio, hasta el punto de que es objeto de una mención específica en el art. 18.2 de la Constitución: "El domicilio es inviolable. Ninguna entrada o registro podrá hacerse en él sin consentimiento del titular o resolución judicial, salvo en caso de flagrante delito".

La Directiva 2014/41/CE del Parlamento Europeo y del Consejo de 3 de abril de 2014, transpuesta a nuestro ordenamiento interno por la Ley 3/2018, de 11 de junio por la que se modifica la Ley 23/2014, de 20 de noviembre, de reconocimiento mutuo de resoluciones penales en la Unión Europea, supone la puesta en funcionamiento de un instrumento de reconocimiento mutuo esencial para la obtención de prueba transfronteriza, y aunque ni la Directiva ni la Ley de Reconocimiento Mutuo (en adelante LRM) se refieren expresamente a la entrada y registro de lugares cerrados, teniendo en cuenta la amplitud de los términos del art. 186.3 de la LRM "cualquier diligencia de investigación", no existe ningún obstáculo para que pueda ser solicitarse su práctica a través de la orden europea de investigación.

El objeto de esta comunicación es estudiar los problemas específicos que puede plantear el reconocimiento y la ejecución en España de una diligencia de entrada y registro en lugar cerrado acordada por una autoridad competente de otro estado de la Unión Europea a través de una orden europea de investigación.

2. AUTORIDAD COMPETENTE, COMPETENCIA OBJETIVA Y TERRITORIAL

Uno de los aspectos más controvertidos de la transposición de la Directiva al derecho español ha sido la designación del Ministerio Fiscal como autoridad competente para reconocer las órdenes europeas emitidas por las autoridades de otros estados miembros, competencia de la que se exceptúan aquellas órdenes europeas que contengan alguna medida limitativa de derechos fundamentales que no pueda ser sustituida por otra que no restrinja dichos derechos, en cuyo caso se atribuye la competencia al juez de instrucción o al central de lo penal (art. 187.2 LRM), y, en el caso de la entrada y registro en domicilio, al tratarse de una medida limitativa de derechos fundamentales, debe entenderse que la autoridad de ejecución es el juez de instrucción (art. 187.2.b LRM), por lo que el Ministerio Fiscal, tras recibir la orden europea, deberá remitirla al juez de instrucción competente junto con el preceptivo informe acerca de la concurrencia o no de causas de denegación de la ejecución de la orden y si entiende ajustada a Derecho su adopción.

Cuando la entrada y registro haya de practicarse en un lugar abierto al público o lugar cerrado que no constituya domicilio (locales abiertos al público, almacenes, garajes, etc...), se plantea la cuestión de si el Ministerio Fiscal puede ordenar por su propia autoridad a las fuerzas y cuerpos de seguridad la práctica de la misma, y, considerando que en estos casos no hay afectación de derechos fundamentales, entiendo que sería la autoridad de ejecución competente, siempre que se pueda excluir que donde se vaya a practicar no tiene nadie su morada aunque no se trate en principio de un lugar destimado a ese fin, pues en caso de duda, resulta conveniente remitirla al juez de instrucción. Conviene recordar en este punto que el Tribunal Constitucional ha venido entendiendo que el domicilio social de las personas jurídicas, ya sean públicas ya sean privadas, goza de la protección constitucional del art. 18.2 CE[1].

Por lo que respecta a la competencia territorial, en principio es territorialmente competente el juez del lugar donde deba practicarse el registro (art. 187.3 LRM), salvo que la orden europea de investigación se hubiera emitido por delito de terrorismo u otro de los delitos cuyo conocimiento corresponda a la Audiencia Nacional, en cuyo caso la competencia corresponderá a los juzgados centrales de instrucción. Ahora bien, pueden darse circunstancias que modifiquen esta regla, porque la misma orden puede contener otras diligencias de investigación que deban practicarse en lugares distintos o bien que deban practicarse registros en varios lugares, en cuyo caso será el Ministerio Fiscal el que remita la orden a quien estime competente conforme a las normas de preferencia que contiene la Ley de Enjuiciamiento Criminal (art. 187 LRM) remisión que en mi opinión hay que entender referida al art. 15 de la Ley de Enjuiciamiento Criminal (en adelante LECrim), habiendo criticado algún autor que en estos casos se atribuya al Ministerio Fiscal la determinación del juzgado competente[2]

También puede suceder que se desconozca *a priori* por la autoridad de emisión el lugar donde deba practicarse el registro, solicitándose a través de la orden que se practiquen otras diligencias de investigación dirigidas a averiguar dicho lugar (dónde tiene una sociedad sus oficinas, desde dónde se ha descargado determinado archivo de internet...) para cuya práctica deba intervenir un juzgado de instrucción y, una vez averiguado, se practique la diligencia de entrada y registro, en cuyo caso, una vez determinado el juzgado competente con arreglo a otros criterios, como el de la mayor conexión con el delito, con el investigado o con la víctima (187.3 de la LRM) si el lugar donde finalmente debiera practicarse el registro se encontrara en otra jurisdicción, entiendo que se mantendría la competencia del juzgado al que inicialmente se hubiera remitido la orden en aplicación del principio de *perpetuatio iurisdictionis* que inspira el párrafo 3º del art. 187.3 de la LRM.

---

[1]   SSTC 137/1985, de 17 de octubre y 64/1988, de 12 de abril
[2]   VILLODRÉ LÓPEZ, José "La orden europea de investigación penal: Transposición de la Directiva 2014/41 del Parlamento Europeo y del Consejo de 3 de abril y 5 de octubre de 2018", Diario La Ley, 24 de mayo de 2018

3. RECONOCIMIENTO DE LA ORDEN

Una vez recibida la orden, el juez debe dictar auto de reconocimiento y ejecución de la misma, y, conforme disponen los arts. 205 y 206 de la LRM llevará a cabo la ejecución de la medida de investigación solicitada si dicha medida de investigación existiera en derecho español y estuviera prevista para un caso interno similar, siempre que no existan los motivos de denegación a los que hacen referencia los arts. 207 y 209.

En este momento procesal el juez debe actuar como garante del derecho fundamental a la inviolabilidad del domicilio, papel que le atribuye el art. 18.2 CE, y la cuestión que debemos plantearnos es hasta donde debe alcanzar el control del juez español de los presupuestos que deben concurrir para el reconocimiento y la ejecución de la medida. En primer lugar, entiendo que, como una consecuencia necesaria del principio de confianza, tal control no puede extenderse a la valoración de la suficiencia de los indicios de criminalidad existentes respecto de la comisión del delito investigado, de la participación en el mismo del afectado por la medida y de la conexión entre el delito, el investigado y el lugar donde debe practicarse el registro, valoración que corresponde a la autoridad emisora de la orden: en el certificado remitido por la autoridad de emisión se plasma la descripción de la conducta delictiva, pero no los indicios con que cuenta la autoridad emisora para entender provisionalmente acreditada tal conducta, la participación de quien resulte afectado y de la posibilidad de encontrar efectos o instrumentos del delito, o libros, papeles u otros objetos que puedan servir para su descubrimiento y comprobación, por lo que ni siquiera es posible realizar tal control.

Sí corresponde al juez de ejecución, a efectos del juicio de proporcionalidad, ponderar la gravedad del interés público en juego, conforme a la previsión del art. 206 de la LRM, que hace referencia expresa a que la medida ha de estar prevista para un caso interno similar. Como es sabido, a diferencia de la nueva regulación de la diligencia de intervención de las comunicaciones, nuestra Ley de Enjuiciamiento Criminal no contempla un límite penológico mínimo del delito investigado para que pueda autorizarse una entrada y registro en un lugar que constituya morada, ahora bien, el Tribunal Constitucional ha venido manteniendo que ha de tratarse de delitos graves, matizando que "la gravedad de la infracción punible no deriva únicamente de la gravedad de la pena con la que se sanciona, sino que, aunque la pena no sea calificada de grave por el Código Penal, la infracción puede serlo en atención a la consideración de criterios como la importancia del bien jurídico protegido o la relevancia social de los hechos"(STC 123/2002, de 20 de mayo), refiriéndose el reciente art. 588 bis a) 5 de la LECrim., en sede de intervención de comunicaciones, tanto a la gravedad del hecho como a su trascendencia social: en definitiva, el juez de ejecución deberá valorar si en un supuesto interno similar se autorizaría la entrada y registro tras valorar que, tomadas en consideración todas las circunstancias del caso, el sacrificio de los derechos e intereses afectados no sea superior al beneficio que de su adopción resulte para el interés público y de terceros (588 bis a 5 de la LECrim).

Puede suceder que la conducta que dio lugar a la emisión de la orden europea de investigación no sea constitutiva de delito conforme al derecho español, pero esté recogida en las categorías de delitos a que se refiere el apartado 1 del artículo 20, o que no estando recogida tenga prevista una pena o medida de seguridad privativas de libertad en el estado de emisión de un máximo de al menos tres años (art. 207.1.e de la LRM) y en estos casos resulta muy dudoso que se pueda afirmar que nos encontremos con una conducta que pueda calificarse de grave, conforme a los parámetros a los que antes nos referíamos.

Igualmente corresponde al juez español el juicio de excepcionalidad, controlando que no pueda alcanzarse el resultado pretendido mediante una medida menos lesiva de derechos fundamentales, y de entender que puede utilizarse otra medida idónea, deberá proponerla a la autoridad de emisión mediante el procedimiento contemplado en el art. 206.4 de la LRM, y, caso de no aceptar la autoridad de emisión la medida alternativa propuesta ni retirar o completar la orden europea, el juez español denegará su reconocimiento. En el supuesto de que se no rechazase la medida alternativa propuesta y dicha medida no implicara limitación de derechos fundamentales, entiendo que seguirá siendo el juez de instrucción la autoridad competente para reconocerla y ejecutarla, pues ya se ha pronunciado en cierta medida sobre el contenido de la orden y operaría una suerte de *perpetuatio iurisdictionis*.

Sin embargo, resulta en buena medida ajeno al juez español valorar hasta que punto la medida es necesaria para el éxito de la investigación penal en curso, si esta puede verse gravemente dificultada sin el recurso a esta medida, pues carece de acceso a dicha investigación, entrando aquí en juego el principio de confianza entre las autoridades de la Unión.

Entre las causas de denegación del art. 32 de la LRM se contempla que el enjuiciamiento de los hechos corresponda a la jurisdicción española o bien que el derecho español considere que han sido cometidos totalmente o en una parte importante o fundamental en territorio español, y, en el supuesto de la diligencia de entrada y registro, como suele existir una vinculación territorial muy clara del delito con el lugar donde la diligencia ha de practicarse, tal previsión puede dar lugar a la denegación de la ejecución cuando por el principio de ubicuidad pueda entenderse que el delito ha sido también cometido en España o bien cuando su finalidad sea la de intervenir objetos de tenencia prohibida, materiales de tráfico ilícito, cuya posesión sea por sí misma constitutiva de delito en nuestro país.

El auto que reconozca la medida y ordene su ejecución debe ser motivado, y, conforme a reiterada jurisprudencia del Tribunal Supremo y del Tribunal Constitucional, expresar con detalle el juicio de proporcionalidad entre la limitación que se impone al derecho fundamental restringido y su límite, argumentando la idoneidad de la medida, su necesidad y el debido equilibrio entre el sacrificio sufrido por el derecho fundamental limitado y la ventaja que se obtendrá del mismo (STS 112/2014). También debe precisar con el mayor detalle posible las circunstancias espaciales (ubicación del domicilio) y temporales (momento y plazo) de la entrada y registro, y de ser posible también las personales (titular u ocupantes del domicilio en cuestión)[3]; en el siguiente apartado se hará referencia a algunas incidencias que pueden plantearse en la ejecución de la entrada y registro y a la conveniencia de anticiparse en algunos casos en el auto de reconocimiento.

4. EJECUCIÓN DE LA ORDEN

El art. 208 de la LRM contempla un plazo máximo de 90 días para la ejecución de la medida, debiendo comunicar la autoridad de ejecución a la mayor celeridad a la autoridad de emisión la imposibilidad de ejecutar en dicho plazo la entrada y registro.

Como antes se señalaba, en el auto debe concretarse con la mayor precisión posible el momento en que debe practicarse la entrada y registro, aunque a veces no será posible por estar supeditada la entrada a razones operativas, como la detención del investigado, la circunstancia de que éste u otras personas se encuentren dentro o fuera del domicilio o que el interesado se encuentre conectado a internet; también podría ser necesario que se realice de forma simultánea con entradas y registros que vayan a

---

[3]   ÁLVARO LÓPEZ, María Cruz "Una visión práctica sobre la diligencia de entrada y registro y el concepto constitucional de domicilio" Revista de Derecho, Empresa y Sociedad, n° 4, 2014

practicarse en otros lugares de España o del extranjero, cobrando especial interés la previsión del art. 208.5 de la LRM conforme a la cual la autoridad de emisión puede interesar que la medida de investigación se lleve a cabo en una fecha concreta, previsión que entiendo puede extenderse, por analogía, a la solicitud de que se realice el registro de forma coordinada con otras autoridades policiales o judiciales.

Igualmente en el auto que acuerde el reconocimiento y la ejecución de la entrada y registro debe precisarse si se realizará en horario diurno o si existen motivos para realizarlo o para continuarlo también en horario nocturno (art. 558 de la LECrim): entiendo que si en el certificado remitido por la autoridad de emisión no se ha realizado tal precisión, sólo procederá que se autorice el registro en horario nocturno cuando por razones operativas sea estrictamente necesario.

En la ejecución de la casi totalidad de las entradas y registros resulta imprescindible la colaboración de las fuerzas y cuerpos de seguridad, que en la práctica dirigen la práctica material de la diligencia, utilizando la fuerza necesaria para acceder al lugar cerrado cuando existen obstáculos o asegurando que los moradores no traten de deshacerse de los documentos u objetos que se pretende incautar en el registro. En estos casos el juez de instrucción podrá recabar la colaboración de las fuerzas y cuerpos de seguridad del estado, resultando imprescindible que les indique con claridad en el mandamiento que se libre cuál es el resultado perseguido. En bastantes casos puede existir un interés en que participen también en la entrada y registro los agentes policiales del estado de emisión que están interviniendo en la investigación, y el art. 210 de la LRM prevé expresamente que la autoridad competente española accederá a ello siempre que dichas autoridades estén facultadas para participar en la ejecución de las medidas de investigación requeridas en la orden en un caso interno similar de su Estado y que esa participación no sea contraria a los principios jurídicos fundamentales ni perjudique los intereses esenciales de la seguridad nacional. Aunque la referencia se hace a "autoridades", pienso que debe interpretarse dicho término en sentido amplio, comprensivo también de los agentes de la autoridad. Entiendo que es en el auto reconociendo la orden y ordenando la ejecución de la misma donde el juez español deberá pronunciarse sobre la intervención de autoridades extranjeras.

El art. 568 de la LECrim. autoriza el auxilio de la fuerza necesaria para la ejecución de la entrada y registro y el art. 210 de la LRM contempla que las autoridades extranjeras puedan hacer uso de la coerción conforme al Derecho español, pero sólo en la medida en que se acuerde entre las autoridades del estado de emisión y el de ejecución, por lo que cuando se autorice la intervención de dichas autoridades debería recogerse expresamente tal autorización en el auto de reconocimiento, detallándose, en la medida de lo posible, para qué podrán utilizar la fuerza (para acceder al lugar, para acceder al interior de armarios, cajas de seguridad, etc..., para asegurar a los moradores...); en cualquier caso parece poco aconsejable que, por los incidentes complicados de prever que se puedan llegar a presentar en el desarrollo de la entrada y registro, se autorice que la entrada y registro se practique exclusivamente por los agentes extranjeros sin participación de agentes de las fuerzas y cuerpos de seguridad españolas, aunque no existe obstáculo legal al respecto.

La ejecución de la entrada y registro debe realizarse en la forma prevista en la Ley de Enjuiciamiento Criminal (arts. 545 y ss. de la LECrim.) con las precisiones que ha introducido la jurisprudencia del Tribunal Constitucional, respetando además las formalidades, procedimientos y garantías cuya observancia ha sido solicitada por el estado de emisión, siempre que no sean contrarias a los principios del ordenamiento jurídico español (podría exigirse, por ejemplo, la presencia del letrado del titular de la morada, no exigida por nuestro ordenamiento), resultando especialmente importante que se detalle por la autoridad de emisión de la orden y se haya concretado en el auto de reconocimiento, previa solicitud de las debidas aclaraciones si resultase necesario, qué personas deben estar presentes durante la práctica de la entrada y registro conforme a la legislación procesal del estado emisor y la intervención que debe dárseles durante la ejecución de dicho acto, concretando si es necesario que estén presentes en todos los registros cuando se trate de registros simultáneos, si pueden hacer determinadas indicaciones o manifestaciones, si deben estar presentes en todas las estancias mientras se va realizando el registro, etc.

Un problema que puede plantearse es el de los hallazgos casuales u ocasionales, es decir que en el curso del registro aparezcan objetos o evidencias de la comisión de otro delito, situación contemplada desde hace años por la jurisprudencia del Tribunal Constitucional y recientemente por el art. 579 bis de la LECrim respecto de la intervención de las comunicaciones telefónicas. En muchos casos, por la propia naturaleza de los objetos que pueden aparecer, como armas o drogas..., nos encontraríamos ante delitos cometidos en territorio español, en cuyo caso entiendo que no habría inconveniente en que el juez de instrucción que estuviese ejecutando la medida, que ordinariamente va a ser el juez de guardia, autorizase en ese acto el registro y la incautación y que a partir de ese momento el registro se extienda también a la incautación de efectos relacionados con el nuevo delito descubierto, deduciendo posteriormente testimonio para que se incoen en España las oportunas diligencias penales, remitiéndolas al juez que resulte competente. Más problemático resultaría que el hallazgo ocasional de por sí no implique la comisión de un hecho delictivo en España, sino en el estado de emisión de la orden. En este caso, que resulta complicado de imaginar, entiendo que el Juez español carecería de competencia para ampliar el registro a la recogida de evidencias relacionadas con el delito casualmente descubierto: la única solución posible sería la ampliación de la orden de investigación, que tendría que ser reconocida por el juez español, procedimiento que presenta dificultades y limitaciones logísticas y operativas muy importantes.

El registro puede tener por objeto la incautación de dispositivos de almacenamiento masivo de información para su ulterior examen. En el 2016 esta diligencia ha sido objeto de regulación específica en los arts. 588 sexies a) y siguientes de la LECrim: entiendo que si la entrada y registro tiene por objeto la incautación de este tipo de dispositivos, la orden de investigación tendrá que referirse específicamente a cómo se va a realizar el registro de los dispositivos, precisando los aspectos detallados en el art. 588 sexies c) 1 de la LECrim, los términos y el alcance del registro, la autorización para la realización de copias de los datos informáticos, las condiciones necesarias para asegurar la integridad de los datos y las garantías de su preservación para hacer posible, en su caso, la práctica de un dictamen pericial. Pienso que no resultaría admisible que genéricamente se acuerde la incautación de dichos dispositivos y su remisión al estado de emisión, donde podrían no ser de necesaria observancia las garantías de la Ley de Enjuiciamiento Criminal, por lo que, caso de no detallarse, antes de otorgar el reconocimiento a la orden, el Juez debería solicitar a la autoridad solicitante que se complete la orden especificando tales circunstancias por el procedimiento previsto en el art. 19 de la LRM.

El art. 588 sexies c) de la LECrim dispone que salvo que constituyan el objeto o instrumento del delito o existan otras razones que lo justifiquen, se evitará la incautación de los soportes físicos que contengan los datos o archivos informáticos, cuando ello pueda causar un grave perjuicio a su titular o propietario y sea posible la obtención de una copia de ellos en condiciones que garanticen la autenticidad e integridad de los datos, por lo que si la orden europea de investigación ordenara la incautación sin que claramente se desprenda del certificado remitido por la autoridad de emisión que dichos dispositivos sean objeto o instrumento del delito, por el juez ejecutor deberá solicitarse a la autoridad emisora que complete la orden aclarando este extremo, y caso de insistir en que se proceda a la incautación, en mi opinión debería acordarse una medida menos perjudicial para el interesado, como la obtención de una copia de su contenido.

Los dispositivos de almacenamiento masivo de información pueden contener información totalmente ajena a los hechos objeto de investigación o de carácter personal, que afecte a la intimidad de sus usuarios: en este caso el juez deberá adoptar las medidas necesarias para preservar el derecho a la intimidad de los investigados o de terceros afectados, previa consulta en su caso con la autoridad de emisión, y también los propios interesados pueden instar al juez a que adopte tales medidas.

Estas mismas consideraciones podrían realizarse respecto de la correspondencia privada, postal y telegráfica que pueda localizarse en el registro practicado, cuya apertura afecta a un derecho fundamental distinto, el secreto de las comunicaciones; si la orden europea prevé desde el principio que se proceda a la intervención de documentación escrita, sería recomendable solicitar una aclaración acerca de si debe intervenirse también la correspondencia privada, para que pueda ser objeto de reconocimiento en el auto tal solicitud, y, desde luego, no es admisible que se intervenga y remita a la autoridad emisora sin el previo reconocimiento y sin cumplir lo previsto en los arts. 579 y siguientes de la LECrim.

Reviste especial importancia la documentación de la diligencia de entrada y registro: el art. 569 párrafo 4º de la LECrim dispone que el secretario, ahora el letrado de la administración de justicia, levantará acta del resultado, de la diligencia y de sus incidencias y que será firmada por todos los asistentes. La autoridad de emisión puede también solicitar que se documente utilizando otros medios, como la fotografía o el vídeo o que se hagan constar otros detalles suplementarios en el acta que se levante, documentación que se añadirá, sin sustituir, a la exigida por el art. 569. El acta se redactará en español, como se desprende de los arts. 17 y 21 de la LRM. En cualquier caso, hay que tener presente que el acta tendrá que hacerse valer en otro estado de la Unión, y que, por tanto, debería redactarse en la forma más clara, detallada y precisa que resulte posible, resultando aconsejable que al acta manuscrita se acompañe una transcripción de lo actuado, aunque no venga exigido por la LRM.

No es infrecuente que en el curso de las diligencias de entrada y registro las personas investigadas realicen manifestaciones que puedan ser de interés para la investigación del delito; nuestra jurisprudencia suele otorgar valor a las manifestaciones espontáneas del interesado siempre que no haya sido detenido, y, sin embargo, para valorar las del detenido exige que se encuentre asistido de letrado y que previamente sea informado de sus derechos[4]. Pues bien, para evitar posibles infracciones procesales que pueden incluso llegar a viciar de nulidad tales manifestaciones, sería interesante que se precisase este aspecto por la autoridad de emisión, para que sea tenido en cuenta por el letrado de la administración de justicia a la hora de exigir el cumplimiento de las garantías oportunas y recoger o no tales manifestaciones en el acta.

5. ENTREGA DE LOS OBJETOS INCAUTADOS

También puede generar algunos problemas el destino de los objetos intervenidos en la diligencia de entrada y registro: el art. 211 de la LRM prevé el traslado inmediato de las pruebas obtenidas a la autoridad del estado de emisión, debiendo indicarse si deben ser devueltas a las autoridades competentes españolas tan pronto dejen de ser necesarias en dicho estado, contemplándose incluso la entrega inmediata a las autoridades del estado de origen que hayan participado en la ejecución, siempre que así se haya solicitado en la misma y si es posible con arreglo al derecho español, ahora bien, el mismo artículo en su nº 2 prevé que pueda acordarse la suspensión del traslado de las pruebas obtenidas en los casos en que se haya interpuesto un recurso contra el reconocimiento y ejecución de la orden, salvo si en la orden se indican razones suficientes que justifiquen que es indispensable el traslado inmediato para el adecuado desarrollo de la investigación o para preservar derechos individuales y sin perjuicio de que en todo caso pueda suspenderse el traslado de pruebas si éste pudiera causar un daño grave o irreversible a la persona interesada. En el supuesto concreto de la entrada y registro, el interesado no va a tener conocimiento del auto que acuerda el reconocimiento y la práctica de la diligencia hasta que, conforme a la propia ley española, se le notifique por el letrado de la administración de justicia al inicio del registro, por lo que resulta necesario, a mi modo de ver, dejar transcurrir el plazo que se concede al interesado para interponer recurso contra la resolución que acuerda el reconocimiento y la ejecución de la medida antes de proceder al traslado de los objetos intervenidos, para poder tomar la decisión que corresponda respecto de la entrega cuando se tenga conocimiento de la impugnación de la resolución, si se produce, y de los motivos alegados, así como de los hipotéticos perjuicios que se pueden causar por su entrega a la autoridad de emisión.

---

[4]   STS 24 de enero de 2003

Hay varios supuestos que pueden resultar especialmente problemáticos: ya antes se ha hecho referencia a la incautación de dispositivos de almacenamiento masivo de información y los problemas específicos que plantea, a la correspondencia privada y ahora quiero dejar también constancia de los problemas que puede plantear la incautación y traslado de documentación de una empresa: aunque la previsión del art. 573 de la LECrim, que obliga al juez a ponderar la existencia de indicios graves de que de esta diligencia resultará el descubrimiento o la comprobación de algún hecho o circunstancia importante de la causa no corresponde al juez de ejecución, sino a la autoridad de emisión, las formalidades de los arts. 574 y siguientes sí deben cumplirse. Puede suceder que el volumen o el tipo de información que se incaute pueda llegar a impedir o a dificultar gravemente el funcionamiento de la empresa, lo que aconseja que se arbitren medidas para hacer compatible la investigación penal con tal funcionamiento, y, caso de no haber previsto nada la autoridad de emisión ni el juez de ejecución al respecto, entiendo que podrá solicitarlo el afectado por la medida por vía de recurso bien contra la resolución que reconoce la orden y ordena su ejecución bien contra la resolución autónoma que acuerda el traslado o la entrega de los objetos incautados.

6. RÉGIMEN DE RECURSOS

Las resoluciones que dicte el juez de instrucción en el reconocimiento de la orden europea de investigación y en la ejecución del registro son recurribles, conforme dispone el art. 24.1 de la LRM, en los términos que procedan en cada caso "conforme a las reglas generales previstas en la ley procesal vigente", al referirse a las reglas generales, hemos de entender que caben los recursos previstos en los arts. 216 y siguientes de la LECrim, no los previstos en el art. 766 de la LECrim específicos del procedimiento abreviado. En este punto hemos de matizar que, como se desprende del art. 24.3 de la LRM, puede ser objeto de recurso lo relativo a la decisión de reconocer la orden, la forma concreta de ejecución, la entrega de los objetos intervenidos, etc., pero en ningún caso la insuficiencia de indicios u otras cuestiones de fondo relativas a la tipicidad de los hechos investigados[5], aunque no siempre va a ser difícil de deslindar unas de otras cuestiones, en la medida en que la tipicidad de los hechos descritos en el formulario puede influir en la decisión de reconocimiento.

---

[5]   RODRÍGUEZ-MEDEL, Carmen y SEBASTIAN MONTESINOS, Ángeles "Manual Práctico de Reconocimiento Mutuo Penal en la UE", Tirant lo Blanch 2015, pág. 46.

En aquellos casos en que se haya autorizado por el Fiscal la entrada y registro, por no tratarse de un edificio destinado a morada, como dispone el art. 24.4 de la LRM, contra sus resoluciones en ejecución de la orden de investigación no cabrá recurso, sin perjuicio de las posibles impugnaciones sobre el fondo ante la autoridad de emisión y de su valoración posterior en el procedimiento penal que se siga en el Estado de emisión.

7. CONCLUSIÓN

Como conclusión, tras este rápido recorrido de algunas de las incidencias que puede plantearse durante la práctica de una entrada y registro a través de una orden europea de investigación, quizás conviene destacar que reviste particular importancia, para evitar buena parte de los problemas que puedan surgir y garantizar la eficacia de la medida, que el juez español examine con detenimiento la finalidad de la diligencia, los medios e instrumentos a intervenir y la forma y circunstancias de practicar el registro, y solicite con antelación las aclaraciones necesarias a la autoridad de emisión de forma que puedan anticiparse en el auto de reconocimiento al menos las circunstancias más previsibles que puedan plantearse en la ejecución de la orden.

Capítulo XIX

PRÁCTICA DE LA PRUEBA PERICIAL EN LA ORDEN EUROPEA DE INVESTIGACIÓN

María Dolores Ramírez Benavente
Doctoranda de Derecho Procesal
Universidad de Córdoba

SUMARIO: 1. LA COOPERACIÓN JUDICIAL PENAL EN LA UNIÓN EUROPEA. 2. LA PRUEBA PERICIAL EN LA ORDEN EUROPEA DE INVESTIGACIÓN. 3. COMPARECENCIA POR MEDIOS TÉCNICOS. 4. LA INCOMPARECENCIA DEL PERITO EXTRANJERO Y SUS CONSECUENCIAS PRÁCTICAS.

RESUMEN: La prueba pericial es uno de los instrumentos más útiles para obtener certeza sobre unos hechos determinados. Sobre la base de la cooperación judicial penal y del principio de reconocimiento mutuo podrá solicitarse, por medio de una OEI, la práctica de la pericial en el territorio de otro Estado miembro cuando sea necesaria para la investigación penal. En el Estado de ejecución se realiza la medida solicitada y, por videoconferencia, comparecerá el perito que la llevó a cabo. Pero si se niega a comparecer y la prueba pericial se impugna podría acabar afectando a los principios más elementales del proceso.

ABSTRACT: Expert evidence is one of the most useful instruments to obtain certainty about certain facts. On the basis of the criminal judicial cooperation and the principle of mutual recognition may be requested, by means of OEI, the practice of the expert evidence in the territory of other member State, when it will be necessary to the criminal inquiry. In the execution State is performed the proof demanded and who perfoms the proof will appear in the court by videoconference. But, if he will refused to appear and the expert report was disputed, that could affect to the more important principles of the process.

PALABRAS CLAVE: Prueba Pericial, Orden Europea de Investigación, Videoconferencia, Principio de Contradicción, Comparecencia.

KEYWORDS: Expert evidence, European Investigation Order, Videoconference, Adversarial principle, Appearance.

1. LA COOPERACIÓN JUDICIAL PENAL EN LA UNIÓN EUROPEA

"La Unión constituye un espacio de libertad, seguridad y justicia dentro del respeto de los derechos fundamentales y de los distintos sistemas y tradiciones jurídicos de los Estados miembros[1]". Para el sostenimiento de esta afirmación en el ámbito penal, resulta necesario sentar las bases para promover la cooperación judicial entre los Estados. Así, el Tratado de Funcionamiento de la Unión Europea, en su artículo 82.1 a) establece que el Parlamento europeo y el Consejo adoptarán medidas tendentes a establecer normas y procedimientos para garantizar el reconocimiento en toda la Unión de las sentencias y resoluciones judiciales en todas sus formas. Se infiere, por tanto, la importancia que adquiere en este ámbito el principio de reconocimiento mutuo entre los Estados. Tal y como establece el Considerando 2 de la Directiva 2014/41/CE relativa a la orden europea de investigación en materia penal (en adelante, DOEI) al igual que el Preámbulo de la Ley 23/2014, de reconocimiento mutuo de resoluciones penales en la Unión Europea, este principio se basa en la confianza mutua entre los Estados miembros y es considerado como la piedra angular de la cooperación judicial en la Unión.

Una vez señalada la necesidad de cooperación en materia penal, debe hacerse referencia a los mecanismos convencionales de asistencia que inicialmente se establecieron, a saber: el Convenio Europeo de Asistencia Judicial en Materia Penal del Consejo de Europa, el Convenio de aplicación del Acuerdo Schengen y el Convenio relativo a la asistencia judicial en materia penal entre los Estados miembros de la Unión Europea del año 2000, siendo este último el más utilizado para la obtención de pruebas. Con la entrada en vigor de la DOEI, quedan sustituidas las disposiciones reguladas convencionalmente por las contempladas en la misma (art. 34.1 DOEI). La finalidad que persigue es acabar con la fragmentariedad existente hasta el momento en materia de prueba en el proceso penal, por lo que se crea un instrumento único para facilitar la asistencia mutua, cuyo objetivo es simplificar la obtención de pruebas transfronterizas[2]. Así, la Directiva crea un corpus común de normas para la práctica de diligencias de

---

[1]   Art. 67.1 Tratado de Funcionamiento de la Unión Europea.

[2]   http://www.europarl.europa.eu/factsheets/es/sheet/155/la-cooperacion-judicial-en-materia-penal (visitada el 26/10/2018).

investigación y la obtención de pruebas en un país de la Unión europea distinto al que conoce del proceso principal[3].

Como se ha podido comprobar, en los Convenios anteriormente mencionados ya se regulaban aspectos en materia probatoria, por tanto, la DOEI no es la primera norma de la Unión en materia de prueba transnacional; pero sí se considera la más relevante, potencialmente dotada de mayor eficacia y con un ámbito de aplicación más amplio[4]. España, de forma algo tardía, transpone la mencionada Directiva e incorpora al ordenamiento jurídico este instrumento de reconocimiento mutuo mediante la Ley 3/2018 (en adelante, LRM) de 11 de junio, por la que se modifica la Ley 23/2014, de 20 de noviembre, de Reconocimiento Mutuo de Resoluciones Penales en la Unión Europea, para regular la Orden Europea de Investigación, introduciendo un nuevo Título X dedicado a la misma.

2. LA PRUEBA PERICIAL EN LA ORDEN EUROPEA DE INVESTIGACIÓN

El artículo 456 de la Ley de Enjuiciamiento Criminal (en adelante, LECrim) establece que el Juez acordará el informe pericial cuando, para conocer o apreciar algún hecho o circunstancia importante en el sumario, fuesen necesarios o convenientes conocimientos científicos o artísticos. Del mismo modo la LRM prevé que, por medio de una OEI, se pueda realizar esta medida de investigación en otro Estado miembro, cuando ello sea necesario para dilucidar la cuestión discutida en el seno de un proceso penal. La reciente Ley, haciendo fiel reflejo de la DOEI, dota de un carácter *privilegiado* a la declaración de un testigo, un perito, una víctima, un investigado o encausado o un tercero en territorio del Estado de ejecución, en el sentido siguiente. La DOEI hace mención expresa en el artículo 10.2 al supuesto de que no podrá tenerse en cuenta la posibilidad de sustitución de la medida solicitada –prevista en el apartado primero de este artículo– cuando se trate de la declaración de los sujetos mencionados anteriormente; y otro tanto sucede en el artículo

---

[3]   MARTÍNEZ GARCÍA, Elena, *La Orden Europea de Investigación. Actos de Investigación, Ilicitud de la prueba y cooperación judicial transfronteriza,* Tirant lo Blanch, Valencia, 2016, p. 21.
[4]   ARANGÜENA FANEGO, Coral, "Orden Europea de Investigación: próxima implementación en España del nuevo instrumento de obtención de prueba penal transfronteriza", *Revista de Derecho Comunitario Europeo,* n. 58, 2017, p. 909.

206 de nuestra LRM. Se considera que las medidas que contemplan estos preceptos, entre ellas la prueba pericial, siempre tienen que existir en el Derecho nacional del Estado de ejecución y que, necesariamente, deben estar disponibles en las legislaciones internas de los Estados miembros; provocando, así, un cierto efecto armonizador de las legislaciones procesales europeas[5].

En este sentido, la autoridad competente ordenará la ejecución, en todo caso, si la medida de investigación solicitada fuera alguna de las enumeradas (art. 206.1 LRM). En el caso concreto de este estudio, parece que no podrá denegarse una OEI cuando tenga por objeto la declaración de un perito en cualquier Estado miembro. Toda vez expuesto lo anterior, habrá de tenerse en cuenta que el reconocimiento o ejecución de la OEI podrá ser objeto de denegación cuando la misma verse sobre las circunstancias recogidas en el art. 11 DOEI (y en el equivalente art. 207 LRM). Habrá que tener presente las excepciones previstas para estas medidas privilegiadas, esto es, no se podrá denegar la declaración de un perito aún en el supuesto de invocar la doble tipificación o un determinado umbral punitivo, ex artículo 11.2 DOEI (o el art. 207.2 LRM). A todo este entramado de motivos de denegación, generales y particulares, habría que añadir que siempre procederá la denegación de una OEI cuando se vulnere un derecho fundamental del interesado o cuando el Estado de ejecución ignore sus obligaciones relativas a la protección de los derechos fundamentales reconocidos en la Carta[6].

3. COMPARECENCIA POR MEDIOS TÉCNICOS

En virtud del artículo 24 DOEI, "cuando una persona se encuentre en el territorio del Estado de ejecución y deba ser oída como testigo o perito por las autoridades competentes del Estado de emisión, la autoridad de emisión podrá emitir una OEI para que la comparecencia del testigo o perito se realice por videoconferencia u otros medios de transmisión audiovisual". También podrán utilizarse dichos medios cuando se haga necesario oír al investigado o acusado. En igual sentido, se transpone la norma al ordenamiento jurídico español en el artículo 197 LRM, si bien, con la particularidad de que la Directiva en su artículo 25 ofrece, como medio alternativo de comparecencia, la conferencia telefónica; pero solamente

---

[5]   *Ibidem*, p. 933.
[6]   Considerandos 12 y 19 DOEI. Artículo 11f) DOEI. Artículo 207.1.d) LRM.

para la audiencia del testigo o perito –se entiende que queden excluidos el investigado o acusado puesto que sería insuficiente una mera comunicación telefónica para su enjuiciamiento– y siempre que no sea apropiado o posible que la persona a la que se deba oír comparezca personalmente en su territorio. Por apropiado o posible deben entenderse razones de edad, enfermedad o riesgo grave para el declarante.

Por su parte, la LRM, en su Disposición adicional sexta, hace una previsión para la comparecencia por conferencia telefónica, pero sólo para el caso de que esta posibilidad sea introducida en la legislación procesal penal española, ya que hasta el momento no se prevé legalmente. De ello se infiere la problemática que puede surgir respecto de la admisibilidad en España de una diligencia de investigación realizada por un medio no previsto en su legislación, ya que no podrá practicarse al no estar expresamente recogida en la LECrim. Además, en la mencionada Disposición adicional se establece una premisa, y es que la comparecencia se realizará por conferencia telefónica siempre que no se considere más conveniente que la persona comparezca personalmente en su territorio. Obsta decir que siempre será de conveniencia que la persona comparezca personalmente para salvaguardar el principio de inmediación, que no será cuestionado en el caso de la videoconferencia.

Lo cierto es que, tanto un medio como el otro, no son mecanismos desconocidos en la práctica judicial europea, el Convenio del año 2000 ya los recogía en sus artículos 10 y 11. En cambio, en la legislación española tan sólo se contempla, como se ha mencionado anteriormente, la comparecencia por medio de videoconferencia y así lo permiten los artículos 325 y 731 bis de la LECrim y 229.3 de la Ley Orgánica del Poder Judicial. El uso de la videoconferencia es considerado de utilidad por la jurisprudencia, entendiendo que así se respetan los principios básicos que informan los actos de prueba, como son la oralidad, la inmediación y la contradicción[7]. No obstante, debe ser un método subsidiario en la práctica de la prueba, ya que "el principio de inmediación sigue siendo considerado un valor que preservar, sólo sacrificable cuando concurran razones que, debidamente ponderadas por el órgano jurisdiccional, puedan prevalecer sobre las ventajas de la proximidad física y personal entre las fuentes de prueba y el Tribunal que ha de valorarlas[8]".

---

[7]   SSTS 641/2009 de 16 de junio, 957/2006 de 05 de octubre y 1351/2007 de 05 de enero. *Vid.*, AATS 961/2005 de 16 de junio, 1301/2006 de 04 de mayo, 1462/2006 de 21 de junio y 2314/2006 de 23 de noviembre.

[8]   STS 161/2015 de 17 de marzo.

La emisión, así como la ejecución de la OEI, para la comparecencia de peritos conlleva un gasto que tendrán que asumir los Estados miembros. Así, la DOEI sienta las bases sobre quién deberá asumirlo; de modo que, dando cumplimiento al principio de reconocimiento mutuo, en el Considerando 23 se hace constar que será el Estado de ejecución de la Orden quien sufrague dicho gasto. Sin embargo, en previsión de que los costes pudieran ser excepcionalmente elevados, se contempla la posibilidad de reparto entre ambos Estados y ello no será motivo para no reconocer y ejecutar la petición sin antes mediar acuerdo al respecto[9].

Por lo que se refiere al modo de proceder, en la ejecución de una OEI para una comparecencia por videoconferencia u otros medios de transmisión audiovisual, tanto la DOEI como la LRM se pronuncian en el mismo sentido (arts. 24 y 216, respectivamente). En consecuencia, el primer aspecto que recogen es el respeto a los principios jurídicos fundamentales del Derecho del Estado de ejecución, en caso contrario procederá la denegación de la OEI. Para llevar a cabo la medida, será la autoridad competente del Estado de ejecución la encargada de notificar al perito correspondiente, indicándole el momento y lugar de la comparecencia y debe asegurarse de la identidad de este; en el caso concreto de que España sea Estado de ejecución, esta identificación la llevará a cabo el Letrado de la Administración de Justicia, a diferencia de la mayoría de los Estados miembros en los que no existe esta figura.

Con ánimo de efectuar la comparecencia con la mayor eficacia posible, se prevé que entre el Estado de emisión y el de ejecución medie acuerdo sobre el procedimiento a seguir. Así se contempla en el artículo 197 de la LRM; de suerte que ambas autoridades deben fijar el marco en el que se va a desarrollar la medida, delimitar el objeto de la intervención y asegurar que se trata de una actividad investigadora idónea y pertinente a través de las garantías formales o procedimentales adecuadas al país de ejecución en que se desarrolla. En este sentido, se deberá proteger a la persona que será oída, respetando su derecho de defensa y asegurando, entre otros, el derecho a la interpretación y traducción en el proceso[10]. También, previo consenso entre los Estados, si la autoridad de ejecución no dispusiera de los medios técnicos necesarios para llevar a cabo la comparecencia, el Estado emisor acordará ponerlos a su disposición.

Con un carácter claramente garantista, la Ley hace mención expresa al hecho de que en ningún caso podrán ser objeto de acuerdo entre los

---

9   Artículos 14 y 25.3 LRM. Artículo 21 DOEI.
10   MARTÍNEZ GARCÍA, Elena, *La Orden Europea de Investigación...*, *op. cit.*, p. 99.

Estados las siguientes normas: a) la autoridad competente del Estado de ejecución deberá estar presente y asistida por intérprete si fuera necesario, para identificar al declarante y velar por el respeto al ordenamiento jurídico propio; b) se acordarán, en su caso, medidas de protección oportunas para proteger al perito o declarante, tales como distorsionar la imagen o el sonido si fuera necesario; c) será el Estado de emisión el que se encargará de dirigir el acto de comparecencia, de acuerdo con su propio Derecho; d) la autoridad competente del Estado de ejecución facilitará un intérprete a la autoridad de emisión o a la persona compareciente si así lo solicita; e) con carácter previo, informará al perito que comparece a la declaración de los derechos procesales que le asisten, tanto al amparo del Derecho español como de su Estado de procedencia.

Finalizada la declaración, corresponde a la autoridad de ejecución levantar acta y dar traslado de esta al Estado de emisión. En la misma, deberá hacerse constar la fecha y lugar, la identidad de la persona oída y demás participantes en el acto, el juramento y las condiciones técnicas en que se ha llevado a cabo la declaración.

4. LA INCOMPARECENCIA DEL PERITO EXTRANJERO Y SUS CONSECUENCIAS PRÁCTICAS

Como se ha mencionado anteriormente, la LRM en el artículo 197 prevé que cuando la autoridad de emisión necesite oír a un perito, emitirá una OEI para su comparecencia por medio de videoconferencia o similar, pues es el medio contemplado al efecto. Esta previsión se llena de sentido al ponerla en relación con el ordenamiento jurídico español; puesto que la prueba plena y eficaz en el proceso penal es la que se realiza en presencia del Tribunal, en el juicio oral, con la publicidad que caracteriza a este proceso y, por supuesto, la que permite ser sometida a contradicción por las partes. Aún en el caso de que la prueba se realice en un momento anterior y no sea posible su reproducción en el plenario, se procederá a su lectura en el mismo para incorporarla como medio probatorio válido. Se trata de la llamada prueba preconstituida[11], que por su propia naturaleza, o porque sea previsible su imposible o difícil repetición en el acto del juicio, se lleva a cabo en la fase sumarial. La prueba preconstituida desplegará toda su validez si no es impugnada por las partes, entendiéndose aceptada por estas de forma tácita. Ahora bien, si alguna de ellas la considera inválida y

---

[11]   STS 96/2009 de 10 de marzo.

muestra su discrepancia o la impugna haciéndolo constar en el escrito de calificación provisional, la prueba perderá su eficacia y deberá ser sometida a contradicción. Para ello se deberá solicitar la presencia del perito en el juicio, pues será la única forma de desvirtuar la prueba practicada en la fase de instrucción[12]. Independientemente del momento procesal en que se lleve a cabo la práctica de la prueba, se puede comprobar la importancia que tendrá la comparecencia del perito en el plenario, tanto para la ratificación del informe como para permitir a las partes contradecir lo que estimen oportuno.

Mayor importancia tendrá su comparecencia si se tiene en cuenta el carácter personal que tiene la prueba pericial en el proceso. Aunque el resultado de la pericia será formalmente documentado, ello no es óbice para no centrar la atención en que el informe pericial deberá ser ratificado personalmente en el juicio oral. El Tribunal Supremo se pronuncia en igual sentido: "dichos informes no son en realidad documentos, sino pruebas personales documentadas consistentes en la emisión de pareceres técnicos sobre determinadas materias o sobre determinados hechos por parte de quienes tienen sobre los mismos una preparación especial, con la finalidad de facilitar la labor del Tribunal en el momento de valorar la prueba[13]". Caso aislado será, en cambio, el que recoge el artículo 788.2 LECrim; que otorga el carácter de prueba documental a los informes emitidos, en el procedimiento abreviado, por laboratorios oficiales sobre la naturaleza, cantidad y pureza de sustancias estupefacientes.

En otro orden de cosas, debe señalarse que en virtud del artículo 483 LECrim, "el Juez podrá, por su propia iniciativa o por reclamación de las partes presentes o de sus defensores, hacer a los peritos, cuando produzcan sus conclusiones, las preguntas que estime pertinentes y pedirles las aclaraciones necesarias".

En suma, se hace necesaria la comparecencia del perito en el juicio oral, bien para realizar la pericia, bien para ratificar su informe cuando se haya emitido en el sumario; más aún cuando este haya sido impugnado por las partes, de lo contrario la prueba perdería su eficacia probatoria autónoma.

---

[12]   STC 24/1991 de 11 de febrero.
[13]   "Por otro lado, su carácter de prueba personal no debe perderse de vista cuando la prueba pericial ha sido ratificada, ampliada o aclarada en el acto del juicio oral ante el Tribunal, pues estos aspectos quedan entonces de alguna forma afectados por la percepción directa del órgano jurisdiccional a consecuencia de la inmediación". Por todas, STS 703/2010 de 15 de julio. *Vid.*, SSTS 168/2008 de 29 de abril, 755/2008 de 26 de noviembre.

La simple impugnación formal, aún sin motivación o razonamiento que exponga el desacuerdo o rechazo de los dictámenes oficiales, impone la presencia de los peritos en el juicio[14]. Al respecto, el Tribunal Supremo establece que: "en este sentido, el ordenamiento jurídico debe ser interpretado a la luz de la letra y el espíritu de la Constitución, y ello obliga a resaltar que la comparecencia de los peritos ante el Tribunal juzgador, que contestarán a las preguntas y repreguntas que las partes les dirijan (art. 724 LECrim) se entronca sustancialmente con el derecho fundamental a la defensa a través de la contradicción[15]". De lo expuesto se deriva que, en el supuesto de que el perito no pueda comparecer, la jurisprudencia asimile esta situación a la que recoge el artículo 746.3° LECrim en relación con la suspensión del juicio por incomparecencia de testigos de cargo o de descargo que sean necesarios. Por tanto, este precepto ha de interpretarse desde el mandato imperativo y prevalente del artículo 24 CE, ya que se produciría indefensión si la prueba pericial no se practicase en el juicio oral[16].

En el artículo 661, la LECrim establece que los peritos citados que no comparezcan, sin causa legítima que se lo impida, incurrirán en pena de multa, y si vueltos a citar dejaren también de comparecer serán procesados por el delito de obstrucción a la justicia, tipificado en el artículo 463.1 del Código Penal.

Como puede observarse, el ordenamiento jurídico español prevé con firmeza una sanción para este supuesto; pero, en lo que interesa y en relación con la OEI, la autoridad española no podrá sancionar al perito extranjero que, siendo requerido para personarse en el proceso por medio de videoconferencia, no comparezca. Como la jurisdicción es manifestación de la soberanía del Estado, no podrán los Tribunales nacionales ejercer jurisdicción fuera de su territorio, según lo dispuesto en el artículo 23.1 de la Ley Orgánica del Poder Judicial.

En consecuencia, si en un proceso español se pide un informe a un perito de otro Estado miembro y éste no comparece al llamamiento del juez español por OEI –tanto para realizar la pericia en el juicio oral mismo, como para ratificar o someter a contradicción el informe emitido en un momento anterior– parece que ninguna opción tendrá el Tribunal de ejercer coacción sobre el mismo. La cuestión se agrava cuando el informe emitido ha sido impugnado por las partes y estas no pueden discutirlo o

---

[14]   Por todas, STS 1906/2002 de 14 de noviembre.
[15]   STS 963/2011 de 27 de septiembre.
[16]   STS de 20 septiembre de 1991.

contradecirlo por la incomparecencia del perito. Según lo expuesto, y a la luz de los argumentos del Tribunal Constitucional[17], no adquiriría eficacia probatoria esa prueba en el proceso ni debería considerarse válida; pero mucho difiere en la práctica, ya que el Tribunal Supremo parece dispensar el riguroso trámite establecido por el ordenamiento jurídico español para la prueba pericial, cuando de una pericia practicada en otro Estado miembro se trata. Así, impugnado un informe pericial en tiempo y forma, y solicitada la comparecencia del perito en el juicio oral, se ha admitido como elemento probatorio sin más, sin contradicción alguna y con la sola lectura de este[18]. Lectura que el artículo 730 LECrim prevé como modo de incorporación de la prueba en el plenario para el caso de imposible reproducción por causas ajenas a la voluntad de las partes –y cuando estas acepten el informe de forma tácita– pero en ningún caso resulta salvaguardado el principio de contradicción con la lectura del informe sin la presencia del perito, cuando el mismo haya sido impugnado.

Ahora bien, planteada la problemática existente, cabe pensar si el Tribunal del Estado de ejecución podría pedir al perito, cuya comparecencia es reclamada por el Estado de emisión, que efectivamente se preste a colaborar en el proceso y comparezca al llamamiento. Tras examinar la regulación de la OEI y tomando como referencia la práctica judicial, podría afirmarse que no es posible que el Tribunal que recibe la Orden pueda ejercer potestad alguna sobre el perito que se niega a comparecer, más allá del mero acuerdo o convencimiento. Utilizando a modo de ejemplo una OEI que un Estado miembro emite a un Tribunal español para realizar una pericia en España, debe recordarse que: el proceso penal es el del Estado de emisión; que se rige por su Derecho interno y que la pericial que se realiza en España no es un proceso judicial *ad hoc* sino un acto de cooperación internacional. Tal y como se expuso *supra,* al perito le asisten tanto los derechos procesales de su Estado de procedencia como los del Estado de emisión. La Ley reconoce esos derechos, pero no hace mención alguna a obligaciones de las que puedan derivar la aplicación de normas coactivas del Estado de ejecución; como podría ser el caso de obligar al pe-

---

[17] No resultará lícito valorar como prueba de cargo aquélla respecto de la cual el acusado no ha tenido oportunidad de rebatir mediante el interrogatorio que previene el art. 724 LECrim, con lo que su utilización por el Juzgador como fundamento de convicción del dato que aquélla acreditara vulnera la presunción de inocencia y conculca a la vez el derecho de defensa al ocasionar una real y efectiva indefensión del acusado. Como se puede comprobar en la STC 303/1993 de 25 de octubre y en la STC 40/1997 de 27 de febrero.

[18] STS 737/2009 de 6 de julio.

rito a comparecer *so pena* de incurrir en la responsabilidad que establece la LECrim para la negativa al llamamiento judicial. De este modo, parece que no podrá el Tribunal español obligar al perito que se niega –por el motivo que fuese– a comparecer por medios técnicos ante el Tribunal del Estado de emisión de la OEI.

Una posibilidad por la que podría obligarse a comparecer al perito, cuando la prueba haya sido impugnada, para someterse a las preguntas oportunas y así salvaguardar el principio de contradicción, quedaría en manos del Tribunal Supremo, en caso de que –como ya hizo para el supuesto de suspensión por la no comparecencia de testigos– se pronunciase sobre la posible aplicación analógica del art. 216 LRM en su apartado quinto. Este prevé que, cuando se incumpla la obligación de testificar, se aplique el ordenamiento jurídico español al testigo que no preste testimonio, como si de un proceso nacional se tratase. Siendo así, podría exigírsele responsabilidad a los peritos que, siendo necesaria su comparecencia en el proceso, se negasen a comparecer.

Resultaría conveniente arbitrar una solución a esta limitación para exigir, cuando sea necesaria, la comparecencia de un perito, por medio de videoconferencia, en el Estado de ejecución. Quizá deba preverse este extremo en la OEI, de modo que, al emitirse, conste expresamente la necesaria disponibilidad de quien realice la pericia para comparecer en el caso de que la pericial fuese impugnada[19]. De lo contrario, los principios básicos que rigen cualquier proceso continuarán quedando en entredicho.

---

[19] RODRÍGUEZ-MEDEL NIETO, Carmen, *Prueba penal transfronteriza: su obtención y admisibilidad en España*, Tesis Doctoral, Universidad Complutense de Madrid, 2015, p. 516.

Capítulo XX

LAS OPERACIONES ENCUBIERTAS AL HILO DE LA OEI

Rocío Zafra Espinosa de los Monteros
Profesora Visitante Lector de Derecho Procesal. Acred.- Contratada Doctora
Universidad Carlos III de Madrid

SUMARIO: 1. LA COOPERACIÓN JUDICIAL PENAL EN LA UNIÓN EUROPEA. 1. INTRODUCCIÓN. 2. CONCEPCIÓN DEL PRINCIPIO DE RECONOCIMIENTO MUTUO. 3. LA ORDEN EUROPEA DE INVESTIGACIÓN. 4. LAS INVESTIGACIONES ENCUBIERTAS EN APLICACIÓN DE LA OEI. 4.1. Emisión de una OEI para la realización de una operación encubierta. 4.2. Ejecución de una OEI para la realización de una operación encubierta. 5. CONCLUSIÓN.

RESUMEN: La adopción del Espacio de Libertad, Seguridad y Justicia, ha conllevado, sin duda, innumerables ventajas para los ciudadanos de la Unión y en sus relaciones entre ellos. Sin embargo, no podemos perder de vista, que la criminalidad transfronteriza también se ha beneficiados de estos avances. La diversidad de normas que inspiran el derecho de los Estados Miembros, así como la densa cooperación judicial y policial, más bien "politizada", permitían que muchas conductas quedaran impunes y los deliencuentes encontraran un *"paraíso jurídico-penal"*. Todo esto cambia con la istauración del principio de reconocimiento mutuo entre decisiones de los operadores jurídicos de cada Estado. Con la OEI se permiten desarrollar diligencias de investgación, autorizadas por el órgano judicial competente en la investigación principal en un Estado, en el territorio de otro, siempre y cuando no concurran las causas tasadas de denegación previstas en la Directiva y/o en las leyes internas de cada Estado. Entre las diligencias de investigación que se regulan, están las operaciones encubiertas. Al desarrollo de estas operaciones bajo el amparo de la OEI, nos dedicaremos en las siguientes páginas. Estudiaremos, en primer lugar, el caso de España como Estado de emisión; y en segundo lugar, cuando España es requerida por otro Estado como ejecutante.

ABSTRACT: The adoption of space for liberty, security and justice involves, undoubtedly, numerous advantages for the citizens of European Union and the relations between them. However, we mustn`t lose sight of the fact that Transborder Crime has also been benefitted by these advances. The diversity of regulations which inspired the rights of the Member States, as well as the judicial and police cooperation, or rather "politicized", permitted that many criminal conducts would go unpunished and delinquents would be in a "judicial paradise". All of this changes will establish the rules for mutual recognition of decisions of the judicial body of each State. EIO permits to carry out investigation proceedings, authorized by the competent judicial body, of main investigation in State, as well as in the external territory, as long as the necessary factors predicted denial. Among the investigative proceedings which are regulated are undercover operations. For the development of these operations under the protection of IEO, we will pay attention in the following pages. We will study, firstly, the case of Spain as the State is issuing authority; and secondly, when Spain is executing state.

PALABRAS CLAVE: orden europea de investigación, operaciones encubiertas, organización criminal, infiltración policial.

KEY WORDS: European Investigation Order; Covert investigations; criminal organization, police infiltration.

1. INTRODUCCIÓN

Uno de los objetivos fundamentales de la Unión Europea (en adelante, UE) es –artículo 3.2 del TUE– el de garantizar un Espacio de Libertad, Seguridad y Justicia. Muchos son los esfuerzos que, en el cumplimiento de dicho objetivo, tanto la Unión como sus Estados Miembros (en adelante, EEMM) han llevado a cabo. Es cierto que los Estados suelen apostar en estos ámbitos por *aferrarse* a su soberanía, pero, no es menos que las nuevas formas de criminalidad, en un entorno de libre circulación de personas, no puede terminar redundando en la elusión de la responsabilidad criminal por los hechos cometidos. En estos términos, la interacción entre Estados pivota sobre dos principios inspiradores: la armonización de legislaciones y el principio de reconocimiento mutuo.

El Espacio de Libertad, Seguridad y Justicia nos proporcionó la libre circulación de personas. Sin embargo, esta libertad, también ha facilitado a los delincuentes la comisión de determinadas conductas típicas[1]. De este modo, los EEMM tienen la necesidad de cooperar judicialmente para evitar la que los presuntos criminales eludan la acción de la justicia.

En este sentido, en 1999, tras la celebración del Consejo de Tempere, se establece como piedra angular de la cooperación judicial en materia penal

---

[1]   Señala al respecto CARRILLO SALCEDO la necesidad de una *acción concertada a través de la cooperación multilateral, puesto que la inseguridad también se ha globalizado.* En *Globalización y Orden Internacional,* Universidad de Sevilla, 2º edición, 2005, pág. 49.

el principio de reconocimiento mutuo entre los Estados[2]. Bajo su paraguas, las autoridades judiciales de un Estado podían emitir una resolución que, salvo que concurrieran los motivos de denegación, fuera reconocida y ejecutada por la autoridad judicial del otro Estado. Con la entrada en vigor del Tratado de Lisboa, se produce la comunitarización del tercer pilar (relativo a la cooperación judicial y policial en materia penal) y con él, el reforzamiento del principio de reconocimiento mutuo. En este sentido, señala el artículo 82 del Tratado de Funcionamiento de la Unión Europea (en adelante, TFUE):

> *"La cooperación judicial en materia penal en la Unión se basará en el principio de reconocimiento mutuo de las sentencias y resoluciones judiciales."*

Además de la confianza que esto genera, también podríamos estar hablando de una ventaja a la hora de hacer frente a las nuevas formas de criminalidad organizada.

Mucho ha llovido desde entonces y muchos son los instrumentos que se han llegado a regular bajo el prisma del principio de reconocimiento mutuo[3].

El último ha sido la Orden Europea de Investigación (en adelante OEI). Regulada mediante la Directiva 2014/41/CE del Parlamento Europeo y del Consejo de 3 de abril de 2014, relativo a la orden europea de investigación en materia penal, que ha sido traspuesta a nuestro ordenamiento jurídico mediante Ley 3/2018, de 11 de junio, por la que se modifica la Ley

---

[2]   Señala al respecto MARTÍNEZ GARCÍA que el principio de reconocimiento mutuo en ámbito civil, tenía un *efecto liberizador*. No obstante, señala la autora, su expansión en el proceso penal tiene un efecto contrario, en tanto que sirve para expandir medidas que puedan afectar al derecho a la libertad o restricciones a determinados derechos fundamentales. En *La Orden Europea de Investigación. Actos de investigación, ilicitud de la prueba y cooperación judicial transfronteriza,* Tirant lo Blanch, Valencia, 2015, pág. 14.

[3]   Hasta ahora, son algunos los instrumentos de reconocimiento mutuo que han sido traspuesto por al ordenamiento jurídico español. Entre ellos se encuentran: la orden europea de detención y entrega; el embargo preventivo y aseguramiento de prueba en los procedimientos penales; aplicación del principio de reconocimiento mutuo de sanciones pecuniarias; de resoluciones de decomiso; de sentencias en materia penal por las que se imponen penas u otras medidas privativas de libertad; de sentencias y resoluciones de libertad vigilada; el exhorto europeo de obtención de pruebas; el reforzamiento de los derechos procesales de las personas; la orden europea de protección y la orden europea de investigación. Tradicionalmente, la trasposición de hizo mediante las leyes individuales correspondientes. En 2014, la técnica legislativa cambia y todos estos instrumentos se trasponen mediante una única ley que será modificada para la inclusión de nuevas Directivas, en su caso, para evitar la dispersión normativa.

23/2014, de 20 de noviembre de reconocimiento mutuo de resoluciones penales de la UE para regular la Orden Europea de investigación.

La aplicación del principio de reconocimiento mutuo a través de los diferentes instrumentos jurídicos que se están articulando conllevan la agilización de la Administración de Justicia. Facilita un camino, que, en ocasiones, cuestiones políticas podrían paralizar o ralentizar.

La OEI viene a sustituir al Exhorto europeo para la obtención de prueba que fue incorporado a nuestro ordenamiento jurídico en 2014. Corta ha sido su vigencia, pero, a sabiendas de la próxima habilitación legal de la OEI, no se podía correr el riesgo de ser sancionados por la UE por falta de trasposición de la normativa[4].

2. CONCEPCIÓN DEL PRINCIPIO DE RECONOCIMIENTO MUTUO

El principio de reconocimiento mutuo, supone que los Estados basan sus relaciones en una confianza mutua[5]. No obstante, dicha confianza no debe ser entendida como automatismo. Es decir, cuando hablamos de reconocimiento mutuo, debemos referenciarlo a la exención de control por parte de las autoridades receptoras puesto que, en este caso, estaríamos ante una concepción amplía o general del principio de reconocimiento mutuo y supondría, que las autoridades receptoras, sin previo control, ejecutaran la decisión adoptada por su "homologo" de otro Estado miembro. Quizá esta situación "idílica y utópica" de momento no puede ser asumida por varios motivos: en primer lugar, los Estados miembros que siguen sujetos al principio de soberanía nacional; y, en segundo lugar, sería necesaria

---

[4]   BACHAMAIER WINTER, L., «El exhorto europeo de obtención de pruebas» EN ARANGÜENA FÁNEGO, C; DE HOHOY SANCHO, M; RODRÍGUEZ-MEDEL NIETO, C (Dir. y Coord.), *Reconocimiento mutuo de resoluciones penales en la Unión Europea. Análisis teórico-práctico de la Ley 23/2014, de 20 de noviembre*, Thomson- Aranzadi, Navarra, 2015. Pág. 508.

[5]   Como señala ARANGÜENA FANEGO, C: "*El principio de reconocimiento mutuo está fundado en el principio de confianza mutua entre los Estados miembros en sus correspondientes sistemas judiciales, confianza basada en la idea de la común vinculación de los Estados miembros en los principios de libertad, democracia, Estado de derecho y respeto a los derechos y libertades fundamentales*". «Avances en cooperación judicial penal en la Unión Europea» en VEGA MOCOROA, I (Coord.), *Logros, iniciativas y retos institucionales y económicos: la Unión Europea del siglo XXI*, Lex Nova, Valladolid, 2005, pág. 124.

la aproximación real de legislaciones nacionales, a pesar de que el TFUE lo anuncia[6].

Es por ello, que el principio de reconocimiento mutuo debe ser aplicado con ciertas cautelas y con un control de determinados factores para que el Estado de ejecución, pueda ejecutar la decisión adoptada por otro Estado, vigilando que esta sea conforme siempre al sistema de garantías previsto en el Tratado de la Unión.

Como señala DE HOYOS SANCHO, el problema radica en dos importantes cuestiones en el marco de la Unión: por un lado, la falta de armonización en aspectos sustanciales del derecho penal y, por otro, en la falta de entendimiento del global del "debido proceso"[7].

Esta concepción debe ser tenida en cuenta desde la perspectiva de la aplicación de la OEI. O sea, desde el entendimiento de que con la OEI se pretenden la obtención de fuentes de prueba en otro Estado miembro, para que estas, una vez introducidas en el juicio oral puedan desplegar toda su virtualidad y, enervar la presunción de inocencia de los acusados.

Teniendo en cuenta esto, es necesario hacer hincapié en la necesidad de que tanto la autoridad de emisión como la de ejecución, a la hora de solicitar y ejecutar un instrumento de reconocimiento mutuo, tengan presente que cualquier actuación debe ir precedida por la observancia del absoluto respeto de los derechos fundamentales y libertades públicas y debe estar presidida por el principio de proporcionalidad. Por ello, la asunción del principio de reconocimiento mutuo, es cierto que facilita las cosas para la cooperación judicial en materia penal, pero sin perder de vista que el Espacio de Libertad, Seguridad y Justicia debe protegerse mediante el estricto respeto de los derechos fundamentales previsto tanto en el ordenamiento interno como en la Cata de Derechos Fundamentales de la Unión.

---

[6]   Por no hablar de un cuerpo procesal único en el ámbito de la Unión que favoreciera un sistema único procesal capaz de acercar los modelos procesales nacionales y que, ante todo, se atuviera al sistema de garantías fundamentales recogidas en el TUE. De este modo, todo sería más fácil y la investigación y obtención de prueba trasfronteriza sería más real y efectiva, logrando en gran medida la seguridad y justicia en el espacio de la unión.

[7]   DE HOYOS SANCHO, M, «El principio de reconocimiento mutuo como principio rector de la cooperación judicial europea» en JIMENO BULNES, M (Coord.) *La cooperación judicial civil y penal en el ámbito de la Unión Europea: instrumentos procesales*, Bosch, Barcelona, 2007, pág. 70-71. En mismo sentido, MARTÍNEZ GARCÍA, E, *La Orden Europea de Investigación. Actos de investigación, ilicitud…*op. cit, pág. 15 La profesora Martínez, hace especial hincapié en la necesidad de establecer un "*mínimo legal imprescindible*"y ello, sin perder la perspectiva de que somos ordenamientos diferentes.

3. LA ORDEN EUROPEA DE INVESTIGACIÓN

La OEI es un instrumento basado en el principio de reconocimiento mutuo entre los Estados de la UE.

Como se ha mencionado, la OEI viene a sustituir a otro instrumento que, en su momento, se consideró la mejor opción, el Exhorto europeo de obtención de pruebas. Sin embargo, con la OEI, se pretende dar un paso más en las relaciones de "confianza" de los EEMM de la Unión[8].

Por ello, entre las diferencias que encontramos entre el Exhorto para la obtención de prueba y la OEI están: por un lado, la ampliación del ámbito objetivo de aplicación, puesto que con el exhorto se excluían determinados mecanismos; y por otro, el objeto de la solicitud[9]. Es decir, mediante el exhorto, el Estado de emisión, solicitaba a otro Estado miembro, la trasmisión de elementos probatorios que ya se habían obtenido en una investigación desarrollada en el Estado de ejecución, esto es, como su propio nombre indicaba, se solicitaba un elemento probatorio. Sin embargo, con la OEI, se busca que no solo se trasmitan elementos probatorios ya obtenidos, sino que las autoridades encargadas de la investigación en un Estado, puedan solicitar a otro la realización de un acto de investigación, como consecuencia de un proceso penal iniciado en el Estado de emisión. Igualmente, se podrá solicitar la remisión de las diligencias de investigación que ya obren en poder las autoridades competentes del Estado miembro de ejecución. Por tanto, con la OEI se persigue, además de la obtención de elementos probatorios, la obtención de fuentes de prueba[10]. Y lo más interesante es que se permite que el Estado de emisión, establezca las normas por las que se desarrollará dicho acto de investigación.

Siguiendo la concepción restrictiva del principio de reconocimiento mutuo, el Estado de ejecución podrá, conforme al texto legal, oponerse a la realización de dicho acto, proponer otro o debatir sobre la manera de llevarlo a cabo[11].

---

8   Vid. LÓPEZ JIMÉNEZ, R., «La transposición de la orden europea de investigación en España por la Ley 3/2018, de 11 de junio», Justicia, nº 2, 2018.

9   BACHMAIER WINTER, L., «El exhorto europeo de obtención de pruebas» …op. cit., pág. 513.

10 Como establece MARTÍNEZ GARCÍA: *la idea clave es que entran en coordinación dos jurisdicciones, dos autoridades (emisión y ejecución) y dos ordenamientos.* En «La orden europea de investigación» en GONZÁLEZ CANO, MI (Dir.)., *Integración europea y justicia penal*, Tirant lo Blanch, Valencia, 2018, pág. 407.

11 MARTÍNEZ GARCÍA, E, *La Orden Europea de Investigación. Actos de investigación…*op. cit., pág. 17. Al respecto, establece la autora la necesidad de que las decisiones del Estado de ejecución estén sujetas al principio de proporcionalidad.

Conforme al tenor literal del artículo 189 de la Ley 23/2014, la solicitud de una orden de investigación europea se podrá hacer de oficio o a instancia de parte siempre que sea necesaria y proporcional para los fines de la investigación y que la diligencia por la que se solicita la orden europea de investigación hubiera podido ordenar en las mismas condiciones en un caso similar que se desarrollase por completo en el territorio nacional.

Teniendo en cuenta que, el principio de reconocimiento mutuo, debe entenderse desde la concepción restrictiva, la ley señala diversas causas por las que se puede rechazar la ejecución de una OEI. De este modo, las causas de exclusión que pueden basar la decisión de denegar su ejecución son varias: por un lado, las causas establecidas en el artículo 32 y por otro, las relacionadas en el artículo 207 de la Ley 23/2014. Así, se podrá denegar las OEI por la aplicación del principio *non bis in ídem;* precepción del delito o de la sanción cuando la competencia sobre su conocimiento la tengan las autoridades españolas; insuficiencias o incorrecciones relevantes del formulario; existencia de una inmunidad que impida su ejecución; existencia de un privilegio en el derecho del estado de ejecución que imposibilite la ejecución de la OEI; lesión de intereses de seguridad nacional; la conducta que dio origen a la emisión de la orden europea de investigación no sea constitutiva de delito con arreglo al Derecho español; la denominada cláusula de territorialidad; es incompatible con las obligaciones del Estado español de conformidad con el artículo 6 del Tratado de la Unión Europea y de la Carta de los Derechos Fundamentales de la Unión Europea; no se ajuste a las investigaciones del derecho español[12].

4. LAS INVESTIGACIONES ENCUBIERTAS EN APLICACIÓN DE LA OEI

Las investigaciones encubiertas deben ser consideradas diligencias de investigación extraordinarias pues suponen un *plus de lesividad* para con los derechos fundamentales de las personas investigadas.

---

[12]   Sobre el estudio de las cáusalas de denegación GRANDE SEARA, P., «Reconocimiento y ejecución en España de una Orden Europea de Investigación (Análisis del Proyecto de Ley por la que se modifica la Ley 23/2014, de 20 de noviembre, de reconocimiento mutuo de resoluciones penales en la Unión Europea, para regular la Orden Europea de Investigación)» GONZÁLEZ CANO, MI (Dir.)., *Integración europea y justicia penal,* Tirant lo Blanch, Valencia, 2018.

Es cierto que tanto la Directiva como la Ley de trasposición española, se refieren a las investigaciones encubiertas en general, pero únicamente se centran en la actuación de un policía infiltrado[13].

La infiltración policial consiste en la inmersión de un agente de las Fuerzas y Cuerpos de Seguridad del Estado en el seno de una organización criminal. Este actuará bajo el uso de una identidad supuesta obteniendo información suficiente sobre la identidad de los miembros de la organización, fundamentalmente los denominados «hombre de atrás», así como toda la información relevante que permita desvirtuar la presunción de inocencia de los miembros de la organización criminal en un posterior y eventual juicio oral[14]. La infiltración policial está regulada en el ordenamiento jurídico español en el artículo 282. bis. Su utilización queda limitada a las investigaciones circunscritas a las organizaciones criminales estando excluida en todo caso, su utilización para la investigación de otras realidades criminales. A pesar de que la LECrim faculta al Ministerio Fiscal para la autorización de esta medida de investigación, durante el desarrollo de la infiltración deben observarse el principio de proporcionalidad y en cualquier caso deberán respetarse los derechos fundamentales de las personas investigadas.

Además, en 2015 la LECrim sufrió una modificación que afecta a la figura del agente encubierto y que posibilita la actuación infiltrada en los canales cerrados de comunicación y a pesar de que no se quede suficientemente claro, también, en mi opinión, deben circunscribirse a la delincuencia organizada.

La justificación de esta breve alusión a la LECrim deviene del texto literal del artículo 186 de la Ley 23/2014 al establecer que *se considerarán válidos en España los actos de investigación realizados por el Estado de ejecución, siempre que no contradigan los principios fundamentales del ordenamiento jurídico español ni resulten contrarios a las garantías procesales reconocidas en este.* Siendo así, habrá que tener en cuenta las peculiaridades del ordenamiento jurídico español para determinar si lo actuado conforme al artículo 201 de la mencionada ley puede hacerse valer en el procedimiento iniciado en España.

---

[13]   Hay que tener en cuenta que las operaciones encubiertas no solo se refieren a las infiltraciones policiales en sentido estricto sino también se incluyen en el concepto amplio de investigación encubierta, la entrega y circulación vigilada y la actuación proactiva de las fuerzas y cuerpos de seguridad del Estado.

[14]   *Vid.* ZAFRA ESPINOSA DE LOS MONTEROS, R., *El policía infiltrado. Los presupuestos jurídicos en el proceso penal español,* Tirant lo Blanch, Valencia, 2010.

La razón de ser de la OEI para la solicitud o ejecución de una operación encubierta, encuentra su sentido en el carácter trasnacional en el que actúan las organizaciones criminales. En ocasiones, los entramados organizativos, utilizan la libertad que se promulga en el Espacio de Libertad, Seguridad y Justicia para eludir la responsabilidad penal derivada del delito sin que los Estados puedan perseguir el delito una vez que se traspasa las fronteras, por el principio de soberanía nacional. Por ello, los Estados debían estar a lo dispuesto en el Convenio de Asistencia judicial en materia penal de 2000, para poder realizar operaciones encubiertas en el territorio de más de un Estado. Está claro, que, con las OEI, las operaciones encubiertas ganarán en eficacia y rapidez lo que redundará en la desarticulación de los entramados de forma más eficiente.

Siendo así, hay que tener en cuenta que los entramados organizativos pueden que tenga su sede en un territorio concreto pero su actuación es itinerante. Es decir, cuando las modernas organizaciones actúan, no lo hacen en el territorio de un solo Estado, sino que expanden sus tentáculos a varios países. De este modo, como hemos anunciado, la persecución de estos a través de operaciones encubiertas se hacía complicado. Al hilo de la OEI, prevé la Ley española que podrán las autoridades competentes españolas, acceder a la participación de las autoridades del Estado de emisión siempre que: dichas autoridades estén facultas para participar en la ejecución de las medidas de investigación en un caso interno de su Estado y que esa intervención no sea contraria a los principios jurídicos fundamentales ni perjudique los intereses esenciales de la seguridad nacional. Igualmente se dispone que las autoridades que participen en la ejecución se someterán al derecho español, pudiendo ejercer actuaciones coercitivas siempre que esta sea conforme al derecho español y cuando haya sido pactado por las autoridades implicadas (de emisión y ejecución).

En mi opinión, esta previsión que se hace en el artículo 210 de la Ley, tiene su encaje perfecto en la investigación a través de las operaciones encubiertas en tanto que cuando un agente se infiltra para la investigación de una organización criminal sita en un Estado, si la actuación del entramado traspasa fronteras, la actuación del agente infiltrado debería hacerlo de la misma forma. Siento esto lo ideal para no levantar sospechas, parece que la aplicación lógica del artículo 210 resulta ideal para este tipo de situaciones siempre y cuando se cumplan todas las previsiones establecidas en su tenor literal.

La ley menciona dos posibles situaciones al hilo de las operaciones encubiertas: por un lado, cuando España es Estado de emisión y solicita a las autoridades de otro Estado la realización de una operación encubierta; y por el otro, cuando España es solicitado para ejecutar una operación encubierta.

4.1. Emisión de una OEI para la realización de una operación encubierta

La emisión de una OEI para la solicitud de una operación encubierta, se regula en el artículo 201 de la Ley 23/2014. Aunque el precepto mencionado no desvela ninguna peculiaridad específica de este medio de investigación extraordinario, su solicitud debe observar la concurrencia de una serie de requisitos relativos a la necesidad y proporcionalidad a los fines del procedimiento para el que se solicita; que la medida solicitada se hubiera podido ordenar, en las mismas condiciones, en un caso similar interno. Todo ello, debe realizarse con el estricto respeto de los derechos de los investigados o encausados.

En cualquier caso, las autoridades españolas deberán indicar las razones por las que se considera pertinente la realización de una investigación encubierta.

No obstante, y teniendo en cuenta el sentido de las infiltraciones policiales de larga duración, solicitar una operación encubierta no parece que tenga demasiado sentido si consideramos a la infiltración como la entrada de un agente en el seno de una organización para entablar lazos de confianza con los miembros del entramado que le permita la investigación de la organización desde dentro.

Parece que este precepto está pensado para la realización de infiltraciones de corta duración o encuentros esporádicos con miembros del entramado para conseguir determinada información.

En este sentido, para la infiltración policial de larga duración tiene más sentido la solicitud de cooperación o colaboración para que el mismo agente que actúa en el estado español sea el que continúe con la actuación en otro Estado. Con ello se lograría evitar la frustración de la investigación y el descubrimiento de la identidad del agente. No obstante, en la Ley se especifica una OEI para las investigaciones encubiertas.

En cualquier caso, cuando las autoridades españolas requieran a otro Estado para la ejecución de una OEI donde soliciten la actuación de un agente encubierto, la orden deberá indicar las razones por las que se considera pertinentes realizar este tipo de investigación. Ello implica que, en todo caso, la autoridad competente para la emisión de la solicitud, deberá hacer el oportuno examen de proporcionalidad y observar que no hay ningún otro medio de investigación capaz de conseguir los mismos resultados[15] con un coste inferior en cuanto a los derechos fundamentales de los investigados.

En definitiva, para que la información obtenida por el agente encubierto que actúa en el territorio de otro Estado o para que la información obtenida el agente de otro Estado que actúa infiltrado a petición de España, tenga fuerza probatoria, deben haberse respetado, en cualquier caso, los derechos fundamentales de las personas investigadas o encausadas. En caso contrario, las informaciones obtenidas por el agente no podrán ser utilizadas en el eventual juicio oral celebrado bajo el ordenamiento jurídico español a pesar de que se entienda que ha cumplido los requisitos legales determinados por el ordenamiento de ejecución que será por el derecho que se rija la actuación[16]. Es evidente que esta situación está provocada en gran parte por la desarmonización de la normativa interna de los EEMM que no hace más que fragmentar el Espacio de Libertad, Seguridad y Justicia[17] y ello, por más que se adelante en el ámbito europeo de cooperación.

4.2. *Ejecución de una OEI para la realización de una operación encubierta*

Establece la Ley, en el artículo 186.1 que se considerarán válidos los actos de investigación, esto es, las investigaciones encubiertas siempre que no contradigan los principios fundamentales del ordenamiento jurídico ni resulten contrarios a las garantías procesales. En este sentido, habrá que tener en cuenta no solo el sistema de garantías previsto en la CE sino también el contenido íntegro de la Carta de los Derechos fundamentales[18].

---

[15] En el mismo sentido, BACHMIER, L, «Prueba transnacional penal en Europa: La Directiva 2014/41 relativa a la Orden Europea de Investigación» en *Revista General de Derecho Europeo*, núm. 36, 2015.

[16] LÓPEZ JARA, M, «Trasposición al Ordenamiento Español de la Orden Europea de Investigación en materia penal: el procedimiento para su emisión» en *Diario La Ley*, núm. 9252, de 5 de septiembre de 2018 establece: "*la actuación, dirección y control de las actuaciones corresponde a las autoridades de ejecución, debiendo ponerse de acuerdo las autoridades de emisión y de ejecución en la duración de la investigación encubierta, condiciones y régimen jurídico de los agentes encubiertos*"

[17] JIMENO BULNES, M, «Las implicaciones del Tratado de Lisboa en la cooperación judicial europea en materia penal» en ARANGÜENA FANEGO, C (Dir.), *Espacio Europeo de Libertad, seguridad y Justicia: últimos avances en cooperación judicial penal*, Lex Nova, Valladolid, 2010, pág. 50.

[18] En este sentido, es necesario recordar que la Carta de Derechos fundamentales de la Unión Europa se ha incorporado como derecho originario de la Unión.

Igualmente, el artículo 206.1 prescribe:

> *La autoridad competente española llevará a cabo la ejecución de la medida de investigación solicitada si dicha medida de investigación existiera en Derecho español y estuviera prevista para un caso interno similar.*

Anteriormente, hemos mencionado las clausulas por las que las autoridades españolas pueden denegar la ejecución de la OEI. En el caso de las operaciones encubiertas hay que añadir dos supuestos más de denegación, conforme al artículo 220: *la realización de investigaciones encubiertas no se autorizaría en casos internos similares; no se hubiera llegado a un acuerdo con la autoridad de emisión respecto a las condiciones para llevar a cabo la investigación correspondiente.* Es decir, la denegación por estas razones se centra en: pretender utilizar a un agente encubierto para la investigación de un delito cometido por un autor individual o conjunto de personas pero sin la consideración de organización criminal; porque la conducta delictiva que se pretende investigar no es uno de los delitos previstos en el apartado 4 del artículo 282 bis LECrim aunque haya sido o esté siendo cometida por organización criminal; o las autoridades españolas no llegaran a acuerdo para la ejecución de la investigación[19].

Por otro lado, las autoridades competentes de ejecución, examinadas las circunstancias concurrentes en el caso concreto, y cuando entiendan que se podrá obtener el mismo resultado mediante la práctica de una diligencia menos restrictiva de derechos fundamentales, las autoridades españolas autorizarán la ejecución de la media alternativa y menos lesiva para el sistema de garantías de las personas investigadas.

Se señala que el plazo máximo para la ejecución de la OEI por España será de 90 días. Parece lógico por la propia naturaleza de la infiltración policial y por la naturaleza cambiante de las organizaciones criminales que este plazo resulta algo desproporcionado y que puede llegar a frustrar la operación. De esta forma, en estos casos, se podrá atender a la gravedad del delito o cualquier circunstancia urgente para que su ejecución se ajuste a lo solicitado por el Estado de emisión para estos efectos.

---

[19]　Como señala VILLODRE LÓPEZ, *la peligrosidad de este mecanismo precisa de una comunicación previa entre las autoridades implicadas a fin de cotejar las distintas exigencias legales, así como una estrecha coordinación una vez iniciada la ejecución de la medida.* «La Orden Europea de Investigación penal: transposición de la Directiva 2014/41 del Parlamento Europeo y del Consejo de 3 de abril de 2014» en *Diario La Ley,* de 24 de mayo de 2018.

5. CONCLUSIÓN

La infiltración policial es considerado un mecanismo extraordinario de investigación. Tal y como está regulado en nuestro ordenamiento jurídico, tan solo es posible utilizarlo para la investigación de organizaciones criminales. Es por ello, que debemos tener presente la naturaleza cambiante de este fenómeno criminal . Así, de una de organizaciones con una estructura jerárquica definida y que actuaban en el territorio de un solo Estado, se ha evolucionado a unos entramados organizados por células y que se estructuran de forma horizontal. En cualquiera de las dos fórmulas la expansión territorial es un factor que dificulta su persecución. No obstante, el panorama actual es que los entramados son capaces de actuar en el territorio de más de un Estado, sin necesidad de herramnamientos con otras organizaciones. Esta situación provoca que la actuación llevada a cabo por las autoridades internas de un solo Estado puedan no ser suficientes para reprimir este tipo de conductas.

Con las OEI, se permite que las infiltraciones policiales iniciadas en un Estado miembro puedan continuar en el territorio de otro Estado de forma rápida y bajo el prisma del reconocimiento mutuo. Además, habilita para que, bajo su auspicio, puedan iniciarse infiltraciones policiales en el territorio de otro Estado.

El tema del material probatorio obtenido por el agente encubierto, resulta problemático de por sí cuando se realiza la infiltración de "forma interna", cuanto más si la infiltración se realizará en el territorio de otro Estado y bajo su derecho. Siendo así, y teniendo presente la aplicación del principio de reconocimiento mutuo desde la óptica de la concepción restrictiva y no automática, siempre que la infiltración se haya desarrollado bajo el paraguas de la estricta observancia de los derechos fundamentales, todo lo que se obtenga de ella, deberá ser considerado válido para el eventual juicio oral que se celebre contra los integrantes del entramado.

Otro de los temas que parecen bastantes controvertidos en las infiltraciones policiales es la consideración de organización criminal. Es lógico que al ser un medio extraordinario que provoca un plus de lesividad en el sistema de garantías, la actuación del agente encubierto esté pensada para delincuencia grave organizada y no para cualquier tipo de investigación delictual. La importancia de la determinación del concepto de organización criminal, deviene de la prescripción de la ley relativa a la necesidad de que la medida se aplique en un caso similar en el ordenamiento interno del cual se pide la ejecución. Es por ello, por lo que, puesto que en el ordenamiento jurídico español la infiltración policial solo es posible para la investigación de entramados, la solicitud de ejecución, (tanto si España es estado de emisión o de ejecución) debe delimitarse a este fenómeno criminal.

En definitiva, y en cualquier caso, todos estos avances que se producen en el plano de la UE en relación con la cooperación policial y judicial en materia penal, pueden ayudar y favorecer la previención y la represión de la delincuecia transfronteriza. Sin emboargo, no se puede perder de vista que, como ya se ha dicho, sin una armonización de legistaciones sustantivas y formales, de los diferentes Estados, es complicado progresar debidamente y como se pudiera.

Capítulo XXI

DERECHO DE LAS VÍCTIMAS RESIDENTES EN OTRO ESTADO MIEMBRO A DECLARAR TRAVÉS DE VIDEOCONFERENCIA[1]

Mercedes Serrano Masip
Profesora Titular de Derecho Procesal
Universidad de Lleida

SUMARIO: 1. INTRODUCCIÓN. 2. DERECHOS ESPECÍFICOS DE LAS VÍCTIMAS RESIDENTES EN OTRO ESTADO MIEMBRO RECONOCIDOS POR LA DIRECTIVA 2012/29/UE. 3. COMPARECENCIA POR VIDEOCONFERENCIA EN LA DIRECTIVA 2014/41/CE: LA PRETERICIÓN DE LAS VÍCTIMAS RESIDENTES EN OTRO ESTADO MIEMBRO. 4. CONCLUSIONES.

RESUMEN: Este estudio analiza cómo puede influir en la efectividad del derecho a declarar mediante videoconferencia, de las víctimas residentes en un Estado miembro distinto del Estado donde se ha cometido el delito, la regulación de este medio tecnológico prevista en la Directiva 2014/41/CE.

ABSTRACT: The proposed study analyses in which extent the videoconference's regulation laid down by the Directive 2014/41/EC might influence the right of the victims, who are not resident in the State where the crime was committed, to make a statement through that technology.

PALABRAS CLAVE: Víctimas residentes en otro Estado miembro; videoconferencia; orden europea de investigación en materia penal; reconocimiento mutuo; asistencia judicial.

KEY WORDS: Victims resident in another member State; videoconference; European investigation order in criminal matters; mutual recognition; legal assistance.

---

[1] La presente comunicación se ha realizado en el marco del proyecto I+D DER 2015-64506-C2-1-R sobre "Formas contemporáneas de violencia de género: mecanismos jurídicos de protección de las víctimas".

1. INTRODUCCIÓN

La Decisión Marco, de 15 de marzo de 2001, relativa al Estatuto de la víctima en el proceso penal y la Directiva 2012/29/UE, de 25 de octubre, por la que se establecen Normas mínimas sobre los derechos, el apoyo y la protección de las víctimas de delitos son dos instrumentos normativos UE erigidos sobre la base de la aproximación legislativa.

No obstante, ambos textos contienen normas que pretenden dar respuesta a algunas de las posibles cuestiones que para las víctimas pueden derivarse de la perpetración de un delito que puede conllevar que un proceso penal adquiera una dimensión transfronteriza. Se plantean, por ejemplo, si las víctimas deben en cualquier caso, sin excepción, denunciar los hechos delictivos en el Estado miembro donde se han cometido a pesar de no residir en el mismo. A esta pregunta, la UE ha dado la misma respuesta en 2001 y en 2012, a saber: las víctimas tienen el derecho a presentar la denuncia en el Estado miembro en el que residen. Como consecuencia de ejercitar ese derecho, es muy probable que deba entablarse la cooperación judicial, al amparo del principio de reconocimiento mutuo entre las autoridades competentes de los Estados miembros implicados, dirigida a la recogida y transmisión de pruebas. Hay que tener en cuenta que las víctimas, también por obra de esos dos instrumentos normativos UE, no solo pueden optar por transmitir la *notitia criminis* en el Estado miembro en el que residen, sino que pueden solicitar al órgano judicial competente que está investigando los hechos que se les permita declarar desde aquel Estado miembro.

El objetivo principal de la presente comunicación estriba en determinar si la ejecución de la diligencia de investigación por la autoridad competente del Estado miembro requerido, consistente en facilitar la declaración de las víctimas a través de videoconferencia, se efectuaría con celeridad y sin generar cuestiones complejas a causa de una aplicación estricta del principio de reconocimiento mutuo, al no implicar aquella diligencia una intromisión en la esfera de los derechos fundamentales de la persona investigada, o la agilidad en la práctica de aquella diligencia dependería de los acuerdos a que pudiera llegar con la autoridad del Estado miembro emisor lo que sería susceptible de ir en detrimento de los derechos que, la Directiva 2021/29/UE y las normativas internas, reconocen a las víctimas.

A los efectos de desarrollar dicha hipótesis y obtener unas conclusiones si bien provisionales que permitan aproximarnos al objetivo marcado, se dedica la primera parte de esta comunicación al análisis de las normas previstas en la Directiva 2012/29/UE con respecto a las víctimas residentes en otro Estado miembro y a las medidas de protección que cabe adoptar durante la fase de investigación. Dicho análisis se completará con la perspectiva que adopta el legislador español al incorporar esas normas al ordenamiento jurídico interno por medio de la Ley 4/2015, de 27 de abril, del Estatuto de la víctima del delito. La segunda parte se destina al examen de la comparecencia de las víctimas por videoconferencia a la luz de la Directiva 2014/41/CE, de 3 de abril, relativa a la Orden europea de investigación en materia penal y a como ha sido transpuesta por la Ley 3/2018, de 11 de junio, que modifica la Ley 23/2014 de Reconocimiento mutuo de resoluciones penales en la UE.

2. DERECHOS ESPECÍFICOS DE LAS VÍCTIMAS RESIDENTES EN OTRO ESTADO MIEMBRO RECONOCIDOS POR LA DIRECTIVA 2012/29/UE

La Directiva 2012/29/UE establece en el art. 17 los derechos específicos de las víctimas residentes en un Estado miembro distinto de aquel en que se ha cometido la infracción penal. Todos ellos tienen trascendencia procesal y cabe individualizarlos en los tres siguientes: derecho a que se les tome declaración inmediatamente después de que se presente la denuncia ante la autoridad competente; derecho a que cuando se las deba oír se apliquen, en la medida de lo posible, las disposiciones del Convenio relativo a la Asistencia jurídica en materia penal entre los Estados miembros de la UE, de 29 de mayo de 2000, reguladoras de la declaración a través de videoconferencia y conferencia telefónica y, el tercer y último derecho, radica en poder presentar la denuncia ante las autoridades competentes del Estado miembro de su residencia sino pudieran hacerlo, o si no desearan hacerlo tratándose de un delito grave, en el Estado miembro en el que se hubiera cometido la infracción penal.

Por otro lado, a través de las medidas de protección que cabe acordar respecto de cualquier víctima durante las investigaciones penales, sin que sea condición previa haber procedido a evaluarla individualmente, la Directiva 2012/29/UE pretende evitar que, durante su declaración, aquella experimente bien una victimización reiterada bien secundaria, se ejerza sobre ella intimidación o se atente contra su dignidad e intimidad. Con vistas a lograr esas finalidades, ordena a los Estados miembros la previsión de las medidas necesarias para que, por ejemplo, no hayan de mantener un contacto directo con el infractor, se les tome declaración cuando sea estrictamente necesario para los fines de las investigaciones penales y se limite la difusión de sus datos personales (arts. 18 a 21)[2].

A las víctimas residentes en un Estado miembro distinto de aquel en que se ha perpetrado el delito se refieren también otros instrumentos normativos europeos de ámbito de aplicación sectorial. Cabe citar al respecto la Directiva UE 2017/541, de 15 de marzo, relativa a la Lucha contra el terrorismo, cuyo Título V contiene disposiciones sobre asistencia, apoyo, protección y derechos de las víctimas. Por lo que se refiere a los derechos, se incide esencialmente en los de las víctimas residentes en un Estado miembro distinto de aquel en que se cometió el delito, subrayando que los Estados miembros implicados han de promover la cooperación entre las autoridades competentes con el fin de garantizar el acceso efectivo de las víctimas a la información sobre sus derechos. Entre dicha información se alude al asesoramiento jurídico que debe ser prestado por las autoridades del Estado miembro de residencia de las víctimas, aun cuando el delito de terrorismo se haya perpetrado en otro Estado miembro (arts. 24 y 26). Ahora bien, no se incluye en la Directiva UE 2017/541 ninguna norma especial concretando aquellas medidas de protección que resulten más idóneas para hacer frente a la victimización causada por actos terroristas; simplemente se remite a lo previsto en la Directiva 2012/29/UE. De ahí que deba destacarse la mención expresa que efectúa, de un lado, del riesgo de intimidación y de represalias o de la necesidad de velar por la dignidad y la integridad física como criterios que justifican la adopción de medidas protectoras; y, de otro, de la declaración y del interrogatorio a las víctimas como ejemplos de actuaciones procesales en los que la protección deviene ineludible (art. 25).

La transposición al ordenamiento jurídico español de las normas relativas a las víctimas de delitos cometidos en otros Estados miembros de la UE se materializa en distintos cuerpos legales. En la Ley 4/2015, lo único que se establece es que las víctimas residentes en España tienen el derecho de presentar ante las autoridades españolas las denuncias correspondientes a hechos delictivos que hubieran sido cometidos en el territorio de otros países de la UE (art. 17)[3]. Nada se prevé, en cambio, respecto al derecho de esas víctimas a que sean oídas utilizando videoconferencia o conferencia

---

[2]   Vid. OROMÍ I VALL-LLOVERA, S., "Víctimas de delitos en la Unión Europea. Análisis de la Directiva 2012/29/UE", *Revista General de Derecho Procesal*, nº 30, 2013, pp. 18 y 19.

[3]   Cfr. SERRANO MASIP, M., "Los derechos de participación en el proceso penal", en TAMARIT SUMALLA, J. Mª (coord.), *El Estatuto de las víctimas de delitos. Comentarios a la Ley 4/2015*, Tirant lo blanch, Valencia, 2015, pp. 156-158.

telefónica. Ello puede ser debido a que el legislador español estimó que ese derecho estaba suficientemente garantizado mediante el régimen instituido en los arts. 229.3 LOPJ y 325 y 731 bis LECrim[4].

Una postura distinta sostiene la Ley 4/2015 por lo que respecta a la transposición de los derechos de las víctimas relacionados con su protección durante la investigación penal, pues, no duda en introducir en su articulado una trascripción casi literal de las disposiciones previstas en la Directiva 2012/29/UE referentes a las finalidades que se pretenden obtener con la protección y a cuáles son las medidas más apropiadas para lograrlas, cuando ambas no se hallan condicionadas ni a las características personales de las víctimas ni a la gravedad de la infracción penal. Entre las finalidades que señala la ley española se encuentran: garantizar la vida, libertad, seguridad e integridad física y psíquica; salvaguardar su intimidad y dignidad; así como, reducir los riesgos de que se produzcan revictimizaciones. Y, entre las medidas cuya aplicación fomenta se hallan las que sean aptas para impedir el contacto directo entre las víctimas y el sospechoso; las que permitan la declaración de las víctimas sin dilaciones injustificadas, el menor número de veces posible y únicamente cuando resulte estrictamente necesario para los fines de la investigación penal, a las que se suman las que contribuyan a preservar su intimidad (arts. 19 a 22).

En definitiva, a pesar de que es razonable inferir del considerando 51 y del art. 17 Directiva 2012/29/UE que la declaración a través de videoconferencia de las víctimas residentes en un Estado miembro distinto de aquel donde se ha perpetrado el delito no solo es una medida que sirve para paliar dificultades de índole procesal de una causa con implicaciones transfronterizas, sino que ha de ser comprendida en clave de derecho reconocido a aquellas y que, por consiguiente, tanto el Estado miembro donde se ha cometido la infracción penal como el de la residencia de las víctimas han de disponer de los medios técnicos para que aquel tipo de declaración tenga lugar, la interpretación y aplicación de nuestras leyes procesales penales no acaba de superar la idea del carácter excepcional del empleo de la videoconferencia[5].

---

[4]   No obstante, la doctrina ha resaltado la parquedad de la regulación dada a la videoconferencia por la LOPJ y la LECrim; vid. al respecto, MONTESINOS GARCÍA, A., *La videoconferencia como instrumento probatorio en el proceso penal*, Marcial Pons, Madrid, 2009, pp. 41-48; y ARNAIZ SERRANO, A., "La experiencia española en el uso de videoconferencia en el proceso penal", *Publicaciones del Portal Iberoamericano de las Ciencia Penales. Instituto de Derecho Penal Europeo e Internacional*, 2016, pp. 12-15 (www.cienciaspenales.net).

[5]   Aun cuando la Sala Segunda del TS, en su sentencia 161/2015, de 17 de marzo, dio un decidido paso a favor de la normalización del uso de la videoconferencia en rela-

3. COMPARECENCIA POR VIDEOCONFERENCIA EN LA DIRECTIVA 2014/41/CE: LA PRETERICIÓN DE LAS VÍCTIMAS RESIDENTES EN OTRO ESTADO MIEMBRO

La segunda parte de esta comunicación versa sobre el régimen jurídico aplicable a la declaración de las víctimas a través de videoconferencia acordada en el Estado miembro en el que se celebra el proceso penal y que para su efectiva práctica ha de contar con el reconocimiento y la ejecución del Estado miembro donde aquellas residen.

El primer instrumento normativo UE en el que se regula la videoconferencia desde la perspectiva de lograr que ese avance tecnológico pueda servir a los fines del proceso penal haciendo, de un lado, más ágil y menos costosa la asistencia judicial internacional consistente en que un testigo que se halle en el territorio de un Estado miembro sea oído por las autoridades de otro Estado miembro y, de otro, procurando que sea compatible con los principios fundamentales de los derechos internos, es el Convenio relativo a la Asistencia jurídica en materia penal ya citado. Si bien se trata de una iniciativa que se desarrolla desde esa óptica, el interrogatorio o la declaración a través videoconferencia es considerada excepcional, rechazando dicho Convenio su uso generalizado. Este carácter se deja sentir en las condiciones a las que está sujeta su práctica. En efecto, el Convenio únicamente faculta a las autoridades judiciales del Estado miembro requirente que soliciten la audición del testigo residente en otro Estado miembro mediante videoconferencia cuando su comparecencia en persona "no sea oportuna o posible" (art. 10.1). A su vez, el Estado miembro requerido antes de autorizar la declaración por videoconferencia comprobará que su uso "no sea contrario a los principios fundamentales de su Derecho nacional" (art. 10.2). Aunque no sea el único previsto, este es el principal motivo jurídico en el que debe fundarse la denegación de la autorización. El otro motivo tiene una relevancia jurídica menor ya que se traduce en la falta de medios técnicos para llevarla a cabo y puede superarse, cabría decir, con un mínimo de buena voluntad y afán de mejora. Y es que frente a esa tesitura, el Convenio indirectamente insta a ambos Estados a que

---

ción con la declaración de las víctimas, pues "al ser el medio técnico de uso menos gravoso que el convencional, debería o podría acudirse a él en el caso de similitud o virtual paridad de los resultados razonablemente esperables" (f. d. 2º), la excepcionalidad de la declaración mediante videoconferencia de las víctimas residentes en otro Estado miembro se halla patente incluso en la *Guía de criterios de actuación judicial frente a la trata de seres humanos*, Consejo General del Poder Judicial, Madrid, 2018, pp. 295-297.

resuelvan la incidencia permitiendo el Estado requerido que el requirente le facilite esos medios[6].

Pese al avance que supuso el Convenio de 2000 en la dinámica de la asistencia judicial mutua en materia procesal penal en la UE[7], la creación y futura consolidación del espacio Europeo de Libertad, Seguridad y Justica exige superar los mecanismos propios de aquella dinámica e instituir un régimen general de obtención de pruebas, en los supuestos con dimensión transfronteriza, asentado en el principio de reconocimiento mutuo[8]. Esta intención política plasmada en el Programa de Estocolmo de 2009 se hace realidad a través de la Directiva 2014/41/CE, de 3 de abril, al prever que, mediante la expedición de la OEI, un Estado miembro no solo obtenga fuentes de prueba que obran en poder de las autoridades competentes de otro Estado miembro, lo que ya era factible tras la aprobación de la Decisión Marco 2008/978/JAI relativa al exhorto europeo, sino además conseguir que en este último Estado se practiquen una o varias diligencias de investigación en orden a que los resultados obtenidos puedan servir válidamente como prueba en un proceso penal ya iniciado o próximo a iniciarse en el primero[9]. El éxito de estos objetivos va a depender de cómo se ha configurado el régimen sobre la emisión y ejecución de una OEI.

---

[6]   Vid. RODRÍGUEZ SOL, L., "El empleo de la videoconferencia en la asistencia judicial penal internacional", *Diario La Ley*, n° 6737, 2007, pp. 1870-1873.

[7]   Vid. PÉREZ GIL, J., "Convenio de asistencia judicial penal", en JIMENO BULNES, M. (coord.), *La cooperación judicial civil y penal en el ámbito de la Unión Europea: instrumentos procesales*, Bosch, Barcelona, 2007, pp. 261-287.

[8]   Cfr. JIMENO BULNES, M., *Un proceso europeo para el siglo XXI*, Thomson Reuters-Civitas, Cizur Menor, 2011, pp. 92-130 y AMBOS, K., *Derecho penal europeo*, Thomson Reuters-Civitas, Cizur Menor, 2017, pp. 543-567.

[9]   Sobre los antecedentes de la Directiva 2014/41/CE, los principios que informan la emisión y ejecución de una OEI y el régimen jurídico establecido en orden a facilitar y agilizar la obtención y transmisión de pruebas entre los Estados miembros UE, vid. JIMENO BULNES, M., "Orden europea de investigación en materia penal", en JIMENO BULNES, M. (dir.), *Aproximación legislativa versus reconocimiento mutuo en el desarrollo del espacio judicial europeo: una perspectiva multidisciplinar*, Bosch, Barcelona, 2016, pp. 151-208; BACHMAIER WINTER, L., "Prueba transnacional penal en Europa: la Directiva 2014/41 relativa a la orden europea de investigación", *Revista General de Derecho Europeo*, n° 36, 2015; ARANGÜENA FANEGO, C., "Orden europea de investigación: próxima implementación en España del nuevo instrumento de obtención de prueba penal transfronteriza", *Revista de Derecho Comunitario Europeo*, n° 58, 2017, y AGUILERA MORALES, M., "El exhorto europeo de investigación: a la búsqueda de la eficacia y la protección de los derechos fundamentales en las investigaciones penales transfronterizas", *Boletín del Ministerio de Justicia*, n° 2145, 2012.

En la Directiva 2014/41/CE, cabe identificar tres ejes alrededor de los cuales gira la normativa que disciplina, principalmente, la emisión pero también la ejecución de una OEI: el primero se circunscribe en fijar la autoridad a quien se confía la salvaguarda de los derechos procesales de los investigados o acusados reconocidos en la CDFUE y en el derecho derivado UE; el segundo es el examen, y la revisión de sus consecuencias, acerca de si la medida de investigación solicitada cumple los postulados del principio de proporcionalidad; finalmente, el tercero radica en dirimir cuál ha de ser el derecho interno al que deben acomodarse las formalidades y los procedimientos que ha de seguir la ejecución de las medidas de investigación[10].

La salvaguarda de los derechos procesales de sospechosos o acusados, en particular de los consagrados en el art. 48 CDFUE como es el derecho de defensa, debe informar las decisiones tomadas por la autoridad de emisión, pues, aquellos constituyen una de las piedras angulares de la justicia penal. Asimismo, la autoridad de ejecución debe controlar que la práctica de la medida de investigación, conforme a las pautas indicadas por la autoridad de emisión, no le conduzca a la inobservancia de las obligaciones que le vienen impuestas por el art. 6 TUE y la CDFUE (cfr. considerandos 12 y 15, y arts. 1.4 y 11.1, f que vendrían a actuar a modo de cláusula de no regresión).

Con respecto al test de proporcionalidad, previo a la práctica de una medida de investigación de naturaleza coercitiva o invasiva de derechos fundamentales de los sospechosos o acusados, a los efectos de poder determinar su licitud, adecuación, necesidad y proporcionalidad, la Directiva 2014/41/CE encomienda su realización a la autoridad de emisión (art. 6.1, a). No obstante, de forma indirecta también encarga la valoración de la proporcionalidad de la medida de investigación a la autoridad de ejecución. Esta última se halla habilitada, en el supuesto de que tuviera razones para creer que no se ha efectuado aquel test correctamente, a ponerse en contacto con la autoridad de emisión en punto a discernir la importancia de la ejecución de la OEI. En función del resultado de los contactos, la autoridad de emisión puede optar por retirar la OEI (cfr. considerando 11 y art. 6.3).

---

[10]   Cfr. KOSTORIS, R., "Orden europea de investigación y derechos fundamentales", en ARANGÜENA FANEGO, C. y DE HOYOS SANCHO, M. (dir.), *Garantías procesales de investigados y acusados. Situación actual en el ámbito de la Unión Europea*, Tirant lo blanch, Valencia, 2018, pp. 322-335.

El último eje mencionado afronta la cuestión de cuál ha de ser el derecho interno que deba regir las formalidades y los procedimientos a los que se ha de ajustar la celebración de las medidas de investigación. Aquí la Directiva 2014/41/CE no se aparta de la tendencia advertida en los dos anteriores ejes, pues aunque prevé que sea la ley procesal del Estado de emisión (*lex fori*) la que discipline aquellos extremos por la vía de imponer a las autoridades que expidan la OEI la tarea de detallar los trámites específicos de la recogida de pruebas, concede a la autoridad de ejecución la potestad de separarse de alguno de aquellos trámites o de no acceder a alguna petición incluida en la OEI si estima que son contrarios a los principios jurídicos fundamentales de su ordenamiento (*lex loci*) o perjudica los intereses estatales de seguridad (art. 9.2).

La relevancia de los derechos fundamentales y garantías procesales que configuran la dinámica de esos tres ejes pone de relieve una cierta debilidad en la implantación del principio de reconocimiento mutuo. De esta realidad parte la Directiva 2014/41/CE al asumir que la confianza recíproca se asienta, en rigor, en una presunción *iuris tantum* de respeto del derecho UE, así como de aquellos derechos y garantías, entre los Estados miembros. Por tanto, si la autoridad del Estado requerido tiene motivos sustanciales para creer que la ejecución de una medida de investigación indicada en la OEI vulnera un derecho fundamental del interesado, al no poder ignorar sus obligaciones relativas a la protección de los derechos consagrados en la Carta, debe denegar la ejecución (considerando 19).

De lo anterior se infiere que la "flexibilidad", o en sentido contrario la "potenciación", del principio de reconocimiento mutuo depende de la naturaleza de la medida de investigación, en particular, si se trata o no de una medida que invada la esfera de los derechos fundamentales de la persona interesada. En el supuesto de la declaración de un testigo, calidad que en nuestro sistema de justicia penal ostenta la víctima, al no ser una diligencia de investigación restrictiva de derechos fundamentales incluso aunque se lleve a cabo por medio de videoconferencia, el principio de reconocimiento mutuo debería desplegar al máximo su efectividad.

A fin de confirmar o rectificar la hipótesis acabada de proponer, resulta conveniente reparar en los rasgos esenciales que atribuye a la comparecencia por videoconferencia la Directiva 2014/41/CE. De su "parte general", deben traerse a colación varios extremos, en concreto, la emisión de la OEI en la que se solicite su realización puede tener lugar no solo de oficio, sino también a instancia de la persona sospechosa "en el marco de los derechos de la defensa" y "de conformidad con el procedimiento penal nacional" (art. 1.3); la autoridad de ejecución no podrá acordar una medida de investigación distinta que sustituya a la declaración del testigo o de una víctima "en el territorio del Estado de ejecución" puesto que es una diligencia de investigación que "siempre tiene que existir en el Derecho nacional del Estado de ejecución" (art. 10.2) y, en último lugar, mencionaremos que los motivos de denegación del reconocimiento o la ejecución de una OEI se reducen cuando la pesquisa solicitada no implica una injerencia en la esfera de los derechos fundamentales de la persona que ha de declarar (art. 11.2).

Pasando a la "parte especial" de la Directiva 2014/41/CE, el precepto a analizar es el art. 24 ya que en el se regula la comparecencia por videoconferencia, de forma muy similar a como se efectuaba por el Convenio de 2000 que es sustituido por aquella (art. 34.1). Este precedente imprime un carácter singular que se refleja en la imprescindible articulación entre la *lex fori* y la *lex loci* en lo atinente a la práctica de la declaración, pues, aun cuando se establece que la comparecencia se ha de desarrollar con arreglo al derecho interno de la autoridad competente del Estado de emisión, se ordena a la autoridad competente del Estado de ejecución que vele por el respeto de los principios fundamentales que informan su ordenamiento jurídico. A lo que se añade la precisión de que si esta última autoridad considera que durante la comparecencia se están infringiendo alguno de esos principios, adoptará las medidas apropiadas para garantizar que la comparecencia se continúe celebrando de conformidad con aquellos (art. 24.5, a y c).

Asimismo, la coordinación entre la *lex fori* y la *lex loci* se manifiesta en relación con las medidas para la protección de la persona que deba ser oída. Al respecto se dispone que la adopción de una concreta medida obedecerá a lo que "convengan" las autoridades competentes de los Estados miembros de emisión y ejecución (art. 24.5, b). Pero la relación entre ambas leyes va más allá de la coordinación, llegando a integrar un único cuerpo legal, un único "Derecho", que se pone a disposición de la persona afectada, como se constata en la norma que prevé que la facultad de ejercer la dispensa del deber de declarar que puede invocar el testigo es la contemplada en el derecho de Estado de emisión o en el de ejecución (art. 24.5, e)[11].

---

[11]   La regulación de la videoconferencia en la Directiva 2014/41/CE es valorada por MARTÍNEZ GARCÍA, E., *La Orden europea de investigación: actos de investigación, ilicitud de la prueba y cooperación judicial transfronteriza*, Tirant lo Blanch, Valencia, 2016, pp. 94-101 y ESCRIBANO MORA, A., "El exhorto europeo de obtención de pruebas y la

Pues, bien, de lo expuesto debe ser destacado que la Directiva 2014/41/ CE olvida por completo a las víctimas y a los derechos que les reconoce la Directiva 2012/29/UE. Ninguna mención se efectúa a aquellas en sus considerandos; contadas alusiones y de poca relevancia se hallan en el texto articulado; y, los anexos, que suelen ser un elemento que facilita la comprensión de extremos que en ocasiones ni los preceptos ni los considerandos consiguen aclarar, nada aportan sobre el tema[12].

Corresponde ahora examinar la transposición de la Directiva 2014/41/ CE por la Ley 3/2018, de 11 de junio en relación con los aspectos a los que se ciñe esta comunicación. En primer lugar, debe decirse que la ley española también ordena la emisión y la ejecución de una OEI alrededor de los mismos ejes que generan la existencia de las normas que conforman la citada Directiva. Así, la salvaguarda de los derechos procesales de sospechosos o acusados es una condición esencial de la emisión de una OEI y de su ejecución (arts. 189.1, a y 207.1, d); la aplicación del test de proporcionalidad cuando se trata de diligencias de investigación que comporten una intromisión en la esfera de los derechos fundamentales o una atenuación de las garantías procesales del investigado o acusado se confía a las autoridades nacionales competentes para la emisión y la ejecución de la OEI (arts. 189.1, a y 206. 2 y 3); y la cuestión sobre qué ordenamiento jurídico ha de regir las formalidades y los procedimientos a los que se ha de acomodar la práctica de las medidas de investigación se resuelve en la línea marcada por la Directiva 2014/41/CE, a saber, la autoridad de emisión ha de expresar las formalidades y los procedimientos con arreglo a los cuales se ha de llevar a cabo la concreta diligencia de investigación, debiendo ser observados por la autoridad de ejecución a no ser que esta los estime contrarios a los principios fundamentales que inspiran su ordenamiento jurídico (arts. 21.1 y 190).

En segundo término, la Ley 3/2018, al igual que la Directiva 2014/41/ CE, potencia el principio de reconocimiento mutuo en la ejecución de una OEI dictada con vistas a la realización de una medida de investigación que no implique una intromisión en los derechos fundamentales de la persona afectada. Ello se comprueba en la regulación de los actos procesales que

---

orden europea de investigación", en GONZÁLEZ CANO, I. (dir.), *Cooperación judicial penal en la Unión Europea*, Tirant lo Blanch, Valencia, 2015, pp. 517-519.

[12] Mientras en la medida de asistencia o investigación consistente en la práctica de "vista oral" se halla una referencia a la "víctima" además de a los "testigos", en la atinente a la declaración por "videoconferencia", junto a los "peritos" y al "investigado o acusado", figuran únicamente los "testigos" como sujetos declarantes (Sec. C del Anexo A).

deben realizarse con anterioridad a la emisión y ejecución de la declaración a través de videoconferencia. A diferencia de las OEI relativas a medidas de investigación restrictivas de derechos fundamentales expresamente previstas en la Ley 3/2018, cuya emisión debe indicar las razones por las que se considera que su práctica es necesaria para el proceso penal de que se trate (cfr. por ejemplo, arts. 198 y 202) y cuya ejecución puede ser denegada, no solo en los casos que puedan subsumirse en los motivos "generales" y "específicos" de denegación del reconocimiento o la ejecución de las medidas solicitadas (arts. 32 y 207), sino también en el supuesto de que la concreta medida no se autorizaría en casos internos similares (arts. 220 y 221), la autoridad española parte de la base de que cuando emite una OEI para obtener la declaración de una víctima desde otro Estado miembro, la autoridad competente de este Estado no podrá denegar su ejecución, circunscribiéndose los aspectos sobre los que habrán de llegar a un acuerdo ambas autoridades a los que versan sobre aquellas "disposiciones prácticas" con arreglo a las cuales habrá de celebrarse la comparecencia (art. 197)[13].

Y, en tercer lugar, la concreta regulación de la ejecución de una OEI emitida para una comparecencia por videoconferencia demuestra la preterición de las víctimas residentes en otro Estado miembro y de sus derechos a ser oídas y protegidas de conformidad con lo previsto en la Directiva 2012/29/UE. Cabría argumentar en contrario que los derechos de las víctimas son tenidos en cuenta puesto que, de forma explícita, se contempla su derecho a no declarar al amparo de los sistemas jurídicos del Estado de emisión y español (art. 216.3, e), así como la posibilidad de otorgarles protección, pero en perjuicio de la efectividad de su derecho a declarar a través de videoconferencia juega tanto la posibilidad de que se deniegue porque en ese caso concreto se estime que infringe los principios fundamentales del Derecho español, como por la decisión de política legislativa de renunciar a imponer las reglas a las que debería ajustarse la declaración y dejar su práctica a los acuerdos coyunturales que, obviamente, pueden variar de un supuesto a otro (art. 216.3)[14].

---

13   El sentido que debe darse a los términos "disposiciones prácticas" viene dado por la Directiva 2014/41/CE. De conformidad con su art. 24.3, esas disposiciones tienen por objeto la citación a testigos y personas investigadas o acusadas, así como, la acreditación de la identidad de los declarantes.

14   Según lo previsto por el art. 24.5 c) Directiva 2014/41/CE, la comparecencia por videoconferencia "será efectuada directamente ante la autoridad competente del Estado de emisión o bajo su dirección, *con arreglo a su derecho interno*" (la cursiva es nuestra). Sin embargo, una referencia tan clara a la *lex fori* no se ha introducido en la Ley 3/2018 que entrega al resultado de los acuerdos entre las autoridades competentes la

4. CONCLUSIONES

De la confrontación de las normas contenidas en las Directivas 2012/19/ UE y 2014/41/CE, en orden a determinar el grado de efectividad del derecho que el primer instrumento reconoce a las víctimas de delitos cometidos en un Estado miembro a declarar por medio de videoconferencia cuando residan en otro Estado miembro, cabría sostener que gracias a la aplicación estricta del principio de reconocimiento mutuo, pues la declaración a través de ese medio técnico no genera una intromisión en la esfera de los derechos fundamentales, aquel derecho alcanzaría un nivel óptimo.

Ahora bien, un análisis más detenido de la cuestión muestra, si bien provisionalmente dado la corta vigencia del sistema formado por las normas analizadas, que existen diversos factores capaces de hacer fracasar aquel pronóstico; o en otras palabras, concurren distintos elementos que debilitan la fuerza y el alcance del principio de reconocimiento mutuo.

Uno de ellos es el olvido por parte de la Directiva 2014/41/CE de los derechos de las víctimas respecto de una diligencia de investigación, como es la declaración mediante videoconferencia, que está íntimamente ligada a su exploración, protección y a fomentar su participación en el proceso penal.

Un segundo factor es el haberse situado la Directiva 2014/41/CE en el mismo plano que el Convenio de Asistencia jurídica en materia penal de 2000 y no haber avanzado en la consolidación del espacio Europeo de Libertad, Seguridad y Justicia armonizando las formalidades y los procedimientos que, desde la perspectiva del Derecho Procesal Penal, debe observar la comparecencia de las víctimas por videoconferencia en ese ámbito territorial.

Y, un tercer elemento, a sumar a los anteriores es el inmovilismo del legislador español que incluso retrocede en comparación con la Directi-

---

realización de esa comparecencia. Cabe entender, que el legislador español no abandona la prioridad que, comúnmente, la Sala Segunda del TS ha dado a la aplicación de los criterios previstos por la *lex loci,* cuando los tribunales españoles actuando como autoridad requirente solicitaban a las autoridades de Estados europeos la práctica de diligencias de investigación que comportaban una intromisión en los derechos fundamentales de las personas inculpadas (vid. GASCÓN INCHAUSTI, F., "Report on Spain", en RUGGIERI, S., *Transnacional inquiries and the protection of fundamental rights in criminal proceedings,* Springer, Berlin, 2013, pp. 482-488). Esta prioridad se mantiene en los casos de declaraciones de víctimas a través de videoconferencia, como se constata en su sentencia nº 910/2013, de 3 de diciembre.

va 2014/41/CE y el Convenio de 2000, al no prever que la declaración a través de videoconferencia se desarrolle según la normativa del Estado miembro de emisión, sino que supedita su práctica a los acuerdos a que puedan llegar las autoridades de emisión y de ejecución. Es probable que esta opción de la Ley 3/2018 esté en consonancia con la parca regulación de declaración a través de videoconferencia en el art. 229.3 LOPJ y con la tradicional prioridad que nuestros tribunales han concedido a la *lex loci*, pero la falta de previsibilidad jurídica puede restar confianza a las víctimas y originar dilaciones en la cooperación judicial.

Capítulo XXII

LA ADAPTACIÓN DE LA ORDEN EUROPEA DE INVESTIGACIÓN EN ITALIA. ASPECTOS GENERALES DEL DECRETO LEGISLATIVO DEL 21 DE JUNIO DE 2017, NÚM. 108[1]

Serena Cacciatore
Personal Docente Investigador de Deerecho Procesal
Universidad de Burgos

SUMARIO: 1. INTRODUCCIÓN. 2. LA PROMULGACIÓN DE LA ORDEN EUROPEA DE INVESTIGACIÓN EN ITALIA: DECRETO LEGISLATIVO DE 21 DE JUNIO DE 2017 NÚM. 108. 3. VALORACIÓN DE LA ORDEN EUROPEA DE INVESTIGACIÓN ITALIANA DESDE LA PERSPECTIVA EUROPEA. 3.1. Análisis de las principales fortalezas de la normativa italiana. 3.2. Análisis de las principales debilidades del Decreto Legislativo italiano. 4. REFLEXIONES FINALES.

RESUMEN: El presente trabajo pretende analizar la adaptación italiana realizada mediante el Decreto Legislativo de 21 de junio de 2017, núm. 108[2] adoptado mediante legislación delegada (*legge delega*) de 9 de julio de 2015 n. 114, y entró en vigor el 28 de julio de 2017[3], con el cual Italia ha implementado la Directiva sobre la OEI.

Es fundamental valorar la OEI desde la perspectiva europea, porque de este modo podemos identificar cómo el Estado Italiano ha podido disfrutar las ventajas que presenta a través de la utilización de este nuevo instrumento. Éste es el objetivo que queremos lograr a través del estudio abordado. Con la Directiva OEI, como se referirá posteriormente, el legislador europeo ha realizado un intento de sistematización de la materia derivado de una falta de armonización normativa.

---

[1]   Esta Comunicación ha contado con la financiación de la Universidad de Burgos a través de la "Ayuda de viaje para intervención en congresos y otras reuniones científicas 2018" y se desarrolla en el marco del proyecto europeo "Best practices for EUROpean COORDination investigative measures and evidence gathering" bajo el acrónimo EUROCOORD (Ref. JUST-2015-JCOO-AG-1-723198) financiado por la DG JUSTICIA de la Unión Europea.

[2]   Versión oficial en italiano disponible en http://www.gazzettaufficiale.it/eli/id/2017/07/13/17G00120/sg (fecha de consulta: 15 de noviembre de 2018).

[3]   Versión oficial en italiano disponible en http://www.juscivile.it/normativaeuropea/Legge_9_7_2015_n_%20144_Legge_delegazione_europea_2014.pdf fecha de consulta: 15 de noviembre de 2018).

Enfocaremos esta comunicación en particular sobre las luces y sombras del Decreto Legislativo italiano; puesto que haciendo una breve comparación sobre
la OEI entre España y Italia, la transposición en el ordenamiento jurídico interno, en Italia ha sido anterior a la española; en efecto, entró en vigor el 28 de
julio de 2017, mientras que en España con la reciente Ley 3/2018, de 11 junio[4],
por la que se modifica la Ley 23/2014 de 20 noviembre de reconocimiento
mutuo de las resoluciones penales en la Unión Europea.

La presente comunicación se enmarca, además, en el proyecto europeo "Best
practices for EUROpean COORDination investigative measures and evidence
gathering" bajo el acrónimo EUROCOORD.[5] En desarrollo del mismo, ha
sido realizado un informe de la adaptación italiana y se han efectuado entrevistas a profesionales de la abogacía, fiscalía y judicatura.[6] Precisamente,
tanto mi nacionalidad italiana como mi licenciatura en Derecho por la universidad de Palermo han sido un motivo especial para elegir la temática de
la comunicación.

ABSTRACT: This paper aims to analyze the Italian adaptation made by the
Legislative Decree of 21 June 2017, No. 1082 adopted by delegated legislation
of 9 July 2015 n. 114, and entered into force on 28 July 2017, with which Italy
has implemented the EIO Directive.

It is essential to value the EIO from a European perspective, because in this way
we can identify how the Italian State has been able to enjoy the advantages it
presents through the use of this new instrument. This is the objective we want
to achieve through the study. With the EIO Directive, as it will be mentioned
later on, the European legislator has made an attempt to systematize the matter
as a result of a lack of regulatory harmonisation.

In particular, we will focus on the lights and shadows of the Italian Legislative
Decree; since making a brief comparison between Spain and Italy on the EIO,
the transposition in the internal legal order, in Italy has been prior to the
Spanish one; in fact, it entered into force on 28 July 2017, while in Spain with
the recent Law 3/2018, it entered into force on 11 June 2018, amending Law
23/2014 of 20 November on mutual recognition of criminal decisions in the
European Union.

---

[4]   BOE de 12 de junio de 2018, núm. 142, pp.60161-60206. Al respecto de su proyecto de
      ley ARANGÜENA FANEGO, Coral "Orden europea de investigación: próxima imple-
      mentación en España del nuevo instrumento de obtención de prueba penal transfron-
      teriza", *Revista de Derecho Comunitario Europeo,* n° **58, 2017, pp. 905-939.**

[5]   Liderado por la Universidad de Burgos, incluye como socios a la Universidad de
      Palermo (Italia) y la Universidad de Jagellonian (Polonia). Financiado por la DG
      JUSTICIA de la Unión Europea (Ref. JUST-2015-JCOO-AG-1-723198) desde 2017
      hasta febrero 2019.

[6]   Precisamente en la actualidad estoy contratada como Personal Investigador adscrito a
      este proyecto en cuestión.

This communication also forms part of the European project "Best practices for EUROpean COORDination investigative measures and evidence gathering" under the acronym EUROCOORD. A report on the Italian adaptation has been prepared and interviews have been held with lawyers, prosecutors and the judiciary.Both my Italian nationality and my law degree from the University of Palermo have been a special reason for choosing the subject of communication.

PALABRAS CLAVE: Orden Europea de Investigación, Unión Europea, Decreto Legislativo italiano 2017 núm. 108.

KEY WORDS: European Investigation Order, European Union, Italian Legislative Decree 2017 núm. 108.

1. INTRODUCCIÓN

La Unión Europea ha adoptado un nuevo instrumento, con el objetivo de convertirlo en la piedra angular de la cooperación judicial en materia penal en el campo de la obtención de pruebas y el intercambio de información.[7] El nuevo instrumento se trata de la llamada Orden Europea de Investigación (en adelante OEI), adoptada mediante Directiva 2014/41/CE del Parlamento Europeo y del Consejo del 3 de abril de 2014[8] (en adelante Directiva OEI) y que necesitaba ser implementada antes de 22 de mayo de 2017[9]. En efecto, ha operado automáticamente, incluso para aquellos Estados miembros que no lo han implementado, la posibilidad de aplicar las disposiciones directamente. Tradicionalmente el grado de transposición nacional de la disposiciones de la Unión en materia de cooperación judicial en materia penal era limitado. El Tratado de Lisboa ha llevado a un cambio gradual con el reconocimiento otorgado a la Comisión Europea para iniciar procedimientos de infracción también en este materia.[10]

---

[7]   Más ampliamente, CAIANELLO, Michele, "La nuova direttiva UE sull'ordine europeo di indagine penale tra mutuo riconoscimento e ammissione reciproca delle prove", *Processo penale e giustizia*, n° 3, 2015, pp.1-11.

[8]   DOUE de 1 de mayo de 2014, n° 130, pp. 1-36. Para una panorámica general, BACHMAIER WINTER, Lorena "Prueba transnacional penal en Europa: la Directiva 2014/41/CE relativa a la orden europea de investigación", *Revista General de Derecho Europeo*, n° 36, 2015, disponible en http://www.iustel.com (fecha de consulta: 24 de octubre de 2018).

[9]   Al respecto SIRACUSANO, Francesco., Tra semplificazione e ibridismo: insidie e aporie dell'Ordine europeo di indagine penale, disponible en www.archiviopenale.it, n° 2, 2017, pp. 675-691. (fecha de consulta: 18 de noviembre de 2018).

[10] MONTALDO, Stefano, "A caccia di... prove. L'ordine europeo di indagine penale tra complesse stratificazioni normative e recepimento nell'ordinamento italiano ", en *Giurisprudenza Penale Web*, **n°** 11, 2017, pp.1-10. Disponible en http://www.giurisprudenzapenale.com/wp-content/uploads/2017/11/Scarica-il-cöntributo-1.pdf

2. LA PROMULGACIÓN DE LA ORDEN EUROPEA DE INVESTIGACIÓN EN ITALIA: DECRETO LEGISLATIVO DE 21 DE JUNIO DE 2017 NÚM. 108

Al analizar el texto de la transposición, conviene hacer hincapié en las características de este actual medio que, más allá de los límites que presenta, parece sin embargo tener la intención de innovar las relaciones jurídicas entre los Estados miembros de la UE.[11]

La transposición en el ordenamiento jurídico italiano de la OEI como he apuntado anteriormente, ha sido tramitada el Decreto Legislativo de 21 de junio de 2017 núm. 10; se estructura en tres títulos y contiene 46 artículos. El primero contiene las disposiciones de principio, las definiciones y la cláusula de protección de datos personales; el segundo título regula el procedimiento pasivo y el tercero el activo. El Decreto en la aplicación de la Directiva OEI se aproxima a su contenido, respetando los "principios del sistema constitucional y la Carta de los derechos fundamentales de la UE en materia de derechos fundamentales, así como en términos de derechos de libertad y juicio justo" (art. 1).

La norma italiana debe leerse junto a la Directiva OEI, cuyas condiciones para la emisión y transmisión de un OEI se especifican en el art. 6 de la Directiva en cuestión. "Si no se respetan los requisitos de admisibilidad establecidos por la legislación italiana, los resultados de las medidas de instrucción, deberían declararse inutilizables. Esta prohibición, incluso si no está prevista expresamente, puede considerarse implícita en la Directiva, porque vinculada a una decisión por parte del legislador europeo".[12]

En primer lugar, respecto a la definición de OEI, el artículo 2 del D.leg reproduce, con algunas diferencias, el contenido de la Directiva (arts. 1 y 2). La definición literal es la siguiente: la disposición emitida por la autoridad judicial o por la autoridad administrativa y validada por la autoridad judicial de un Estado miembro de la UE, para llevar a cabo medidas de investigación o de pruebas (*assunzione probatoria*) que tienen por objeto personas o cosas

---

[11]   Véase argumentación a este respecto en JIMENO BULNES, Mar, Presentación en *Un Proceso Europeo para el siglo XXI*, Servicio de Publicaciones e Imagen Institucional, Universidad de Burgos, 2018. Disponible en https://www.ubu.es/sites/default/files/portal_page/files/leccion_inaugural_2018-19_mar.pdf (fecha de consulta: 18 de noviembre de 2018).

[12]   DANIELE, Marcello, "L'Ordine Europeo di Indagine penale entra a regime. Prime riflessioni sul D. lgs. n. 108 del 2017", *Diritto Penale Contemporaneo*, n° 7-8, 2017, pp. 208-215, esp. p. 209.

que se encuentran en el territorio del Estado u otro Estado miembro o para adquirir información o pruebas que ya están disponibles "(a).

Con respecto a la definición de "autoridad emisora", considerando los diferentes sistemas procesales en Europa, se ha destacado en la validación por parte de la autoridad judicial cuando la medida de investigación provenía de una persona distinta. Por lo tanto, se define la autoridad emisora como aquella competente para emitir la OEI la cual dispone la adquisición de pruebas en un procedimiento penal o la validación de una solicitud de adquisición de pruebas por parte de la autoridad administrativa (b).

La autoridad de ejecución, sin embargo, es la autoridad competente que recibe, reconoce y ejecuta una OEI (c), no está obligada a aplicar inmediatamente la orden, pero debe someterla a un conjunto de controles, que pueden llevar al aplazamiento o incluso a denegar de su ejecución.

La autoridad central[13] ha sido designada en el Ministerio de Justicia (f)[14]. El último artículo del Título I, hace referencia a la protección de los datos personales. Se prevé que, durante la emisión, la transmisión, el reconocimiento y ejecución de la OEI, los datos personales deberán estar de conformidad con la legislación de la Unión Europea, la legislación nacional y los Convenios del Consejo de Europa.

3. VALORACIÓN DE LA ORDEN EUROPEA DE INVESTIGACIÓN ITALIANA DESDE LA PERSPECTIVA EUROPEA

La Directiva OEI, referida a la cooperación en materia penal, pretende conseguir "un sistema general para obtener pruebas en los casos con dimensión transfronteriza" reemplazando "todos los instrumentos existentes" para ser utilizada en "todos los tipos de pruebas"[15]; es decir un único instrumento jurídico para superar la fragmentación del marco normativo existente y destacar el principio de reconocimiento mutuo de las resoluciones judiciales[16].

---

[13] Véase el artículo 7, par. 3 de la Directiva OEI.

[14] MANGIARACINA, Annalisa, "L'acquisizione "europea" della prova cambia volto: l'Italia attua la Direttiva relativa all' ordine europeo d'indagine", *Diritto penale e processo,* n° 2, 2018, pp. 158-180, esp. p. 161. En particular la Profesora Titular de Derecho Procesal Penal de la Universidad de Palermo, es socia del mencionado Proyecto Eurocoord.

[15] Véase Considerando n° 5 e n° 6, de la Directiva 2014/41/CE del Parlamento Europeo y del Consejo del 3 de abril de 2014.

[16] Erigido por el Consejo Europeo de Tampere en la construcción de un espacio judicial europeo y, como tal, consagrado por el Tratado de Lisboa, sin duda ha revolucionado

En particular sustituye el Convenio Europeo de Asistencia Judicial en Materia Penal del 1959, el Convenio de aplicación del Acuerdo de Schengen de 1990; el Convenio de Asistencia Judicial en materia penal entre los Estados miembros de la Unión Europea del 29 mayo de 2000, celebrado en Bruselas. Respecto a este último Convenio, Italia procedió a su aplicación con retraso, precisamente con el Decreto Legislativo de 5 de abril de 2017 núm. 52[17], sin embargo seguirá aplicándose entre los Estados miembros no vinculados a la Directiva OEI, así como a los no firmantes de la UE del Convenio ya citado, como Islandia y Noruega. En síntesis, la Directiva OEI, tiene pues el mérito de realizar una considerable simplificación del sistema vigente.[18]

En el Decreto Legislativo italiano hay ambigüedades, pero también elementos relevantes a la hora de realizar un estudio, destinados a futuras aclaraciones a través de la práctica y el trabajo interpretativo en el contexto jurisprudencial. En sus disposiciones presenta fortalezas y debilidades. Dadas la extensión del trabajo, nos limitaremos a señalar las fortalezas que consideramos más interesante. Así en primer lugar, las fortalezas relativa a la autoridad judicial competente en segundo lugar la fortaleza relativa al desarrollo del principio de proporcionalidad.

3.1. Análisis de las principales fortalezas de la normativa italiana

En el artículo 4 del D. leg en cuestión, se observa el primer aspecto positivo. En efecto, parece ser impecable desde el punto de vista de la identificación de los organismos competentes para aplicar la OEI.

La competencia para recibir, reconocer y ejecutar la OEI se ha atribuido al Fiscal competente territorialmente (art. 4. 1). En cualquier caso, una copia recibida de la OEI, se envía al Ministerio de Justicia. El reconocimiento y la ejecución de una orden emitida, en el mismo u otro procedimiento, para complementar o completar uno anterior, pertenecen al Fiscal Gene-

---

la cooperación entre los Estados miembros, especialmente en asuntos penales, con el fin de reemplazar las relaciones existentes con una sistema de libre circulación de decisiones judiciales dentro de la Unión Europea.

[17] Publicado en Gazzetta Ufficiale (G.U.) el 27 de abril 2017, n° 97. Versión oficial en italiano disponible en http://www.gazzettaufficiale.it/eli/id/2017/04/27/17G00065/sg (fecha de consulta: 18 de noviembre de 2018).

[18] PICCIRILLO R., Circolare in tema di attuazione della direttiva 2014/41/UE relativa all'ordine europeo di indagine penale - Manuale operativo. Disponible en https://www.penalecontemporaneo.it/upload/7708-29.10.2017—circolare-oei-con-indice.pdf

ral del Estado (*Procuratore della Repubblica*) que procedió para este último. (art. 4. 7).

Cuando la solicitud tiene por objeto medidas de investigación que deben realizarse en más circunscripciones territoriales, para la ejecución prevé el Fiscal General del Estado, de la circunscripción territorial en la que deben realizar el mayor número de medidas de investigación, o si es igual número, aquel en cuya circunscripción territorial debe realizarse la medida de mayor importancia investigadora (art. 4. 5). ¿Cómo se establece la mayor importancia investigadora? El siguiente párrafo remite en este sentido a los artículos 54, 54-bis y 54-ter del código procesal penal italiano (*Codice di procedura penale*). Respectivamente se refieren a los conflictos entre los Fiscales durante las investigaciones previas, y los conflictos entre las oficinas del Fiscal, también estos durante las investigaciones previas y, por último, el art. 54 ter se aplica en los conflictos entre Fiscales en relación al crimen organizado. En el último caso, la decisión pertenece al Fiscal General en el Tribunal de Casación, que procederá tras consultar al Fiscal nacional antimafia y antiterrorista.

El artículo 5 añade que la ejecución debe ser autorizada por el Juez para las investigaciones preliminares, cuando sea exigidos por las normas italianas o por la autoridad extranjera.

El siguiente punto de referencia del citado Decreto es la proporcionalidad, cuya observancia es impuesta por la Directiva OEI tanto a la autoridad emisora (art. 6. 1) como a la autoridad de ejecución (arts. 11.1.f) y 10. 3).

A partir de la definición de proporcionalidad establecida por el artículo 7 del D.leg.: la OEI no es proporcional si ésta supone una vulneración de los derechos de libertades del demandado o la persona objeto de las investigaciones u otras personas involucradas en la investigación, no justificado por las exigencias probatorias o de investigación del caso concreto, teniendo en cuenta la gravedad de los delitos o penas establecidas.

A nivel nacional, el art. 9. 2 establece que de acuerdo con la autoridad emisora la ejecución se realiza mediante la realización de una o más medidas de investigación que son diferentes y adecuadas para lograr el mismo propósito, incluso cuando la OEI se considere proporcional. Al hacer una breve comparación con la Directiva de la OEI (art. 10), de conformidad con ella, la autoridad de ejecución puede recurrir a una medida de investigación diferente de la requerida en la orden cuando esta última (solicitada por la autoridad de ejecución) asegure el mismo resultado de la medida solicitada en la OEI por medios menos intrusivos. En conclusión, la adaptación en el sistema legal italiano parece más decisiva y obligatoria. "A modo de ejemplo, desde el punto de vista del sistema legal italiano: la autoridad que solicita una orden que tiene como objeto una inspección domiciliaria (*perquisizione domiciliare*), deberá verificar si existen las condiciones para el uso de medida que implica un menor grado de intrusión que consiste en la exhibición de documento (*istanza di esibizione*), elevando así el nivel de protección de los derechos de las personas involucradas, sin perjudicar la eficacia de la cooperación. Si la OEI no parece ser proporcionada, será necesario notificar inmediatamente a la autoridad emisora para que pueda evaluar la oportunidad de enviar una nueva solicitud, que por supuesto deberá tener en cuenta los comentarios realizados o retirar la orden de investigación (art. 6.3)".[19]

Otra referencia a este principio figura en el artículo 6. 3 del D.leg, de hecho, la autoridad emisora es informada rápidamente para evaluar la oportunidad de una nueva solicitud o para retirar la orden de investigación, cuando el contenido de la misma parece no ser proporcionado. A modo conclusivo, este principio está relacionado con la obtención de pruebas, considerando que cualquier desviación del sistema de recopilación del derecho interno debe estar motivada.

Podrán permitir que, en la recopilación de pruebas, la cooperación judicial sea más eficiente, manteniendo al mismo tiempo un alto nivel de protección de los derechos.

3.2. Análisis de las principales debilidades del Decreto Legislativo italiano

La norma italiana, como ya he adelantado contiene también elementos frágiles. Así el primero de ellos es el relativo a la defensa.[20] Por la misma razón, nos vamos a referir a los más relevantes. El segundo tema es el referente a la ejecución.

El artículo 1.3 de la Directiva de la OEI, legitima al sospechoso o acusado y a su abogado defensor (*difensore*) para actuar en la emisión de la

---

[19]   Reflexión de la profesora Annalisa Mangiaracina, un resumen cuyo desarrollo puede encontrarse en italiano a la fecha en MANGIARACINA, Annalisa, "L'acquisizione "europea" della prova cambia volto: l'Italia attua la Direttiva relativa all' ordine europeo d'indagine", op. cit., p. 164.

[20]   Al respecto ARANGÜENA FANEGO, Coral. y DE HOYOS SANCHO, M. (dras.) y VIDAL FERNÁNDEZ, B. (coord..), *Garantías procesales de investigados y acusados. Situación actual en el ámbito de la Unión Europea*, Tirant lo Blanch, Valencia, 2018, pp.1-613.

OEI, dentro de los derechos de defensa aplicables de conformidad con la legislación y el procedimiento nacionales. En resumen, los Estados deben garantizar que la defensa podrá solicitar la OEI, con plena discrecionalidad para regular el ejercicio de este derecho.[21]

El artículo 31 del mencionado D.leg, de hecho, atribuye al abogado defensor de la persona investigada, al acusado y a la persona para la que se propone, la posibilidad de consultar al Fiscal o al Juez que proceda a la emisión de una OEI. La solicitud debe contener (bajo pena de inadmisibilidad) la indicación, la medida de investigación o de prueba y los motivos que justifican su finalización.

Los primeros aspectos negativos que reportar: - el derecho a proponer no está reconocido a la persona ofendida por el delito ni a las otras partes privadas[22]; - indicar los motivos que justifican la medida, supondrá para la defensa, la manifestación de su conducta defensiva, con el consiguiente perjuicio de sus investigaciones.[23] En segundo lugar, si el Fiscal rechaza la solicitud, tal como lo exige el párr. 3 del art. 31, emitirá un decreto con la motivación; el Juez proporcionará mediante auto, previa consulta a las partes. El siguiente punto que destaca es la falta de previsión de los medios de impugnación (*mezzo di impugnazione*) contra las respectivas decisiones (*provvedimenti*). Se puede afirmar que la única diferencia con las actuaciones llevadas a cabo con anterioridad es la motivación del rechazo.

El Decreto legislativo italiano no regula las actividades defensivas. Con un ejemplo concreto se explicará mejor este aspecto. El derecho de la defensa a la investigación en el extranjero, encuentra un límite en los procedimientos (*atti*) que requieren la autorización del Juez y el consiguiente uso procesal de los resultados. El abogado en el extranjero que quiere asumir las informaciones debería observar las mismas reglas que el Derecho nacional establezca. Sin embargo, comprometería su posición, ya que, si la persona informada sobre los hechos se niega a responder, puede intervenir el Fiscal (*Pubblico Ministero*).

---

[21]   Para un estudio mucho más extenso y para una comparación entre España e Italia: JIMENO BULNES, Mar,"El proceso penal en los sistemas del *Common Low* y *Civil Low*: los modelos acusatorio e inquisitivo en pleno siglo XXI", *Justicia*, nº 2, 2013, pp. 207-310.

[22]   GRIFANTINI F.M., "Ordine europeo di indagine penale e investigazioni difensive", en *Processo penale e giustizia*, nº 6, 2016, pp. 6-9.

[23]   CIMADODO, D., "Ordine europeo d'indagine penale e garanzie della difesa. Brevi osservazioni a margine della direttiva 2014/41/UE" en T. Bene (coord..) *l'Ordine europeo d'indagine*, G. Giappichelli, Torino, 2016, pp. 219- 236.

Al igual que la directiva, el punto más débil sigue siendo el relativo a la protección de los derechos de defensa de la persona investigada y de los terceros que se encuentran implicados en un procedimiento de adquisición transnacional de la prueba, tanto desde la perspectiva del acceso a la medida de investigación, como del control contra la disposición de reconocimiento.

Otro inconveniente a destacar, conforme a lo previsto, está contenido en el art. 4. 2, referente a la ejecución. En éste se establece la observación de los formularios específicamente solicitados por la autoridad emisora que no sean contrarios a los principios del ordenamiento jurídico del Estado (de ejecución). En esta fase de armonización de los procedimientos nacionales, el objetivo es facilitar la admisión de la prueba en el Estado de emisión mientras se protege el derecho del Estado requerido. Hay que tener en cuenta las potencialidades de la Directiva con respecto a la capacidad de favorecer una aproximación, o más bien el proyecto común, sobre la "admisibilidad" de las pruebas.

El límite lo establece la Directiva, según el art. 9, se establece el respeto de los principios fundamentales del Estado de ejecución. En el texto italiano, aunque la palabra "fundamental" no se ha recogido, es posible inferirla de la necesidad de fortalecer el nivel de garantías procesales para los sujetos involucrados. La ejecución de la orden podría afectar el derecho a la privacidad, expresamente contemplado en el art. 19 de la Directiva OEI.[24] Por lo tanto, internamente, al comunicar a la autoridad emisora la recepción de la orden, es necesario indicar las modalidades de ejecución cuando resultan en la imposibilidad de garantizar la confidencialidad de los hechos y el contenido de la orden de investigación (art. 6.1), como en el caso en el que se deben realizar medidas tales como la recogida de información o aquellos destinados al conocimiento de terceros.

4. REFLEXIONES FINALES

Llegar a conclusiones definitivas, todavía es temprano para revisar la aplicabilidad de este nuevo instrumento. Se adhiere a la lógica del reconocimiento mutuo, para proteger los valores "constitucionales" de cada sistema legal, pero sigue manteniedo algunas características de los instrumentos de asistencia mutua.

---

[24]   SCALFATI, A., "Note minime su cooperazione investigativa e mutuo riconoscimento", en *Processo penale e giustizia*, n° 2, 2017, pp. 217-219.

Respecto a Italia, la implementación de la Directiva OEI tuvo lugar hace un año y medio. El Desk italiano di Eurojust ha elaborado un documento muy interesante, con el nombre el "L'ordine d'indagine europeo, cosa è utile sapere? Domande e risposte". Probablemente este documento se ha elaborado en Italia y aún no en España por haber sido traspuesta la mencionada Directiva en primer lugar en Italia antes que, en España, aquí sería bajo la forma de una Instrucción o Circular de la Fiscalía General del Estado.

En conclusión la OEI ha establecido un instrumento hibrido[25], la confirmación de lo dicho está en la falta de armonización probatoria a la que el legislador europeo parece haber renunciado.

---

[25]　Interesante la aportación de la profesora de la Universidad de Valladolid, Montserrat de Hoyos en la Conferencia celebrada en la Universidad Internacional Menéndez Pelayo accesible en http://www.uimptv.es/video-2534_orden-europea-de-investigacion-%C2%B7-iv.html, a partir del minuto 50.25 (fecha de consulta: 19 de noviembre de 2018).

LAS AUTORIDADES COMPETENTES PARA LA EMISIÓN Y EJECUCIÓN DE LA ORDEN EUROPEA DE INVESTIGACIÓN. ESPECIAL CONSIDERACIÓN DEL PAPEL DEL MINISTERIO FISCAL

Capítulo XXIII

ORDEN EUROPEA DE INVESTIGACIÓN: AUTORIDADES COMPETENTES EN EL ESTADO EMISOR Y DE EJECUCIÓN. ESPECIAL CONSIDERACIÓN DEL PAPEL DEL MINISTERIO FISCAL

Jordi Nieva-Fenoll
Catedrático de Derecho Procesal
Universitat de Barcelona

SUMARIO: 1. INTRODUCCIÓN. 2. EL VARIOPINTO CONCEPTO DE "AUTORIDAD DE EMISIÓN" Y "AUTORIDAD DE EJECUCIÓN". 2.1. El modelo del juez de instrucción. 2.2. El modelo del ministerio fiscal. 2.3. El modelo policial. 2.4. El modelo policial atenuado. 3. ¿DIVERSOS SISTEMAS JURÍDICOS O DIVERSOS CAPRICHOS? 4. HACIA UN MODELO UNIFORME DE AUTORIDADES PENALES.

RESUMEN: No es fácil entender cuál es el auténtico papel dedicado al ministerio fiscal en la orden europea de investigación. La dificultad proviene no tanto de una muy difícil configuración de esa labor por la directiva 2014/41/CE, sino de la multiplicidad de sistemas procesales penales que existen en los Estados de la Unión Europea. El presente trabajo trata de explicar los principales modelos existentes, que son cuatro, descubriendo el muy relevante papel, no de un juez o un ministerio fiscal, sino de la policía en la mayoría de ellos. Su habitual multiplicidad orgánica en cualquier país es la que ha complicado decisivamente la redacción de la directiva. Se concluye proponiendo un acercamiento entre modelos vía recomendación de la Comisión Europea, que habría de facilitar algo esencial en estos instrumentos de cooperación judicial: la confianza mutua, a través del mejor conocimiento y compatibilidad entre sí de los diferentes sistemas procesales.

ABSTRACT: It is not easy to understand which is the real role entrusted to the prosecution authority in the European investigation order. The difficulty stems not quite from a very difficult configuration of this role by the Directive 2014/41/EU, but from the multiplicity of criminal procedural systems that exist in the Member States of the European Union. This paper tries to explain the four existing models, discovering the very relevant role, not of a judge or a prosecutor, but of the criminal police in most of them. Its usual organic multiplicity in any country has extremely complicated the writing of the Directive. The author proposes a rapprochement between models through a recommendation of the European Commission, which would facilitate something essential in these instruments of judicial cooperation: mutual trust achieved by better mutual understanding of each State's criminal procedure system, reaching some kind of compatibility among the different national procedural models.

PALABRAS CLAVE: policía, prueba, proceso penal, confianza mutua.

KEYWORDS: *police, evidence, criminal procedure, mutual trust.*

1. INTRODUCCIÓN

Causa una comprensible sorpresa la lectura del art. 2.c y d[1] de la Directiva 2014/41/CE del Parlamento Europeo y del Consejo de 3 de abril de 2014 relativa a la orden europea de investigación en materia penal[2]. Una

---

[1]   *c) «autoridad de emisión»:*

i) un juez, órgano jurisdiccional, juez de instrucción o fiscal competente en el asunto de que se trate, o

ii) cualquier otra autoridad competente según la defina el Estado de emisión que, en el asunto específico de que se trate, actúe en calidad de autoridad de investigación en procesos penales y tenga competencia para ordenar la obtención de pruebas con arreglo al Derecho nacional. Además, antes de su transmisión a la autoridad de ejecución, la OEI deberá ser validada, previo control de su conformidad con los requisitos para la emisión de una OEI en virtud de la presente Directiva, en particular las condiciones establecidas en el artículo 6, apartado 1, por un juez, un órgano jurisdiccional, un fiscal o un magistrado instructor del Estado de emisión. Cuando la OEI haya sido validada por una autoridad judicial, dicha autoridad también podrá considerarse autoridad de emisión a efectos de la transmisión de la OEI;

d) «autoridad de ejecución»: una autoridad que tenga competencia para reconocer una OEI y asegurar su ejecución de conformidad con la presente Directiva y los procedimientos aplicables en un caso interno similar. Dichos procedimientos pueden requerir una autorización judicial del Estado de ejecución cuando así se disponga en su legislación interna.

[2]   Sobre el instrumento, vid. AAVV (coord. Gutiérrez Zarza), *Los avances del espacio de Libertad, Seguridad y Justicia de la UE en 2017*, II Anuario ReDPE, Madrid 2018. ARANGÜENA FANEGO, Coral, "Orden Europea de Investigación: próxima implementación en España del nuevo instrumento de obtención de prueba penal transfronteriza", *Revista de Derecho Comunitario Europeo*, sept-dic (2017), pp. 905 y ss. BACHMAIER WINTER, Lorena, "La orden Europea de Investigación y el principio de proporcionalidad", *Revista General de Derecho Europeo*, 2011, núm. 25, pp. 1 y ss. BACHMAIER WINTER, Lorena, "Prueba transnacional en Europa: la Directiva 2014/41 relativa a la orden europea de investigación", *Revista General de Derecho Europeo*, núm. 36, 2015. BACHMAIER WINTER, Lorena, "La propuesta de Directiva europea sobre la orden de investigación penal: valoración crítica de los motivos de denegación", *Diario La Ley*, n. 7992, 2012. BURGOS LADRÓN DE GUEVARA, Juan, "La Orden Europea de Investigación Penal en España, aplicación y contenido: posible relación con la

de las peculiaridades que más dificultan los mecanismos de cooperación es la diversidad de órdenes jurídicos de cada uno de los veintiocho Estados miembros –*rectius*, veintiséis descontando a Dinamarca e Irlanda–[3], dadas las distintas tradiciones de las que proviene cada uno, sin contar con las reformas más recientes, a lo que se añade la diversidad de leyes de transposición de la Directiva[4]. Naturalmente cabe agrupar algunas de esas tradiciones, como vamos a ver, pero la diversidad supone un inconveniente añadido para el legislador europeo, y también para el usuario de este instrumento de cooperación.

En este trabajo abordaré esta cuestión al hilo de la importante directiva citada, que como consecuencia de lo anterior y como sucede otras veces, se ve dificultada por el maremagnum de autoridades existentes[5],

---

Orden Europea de Protección", *Diario La Ley*, n. 8660 y 8861, 2015. ESCRIBANO MORA, Ana, "El exhorto europeo de obtención de pruebas y la Orden Europea de Investigación", en AAVV (dir. González Cano), *Cooperación judicial penal en la Unión Europea: Reflexiones sobre algunos aspectos de la investigación y el enjuiciamiento en el espacio europeo de justicia penal*, 2015, pp. 499 y ss. GRANDE SEARA, Pablo, "Reconocimiento y ejecución en España de una Orden Europea de Investigación", AAVV (coord. González Cano), *Integración europea y justicia penal*, 2018, pp. 436 y ss. JIMÉNEZ-VILLAREJO FERNÁNDEZ, "Orden Europea de Investigación: ¿Adiós a las comisiones rogatorias?", en AAVV (coord. Arangüena), *Cooperación Judicial Civil y Penal en el nuevo escenario de Lisboa*, Granada2011, pp. 175 y ss. JIMENO BULNES, Mar, «Orden europea de investigación en materia penal», en *Aproximación legislativa versus reconocimiento mutuo en el desarrollo del espacio judicial europeo* (Dir. M. Jimeno Bulnes), Barcelona, 2016, pp. 156 y ss. LÓPEZ JARA, Manuel, "Transposición al Ordenamiento Español de la Orden Europea de Investigación en materia penal: el procedimiento para su emisión: Ley 3/2018, de 11 de junio, por la que se modifica la Ley 23/2014, de 20 de noviembre, de reconocimiento mutuo de resoluciones penales en la Unión Europea, para regular la Orden Europea de Investigación", *Diario La Ley*, n. 9252, 2018. MARTÍN GARCÍA / BUJOSA VADELL, L., *La obtención de prueba en materia penal en la Unión Europea*, Barcelona 2016. MARTÍNEZ GARCÍA, Elena, *La Orden Europea de Investigación*, Valencia 2016. MARTÍNEZ GARCÍA, Elena, "La orden europea de investigación", en AAVV (coord. González Cano), *Integración europea y justicia penal*, 2018, pp. 403 y ss. RODRÍGUEZ-MEDEL NIETO, *Obtención y admisibilidad en España de la prueba penal transfronteriza*, Cizur Menor 2016. ROMERO PRADAS, María Isabel, "La prueba penal en Europa, una cuestión compleja: La orden europea de investigación como nuevo instrumento de obtención de pruebas en procesos penales transnacionales y su próxima incorporación al Derecho español", en AAVV (coord. González Cano), *Integración europea y justicia penal*, 2018, pp. 343 y ss.

3   Vid. considerandos 44 y 45 de la Directiva.

4   Las leyes nacionales de transposición de la Directiva pueden localizarse en la página de la Red Judicial Europea: https://www.ejn-crimjust.europa.eu/ejn/EJN_Library_StatusOfImpByCat.aspx?CategoryId=120

5   Como señala AGUILERA MORALES, Marien, "La implementación de la orden europea de investigación: el dolor de la lucidez", en las actas del Congreso Processulus

puesto que aunque se sepa a qué organismo acudir gracias a los puntos de información al respecto, la dificultad estriba en saber cómo trabaja cada una de esas autoridades y, por tanto, qué están dispuestas a hacer, y sobre todo cómo lo van a hacer en lo concreto, más allá de lo que disponga la Directiva y lo que la jurisprudencia pueda ir declarando fragmentariamente. Toda esta normativa europea se basa siempre, como es sabido, en la confianza mutua[6]. Pero la confianza hay que asentarla en la realidad[7], y es difícil de conseguir si se desconoce casi todo de aquel con el que tiene que actuarse.

Para ello, puede ser de utilidad asomarse a cada sistema jurídico[8], determinando a grandes rasgos lo que es esperable según el modelo que siga cada Estado en concreto, teniendo en cuenta, naturalmente, que las cosas cambian con el tiempo y que, no ya cada autoridad, sino que es un mundo cada persona encargada de la decisión. Por ello, al margen de estas peculiaridades que fragmentan extraordinariamente un panorama que pretende ser lo más armónico posible, se trata de establecer algunas expectativas razonables de actuación y reacción de las autoridades de destino.

En consecuencia, se va a proceder a un estudio de derecho comparado, con la única finalidad de ayudar a los usuarios de la orden europea de investigación. A lo largo de todo el trabajo se prestará especial atención al papel de una autoridad que, aunque de manera a veces polémica, podría –es difícil decir en todo caso que "debería"– estar llamada a centralizar esta labor: el ministerio fiscal.

2018, de próxima publicación en Barcelona, Ed. Atelier 2019, p. 9, se trata de un problema patrio.

[6]   Considerando 19 de la Directiva.

[7]   NIEVA FENOLL, "El examen de la autoridad requerida en la orden europea de detención y entrega de políticos independentistas: entre la política y el derecho", en AAVV, (dir. Arroyo / Nieto / Muñoz), *Cooperar y castigar: el caso Puigdemont*, Cuenca 2018, pp. 78-79.

[8]   Es fundamental la web *Legislationonline* (https://www.legislationline.org/documents/section/criminal-codes), que contiene, normalmente traducidas al inglés, muchas de las regulaciones penales y procesales penales del mundo. Además, para conocer la estructura judicial básica de los Estados miembros de la Unión Europea debe acudirse a la página de *E-Justice* (https://e-justice.europa.eu/content_judicial_systems_in_member_states-16-es.do).

2. EL VARIOPINTO CONCEPTO DE "AUTORIDAD DE EMISIÓN" Y "AUTORIDAD DE EJECUCIÓN"

Al amparo del art. 2.c de la Directiva, autoridad de emisión puede ser literalmente cualquiera que tenga competencias para la investigación en su Estado miembro, igual que el de "autoridad de ejecución" del art. 2.d, aunque sea aparentemente más restringido y esté, por lo general, más centralizado, pese a que la autoridad que ejecuta finalmente en el caso concreto puede ser, como veremos, difícil de prever.

Sea como fuere, se trata, en definitiva, de que cualquier órgano investigador pueda utilizar el instrumento con cierta facilidad. La única garantía en este sentido proviene del propio precepto citado, que somete la orden europea de investigación (OEI) a una validación por parte de una autoridad judicial o fiscal[9], salvo que sean estos mismos los que emitan la OEI, claro está.

Lo anterior sigue la política de armonización y aproximación de ordenamientos propia de la cooperación europea en materia judicial, pero sobre todo simplifica un poco las cosas porque de esa forma el problema se reduce, al menos en principio, a saber si en cada país dirige la instrucción un juez o bien el ministerio fiscal. Pero la cuestión es todavía más compleja de lo que parece. Para darse cuenta de ello, es necesario saber, al menos, cuál es el modelo que rige en cada uno de los Estados Miembros, en función de cuál es la autoridad de la que dependen las decisiones, no más relevantes en materia de derechos fundamentales, sino las más cotidianas en el día a día de la investigación.

En este sentido cabe localizar contrastes interesantes, distinguiéndose al menos cuatro sistemas distintos en cuanto a la dirección de la instrucción. Ordenados –aproximadamente– por su devenir histórico se pueden enumerar los sistemas en los que la fase de investigación la conduce un juez de instrucción, aquellos en los que es el ministerio fiscal el que asume este rol, los modelos en que es la policía la que detenta esta función y, por último, aquellos que siguen un sistema más claramente híbrido[10]. A continuación explicaré brevemente el funcionamiento de cada uno de estos modelos, no con el objeto de otorgar una visión completa de los mismos, sino simplemente a fin de situar al lector –y al usuario de la OEI– en cada sistema, para

---

[9]   Art. 2.c.ii de la Directiva.
[10]   Todo el resto de sistemas en el fondo también son parcialmente mixtos, como veremos seguidamente.

poder examinar después sus dificultades, a los simples fines orientativos que mencioné anteriormente.

2.1. El modelo del juez de instrucción

Se trata del primer modelo en surgir en la historia, con la puesta en marcha del sistema inquisitivo[11]. Lo que sucedió fue simplemente que el juez que juzgaba en todos los casos pasó a asumir funciones de investigación al formarse con claridad en el medievo esta fase previa en los procesos penales, inexistente en el proceso civil, sobre todo a raíz de la introducción de la *inquisitio* con la impronta del Concilio Lateranense IV de 1215[12]. La recepción de esta competencia en los países que optaron por el modelo mixto por parte de los jueces del XIX fue, por tanto, bastante natural, a pesar de los problemas sobre todo de imparcialidad judicial que indudablemente había de provocar.

En la actualidad siguen ese modelo solamente cuatro países: Francia[13], y directamente por la influencia francesa fruto de las invasiones napoleónicas, Luxemburgo[14], España[15], y casi Bélgica[16], aunque con una fortísima intervención en este último caso del ministerio fiscal[17] que ha dejado a este

---

[11]   Sobre el tema, vid. NIEVA FENOLL, "El "último" proceso inquisitivo español (el proceso penal de la Novísima recopilación)", en *Jurisdicción y Proceso*, Madrid 2009, pp. 163 y ss.

[12]   MANSI, Joannes Dominicus, *Sacrorum conciliorum nova et amplissima collectio*, Vol 22, Graz 1961, p. 994-995. La referencia del Concilio es: Lateranense IV, Innocentius P.III, Cap. VIII. "De inquissitionibus", anno Christi 1215: *"Ad corrigendos itaque subditorum excessus tanto diligentius debet praelatus assurgere, quanto damnabilius eorum offensas defereret incorrectas. Contra quos, ut de notoriis excessibus taceatur, etsi tribus modis possit procedi, per accusationem videlicet, denunciationem & inquisitionem eorum."*

[13]   **Art. 49 Code de procédure pénale**: Le juge d'instruction est chargé de procéder aux informations, ainsi qu'il est dit au chapitre Ier du titre III.

[14]   **Art. 27 Code de procédure pénale**: (1) Le juge d'instruction est chargé de procéder aux informations, ainsi qu'il est dit au chapitre Ier du titre III.

[15]   **Artículo 303 Ley de Enjuiciamiento Criminal.** La formación del sumario, ya empiece de oficio, ya a instancia de parte, corresponderá a los Jueces de instrucción por los delitos que se cometan dentro de su partido o demarcación respectiva, y en su defecto a los demás de la misma ciudad o población con ellos o por su delegación, a los Jueces municipales

[16]   **Art. 55 Code d'instruction criminelle.** L'instruction est l'ensemble des actes qui ont pour objet de rechercher les auteurs d'infractions, de rassembler les preuves et de prendre les mesures destinées à permettre aux juridictions de statuer en connaissance de cause. Elle est conduite sous la direction et l'autorité du juge d'instruction.

[17]   **Arts. 22 y 29 y ss del Code d'Instruction Criminelle.** El art. 22 posee el siguiente redactado: Les procureurs du Roi sont chargés de la recherche et la poursuite des infrac-

país a un pequeño paso de entrar en el modelo del epígrafe siguiente. De ahí el "casi".

El sistema, como digo, es de cuño francés pese a tener su precedente directo en el juez inquisitivo medieval. En realidad se trata de un sistema de circunstancias, fruto sobre todo en Francia y en España de las dificultades presupuestarias[18]. En ambos países se quiso abolir completamente el sistema inquisitivo, surgiendo el contratiempo de que no había suficiente planta de fiscales para introducir el principio acusatorio en la instrucción, razón por la que se encargó dicha fase al mismo órgano que la había asumido hasta entonces: un juez.

Pasadas ya –en principio– las sospechas inquisitivas en la actuación del juez de instrucción, el sistema tiene la ventaja de que coloca al frente de la investigación a un jurista de indiscutida excelencia, lo que puede hacer augurar un mayor respeto por los derechos fundamentales en la investigación.

La desventaja es que el juez suele recibir formación para dictar sentencias, pero no para investigar delitos, lo que tiene como consecuencia que se acaba desplazando *de facto* el centro de gravedad de la investigación a la labor policial, asumiendo el cuerpo armado unas funciones directivas –insisto en que *de facto*– para las que le falta formación jurídica. Además, todas las actuaciones policiales acaban investidas de una cierta clandestinidad legal, puesto que no se regulan en ninguna parte al reflejar el legislador en las leyes que es el juez quien investiga cuando, como es sobradísimamente sabido, no suele ser así. Es más, cabe observar en la práctica el seguidismo demasiado estricto de muchos jueces por las decisiones investigadoras de la policía, lo que sin duda hace más cómoda la labor de ambos pero compromete su licitud en ocasiones no siempre fácilmente detectables.

---

tions dont la connaissance appartient aux cours d'assises, aux tribunaux correctionnels et aux tribunaux de police, sauf, pour ces deux dernières juridictions, lorsque l'action publique est confiée à l'auditeur du travail.

[18] En Francia, al margen de las reticencias políticas, esas dificultades se infieren de la lectura de los arts. 22, 8 y ss del *Code d'Instruction Criminelle* de 1808, en los que se atribuía la instrucción al fiscal, pero los arts. 57, 59 y 61 establecían la posibilidad de que los jueces de instrucción asumieran la competencia –con la supervisión de los fiscales– que es lo que acabó sucediendo. Para España, vid. SANTOS DE ISASA, *Estado de la Administración de Justicia en España*, RGLJ, 1884, tomo LXV, pp. 272-275, se refiere a la insuficiencia de medios del Fiscal, no ya para realizar labores de investigación, sino para llevar a cabo la inspección que le encomendaba la Ley de Enjuiciamiento Criminal. En el mismo sentido, COLMEIRO, Manuel, *Estado de la Administración de Justicia y reformas que parecen convenientes*, RGLJ, 1887, tomo LXXI, p. 446.

A los efectos de la OEI, al no tener la policía en estos sistemas facultades directivas de la investigación legalmente reconocidas, el problema es que el juez debe "traducir" lo que le pide la policía en unos términos que la autoridad requerida del país de destino esté en condiciones de entender y ejecutar correctamente, teniendo en cuenta que esa autoridad, como veremos seguidamente, sí puede ser un policía, al menos en el destino final de la diligencia.

Es por ello por lo que España, por ejemplo, de un modo comprensible pero quizás no tan homologable[19], ha establecido en el art. 187 de la Ley 23/2014 de reconocimiento mutuo de resoluciones penales en la Unión Europea, que la autoridad competente para emitir una OEI será normalmente un juez de instrucción, o un fiscal, siempre en las instrucciones que dirijan, siendo que en la actualidad el papel del primero es preponderante y el segundo muy marginal[20], y hasta marginalizado[21], salvo en los procesos de menores. Sin embargo, como autoridad de recepción de una OEI, el art. 187.2 establece que será únicamente el ministerio fiscal el competente para recibirla y ejecutarla, lo que no es nada coherente con las funciones del mismo en el actual modelo del proceso penal español.

Es posible que en lo anterior haya pesado una cierta conciencia –en parte falsa como vamos a ver– de que el modelo del ministerio fiscal es

---

[19] Vid. ampliamente AGUILERA MORALES, "La implementación de la orden europea de investigación: el dolor de la lucidez", cit. p. 10.

[20] **Art. 773.2. LECrim.** Cuando el Ministerio Fiscal tenga noticia de un hecho aparentemente delictivo, bien directamente o por serle presentada una denuncia o atestado, informará a la víctima de los derechos recogidos en la legislación vigente; efectuará la evaluación y resolución provisionales de las necesidades de la víctima de conformidad con lo dispuesto en la legislación vigente y practicará él mismo u ordenará a la Policía Judicial que practique las diligencias que estime pertinentes para la comprobación del hecho o de la responsabilidad de los partícipes en el mismo. El Fiscal decretará el archivo de las actuaciones cuando el hecho no revista los caracteres de delito, comunicándolo con expresión de esta circunstancia a quien hubiere alegado ser perjudicado u ofendido, a fin de que pueda reiterar su denuncia ante el Juez de Instrucción. En otro caso instará del Juez de Instrucción la incoación del procedimiento que corresponda con remisión de lo actuado, poniendo a su disposición al detenido, si lo hubiere, y los efectos del delito. El Ministerio Fiscal podrá hacer comparecer ante sí a cualquier persona en los términos establecidos en la ley para la citación judicial, a fin de recibirle declaración, en la cual se observarán las mismas garantías señaladas en esta Ley para la prestada ante el Juez o Tribunal. Cesará el Fiscal en sus diligencias tan pronto como tenga conocimiento de la existencia de un procedimiento judicial sobre los mismos hechos. (El subrado es mío).

[21] STS 980/2016, 11-1-2017.

predominante en Europa. No lo es. Y por ello, el diálogo entre autoridades es posible que acabe siendo entre un fiscal y un juez, o entre un fiscal y la policía. Pero ello es secundario en comparación con otro problema más importante: que un fiscal venga llamado a ejecutar actuaciones de investigación para las que no tiene competencia en su país, lo cual no es solamente que producirá evidentes problemas prácticos[22], sino que puede hacer que se acabe buscando una no siempre fácil asistencia judicial *ad hoc* para los mismos.

De ello se hace eco el propio art. 187.2 cuando distingue en sus párrafos a y b que la diligencia afecte o no a derechos fundamentales, dado que en el primer caso obliga al fiscal a remitirla al juez, lo que burocratiza y sobre todo obstaculiza un acto que está llamado, al menos en teoría, a ser ágil. El problema, como se verá a continuación, no es exclusivo de este modelo, pero habría de quedar relativamente resuelto si el legislador español decidiera –por fin– si quiere avanzar hacia el modelo del ministerio fiscal o prefiere quedarse en el sistema original. Pero obtener estos resultados híbridos fruto de tímidos intentos legislativos en cada reforma, definitivamente obscurece un panorama que debiera ser bastante más diáfano, considerando los bienes jurídicos que están en juego.

2.2. *El modelo del ministerio fiscal*

Se trata de una reacción al sistema anterior, que intenta instaurar definitivamente el modelo acusatorio también en la fase de instrucción, como parece que fue la frustrada intención primigenia de los reformadores franceses y españoles, aunque teniendo en cuenta el año (1975) en que fue implementada la reforma en el primer país que la asumió, Alemania[23], no es descartable cierta influencia tardía del *attorney* del modelo estadounidense, igual que antes ya había sucedido en otros terrenos del ordenamiento alemán[24].

---

[22]   Vid. AGUILERA MORALES, "La implementación de la orden europea de investigación: el dolor de la lucidez", cit. pp. 10-13.

[23]   Sobre la interesante evolución de la institución en este país, vid. MUSCHELER, Karlheinz, "Die Staatsanwaltschaft seit 1871", *Rechtsgeschichtliches Seminar: "Geschichte der juristischen Berufe"*, 2009, Universität Bochum. http://www.ruhr-uni-bochum.de/ ls-muscheler/downloads/seminar09/Kerstin_Hammeke_Die_Entwicklung_der_ deutschen_Staatsanwaltschaft_seit_1871.pdf

[24]   Cfr. WESEL, Uwe, *Fast alles was Recht ist*, Frankfurt am Main 1994, pp. 46 y ss.

En todo caso, los ocho países que practican este modelo, aparte de la misma Alemania[25], son Portugal[26], Italia[27], Austria[28], Holanda[29, 30], Eslovenia[31], Croacia[32] y Grecia[33]. Se trata, por tanto, de un sistema también minoritario, pese a que el hecho de haberlo adoptado los dos países que poseen un mayor liderazgo doctrinal en materia procesal penal (Alemania e Ita-

---

[25] § 160 StPO (1) Sobald die Staatsanwaltschaft durch eine Anzeige oder auf anderem Wege von dem Verdacht einer Straftat Kenntnis erhält, hat sie zu ihrer Entschließung darüber, ob die öffentliche Klage zu erheben ist, den Sachverhalt zu erforschen.
(2) Die Staatsanwaltschaft hat nicht nur die zur Belastung, sondern auch die zur Entlastung dienenden Umstände zu ermitteln und für die Erhebung der Beweise Sorge zu tragen, deren Verlust zu besorgen ist.
(3) Die Ermittlungen der Staatsanwaltschaft sollen sich auch auf die Umstände erstrecken, die für die Bestimmung der Rechtsfolgen der Tat von Bedeutung sind. Dazu kann sie sich der Gerichtshilfe bedienen.
§ 161 StPO (1) Zu dem in § 160 Abs. 1 bis 3 bezeichneten Zweck ist die Staatsanwaltschaft befugt, von allen Behörden Auskunft zu verlangen und Ermittlungen jeder Art entweder selbst vorzunehmen oder durch die Behörden und Beamten des Polizeidienstes vornehmen zu lassen, soweit nicht andere gesetzliche Vorschriften ihre Befugnisse besonders regeln. Die Behörden und Beamten des Polizeidienstes sind verpflichtet, dem Ersuchen oder Auftrag der Staatsanwaltschaft zu genügen, und in diesem Falle befugt, von allen Behörden Auskunft zu verlangen.

[26] Desde 1978. **Artigo 53 Código de Processo Penal. Posição e atribuições do Ministério Público no processo**
1 -Compete ao Ministério Público, no processo penal, colaborar com o tribunal na descoberta da verdade e na realização do direito, obedecendo em todas as intervenções processuais a critérios de estrita objectividade.
2 - Compete em especial ao Ministério Público:
a) Receber as denúncias, as queixas e as participações e apreciar o seguimento a dar-lhes;
b) Dirigir o inquérito.

[27] Desde 1988. **Art. 326.1. CPP.** Il pubblico ministero e la polizia giudiziaria svolgono, nell'ambito delle rispettive attribuzioni, le indagini necessarie per le determinazioni inerenti all'esercizio dell'azione penale.

[28] Desde 2008. §20 StPO: (1) Die Staatsanwaltschaft leitet das Ermittlungsverfahren; ihr allein steht die Erhebung der öffentlichen Anklage zu. Sie entscheidet, ob gegen eine bestimmte Person Anklage einzubringen, von der Verfolgung zurückzutreten oder das Verfahren einzustellen ist.

[29] **Art. 128 Wet op de rechterlijke organisatie.** Onze Minister stelt het College van procureurs-generaal in de gelegenheid zijn zienswijze kenbaar te maken voordat hij in een concreet geval een aanwijzing geeft inzake de opsporing of vervolging van strafbare feiten.

[30] Desde 2011. Vid. HIRSCH BALLIN, Marianne F.H., *Theory and Counterterrorism Practice in the Netherlands and in the United States*, Den Haag 2012, pp. 67-68.

[31] **Ley de proceso penal. Art. 45** (1) The basic right and basic duty of the public prosecutor shall be the prosecution of perpetrators of criminal offences. (2) In respect of criminal offences prosecuted ex officio, the public prosecutor shall have the jurisdiction: 1) to take the necessary steps concerning the detection of criminal offences, tracing of perpetrators and directing of preliminary criminal proceedings; 2) to request that investigations be undertaken;

lia), ha podido crear una imagen, bastante extendida, de que es el modelo a seguir y predominante en el mundo. Lo primero puede que sea cierto, pero lo segundo obviamente no lo es.

La ventaja principal de este modelo es que por fin la fase de investigación pierde su vínculo con el sistema inquisitivo y, por tanto, se hace acusatoria, al menos formalmente. Subraya este carácter acusatorio el hecho de que la figura del juez siga siendo necesaria para la adopción de diligencias que vulneren derechos fundamentales, respetándose así la dualidad de partes.

El problema es que, igual que sucede en la mayoría de los países, la formación de un fiscal es muy similar o idéntica a la de un juez, lo que unido a su siempre escaso número provoca un alejamiento de la realidad de las investigaciones muy parecido al que ya se ha dicho que padece el juez de instrucción. En la práctica, por tanto, es la policía la que dirige materialmente las investigaciones[34], pese a que la dirección formal esté en manos del ministerio público. Ello puede hacer que en lo concreto, la instrucción siga siendo tan inquisitiva como antes al no haber cambiado el principal protagonista de las investigaciones: la policía. Al fin y al cabo, se trata de un órgano con estructura cuasimilitar que dirige realmente el día a día de la investigación sin imparcialidad posible, al estar directamente implicado con la investigación, posiblemente con un lógico exceso de celo por la eficacia de su labor y con una imposibilidad estructural de respetar la presunción de inocencia[35]. Y además, obra no con tanta transparencia como sería deseable, lo que nos devuelve a los viejos problemas del sistema inquisitivo.

---

[32] **Código de proceso penal (Zakon o kaznenom postupku) Art. 38** (1) The basic powers and main function of the State Attorney shall be the prosecution of perpetrators of criminal offences subject to public prosecution. (2) Regarding the criminal offences subject to public prosecution, the State Attorney shall have the right and duty to: 1) undertake the necessary actions aimed at discovering criminal offences and finding the perpetrators; 2) undertake inquiries into criminal offences, and order and supervise the implementation of particular inquiries aimed at collecting the data relevant for the institution of an investigation; 3) bring decisions predicted by law; 4) conduct the investigation; 5) conduct and supervise evidence collecting actions; 6) make a motion for temporary security measures of seizing assets;

[33] Código de procedimiento penal (Κώδικας Ποινικής Δικονομίας). Vid. http://www.greeklawdigest.gr/topics/judicial-system/item/16-procedure-before-criminal-courts y http://www.lifethemis.eu/en/content/criminal-proceedings

[34] GÖSSEL, Karl-Heinz, *Ministerio Fiscal y policía criminal en el procedimiento penal del Estado de Derecho*, Cuadernos de política criminal (n° 60), 1996, p. 618. KÜHNE, Hans-Heiner, *Strafprozeßlehre*, Heidelberg 1993, p. 34.

[35] Lo explico en NIEVA FENOLL, *La duda en el proceso penal*, Madrid 2013, pp. 95 y ss.

A efectos de la OEI, que la competencia esté exclusivamente en manos del ministerio fiscal, sin caminos intermedios, simplifica bastante las cosas, al no tener tan habitualmente un largo listado de autoridades posibles a las que acudir para saber cómo avanza la diligencia, aunque tampoco se excluye que el Estado decida atomizar el panorama, como por ejemplo hizo Alemania para la intervención de comunicaciones[36]. Otra ventaja es precisamente el hecho de haber finiquitado la tradicional duda existencial de los juristas entre la elección del modelo del juez de instrucción o del ministerio fiscal que, en este terreno al menos, provoca

---

[36]   Merece la pena la lectura del §92 d de la *Gesetz über internationale Rechtshilfe in Strafsachen*: § 92d Örtliche Zuständigkeit für Ersuchen um Überwachung des Telekommunikationsverkehrs ohne technische Hilfe; Verordnungsermächtigung (1) Örtlich zuständig für Ersuchen aus den Mitgliedstaaten der Europäischen Union, die auf eine grenzüberschreitende Überwachung des Telekommunikationsverkehrs gerichtet sind, ohne dass für die Durchführung der Überwachung die technische Hilfe der Bundesrepublik Deutschland benötigt wird, ist 1. für Ersuchen aus der Französischen Republik, dem Königreich Spanien und der Portugiesischen Republik das zuständige Gericht am Sitz der Landesregierung von Baden-Württemberg; 2. für Ersuchen aus der Italienischen Republik, der Republik Kroatien, der Republik Malta, der Republik Österreich und der Republik Slowenien das zuständige Gericht am Sitz der Landesregierung des Freistaats Bayern; 3. für Ersuchen aus der Republik Estland, der Republik Lettland und der Republik Litauen das zuständige Gericht am Sitz des Senats von Berlin; 4. für Ersuchen aus der Republik Polen das zuständige Gericht am Sitz der Landesregierung von Brandenburg; 5. für Ersuchen aus Irland das zuständige Gericht am Sitz des Senats der Freien Hansestadt Bremen; 6. für Ersuchen aus dem Königreich Schweden das zuständige Gericht am Sitz des Senats der Freien und Hansestadt Hamburg; 7. für Ersuchen aus der Republik Bulgarien und aus Rumänien das zuständige Gericht am Sitz der Landesregierung von Hessen; 8. für Ersuchen aus der Republik Finnland das zuständige Gericht am Sitz der Landesregierung von Mecklenburg-Vorpommern; 9. für Ersuchen aus dem Vereinigten Königreich Großbritannien und Nordirland das zuständige Gericht am Sitz der Landesregierung von Niedersachsen; 10. für Ersuchen aus dem Königreich der Niederlande das zuständige Gericht am Sitz der Landesregierung von Nordrhein-Westfalen; 11. für Ersuchen aus dem Königreich Belgien das zuständige Gericht am Sitz der Landesregierung von Rheinland-Pfalz; 12. für Ersuchen aus dem Großherzogtum Luxemburg das zuständige Gericht am Sitz der Landesregierung des Saarlandes; 13. für Ersuchen aus der Slowakischen Republik und der Tschechischen Republik das zuständige Gericht am Sitz der Landesregierung des Freistaats Sachsen; 14. für Ersuchen aus Ungarn das zuständige Gericht am Sitz der Landesregierung von Sachsen-Anhalt; 15. für Ersuchen aus dem Königreich Dänemark das zuständige Gericht am Sitz der Landesregierung von Schleswig-Holstein; 16. für Ersuchen aus der Hellenischen Republik und der Republik Zypern das zuständige Gericht am Sitz der Landesregierung des Freistaats Thüringen. (2) Die Landesregierungen können die örtliche Zuständigkeit durch Rechtsverordnung abweichend regeln. Die Landesregierungen können diese Ermächtigung durch Rechtsverordnung auf die Landesjustizverwaltungen übertragen."

perplejidades, como acabamos de ver. Por tanto, la ventaja es la centralización en una única autoridad tanto de la emisión como de la ejecución de las OOEI. Lo negativo, no obstante, es que se produce un alejamiento de la autoridad que realmente llevará a cabo la diligencia: en muchos casos, la policía.

2.3. El modelo policial

Eso es justamente lo que evita el modelo de la mayoría de países (once), que por influencia anglosajona atribuyen a la policía la dirección y gestión de la investigación, con una supervisión bastante ligera en el caso concreto del ministerio fiscal u otras autoridades gubernativas.

Esta es la situación en los siguientes países: El Reino Unido, dentro del cual hay que distinguir el caso de Inglaterra, Gales e Irlanda del Norte, en el que la policía actúa de propia autoridad bajo la supervisión del *Crown Prosecution Service* (*Criminal Justice System Northern Ireland* en Irlanda del Norte), vigilancia que se ejerce a través del *Director of Public Prosecutions*[37]. Un sistema parecido de supervisión de la labor policial sigue Escocia[38] con el *Procurator Fiscal*, como delegado del *Lord Advocate*, jefe del *Crown Office and Procurator Fiscal Service*.

Siguiendo el ejemplo inglés, formalizándolo expresamente en esos términos[39], se encuentra Chipre. Otros países que por proximidad histórica con el Imperio Británico siguen un sistema similar son Irlanda (con el *Director of Public Prosecutions*)[40] y Malta[41] y –también por proximidad territorial y cultural entre ellos– los países nórdicos: Suecia[42] –a través del *Åklagarmyndigheten*–,

---

[37]   Prosecution of Offences Act 1985, parte I.

[38]   Criminal Procedure Act 1995, Parte II y Prosecution Code.

[39]   KYPRIANOU, Despina, *The Role of the Cyprus Attorney General's Office in Prosecutions: Rhetoric, Ideology and Practice*, Berlin 2010, p. 49.

[40]   Prosecution of Offences Act 1974.

[41]   **Libro Segundo del *Criminal Code* de Malta**, en especial art. 356 (1) It is the duty of the Executive Police to bring as soon as possible before the court, and, where practicable, together with the offender, all the evidence that may have been collected in respect of the offence.

[42]   **Código de Procedimiento Judicial (Rättegångsbalken), Chapter 23**, Section 3. A decision to initiate a preliminary investigation is to be made either by the police authority or by the prosecutor. If the investigation has been initiated by the police authority and the matter is not of a simple nature, the prosecutor shall assume responsibility for conducting the investigation as soon as someone is reasonably suspected of the offence. The prosecutor shall also take over the conduct of the investigation if there special reasons so require.

Finlandia[43] y Dinamarca[44]. Eslovaquia[45], Estonia[46], Letonia[47] y Lituania[48] adoptaron también este sistema en sus modernas regulaciones procesales penales.

---

[43] **Criminal Investigation Act (Esitutkintalaki) (805/2011), Section 1** – The authorities in the criminal investigation (1) The criminal investigation is conducted by the police. (2) In addition to the police, the border guard, customs and military authorities are criminal investigation authorities as provided in respect of their criminal investigation competence in the Border Guard Act (578/2005), the Act on the Customs Investigation Office (623/2015), the Military Discipline Act (331/1983) and the Act on the Performance of Police Functions in the Defence Forces (1251/1995). (629/2015) (3) In addition to the criminal investigation authorities, the prosecutor participates in the criminal investigation.
Section 2 – Head investigator (1) The criminal investigation is directed by the head investigator, who is the official with the power of arrest referred to in Chapter 2, section 9 of the Coercive Measures Act (806/2011). However, the public prosecutor serves as the head investigator only in the cases referred to in section 4, subsection 1. In a criminal investigation conducted by the police, a detective sergeant or a police sergeant may serve as head investigator for a reason connected with the nature of the matter or for another corresponding justified reason, and in a criminal investigation conducted by another authority, separate legislation provides which official may serve as the head investigator. (2) A general head investigator may be appointed as the superior of the head investigators dealing with offences that are part of the same totality of offences, and the general head investigator decides on the coordination of the criminal investigation and may, for said purpose, issue orders to his or her subordinate head investigators.

[44] § 742 **de la Ley de la Jurisdicción (Retsplejeloven).** Anmeldelser om strafbare forhold indgives til politiet. Stk. 2. Politiet iværksætter efter anmeldelse eller af egen drift efterforskning, når der er rimelig formodning om, at et strafbart forhold, som forfølges af det offentlige, er begået. https://www.retsinformation.dk/Forms/R0710.aspx?id=183537

[45] **Código de proceso penal. Section 201**. Common conduct of investigation and summary investigation. (1) As a rule, police officers shall conduct investigation or summary investigation under their sole authority. The procedures performed to commence criminal investigation or after the commencement of criminal investigation by a police officer other than the locally competent police officer shall not have to be repeated, provided they were taken in compliance with this Act. (2) Police officers shall conduct investigation or summary investigation in a manner enabling them to procure, as expediently as possible, the evidence necessary to clarify the act, to the extent necessary to examine the case and to identify the perpetrator of the criminal offence. (3) Except where they have to obtain the decision or the consent of a judge for pre-trial proceedings or a prosecutor, police officers shall carry out investigation procedures under their sole authority, in compliance with the law and in time. (4) Police officers shall procure the evidence irrespective of whether it favours or not the accused, proceeding in accordance with paragraph 3. No unlawful means may be used to force the accused to testify or to make a confession. The refusal to testify may not be used as the evidence against the accused.

[46] **Código de Proceso Penal. § 32**. Investigative bodies in criminal procedure (1) An investigative body shall perform the procedural acts provided for in this Code independently unless the permission of a court or the permission or order of a prosecutor's office is necessary for the performance of the act. (2) An investigative body has the right to demand submission of a document necessary for the adjudication of a criminal matter.

En todos estos países, no cabe duda de la dependencia gubernamental, no ya obviamente de la policía, sino del órgano que se encarga de la supervisión de sus actuaciones. El sistema posee la ventaja aparente de que solamente hay un interlocutor, aunque en el detalle de algunas de las regulaciones se descubren varios organismos –jueces a veces incluso– que pueden oscurecer el panorama.

La desventaja es que se trata de un sistema que, por bien que reconoce la realidad policial que intentan solapar los dos primeros, le da amplia carta de naturaleza, lo que supone, en el fondo, una derrota de las garantías que se pretendían con la introducción del sistema acusatorio, estando en primer lugar la imparcialidad judicial, que se ve comprometida por una confianza excesiva en las labores policiales. Esa confianza puede estar justificada allí donde el cuerpo armado ha conseguido un prestigio y transparencia indudable de su labor, pero puede convertirse en un mecanismo de represión donde no sea así.

Al margen de ello, en lo que atañe a la OEI y excluyendo expresamente a Dinamarca e Irlanda[49], lo que puede provocar este sistema es la dispersión, salvo que el Estado en cuestión haya hecho un esfuerzo por centralizar las recepciones de OOEI, como lo operó el Reino Unido[50] escogiendo solamente dos órganos[51] para todo el Estado –excluyendo Escocia–, uno de ellos especializado en materia tributaria[52], y un tercero, como decía, para Escocia[53].

Pero cuando se trata de los organismos de emisión, los mismos se atomizan en hasta quince unidades, entre las cuales se halla el Banco de Inglaterra o el Secretario de Estado de salud[54]. Y ello es importante porque se trata de los órganos que en el caso de recibir el Reino Unido[55] una OEI, son

---

[47]   **Ley de proceso criminal. Section 27.** Person Directing the Proceedings (…)
(2) A person directing the proceedings shall be: 1) an investigator or in exceptional cases a public prosecutor – in an investigation;

[48]   Código de proceso penal (Baudžiamojo proceso kodeksas). Vid. https://www.prokuraturos.lt/en/home/control-pretrial-investigation/4416

[49]   Considerandos 44 y 45 de la Directiva sobre la OEI.

[50]   Vid. https://www.gov.uk/guidance/european-investigation-orders-requests#sending-eios-to-the-uk.

[51]   El principal, UK Central Authority. International Criminality Unit.

[52]   El Criminal Law and Benefits and Credits Advisory Team HM Revenue and Customs - Solicitor's Office.

[53]   International Co-operation Unit. Crown Office.

[54]   https://www.gov.uk/guidance/european-investigation-orders-requests#sending-eios-to-the-uk.

[55]   Vid. https://www.gov.uk/guidance/european-investigation-orders-requests.

los que van a practicar la diligencia en el caso concreto, una vez requeridos por las autoridades antes mencionadas. Las dificultades de predecir el
comportamiento de tal diversidad de organismos es ciertamente compleja,
como lo suele ser la propia organización de la policía en casi cualquier país
como consecuencia de la pluralidad de terrenos en los que actúan.

En consecuencia, aunque se trata de un modelo bastante más próximo a la realidad auténtica de la práctica de las diligencias, se complica en
cuanto a su previsibilidad. Literalmente, cada vez que se contacte con uno
de estos Estados será precisa una tarea de investigación sobre su sistema
y funcionamiento que puede llegar a ser casi imposible hasta las últimas
consecuencias.

2.4. *El modelo policial atenuado*

Existe un cuarto modelo que aunque es parecido al anterior, intenta
controlar en mayor medida que la policía no asuma todo el protagonismo
de la investigación, con las consecuencias antes reseñadas. En estos países
el rol principal lo sigue teniendo la policía, indudablemente, pero con un
superior papel director del ministerio fiscal.

Es el caso de Rumanía[56], Bulgaria[57], República Checa[58], Polonia[59] y
Hungría[60], que de una etapa histórica en la que el papel de autoridades

---

[56]   **Código de proceso penal (Codul de procedură penală). Art. 56.1.** (1) A prosecutor
coordinates and controls directly criminal investigation activities performed by the judicial police and by special criminal investigation bodies set by law. Also, a prosecutor
makes sure that criminal investigation acts are performed in compliance with the legal
stipulations.
Art. 57. (1) The criminal investigation (bodies of the judicial police conduct the criminal investigation in relation to any offense that is not assigned by law under the jurisdiction of special criminal investigation bodies or of a prosecutor, as well as in other
situations stipulated by law.
http://lex.justice.md/md/326970/

[57]   **Código de proceso penal. Art. 46.** (1) The prosecutor shall bring and maintain the
accusation in crimes of general nature. (2) In execution of his/her tasks under Para. 1,
the prosecutor shall: 1. rule the investigation and carry out a permanent supervision of
its lawful and due execution as a monitoring prosecutor; 2. may carry out investigation
or separate actions of investigation and other procedural actions; 3. participate in the
Court procedure as a state prosecutor;

[58]   **Código de proceso penal. Section 158** (1) The Police authority is obliged, based on
their own findings, criminal reports, and incentives from other persons and authorities, which may lead to conclusions on a suspicion that a criminal offence has been
committed, to make all necessary investigations and take measures to reveal the facts

similares al ministerio fiscal fue muy influyente en los procesos[61], han querido combinar la antigua preponderancia de sus policías con un renovado papel del ministerio fiscal más en línea con los países que siguen el modelo del ministerio público como director de la investigación. De hecho, si no fuera por la fuerte autonomía de la labor policial, estos modelos son los que estarían en teoría más cercanos del sistema alemán.[596061]

Siempre y cuando el ministerio fiscal posea una auténtica excelencia en su formación jurídica y ejerza verdaderamente sus labores directivas, quizás sea el sistema más realista en cuanto a que refleja la realidad de las investigaciones criminales, pero al mismo tiempo sitúa a un jurista a su frente, lo que en condiciones de legitimidad puede favorecer que la investigación se realice en las mejores condiciones de respeto de derechos humanos. No obstante, la eficacia del sistema dependerá del número de casos que deba atender el ministerio público, de si puede llevar adelante realmente una labor en la que la estrategia de la investigación policial dependa de él y, sobre todo, no entra en situaciones de corrupción o no hace –como ya vimos que sucede habitualmente– un excesivo seguidismo de las decisiones policiales operativas.

---

indicating that a criminal offence has been committed and aimed towards identifying the offender; they are obligated to take the necessary measures for prevention of criminal activity.

Section 160 (1) If the matters of facts ascertained and justified in the course of verification according to Section 158 indicate that a criminal offence was committed, and if the conclusion that it was committed by a certain person is sufficiently substantiated, then the Police authority shall immediately decide to initiate the criminal prosecution of this person as the accused, unless there is reason to proceed pursuant to Section 159a (2) and (3), or Section 159b (1).

[59] **Código de proceso penal (Kodeks postępowania karnego). Article 298 § 1.** The preparatory proceedings shall be conducted by the state prosecutors, and, within the scope provided by law, the Police. In the cases provided for in law, other agencies shall have the powers of the Police.

[60] **Ley de proceso penal (Törvény a büntetőeljárásról). Section 28**, 77(1) The prosecutor shall act as the public accuser. The prosecutor shall be obliged to consider both the circumstances aggravating and extenuating for the defendant and the circumstances aggravating and mitigating the criminal liability in all phases of the proceedings. (2) The prosecutor shall exercise the rights vested in the prosecutor's office where the prosecutor works. (3) The prosecutor shall order or perform an investigation to establish the conditions for accusation. (4)78 When the investigating authority conducts an investigation or certain investigative actions independently [Section 35 (2)], the prosecutor shall supervise compliance with this Act throughout the procedure and ensure that the persons participating in the procedure can assert their rights.

[61] Vid. El caso de la República Democrática Alemana en MUSCHELER, Karlheinz, "Die Staatsanwaltschaft seit 1871", cit. pp. 26 y ss.

En relación con la OEI, también se trata de un esquema que puede favorecer una superior agilidad en la comunicación entre autoridades nacionales, así como una mayor transparencia en cuanto a la realización de la diligencia y la identificación de los auténticos encargados de llevarla a cabo, lo que permitirá una más adecuada ejecución de la OEI, resolviéndose las dudas con un diálogo más eficaz entre autoridades. Las dificultades pueden ser, naturalmente y como es habitual, idiomáticas, pero si algún día se superan las mismas, *a priori* parece el mejor esquema para la eficiencia del sistema de cooperación.

3. ¿DIVERSOS SISTEMAS JURÍDICOS O DIVERSOS CAPRICHOS?

Bien parece que los distintos sistemas jurídicos son fruto de una mezcla de arrastres históricos, algo de reflexión, bastante improvisación, adaptación a las circunstancias orgánicas de cada país y tremendas dificultades para dar con un modelo depurado. Como se dijo, en el pasado se impuso doctrinalmente con mucha fuerza el modelo del ministerio fiscal, pero no es tan sencillo decir que sea el modelo perfecto tras todo lo visto.

En todo caso, y en lo que atañe a la aproximación de sistemas propia de la Unión Europea, no parecen existir cuestiones nacionales tras el debate sobre la autoridad que debe dirigir la instrucción. Es obvio que el sistema del juez de instrucción está en franca decadencia y que el modelo del ministerio público está en línea ascendente, pero el problema principal consiste en determinar, al margen de debates bizantinos, si es mejor un modelo que otro y, sobre todo, si no sería ya hora de blanquear, y sobre todo regular, la actividad del actor que sistemáticamente está detrás de casi todas las investigaciones en el proceso penal: la policía judicial.

Si la respuesta a lo anterior es positiva, es posible que en el futuro haya que realizar una reforma completa de las leyes procesales penales, adaptando cuanto regulan de las diligencias de investigación poniendo el acento en su auténtico conductor, y modificando convenientemente la regulación teniendo presente este hecho. Sin duda, no es lo mismo legislar pensando que va a ser un juez o un fiscal, un jurista en todo caso, el autor de esas diligencias, que teniendo en cuenta que va a ser un policía con una autonomía en su actuación infinitamente superior a la imaginada por los legisladores del siglo XIX que, teniendo en cuenta la incipiente formación de cuerpos policiales, no pudieron tener en cuenta esa perspectiva. Lo que no es aceptable es que a día de hoy se sigan haciendo reformas en materia procesal penal como si la policía judicial no fuera actualmente una realidad.

La reflexión se deberá producir sobre todo en materia de derechos fundamentales. Hasta el momento se ha ido siguiendo a trancas y barrancas el doble requisito[62] de la jurisprudencia del Tribunal Europeo de Derechos Humanos –de inspiración estadounidense– en torno a la sospecha fundamentada –*probable cause*– y la urgencia o consentimiento en el acto de investigación, contando con el hecho de que siempre iba a existir una convalidación judicial previa o posterior de las actuaciones policiales para que respetaran ese doble requisito. Tal vez habría que tener en cuenta que para su agilidad es preciso ese cumplimiento del doble requisito por defecto, es decir, sin analizar si se van a vulnerar directamente derechos humanos o no, puesto que de cualquier actuación policial puede acabar derivándose esa afectación. Y que habría que sumar algunas garantías como la filmación sistemática de los actos de investigación, estudiando la afectación del derecho a la intimidad con esa filmación, temática todavía de muy incipiente estudio.

Esas podrían ser las bases que deberían favorecer algunos cambios en esta materia, y que, como vamos a ver en el último epígrafe, serían relevantes en materia de cooperación. Al fin y al cabo, lo único que estoy proponiendo es alcanzar un cierto consenso en lo esencial.

4. HACIA UN MODELO UNIFORME DE AUTORIDADES PENALES

Si ese consenso se obtiene, es posible que por fin el esquema de funcionamiento de los diversos Estados sea prácticamente idéntico. Los sistemas que confían la instrucción al ministerio fiscal deberían proceder a las adaptaciones precisas en la regulación de sus diligencias para que reflejen la realidad de la práctica policial y el respeto por los derechos fundamentales, más delicado cuando se implica a ese cuerpo de seguridad.

Por su parte, los pocos modelos que aún siguen el sistema del juez de instrucción debieran seguir el ejemplo belga: ampliar los casos en los que interviene el ministerio fiscal e ir reduciendo paulatinamente la actividad de un juez de instrucción a la misión de juez de garantías. Y los modelos

---

[62]   Sobre el mismo me remito a lo que explico en NIEVA FENOLL, *Derecho Procesal III. Proceso penal*, Madrid 2017, pp. 172 y ss.

que sitúan el peso de las actuaciones en la actividad policial, debieran reforzar el papel director de los órganos gubernativos de control, alejándolos de una mera supervisión para acercarlos a una auténtica dirección de las actuaciones que combine lo mejor de la actividad jurídica y de la habitual operativa policial, más familiarizada con cuestiones criminalísticas. En todo caso, debiera cambiar la formación de los fiscales precisamente hacia una exigencia real de conocimientos de Criminalística, materia que les suele ser ajena, o al menos más ajena que a un policía.

Con ello, las autoridades no tendrán que consultar en cada caso cuál es el sistema de cada país, sino que ya lo conocerán de antemano, identificándose *a posteriori* al encargado de llevar a cabo la diligencia para poder colaborar concretamente con esa persona, a fin de que la actuación de investigación sea realmente eficiente. Aunque siempre sea delicado que la Unión Europea intervenga en materia orgánica, la importancia de esta cuestión en el asunto que nos ocupa quizás haría conveniente que, con el debido debate y posterior consenso, se formulara una recomendación en este sentido por parte de la Comisión, igual que sucede en otras ocasiones.

Es posible que ello hiciera avanzar más el respeto de los derechos fundamentales más de lo que lo están consiguiendo las sucesivas normativas europeas en esta materia, cuyo resultado[63] no deja de ser algo pobre. Si la organización de cada Estado es similar, quizás sea más fácil que todos trabajen mirándose en el espejo de quien parezca que realiza las actuaciones de un modo más eficiente.

---

[63]   Sobre el tema, AAVV (coord. Vidal, dir. Arangüena / De Hoyos), *Garantías Procesales de Investigados y acusados: situación Actual en el Ámbito de la Unión Europea*, 2018, en especial, KOSTORIS, Roberto, "Orden europea de investigación y derechos fundamentales", op. cit., pp. 321 y ss.

Capítulo XXIV

NUEVAS COMPETENCIAS PARA EL MINISTERIO FISCAL CON OCASIÓN DE LA ORDEN EUROPEA DE INVESTIGACIÓN[1]

Marien Aguilera Morales
Profesora Titular de Derecho Procesal
Universidad Complutense de Madrid

SUMARIO: 1. INTRODUCCIÓN. 2. AUTORIDADES DE EMISIÓN Y EJECUCIÓN. 2.1. La norma matriz. Primera aproximación a la opción española. 2.2. El Fiscal como autoridad de emisión. 3. EL MINISTERIO FISCAL COMO AUTORIDAD DE RECEPCIÓN Y DE EJECUCIÓN. 3.1. Las pretendidas ventajas. 3.2. Los inconvenientes. 3.3. Los problemas. 4. CONCLUSIÓN.

RESUMEN: La transposición a nuestro ordenamiento de la Orden Europea de Investigación ha sido aprovechada por el legislador para conferir nuevas atribuciones al Ministerio Fiscal. Aunque estas nuevas funciones del Ministerio Fiscal se han querido justificar en sus ventajas, lo cierto es que la apuesta del legislador en este sentido plantea muchos problemas e inconvenientes.

ABSTRACT: The transposition of the European Investigation Order has been used by the spanish legislator to confer new powers to the Public Prosecutor's Office. Although these new functions of the Public Prosecutor have wanted to justify their advantages, the truth is that the commitment of the legislator in this sense involves many problems and disadvantages.

PALABRAS CLAVE: Orden Europea de Investigación, Ministerio Fiscal, autoridad de emisión, autoridad de ejecución.

KEY WORDS: European Investigation Order, Public Prosecutor, issuing auhority; executing authority.

---

[1] Este trabajo ha sido realizado en el marco del Proyecto Nacional I+D «El Tribunal de Justicia de la Unión europea: su incidencia en la configuración normativa del proceso civil español y en la protección de los derechos fundamentales» (Ref. DER 2016-75567-R), financiado por el Ministerio de Economía y Competitividad y del Proyecto *Best Practices for european Coordination on investigative measures and evidences* (JUST-2015-JCOO-AG-CRIM, Ref. 723198), financiado por la Comisión Europea. Una visión ampliada de cuanto en él se dice aparece recogida en la Revista Justicia 2018-2, pp. 195 1 221, con el título "La Orden Europea de Investigación: nuevas atribuciones para el Ministerio Fiscal".

1. INTRODUCCIÓN

El 12 de junio pasado se publicaba en el BOE la Ley 3/2018, *por la que se modifica la Ley 23/2014, de 20 de noviembre, de reconocimiento mutuo de resoluciones penales, para regular la Orden Europea de Investigación*.

Como revela su nombre, la Ley 3/2018 es fundamentalmente una norma de transposición. En su virtud, en efecto, se transpone en nuestro ordenamiento la Directiva 2014/41/UE (DOEI), dando acomodo a este instrumento en su marco –digámoslo así– natural, esto es, en la Ley 23/2014, *de reconocimiento mutuo* (LRM).

La transposición de la DOEI en nuestro ordenamiento llegó, no obstante, con cierto retraso. En concreto, más de un año después de concluir el plazo fijado al efecto en la propia DOEI. La demora no fue inocua; al contrario. En España, como en el resto de países rezagados, se generó una situación de incertidumbre en torno a cuál debía ser el régimen aplicable al aseguramiento, obtención y traslado de prueba durante el tiempo comprendido entre el *dies ad quem* de aquel plazo –i.e., desde el 22 de mayo de 2017– y la entrada en vigor de la ley nacional de implementación[2]. ¿Debía en ese tiempo, aplicarse la DOEI pese a su falta de transposición o cabía seguir recurriendo a los instrumentos utilizados hasta el momento en lo relativo a la prueba transnacional?

No me detendré en detallar cómo entonces se resolvió esta cuestión[3], pero sí haré lo propio con otras cuestiones que plantea la Ley 3/2018 tras su entrada en vigor. En particular, es mi propósito analizar cuáles son los problemas derivados de una decisión adoptada so pretexto de implementar la OEI en nuestro país. La decisión incumbe a las autoridades designadas para emitir y ejecutar la OEI en España y, más precisamente, al protagonismo que, en este contexto, se otorga al Ministerio Fiscal.

---

[2]   Incertidumbres a un margen, la aludida falta de transposición en plazo de la DOEI nos hizo también merecedores de una exhortación de la Comisión a cumplir con el compromiso contraído con la Unión Europea so pena de promover un procedimiento de infracción ante el Tribunal de Luxemburgo. Cfr. Comisión Europea-Hoja informativa Paquete de procedimientos de infracción. Bruselas, 25 de enero de 2018. (último acceso: 17 de noviembre de 2018).

[3]   En este sentido, v. el Dictamen 1/2017 de la Fiscal de Sala de Cooperación Internacional (último acceso: 17 de noviembre de 2018).

2. AUTORIDADES DE EMISIÓN Y EJECUCIÓN

2.1. *La norma matriz. Primera aproximación a la opción española*

La designación de las autoridades de emisión y ejecución de la OEI es misión que el legislador europeo encomienda a los Estados sin más límites que los de respetar los amplios márgenes establecidos en la DOEI.

En este sentido, lo previsto en el artículo 2 (c) DOEI es que «autoridad de emisión» de una OEI puede ser: (i) un juez, órgano jurisdiccional, juez de instrucción o fiscal competente en el asunto de que se trate; o (ii) cualquier otra autoridad (policial, administrativa, o aduanera) con competencia para obtener pruebas con arreglo al Derecho nacional, si bien en este segundo caso es necesario el requisito de la «validación judicial», esto es, que previamente a ser transmitida al Estado de ejecución, un Juez o un Fiscal controlen que se dan las condiciones para emitir la OEI y, por ende, que la orden es necesaria y proporcionada en relación con el procedimiento en que se emite y que la medida o medidas de investigación incluidas en ella podrían haberse acordado en las mismas condiciones en un caso interno similar.

Por su parte, y respecto de la «autoridad de ejecución», lo previsto en el artículo 2 (d) DOEI es que tal condición es predicable de cualquier autoridad que tenga competencia para reconocer la OEI y asegurar su ejecución de conformidad con la Directiva «y los procedimientos aplicables en un caso interno similar»; procedimientos que –precisa– «pueden requerir una autorización judicial del Estado de ejecución cuando así se disponga en su legislación interna».

Pues bien, dentro de estos márgenes, el legislador español parece haberse inclinado por un modelo de competencia compartida entre Jueces y Fiscales, según que, respectivamente, la OEI sirva de continente a medidas restrictivas de derechos fundamentales o a medidas no limitativas de estos derechos. Tal es, al menos, lo que se infiere de una primera lectura del artículo 187 LRM.

Así –reza el artículo 187 LRM, en su apartado 1–, *autoridades competentes para emitir* una OEI en España son: de una parte, «los jueces o tribunales que conozcan del proceso penal en el que se deba adoptar la medida de investigación o que hayan admitido la prueba si el procedimiento se encuentra en fase de enjuiciamiento»; y, de otra parte, «los Fiscales en el marco de los procedimientos que dirijan» y «siempre que la medida que contenga la OEI no sea limitativa de derechos fundamentales». Una y otra clase de autoridades –añade– podrán emitir una OEI «para la ejecución de medidas que podrían ordenar conforme a las disposiciones de la Ley de Enjuiciamiento Criminal y la Ley Orgánica 5/2000, de 12 de enero, reguladora de la responsabilidad penal de los menores» (en adelante, LORPM).

A la luz de estas previsiones es claro, como anunciaba, que la competencia para emitir una OEI en España se reparte entre Jueces y Fiscales; y, además, con carácter exclusivo y excluyente. El reverso de esta afirmación es que, a diferencia de otros Estados miembros, las autoridades policiales, administrativas o aduaneras españolas no son competentes para emitir una OEI; y, por lo mismo, que en nuestro país no es aplicable el requisito de la validación.

Del primer apartado del artículo 187 LRM se colige con igual nitidez que las OEI emitidas por un Juez –por cualquier Juez– pueden amparar medidas de investigación de toda clase. Y más aún: que, en estos casos, la emisión de las OEI puede tener lugar durante la fase de instrucción del proceso penal e incluso en fase de juicio oral, una vez admitida la prueba.

La competencia del Fiscal para emitir una OEI es, sin embargo, más limitada. En primer lugar, y desde una perspectiva material, porque las únicas medidas de investigación que puede ordenar el Fiscal a través de la OEI son aquellas que puede acordar en el ámbito interno, es decir, medidas no limitativas de derechos fundamentales, con la salvedad de la detención que el Fiscal sí puede decretar[4]. En segundo lugar, y desde una perspectiva procedimental, porque la competencia de los Fiscales para emitir la OEI se vincula a «los procedimientos que dirijan»; expresión que, interpretada en sentido literal y sistemático, circunscribe aquella competencia al marco de las diligencias de investigación fiscal (arts. 773.2 LECrim y art. 5 EOMF) y a la instrucción de los procesos para depurar la responsabilidad penal de los menores de edad penal[5].

---

[4]   V. artículo 492 LECrim, artículo 5.2 EOMF y artículos 17, 23.3, 26.3 y 29 LORPM.

[5]   El dato de que el artículo 187.1 LRM utilice el término «procedimientos» (en plural) y de que su último párrafo aluda a la LORPM da a entender, en efecto, que la competencia del Ministerio Fiscal para emitir una OEI se extiende a la instrucción de los procesos para depurar la responsabilidad penal de los menores de edad penal. De hecho, tal fue la lectura hecha por el Consejo Fiscal en su informe al inicial anteproyecto de Ley; informe en el que, dicho sea de paso, se aplaudía la fórmula («a los procedimientos que estos dirijan») «por omnicomprensiva y flexible, con capacidad de adaptación también a la posible atribución de nuevas competencias en el procedimiento penal».

Jueces y Fiscales también coinciden en ser *autoridades competentes para reconocer y ejecutar* una OEI. Desde este otro lado, sin embargo, el deslinde de competencias resulta algo más alambicado.

En este sentido, debe empezarse por subrayar que la recepción de las OEI es función exclusivamente confiada al Ministerio Fiscal, siendo también este órgano el encargado de su registro y de acusar recibo a la autoridad de emisión.

Igualmente, es el Ministerio Fiscal el que –a la luz de las reglas del artículo 187, apartado 2, de la LRM– ha de decidir si le compete a él el reconocimiento y ejecución de la OEI o si, por el contrario, tal cometido corresponde a un Juez. De entender esto último, el Ministerio Fiscal debe remitir la OEI al Juez competente acompañada de un informe en el que habrá de expresar si, en su consideración, concurre o no causa de denegación de la OEI y si cada una de las medidas de investigación contenidas en la OEI son ajustadas a Derecho.

Llegados a este punto abro un paréntesis para precisar los criterios legales de atribución de la competencia para reconocer y ejecutar la OEI o, lo que viene a ser igual, las aludidas reglas del artículo 187 LRM, apartado 2. Y lo que vienen a disponer estas reglas es que el Ministerio Fiscal es competente para reconocer y ejecutar la OEI cuando en ella no se indique expresamente que la medida debe ser ejecutada por un órgano judicial; y, además, no contenga medidas limitativas de derechos fundamentales o las medidas de esta clase que contenga puedan ser sustituidas por otras no restrictivas a juicio del propio Fiscal[6]. *A sensu contrario*, será un Juez el competente para reconocer y ejecutar la OEI cuando la autoridad de emisión indique expresamente que la medida debe ser ejecutada por un órgano jurisdiccional; o bien cuando aquella contenga alguna medida limitativa de derechos fundamentales cuya sustitución no resulte posible a juicio del Fiscal.

Atendido cuanto precede –cierro ya el paréntesis–, se diría que, del lado pasivo de la OEI, el modelo acuñado por la Ley 3/2018 se asienta sobre tres pilares: la centralización de la recepción de las OEI en el Ministerio Fiscal; la distribución de la competencia entre el Fiscal y el Juez en función de varios criterios (y no solo –apostillo– del carácter restrictivo o no restrictivo de las medidas de investigación contenidas en la OEI); y la atribución

---

[6]   Ejemplo de medida sustituible es el registro de una entidad financiera para obtener determinada información o documentación; medida que podría ser sustituida por un mandamiento dirigido a aquella entidad a estos mismos efectos.

al Fiscal de una competencia informativa en los casos en que el reconocimiento y ejecución de la OEI corresponda al Juez.

2.2. *El Fiscal como autoridad de emisión*

Antes de la reforma operada por la Ley 3/2018 ya se reconoció al Fiscal competencia para emitir exhortos de obtención de pruebas, así como para requerir medidas de aseguramiento de la prueba no limitativas de derechos fundamentales[7]. La designación del Fiscal como autoridad de emisión de la OEI poco, pues, tiene de novedoso o sorprendente. Al revés: está en línea con la aspiración consistente en que llegue el día en que el Fiscal español alcance la condición de «autoridad judicial» que hoy le reconocen las instituciones de la Unión y la mayoría de los Estados en materia de cooperación internacional penal.

Comparado, sin embargo, con el papel que el Juez está llamado a desempeñar en la emisión de este tipo de órdenes, el papel del Fiscal es muy reducido. Aunque ya las apunté, no está de más insistir en que las razones de este desequilibrio son de tipo material y procedimental:

Por vía de la OEI –recuérdese– los Fiscales únicamente pueden requerir de las autoridades extranjeras la adopción de medidas cautelares y diligencias de investigación que no sean restrictivas de derechos fundamentales, pues para las medidas y diligencias restrictivas de estos derechos se impone exclusividad jurisdiccional.

En cuanto a las razones de tipo procedimental, baste con indicar que, en 2017, se incoaron 14.438 diligencias de investigación fiscal; número muy por debajo del de diligencias previas y sumarios incoados por Jueces y Magistrados en esa misma anualidad que, en cómputo global y excluidos los asuntos tramitados en el marco de la Audiencia Nacional, ascendió a 1.592.694[8].

Pero, desequilibrios a un margen, lo que interesa poner de relieve aquí son las cuestiones e inconvenientes prácticos derivados de la emisión de la OEI por el Fiscal:

Comenzando por las cuestiones, lo primero que cabe plantearse es qué concretas medidas y diligencias de investigación pueden ser ordenadas por

---

[7]   Artículo 189.1 e) LRM, en su antigua redacción, y artículo 144.2 LRM, en su actual redacción.

[8]   Los datos han sido extraídos de la última Memoria de la Fiscalía General del Estado publicada –la de 2018– (último acceso: 17 de noviembre de 2018).

el Fiscal en el marco de una OEI. La respuesta que proporciona el artículo 187.1. LRM (el Fiscal puede ordenar medidas y diligencias no limitativas de derechos fundamentales) no es del todo concluyente. No, al menos, teniendo a la vista que, en nuestro derecho interno, el Fiscal cuenta con autorización para acordar investigaciones encubiertas o determinadas medidas limitativas del derecho a la intimidad en el marco de las diligencias que dirige[9].

Cuestionable también es si las investigaciones ordenadas por el Fiscal en el marco de una OEI responden a las exigencias de confidencialidad *ex* artículos 19 DOEI y 194 LRM, habida cuenta de que aquellas investigaciones no pueden ser declaradas secretas[10].

Y otro tanto cabe sostener de las OEI emitidas por el Fiscal teniendo a la vista de la disminución de garantías que implican para el investigado. En este sentido, importa hacer hincapié en que los decretos del Fiscal son irrecurribles, con lo que se cierra para el investigado la posibilidad de atacar tanto la decisión de no emitir una orden interesada por él, como la de emitir una OEI faltando los requisitos legales a los que se condiciona su emisión[11].

En cuanto a los inconvenientes de orden práctico, apunto dos aunque no descarto algún otro:

El primero trae causa de que el Fiscal español no puede acordar medidas coercitivas. Y es que, como se ha escrito, «medidas como la declaración de un testigo, que pueden acordarse en España durante las diligencias de investigación de fiscalía y por tanto pueden ser objeto de una OEI, no puede(n) dar lugar a que ese testigo sea conducido por la fuerza pública ante la autoridad de ejecución de la OEI, dado que el uso de esta coerción no estaría permitido para la fiscalía española si el testigo estuviese en España»[12]. Por la misma razón tampoco la autoridad de ejecución podría imponer a ese testigo una sanción caso de no comparecer ante su presencia, o caso de comparecer pero no prestar declaración veraz.

---

[9]   Cfr. Circular 4/2013, de 30 de diciembre, *sobre diligencias de investigación* (aptdos. III. 2.4. y III.2.8).

[10]   Ibidem (aptdo. IV).

[11]   De hecho, el cuestionamiento ya se ha producido. A este respecto, llamo la atención acerca de la actual pendencia de una cuestión prejudicial planteada por un tribunal búlgaro, en la que, justamente, se interpela al TJUE sobre si el artículo 14 DOEI otorga directamente al interesado el derecho a impugnar la resolución relativa a la OEI cuando en el Derecho nacional no esté prevista dicha posibilidad. Asunto C-324/17, *Ivan Gavanozob*, DO C 256 de 07.08.2017, p.16.

[12]   RODRÍGUEZ-MEDEL NIETO, C., *Obtención y admisibilidad en España de la prueba penal transfronteriza*, Cizur Menor (Navarra), 2016, p. 375.

El segundo inconveniente viene ligado a la ausencia de valor probatorio de las diligencias de investigación fiscal respecto de un posterior proceso penal. Por seguir el ejemplo que venimos trayendo, esto se traduce en que la declaración testifical ordenada practicar por el Fiscal vía OEI agotará su funcionalidad en servir de respaldo a la decisión de archivar sus diligencias o de judicializarlas[13].

3. EL MINISTERIO FISCAL COMO AUTORIDAD DE RECEPCIÓN Y DE EJECUCIÓN

3.1. Las pretendidas ventajas

Si del lado activo de la OEI el papel asignado al Fiscal tiene poco de novedad, de su lado pasivo ocurre lo contrario.

En esta otra vertiente, ciertamente, hay mucho de novedoso; y no solo desde una perspectiva interna, sino también comparada. En este orden de cosas, interesa tener en cuenta que la fórmula adoptada por la mayoría de Estados miembros pasa por hacer coincidir en unas mismas autoridades la competencia para recibir la OEI y la competencia para proceder a su ejecución. Y también interesa recordar que una fórmula similar a esta fue la adoptada en su momento España en relación con el exhorto de obtención de pruebas. Entonces, en efecto, tanto el Juez como el Fiscal eran competentes para la recepción y ejecución del instrumento, con dos salvedades: la de que se apreciara alguna causa que pudiera motivar la denegación del exhorto y la de que, para ejecución de este último, fuera necesario adoptar medidas limitativas de derechos fundamentales. En ambos casos la decisión de reconocer y ejecutar el exhorto (y la de denegarlo) se residenciaba en el Juez[14].

La fórmula sobre la que descansa el modelo implantado por la Ley 3/2018 es, sin embargo, otra: la de monopolizar, como se avanzaba *supra*, la recepción de la OEI en el Ministerio Fiscal y la de primar el papel de este

---

[13]   La vieja Circular 1/1989, de 8 de marzo, *sobre procedimiento abreviado*, ya mantuvo la ausencia de valor probatorio de las diligencias de investigación del Fiscal. Las Instrucciones 2/2000, de 27 de diciembre, y 3/2004, de 12 de mayo, y la Circular 4/2013, *sobre diligencias de investigación*, reiteraron después el mismo criterio.
       También para la Sala Segunda del Tribunal Supremo es clara la ausencia de virtualidad probatoria de las diligencias de investigación del Fiscal. En este sentido, v. SSTS 1516/2015-ECLI:ES:TS:2015:1516; y 16/2017-ECLI:ES:TS:2017:16.

[14]   Artículo 188.2 LRM, en su redacción anterior a la Ley 3/2018.

en lo relativo a su reconocimiento y ejecución[15]. Prueba de esto segundo es que el Fiscal puede arrogarse la competencia para reconocer y ejecutar la OEI, si es que la medida contenida en ella es sustituible por una medida no restrictiva de derechos fundamentales; que es él el encargado de denegar el reconocimiento y ejecución de la OEI cuando las medidas incluidas en ella pertenecen a la esfera de su competencia; que, llegado el caso, también a él le corresponde designar al concreto Juez competente para reconocer y ejecutar la OEI; y que, aun allí donde la competencia para reconocer y ejecutar la OEI es de un Juez, aquel debe de informar sobre la legalidad de las medidas y la posible concurrencia de motivos de denegación.

La Memoria de análisis de impacto normativo que acompañaba al inicial anteproyecto de Ley justificaba esta fórmula en sus ventajas. Encomendar al Ministerio Fiscal la recepción de la OEI –venía a decir–, además de una mejor gestión de los recursos destinados en nuestro país al auxilio judicial internacional, facilita a las autoridades extranjeras la identificación de la autoridad competente para reconocer y ejecutar las medidas contenidas en ella, pues aquellas ya no tendrán que identificar el concreto partido judicial en el que ha de ejecutarse la orden[16].

Personalmente, ninguna justificación encuentro en las ventajas recién mencionadas. Es más: si bien se mira, de haberse encomendado la recepción de las OEI a los órganos jurisdiccionales y no al Ministerio Fiscal, los réditos ,en términos de gestión de recursos, habrían sido los mismos.

Ocurre, además, que la que se presenta como principal ventaja del modelo (*i.e.*, facilitar y simplificar la labor de las autoridades extranjeras) difícilmente puede tenerse por tal en la realidad. La "prueba del nueve" de esto que afirmó se encuentra en el Atlas de la Red Judicial Europea. Así, basta consultar esta herramienta para comprobar que, en función de cuál sea la medida requerida y el concreto delito investigado, la autoridad de

---

[15]   Esta fórmula se encuentra más en sintonía con la adoptada en países como Bélgica, Grecia o Italia.

[16]   En el mencionado Informe del Consejo Fiscal a este anteproyecto se añadían como ventajas la de permitir contar con la especial formación, dedicación, conocimiento de idiomas y experiencia de los Fiscales delegados y especialistas en materia de cooperación internaciones, así como la de obtener una estadística única y fiable sobre las OEI remitidas a nuestro país (pp. 33 a 35). Está por ver si estas mismas ventajas podrán predicarse algún día de los órganos jurisdiccionales; propósito, por cierto, que en parte anima al Acuerdo de 27 de septiembre de 2018, del Pleno del Consejo General del Poder Judicial, por el que se aprueba el Reglamento 1/2018, *sobre auxilio judicial internacional y redes de cooperación judicial internacional* (B.O.E. núm. 249, de 15 de octubre de 2018).

emisión tendrá que seleccionar a qué órgano remitir la OEI de entre una pluralidad de opciones; opciones que incluyen a la Fiscalía de la Audiencia Nacional, a las Fiscalías especiales –Antidroga o Anticorrupción–; a la Fiscalía provincial que corresponda al lugar en el que deba ejecutarse la medida y, en último extremo, a la Unidad de Cooperación Internacional de la Fiscalía General del Estado.

3.2. Los inconvenientes

Descartado que el relevante papel del Fiscal en la recepción y ejecución de la OEI comporte ventajas (o cuando menos que las arriba mencionadas sean la razón de ser de su protagonismo), es el turno de abordar la otra cara de la moneda: la de los inconvenientes.

Como a todos alcanza, algunos de estos inconvenientes coinciden con los que se siguen de la designación del Fiscal como autoridad de emisión, solo que cuantitativamente agravados, ya que, con casi toda probabilidad, el volumen de OEI recibidas en España superará al de órdenes emitidas en nuestro país por el Ministerio Fiscal:

Un inconveniente es, por tanto, que el Ministerio Fiscal no puede acordar ni ordenar practicar medidas coercitivas; imposibilidad que, como bien se ha dicho, mermará en la práctica su capacidad para asegurar la ejecución de algunas medidas, como la declaración testifical o la comparecencia por videoconferencia u otros medios de transmisión audiovisual[17].

Otro –más importante–, la relajación de las garantías ínsita a la irrecurribilidad de los decretos dictados en la ejecución de este tipo de órdenes (art. 24.4 LRM).

En términos de inconveniencia (o si se prefiere, de falta de acierto), soy no obstante de la opinión de que el primer lugar en la lista lo ocupa el propio modelo implantado por la Ley 3/2018:

De un lado, porque al articularse una competencia alternativa a la del Juez para el reconocimiento y ejecución de las medidas de investigación requeridas desde el extranjero, las investigaciones transfronterizas quedan sometidas a dos regímenes distintos. Esta dualidad de regímenes podría tenerse tal vez por conveniente tratándose de medidas restrictivas de de-

---

[17]	RODRÍGUEZ-MEDEL NIETO, C., *Obtención y admisibilidad en España de la prueba penal transfronteriza, op.cit.*, p. 400.

rechos fundamentales y medidas no limitativas de estos derechos, pero no desde luego cuando se está ante una misma clase de medidas de investigación. Ocurre empero que, bajo los dictados de la Ley 3/2018, este dispar tratamiento planea también sobre medidas de un mismo tipo, ya que, al albur del artículo 187 LRM, la competencia para reconocer o ejecutar una medida no restrictiva de derechos fundamentales puede corresponder tanto al Fiscal como al Juez. Esto último sucederá en dos casos: en el caso de que la autoridad de emisión indique expresamente que la medida debe ser ejecutada por un órgano jurisdiccional; y en el caso de que, junto a esta clase de medidas, la OEI contenga también medidas restrictivas de derechos fundamentales no sustituibles a juicio del Fiscal.

De otro lado, porque, como en su día puso de relieve el CGPJ, se trata de un modelo que «altera el papel que desarrollan actualmente el Ministerio público y los órganos jurisdiccionales en el proceso penal»[18], o lo que viene a ser igual, que atribuye al Ministerio Fiscal posibilidades funcionales que no tiene en el ámbito interno (p.ej., sustituir la medida de investigación requerida por otra no restrictiva de otros derechos; practicar diligencias para determinar el Juez competente para ejecutar la OEI, o informar a este último sobre si las medidas contenidas en la orden son o no ajustadas a Derecho). En este orden de cosas, cabría decir también que la Ley 3/2018 ha venido a introducir dos regímenes distintos para las investigaciones delictivas que tienen lugar en España: uno, para las investigaciones ordenadas desde Europa y otro para las investigaciones emprendidas a nivel nacional.

3.3. Los problemas

Las nuevas atribuciones conferidas al Ministerio Fiscal en el marco de la ejecución de la OEI suman a los anteriores inconvenientes algunos problemas.

Uno de ellos es cuál es marco normativo en el que se ubican aquellas nuevas atribuciones; cuestión que no despeja el artículo 187 LRM y para la que existen dos posibles respuestas: entender que, recibida una OEI por el Ministerio Fiscal, lo procedente es incoar unas diligencias de investigación

---

[18]   Cfr. Informe del CGPJ al anteproyecto de Ley por la que se modifica la Ley 23/2014, de 20 de noviembre, de reconocimiento mutuo de resoluciones penales en la Unión Europea, para regular la Orden Europea de Investigación (último acceso: 17 de noviembre de 2018).

fiscal (art. 5 EOMF), o considerar que lo que ha de abrirse es un expediente de cooperación internacional [art. 3 (15) EOMF]. Ignoro cuál de estas soluciones se ha impuesto en la práctica. Probablemente, la segunda. Sea como fuere, creo que el legislador habría hecho bien en despejar esta incógnita.

Otro problema, en el que parece no haberse reparado aún, guarda relación con la individualización del Juez competente para ejecutar la OEI. Según se ha indicado ya, esta es una de las nuevas atribuciones del Ministerio Fiscal cuyo contenido y alcance describe el tantas veces mencionado artículo 187 LRM en su apartado 3.

Pues bien, atendido el tenor de este apartado, resulta claro que:

– En él se establecen tanto criterios de competencia objetiva como de competencia territorial para proceder a esa individualización.

– Con excepción de los criterios de atribución de la competencia objetiva por razón de la materia prevista en sus literales b) y c) y de la competencia residual prevista en su literal a), la competencia objetiva para reconocer y ejecutar la OEI recae, como regla, en el Juzgado de Instrucción (o en el Juzgado de Menores) y la territorial en los Juzgados de esta clase correspondientes al partido judicial en el que deba de practicarse la medida de investigación.

– En los casos en que no pueda precisarse en qué lugar debe practicarse la medida (porque se ignore, p.ej., dónde reside la persona que se interesa preste declaración o porque lo requerido sea información financiera y se desconozca el lugar en el que se halla) son de aplicación los fueros subsidiarios previstos en el literal a), de modo que la competencia territorial puede recaer indistintamente en el Juzgado de Instrucción del lugar que presente alguna conexión territorial con el delito, con el investigado o con la víctima. A su vez, y para el caso de que no fueran aplicables ninguno de estos fueros subsidiarios, se establece, como fuero residual, la competencia de los Juzgados Centrales de Instrucción.

– Para determinar qué concreto Juez es objetiva y/o territorialmente competente para ejecutar la OEI pueden ser imprescindibles algunas actuaciones previas, como averiguar la residencia del investigado o si las defraudaciones que se investigan han afectado a una generalidad de personas en el territorio de más de una Audiencia (art. 65 LOPJ).

Pero centrémonos en lo que el apartado no deja claro. Esto es, en la cuestión –primero– de qué Juzgado o Tribunal es competente para ejecutar la OEI cuando esta incluye varias diligencias de investigación y alguna de estas medidas es de la competencia "especial" del Juez Central de Instrucción [artículo 187.3, literal b)] o del Juez Central de lo Penal o de Menores [artículo 187.3, literal c)]. Y en la cuestión –segundo– de qué Juzgado de Instrucción es territorialmente competente para ejecutar la OEI cuando esta incluye diligencias de investigación que deban practicarse en diversos lugares.

Como digo, ninguna de las cuestiones apuntadas encuentra respuesta en el apartado 3 del artículo 187 LRM. O, en palabras del propio precepto, no se resuelven «con las reglas previstas en este apartado y, en lo no previsto en ellas, conforme a las normas de preferencia de la Ley de Enjuiciamiento Criminal (…)».

Todo lo más, y respecto de la primera cuestión, cabría entender, por analogía con lo previsto para los supuestos de conexión delictiva, que allí donde una de las diligencias contenidas en la OEI sea de la especial competencia de los Juzgados Centrales de Instrucción, estos Juzgados atraen hacia sí la competencia para ejecutar cualesquiera otras diligencias interesadas en la orden.

Pero, ¿y en el caso de que una de las diligencias contenidas en la OEI sea el traslado al Estado de emisión de las personas privadas de libertad en España?, ¿cabría defender otro tanto de los Juzgados Centrales de lo Penal o del Central de Menores, habida cuenta que ni aquella medida es, *stricto sensu*, una diligencia de investigación, ni la investigación delictiva competencia de estos Juzgados?

¿Y para la segunda cuestión?¿contiene la Ley de Enjuiciamiento Criminal normas de preferencia a las que el Ministerio Fiscal pueda recurrir para determinar el Juez que ha de reconocer y ejecutar una OEI que sirve de continente a medidas que deben practicarse en diversos lugares?

Valgan todos estos interrogantes para llamar la atención sobre lo que, a todas luces, es un defecto de técnica jurídica. Pero también para advertir sobre uno de los aspectos que están resultando más conflictivos en la práctica, e incluso sobre lo que puede tenerse por un problema de alcance constitucional.

Comenzando por esto último, debe hacerse hincapié en que, al no proporcionar el artículo 187 LRM criterios mínimamente claros para individualizar qué Juez o Tribunal es competente para ejecutar la OEI cuando esta contiene varias medidas de investigación, el Fiscal disfruta de un amplio margen de discrecionalidad a esos mismos efectos. Obviamente es este margen de discrecionalidad –por lo demás, no fiscalizable– lo que abre la caja de las dudas en torno a si aquel precepto responde en este punto a las exigencias del derecho al Juez ordinario predeterminado por la Ley. Y es que, tal y como señala la doctrina más especializada, ninguna técnica legislativa que permita márgenes de discrecionalidad a algún órgano (administrativo o jurisdiccional) en la designación del Juez es, *en principio*, admisible; justamente, por contravenir el 24.2. CE[19].

Lo que expreso –recalco– son únicamente dudas. El tiempo dirá, caso de que lleguen efectivamente a plantearse al Tribunal Constitucional, si esas dudas están encaminadas o, por el contrario, si atendido el carácter incidental o auxiliar de la actividad de obtención de prueba en relación con el proceso que se sigue en otro Estado, es admisible una cierta relajación de las exigencias ínsitas al derecho al Juez ordinario predeterminado por Ley.

En cuanto a los conflictos a los que me refería líneas arriba, ya se habrá adivinado que la causa de estos conflictos es la negativa de algunos Juzgados de Instrucción a ejecutar las OEI remitidas por el Fiscal. La razón de esta negativa radica, evidentemente, en su falta de competencia.

4. CONCLUSIÓN

Las posibilidades funcionales que la Ley 3/2018 reconoce al Fiscal materializan una aspiración que viene de tiempo atrás: la de que, en el ámbito de la cooperación penal, los representantes de nuestro Ministerio Público sean tenidos por «autoridad judicial» en el sentido y con el alcance que a esta expresión confieren las instituciones de la Unión y la mayoría de sus Estados miembros.

Aquellas mismas posibilidades acortan además distancias con otra aspiración que viene igualmente de lejos: la de que, a nivel interno, la dirección de la investigación delictiva corresponda al Fiscal y no al Juez.

Por lo uno y/o por lo otro, son muchos los que consideran que el protagonismo del Fiscal en el marco de la OEI es un avance y un acierto.

---

[19]   V., por todos, DÍEZ-PICAZO GIMÉNEZ, I., «El derecho fundamental al Juez ordinario predeterminado por la Ley», *Revista española de Derecho Constitucional*, año 11, núm. 31, enero-abril, 1991, pp. 114 y ss.

Mi valoración, en cambio, es prácticamente la contraria:

En primer lugar, porque lo que se presentan como ventajas del modelo poco en verdad tienen de tales. Antes bien, como diría GASCÓN INCHAUSTI[20], de lo que tiene mucho el modelo es de pretexto.

Y, en segundo lugar, por los inconvenientes prácticos y problemas de todo orden que, como también se ha visto, plantean las nuevas atribuciones del Ministerio Fiscal en el marco de la OEI.

---

[20]   Como muy atinada y gráficamente señala el autor, desde la perspectiva de los Estados miembros hay tres modos de afrontar la inmisión del legislador europeo en un ámbito, como el procesal, reservado a las legislaciones internas. Se refiere así a Europa como deber; Europa como oportunidad; y Europa como pretexto, esto es, como «la invocación de mandatos europeos inexistentes para justificar cambios legales controvertidos que, en puridad no son obligatorios, pero cuya presentación como genéricamente vinculados a la Unión Europea los convertiría automáticamente en deseables o, al menos, liberaría de críticas al legislador nacional».
El protagonismo reconocido a nuestro Ministerio Fiscal en el marco de la OEI es un claro ejemplo de esto último, pues con la excusa de lograr una más sencilla y eficaz cooperación judicial penal a nivel de la Unión, parece haberse avanzado un paso más en el propósito de encomendar a aquel la dirección de la investigación penal en el ámbito interno. Cfr. *Derecho europeo y legislación procesal civil nacional: entre autonomía y armonización*, Madrid, 2018, esp. pp. 135 y ss.

QUINTA PARTE

LA EMISIÓN Y TRANSMISIÓN DE LA ORDEN EUROPEA DE INVESTIGACIÓN

Capítulo XXV

ORDEN DE INVESTIGACIÓN EUROPEA: ESPAÑA COMO PAÍS DE EMISIÓN

Nicolás Rodríguez-García[1]
Catedrático de Derecho Procesal
Universidad de Salamanca

SUMARIO: 1. INTRODUCCIÓN. 2. BOSQUEJO DEL MARCO JURÍDICO INTERNACIO-NAL, EUROPEO Y NACIONAL REGULADOR DE LA ORDEN EUROPEA DE INVESTI-GACIÓN. 3. ÁMBITO DE APLICACIÓN. 3.1. Objetivo. 3.2. Subjetivo. 3.3. Procedimental. 3.4. Territorial. 4. AUTORIDADES NACIONALES DE EMISIÓN. 5. PROCEDIMIENTO. 5.1. Emisión. 5.2. Transmisión. 5.3. Recepción. 6. REFLEXIÓN FINAL.

RESUMEN: Por fin, desde el 2 de julio de 2018 España cuenta con normativa propia de transposición de la Orden Europea de Investigación en materia penal, regulada en la Directiva 2014/41/CE. Por ello, con la entrada en vigor de la reforma de la Ley 23/2014, de 20 de noviembre, de reconocimiento mutuo de resoluciones penales en la Unión Europea, los jueces y fiscales españoles competentes para emitir una Orden Europea de Investigación han visto superado un periodo transitorio complejo e inseguro desde la vigencia de la Directiva, pudiendo tener más claro el ámbito de aplicación de la OEI, su emisión, transmisión, las autoridades competentes y el procedimiento a seguir cuando España es Estado de emisión, cuestiones cuyo análisis compone el objeto de este trabajo.

ABSTRACT: Finally, since July 2, 2018, Spain has its own regulation transposing the European Investigation Order in criminal matters, ruled by Directive 2014/41/CE. Therefore, with the entry into force of the reform of Law 23/2014, of 20 November, on the mutual recognition of criminal decisions in the European Union, Spanish judges and prosecutors competent to issue a European Investigation Order have seen a complex and insecure transitional period overcome since the Directive came into force, and may have a clearer scope of application of the OEI, its issuance, transmission, the competent authorities and the procedure to be followed when Spain is a State of issuance, questions whose analysis is the subject of this study.

PALABRAS CLAVE: Orden Europea de Investigación. Prueba transnacional. Unión Europea. Espacio de Libertad, Seguridad y Justicia. Cooperación judicial penal. Principio de reconocimiento mutuo.

---

[1]   Este trabajo se ha elaborado en el marco de dos Proyectos de Investigación, uno del Ministerio de Economía y Competitividad (DER2016-79895-P) y otro de la Junta de Castilla y León: (SA129G18).

KEYWORDS: European Investigation Order. Transnational evidence. European Union. Area of Freedom, Security and Justice. Criminal judicial cooperation. Mutual recognition principle.

1. INTRODUCCIÓN

[1] Desde que los países europeos se conjuraron en delinear y construir un Espacio de Libertad Seguridad y Justicia el sí, cómo, cuándo y hasta dónde tener un *sistema penal europeo* ha estado presente en la actividad política y legislativa, tanto de la Unión como de cada uno de los Estados miembros, con el objetivo de poner coto a las acciones delictivas de ciudadanos europeos –o no[2]–, sean personas física o jurídicas, que actúan *en, desde* o *contra* la Unión Europea.

Sin solución de continuidad, se ha venido hablando de *cooperación, aproximación, armonización* y, por qué no, de *unificación*[3] –parcial[4]– en el campo jurídico-penal[5], en el que se viene pudiendo constatar:

---

[2]   Por su actualidad y relevancia, *vid.* CRESPO FERNÁNDEZ, M., "EURESCRIM, un proyecto para erradicar la delincuencia itinerante en la Unión Europea", *Revista General de Derecho Europeo*, n.º 46, 2018, pp. 1 y ss.

[3]   *Vid.* FAGGIANI, V., *Los derechos procesales en el espacio europeo de justicia penal. Técnicas de armonización*, Aranzadi, Cizur Menor, 2017; OLIVA SANTOS, A. de la, CALDERÓN CUADRADO, M. P. (dirs.), *La armonización del Derecho Procesal tras el Tratado de Lisboa*, Aranzadi, Cizur Menor, 2012; ARMENTA DEU, T., "Aproximación del proceso penal en Europa: proceso penal europeo o europeización del proceso penal", *Revista General de Derecho Procesal*, n.º 22, 2010, pp. 1 y ss.; DELMAS-MARTY, M., PIETH, M., SIEBER, U., *Los caminos de la armonización penal*, Tirant lo Blanch, Valencia, 2009.
        Y no solo en el ámbito europeo, que siempre es tomado como referencia en otras zonas geográficas, como se analiza en SIEBER, U., SIMON, J. M. (eds.), *Hacia la unificación del Derecho Penal* (2.ª ed.), INACIPE, México, 2011.

[4]   Como recuerda ORMAZÁBAL SÁNCHEZ, G., "El tortuoso camino hacia la construcción del Espacio Judicial Europeo en materia penal. Algunas consideraciones en torno al reconocimiento mutuo de pruebas, la euro-orden y la Fiscalía Europea", en CACHÓN CADENAS, M., FRANCO ARIAS, J. (coords.), *Derecho y proceso. Liber Amicorum del profesor Francisco Ramos Méndez*, vol. 3, Atelier, Barcelona, 2018, p. 1799, el propósito de las instituciones europeas no es uniformar completamente la regulación de estas materias estableciendo en toda Europa una suerte de código procesal común. Incluso, ni tan siquiera sectorializado, estando todavía reciente el fracaso del proyecto de Corpus Iuris para la protección en la Unión Europea de los intereses financieros comunitarios, analizado en detalle por GÓMEZ COLOMER, J. L., "La protección procesal penal de la Unión Europea en materia de lucha contra el fraude (el Proyecto "corpus iuris")", *Revista Latinoamericana de Derecho*, n.º 9-10, 2008, pp. 115 y ss.

[5]   Y también en el civil, como analiza GASCÓN INCHAUSTI, F., *Derecho europeo y legislación procesal civil nacional: entre autonomía y armonización*, Marcial Pons, Madrid, 2018.

a) La sempiterna duda de si las atribuciones competenciales de la Unión Europea podían alcanzar a la materia penal y procesal penal, básicamente por la frágil y variable voluntad política de los Estados en ceder parte de su soberanía para favorecer la aproximación de los ordenamientos jurídicos[6].

b) Lo claros que desde un principio se podían tener los lineamientos de política-criminal europea, acordes con los internacionales delineados por Naciones Unidas, en los ámbitos de actuación material prioritarios –¿qué Estado podía negarse públicamente a combatir el terrorismo, el narcotráfico, la trata de seres humanos, la corrupción, el crimen organizado, el blanqueo de capitales…, esto es, la delincuencia grave con dimensión transfronteriza–: eficacia, eficacia y más eficacia en la represión, esgrimiendo eslóganes de *tolerancia cero*[7], sin que al parecer importaran mucho los derechos fundamentales antes, durante y después del proceso penal, los cuales, ante su falta de consecución por problemas de toda índole (políticos, institucionales, financieros, jurídicos, judiciales…), dieron paso a una urgente maximización de los postulados de corte preventivo[8] que po-

---

6   *Cfr.* MARTÍNEZ GARCÍA, E., "La orden de investigación europea: Las futuras complejidades previsibles en la implementación de la Directiva en España", *La Ley Penal*, n.º 106, 2014, pp. 116 y ss.

7   *Vid.* LASCANO, C. J., "La insostenible 'modernización del derecho penal' basada en la 'tolerancia cero' desde la perspectiva de los países 'emergentes'", en PÉREZ ÁLVAREZ, F. (edit.), *Serta: in memoriam Louk Hulsman*, Ediciones Universidad de Salamanca, Salamanca, 2016, pp. 789 y ss.; MAQUEDA ABREU, M. L., "La criminalización del espacio público: el imparable ascenso de las 'clases peligrosas'", *Revista Electrónica de Ciencia Penal y Criminología*, n.º 17, 2015, pp. 2 y ss.; LARRAURI PIJOÁN, E., "Populismo punitivo… y cómo resistirlo", *Jueces para la Democracia*, n.º 55, 2006, pp. 15 y ss.; GIORGI, A. di, *Tolerancia cero. Estrategias y prácticas de la sociedad de control*, Editorial Virus, Barcelona, 2005.

8   Ya en el "Programa de Estocolmo - Una Europa abierta y segura que sirva y proteja al ciudadano" (*DOUE* n.º C 115, de 4 de mayo de 2010, pp. 1-39) –en adelante Programa de Estocolmo– se decía que "[l]a mejor manera de reducir la cifra de delitos es adoptar medidas efectivas que impidan que se perpetren, incluidos el fomento de la integración social, mediante la aplicación de un enfoque pluridisciplinar que incluya también la adopción de medidas administrativas y la promoción de la cooperación entre autoridades administrativas. Los ciudadanos de la Unión tienen experiencias parecidas y se ven afectados de forma similar en su vida cotidiana por fenómenos delictivos y por la inseguridad que estos crean.
     La conciencia de los vínculos entre delincuencia local y delincuencia organizada y de sus complejas dimensiones transfronterizas está aumentando…
     Además, la dimensión transfronteriza acentúa la importancia de incrementar y desarrollar los conocimientos a escala europea sobre el modo en que se interconectan la delincuencia y la criminalidad en los Estados miembros, para apoyar a estos cuando adopten medidas individuales o conjuntas y solicitar la actuación de las instituciones de la Unión cuando se considere necesario".

demos observar en la actualidad, por ejemplo, en materia de blanqueo de capitales, de financiación del terrorismo o de corrupción y fraude, en los que juegan un papel esencial los planes de prevención de riesgos penales y responsabilidad corporativa[9].

c) La variabilidad y transformación progresiva de los instrumentos jurídicos a usar para vehiculizar las políticas de la Unión, tratando de superar sus importantes limitaciones para aplacar a los países reacios a maximizar el principio de confianza mutua, convertidos en expertos en colocar obstáculos, primero en la negociación de las normas, luego en su implementación y, al final, en su funcionamiento práctico eficaz, al blindarse con salvaguardas, motivos de denegación, suspensión o condición a los pedidos de auxilio y cooperación, etc.

[2] Siendo así, con arreglo al procedimiento legislativo ordinario, el art. 82.1.II.a) TFUE habilitó al Parlamento Europeo y al Consejo a adoptar, entre otras, medidas tendentes a establecer normas y procedimientos para garantizar el reconocimiento en toda la Unión Europea de las sentencias y resoluciones judiciales en todas sus formas, actuación de aproximación legislativa que como es bien sabido pivota sobre el principio de reconocimiento mutuo. Un principio que, conociendo y respetando las diferencias entre las tradiciones y los sistemas jurídicos de los países miembros, se aplicarán, por medio de normas mínimas europeas –directivas– a la admisibilidad mutua de pruebas entre los Estados miembros[10], idea impulsada en el Programa de Estocolmo, al reconocer, por un lado, que los instrumentos existentes en este ámbito constituyen un régimen fragmentario –y complicado e incompleto, se puede añadir–[11] y, por otro, que es necesario desa-

---

Fruto de ello, a partir del Tratado de Lisboa se encomienda al Parlamento Europeo y al Consejo el poder establecer, siguiendo el procedimiento legislativo ordinario, medidas que impulsen y apoyen la actuación de los Estados miembros en el ámbito de la prevención de la delincuencia (art. 84 TFUE).

[9]   *Vid.* AGUILERA GORDILLO, R., *Compliance penal en España*, Aranzadi, Cizur Menor, 2018; RUANO MOCHALES, T., *El blanqueo de capitales: responsabilidad penal y compliance*, Ediciones Francis Lefebvre, Madrid, 2018; GIMENO BEVIÁ, J., *Compliance y proceso penal*, Civitas, Madrid, 2016; GÓMEZ TOMILLO, M., *Compliance penal y política legislativa: el deber personal y empresarial de evitar la comisión de ilícitos en el seno de las personas jurídicas*, Tirant lo Blanch, Valencia, 2016; ARROYO ZAPATERO, L., NIETO MARTÍN, A. (dirs.), *El Derecho penal económico en la Era Compliance*, Tirant lo Blanch, Valencia, 2013.

[10] Y también, según el art. 82.2.II TFUE, a los derechos de las personas durante el procedimiento penal, los derechos de las víctimas de los delitos y otros elementos del procedimiento penal.

[11] *Vid.* ORMAZÁBAL SÁNCHEZ, G., "La asistencia judicial y el mutuo reconocimiento de pruebas en el espacio judicial europeo", *Cuadernos Digitales de Formación*, n.º 6, 2010,

rrollar un nuevo planteamiento a partir del principio de reconocimiento mutuo en el que se dé la debida atención a la flexibilidad del sistema tradicional de asistencia judicial.

A partir de ello, se acordó que un único instrumento jurídico –lo que a la postre fue la orden europea de investigación[12]– en materia de prueba sustituyera –y mejorara y ampliara, como vamos a poder comprobar– lo que hasta ese momento se regulaba en dos Decisiones Marco:

a) La Decisión Marco 2003/577/JAI[13] relativa a la ejecución en la Unión Europea de las resoluciones de embargo preventivo de bie-

---

pp. 4 y ss., quien califica a la regulación europea sobre asistencia judicial en materia de prueba como una "intrincada maraña de instrumento normativos", en el que conviven los que son *internacionales* (convenios), los que son *europeos* –del Consejo de Europa y de la Unión Europea– (convenios y decisiones marco) y los que se son *españoles* (las leyes de transposición), los cuales lista y analiza.

[12] En adelante OEI. Con relación a la gestación de este instrumento jurídico comunitario, *vid.* JIMENO BULNES, M., "Orden europea de investigación en materia penal", en JIMENO BULNES, M. (dir.), *Aproximación legislativa versus reconocimiento mutuo en el desarrollo del espacio judicial europeo: una perspectiva multidisciplinar*, J. M. Bosch, Barcelona, 2016, pp. 151 y ss.; MARTÍNEZ GARCÍA, E., *La orden europea de investigación. Actos de investigación, ilicitud de la prueba y cooperación judicial transfronteriza*, Tirant lo Blanch, Valencia, 2016; RODRÍGUEZ-MEDEL NIETO, C., *Obtención y admisibilidad en España de la prueba penal transfronteriza. De las comisiones rogatorias a la orden europea de investigación*, Aranzadi, Cizur Menor, 2016; BACHMAIER WINTER, L., "Prueba transnacional penal en Europa: la Directiva 2014/41 relativa a la Orden Europea de Investigación", *Revista General de Derecho Europeo*, n.º 36, 2015, pp. 1 y ss.; Id., "Transnational Evidence: Towards the Transposition of the Directive 2014/41 regarding the European Investigation Order in Criminal Matters", *Eucrim*, n.º 2, 2015, pp. 47 y ss.; Id. "La propuesta de Directiva europea sobre la orden de investigación penal: valoración crítica de los motivos de denegación", *Diario La Ley*, n.º 7992, 2012, pp. 1 y ss.; Id. "La Orden Europea de Investigación: la propuesta de Directiva europea para la obtención de pruebas en el proceso penal", *Revista Española de Derecho Europeo*, n.º 37, 2011, pp. 71 y ss.; Id. "La Orden Europea de Investigación y el principio de proporcionalidad", *Revista General de Derecho Europeo*, n.º 25, 2011, pp. 1 y ss.; MARTÍNEZ GARCÍA, E., "La orden de investigación…, *cit.*; AGUILERA MORALES, M., "El exhorto europeo de investigación: a la búsqueda de la eficacia y la protección de los derechos fundamentales en las investigaciones penales transfronterizas", *Boletín del Ministerio de Justicia*, n.º 2145, 2012, pp. 1 y ss.; JIMÉNEZ-VILLAREJO FERNÁNDEZ, F., "Orden europea de investigación: ¿adiós a las comisiones rogatorias?", en ARANGÜENA FANEGO, C. (coord.), *Cooperación judicial civil y penal en el nuevo escenario de Lisboa*, Comares, Granada, 2011, pp. 175 y ss.

[13] Decisión Marco 2003/577/JAI del Consejo, de 22 de julio de 2003, *relativa a la ejecución en la Unión Europea de las resoluciones de embargo preventivo de bienes y de aseguramiento de pruebas* (*DOUE* n.º L 196, de 2 de agosto de 2003, pp. 45-55); en adelante DM 2003/577. Con relación a la misma *vid.* GASCÓN INCHAUSTI, F., "Reconocimiento mutuo de resoluciones de embargo preventivo y aseguramiento de pruebas: análisis normativo", en ARANGÜENA FANEGO, C., HOYOS SANCHO, M. de, RO-

nes y de aseguramiento de pruebas, en la que se trataba la necesidad del reconocimiento mutuo inmediato de resoluciones para prevenir la destrucción, transformación, desplazamiento, transferencia o enajenación de pruebas. Un instrumento que presentaba importantes limitaciones para su eficacia aplicativa por cuanto, (i) por un lado, recogía un procedimiento desglosado, primero en la fase de embargo y después al pedido de transferencia de la prueba que se presentará al Estado de emisión de la orden conforme con las normas aplicables a la asistencia mutua en materia penal. Esto resulta en un procedimiento en dos etapas, lo que perjudica su eficacia; y (ii), por otro, coexistía con otros instrumentos tradicionales de cooperación.

b) La Decisión Marco 2008/978/JAI[14] relativa al exhorto europeo de obtención de pruebas para recabar objetos, documentos y datos destinados a procedimientos en materia penal, aplicando el principio de reconocimiento mutuo, si bien acogiendo una importante restricción para su ámbito de actuación: este exhorto solo se puede aplicar a la prueba que ya existe, por lo que en otros casos las autoridades competentes de los países tienen que acudir a otros procedimientos de asistencia judicial.

DRÍGUEZ-MEDEL NIETO, C. (coords.), *Reconocimiento mutuo de resoluciones penales en la Unión Europea: análisis teórico-práctico de la Ley 23/2014, de noviembre*, Aranzadi, Cizur Menor, 2015, pp. 323 y ss.; NAVAS BLÁNQUEZ, J. J., "Cuestiones prácticas relativas al reconocimiento de resoluciones sobre embargo preventivo y aseguramiento de pruebas", en ARANGÜENA FANEGO, C., HOYOS SANCHO, M. de, RODRÍGUEZ-MEDEL NIETO, C. (coords.), *Reconocimiento mutuo...*, *cit.*, pp. 363 y ss.; TINOCO PASTRANA, A., "El embargo preventivo y el aseguramiento de pruebas en los procesos penales en la Unión Europea: novedades tras la Ley 23/2014, de reconocimiento mutuo de resoluciones penales en la Unión Europea y la Directiva 2014/41/CE relativa a la orden europea de investigación en materia penal", *Cuadernos Europeos de Deusto*, n.º 52, 2015, pp. 121 y ss.

[14] Decisión Marco 2008/978/JAI del Consejo, de 18 de Diciembre de 2008, *relativa al exhorto europeo de obtención de pruebas para recabar objetos, documentos y datos destinados a procedimientos en materia penal* (*DOUE* n.º L 350, de 30 de diciembre de 2008, pp. 72-92); en adelante DM 2008/978. Sobre ella *vid.* BACHMAIER WINTER, L., "El exhorto europeo de obtención de pruebas: análisis normativo", en ARANGÜENA FANEGO, C., HOYOS SANCHO, M. de, RODRÍGUEZ-MEDEL NIETO, C. (coords.), *Reconocimiento mutuo...*, *cit.*, pp. 507 y ss.; JIMÉNEZ CRESPO, L. M., "Cuestiones relativas al exhorto europeo de obtención de pruebas", en ARANGÜENA FANEGO, C., Hoyos Sancho, M. de, RODRÍGUEZ-MEDEL NIETO, C. (coords.), *Reconocimiento mutuo...*, *cit.*, pp. 521 y ss.

2. BOSQUEJO DEL MARCO JURÍDICO INTERNACIONAL, EUROPEO Y NACIONAL REGULADOR DE LA ORDEN EUROPEA DE INVESTIGACIÓN

[3] La obtención y transmisión de pruebas entre los Estados miembros de la Unión regulada por la Directiva 2014/41/CE[15] y su más que tardía transposición al ordenamiento jurídico español[16] por medio de la Ley 3/2018, de 11 de junio, reguladora de la Orden Europea de Investigación[17], es un buen campo de trabajo para colegir desde un comienzo dos cosas:

a) Que estamos ante una temática *actual*[18], muestra del desarrollo en el último decenio de una incesante actividad legislativa por parte de la Unión

---

[15] Directiva 2014/41/CE del Parlamento Europeo y del Consejo, de 3 de abril de 2014, *relativa a la orden europea de investigación penal* (*DOUE* n.° L 130, de 1 de mayo de 2014, pp. 1-36). En adelante DIR 2014/41.

[16] Puesto que el art. 36.1 DIR-2014 disponía que los Estados miembros tendrían que tomar las medidas necesarias para dar cumplimiento a lo dispuesto en la Directiva a más tardar el 22 de mayo de 2017.

[17] Ley 3/2018, de 11 de junio, *por la que se modifica la Ley 23/2014, de 20 de noviembre, de reconocimiento mutuo de resoluciones penales en la Unión Europea, para regular la Orden Europea de Investigación* (*BOE* n.° 142, de 12 de junio de 2018, pp. 60161-60206); en adelante LOEI.

[18] Además de los trabajos ya citados, con relación a la orden europea de investigación y su implementación en España *vid.* HOYOS SANCHO, M. de, "La Orden Europea de Investigación: reflexiones sobre su potencial efectividad a la vista de los motivos de denegación del reconocimiento y ejecución en España", *Revista General de Derecho Procesal*, n.° 47, 2019, pp. 1 y ss.; GRANDE SEARA, P., "Reconocimiento y ejecución en España de una Orden Europea de Investigación (Análisis del Proyecto de Ley por la que se modifica la Ley 23/2014, de 20 de noviembre, de reconocimiento mutuo de resoluciones penales en la Unión Europea, para regular la Orden Europea de Investigación)", en GONZÁLEZ CANO, M. I. (coord.), *Integración europea y justicia penal*, Tirant lo Blanch, Valencia, 2018, pp. 435 y ss.; LÓPEZ JARA, M., "Transposición al Ordenamiento Español de la Orden Europea de Investigación en materia penal: el procedimiento para su emisión", *Diario La Ley*, n.° 9252, 2018, pp. 1 y ss.; MARTÍNEZ GARCÍA, E., "La orden europea de investigación", en GONZÁLEZ CANO, M. I. (coord.), *Integración europea…, cit.*, pp. 403 y ss.; MONTÓN GARCÍA, L., "Transposición de la orden europea de investigación en materia penal", en CACHÓN CADENAS, M., FRANCO ARIAS, J. (coords.), *Derecho y proceso. Liber Amicorum del profesor Francisco Ramos Méndez*, vol. 2, Atelier, Barcelona, 2018, pp. 1637 y ss.; PILLADO GONZÁLEZ, E., "Los motivos de denegación del reconocimiento y la ejecución por las autoridades españolas de una orden europea de investigación que requiera medidas específicas de investigación", en JIMÉNEZ CONDE, F. (dir.), *Adaptación del Derecho Procesal español a la normativa europea y a su interpretación por los Tribunales*, Tirant lo Blanch, Valencia, 2018, pp. 59 y ss.; ROMERO PRADAS, M. I., "La prueba penal en Europa, una cuestión compleja: La orden europea de investigación como nuevo instrumento de obtención de pruebas en

Europea, que ha transitado desde Ámsterdam –lo intergubernamental– a Lisboa –lo supranacional–, la cual viene obligando a los países miembros a revisar las bases legales de su sistema penal, como de igual manera tiene que seguir sucediendo en materia de lucha contra el fraude[19], de blanqueo de capitales[20] y de comiso[21], o Eurojust[22].

---

procesos penales transnacionales y su próxima incorporación al Derecho español", en GONZÁLEZ CANO, M. I. (coord.), *Integración europea…, cit.*, pp. 343 y ss.; TINOCO PASTRANA, A., "La transposición de la orden europea de investigación en materia penal en el ordenamiento español", *Freedom, Security & Justice: European Legal Studies*, n.º 3, 2018, pp. 116 y ss.; Id., "L'ordine europeo di indagine penale", *Processo penale e giustizia*, n.º 2, 2017, pp. 346 y ss.; Id., "La Directiva 2014/41/CE relativa a la Orden Europea de Investigación (OEI) en Materia Penal", en Vv.Aa., *Los avances del espacio de Libertad, Seguridad y Justicia de la UE en 2017*, La Ley, Madrid, 2017, pp. 1 y ss.; VILLODRE LÓPEZ, J., "La Orden Europea de investigación penal: transposición de la Directiva 2014/41 del Parlamento Europeo y del Consejo de 3 de abril de 2014", *Diario La Ley*, 2018, pp. 1 y ss.; ARANGÜENA FANEGO, C., "Orden Europea de Investigación: próxima implementación en España del nuevo instrumento de obtención de prueba penal transfronteriza", *Revista de Derecho Comunitario Europeo*, n.º 58, 2017, pp. 905 y ss.; Id., "Orden europea de investigación", *Cuadernos Digitales de Formación*, n. 55, 2016, pp. 1 y ss.; GARCIMARTÍN MONTERO, R., "The European Investigation Order and the Respect for Fundamental Rights in Criminal Investigations", *Eucrim*, n.º 1, 2017, pp. 45 y ss.; GONZÁLEZ MONJE, A., "El nuevo marco normativo en la investigación transfronteriza del crimen organizado", en ZÚÑIGA RODRÍGUEZ, L. (dir.), *Criminalidad organizada transnacional: una amenaza a la seguridad de los estados democráticos*, Tirant lo Blanch, Valencia, 2017, pp. 816 y ss.; BURGOS LADRÓN DE GUEVARA, J., "La Orden Europea de Investigación Penal en España: aplicación y contenido. Posible relación con la Orden Europea de Protección", en JIMENO BULNES, M., PÉREZ GIL, J. (coords.), *Nuevos horizontes del Derecho Procesal: Libro-homenaje al Prof. Ernesto Pedraz Penalva*, J. M. Bosch, Barcelona, 2016, pp. 519 y ss.

[19]   Directiva (UE) 2017/1371 del Parlamento Europeo y del Consejo, de 5 de julio de 2017, *sobre la lucha contra el fraude que afecta a los intereses financieros de la Unión a través del Derecho penal* (*DOUE* n.º L 198, de 28 de julio de 2017, pp. 29-41.

[20]   Directiva (UE) 2018/1673 del Parlamento Europeo y del Consejo, de 23 de octubre de 2018, *relativa a la lucha contra el blanqueo de capitales mediante el Derecho penal* (*DOUE* n.º L 284, de 12 de noviembre de 2018, pp. 22-30).

[21]   Reglamento (UE) 2018/1805 del Parlamento Europeo y del Consejo, de 14 de noviembre de 2018, *sobre el reconocimiento mutuo de las resoluciones de embargo y decomiso* (*DOUE* n.º L 303, de 28 de noviembre de 2018, pp. 1-38); en adelante R 2018/1805. Sobre el mismo *vid.* RODRÍGUEZ-GARCÍA, N., "La cooperación penal en la neutralización de los patrimonios criminales: uma mirada a Europa", en JIMÉNEZ CONDE, F. (dir.): *Adaptación del Derecho Procesal español a la normativa europea y a su interpretación por los Tribunales*, Tirant lo Blanch, Valencia, 2018, pp. 495 y ss.

[22]   Reglamento (UE) 2018/1727 del Parlamento Europeo y del Consejo, de 14 de noviembre de 2018, *sobre la Agencia de la Unión Europea para la Coperación Judicial Penal (Eurojust) y por la que se sustituye y deroga la Decisión 2002/187/JAI del Consejo* (*DOUE* n.º L 295, de 21 de noviembre de 2018, pp. 138-183). *Vid.* JORDANA SANTIAGO, M. E.,

b) Que su base normativa –europea y nacional– está *atomizada* y no es de fácil intelección, a consecuencia tanto de su contenido y como de los tiempos de vigencia y ámbito de aplicación[23].

[4] Ante una orden europea de investigación, las autoridades competentes españolas, como las de cualquier otro país de la UE en que la misma opere, van a poder jugar un rol doble:

(i) *emisoras* de la OEI hacia otro –u otros– Estado miembro; o

(ii) *receptora* de la OEI proveniente de otro país comunitario en la que se pide que ellas, por ser competentes para reconocer una OEI y asegurar su ejecución, lleven a cabo una o varias medidas de investigación requeridas en un procedimiento penal –o incluso administrativo– del Estado de emisión.

Como en este trabajo nos limitamos a plantear solamente la primera óptica –España como país de emisión de una orden europea de investigación, desde la entrada de vigor de la Directiva europea, en el periodo transitorio hasta la aprobación española de la normativa de transposición de la misma y hasta la actualidad, ya en plena vigencia de ella– veamos qué han tenido, y tienen, que tomar en consideración los jueces y fiscales españoles antes de plantearse emitir una OEI:

1) La DIR 2014/41, que es de 3 de abril de 2014 y entró en vigor el 22 de mayo de 2017, incluso en países como España[24] pese a que la misma

---

El proceso de institucionalización de Eurojust y su contribución al desarrollo de um modelo de cooperación judicial penal en la Unión Europea, Marcial Pons, Madrid, 2018.

[23] A consecuencia de esta situación, enfáticamente ARANGÜENA FANEGO, C., "Orden Europea de Investigación: próxima…, *cit.*, pp. 910 y 911, señala como "…la coexistencia de instrumentos normativos de diverso tipo (decisiones marco y convenios de asistencia judicial) tiene como resultado un auténtico puzle normativo que ha demostrado una ineficacia crónica. La perturbadora convivencia con los conocidos convenios de asistencia mutua… de mayor cobertura y flexibilidad y la transposición tardía de alguno de los instrumentos de reconocimiento mutuo –como el exhorto de obtención de prueba– ha hecho que estos últimos pasen desapercibidos. El solapamiento de disposiciones ante el que se encuentra el operador jurídico y el hecho de que no exista una obligación de suficiente alcance para aplicar los instrumentos de reconocimiento mutuo frente a los convencionales ha provocado que incluso de llegue a hablar de un cierto *ius shopping* para las autoridades judiciales".

[24] Recordad como el Tribunal Constitucional, por ejemplo en la STC 13/2017, de 30 de enero, tiene señalado como "…no cabe rechazar tampoco la posibilidad de que una directiva comunitaria que no haya sido transpuesta dentro de plazo por el legislador español, o que lo haya sido de manera insuficiente o defectuosa, pueda ser vinculante en cuanto contenga disposiciones incondicionales y suficientemente precisas en las que se prevean derechos para los ciudadanos, incluyendo aquellos de

no se hubiera transpuesto legislativamente, la cual, además, sirve de referente básico en la interpretación de la legislación nacional propia en la materia[25], tanto en su literalidad como en su espíritu[26].

2) La LRM, que en materia de prueba obliga a tomar en consideración:

a) En primer término, su Título Preliminar, aplicable más allá de las normas específicas que disciplinan en la misma LPM cada uno de los instrumentos de reconocimiento mutuo[27], en el que se contienen los pilares básicos del sistema de reconocimiento mutuo de resoluciones penales a nivel europeo: identificación de este principio como el referencial en las actuaciones que desarrollen las autoridades judiciales españolas que dicten una orden o resolución sobre prueba[28] al trasmitirla a otro Estado miembros para su reconocimiento y ejecución[29]; los instrumentos jurídicos para llevar este principio a la práctica, en nuestro caso, en la actualidad, la OEI; la obligación de respetar principios, derechos y libertades fundamentales constitucionales como criterio fundamental en las actuaciones a desarrollar; el régimen jurídico específico –internacional, europeo[30] y español[31]– al que tiene que someterse la OEI; y la concreción de por quién hay que entender como "Estado de emisión" y "Estado

---

naturaleza procesal que permitan integrar por vía interpretativa el contenido esencial de los derechos fundamentales, al haberse incorporado por vía de la jurisprudencia del Tribunal de Justicia de la Unión Europea, al acervo comunitario". Sobre esta cuestión *vid.* DÍAZ GONZÁLEZ, G. M., *La reserva de ley en la transposición de las directivas europeas*, Iustel, Madrid, 2016; BELLIDO BARRIONUEVO, M., "La eficacia interpretativa de la directiva comunitaria durante el periodo de transposición: el efecto anticipación de la directiva en conexión con el efecto bloqueo", *Cuadernos de Derecho Público*, n.º 24, 2005, pp. 159 y ss.

[25]   En España, Ley 23/2014, de 20 de noviembre, de reconocimiento mutuo de resoluciones penales en la Unión Europea (*BOE* n.º 282, de 21 de noviembre de 2014). En adelante LRM. Así está previsto en el art. 4.3 LRM.

[26]   TRENADO SEARA, J., *La ineficaz Orden Europea de Investigación en materia penal.* Abogacía Española. Consejo General, *https://www.abogacia.es/2017/11/10/la-ineficaz-orden-europea-de-investigacion-en-materia-penal/#.*

[27]   *Cfr.* art. 4.2 LRM.

[28]   Al principio, cuando la LRM entro en vigor, un "exhorto europeo de obtención de pruebas"; en la actualidad, una "orden europea de investigación".

[29]   Obviamente también, como se señala en el art. 1.1 LRM, cuando España actúa como "Estado de ejecución".

[30]   En el art. 4.1 LRM se hace uma remisión genérica a "las normas de la Unión Europea" y a "los convenios internacionales vigentes en los que España sea parte".

[31]   Son, según el art. 4.1 LRM, la propia LRM y, en su defecto, la Ley de Enjuiciamiento Criminal.

de ejecución"[32], y "Autoridad Central", rol que en España es desempeñado por el Ministerio de Justicia.

b) En segundo lugar, el Título Primero, en el cual, en dos Capítulos, se marca el régimen general de la transmisión, el reconocimiento y la ejecución de instrumentos de reconocimiento mutuo, como la OEI, en la Unión Europea. En particular, para cuando España actúa como Estado de emisión de una OEI, se establece –en general– en los arts. 7 a 15 LRM cómo tiene que ser su emisión y documentación, su transmisión, la información obligatoria a trasmitir sobre la misma a Eurojust, la descripción del delito y de la pena, la eventual pérdida sobrevenida del carácter ejecutorio de la OEI transmitida al país –o países– de ejecución, los medios de impugnación planteables frente a la resolución de transmisión de una OEI, los gastos y las indemnizaciones y reembolsos.

3) El Reglamento 2016/95 de la Unión Europea[33], adoptado para mejorar la transparencia del Derecho de la Unión y por razones de claridad y seguridad jurídica, dentro de la política general de *legislar mejor* que están desarrollando las instituciones europeas, por medio del cual se derogan varios actos adoptados en el ámbito de la cooperación policial y judicial en materia penal que han quedado obsoletos a consecuencia de que su contenido ha quedado incorporado a actos legislativos posteriores; entre ellos, la DM 2008/978[34] y la Acción Común 98/427[35].

---

[32] Al igual que en los demás instrumentos jurídicos de reconocimiento mutuo, el art. 5 LRM considera que es "Estado de emisión" el " Estado miembro de la Unión Europea en el que la autoridad competente ha dictado una orden o resolución de las reguladas en esta Ley al objeto de que sea reconocida y ejecutada en otro Estado miembro", y "Estado de ejecución" el "Estado miembro de la Unión Europea al que se ha transmitido una orden o resolución dictada por la autoridad judicial competente de otro Estado miembro, para su reconocimiento y ejecución".

[33] Reglamento (UE) 2016/95 del Parlamento Europeo y del Consejo, de 20 de enero de 2016, *por el que se derogan determinados actos en el ámbito de la cooperación policial y judicial en materia penal* (*DOUE* n.º L 26, de 2 de febrero de 2016, pp. 9-12). En adelante R 2016/95.

[34] Con relación a la misma, en el Considerando n.º 11 del R 2016/95 se justifica esta decisión así: "La Decisión Marco 2008/978/JAI del Consejo relativa al exhorto europeo de obtención de pruebas fue sustituida por la Directiva 2014/41/UE del Parlamento Europeo y del Consejo relativa a la orden europea de investigación, ya que el ámbito del exhorto europeo de obtención de pruebas era demasiado limitado. Puesto que la orden europea se aplicará entre 26 Estados miembros y el exhorto europeo solo seguiría siendo aplicable entre los dos únicos Estados miembros que no participan en la orden europea, el exhorto europeo ha perdido, por lo tanto, su utilidad como instrumento de cooperación en materia penal y debe derogarse".

[35] Acción común (98/427/JAI), de 29 de junio de 1998, *adoptada por el Consejo sobre la base del artículo K.3 del Tratado de la Unión Europea, sobre buenas prácticas de asistencia judicial*

4) El Dictamen 1/17 de la Fiscal de Sala de Cooperación Penal Internacional[36], necesario ante la entrada en vigor en España de la DIR 2014/41 sin que existiera una legislación de transposición –ni en aquellos momentos previsión inmediata de su formulación–, tratando con ello, como en ella se enfatiza, de salir al paso de la *perplejidad* creada en el periodo transitorio y decidir cómo se tienen que emitir y ejecutar por las autoridades españolas las peticiones que deberían regirse plenamente por la Directiva, con las implicaciones que ello puede tener desde la perspectiva de la validez de la prueba que pueda obtenerse mediante esos mecanismos.

5) La Ley de la Orden Europea de Investigación desde que el 2 de julio de 2018 entró en vigor, modificando la LRM en diversas partes, entre ellas:

   a) El listado de los instrumentos jurídicos de reconocimiento mutuo, para que la orden europea de investigación sustituya al exhorto europeo de obtención de pruebas (art. 2.i).

   b) El art. 7 relativo a la emisión y documentación de órdenes y resoluciones para su ejecución al amparo del principio de reconocimiento mutuo.

   c) El art. 8.1 sobre la transmisión de los instrumentos de reconocimiento mutuo.

   d) El Título X (arts. 186 a 223), incorporando el régimen jurídico específico de la orden europea de investigación, derogando con ello el que en la versión inicial se incluía relativo al exhorto europeo de obtención de pruebas[37].

---

en materia penal (*DOCE* n.º L 191, de 2 de febrero de 2016, pp. 1-3). En adelante AC 98/427.

[36] Dictamen 1/17, de 19 de mayo de 2017, *de la Fiscal de Sala de Cooperación Penal Internacional sobre el régimen legal aplicable debido a la no transposición en plazo de la Directiva de la Orden Europea de Investigación y sobre el significado de la expresión "disposiciones correspondientes" que sustituye dicha Directiva* (*https://www.fiscal.es/fiscal/PA_WebApp_SGNTJ_NFIS/descarga/DIC%201-17%20OEI%20Regimen%20transitorio_2.pdf?idFile=6b507dd8-4ec7-4 27a-b17d-4d29de03539f*). En adelante D 1/17.

[37] Sobre el mismo *vid.* BACHMAIER WINTER, L., "El exhorto europeo de obtención de pruebas: análisis normativo", en ARANGÜENA FANEGO, C., HOYOS SANCHO, M. de, RODRÍGUEZ-MEDEL NIETO, C. (coords.), *Reconocimiento mutuo...*, *cit.*, pp. 507 y ss.; ESCRIBANO MORA, A., "El exhorto europeo de obtención de pruebas y la Orden Europea de Investigación", en GONZÁLEZ CANO, M. I. (dir.), *Cooperación judicial penal en la Unión Europea: Reflexiones sobre algunos aspectos de la investigación y el enjuiciamiento en el espacio europeo de justicia penal*, Tirant lo Blanch, Valencia, 2015, pp. 499 y ss.; JIMÉNEZ

e) Añadiendo el Anexo XIII relativo a la "Orden Europea de Investigación (OEI)"[38], el Anexo XIV sobre la "Confirmación de la recepción de una OEI", a cumplimentar por la autoridad del Estado de ejecución una vez recibida una OEI y el Anexo XV sobre "Notificación", formulario a utilizar por el Estado de emisión para comunicar a otro Estado miembro de la Unión las intervenciones de telecomunicaciones que se vayan a efectuar, se estén efectuando o se hayan efectuado en su territorio sin su asistencia técnica.

[5] Aunque con la entrada en vigor de la DIR 2014/41 se pudiera colegir que en esta norma se incluyen todas las cuestiones relacionadas con la prueba transfronteriza, puesto que el propio legislador comunitario declara que concentra totalmente en la OEI su nuevas líneas de actuación en esta materia[39], pronto esta idea se desvanece cuando se lee al art. 34 DIR 2014/41, en el que se relaciona la Directiva con otros instrumentos jurídicos, acuerdos y pactos.

En efecto, no todo el marco normativo sobre prueba transfronteriza queda derogado por la Directiva. ¿Pero cuál sí? La duda surge porque lejos de emplear esa técnica legislativa clara, depurada y que aporte seguridad jurídica ansiada en los últimos años por la Unión[40], en el art. 34.1 DIR

CRESPO, L. M., "Cuestiones prácticas relativas al exhorto europeo de obtención de pruebas", en ARANGÜENA FANEGO, C., HOYOS SANCHO, M. de, RODRÍGUEZ-MEDEL NIETO, C. (coords.), *Reconocimiento mutuo…, cit.,* pp. 521 y ss.; DÍAZ PITA, M. P., "La lucha contra los delitos transfronterizos y no transfronterizos en la Unión Europea: los instrumentos de investigación transfronteriza y el principio de reconocimiento mutuo", *Revista General de Derecho Penal,* n.º 20, 2013, pp. 1 y ss.; RODRÍGUEZ BAHAMONDE, R., "El exhorto de obtención de pruebas para recabar objetos, documentos y datos destinados a procedimientos en materia penal: Comentario a la Decisión Marco 2008/978/JAI del Consejo, de 18 de diciembre de 2008", *Revista General de Derecho Europeo,* n.º 19, 2009, pp. 1 y ss.; BACHMAIER WINTER, L., "El exhorto europeo de obtención de pruebas en el proceso penal: estudio y perspectivas de la propuesta de decisión marco", en ARMENTA DEU, T., GASCÓN INCHAUSTI, F., BACHMAIER WINTER, L., CEDEÑO HERNÁN, M. (coords.), *El Derecho procesal penal en la Unión Europea: tendencias actuales y perspectivas de futuro,* Cólex, Madrid, 2006, pp. 131 y ss.; GONZÁLEZ CANO, M. I., "Algunas consideraciones sobre el futuro exhorto europeo de obtención de pruebas para recabar objetos, documentos y datos destinados a procedimientos en materia penal", *Unión Europea Aranzadi,* vol. 33, n.º 7, 2006, pp. 5 y ss.

[38] Con ello se suprime el anterior Anexo XIII sobre el "Certificado para la ejecución de Exhorto Europeo de Obtención de Pruebas".

[39] *Vid.* los Considerandos n.º 5 y 7 DIR 2014/41.

[40] *Vid.* UNIÓN EUROPEA, *Guía práctica común del Parlamento Europeo, del Consejo y de la Comisión para la redacción de textos legislativos de la Unión Europea,* Oficina de Publicacio-

2014/41 se dispone que la misma sustituye a las "disposiciones correspondientes" de los siguientes convenios aplicables a las relaciones entre los Estados miembros vinculados por la Directiva:

a) El Convenio Europeo de Asistencia Judicial en Materia Penal del Consejo de Europa de 1959[41], así como sus dos protocolos adicionales de 1978[42] y 2001[43], así como los acuerdos bilaterales celebrados con arreglo a su art. 26.

b) El Convenio relativo a la aplicación del acuerdo de Schengen[44].

c) El Convenio relativo a la asistencia judicial en materia penal entre los Estados miembros de la Unión Europea de 2000[45] y su Protocolo de 2005[46].

Ante la inexistencia de un listado *oficial* de las posibles disposiciones afectadas, en la práctica resulta útil echar mano del D 1/17, quien de ma-

---

nes de la Unión Europea, Luxemburgo, 2015 [*https://publications.europa.eu/es/publication-detail/-/publication/3879747d-7a3c-411b-a3a0-55c14e2ba732*].

[41] *Vid. Instrumento de Ratificación de 14 de julio de 1982 del Convenio Europeo de Asistencia Judicial en Materia Penal, hecho en Estrasburgo el 20 de abril de 1959* (*BOE* n.º 223, de 17 de septiembre de 1982, pp. 25166-25174). En adelante CAJP 1959.

[42] *Vid. Instrumento de Ratificación del Protocolo Adicional al Convenio Europeo de Asistencia Judicial en Materia Penal hecho en Estrasburgo el 17 de marzo de 1978* (*BOE* n.º 184, de 2 de agosto de 1991, pp. 25610-25611).

[43] *Vid. Instrumento de ratificación del Segundo Protocolo Adicional al Convenio europeo de asistencia judicial en materia penal, hecho en Estrasburgo el 8 de noviembre de 2001* (*BOE* n.º 133, de 1 de junio de 2018, pp. 57069-57146).

[44] *Convenio de aplicación del Acuerdo de Schengen de 14 de junio de 1985 entre los Gobiernos de los Estados de la Unión Económica del Benelux, de la República Federal de Alemania y de la República Francesa, relativo a la supresión gradual de los controles de las fronteras comunes* (*DOUE* de 22 de septiembre de 2000, pp. 19-62). En adelante Convenio Schengen. En lo que respecta a España *vid. Instrumento de ratificación del Acuerdo de Adhesión del Reino de España al Convenio de aplicación del Acuerdo de Schengen de 14 de junio de 1985 entre los Gobiernos de los Estados de la Unión Económica Benelux, de la República Federal de Alemania y de la República Francesa, relativo a la supresión gradual de los controles en las fronteras comunes, firmado en Schengen el 19 de junio de 1990, al cual se adhirió la República Italiana por el Acuerdo firmado en París el 27 de noviembre de 1990, hecho el 25 de junio de 1991* (*BOE* n.º 81, de 5 de abril de 1994, pp. 10390-10422).

[45] *Vid. Acto del Consejo, de 29 de mayo de 2000, por el que se celebra, de conformidad con el artículo 34 del Tratado de la Unión Europea, el Convenio relativo a la asistencia judicial en materia penal entre los Estados miembros de la Unión Europea* (*DOCE* n.º C 197, de 12 de julio de 2000, pp. 1-23). En adelante CAJP 2000.

[46] *Vid. Protocolo del Convenio relativo a la asistencia judicial en materia penal entre los Estados miembros de la Unión Europea, celebrado por el Consejo de conformidad con el artículo 34 del Tratado de la Unión Europea, hecho en Luxemburgo el 16 de octubre de 2001* (*BOE* n.º 89, de 14 de abril de 2005, pp. 12786-12789).

nera *oficiosa* y *orientadora* recoge medidas de esos convenios que no han sido sustituidas por la OEI, en el entendido que *son todas las que están pero no están todas las que son:*

(i)   la notificación de documentos procesales (art. 5 Convenio 2000),

(ii)   el intercambio espontáneo de información (art. 7 Convenio 2000),

(iii)   la denuncia y transferencia de procedimientos (arts. 21 Convenio 1959 y 6 Convenio de 2000),

(iv)   el intercambio de información sobre antecedentes penales (art. 13 Convenio 1959 en relación a la Decisión Marco 2009/315/JAI[47]), o

(v)   la entrega de objetos para el perjudicado (arts. 8 Convenio 2000 y 12 Segundo Protocolo de 2001 del Convenio de 1959).

Aumentando el escenario normativo confuso e intrincado, ya hemos hecho referencia como el R 2016/95 deroga, sin paliativos y de manera expresa[48], la DM 2008/978, al tenerla por *obsoleta*. Sin embargo, ya dos años antes el art. 34.2.I DIR 2014/41 estableció que la Decisión Marco quedaba sustituida por la Directiva para todos los Estados de la UE que estén vinculados por la misma. Esto es, que si atendemos a los Considerandos n.º 43, 44 y 45 vemos que: (i) Irlanda no ha participado en la adopción de la Directiva, por lo cual ni le vincula ni está sujeta a su aplicación, con lo que para ella continúan siendo aplicables todos los instrumentos que sustituye la Directiva, siempre y cuando los tena ratificados; (ii) de igual forma acontece con Dinamarca; y (iii), por el contrario, el Reino Unido ha mostrado su deseo de participar en la adopción y aplicación de la Directiva.

Todo lo expuesto supone que:

(i)   desde la R 2016/95 los pedidos de asistencia judicial en materia de prueba con Irlanda y Dinamarca tienen que estar sujetos a convenios generales en la materia o a eventuales convenios específicos bilaterales o multilaterales;

---

[47]   Decisión Marco 2008/315/JAI del Consejo, de 26 de febrero de 2009, *relativa a la organización y al contenido del intercambio de información de los registros de antecedentes penales entre los Estados miembros* (*DOUE* n.º L 93, de 7 de abril de 2009, pp. 23-32). En adelante DM 2008/315.

[48]   Únicamente, el art. 2 *salva* a aquellos exhortos europeos de obtención de pruebas ejecutados de conformidad con esta DM 2008/978, norma que seguirá regulándolo hasta que el proceso penal correspondiente en cuyo decurso se haya solicitado concluya con resolución firme.

(ii)   entre la entrada en vigor de la DIR 2014/41 y la propia de la R
       2016/95 el instrumento jurídico a aplicar con estos dos países ha
       sido el exhorto europeo de obtención de prueba; y

(iii) en las relaciones de asistencia judicial con el Reino Unido rige
       desde su entrada en vigor la DIR 2014/41, si bien no sabemos
       hasta cuándo[49].

De igual forma hay que entender que ha sucedido con la DM 2003/577,
si bien en este caso, lógicamente, al ser un instrumento jurídico con contenido *mixto,* la entrada en vigor de la Directiva solo ha afectado al articulado
relativo al aseguramiento de pruebas, no así a lo correspondiente al embargo preventivo de bienes[50].

Con relación a estas Decisiones Marco de 2003 –en lo que respecta a la
inmovilización de activos– y 2008, para los Estados miembros vinculados
por la DIR 2014/41 las referencias atinentes a las mismas hay que enten-
derlas hechas a la Directiva, a decir de su art. 34.2.II.

[6] Lejos de cerrarse, el posible listado de normas teóricamente aplicables en un proceso penal en el que las autoridades competentes españolas
se relacionen con sus homónimos de otros países a través de una orden
europea de investigación es más amplia o se puede ampliar, debido a que
el art. 34.3 DIR 2014/41 permite expresamente que los Estados miembros
puedan celebrar o seguir aplicando acuerdos o arreglos bilaterales o mul-

---

[49]   Con relación al impacto e incertidumbres que genera el BREXIT, *vid.* AMBOS, K.,
       "Brexit y derecho penal europeo", *InDret: Revista para el Análisis del Derecho,* n.º 4, 2017,
       pp. 1 y ss.; JIMENO BULNES, M., "Brexit and the Future of European Criminal Law - A
       Spanish Perspective", *Criminal Law Forum,* vol. 28, n.º 2, 2017, pp. 325 y ss.

[50]   Cuando el 19 de diciembre de 2020 entre en vigor el R 2018/1805, esta parte vigente
       de la DM 2003/577 dejará de estarlo, según el art. 39 del R 2018/1805, a consecuencia
       de lo cual para los países vinculados por el Reglamento las referencias a esa Decisión
       Marco se entenderán hechas al R 2018/1805.
       En esta materia ahora hay que tener en cuenta la Directiva 2014/42/UE del Parlamen-
       to Europeo y del Consejo, de 3 de abril de 2014, sobre el embargo y el decomiso de los
       instrumentos y del producto del delito en la Unión Europea (*DOUE* n.º L 127, de 29 de
       abril de 2014, pp. 39-50); en adelante DIR 2014/42. Sobre la misma *vid.* CARRILLO
       DEL TESO, A. E., *Decomiso y recuperación de activos en el sistema penal español,* Tirant lo
       Blanch, Valencia, 2018; MARTÍNEZ ARRIETA MÁRQUEZ DE PRADO, C., *El decomiso
       y la recuperación y gestión de activos procedentes de actividades delictivas,* Tirant lo Blanch,
       Valencia, 2018; BERDUGO GÓMEZ DE LA TORRE, I., FABIÁN CAPARRÓS, E. A.,
       RODRÍGUEZ-GARCÍA, N., *Recuperación de activos y decomiso. Reflexiones desde los sistemas
       penales iberoamericanos,* Tirant lo Blanch, Valencia, 2017; RODRÍGUEZ-GARCÍA, N., *El
       decomiso de activos ilícitos,* Aranzadi, Cizur Menor, 2017; GONZÁLEZ CANO, M. I., *El
       decomiso como instrumento de la cooperación judicial en la Unión Europea y su incorporación al
       proceso penal español,* Tirant lo Blanch, Valencia, 2016.

tilaterales con otros Estados miembros después de la entrada en vigor de la Directiva, a condición de que ello permita el mejor cumplimiento de los objetivos de la Directiva y contribuir a simplificar o a facilitar más los procedimientos para la obtención de pruebas, y siempre que además se respete el nivel de las salvaguardias previstas en la propia Directiva.

[7] Uno de los cambios más significativos que la DIR 2014/41 ha introducido es variar radicalmente la naturaleza jurídica del instrumento a utilizar en las peticiones de asistencia judicial sobre prueba penal: así, se ha pasado de un "exhorto" a un "orden", término que denota muy a las claras el carácter imperativo que se le quiere dar a la petición que formule el Estado de emisión de una OEI, de manera tal que nos encontramos ante un *título ejecutivo europeo* en materia penal[51].

No es de extrañar que se haga así, no solo por las experiencias tenidas en la ejecución de las órdenes europeas[52] de detención y entrega[53], tanto

---

[51] De la misma opinión es ARANGÜENA FANEGO, C., "Orden Europea de Investigación: próxima…, *cit.*, p. 913.

[52] Esta técnica legislativa también se ha ensayado en la Directiva 2011/99/UE, del Parlamento Europeo y del Consejo, de 13 de diciembre de 2011, *sobre la orden europea de protección* (*DOCE* n.º L 338, de 21 de diciembre de 2011, pp. 2-18); en adelante DIR 2011/99 y OEP. Una decisión de política legislativa que trataba de garantizar: (i) que en un espacio común de justicia sin fronteras interiores la protección ofrecida a una persona física en un Estado miembro se mantenga y continúe en cualquier otro Estado miembro al que la persona vaya a trasladarse o se haya trasladado; y (ii) que el ejercicio legítimo por parte de los ciudadanos de la UE de su derecho a circular y a residir libremente en el territorio de los países comunitarios no vaya en menoscabo de su protección. *Vid.* PARLAMENTO EUROPEO, *Orden europea de protección. Directiva 2011/99/ UE. Evaluación europea de aplicación*, Servicio de Estudios del Parlamento Europeo, Bruselas, 2017, p. 13 [*http://www.europarl.europa.eu/RegData/etudes/STUD/2017/603272/ EPRS_STU(2017)603272_ES.pdf*], en la que se ensalza el hecho de que la OEP es un mecanismo basado en el reconocimiento mutuo y no un instrumento de armonización. Más ampliamente *vid.* MARTÍNEZ GARCÍA, E., *La orden de protección europea. La protección de víctimas de violencia de género y cooperación judicial penal en Europa*, Tirant lo Blanch, Valencia, 2016; BURGOS LADRÓN DE GUEVARA, J., "La Orden Europea…, *cit.*; FREIXES SANJUÁN, T., ROMÁN MARTÍN, L. (dirs.), *La orden europea de protección. Su aplicación a las víctimas de violencia de género*, Tecnos, Madrid, 2015.

[53] Recordar como en la propia Decisión Marco 2002/584/JAI del Consejo, de 13 de junio de 2002, *relativa a la orden de detención europea y a los procedimientos de entrega entre Estados miembros* (*DOCE* n.º L 190, de 18 de julio de 2002, pp. 1-18) en adelante ODE, se justificaba su adopción buscando acelerar y simplificar los procedimientos, eliminando los formalismos, la complejidad y los riesgos de retraso existentes en los procedimientos vigentes (Considerandos n.º 1 y 5). *Vid.* BAUTISTA SAMANIEGO, C., *Aproximación crítica a la orden europea de detención y entrega*, Comares, Granada, 2015; JIMENO BULNES, M. (coord.), *Justicia versus seguridad en el espacio judicial europeo. Orden de detención europea y garantías procesales*, Tirant lo Blanch, Valencia, 2011; MARCOS FRANCISCO, D., *Orden europea de detención y entrega: especial referencia a los principios rectores*, Tirant lo Blanch, Valencia, 2008; PÉREZ CEBADERA,

por los controles llevados a cabo por las autoridades judiciales nacionales por cómo vienen entendiendo el reconocimiento mutuo y la confianza recíproca los países de la Unión, sino porque en los instrumentos jurídicos anteriores han adolecido de eficacia a consecuencia de su no transposición, de su no aplicación uniforme en los Estados miembros a consecuencia de los distintos niveles de protección de los derechos y garantías de las partes[54], lo que ha derivado en un reconocimiento mutuo insuficiente y en una cooperación transfronteriza que está lejos de ser óptima[55].

[8] Como tendremos ocasión de señalar al plantear el ámbito de aplicación, la OEI es utilizable solamente en las actuaciones propias de la cooperación judicial penal, hasta el punto que está vedado su uso en actuaciones enmarcables en la cooperación policial, como puede ser la vigilancia transfronteriza a la que se refiere el Convenio de aplicación del Acuerdo de Schengen[56].

[9] La interpretación de toda esta normatividad, tanto la general de la LRM como la particular relativa a la OEI, tiene que ser hecha por las autoridades nacionales de manera ajustada a la Constitución y, además, en *clave europea:* (i) por una parte, conociendo y aplicando la jurisprudencia del Tribunal de Justicia de la Unión Europea[57]; y, por otro, (ii) respetando los principios, derechos y libertades fundamentales contenidos en[58]:

- – el Convenio Europeo de Derechos y Libertades Fundamentales del Consejo de Europa;

M. A., *La nueva extradición europea*, Tirant lo Blanch, Valencia, 2008; Vv.Aa., *Orden europea de detención y entrega*, Consejo General del Poder Judicial, Madrid, 2008.

54   *Vid.* LLORENTE SÁNCHEZ-ARJONA, M., "La Orden Europea de Detención y Entrega tras la Ley 3/2018, de 11 de junio: un avance en garantías procesales", *Revista General de Derecho Procesal*, n. 47, 2019, pp. 1 y ss.; HOYOS SANCHO, M. de, "Los efectos expansivos del derecho de la Unión Europea sobre las garantías en el proceso penal", en JIMÉNEZ CONDE, F. (dir.), *Adaptación del Derecho Procesal…, cit.*, pp. 43 y ss.; GASCÓN INCHAUSTI, F., "Investigación transfronteriza, obtención de prueba penal en el extranjero y derechos fundamentales (Reflexiones a la luz de la jurisprudencia española)", en GÓMEZ COLOMER, J. L., BARONA VILAR, S., CALDERÓN CUADRADO, P. (coords.), *Juan Montero Aroca. El Derecho Procesal español del siglo XX a golpe de tango. Liber Amicorum, en homenaje para celebrar su LXX cumpleaños*, Tirant lo Blanch, Valencia, 2012, pp. 1245 y ss.

55   *Cfr.* el Considerando n.º 6 R 2018/1805.

56   *Cfr.* el Considerando n.º 9 DIR 2014/41.

57   Como bien recuerda ORDÓÑEZ SOLÍS, D., "La configuración del Espacio Judicial Europeo", *Cuadernos Europeos de Deusto*, n.º 50, 2014, p. 136, este principio no siempre ha sido fácil de mantener y, de hecho, como es sabido, en años pasados ha habido "… que salvar algún conato de rebelión por parte de algunos Tribunales Constitucionales nacionales en cuanto se refiere a la orden europea de detención".

58   *Cfr.* Considerandos n.º 18 y 39 DIR 2014/41 y art. 3 LRM. *Vid.* GARCIMARTÍN MONTERO, R., "The European Investigation Order…, *cit.*

- la Carta de los Derechos Fundamentales de la Unión Europea[59], en cuyos arts. 47 a 50 se reconocen los derechos a la tutela judicial efectiva, a un Juez independiente e imparcial, a hacerse aconsejar, defender y representar –incluso con asistencia jurídica gratuita–, a la presunción de inocencia, a la defensa, a la legalidad y proporcionalidad de delitos y penas y a no ser juzgado o condenado penalmente dos veces por la misma infracción; y

- el art. 6 TUE, que además de los anteriores considera que forman parte del Derecho de la Unión como principios generales los que son fruto de las tradiciones constitucionales comunes a los Estados miembros.

De entre todos ellos, la DIR 2014/41 plantea como al emitir una OEI las autoridades del Estado de emisión tienen que garantizar la vigencia efectiva de la presunción de inocencia y de los derechos de la defensa en los procesos penales, al ser ambos una piedra angular de los derechos fundamentales reconocidos en la Carta de los Derechos Fundamentales de la UE en el ámbito de la justicia penal[60]. Así, cualquier limitación de estos derechos mediante una medida de investigación ordenada por las autoridades nacionales de conformidad con esta Directiva tiene que ajustarse a los requisitos establecidos en el art. 52 CDFUE con respecto a la necesidad, proporcionalidad y a los objetivos de interés general que debe buscar, o a la necesidad de proteger los derechos y libertades de los demás[61].

[10] Pero aquí no acaba todo. Cuando una autoridad de emisión quiera plantearse usar una OEI debe analizar con anterioridad, también, el Derecho interno del Estado –o Estados– de ejecución, tanto la general del sistema penal (normas orgánicas, penales y procesales penales), que afectan tanto a la identificación de la autoridad de ejecución como a la regulación de las posibles actuaciones a desarrollar en el marco de la OEI a formular, como la específica de eventual transposición de la DIR 2014/41. Por lo tanto, tienen que actuar con al menos las siguientes cautelas en el preanálisis:

(i) de qué país europeo[62] se trata, puesto que ya hemos indicado que la Directiva tiene un ámbito de aplicación, por una parte *incompleto* –Irlanda y Dinamarca– y, por otra, *dudoso* –Reino Unido–;

---

[59]   *DOUE* n.° C 83, de 30 de marzo de 2010, pp. 389-403. En adelante CDFUE.

[60]   Incluso, a nuestro juicio, en los posibles procedimientos incoados por autoridades administrativas, permitidos, aunque no apliquen a España, en el art. 4 DIR 2014/41.

[61]   *Cfr.* Considerando n.° 12 DIR 2014/41.

[62]   De la Unión Europea, puesto que como es sabido hay países europeos que son miembros del Consejo de Europa y no de la Unión, con relación a los cuales siguen rigiendo, sea país de emisión o de recepción, los convenios y protocolos del Consejo de

(ii)   la fecha de entrada en vigor de la Directiva y si en ese país la misma se ha implementado y cuándo;

(iii)   las posibles divergencias nacionales, a *mayores* –en la tutela, protección y garantía de personas físicas y jurídicas[63]– y a *menores,* que se reflejan por ejemplo en las causales de denegación de ejecución o en las disposiciones o prácticas procedimentales contrarias a la celeridad, prioridad y eficacia de la OEI que reciban[64];

(iv)   la medida de investigación específica que se quiere que desarrolle en su país la autoridad de ejecución con vistas a la obtención de pruebas[65], en función de que la misma se rija –o no– por disposiciones específicas del Capítulo IV de la Directiva; y

(v)   la identificación de posibles alternativas eficaces y menos lesivas de derechos y libertades fundamentales del sujeto pasivo de la medida de investigación cuya práctica se quiera instar con la OEI.

En el caso de las autoridades españolas, actuando como país de emisión –no así como país de ejecución–, no hay que olvidar que nuestro Estado no puede formular una OEI por la comisión de hechos tipificados como infracciones administrativas cuando la decisión pueda dar lugar a un proceso ante un órganos jurisdiccional del orden penal.

[11] Aunque pareciera que con la entrada en vigor de la reforma de la LRM para las autoridades españolas se han terminado la zozobra del régimen transitorio de la normativa sobre la OEI, nada más lejos de la realidad.

Europa; incluso, hay terceros países no integrantes del Consejo de Europa que han ratificado esos instrumentos normativos.

[63]   De hecho, el art. 34.3 DIR 2014/41 establece que los Estados miembros podrán celebrar o seguir aplicando acuerdos o arreglos bilaterales o multilaterales con otros Estados miembros después del 22 de mayo de 2017, siempre que ello permita el mejor cumplimiento de los objetivos de la presente Directiva y contribuir a simplificar o a facilitar más los procedimientos para la obtención de pruebas, y a condición de que se respete el nivel de las salvaguardias previstas en la presente Directiva. En caso de existir o celebrarse, los mismo tendrán que ser puestos en conocimiento de la Comisión (art. 34.4 DIR 2014/41).

[64]   Con carácter general, en el Considerando n.º 39 DIR 2014/41 se dispone que "[n]ada de lo dispuesto en la presente Directiva podrá interpretarse en el sentido de que impide la negativa a ejecutar una OEI cuando existan razones objetivas para suponer que dicha OEI ha sido emitido con fines de enjuiciamiento o sanción a una persona por razón de sexo, raza, origen étnico, religión, orientación sexual, nacionalidad, lengua u opiniones políticas, o que la situación de dicha persona pueda quedar perjudicada por cualquiera de estas razones".

[65]   No hay que olvidar que la Directiva no aplica a aquellas otras formas y modalidades de cooperación que no afecten a la obtención de pruebas propiamente dichas.

Ni han sido fáciles los meses anteriores al 2 de julio de 2018 ni el periodo transitorio ha terminado.

De forma sistemática el D 1/17[66] planteó un doble escenario de cómo proceder con las solicitudes de asistencia o de ejecución a emitir por España para su ejecución en otro Estado de la Unión Europea, que provocaba que junto a la OEI –activa y pasiva– tuvieran que convivir comisiones rogatorias[67]:

a) En el periodo temporal hasta que España transpusiera la DIR 2014/41:

(i) Aunque el Estado de ejecución haya desarrollado en su ordenamiento jurídico la Directiva, se tendrán que seguir emitiendo comisiones rogatorias, utilizando e invocando el marco normativo tradicional de los convenios, tal y como venía aconteciendo hasta ese momento. Pese a ello, las autoridades españolas tenían que procurar amoldar la emisión de las mismas a los detalles proporcionados por el país de ejecución respecto de la OEI, en especial en lo relativo a las autoridades competentes para su recepción.

(ii) Por el contrario, si el país de ejecución tampoco hubiera implementado la DIR 2014/41, se tendrían que seguir emitiendo las solicitudes de auxilio utilizando el marco normativo tradicional de los convenios como se hacía hasta esa fecha.

b) A partir del momento en el cual España haya transpuesto la Directiva de la OEI:

(i) Si el país de ejecución ha hecho lo mismo, el nuevo régimen jurídico se tiene que aplicar plenamente, y la autoridad de ejecución competente tendrá que ejecutar la OEI de acuerdo con su legislación de transposición.

(ii) De manera diferente, si el Estado de ejecución no ha transpuesto la DIR 2014/41, las autoridades españolas deberán emitir, en todo caso, una OEI, sin perjuicio del tratamiento que decida otorgarle la autoridad de ejecución, decisión que se toma en clave práctica: la

---

[66] También, lógicamente, la D 1/17 abordaba las solicitudes de asistencia judicial internacional o de ejecución emitidas por autoridades de otros Estados miembros de la UE para su ejecución en España, tanto cuando España no había transpuesto la Directa como cuando si lo ha hecho, para con ello evitar el automatismo de pensar que sin ley española de transposición todas las OEI recibidas tenían que ser rechazadas.

[67] Con relación a este tránsito en los mecanismos de cooperación jurídica internacional en materia de prueba *vid.* RODRÍGUEZ-MEDEL NIETO, C., *Obtención y admisibilidad..., cit.*; JIMÉNEZ-VILLAREJO FERNÁNDEZ, F., "Orden europea de investigación: ¿adiós a las comisiones rogatorias?", en ARANGÜENA FANEGO, C. (coord.), *Cooperación judicial civil y penal..., cit.*, pp. 175 y ss.

OEI reúne todos los datos e informaciones necesarias para ser tramitada conforme a los Convenios que el Estado de ejecución considere aplicables, así como que podría suceder que se adoptara en
el Estado requerido la ley de transposición durante el proceso de
remisión y decisión sobre la ejecución de la solicitud remitida.

[12] Si nos centramos ahora en el momento de la entrada en vigor de
la modificación de la LRM, adquiere máxima relevancia la *transmisión* de
la OEI[68]:

(i) la LRM es aplicable a las resoluciones que se transmitan por las au-
     toridades españolas competentes con posterioridad a su entrada en
     vigor, con independencia de que hubieran sido dictadas con ante-
     rioridad o de que se refieran a hechos anteriores a la misma; y

(ii) las resoluciones cuya solicitud de reconocimiento y ejecución hu-
     biera sido transmitida por las autoridades judiciales españolas en el
     momento de la entrada en vigor de esta Ley, seguirán tramitándose
     hasta su conclusión conforme a las normas vigentes en aquel mo-
     mento, lo que significa que se trata de hechos delictivos cometidos
     con anterioridad a la vigencia de la LRM y resoluciones dictadas
     también anteriormente a ese momento.

Hay incluso una situación más a considerar: si las autoridades españolas
quieren ampliar una comisión rogatoria que hayan emitido y transmitido
con anterioridad a la entrada en vigor de la LRM, a esa ampliación habrá
que darle el mismo tratamiento jurídico que a una OEI: estaremos entonces ante una OEI *completiva* o *de complemento*[69].

Como idea de cierre, y para que el tránsito del sistema tradicional de
asistencia judicial al nuevo de reconocimiento mutuo en materia de prueba penal sea lo más fluido posible, las autoridades españolas –no solo los
Fiscales[70], hay que entender– son compelidas a que en el tratamiento de
los mecanismos *tradicionales* de cooperación judicial, ya sean emisores o
receptores, hagan primar el espíritu y contenido de la DIR 2014/41, todo
ello por aplicación del principio de interpretación conforme de las normas
nacionales con las propias de la Unión, a la luz de la jurisprudencia establecida por el Tribunal de Justicia de la Unión Europea.

---

[68] Disposición transitoria única LRM.
[69] *Vid.* el art. 8 DIR 2014/41, que aborda el supuesto en el cual la autoridad de emisión
      expida una OEI completiva de una anterior, así como la Sección D del formulario del
      Anexo XIII LRM.
[70] Aunque ellos sí especialmente, como se destaca en la D 1/17 de la Fiscal de Sala de
      Cooperación Internacional.

3. ÁMBITO DE APLICACIÓN

3.1. Objetivo

[13] Si nos centramos en el ámbito material de la orden europea de investigación, en el desarrollo de un procedimiento penal, cuando las autoridades españolas se planteen hacer uso de la OEI, lo primero que tienen que cuestionarse es si para su emisión y ejecución en el Estado de destino existen limitaciones legales en cuanto a la tipología de los hechos delictivos que estén siendo objeto de enjuiciamiento y con relación a los cuales se quieran practicar medidas de investigación para obtener pruebas.

La respuesta es negativa, tanto en general, si nos referimos a la filosofía de la existencia de la orden europea de investigación, como en particular, si aplicamos ésta a las posibles medidas de investigación que puedan interesar a jueces, magistrados y fiscales nacionales.

No obstante, en esta primera valoración no se deben desconocer tres cuestiones:

a) Si junto al fomento de la aplicación del reconocimiento en Derecho penal –y Derecho civil– y el refuerzo de la confianza mutua, en el Programa de Estocolmo, dentro del apartado "Una Europa que protege", se dedica especial atención al terrorismo, a la protección contra las formas graves de delincuencia y la delincuencia organizada, a la trata de seres humanos, a la explotación sexual de menores y pornografía infantil, a la delincuencia cibernética, a la delincuencia económica y corrupción y a las drogas, y esos ámbitos delictivos y otros más son seleccionados ejemplificativamente en el art. 83.1 TFUE[71] como campo de trabajo por definición de la cooperación judicial en materia penal, hay que pensar que será ellos en los que en la praxis forense más actividad procesal tendrán que desplegar nuestros jue-

---

[71] Recordemos: (i) primero se alude a ámbitos delictivos que sean de especial gravedad y tengan una dimensión transfronteriza derivada del carácter o de las repercusiones de dichas infracciones o de una necesidad particular de combatirlas según criterios comunes en los cuales el Parlamento Europeo y el Consejo pueden establecer normas mínimas relativas a la definición de las infracciones penales y de las sanciones que les correspondan; (ii) después se concreta que estos ámbitos delictivos son el terrorismo, la trata de seres humanos y la explotación sexual de mujeres y niños, el tráfico ilícito de drogas, el tráfico ilícito de armas, el blanqueo de capitales, la corrupción, la falsificación de medios de pago, la delincuencia informática y la delincuencia organizada; y, (iii) finalmente, se abre la posibilidad de que teniendo en cuenta la evolución de la delincuencia, el Consejo podrá adoptar una decisión que determine otros ámbitos delictivos que respondan a estos criterios.

ces y fiscales nacionales emitiendo y reconociendo y ejecutando órdenes europeas de investigación. Ahora bien, *más sí* pero *no únicamente*.

b) Estamos ante un instrumento jurídico de reconocimiento mutuo, que al igual que sus predecesores contempla con carácter privilegiado determinadas categorías de delitos[72] en orden a la posible eficacia de un planteamiento denegatorio del reconocimiento o de la ejecución por parte del Estado de destino de la OEI[73].

Pero más: el Estado de ejecución está facultado para analizar tanto si la conducta que dio origen a la emisión de la OEI es constitutiva de delito en su ordenamiento jurídico-penal como para colocar un umbral penológico mínimo sin cuya superación por el delito al que se refiere la OEI permite rechazar la OEI que le han presentado desde otro país comunitario[74].

---

[72] Nos la recuerda el Anexo D DIR 2014/41: pertenencia a organización delictiva, terrorismo, trata de seres humanos, explotación sexual de menores y pornografía infantil, tráfico ilícito de estupefacientes y sustancias psicotrópicas, tráfico ilícito de armas, municiones y explosivos, corrupción, fraude, incluido el que afecte a los intereses financieros de la Unión Europea con arreglo al Convenio de 26 de julio de 1995 relativo a la protección de los intereses financieros de las Comunidades Europeas, blanqueo del producto del delito, falsificación de moneda, incluida la falsificación del euro, delitos informáticos, delitos contra el medio ambiente, incluido el tráfico ilícito de especies animales protegidas y de especies y variedades vegetales protegidas, ayuda a la entrada y residencia no autorizadas, asesinato, lesiones graves, tráfico ilícito de órganos y tejidos humanos, secuestro, detención ilegal y toma de rehenes, racismo y xenofobia, robo organizado o a mano armada, tráfico ilícito de bienes culturales, incluidas las antigüedades y las obras de arte, estafa, chantaje y extorsión, falsificación y piratería de mercancías, falsificación y tráfico de documentos administrativos, falsificación de medios de pago, tráfico ilícito de sustancias hormonales y otros factores de crecimiento, tráfico ilícito de materiales radiactivos o sustancias nucleares, tráfico de vehículos robados, violación, incendio, delitos incluidos en la jurisdicción de la Corte Penal Internacional, secuestro de aeronaves y buques, sabotaje.

[73] *Vid.* arts. 11 DIR 2014/41 y 207 LRM. Indudablemente, como se puede ver por muchos de los trabajos aparecidos hasta la fecha sobre la orden europea de investigación, el tema *estrella* de su régimen jurídico es el análisis de los motivos de denegación del reconocimiento o de la ejecución de una orden europea de investigación, bien sean generales –de otros instrumentos de reconocimiento mutuo– o particulares. *Vid.* HOYOS SANCHO, M. de, "La Orden Europea de Investigación…, *cit.*; MARTÍNEZ CANTÓN, S., "Algunos problemas de competencia en la denegación de la orden europea de investigación penal en España", en LUZÓN PEÑA, D. M., DÍAZ Y GARCÍA CONLLEDO, M. (dirs.), *Un puente de unión de la ciencia penal alemana e hispana. Liber Amicorum en homenaje al Prof. Dr. Jürgen Wolter por su 75.º aniversario*, Reus, Madrid, 2018, pp. 583 y ss.; PILLADO GONZÁLEZ, E., "Los motivos de denegación…, *cit.*; BACHMAIER WINTER, L., "La propuesta de Directiva europea sobre…, *cit.*

[74] Para el caso de España, *vid.* art. 207.1.f) LRM.

En el análisis de estas cuestiones, y en las del punto siguiente, a las autoridades de ejecución les va a servir de pauta fundamental el cómo el Estado de emisión haya cumplimentado la Sección G del formulario del Anexo XIII LRM, en sus apartados 2[75] y 3[76].

c) Teóricamente, tampoco actúa como limitante la penalidad de los hechos delictivos que integran el objeto del proceso nacional, aunque la realidad haga que sí haya que considerarla en al menos cuatro cuestiones:

(i)　que, como en el comentario anterior, si la conducta que da origen a la emisión de la OEI en el Estado de emisión es punible con una penal o medida de seguridad privativas de libertad de un máximo de al menos tres años, se abre para las autoridades del Estado de ejecución una válvula de escape para negar el reconocimiento o la ejecución de la OEI[77];

(ii)　que en el Estado de ejecución el uso de la medida de investigación pedida en la OEI esté limitada a delitos castigados con penas de a partir de un determinado umbral que no alcance el delito al que se refiere la orden europea de investigación articulada por el Estado español;

(iii)　en función del tipo de procedimiento penal que se esté siguiendo en España, debido a que, si en el mismo prima la concentración, la rapidez y la eficacia el plantear una OEI supone, quiera o no la letra y el espíritu de la OEI, una causa de retrasos –y en ocasiones dilaciones indebidas–; y

(iv)　en materia de los costes que pueda generar la OEI para el país emisor de la misma[78], tanto los ordinarios[79] como en caso de que el Estado de ejecución le quiera reclamar algunos por ser excepcionalmente elevados, lo que puede llevar a que el uso de la OEI no *compense* en términos de proporcionalidad procesal y económica.

---

[75]　"Naturaleza y tipificación jurídica del delito o delitos para los que se emite la OEI y norma legal o código aplicable".

[76]　"El delito para el que se ha emitido la OEI ¿es punible en el Estado de emisión con una pena privativa de libertad u orden de detención de un máximo de tres años como mínimo, tal como se define en el Derecho del Estado de emisión, enumerado en la lista de delitos que figura a continuación? (Se ruega marcar la casilla correspondiente)".

[77]　*Vid.* arts. 11.g) DIR 2014/41 y 207.1.e) LRM.

[78]　*Vid.* arts. 14, 25.3, 165.2.II LRM.

[79]　Por ejemplo, en el caso de las intervenciones de telecomunicaciones, tal y como se indica en la Sección H7 del formulario del Anexo XIII, los costes de transcripciones, descodificaciones o desencriptados corren por cuenta del Estado de emisión.

[14] El siguiente cuestionamiento pone el foco de atención en las diligencias de investigación a pedir por las autoridades españolas para ser realizadas en el país de ejecución de la OEI.

Si partimos del concepto acuñado legalmente de lo que es una orden europea de investigación, a primeras no podemos imaginar que, en el espacio judicial europeo, para obtener pruebas necesitadas por un Estado miembro puedan existir limitaciones en cuanto a las medidas de investigación incluibles en un formulario de OEI. Así, el art. 3 DIR 2014/41 comienza señalando que la OEI puede comprender "todas las medidas de investigación", texto reproducido casi literalmente por el art. 186.3 LRM[80].

Es posteriormente cuando constatar la existencia de restricciones, tanto en el ordenamiento jurídico del país emisor como en el receptor.

a) El Capítulo IV DIR 2014/41 listan determinadas medidas, sobre las cuales proporciona varias disposiciones específicas:

(i)   traslado temporal de detenidos al Estado de emisión con el fin de llevar a cabo una medida de investigación (art. 22);

(ii)   traslado temporal de detenidos al Estado de ejecución con el fin de llevar a cabo una medida de investigación (art. 23);

(iii)   comparecencia por videoconferencia u otros medios de transmisión audiovisual (art. 24);

(iv)   comparecencia por conferencia telefónica (art. 25);

(v)   información sobre cuentas bancarias y otro tipo de cuentas financieras (art. 26);

(vi)   información sobre operaciones bancarias y otro tipo de operaciones financieras (art. 27);

(vii) medidas de investigación que impliquen la obtención de pruebas en tiempo real, de manera continua y durante un determinado periodo de tiempo (art. 28); y

(viii) investigaciones encubiertas (art. 29).

Además de ello, el Capítulo V se dedica monográficamente a la intervención de telecomunicaciones, desglosando dos situaciones distintas:

---

[80]   Y, de manera concurrente, el Considerando n.º 8 DIR 2014/41: "La OEI... se debe aplicar a todas las medidas de investigación dirigidas a la obtención de pruebas".

(i)　　intervención de telecomunicaciones con la asistencia técnica de otro Estado miembro (art. 30); y

(ii)　　notificación al Estado miembro en el que se encuentre la persona que sea objeto de los procedimientos penales y cuya asistencia técnica no sea necesaria (art. 31).

Indudablemente, nos encontramos ante un listado expreso, con regulación individualizada, la cual no ha podido ser desconocida por los Estados miembros en la transposición de la Directiva a sus ordenamientos jurídicos propios.

b) Ahora nos podemos preguntar cómo deben de ser interpretados estos preceptos contenidos en los Capítulos IV y V DIR 2014/41. Evidentemente, como un *mínimo* a cumplir y respetar por los Estados miembros en su legislación interna, cuando menos en los casos en los que tengan que atender las órdenes europeas de investigación que les cursen otros países comunitarios.

En el caso español, ahí tenemos cómo se ha hecho en la Ley de Reconocimiento Mutuo:

(i)　　emisión de una orden europea de investigación para el traslado temporal a España de personas privadas de libertad en el Estado de Ejecución (art. 195);

(ii)　　emisión de una orden europea de investigación para el traslado temporal al Estado de ejecución de personas privadas de libertad en España (art. 196);

(iii)　　emisión de una orden europea de investigación para una comparecencia por videoconferencia u otros medios de transmisión audiovisual (art. 197);

(iv)　　emisión de una orden europea de investigación para obtener información sobre cuentas bancarias y otro tipo de cuentas financieras (art. 198);

(iv)　　emisión de una orden europea de investigación para obtener información sobre operaciones bancarias y otro tipo de operaciones financieras (art. 199);

(vi)　　emisión de una orden europea de investigación para obtener pruebas en tiempo real, de manera continua y durante un determinado periodo de tiempo (art. 200);

(vii) emisión de una orden europea de investigación para realizar investigaciones encubiertas (art. 201);

(viii) emisión de una orden europea de investigación para intervención de telecomunicaciones (art. 202); y

(ix) notificación al Estado miembro en el que se encuentre la persona que sea objeto de los procedimientos penales y cuya asistencia técnica no sea necesaria (art. 204).

c) Pero, ¿debemos entender que estas medidas de investigación enumeradas son un números clausus[81]? No, a nuestro juicio, al menos por estas razones:

(i) porque fácilmente se nos ocurren otras medidas que se puedan necesitar en un procedimiento penal en España para obtener prueba transfronteriza (entradas y registros, entregas vigiladas, declaraciones del investigado/encausado, testificales, periciales, reconocimientos médicos, etc.), ejercicio de imaginación al que nos ayuda la Sección C del formulario de la OEI del Anexo XIII LRM[82]; y

---

[81] Con una técnica legislativa similar, los Títulos II y III CAJP 2000 contienen disposiciones particulares para las solicitudes de determinadas formas específicas de asistencia judicial: (i) restitución (art. 8); (ii) traslado temporal de detenidos con fines de investigación (art. 9); (iii) audición por videoconferencia (art. 10); (iv) audición por conferencia telefónica (art. 11); (v) entregas vigiladas (art. 12); (vi) equipos conjuntos de investigación (art. 13); (vii) investigaciones encubiertas (art. 14); (viii) responsabilidades penal y civil en relación con los funcionarios (arts. 15 y 16); e (ix) intervención de telecomunicaciones (arts. 17 a 22). Vid. PÉREZ GIL, J., "Convenio de asistencia judicial penal", en JIMENO BULNES, M. (coord.), La cooperación judicial civil y penal en el ámbito de la Unión Europea: instrumentos procesales, Bosch, Barcelona, 2007, pp. 259 y ss.; RODRÍGUEZ-GARCÍA, N., "Asistencia judicial penal para luchar contra la corrupción, el blanqueo de capitales y la delincuencia organizada: algunos apuntes sobre el Convenio de la Unión Europea de 2000", en RODRÍGUEZ-GARCÍA, N., FABIÁN CAPARRÓS, E. A. (coords.), Corrupción y delincuencia económica, Universidad Santo Tomás y Editorial Gustavo Ibáñez, Bogotá, 2008, pp. 321 y ss.

[82] En él, primero, a las autoridades del Estado de emisión de la OEI les pide que, en genérico, describan la medida o medidas de asistencia o de investigación cuya práctica requieren del país de ejecución de la OEI; y una vez hecho ello, que indique sí y cuál de las medidas de investigación listadas encajan en su petición, las cuales tienen que ser marcadas con una x:

( ) Obtención de información o de pruebas que ya estén en posesión de la autoridad de ejecución.

( ) Obtención de información contenida en bases de datos de las autoridades policiales o judiciales.

(ii)   porque en los códigos procesales penales nacionales podemos encontrarnos que se permiten otras medidas de investigación que sean igual o más eficaces para alcanzar el fin perseguido con la orden europea de investigación, e incluso que puedan ser menos lesivos de los derechos y garantías procesales fundamentales de los sujetos pasivos de las mismas, en cuya identificación inicial para cumplimentar el formulario de la OEI visto, o en su sustitución en el curso de la ejecución de la OEI tramitada, las autoridades españolas pueden y deben ser asistidas por sus homólogas del país de destino de la OEI.

d) De forma expresa el legislador europeo elimina del ámbito de aplicación de la orden europea de investigación la creación de un equipo conjunto de investigación y la obtención por el mismo de pruebas, al tratarse de una materia que requiere de normas específicas que se atienen mejor por separado[83]. Para ellas, por lo tanto, son de aplicación solamente el espíritu de la Directiva y los instrumentos jurídicos existentes –o los que se puedan desarrollar–: el art. 20 CAJP 2000 y la DM 2002/465[84]. De esta

---

( ) Declaración de: ( ) testigos, ( ) peritos, ( ) investigado o encausado, ( ) víctima, ( ) terceros.

( ) Identificación de personas que sean titulares de un número de teléfono o una dirección IP determinados.

( ) Traslado provisional del detenido al Estado de emisión.

( ) Traslado provisional del detenido al Estado de ejecución.

( ) Declaración por videoconferencia u otros medios de transmisión audiovisual: () testigos, () peritos, ( ) investigado o encausado.

( ) Comparecencia por conferencia telefónica: ( ) testigos, ( ) peritos.

( ) Información sobre cuentas bancarias y otro tipo de cuentas financieras.

( ) Información sobre operaciones bancarias y otro tipo de operaciones financieras.

( ) Medidas de investigación que impliquen la obtención de pruebas en tiempo real, de manera continua y durante un determinado periodo de tiempo: ( ) supervisión de operaciones bancarias o financieras de otro tipo, ( ) entregas vigiladas, ( ) otros.

( ) Investigaciones encubiertas.

( ) Intervención de telecomunicaciones.

[83]   *Cfr.* el Considerando n.º 8 DIR 2014/41. En verdad, como señala ARANGÜENA FANEGO, C., "Orden Europea de Investigación: próxima…, *cit.*, p. 917, la razón última está en el hecho de que los principios que rigen la constitución de un equipo conjunto de investigación se están basados en la autonomía de la voluntad de los Estados miembros implicados y no, como la orden europea de investigación, en el principio de reconocimiento mutuo.

[84]   Decisión Marco 2002/465/JAI del Consejo, de 13 de junio de 2002, *sobre equipos conjuntos de investigación* (*DOCE* n.º L 162, de 20 de junio de 2002, pp. 1-3); en adelante DM 2002/465. *Vid.* PÉREZ GIL, J., "Equipos conjuntos de investigación penal", en JIMENO BULNES, M. (coord.), *La cooperación judicial civil y penal…, cit.*, pp. 349 y ss.; VALLINES GARCÍA, E., *Los equipos conjuntos de investigación penal en el marco de la cooperación policial y judicial entre los Estados de la Unión Europea*, Cólex, Madrid, 2006.

limitación se exceptúa un caso[85]: en el que el equipo de investigación constituido necesite ayuda de un Estado miembro que no haya participado en
la creación del equipo –e incluso de un tercer Estado–, en cuyo caso las
autoridades competentes del Estado en el que actúe el equipo podrá formular la petición de ayuda a las autoridades competentes del otros Estado
afectado, que lo será de ejecución de la orden europea de investigación[86].

Por mor del art. 186.4 LRM, también quedan fuera del ámbito de la orden europea de investigación el régimen de transmisión de los antecedentes penales por contar, como en el caso anterior, con normativa específica:
la DM 2008/315/JAI[87].

Y, aunque hemos dicho que la orden europea de investigación no es un
instrumento jurídico apto para el desarrollo de la cooperación policial y
sus actuaciones propias, que tiene sus propios mecanismos, instrumentos
y normas, en el caso de que la práctica de alguna diligencia requiera de
autorización judicial en el país de ejecución (*v. gr.* las balizas de seguimiento y localización en una vigilancia transfronteriza), la OEI será la vía para
solicitarlo y conseguirla.

e) Lo expuesto hasta aquí podemos culminarlo con dos ideas también
importantes que no pueden ser desconocidas por nuestras autoridades de
emisión:

(i)   Las medidas de investigación –genéricas o específicas– que se ten-
        gan que llevar a cabo en el Estado de ejecución de la OEI no
        tienen que ser restrictivas de los derechos fundamentales de las
        personas afectadas, elemento esencial que como destacaremos
        sirve en España para dividir la competencia de emisión de las OEI
        entre fiscales y jueces.

---

[85]   *Cfr.* arts. 13.8 CAJP 2000 y 1.8 DM 2002/465.
[86]   Art. 186.3 LRM.
[87]   Decisión Marco 2008/315/JAI del Consejo, de 26 de febrero de 2009, *relativa a la or-
         ganización y al contenido del intercambio de información de los registros de antecedentes penales
         entre los Estados miembros* (*DOUE* n.º L 93, de 7 de abril de 2009, pp. 23-32). En adelante
         DM 2008/315.
         Hay que tener en cuenta, además, la Decisión 2009/316/JAI del Consejo, de 6 de abril
         de 2009, *por la que se establece el Sistema Europeo de Información de Antecedentes Penales (ECRIS)
         en aplicación del artículo 11 de la Decisión Marco 2009/315/JAI* (*DOUE*, n.º L 93, de 7 de abril
         de 2009, pp. 33-48). Una materia en la que el 19 de enero de 2016 la Comisión adoptó
         una Propuesta de Directiva de modificación de la DM 2008/315, y el 29 de junio de 2017
         una Propuesta de Reglamento, con el objetivo de establecer un sistema centralizado
         ECRIS sobre nacionales de terceros países y apátridas, con el fin de identificar eficaz-
         mente el Estado o Estados miembros que han condenado a uno de estos sujetos.

(ii) No todas las diligencias a practicar precisan, de –toda o alguna– colaboración y/o asistencia técnica del país de ejecución, como pasa con algunas intervenciones de telecomunicaciones, casos en los cuales un país de la UE pasa de ser "Estado de ejecución" a "Estado notificado" (art. 31.1 DIR 2014/41). En concreto, según el art. 204.1 LRM, cuando la autoridad española competente haya acordado la intervención de telecomunicaciones de una persona que se encuentra en el territorio de otro Estado miembro de la UE sin su asistencia técnica, notificará a la autoridad competente de ese Estado, por medio del formulario del Anexo XV LRM, dicha intervención. Una notificación que se llevará a cabo: a) antes de la intervención, cuando se tenga conocimiento de que esa persona se encuentra o se encontrará en el territorio del otro Estado miembro; b) durante la intervención o después de ésta, inmediatamente después de tener conocimiento de que esa persona se encuentra, o se ha encontrado durante la intervención, en el territorio del otro Estado miembro. Esta exoneración de colaboración y asistencia del Estado notificado es solo inicial, debido a que a ese Estado notificado el art. 204.2 LRM le reconoce determinados derechos frente a las autoridades españolas competentes que hayan acordado la intervención: a) compelerlas para que no la lleven a cabo o para que ponga fin a su práctica; b) fijarles determinadas condiciones para que el material intervenido pueda ser utilizado; c) para que ese material sea de inmediato destruido en caso de que el mismo no pueda ser utilizado.

f) La colaboración a pedir a otro Estado de la Unión por parte de los jueces y fiscales españoles no acaba aquí, con medidas de investigación que se lleven a cabo en el Estado de ejecución de la OEI con el objetivo de obtener pruebas.

Ya en la Directiva se anuncia que su contenido aborda también medidas cautelares encaminadas a la obtención de pruebas, y que cualquier objeto, incluidos los activos financieros, pueden ser sometidos a medidas cautelares en el curso de un procedimiento penal, no solo con vistas a la obtención de pruebas sino también a su decomiso[88].

Estamos, pues, ante una dificultad añadida puesto que, en una misma causa penal, (i) una misma medida cautelar puede ser *instrumental* con relación a la prueba transfronteriza, pero también con un decomiso trans-

---

[88] *Cfr.* Considerando n.º 34 DIR 2014/41.

fronterizo; (ii) incluso, aunque las cosas pudiesen estar claras cuando las autoridades españolas cumplimentaran el formulario de la OEI[89] y la transmitieran, el objetivo de la medida cautelar puede cambiar en el curso del procedimiento, sin que sea factible un *dos por uno*: cada objetivo o función con su específico instrumento de reconocimiento mutuo.

Pensando ahora solamente en la orden europea de investigación:

a) Los jueces y fiscales españoles no podrán usar una OEI con la finalidad de que el objeto que se trata de asegurar sea embargado preventivamente en el Estado de ejecución, bien para asegurar su posterior decomiso[90], bien para asegurar la responsabilidad civil que eventualmente dimane de la sentencia firme que cierre el litigio penal en el Estado de emisión. Para alcanzar estos objetivos, las autoridades competentes españolas tienen que hacer uso de los arts. 143 a 156 LRM relativos a la "Resolución de embargo preventivo de bienes y de aseguramiento de pruebas"[91], que ya sabemos que pueden ser dirigidas: (i) a cualquier país de la Unión Europea, si esa resolución busca impedir provisionalmente la destrucción, transformación, desplazamiento, transferencia o enajenación de bienes que pudieran ser sometidos a decomiso; y (ii) solamente a Irlanda y Dinamarca, a las que no le aplica la OEI, si lo que la resolución pretende es el aseguramiento de pruebas[92], las cuales podrán adoptarse en relación con los objetos, documentos o datos que posteriormente puedan utilizarse como medio de prueba en un procedimiento penal (art. 143.3 LRM).

b) Las autoridades españolas no tienen ninguna limitación para poder emitir una OEI con vistas a la adopción de cualquier medida de investigación destinada a impedir de forma cautelar la destrucción,

---

[89]   En particular la Sección H3 del formulario de la OEI del Anexo XIII LRM.

[90]   De manera ilustrativa conviene no desconocer el formulario contenido en el Anexo XI LRM.

[91]   *Vid.* además el Anexo X LRM, que contiene el "Certificado para la ejecución de medidas de embargo preventivo de bienes o de aseguramiento de pruebas en otro Estado miembro de la Unión Europea".

[92]   De manera abstracta lógicamente, sin alusión a países concretos, el art. único.19 LOEI ha añadido el siguiente apartado 4 al art. 143 LRM: "La resolución de aseguramiento de pruebas regulada en este Título únicamente podrá ser emitida o reconocida y ejecutada en España cuando se dirija o provenga, respectivamente, de Estados miembros de la Unión Europea que no estuvieran vinculados por la orden europea de investigación regulada en el Título X".

transformación, desplazamiento, transferencia o enajenación de un objeto que pudiera emplearse como pruebas.

Los arts. 13 y 32 DIR 2014/41 y 203, 211 y 223 LRM, para estos últimos casos, aportan disposiciones complementarias a tener en consideración por los jueces y fiscales españoles emisores de una orden europea de investigación, que importan tanto por lo que tienen que hacer como por lo que pueden esperar de sus colegas europeos:

(i)   En la Sección H3 del formulario de la OEI hay que hacer indicación expresa sobre si el objeto –medio de prueba– les tiene que ser transmitido o si el mismo va a permanecer[93] en el Estado de ejecución.

(ii)   Si en la orden europea de investigación se pide que el medio de prueba se quede en el Estado de ejecución, en el formulario remitido hay que señalar la fecha en la que, bien se podrá levantar la medida cautelar instada, bien la fecha estimada en la que se formulará la solicitud para que la prueba sea trasladada a España[94].

(iii) La autoridad de ejecución tiene que decidir y comunicar a las autoridades españolas lo antes posible y, siempre que sea viable, dentro de las 24 horas siguientes a la recepción de la OEI, su decisión sobre la medida cautelar pedida.

(iv)   La autoridad de ejecución tiene que comunicar de inmediato a las autoridades españolas el levantamiento de las medidas provisionales que se hubiesen instado.

(v)   En ejecución de la orden europea de investigación, los medios de prueba se trasladarán a España con relación a disposiciones específicas contenidas en el derecho de transposición de la DIR 2014/41 en el país de ejecución[95].

---

[93]   Y, en buena lógica, tiene que ser "conservado" –verbo esencial no utilizado en todos los textos–, lo que en muchos casos generará costes importantes a la ejecución de la OEI.

[94]   En este punto el art. 203.III LRM es mucho más claro que el contenido del formulario del Anexo XIII LRM, que en la Sección H se refiere a la estimación de la fecha "para la presentación de una solicitud posterior relativa al objeto", que bien puede ser su traslado a España, ¿o no?, aunque lo que sí está claro es que por esta vía no puede servir la OEI a los fines del decomiso del objeto. Tener presente, sobre esta cuestión, el art. 223. IV LRM, en el que se señala que la autoridad española de ejecución puede recabar la asistencia de la Oficina de Recuperación y gestión de Activos en la ejecución de una OEI cuando la misma se refiera a elementos probatorios susceptibles de ulterior decomiso.

[95]   Puede valer de orientación a las autoridades españoles la forma y contenido de proceder a la que están obligados cuando España es Estado de ejecución y que se contienen en el art. 211 LRM: "1. Las pruebas obtenidas se trasladarán de manera inmediata a la

(vi)   Previa consulta a la autoridad de emisión, la autoridad de ejecu-
       ción, de conformidad con su Derecho y procedimientos naciona-
       les, podrá imponer condiciones, adecuadas a las circunstancias
       del caso, para limitar la duración de la medida cautelar. Si, de
       conformidad con esas condiciones, se propusiera dejar sin efecto
       la medida cautelar, la autoridad de ejecución informará de ello a
       la autoridad de emisión y le ofrecerá la posibilidad de hacer ale-
       gaciones.

3.2. Subjetivo

[15] La DIR 2014/41, en el art. 4.I.d), se muestra acorde a su propia
trayectoria normativa, así como a la de otros organismos multilaterales o
mundiales, en el sentido de prever que no solo las personas físicas, sino
también las jurídicas, tienen que asumir responsabilidades por las acciones que desarrollan, las cuales pueden ser civiles, administrativas y, como
ya tenemos en España después de las reformas de 2010[96] y 2015[97] del Código Penal, penales[98]. Una decisión de política criminal tomada especial-

---

autoridad del Estado de emisión y se indicará si deben ser devueltas a las autoridades
competentes españolas tan pronto dejen de ser necesarias en el Estado de emisión.
En el caso de que el Estado de emisión participara en la ejecución de la orden, siempre
que así se haya solicitado en la misma y si es posible con arreglo al Derecho español, las
pruebas obtenidas se trasladarán inmediatamente a las autoridades competentes del
Estado de emisión.
2. No obstante lo dispuesto en el apartado anterior, podrá acordarse la suspensión del
traslado de las pruebas obtenidas en los casos en que se haya interpuesto un recurso
contra el reconocimiento y ejecución de la orden, salvo si en la orden se indican razones suficientes que justifiquen que es indispensable el traslado inmediato para el
adecuado desarrollo de la investigación o para preservar derechos individuales. Sin
embargo, se suspenderá el traslado de pruebas si éste pudiera causar un daño grave o
irreversible a la persona interesada.
3. Cuando las pruebas obtenidas sean relevantes para otros procesos penales, la autoridad competente española, previa petición expresa y tras mantener consultas con la
autoridad de emisión, podrá trasladar temporalmente las pruebas con la condición de
que se devuelvan a las autoridades competentes españolas tan pronto como el Estado
de emisión deje de necesitarlas o bien en cualquier otro momento u ocasión que se
acordara entre las autoridades competentes".

[96]   Ley Orgánica 5/2010, de 22 de junio, *por la que se modifica la Ley Orgánica 10/1995, de
       23 de noviembre, del* Código Penal (*BOE* n.º 152, de 23 de junio de 2010).
[97]   Ley Orgánica 1/2015, de 30 de marzo, *por la que se modifica la Ley Orgánica 10/1995, de
       23 de noviembre, del* Código Penal (*BOE* n.º 77, de 31 de marzo de 2015).
[98]   Para atender a esta pluralidad de responsabilidades, el art. 4.I.d) DIR 2014/41 se refie-
       re a "delitos" o "infracciones" por los cuales una persona jurídica pueda ser considera-
       da "responsable" o ser "castigada" en el Estado de emisión.

mente para hacer frente a las mismas conductas delictivas para las que está preordenada la cooperación judicial penal (trata de seres humanos, terrorismo, narcotráfico, corrupción, crimen organizado, blanqueo de capitales...), como además se ha encargado de recordar el legislador penal en los preámbulos de esas reformas antedichas, las cuales, en esta materia, justifica "por la necesidad de atender a los compromisos internacionales" y "para asumir ciertas recomendaciones realizadas por algunas organizaciones internacionales".

3.3. Procedimental

[16] El art. 4 DIR 2014/41 plantea los tipos de procesos para los que puede emitirse una orden europea de investigación.

Puesto que estamos ante una herramienta jurídica de cooperación judicial penal, la primera mención que se hace está referida a procedimientos penales por hechos que sean constitutivos de delito, en atención al Derecho Penal interno del Estado de emisión. Un procedimiento (i) *actual*, ya incoado ante una autoridad judicial, o (ii) *futuro*, que pueda entablarse.

El art. 186 LRM, de forma mucho más lacónica, al abordar cuál es el objetivo de la OEI indica que es obtener pruebas "para su uso en un proceso penal".

[17] Por las diversidades de los ordenamientos jurídicos europeos, más problemas suscitan el contenido de las letras b)[99] y c) [100] del art. 4.I DIR 2014/41.

En España, como anteriormente ya hemos comentado, esta disposición va a tener una acogida doble en función de que nuestras autoridades actúen como emisoras o receptoras y ejecutoras de una OEI:

(i) la emisión de las órdenes europeas de investigación se reserva, en exclusiva, a autoridades "penales" –jueces y fiscales–, por lo

---

[99] Una OEI puede emitirse "en los procedimientos incoados por autoridades administrativas por hechos tipificados en el Derecho interno del Estado de emisión por ser infracciones de disposiciones legales, y cuando la decisión pueda dar lugar a un procedimiento ante una autoridad jurisdiccional competente, en particular, en materia penal".

[100] Una OEI puede emitirse "en los procedimientos incoados por autoridades judiciales por hechos tipificados en el Derecho interno del Estado de emisión por ser infracciones de disposiciones legales, y cuando la decisión pueda dar lugar a un procedimiento ante una autoridad jurisdiccional competente, en particular, en materia penal".

que no tendrán eficacia jurídica, ni se podrán tramitar, aquellas que pudieran emitir o policías o autoridades administrativas o jueces –y fiscales– de otros órdenes jurisdiccionales distintos al penal[101]; y

(ii)   a lo que sí está obligadas nuestras autoridades competentes es a atender y tramitar las órdenes europeas de investigación surgidas en procedimientos incoados por las autoridades competentes de otros Estados miembros de la Unión Europea, tanto administrativas como judiciales, por la comisión de hechos tipificados como infracciones administrativas en su ordenamiento, cuando la decisión pueda dar lugar a un proceso ante un órgano jurisdiccional, en particular en el orden penal (art. 186.2 LRM).

[18] Como el objetivo de la orden europea de investigación es que se ejecute una medida de investigación en el país de destino para que se obtenga una prueba necesaria para un procedimiento penal nacional, lo más habitual será que las OEI se emitan por los fiscales y jueces españoles en la fase de investigación, para que dé resultado en la misma en orden a preparar la posterior vista pública en la que habrán de presentarse esos medios de prueba, trasladados desde el Estado de ejecución, obtenidos a consecuencia de la OEI.

Basta leer el listado expreso y regulado de medidas de investigación contenido en el Capítulo IV de la Directiva, y en la opción de incrementarlo con otras –equivalentes y/o más eficaces– previstas en la legislación nacional del Estado de ejecución, para corroborar esta idea: investigaciones encubiertas, entregas vigiladas, traslado temporal de detenidos con el fin de llevar a cabo una medida de investigación en el Estado de emisión o en Estado de ejecución, intervención de telecomunicaciones, etc.

No obstante ello, ni en el articulado de la DIR 2014/41 ni en el de la LRM encontramos expresadas limitaciones en la posible utilización de una OEI en el Estado de emisión en función de la fase del procedimiento que se esté llevando a cabo. Todo lo contrario: el legislador comunitario dejó claro desde un inicio que "[l]a presente Directiva establece normas para la práctica de una medida de investigación en cualquiera de las fases del procedimiento penal, incluida la de la vista, si es preciso con la participación

---

[101]   Con relación a la variedad de los sistemas legales que concurren en la Unión Europea *vid.* JIMENO BULNES, M., "El proceso penal en los sistemas de common law y civil law: los modelos acusatorio e inquisitivo en pleno siglo XXI", *Justicia: Revista de Derecho Procesal*, n.º 2, 2013, pp. 207 y ss.

del interesado, a efectos de la obtención de pruebas"[102]. Por ello, podrán dictarse órdenes europeas de investigación, por ejemplo, para oír a testigos o peritos –por videoconferencia, otros medios de transmisión audiovisual o conferencia telefónica, y cuando sea necesario con intérprete–, o para que el investigado sea juzgado con su presencia física y jurídica en la sala de vistas del Estado de emisión[103].

¿Y en la ejecución de la condena? Nada lo impide.

3.4. Territorial

[19] Ya hemos dejado sentadas ideas relacionadas con el ámbito territorial de la orden europea de investigación, clarificado notablemente en lo que respecta al actuar de las autoridades nacionales competentes una vez que ha entrado en vigor la reforma de la Ley de Reconocimiento Mutuo, acogiendo los cambios de la LOEI. Básicamente, los Estados miembros de la Unión Europea menos Dinamarca e Irlanda, y la incógnita temporal del Reino Unido.

4. AUTORIDADES NACIONALES DE EMISIÓN

[20] En el catálogo de definiciones contenidas en el art. 2 DIR 2014/41, se entiende que la "autoridad de emisión" es una expresión en la que hay que dar cabida a dos colectivos de sujetos:

a) El primero, en el estado actual de los sistemas judiciales penales, no ofrece dudas en cuanto a su contenido e interpretación: "un juez, órgano jurisdiccional, juez de instrucción o fiscal competente en el asunto en el que se trate". No obstante ello, sobre esta enumeración, y debemos hacer algunos comentarios:

    (i) Es muy mejorable su redacción y la catalogación de las autoridades de emisión de una orden europea de investigación: mezcla personal jurisdicente –juez[104]–, con una alusión genérica

---

[102]   Considerando n.º 25 DIR 2014/41, en este punto transcrito literalmente por el Preámbulo de la LOEI.

[103]   En este caso, recuerda el mismo Considerando n.º 25 DIR 2014/41 –y el Preámbulo de la LOEI–, puesto que el traslado de una persona incluye su puesta a disposición de un órgano jurisdiccional para ser sometida a juicio –y a su resultado–, deberá además emitirse por las autoridades de emisión una ODE.

[104]   "Juez" en sentido amplio y no como categoría judicial, porque luego, de manera inmediata, en el apartado siguiente del art. 2.I.c) DIR 2014/41, se alude a un "magistrado",

orgánica –órgano jurisdiccional– y con la indicación expresa a uno de los posibles emisores de una OEI –juez de instrucción–. Pensemos que al actuar así lo que se ha pretendido es acoger órganos judiciales unipersonales –jueces– con colegiados –órganos jurisdiccionales: tribunales, cortes, audiencias...–, reforzando además la idea de que la OEI está pensada, básicamente, para ser utilizada en la fase de investigación de un proceso penal –juez de instrucción– pero sin excluir que lo sea en cualesquiera de las otras –dentro del "asunto de que se trate"–.

(ii) Se incluye al Ministerio Fiscal, acogiendo con ello la realidad jurídica y forense mayoritaria en Europa[105] de potenciación de la Fiscalía como órgano fundamental sobre el que pivotan los procesos penales *modernos*[106], en los cuales no solo tiene encomendada la función de ejercer la acción penal pública sino que también detenta competencias preeminentes en la fase previa al juicio oral. Inclusive, mucho más relevante y activa es su participación como "autoridad de ejecución" de una OEI, al menos en España[107].

---

debiendo colegir, igualmente, que para la normatividad orgánica española es un término omnicompresivo de jueces y magistrados.

[105] Y que incluso se refleja en el modelo de Ministerio Público Europeo previsto en el art. 86 TFUE. *Vid.* MONTESINOS GARCÍA, A., "La nueva fiscalía antifraude europea", *Revista General de Derecho Europeo*, n.º 46, 2018, pp. 1 y ss.; BACHMAIER WINTER, L. (coord.), *La Fiscalía Europea*, Marcial Pons, Madrid, 2018; Id., "The potential contribution of a european public prosecutor in light of the proposal for a regulation of 17 july 2013", *European Journal of Crime, Criminal Law and Criminal Justice*, vol. 23, n.º 2, 2015, pp. 121 y ss.; MORENO CATENA, V., *Fiscalía Europea y Derechos Fundamentales*, Tirant lo Blanch, Valencia, 2014; RODRÍGUEZ-GARCÍA, N., "Aprendiendo del pasado ante la futura creación de una fiscalía europea", *Revista General de Derecho Europeo*, n.º 31, 2013, pp. 1 y ss.; ESPINA RAMOS, J., "¿Hacia una Fiscalía Europea?", en ARANGÜENA FANEGO, C. (dir.), *Espacio europeo de libertad, seguridad y justicia: últimos avances en cooperación judicial penal*, Lex Nova, Valladolid, 2010, pp. 101 y ss.

[106] *Vid.* ARMENTA DEU, T., *Sistemas procesales penales. La justicia penal en Europa y en América*, MARCIAL PONS, Madrid, 2012: BACHMAIER WINTER, L. (coord.), *Proceso penal y sistemas acusatorios*, Marcial Pons, Madrid, 2008.

[107] Tal y como se detalla en el art. 187.2 LRM, el Ministerio Fiscal es la autoridad competente para (i) "recibir" en España las órdenes europeas de investigación emitidas para las autoridades competentes de otros Estados miembros; (ii) para "registrarla" y "acusar recibo" a la autoridad de emisión de la OEI; (iii) para "conocer" la OEI de cara a su reconocimiento y ejecución, lo cual solo es posible cuando la misma no contenga medida alguna limitativa de derechos fundamentales; y (iv) para "remitir" la OEI al juez español competente, debiendo proceder así el Ministerio Fiscal, bien cuando la orden europea de investigación contenga alguna medida limitativa de derechos fundamentales y la misma no pueda ser sustituida por otra medida que no restrinja dichos derechos, bien cuando en la OEI recibida la autoridad de emisión del otro país comu-

(iii) La orden europea de investigación que se quiera emitir tiene que hacerse en el "asunto de que se trate", que por lo que llevamos analizado fundamentalmente va a suponer estar en un proceso penal –y no administrativo, al menos en España–, en el que actúan fiscales o jueces determinados y legitimados para usar una OEI, lo que excluye que pueda tener lugar en las actuaciones investigativas de la policía[108]. Por tanto, entre la OEI y las actuaciones fiscales y/o judiciales hay una relación directa e instrumental que justifica la adopción y transmisión de la OEI.

(iv) Ese proceso penal, aunque no se diga, tiene que ser uno en el que se enjuicien hechos delictivos sobre los que viene actuando el legislador comunitario y reflejado, tanto en el Tratado de Funcionamiento de la Unión Europea como en las Decisiones Marco, Directivas y Reglamentos que se vienen aprobando desde hace más de tres lustros.

(v) Más allá de todo ello, lo determinante es que el juez o el fiscal que vaya a emitir la OEI sea "competente" en el marco del procedimiento penal que se esté desarrollando y en el tiempo en el que se quiera hacer, idea que circunscribe muy importantemente el margen de actuación de la Fiscalía como autoridad de emisión de una orden europea de investigación.

b) El segundo, más indefinido y abierto para dar cabida a las particularidades orgánicas y procedimentales nacionales, atañe a "cualquier otra autoridad competente según la defina el Estado de emisión que, en el asunto específico de que se trate, actúe en calidad de autoridad de investigación en procesos penales y tenga competencia para ordenar la obtención de pruebas con arreglo al Derecho nacional". Estamos, pues, ante situaciones particulares que tienen que ser identificadas a integradas por los Estados miembros de la UE; además, en ellas, antes de la transmisión de la OEI a la autoridad de ejecución, deberá ser validada, previo control de su conformidad con los requisitos para su emisión, por "un juez, un órgano jurisdic-

---

nitario indique expresamente que la medida de investigación debe ser ejecutada por un órgano judicial. Inclusive, en estas últimas situaciones descritas el Ministerio Fiscal español no queda totalmente eclipsado, después de haber hecho de *correa transmisora* de una OEI, puesto que el art. 187.2.III LRM obliga a que la Fiscalía emita un informe en el que, con relación a esa OEI, se pronuncie sobre (i) si concurre o no una causa de denegación de ejecución dc la orden y (ii) si entiende ajustada a Derecho la adopción de cada una de las medidas de investigación que la orden contiene.

[108] Ya hemos dejado claro que la Orden Europea de Investigación es un mecanismo jurídico de cooperación judicial penal pero no de cooperación policial.

cional, un fiscal o un magistrado instructor del Estado de emisión". En estas situaciones de validación de una OEI por una autoridad judicial nacional, dicha autoridad también podrá considerarse autoridad de emisión a efectos de la transmisión de la OEI.

[21] En la transposición de este art. 2.1.c) DIR 2014/41, el nuevo art. 187.1 LRM es mucho más claro y directo a la hora de fijar los criterios identificativos de quiénes en España pueden ser autoridades de emisión de una orden europea de investigación y los presupuestos a lo que ello se sujeta. Incluso algunas cosas más, como señalamos a continuación, si bien se aprecia un importante campo de mejora que da paso necesariamente a la interpretación doctrinal y jurisprudencial.

a) Jueces y tribunales. Pero no cualesquiera de los órganos judiciales *ordinarios* que hay en España ejerciendo la función jurisdiccional. Pese a que no se les ponga el apellido "penal", debemos entender que la competencia de emitir órdenes europeas de investigación solamente las tienen los juzgados y tribunales del orden jurisdiccional penal.

Ahora bien, ¿todos por igual o unos más que otros?, nos podemos cuestionar. *Todos* en línea de principio, si bien: (i) algunos, como los Juzgados de Paz, quedan descartados por la poca significación jurídico-penal que tienen los hechos delictivos que van a investigar y enjuiciar, tanto por el bien jurídico que tutelan los tipos penales que van a poder aplicar como por el escaso reproche penal –y social– que tienen esas conductas criminales en el Código Penal, como acreditan las consecuencias jurídicas que se anudan a esos hechos, razones por las cuales una posible emisión de una OEI, amparada en el principio de legalidad, no pasa un básico control de necesidad y proporcionalidad; (ii) otros, como por ejemplo, la Audiencia Nacional, parecen ser de los más llamados a recurrir a este instrumento jurídico en sus actuaciones de instrucción y enjuiciamiento, en atención a su competencia objetiva –penal– en delitos de terrorismo y los demás le asigna en el art. 65 LOPJ (contra la Corona, el narcotráfico a gran escala, los delitos económicos que causen un grave perjuicio a la economía nacional –entre ellos corrupción y blanqueo de capitales–, etc.), así como por el hecho de ser un órgano de referencia básico en cooperación judicial penal (*v. gr.* extradiciones y euroórdenes); y (iii) de esto último parece ser que fue consciente el legislador español, puesto que cuando se plantea quiénes pueden ser en España autoridades de ejecución de una OEI recibida de otro Estado miembro de la Unión, no se queda en hacer una referencia genérica a los órganos judiciales españoles encargados de la instrucción penal, o entre ellos a los que estadísticamente más procedimientos penales tramitan –Juzgados de Instrucción y Juzgados de Menores–, puesto que se hace lucir en particular a la Audiencia Nacional[109]: a los Juzgados Centrales de Instrucción[110], a los Juzgados Centrales de lo Penal[111] y a los Juzgados Centrales de Menores[112].

---

[109]   Aunque en este listado se olvida, por coherencia con lo que hemos expuesto de que una OEI puede librarse en fase de ejecución, del Juzgado Central de Vigilancia Penitenciaria, encargado de controlar jurisdiccionalmente a los presos cuyos delitos sean de competencia de la Audiencia Nacional.

[110]   Los Juzgados Centrales de Instrucción son autoridades de ejecución de órdenes europeas de investigación: (i) cuando no haya ningún elemento de conexión territorial para poder concretar la competencia en favor de un Juzgados de Instrucción o de un Juzgado de Menores (art. 187.3.a) LRM); (ii) cuando la OEI se emitió por delito de terrorismo u otro de los delitos cuyo enjuiciamiento competa a la Audiencia Nacional (art. 187.3.b) LRM); y (iii) cuando se trate de la notificación prevista en el art. 222 LRM (art. 187.3.b) *in fine* LRM), en el que se aborda la notificación a España de la intervención de telecomunicaciones con interceptación de la dirección de comunicaciones de una persona investigada o encausada que se encuentre en España y cuya asistencia técnica no sea necesaria.

[111]   Los Juzgados Centrales de lo Penal son autoridades de ejecución de órdenes europeas de investigación en el caso del traslado al Estado de emisión de una persona mayor de edad privada de libertad en España (art. 187.3.c) LRM), caso en el cual este órgano jurisdiccional tiene que seguir las indicaciones del art. 214 LRM en cuanto a la posibilidad de denegar el reconocimiento y ejecución de una OEI por dos causas *específicas*: (i) que la persona privada de libertad no dé su consentimiento, bien de manera personal bien a través de su representante legal –para situaciones en las que se ha valorado su edad, estado físico y estado psíquico–; y (ii) que el traslado pueda causar una prolongación de la privación de libertad de la persona.
       Estas causas tienen que ser puestas en relación con:
       a) Las causas *generales* del art. 32.1 LRM: (i) cuando se haya dictado en España o en otro Estado distinto al de emisión una resolución firme, condenatoria o absolutoria, contra la misma persona y respecto de los mismos hechos, y su ejecución vulnerase el principio non bis in idem en los términos previstos en las leyes y en los convenios y tratados internacionales en que España sea parte y aun cuando el condenado hubiera sido posteriormente indultado; (ii) cuando la orden o resolución se refiera a hechos para cuyo enjuiciamiento sean competentes las autoridades españolas y, de haberse dictado la condena por un órgano jurisdiccional español, la sanción impuesta hubiese prescrito de conformidad con el Derecho español; (iii) cuando el formulario o el certificado que ha de acompañar a la solicitud de adopción de las medidas esté incompleto o sea manifiestamente incorrecto o no responda a la medida, o cuando falte el certificado, sin perjuicio de lo dispuesto en el artículo 19; y (iv) cuando exista una inmunidad que impida la ejecución de la resolución.
       b) El procedimiento para el reconocimiento y la ejecución de la orden europea de investigación del art. 208 LRM.

[112]   Los Juzgados Centrales de Menores son autoridades de ejecución de órdenes europeas de investigación en el caso del traslado al Estado de emisión de una persona menor de edad privada de libertad en España (art. 187.3.c) LRM), caso en el cual este órgano jurisdiccional tiene que seguir, como en el caso de los Juzgados Centrales de lo Penal, lo indicado en el art. 214 LRM.

b) El Ministerio Fiscal, pero sometido a dos límites (art. 187.1.II LRM): (i) en "los procedimientos que dirijan", expresión legal que creemos, por una parte, referida a la fase de investigación y, por otra, que debe de ser generosamente entendida a la luz de la práctica forense española, en la que se le da chance más allá que cuando el sujeto pasivo del proceso es un menor de edad, si bien no pueden alcanzar a sus actuaciones cuando las mismas forman parte de la incoación de "diligencias informativas" o de "diligencias preprocesales"[113]; y (ii) siempre y cuando la medida que contenga la orden europea de investigación no sea limitativa de derechos fundamentales, ya que si así fuera, o si en la OEI hay algunas que lo son y otras que no, la competencia corresponde al órganos jurisdiccional que en el momento que se vaya a acordar la orden europea de investigación tenga competencia objetiva, funcional y territorial.

Y una vez más, máxime cuando en la organización del Ministerio Fiscal español rige por mandato constitucional el principio de unidad de actuación, hay que hacer ver que si bien este art. 187.1.II LRM no distingue entre fiscales, unos más que otros están llamados a recurrir en su trabajo a una OEI: (i) desde luego, solamente los que lo hacen en el marco de un proceso penal; y (ii) entre ellos, los que investigan y acusan en litigios penales a los que se someten esos los que a decir por la Unión Europea cumplen con los caracteres de su especial gravedad y su dimensión transfronteriza, lo que es tanto como decir los que laboran, principal pero no únicamente, en las Fiscalías Especiales –Antidroga y Anticorrupción y contra la Criminalidad Organizada–, en la Fiscalía de la Audiencia Nacional, o en Fiscalías Especializadas y Coordinadas en materias específicas como lo son las de Medio Ambiente y Urbanismo, Violencia de Género, Criminalidad Informática, Delitos Económicos y Delitos de Odio y contra la Discriminación.

c) Siguiendo el razonamiento hecho en a), el ámbito de la emisión de la OEI: un proceso, pero solo si es de naturaleza penal. Y *uno* en concreto, ya iniciado, con actuaciones de jueces y magistrados y/o de los fiscales, lo que

---

[113]   Con relación a ellas *vid.* FISCALÍA GENERAL DEL ESTADO, *Circular 4/2013, sobre las diligencias de investigación, de 30 de diciembre de 2013*, Fiscalía General del Estado, Madrid, 2013, pp. 4 y ss. Y, además, RUIZ BOSCH, S., "Las diligencias preprocesales", *La Ley Penal: Revista de Derecho Penal, Procesal y Penitenciario*, n.º 116, 2015, pp. 1 y ss.; PERAMATO MARTÍN, T., "Diligencias de investigación o preprocesales", en PORRES ORTIZ DE URBINA, E. de (dir.), *Hacia un catálogo de buenas prácticas para optimizar la investigación judicial*, Consejo General del Poder Judicial, Madrid, 2009, pp. 625 y ss.

significa que la emisión de una OEI no puede tener cabida en el campo de diligencias y actuaciones *prospectivas* de policías y fiscales[114].

Además, salvo lo que indicamos más adelante, el legislador patrio no se mete en decir qué tipo de tramitación procesal tiene –o está teniendo– la causa penal, por lo que en *teoría* cabría plantear una OEI en cualquiera de los procedimientos penales que encontramos regulados en la legislación procesal penal española. Otra cosa, desde luego, es inferir que al pasar la emisión de una OEI por los criterios de legalidad, pertinencia y proporcionalidad haya procedimientos penales españoles en los que en la *práctica* queda inutilizada la posibilidad de emitir una OEI.

d) La legislación procesal penal española aplicable a las actuaciones penales en cuyo transcurso surge la necesidad de emitir una OEI. En este punto, junto a la *básica* referencia explícita del art. 187.1.III. LRM a la Ley de Enjuiciamiento Criminal, y la *específica* a la Ley Orgánica de responsabilidad penal de los menores, debemos entender que, por lo ya señalado, esta enumeración tiene que entenderse acogedora de otros textos procesales penales como, por ejemplo, la Ley Orgánica 5/1995, de 22 de mayo, del Tribunal del Jurado.

De manera correlativa y con el mismo planteamiento, y aunque no se dice nada, desde el punto de vista orgánico la amplitud normativa aplicable tiene necesariamente que ser mayor que una referencia a la Ley Orgánica 6/1985, de 1 de julio, del Poder Judicial.

e) El momento en el que se puede encontrar en procedimiento cuando surge la necesidad de cursar una orden europea de investigación: en la fase de instrucción o en la fase de enjuiciamiento. A esta alusión expresa del art. 187.1.I LRM hay que adicionar, como hemos apuntado, la fase impugnación y el periodo la propia ejecución de la sentencia de condena que ha puesto fin al procedimiento penal.

f) La finalidad y contenido que puede tener el que la autoridad de ejecución reconozca y ejecute la OEI: adoptar una medida de investigación

---

[114] Con relación a estas investigaciones *ad prevendam*, sin una vinculación directa con una *notitia criminis* y que, por ende, son escurridizas ante un posible control jurisdiccional, en la Memoria de la Fiscalía General del Estado de 2018 se recuerda como están prohibidas legalmente "la investigación general sobre la conducta o actividad de una persona y las investigaciones prospectivas" (FISCALÍA GENERAL DEL ESTADO, *Memoria elevada al Gobierno de S. M. presentada al inicio del año judicial por la Fiscal General del Estado Excma. Sr.ª Doña María José Segarra Crespo*, Fiscalía General del Estado. Ministerio de Justicia, Madrid, 2018, p. 36).

y/o trasladar un medio de prueba cuya práctica ha sido autorizada para verificarse en el enjuiciamiento de un proceso penal español.

g) El tipo de personas físicas que están sujetos a las actuaciones del proceso penal con relación a su edad: no solo los *mayores* sino también los *menores*, al que se alude expresamente en el art. 187.1.III LRM: se pueden emitir órdenes europeas de investigación por las autoridades competentes para la ejecución de medidas que podrían ordenar o ejecutar conforme a la Ley Orgánica 5/2010, de 12 de enero, reguladora de la responsabilidad penal de los menores, ámbito en el que como es bien sabido cumplen un rol preponderante las Fiscalías de Menores.

[22] De manera muy esporádica a los Letrados de la Administración de Justicia se les han atribuido competencias *relevantes*[115] en la asistencia y cooperación judicial penal. En la actualidad, la Ley de Reconocimiento Mutuo no se refiere a ellos como "autoridades" de emisión o ejecución de una OEI o de otro instrumento de reconocimiento mutuo, ni se da opción en la DIR 2014/41 para que el Estado español pudiera pedir a las autoridades comunitarias su inclusión por medio de una declaración[116].

---

[115] Enfatizamos el término para referirnos a aquellas que van más allá del desempeño profesional ordinario y habitual de un Letrado de la Administración de Justicia, como pueden ser las que en la Ley de Reconocimiento Mutuo se recogen en: (i) el art. 52.2.II, en el marco de una ODE, cuando emita para que se tome declaración a la persona reclamada o que la traslade de forma temporal al Estado de emisión, supuesto en el cual el Secretario Judicial tendrá que dejar constancia del cumplimiento de todas las condiciones legales y de las pactadas entre las autoridades judiciales que conocen del procedimiento; (ii) el art. 58.6, que señala que el Secretario Judicial tendrá que poner en conocimiento de la autoridad judicial de emisión el período de privación de libertad que haya sufrido la persona a que se refiera una ODE, a fin de que sea deducido de la pena o medida de seguridad que se imponga, así como si el detenido renunció o no al principio de especialidad; (iii) el art. 175.1.I *in fine*, que previene que las cantidades percibidas en concepto de ejecución de una resolución en España, e ingresada en la cuenta de depósito y consignaciones judiciales, serán transferidas por el Secretario Judicial a víctimas y perjudicados ejecutando lo resuelto por el Juez de lo Penal, una vez oído el Ministerio Fiscal; y (iv) el Secretario Judicial, en las resoluciones judiciales que impongan sanciones pecuniarias, es el encargado de determinar su importe en euros, aplicando el tipo de cambio vigente en el momento en el que se impuso la sanción, cuya cuantía apareciese expresada en el certificado en una divisa extranjera (art. 181.3).

[116] Cosa que sí ha hecho nuestro país, por ejemplo, al amparo del art. 24 CAJP 1959: en 2011, mediante Nota Verbal, la Representación Permanente de España ante el Consejo de Europa notificó a su Secretaría General la modificación de la Declaración formulada por España en el Instrumento de Ratificación CAJP 1959, de manera que a los efectos del Convenio con relación a España son "autoridades judiciales" no solo los "Jueces y Tribunales de la jurisdicción ordinaria" y los "miembros del Ministerio

[23] Este análisis detallado de autoridades españolas que, en la elaboración, transmisión, reconocimiento y ejecución de una orden europea de investigación, pueden tener un espacio de actuación, quedaría incompleto si no lo culmináramos refiriéndonos a qué es, quién puede ser y para qué, con relación a la OEI, "Autoridad Central".

En los instrumentos jurídicos de reconocimiento mutuo penal[117] las autoridades centrales están llamadas a cumplir un papel administrativo y de gestión de los mismos, *asistiendo* a las que normativamente sí que son autoridades de ejecución o de emisión: jueces y fiscales. Por ello, junto a la previsión legal habilitante, habrá que atender a la forma en la que esté organizado un sistema judicial interno nacional para valorar su conveniencia y posibles competencias a cumplir, las cuales, en el caso de las órdenes europeas de investigación, giran en torno a la recepción y transmisión administrativa de la OEI, así como a la correspondencia oficial relativa a la orden (art. 7.3 *in fine* DIR 2014/41). Más en concreto, las autoridades nacionales participan en las obligaciones de información de la autoridad competente del Estado de ejecución que reciba la OEI (art. 1.II DIR 2014/41), idea reforzada en el formulario de confirmación de la recepción de una orden europea de investigación[118]. A todas luces, sobre el articulado, en un procedimiento de emisión, recepción y reconocimiento de órdenes que se desarrolla con base en la comunicación directa entre autoridades, se ha minimizado la *fuerza* que las autoridades centrales tenían en el pasado, en su cualidad de *bisagras transmisoras* de comunicaciones, con comportamientos ejecutados en clave judicial pero con una dependencia –e influencia– gubernativa.

A consecuencia de lo señalado, la designación de una autoridad central no puede ser concebida como una obligación a la que queden sujetos los gobernantes nacionales en el proceso de transposición de la DIR 2014/41. Es una opción auto-organizativa nacional, tanto su creación y dación de

---

Fiscal", sino también los "Secretarios Judiciales" –y las "autoridades judiciales militares"– (*BOE* n.º 298, de 12 de diciembre de 2011, p. 132610).

[117] Como es sabido, también cumplen importantes funciones en la cooperación judicial civil, como estudia HERRANZ BALLESTEROS, M. "Artículos 7 / 8. Autoridad central española. Funciones de la Autoridad Central española", en MÉNDEZ GONZÁLEZ, F. P., PALAO MORENO, G. (dirs.): *Comentarios a la Ley de cooperación jurídica internacional en materia civil*, Tirant lo Blanch, Valencia, 2017, pp. 105 y ss.

[118] En la nota a pie de página n.º 1 del formulario de confirmación de la recepción de una OEI, contenido en el Anexo XIV LRM, se aclara que la sección "B) Autoridad receptora de la OEI" tiene que ser "...cumplimentada por cada autoridad receptora de la OEI. Esta obligación incumbe a la autoridad competente para reconocer y ejecutar la OEI y, cuando proceda, a la autoridad central o a la autoridad que transmitió la OEI a la autoridad competente.

cometidos como el número: pueden ser más de una. En caso de hacerlo, su número, identificación y competencias tiene que ser comunicado a la Comisión Europea (art. 33.1.c) DIR 2014/41)[119].

El Ministerio de Justicia, en España, y sin particularizar dentro de él[120], es la Autoridad Central en instrumentos jurídicos de reconocimiento mutuo (art. 6.3 LRM) como la ODE o la OEI.

Su función en la asistencia y cooperación judicial penal es clara y concreta: auxiliar a las autoridades judiciales (art. 6.3 *in fine* LRM), actúen en el lado activo o en el pasivo. Esto puede ser necesario, por ejemplo, ante cualquier dificultad que surja en relación con la transmisión o la autenticidad de algún documento necesario para la ejecución de un instrumento de reconocimiento mutuo (art. 8.1.II LRM), así como en la ejecución de una orden (art. 21.2 LRM).

Por último, puesto que la Ley expresa la necesidad general de conocer la dinámica que siguen las formas de cooperación judicial, mediante su reflejo en datos estadísticos[121], será el Ministerio de Justicia, como autoridad central, quien tenga que gestionar la globalidad de las estadísticas sobre órdenes europeas de investigación –y sobre los demás instrumentos jurídicos que lo ameriten, *v. gr.* las ODE– a partir de dos fuentes: (i) los boletines que le hagan llegar, trimestralmente, los Jueces y Tribunales que transmitan o ejecuten las correspondientes órdenes (art. 6.1 LRM); y (ii) semestralmente, los listados de la Fiscalía General del Estado con los instrumentos de reconocimiento mutuo emitidos o ejecutados por representantes del Ministerio Público (art. 6.2 LRM).

5. PROCEDIMIENTO

5.1. *Emisión*

[24] El Capítulo II del Título X LRM contiene las disposiciones esenciales que van a ayudar a los jueces y fiscales nacionales en las tareas de emitir y transmitir una orden europea de investigación. Y lo hace agrupándolas en dos Secciones:

---

[119]   España, por el retraso en la transposición de la Directiva, no ha podido cumplir con el plazo fijado en el art. 33.1 DIR 2014/41: como muy tarde, el 22 de mayo de 2017.

[120]   En otros instrumentos jurídicos sí se hacía, por ejemplo, en favor de la "Dirección General de Cooperación Jurídica Internacional y Relaciones con las Confesiones", como en el CAJP 2000.

[121]   *Cfr.* el Preámbulo LRM.

a) en la primera, se recoge el régimen general de emisión y transmisión de una OEI (arts. 188 a 194 LRM); y

b) en la segunda, encontramos cómo nuestras autoridades tienen que proceder en la emisión de órdenes europeas de investigación con medidas específicas de investigación (arts. 195 a 204 LRM):

(i) traslado temporal a España de personas privadas de libertad en el Estado de Ejecución;

(ii) traslado temporal al Estado de ejecución de personas privadas de libertad en España;

(iii) comparecencia por videoconferencia u otros medios de transmisión audiovisual;

(iv) obtener información sobre cuentas bancarias y otro tipo de cuentas financieras;

(v) obtener información sobre operaciones bancarias y otro tipo de operaciones financieras;

(vi) obtener pruebas en tiempo real, de manera continua y durante un determinado periodo de tiempo;

(vii) realizar investigaciones encubiertas;

(viii) intervención de telecomunicaciones; y

(ix) notificación al Estado miembro en el que se encuentre la persona que sea objeto de los procedimientos penales y cuya asistencia técnica no sea necesaria.

Por razones de extensión, no dedicamos a plantear solo los aspectos básicos y genéricos de la emisión de una orden europea de investigación.

[25] Antes de que se llegue a emitir una OEI, la autoridad española competente tiene que pasar la oportunidad de su emisión por el tamiz de:

a) legalidad, en el sentido doble de que (i) se tienen que dar los presupuestos y requisitos normativamente fijados y que estamos analizando, y (ii) la medida –o medidas– de investigación solicitadas cuyo reconocimiento y ejecución se pretende se hayan acordado en el proceso penal español en el que se emite la OEI y pudieran haberse ordenado para un caso interno similar;

b) necesidad, dentro de un procedimiento penal abierto para, en él, (i) alcanzar los objetivos generales de la orden ya indicados y, después, (ii) descartar –al menos implícitamente– que no tiene –o no podrá disponer en el desarrollo del procedimiento– a su alcance otras medidas de investigación que no requieran de la cooperación judicial de otro Estado de la Unión Europea para su práctica y/o remisión de pruebas, que es tanto como defender su máxima utilidad para el esclarecimiento de hechos y/o responsables; y

c) proporcionalidad a los fines del procedimiento para el que se solicita[122], teniendo que valorar, (i) por una parte, los derechos del investigado o encausado, y, (ii) por otra, si en el ordenamiento jurídico del país de ejecución puede existir una medida de investigación menos lesiva para esos derechos, en particular cuando la medida contenida en la OEI sea restrictiva de derechos fundamentales[123].

Más allá de estas cuestiones jurídicas y judiciales, no pueden caer en saco roto en el actuar de las autoridades españolas el considerar las normas sobre gastos, indemnizaciones y reembolsos aplicables a la emisión, reconocimiento y ejecución de una orden europea de investigación.

[26] La emisión de una OEI puede llevarse a cabo de dos maneras diferentes:

a) directamente y a propia iniciativa –de oficio–, por los Juzgados y Tribunales o por el Ministerio Fiscal que, en cada situación y procedimiento penal, sea competente y en su actuación necesite hacer uso de una orden europea de investigación para que, (i) o en el Estado de ejecución se realicen una o varias medidas de investigación para así obtener pruebas para su uso en esas actuaciones procesales españolas, o (ii) con la intención que ese otro país comunitario le remita pruebas o diligencias de investigación que ya obren en su poder; e

b) indirectamente, por los órganos jurisdiccionales penales, para cumplir con las mismas dos finalidades apuntadas en el anterior párrafo,

---

[122] *Vid.* BACHMAIER WINTER, L., "La Orden Europea de Investigación y…, *cit.*, pp. 15 y ss.

[123] Cuando esto sucede siendo España el país de ejecución, es el Ministerio Fiscal quien, al recibir una OEI emitida por una autoridad competente de otro Estado miembro, y después de registrarla y acusar recibo a la autoridad de emisión, tienen que bosquejar en el ordenamiento procesal español buscando una medida de investigación equivalente a la pedida, por ser ésta restrictiva de derechos fundamentales, a cuyas resultas la competencia y el procedimiento cambia: (i) si la encuentra y la medida sustituta a practicar no es limitativa de derechos y garantías del sujeto pasivo, él mismo reconocerá y ejecutará la orden europea de investigación; sin embargo, (ii) si no la encuentra, o si lo hace pero la medida sustituta también afrenta derechos fundamentales, el miembro del Ministerio Fiscal actuante tendrá que hacer llegar la orden al juez o tribunal competente para reconocerla y ejecutarla (art. 187.2.II LRM).

pedido que puede venir de tres procedencias distintas (arts. 187.1.II y 189.1 LRM): (i) el Ministerio Fiscal, cuando la medida que contenga la orden europea de investigación sea limitativa de derechos fundamentales; (ii) cualesquiera de otras partes activas potencialmente personadas en las actuaciones, esto es, las particulares y las populares, lo que hace que sea fundamental que conozcan motu propio esta opción legal o que alguien les informe de su existencia; y (iii) la parte pasiva del proceso penal –investigado o encausado–, por sí mismo o a través de su Letrado defensor.

[27] La decisión de usar una orden europea de investigación tiene que documentarse oficialmente por la autoridad nacional competente: (i) bien un auto judicial, (ii) bien en un decreto de la Fiscalía.

Esta diversidad no es baladí, no solo por constatar la naturaleza jurídica distinta de los órganos competentes, sino porque que sean jueces o fiscales condiciona de forma sobresaliente el que las partes del proceso penal en el que la orden europea de investigación se plantea puedan, y de qué manera, cuestionar de manera directa e inmediata esa resolución atinente a la orden: (i) si es un juzgado o tribunal, por medio de un auto, las partes pueden utilizar los medios de impugnación previstos en la Ley de Enjuiciamiento Criminal; por el contrario, (ii) si es un miembro del Ministerio Fiscal, por medio de un decreto, el mismo no es recurrible, si bien las partes personadas y afectadas por la OEI pueden cuestionarla y valorarla en el proceso penal principal.

[28] Secreto y confidencialidad son principios que van a estar presentes en toda la tramitación de una orden europea de investigación (art. 194 LRM): (i) en su formulación y emisión, para no frustrar en el Estado de destino su ejecución; (ii) en su reconocimiento y ejecución por parte de este país; y (iii) en la utilización que de la información o prueba remitida puedan hacer las autoridades españolas competentes, quienes como regla general no pueden revelar su procedencia y existencia, restricción que es salvable en dos supuestos: que, desde un inicio, la autoridad de ejecución haya consentido la publicitación de informaciones y pruebas, o que esta sea necesaria para las investigaciones o procedimientos descritos en la orden europea de investigación, situación en la cual la lealtad y confianza entre países debe llevar a expresar esta circunstancia en la solicitud, para que la valore el Estado de ejecución, el cual, en buena lógica, puede justificar la no conveniencia, oportunidad o cobertura legal nacional a esta revelación, lo que colocará un obstáculo a la eficacia en la tramitación de la OEI.

[29] Las autoridades españolas que hayan librado una orden europea de investigación tienen en el art. 193 LRM una guía de limitaciones sobre cuándo y cómo usar en nuestro país los datos personales obtenidos en la ejecución de la OEI en otro Estado miembro.

Estos datos solamente podrán emplearse, de manera habitual y sin recabar autorización de la autoridad de ejecución de la orden transmitida o del titular de los datos, en dos casos: (i) en los procesos –penales– en los que se hubiese acordado la orden; (ii) en aquellos otros relacionados de manera directa con aquél. Además de ello, de manera excepcional, para prevenir una amenaza inmediata y grave para la seguridad pública (art. 193.1.I LRM).

Cuando las autoridades españolas quieran utilizar los datos personales obtenidos para otros fines, no podrán hacerlo directamente, puesto que el art. 193.1.II LRM les exige que recaben el consentimiento de la autoridad del Estado de ejecución o del titular de los datos, quien actúa con libertad de criterio y actuación y sin que su decisión pueda ser cuestionada legalmente.

Las autoridades competentes del Estado de ejecución tienen en esta materia más márgenes de decisión: pueden requerir a las autoridades de emisión –españolas– competentes que le informen del uso que haga de los datos personales que se hubieren remitido a través de una orden europea de investigación, lo que no podrá incluir a aquéllos obtenidos durante su ejecución en España (art. 193.2 LRM).

[30] La orden europea de investigación, obligatoriamente, tiene que documentarse en un formulario oficial, que en el caso español se pone a disposición de las autoridades nacionales en el Anexo XIII LRM.

Con la cumplimentación del formulario, la autoridad española de emisión está declarando y certificando oficialmente: (i) que es legalmente competente, conforme al ordenamiento jurídico español, para hacer uso de este instrumento de cooperación judicial europea; (ii) que la emisión de esta OEI es necesaria y proporcionada a efectos de los procedimientos especificados en ella, teniendo en cuenta los derechos del investigado o encausado y que las medidas de investigación solicitadas podrían haberse ordenado en las mismas condiciones en un caso interno similar; y (iii) que al solicitar la realización de la medida o medidas de investigación identificadas en la OEI se tiene en cuenta debidamente la confidencialidad de la investigación y el traslado de la prueba obtenida como resultado de la ejecución de la orden.

Toda la información a transmitir en la orden se estructura y ordena en doce Secciones, cuyo contenido, mucho más amplio que las informaciones que anuncia el art. 188.1 LRM[124], es el siguiente:

a) Identificación de los Estados de emisión y de ejecución.

b) Expresión de si en la tramitación de la OEI existe alguna urgencia, relacionada, entre otras cuestiones, (i) con la ocultación o destrucción de pruebas o (ii) con ser inminente la fecha de celebración del juicio. En función de ello, si el Estado de emisión entiende que necesita los resultados de la OEI en plazos más breves que los previstos legalmente, o inclusive en una fecha concreta, tiene que motivar esta circunstancia e indicar al Estado de ejecución el plazo o la fecha en los que los necesita. En este punto, las autoridades españolas podrán esgrimir, expresamente, no todas las motivaciones contenidas en el formulario (art. 189.2 LRM): (i) los plazos procesales nacionales, (ii) la gravedad del delito u (iii) otras circunstancias particularmente urgentes.

c) La medida –o medidas– de investigación que deben realizarse por las autoridades de ejecución. Las mismas tienen que ser descritas con carácter general, particularizando, por lo que afecta a las exigencias específicas en su emisión, si se trata de alguna de las previstas en los arts. 195 y ss. LRM.

d) La posible relación que esta orden europea de investigación pueda tener con una OEI anterior, a la que como hemos estudiado complementa y amplía. Una OEI, entendemos, dirigida al mismo país comunitario, puesto que en esta misma Sección D al Estado de emisión se le obliga a indicar si una OEI similar, con relación al mismo objeto procesal e informaciones y pruebas a obtener, se ha remitido con anterioridad a otro Estado miembro.

Aunque en este punto no se especifica nada más, la cooperación leal y confiable entre Estados debe significar que esta información

---

[124] Frente a las doce Secciones del formulario que, como vamos a señalar, incluso en algunos extremos se quedan cortas por las menciones que no contiene, el art. 188.1 LRM concentra en seis puntos la información de forma expresa se tiene que documentar en una orden europea de investigación.

A la vista de las mismas, no es defendible pensar que la información de estos seis apartados es necesaria y de obligatorio aporte, y que la demás que se puede inferir del contenido del formulario es complementaria y prescindible para la emisión de la orden y su análisis y valoración por las autoridades nacionales del Estado de ejecución-

tiene que ser lo más completa posible en cuanto al país de ejecución, su contenido y estado de tramitación, porque quién sabe si la misma puede ser positivamente apreciada en la realización de las diligencias, en el planteamiento de alternativas o en la asunción –y reparto, en ocasiones– de los costes de la cooperación. Esta información, lógicamente, está amparada por la confidencialidad aludida con anterioridad.

e) La identidad de las personas, físicas y/o jurídicas, afectadas por cada una de las medidas de investigación.

f) La tipología de procedimiento en el desarrollo del cual se está emitiendo una orden europea de investigación.

g) Los motivos de la emisión de la OEI, lo que conlleva tener que aportar los más y mejores datos posibles sobre: (i) los hechos subyacentes; (ii) la descripción de los delitos imputados o investigados; (iii) la fase a la que ha llegado la investigación; (iv) las razones de todo factor de riesgo; (v) la naturaleza y tipificación jurídica del delito o delitos para los que se emite la OEI, así como la norma legal o el código aplicables; (vi) la concreta identificación de si el delito para el que se ha emitido la OEI es punible en el Estado de emisión con una pena privativa de libertad u orden de detención de un máximo de tres años como mínimo, tal como se define en el Derecho del Estado de emisión, enumerado en la lista de delitos que se listan en el punto 3 de la Sección G; y (vii) cualquier otra información pertinente y útil que facilite la eficacia de la ejecución de la OEI en el país destinatario de la misma.

h) Requisitos adicionales que puedan requerir alguna o algunas de las medidas solicitadas: (i) traslado de detenidos; (ii) videoconferencia o conferencia telefónica u otros medios de transmisión audiovisual; (iii) medidas cautelares; (iv) información bancaria y de otras cuentas financieras; (v) medidas de investigación que impliquen la obtención de pruebas en tiempo real, de manera continua y durante un determinado periodo de tiempo; (vi) investigaciones encubiertas; e (vii) intervención de telecomunicaciones.

i) Trámites y procedimientos solicitados para la ejecución de la medida, que pueden estar referidos a: (i) en general, especialidades exigidas por el ordenamiento nacional del Estado de emisión para que los resultados de la OEI tengan eficacia en el procedimiento penal nacional del que traen causa; y (ii) específicamente, (ii') a las lenguas que pueden utilizarse y (ii") a la petición de que uno o varios funcionarios del Estado de emisión asistan en la ejecución de la OEI para apoyar a las autoridades competentes del Estado de ejecución[125], situación que en caso de darse permite que en el transcurso de la práctica de las diligencias la autoridad española competente actuante pueda transmitir una OEI complementaria, de forma directa, a la autoridad de ejecución mientras se encuentre en dicho Estado.

j) Indicación de (i) si ya se ha interpuesto algún recurso contra la emisión de la OEI, aportando todos los datos identificativos de los mismos que se dispongan –y el estado de su tramitación–, así como de (ii) la autoridad del Estado de emisión que puede dar más información sobre procedimientos para interponer recurso en dicho Estado y sobre la posibilidad de obtener asistencia letrada y traducción e interpretación.

k) Datos de la autoridad de la emisión de la OEI.

l) Datos de la autoridad judicial que haya validado la OEI.

[31] Con base en el principio de contacto directo entre autoridades, y buscando maximizar la eficacia y rapidez en la cooperación judicial a instar, antes de emitir y transmitir una orden europea de investigación las autoridades españolas competentes para ello disponen de la posibilidad de hacer consultas a la autoridad competente del Estado de ejecución sobre cualquier cuestión, de forma o de fondo, atinente a la OEI que se están planteando emitir y transmitirle (art. 190.2 LRM).

---

[125] Esta parte de la Sección I del formulario del Anexo XIII LRM sirve para formalizar y documentar el derecho que el art. 191 LRM reconoce, en favor de la autoridad española competente para emitir una OEI, en orden a pedir al Estado de destino de la orden que (i) en su ejecución participen una o varias autoridades o funcionarios españoles y que (ii) estas personas reciban directamente las pruebas obtenidas por la autoridad del Estado de ejecución.
Para el Estado de ejecución se está ante una petición, que no le vincula, y en cuyo análisis de legalidad y pertinencia va a tomar en consideración, cuando menos, las siguientes cuestiones: (i) que el juez o fiscal español que emita la OEI haya justificado las razones por las que considera conveniente esta participación; (ii) que el tipo y alcance de la participación solicitada esté prevista para ellos cuando se haga en territorio nacional en los mismos casos y circunstancias; (iii) que la autoridad española que emita la OEI pida expresamente –¿dónde?, porque en el formulario no se prevé– recibir directamente las pruebas obtenidas –en el pasado y en su poder, o a consecuencia de la OEI– por la autoridad del Estado de ejecución; y (iv) que, en el Estado de ejecución, este proceder tenga cobertura legal y lo permita realizar.

A mayores, los jueces y fiscales españoles están facultados para solicitar a la autoridad de ejecución información sobre dos cuestiones: (i) si cree que en la ejecución de la OEI puede ser oportuno llevar a cabo otras medidas de investigación no previstas en la orden, a fin de que la autoridad de emisión valore estos datos en la cumplimentación del formulario del Anexo XIII LRM; y (ii) si va a poder cumplir con las formalidades, procedimientos y garantías necesitadas por España y con relación al procedimiento penal en tramitación.

La respuesta a la petición de las autoridades españolas por parte del país de ejecución tiene que producirse con diligencia y rapidez[126].

[32] El formulario de la OEI tiene marcadas legalmente limitaciones con relación al idioma en el que tiene que ser redactado. Así, por mor del art. 7.3.I LRM, las autoridades españolas tienen, en cada caso, que manejar oportunamente tres posibilidades: (i) que el formulario tenga que estar traducido a la lengua oficial –o a una de las lenguas oficiales– del Estado miembro al que se dirija; (ii) que el formulario sea traducido a una lengua oficial de las instituciones comunitarias que –expresamente– hubiera aceptado el Estado de ejecución; y (iii) que el formulario pueda estar redactado en español cuando una disposición convencional entre países de emisión y ejecución así lo permita.

Estas eventuales obligaciones de traducción no alcanzan a la resolución penal nacional de la que trae causa la orden europea de investigación – auto judicial o decreto fiscal–: sólo será traducida cuando la autoridad judicial de ejecución lo requiera, la cual, al formular esta petición, está asumiendo que el coste de la traducción le va a ser repercutido por el Estado español (art. 7.3.II LRM).

5.2. *Transmisión*

[33] Además de verse simplificado y agilizado el procedimiento de transmisión de la orden europea de investigación desde España a otro Estado miembro con el uso –obligatorio[127]– del formulario de la OEI, las

---

[126]   Pese a que el matiz legal de urgencia –"sin dilación"– solamente se recoge en el primer apartado del art. 190 LRM, creemos que el mismo tiene que ser extensible al segundo por cuanto uno de los pilares en los que se asienta la cooperación judicial penal europea es su rapidez y eficacia, eso sin, sin restricción indebida de derechos y garantías procesales.

[127]   *Cfr.* art. 7.1.II *in fine* LRM.

autoridades españolas tienen que conocer y cumplir las normas generales de la transmisión de los instrumentos de reconocimiento mutuo en la Unión Europea contenidos en el Título I LRM: "Régimen general de la transmisión por las autoridades judiciales españolas de instrumentos de reconocimiento mutuo".

Estamos ante unas normas pertinentes tanto para el formulario de la OEI, la documentación aneja que lo complemente –*v. gr.* la resolución penal nacional– y las comunicaciones que se practiquen en toda la tramitación de la orden.

[34] La transmisión de la orden europea de investigación por los jueces y fiscales españoles se tiene que hacer directamente a la autoridad judicial competente del Estado de ejecución, la cual, previamente en la transposición nacional de la DIR 2014/41, habrá tenido que señalar qué tipo de funcionarios –jueces, fiscales o autoridades administrativas– integran la categoría de "autoridad judicial" a los efectos de la Directiva.

Esta misma comunicación directa entre autoridades nacionales de emisión y ejecución tiene que servir para resolver cualquier dificultad que surja en relación con la transmisión o la autenticidad de algún documento necesario para la ejecución de la orden europea de investigación. Incluso, para favorecer el éxito de la gestión, el art. 8.1.II LRM legitima la participación de las autoridades centrales de los Estados miembros.

Para apoyar en el rápido y eficaz resultado de las comunicaciones entre autoridades nacionales, a buen seguro en muchos casos será determinante la colaboración del Miembro Nacional de España en Eurojust, posibilidad reconocida en el art. 8.3 LRM, de conformidad con las normas reguladoras del mismo[128].

[35] Consideramos que salvo que el Estado europeo de ejecución de la OEI haya marcado alguna restricción expresa en su normativa de transposición de la DIR 2014/41, España, cuando actúa de país emisor de una orden, debiera poder conducirse de igual manera a como cuando sus autoridades son las que reciben las comunicaciones sobre los instrumentos jurídicos europeos de cooperación judicial, en atención al art. 18 LRM. Por lo tanto, las autoridades judiciales del Estado de emisión deben admi-

---

[128]   *Vid.* la *Ley 16/2015, de 7 de julio, por la que se regula el estatuto del miembro nacional de España en Eurojust, los conflictos de jurisdicción, las redes judiciales de cooperación internacional y el personal dependiente del Ministerio de Justicia en el Exterior* (*BOE* n.º 162, de 8 de julio de 2015, pp. 56554-56573). Además, resulta ilustrativo revisar las memorias anuales de las actividades de este Miembro Nacional de Eurojust.

tir que las comunicaciones se efectúen: (i) mediante correo certificado o medios informáticos o telemáticos, en caso de que los documentos estén firmados electrónicamente y permitan verificar su autenticidad; y (ii) por fax, siempre que, a continuación, se envíe la documentación original a la autoridad judicial emisora, en cuyo caso la recepción de la misma es la que determinará el inicio del cómputo de los plazos previstos en la Ley de Reconocimiento Mutuo.

[36] En la individualización de la autoridad destinataria de la OEI a la que directamente hay que enviársela, para los jueces y fiscales españoles va a ser de notable ayuda el "Atlas Judicial Europeo en materia penal", confeccionado por la Red Judicial Europea[129] e incluido en su sede electrónica[130], el cual, como es conocido, es una herramienta informática dinámica que permite acceder a los datos de las autoridades de cada Estado de la UE competentes para ejecutar solicitudes de cooperación judicial, en cuya identificación se tienen en cuenta, simultáneamente, diversos tipos de datos: la zona geográfica, la organización judicial, el tipo de delito, el tipo de medida solicitada y los instrumentos internacionales aplicables.

A mayores, para conseguir o para asegurar la identificación de la autoridad judicial de ejecución competente, las autoridades nacionales pueden acudir a los puntos de contacto españoles de la Red Judicial Europea, así como a las demás redes de cooperación existentes (art. 8.2 LRM)[131].

[37] Conforme a estas últimas indicaciones, en la efectividad de los mecanismos judiciales de cooperación penal, se presenta como fundamental la cooperación interinstitucional, no solo de los ya identificados –Eurojust y Red Judicial Europea–, sino también de, entre otros[132]:

---

[129]   Vid. *https://www.ejnforum.eu/cp/network-atlas*, en la que con la misma pretensión de utilidad y auxilio nacional la Red Judicial Europea da información sobre la cooperación judicial penal con terceros países.

[130]   Vid. *https://www.ejn-crimjust.europa.eu/ejn/AtlasChooseCountry.aspx.*

[131]   Destacar aquí como en la 41.ª reunión plenaria de la Red Judicial Europea celebrada del 19 al 21 de noviembre de 2013 el Secretariado de la Red expuso la necesidad de ampliar la colaboración y mejorar la interconexión entre ella y las estructuras y redes de cooperación judicial similares en materia penal.

[132]   En este tema, *vid.* la "Guía de buenas prácticas para las autoridades judiciales españolas al recabar la asistencia de Eurojust, la Red Judicial Europea, los Magistrados de Enlace, Iberred y la Oficina de Recuperación y Gestión de Activos", preparada en enero de 2019 por la Unidad de Cooperación Internacional de la Fiscalía General del Estado y por el Servicio de Relaciones Internacionales del Consejo General del Poder Judicial, hecho con la finalidad de fijar unos criterios o recomendaciones orientativos que puedan servir a las autoridades judiciales españolas a la hora de recabar la ayuda

a) La Red Iberoamericana de Cooperación Jurídica Internacional

b) Los Magistrados de Enlace, lógicamente allí donde España los tenga o los que en nuestro país estén trabajando procedentes de otros Estados de la Unión.

b) La Red Judicial Española de Cooperación Judicial Internacional[133].

c) La Red de Especialistas en Derecho de la Unión Europea.

d) La Unidad de Cooperación Internacional de la Fiscalía General del Estado y la Red de Fiscales de Cooperación Internacional.

e) La Oficina de Recuperación y Gestión de Activos (ORGA)[134].

No puede ser desdeñada tampoco por parte de los fiscales y jueces españoles la colaboración que puedan recibir de las autoridades, vías y meca-

---

de los mecanismos y órganos que se han creado con el principal objetivo de facilitar la cooperación jurídica internacional.

[133] *Vid. Acuerdo de 27 de septiembre de 2018, del Pleno del Consejo General del Poder Judicial, por el que se aprueba el Reglamento 1/2018, sobre auxilio judicial internacional y redes de cooperación judicial internacional* (*BOE* n.° 249, de 15 de octubre de 2018, pp. 100017 y ss.)

[134] Como se puede comprobar en su Plan de Acción 2018-2020, sus líneas estratégicas de actuación pueden incidir directamente en hacer que en muchos supuestos el objetivo buscado con una orden europea de investigación pueda llegar a ser efectivo:
a) Estrategia I: Fortalecimiento de la localización y recuperación de activos, para lo cual se señalan estos objetivos operativos: (i) afianzar el mapa de colaboración internacional en materia de recuperación de activos; (ii) consolidar el procedimiento de localización y recuperación de bienes, garantizando la eficacia y la seguridad jurídica; y (iii) calidad de la respuesta (profundizar en la averiguación patrimonial, aportando a los órganos judiciales y fiscalías información de titularidad patrimonial nominal e indicios de titularidades reales, en un formato operativo y claro) y mejorar los procedimientos de seguimiento de resoluciones judiciales y de auxilio en el seguimiento de comisiones rogatorias.
b) Estrategia II: Consolidación de la gestión de bienes, para lo cual se señalan estos objetivos operativos: (i) extender la gestión de activos a todo tipo de bienes y situaciones; (ii) agilizar la gestión de bienes independientemente de su naturaleza; (iii) seguir impulsando la actuación de choque; y (iv) incorporar criterios de calidad a las actuaciones de gestión de bienes de la ORGA.
c) Estrategia III: Puesta en marcha de la Comisión de adjudicación de bienes producto del delito, para con ello cumplir con uno de los fines principales de la ORGA: destinar parte del dinero decomisado en fines que reviertan en la sociedad, principalmente los dirigidos al impulso de programas de ayuda a víctimas y a la lucha contra la criminalidad organizada.
Con relación a esta institución, *vid.* JIMÉNEZ FRANCO, E. A., "La Oficina de Recuperación y Gestión de Activos (ORGA) de España: origen, presente y futuro", en BERDUGO GÓMEZ DE LA TORRE, I., FABIÁN CAPARRÓS, E. A., RODRÍGUEZ-GARCÍA, N., *Recuperación de activos…, cit.*, pp. 63 y ss.

nismos de cooperación policial europea durante toda la tramitación de la orden europea de investigación, en particular en su preparación. Siendo así, y conocidas las restricciones que en esta materia contiene la regulación europea y nacional de la OEI, explicitar el rol a desempeñar, por ejemplo, por Europol o por la División de Cooperación Internacional dependiente de la Dirección General de la Policía.

5.3. Recepción

[38] El Estado de ejecución de una orden europea de investigación tiene que acusar recibo de la recepción de la OEI a la autoridad del Estado de emisión que se la ha transmitido y que aparece identificada en el formulario del Anexo XIII LRM.

Estamos ante una obligación que afecta a distintos sujetos[135]: (i) siempre, la autoridad competente para reconocer y ejecutar la OEI; y, cuando proceda, (ii) la autoridad central del Estado de ejecución y (iii) la autoridad que transmitió la OEI a la autoridad competente.

[39] También aquí la comunicación tiene que ser, (i) por un lado directa, por las vías y medios señaladas anteriormente con relación a la transmisión; y, (ii) por otra, formal, porque también el legislador ha unificado y protocolizado esta confirmación en el formulario del Anexo XIV LRM, que tiene los siguientes apartados:

a) Autoridad que ha emitido la OEI.

b) Autoridad receptora de la OEI.

c) Cuando proceda, autoridad competente a la que la autoridad receptora de la OEI transmitió la orden.

[40] La Ley sobre la Orden Europea de Investigación no regula, porque no puede y porque sería inocuo, en qué plazo las autoridades del país de ejecución tienen que efectuar este acuse de recibo. Una vez más, nos puede de valer de referencia cómo ha resuelto el legislador nacional este tema para cuando el Ministerio Público español es el que recibe una orden europea de investigación: el art. 212.1 LRM le otorga un plazo máximo de una semana desde la recepción.

---

[135] *Curioso* que esta previsión se contenga en la nota n.º 1 del Anexo XIV LRM y no en su articulado.

[41] Finalmente, señalar que la comunicación directa con la autoridad de ejecución por parte de los fiscales o jueces españoles que hayan emitido una orden europea de investigación permite no termina con la transmisión y recepción de la OEI por aquéllos. Muy al contrario: es permanente.

El art. 192 LRM, por ejemplo, permite que las autoridades españolas competentes comuniquen a la autoridad de ejecución, en el plazo de diez días, si decide retirar, modificar o completar la orden europea de investigación en dos casos: (i) cuando la autoridad de ejecución comunique que el resultado perseguido por la orden europea de investigación puede conseguirse mediante una medida de investigación menos restrictiva que la solicitada por la autoridad de emisión; y (ii) cuando la autoridad de ejecución comunique que la medida de investigación solicitada no existe en su Derecho o no está prevista para un caso interno similar, pero existe otra medida distinta que puede ser idónea para los fines de la orden solicitada.

6. REFLEXIÓN FINAL

[42] Después del estudio que hemos hecho, al menos hay una primera cuestión que tenemos que tener clara: el principio de reconocimiento mutuo ha venido desde Lisboa para quedarse, puesto que ha dejado de ser una *opción* sobre la que hacer pivotar la cooperación judicial penal en Europa para convertirse, además de en una *imposición legal al más alto nivel*, en una *necesidad* cuya conveniencia en la articulación del espacio judicial europeo se acredita día a día con los resultados prácticos que se van obteniendo con el funcionamiento de diversos instrumentos jurídicos comunitarios concebidos a partir del reconocimiento mutuo. Con la aprobación e implementaciones nacionales de la orden europea de investigación se redobla la apuesta europea sobre libre circulación de pruebas en un campo tan sensible para la soberanía nacional de los Estados como es la justicia penal.

[43] Cuando, en su estudio, nos acercamos por primera vez al texto aprobado de la DIR 2014/41, y luego a la Ley española de transposición, caímos en un doble error: (i) confiar en que en el mismo se habían superado todas las lagunas, complejidades y oscuridades denunciadas con relación a la propuesta de Directiva[136]; y (ii) pensar que éstas son más frecuentes en el tratamiento jurídico cuando el Estado de ejecución es España y, en menor medida, cuando son los fiscales y jueces españoles los que emiten una orden europea de investigación. Nada más lejos de la realidad.

---

[136]　*Cfr.* BACHMAIER WINTER, L., "La propuesta…, *cit.*, p. 13.

Hemos analizado, desde esta segunda perspectiva, la normativa reguladora de la OEI, publicitando una exégesis de los preceptos legales europeos y nacionales que, a buen seguro, van a hacer concluir al lector que
el *law in action* tiene hartamente complicado alcanzar las cotas de confianza mutua, rapidez y eficacia con las que la orden fue ideada en el *law in
books*. ¡Qué decir si, además, gran parte de los Estados miembros de la UE
han desconocido –y superado– el plazo de transposición fijado en la DIR
2014/41!

En la *Declaración Schuman* de 9 de mayo de 1950, en la que propugnaba
la creación de una Comunidad Europea del Carbón y del Acero, Robert
Schuman y Jean Monnet ya avisaron que *Europa no se hará de una vez ni en
una obra de conjunto: se hará gracias a realizaciones concretas*, motivo por el
cual apostaban por avanzar en la cooperación entre los Estados a través de
pequeños pasos. Pasados casi setenta años de aquel hecho histórico, la tozu-
dez de los hechos nos ha enseñado que sigue siendo necesario apuntalar
y promover, día a día, la *confianza mutua* entre los Estados miembros, con
hechos y no solo con palabras, si es que lo que se quiere es que se dé un
funcionamiento adecuado de los instrumentos basados en el principio de
reconocimiento mutuo[137].

---

[137]   Y también, a decir de ARANGÜENA FANEGO, C., *La armonización de las garantías proce-
        sales del sospechosos y acusados en la Unión Europea*, Real Academia de Legislación y Juris-
        prudencia de Valladolid, Valladolid, 2019, pp. 54 y 55, perseverar en la tarea de la ar-
        monización, para mejorar y consolidar el estatuto procesal del sospechoso/inculpado
        en la Unión Europea con unos estándares de calidad superiores a los que proporciona
        el Convenio Europeo de Derechos Humanos y el Tribunal de Estrasburgo.

Capítulo XXVI

EMISIÓN DE LA ORDEN EUROPEA DE INVESTIGACIÓN DESDE LA PERSPECTIVA DEL DERECHO A SOLICITARLA

Anna FIODOROVA
Ayudante específica Doctora de Derecho Procesal
Universidad Carlos III de Madrid

SUMARIO: 1. INTRODUCCIÓN. 2. ORDEN EUROPEA DE INVESTIGACIÓN: ¿QUIÉN LA PUEDE SOLICITAR?. 3. ALGUNAS REFLEXIONES SOBRE EL DERE-CHO DE LA VÍCTIMA A SOLICITAR LA ORDEN EUROPEA DE INVESTIGACIÓN. 4. CONCLUSIONES.

RESUMEN: La orden europea de investigación es uno de los instrumentos más novedosos en la cooperación judicial penal en la Unión Europea y supone una evolución importante para las investigaciones transfronterizas.

Uno de sus aspectos innovadores es la incorporación del derecho del sospe-choso y del acusado a pedir la emisión de una orden europea de investigación para obtener pruebas de descargo, superando así la práctica común anterior de emisión *de oficio* de las medidas de reconocimiento mutuo.

El objetivo de esta comunicación es analizar la regulación, ventajas e inconve-nientes de la regulación del derecho a solicitar la emisión de una orden eu-ropea de investigación al nivel de la Unión Europea, en España y en otros Estados miembros, centrándose, entre otras cosas, en la posible extensión de la redacción del articulado de la Directiva 2014/41/UE para incluir también a las víctimas como sujeto de este derecho.

ABSTRACT: A European Investigation Order is one of the most recent instruments of the European Union cooperation in penal matters and the important evolution for the cross-border investigations.

One of its innovative aspects is the incorporation of the right of suspect and accused to request the issuing of the European Investigation Order for the exonerating evidence and overcoming a common practice to issue mutual recognition measures *ex officio*.

The objective of this communication is the analysis of the regulation, advantages and set-backs at the level of the European Union, Spanish and other Member States of the right to request issuing a European Investigation Order, focusing, among other aspects, on a possible extension of the wording of the Directive 2014/41 to victims as subject to this right.

PALABRAS CLAVES: Directiva 2014/41, Ley 23/2014, Ley 3/2018, orden europea de investigación, emisión de OEI, sospechoso y acusado, víctima, igualdad de armas.

KEY WORDS: Directive 2014/41, Law 23/2014, Law 3/2018, European Investigation Order, issuing of the EIO, suspect and accused, victim, equality of arms.

1. INTRODUCCIÓN

Este año celebramos el aniversario del principio del reconocimiento mutuo, que por primera vez fue asumido en las Conclusiones del Consejo Europeo de Tampere (la primera estrategia multianual en el ámbito de seguridad y justicia) y hoy en día ya encontramos reflejado en el art. 82 del Tratado de Funcionamiento de la Unión Europea (en adelante, TFUE), como fundamento de la cooperación judicial, de la siguiente manera: "La cooperación judicial en materia penal en la Unión se basará en el principio de reconocimiento mutuo de las sentencias y resoluciones judiciales e incluye la aproximación de las disposiciones legales y reglamentarias de los Estados miembros (...)"[1]

De forma muy sucinta, pero siendo conscientes de la existencia de diferentes matices,[2] el reconocimiento mutuo se puede entender como el reconocimiento y ejecución por un Estado miembro de las resoluciones dictadas por los órganos jurisdiccionales de otro Estado miembro, salvo la existencia de motivos tasados de la denegación.

Como podemos ver en la disposición citada del TFUE, el alcance del reconocimiento mutuo abarca no solo las sentencias, sino también otras resoluciones judiciales, así que la aplicación del reconocimiento mutuo se extiende a diferentes fases del proceso penal.

A lo largo de dos décadas, la Unión Europea ha ido desarrollando diferentes medidas de reconocimiento mutuo en materia penal y en la actualidad este

---

[1]   DOUE C 326, 26.10.2012, p. 78.
[2]   Vid. más sobre los conceptos del principio de reconocimiento mutuo DE HOYOS SANCHO, Montserrat, "El principio de reconocimiento mutuo como principio rector de la cooperación judicial europea", en JUMENO BULNES, Mar, *La cooperación judicial civil y penal en el ámbito de la Unión Europea: instrumentos procesales,* Bosch, Barcelona, 2007, pp. 69-93.

se aplica a diez tipos de resoluciones judiciales: detención y entrega, embargo preventivo, aseguramiento de pruebas, sanciones pecuniarias, decomiso, medidas privativas de libertad, libertad vigilada, medidas de vigilancia como sustitución de la prisión provisional, protección y medidas de investigación.

Uno de los últimos logros en este ámbito fue la aprobación de la Directiva 2014/41/CE del Parlamento Europeo y del Consejo, de 3 de abril de 2014, relativa a la orden europea de investigación en materia penal (en adelante, Directiva 2014/41).[3]

La directiva marca un antes y un después en materia de obtención de pruebas transfronterizas, porque abarca casi todas las medidas de investigación, desde el mero traslado de pruebas que ya están a disposición de las autoridades competentes del Estado de ejecución, hasta medidas nuevas, tanto de carácter puntual (como la identificación del titular de una dirección IP o el registro de un inmueble), como más duraderas en el tiempo "que impliquen la obtención de pruebas en tiempo real, de manera continua o durante un determinado período de tiempo"[4] (como el seguimiento de operaciones bancarias o las investigaciones encubiertas). Así se pasa de la simple obtención de documentos y datos que obran en poder del Estado de ejecución, medida ya prevista en la Decisión Marco 2008/978/JAI del Consejo, de 18 de diciembre de 2008, relativa al exhorto europeo de obtención de pruebas para recabar objetos, documentos y datos destinados a procedimientos en materia penal, a la ejecución de medidas de investigación de todo tipo.[5] Las únicas excepciones que contempla la regulación por medio de la Directiva 2014/41 son los equipos conjuntos de investigación y la vigilancia transfronteriza.[6] Con este nuevo instrumento se pone "fin a la fragmentación actual de las fuentes europeas aplicables a la obtención

---

3   DOUE L 130, 1.5.2014, p. 1-36. El mismo día también fue aprobada la Directiva 2014/42/UE del Parlamento Europeo y del Consejo, de 3 de abril de 2014, sobre el embargo y el decomiso de los instrumentos y del producto del delito en la Unión Europea DOUE L 127, 29.4.2014, p. 39-50 y la última medida aprobada es Reglamento (UE) 2018/1805 del Parlamento Europeo y del Consejo de 14 de noviembre de 2018 sobre el reconocimiento mutuo de las resoluciones de embargo y decomiso (DOUE L 303, 28.11.2018, pp. 1-38.

4   Exposición de motivos de la Ley 3/2018.

5   Vid. ESCRIBANO MORA, Ana, "El exhorto de obtención de pruebas y la orden europea de investigación", en GONZÁLEZ CANO, Mª Isabel, *Cooperación judicial penal en la Unión Europea. Reflexiones sobre algunos aspectos de la investigación y el enjuiciamiento en el espacio europeo de justicia penal*, Valencia: Tirant lo Blanch, 2015, p. 513.

6   Vid. BACHMAIER, Lorena, "Prueba transnacional penal en Europa: la Directiva 2014/41 relativa a la orden europea de investigación", *Revista General de Derecho Europeo*, 36, 2015, p. 5; ARANGÜENA FANEGO, Coral, "Orden Europea de Investigación:

de pruebas y a la disparidad de regímenes jurídicos correspondientes a la distinta naturaleza de las fuentes".[7] Esto significa una verdadera transición desde la asistencia mutua al reconocimiento mutuo en la cooperación en la investigación penal[8] y un "novedoso planteamiento que favorece la libre y eficaz circulación de pruebas".[9]

Esta nueva herramienta, que se aplica desde el 22 de mayo de 2017 y plantea algunos problemas y dudas, tanto al nivel europeo, como nacional (por ejemplo, ejecución de una OEI emitida para investigar una infracción de disposiciones legales pero no penales; nivel de discrecionalidad del Estado de ejecución para aplicar el principio de proporcionalidad u otras medidas distintas a las previstas en la OEI; relación entre Ministerio Fiscal y tribunales en la ejecución de la OEI en España; defensa de los intereses del sospechoso o acusado en el Estado de ejecución, etc.).

Siendo tan amplia la posibilidad de utilizar la OEI para la obtención de pruebas, resulta de gran interés analizar quién tiene derecho a solicitar su emisión. ¿Sólo la autoridad de investigación? ¿También el sospechoso o acusado?[10] ¿Todas las partes procesales?

Así, el objetivo de esta comunicación es analizar la regulación del derecho a solicitar la emisión de la OEI en la Directiva 2014/41 y la Ley 3/2018, de 11 de junio, por la que se modifica la Ley 23/2014, de 20 de noviembre, de reconocimiento mutuo de resoluciones penales en la Unión Europea, para regular la orden europea de investigación (en adelante, Ley 3/2018), señalar sus diferencias y compararlas con la regulación en otros Estados miembros de la Unión Europea.

---

próxima implementación en España del nuevo instrumento de obtención de prueba penal transfronteriza", *Revista de Derecho Comunitario Europeo*, 58, 2017, pp. 914-915.

[7]   DE JORGE MESAS, Luís Francisco, *Reconocimiento de las resoluciones penales en la Unión Europea*, Tirant lo Blanch, Valencia, 2016, p. 117.

[8]   Vid. MARTÍNEZ GARCÍA, Elena, *La orden europea de investigación. Actos de Investigación, Ilicitud de la prueba y Cooperación judicial* transfronteriza, Tirant lo Blanch, Valencia, 2016, p. 51.

[9]   ROMERO PRADAS, Mª Isabel, "La prueba penal en Europa, una cuestión compleja. La orden europea de investigación como nuevo instrumento de obtención de pruebas en procesos penales transnacionales y su próxima incorporación al Derecho español", en GONZÁLEZ CANO, Mª Isabel, *Integración europea y justicia penal*, Tirant lo Blanch, Valencia, 2018, p. 359.

[10] Aunque con la reforma de la Ley de enjuiciamiento criminal de 2015 se han modificado las denominaciones de las personas implicadas en el proceso penal, el legislador europeo sigue refiriéndose a los sospechosos y acusados. Sin embargo, ningún acto legislativo de la Unión Europea define quién se considera sospechoso o acusado, dejándolo al albur de la legislación nacional.

2. ORDEN EUROPEA DE INVESTIGACIÓN: ¿QUIÉN LA PUEDE SOLICITAR?

Antes de empezar el análisis de las disposiciones europeas y nacionales, debe señalarse la diferencia entre sujetos que tienen la competencia emitir la OEI y sujetos que pueden solicitar su emisión.

El art. 2 de la Directiva 2014/41 establece que la autoridad competente para emitir la OEI puede ser una autoridad judicial o fiscal. No se impide la emisión de la OEI por una "autoridad de investigación en procesos penales y [que] tenga competencia para ordenar la obtención de pruebas con arreglo al Derecho nacional", pero en este caso se obliga a obtener una validación por la parte de una autoridad judicial o fiscal del Estado de emisión.

El art. 187 de la Ley 3/2018 otorga el derecho de emisión a dos autoridades, dependiendo de la naturaleza de la medida de investigación:

- Para las medidas que no limiten derechos fundamentales, los fiscales en los procedimientos que dirijan.

- Para las medidas que limiten derechos fundamentales, los jueces o tribunales que conozcan del proceso penal concreto o que hayan admitido la prueba en la fase de enjuiciamiento.

Como hemos señalado, el papel tan prominente del Ministerio Fiscal en la emisión y especialmente en la ejecución de la OEI ha provocado muchos debates, como, por ejemplo, el reducido número de medidas que no suponen una limitación de derechos fundamentales o la falta de recurso ante una resolución del fiscal.

En cuanto al derecho a solicitar la emisión de la OEI, la Directiva 2014/41 supone un gran avance, porque además de la emisión de la OEI *de oficio*, otorga la posibilidad de solicitarla también a una persona sospechosa o acusada, o por un abogado en su nombre, lo cual se puede considerar como un derecho dentro del proceso penal. Con esta disposición se pretende poner el fin al desequilibrio que anteriormente existía entre las posibilidades de la parte acusadora y la parte acusada para poner a su alcance medidas de investigación de carácter supranacional orientadas a obtener pruebas de descargo.[11] Esta disposición va totalmente en línea con la política de la Unión Europea respecto a las garantías procesales de sospechosos y acusados y su fortalecimiento en la última década.

---

[11]   Vid. MARTÍN GARCÍA, Antonio Luís, BUJOSA VADELL, Lorenzo, *La obtención de prueba en materia penal en la Unión Europea*, Atelier, Barcelona, 2016, p. 126; ROMERO PRADAS, Mª Isabel, "La prueba penal en Europa…", *loc. cit.*, p. 382.

Sin embargo, a pesar del avance que supone la introducción de tal derecho del sospechoso o acusado o de su abogado, encontramos algunas carencias significativas en la regulación europea:

- El legislador europeo no establece qué autoridad debería resolver la solicitud del sospechoso y acusado. Como señala Martínez García, "este derecho ha sido uno de los *caballos de Troya* por los que ha sido duramente criticada la Directiva durante su tramitación, consiguiéndose finalmente el reconocimiento del ejercicio de este derecho, de conformidad con las normas del estado de ejecución".[12] A falta de regulación por la directiva, los Estados miembros pueden dejar la resolución sobre la procedencia o no de la emisión de dichas OEI en manos del fiscal o incluso de una autoridad de investigación, que al final y al cabo son parte acusadora en el proceso. Si en España este problema no tendría más repercusión, dado el principio de imparcialidad por el que en nuestro país se rige el Ministerio Fiscal, cuyas funciones son más amplias que el ejercicio de la acusación, en otros Estados miembros el papel del fiscal está mucho más enfocado a la investigación y acusación. Para asegurarse de que este derecho se puede aplicar de manera eficaz, el legislador europeo debería al menos haber establecido que la solicitud por parte del sospechoso o acusado debe ser resuelta por un órgano genuinamente judicial, que actúe de alguna manera como juez de garantías.[13]

- El derecho de solicitar la OEI se otorga solo al sospechoso o acusado, pero en ningún momento se refiere al derecho de la víctima u otras posibles partes del proceso penal.[14]

En este punto, es justo reconocer que, debido a sus peculiaridades políticas e históricas y a sus variados sistemas legislativos, los Estados miembros de la Unión Europea tienen regulaciones muy distintas del estatuto de la víctima y de su papel en el proceso penal. Así, se distinguen tres modelos principales (aunque suelen aparecer modelos mixtos) con respecto a la posición de la víctima en el proceso:

---

[12] MARTÍNEZ GARCÍA, Elena, *La orden europea de investigación...*, *op. cit.*, p. 53.
[13] FIODOROVA, Anna, "La orden europea de investigación", en ORTEGA BURGOS, Enrique, *Actualidad Penal 2018-2019*, Tirant lo Blanch, Valencia, (en imprenta), p. 207.
[14] Vid. MANGIARACINA, Annalisa, "A New and Controversial Scenario in the Gathering of Evidence at the European Level: The Proposal for a Directive on the European Investigation Order", *Utrecht Law Review*, vol. 10, issue 1, 2014, p. 125.

–   Víctima como testigo, sometida a la obligación legal o a la reco-mendación de participar activamente en el proceso (Reino Unido, Irlanda y Chipre).[15]

–   Víctima como sujeto con derecho a indemnización, con derecho legalmente reconocido a participar de modo activo en el proceso penal, aunque no se le reconoce el estatuto de parte en el mismo (Bélgica, Bulgaria, Dinamarca, Eslovaquia, Eslovenia, Estonia, Fran-cia, Italia, Lituania, Luxemburgo, Letonia, Malta, Países Bajos, Re-pública Checa y Suecia).

–   Víctima como titular de los derechos vulnerados, a la que se le re-conoce el estatuto jurídico de parte en el proceso penal (Alemania, Austria, Croacia, España, Finlandia, Grecia, Hungría, Polonia, Por-tugal y Rumanía).[16]

Estas diferencias podrían justificar la falta de incorporación a la Directi-va 2014/41 del derecho de la víctima a solicitar la OEI.

Por otro lado, para aclarar los derechos mínimos de la víctima en el proceso penal al nivel de la Unión Europea e independientemente de su posición en el proceso, nos referimos a la Directiva 2012/29/UE del Parla-mento Europeo y del Consejo, de 25 de octubre de 2012, por la que se esta-blecen normas mínimas sobre los derechos, el apoyo y la protección de las víctimas de delitos, y por la que se sustituye la Decisión marco 2001/220/JAI del Consejo (en adelante, Directiva 2012/29)[17]. Su art. 10 establece el derecho de todas las víctimas a ser oídas y a facilitar elementos de prueba, pero también manifiesta que "las normas de procedimiento en virtud de las cuales las víctimas pueden ser oídas y pueden presentar pruebas duran-te el proceso penal se determinarán en el Derecho nacional".

De esta disposición podemos deducir que el legislador europeo no sien-te la necesidad de regular de manera más precisa cómo la víctima puede facilitar elementos de prueba, sino que lo deja a la libre disposición de los legisladores nacionales y, como consecuencia, tampoco incorpora el dere-cho de la víctima a solicitar la OEI.

---

[15]   Vid. SANZ HERMIDA, Ágata María, *La situación jurídica de la víctima en el proceso penal,* Tirant lo Blanch, Valencia, 2008, pp. 69-70.

[16]   Vid. EUROPEAN AGENCY FOR FUNDAMENTAL RIGHTS, "Victims of crime in the EU: the extent and nature of support for victim", Publications Office of the European Union, Luxemburgo, 2014, pp. 28-31. Disponible en: http://fra.europa.eu/sites/default/files/fra-2015-victims-crime-eu-support_en_0.pdf [consultada 14 de enero de 2019].

[17]   DOUE L 315, 14.11.2012, pp. 57-73.

En legislador español, con la articulación de la Ley 3/2018, supera esta deficiencia de la Directiva 2014/41. Así, el apartado 1 del art. 189 indica que la OEI se emitirá de oficio o a instancia de parte, lo incluye no sólo a las personas sujetas al procedimiento, sino también a todos los tipos de acusaciones que existen en España (pública, particular y popular).

Consideramos la posición del legislador español muy acertada, porque verdaderamente contribuye al principio de igualdad de las partes en el proceso penal, sin tener más derechos, poderes o posibilidades, deberes y obligaciones que la otra, y sin privilegios o mejor posicionamiento.[18]

El derecho de la víctima a solicitar la OEI también es muy importante desde punto de vista de los delitos privados. Nos podemos encontrar con una situación, en el caso de un delito privado con un elemento transfronterizo (por ejemplo, una calumnia que tuvo lugar en otro Estado miembro de la Unión Europea), en la que la acusación particular tendrá que buscar las pruebas fuera de España.

Volviendo al derecho del sospechoso y acusado a solicitar la OEI, la Ley 3/2018 no menciona expresamente, como sí hace la Directiva, que un abogado pueda solicitar la OEI en nombre del sospechoso o acusado, pero teniendo en cuenta el sistema del proceso penal español, al fin y al acabo la medida se va a pedir a través del abogado y por eso no vemos mayor problema con la redacción de la ley nacional.

En el panorama europeo, nos encontramos con diferentes posiciones de los legisladores de otros Estados miembros sobre el derecho a solicitar la OEI.

En el Reino Unido, la Regulación de 2017 de Justicia Criminal (Orden Europea de Investigación) prevé que, cuando la OEI haya sido solicitada por una parte procesal, su emisión (si procede) será acordada por el juez. Como podemos observar, el legislador británico tampoco se refiere sólo al "sospecho o acusado". Por otra parte, debemos tener en cuenta que en el derecho anglosajón a la víctima se le otorga el papel de testigo y no de parte en el proceso.

En Francia, la ordenanza del 1 de diciembre de 2016, sobre la orden de investigación europea en materia penal otorga el derecho de solicitar la OEI a la persona sospechosa o acusada, a la víctima o la parte civil del proceso.

---

[18] Vid. MORENO CATENA, Víctor, CORTÉS DOMÍNGUEZ, Valentín, *Introducción al Derecho Procesal*, 9ª edición, Tirant lo Blanch, Valencia, 2017, p. 243; MONTERO AROCA, Juan, J. L. GÓMEZ COLOMER, Juan Luís, BARONA VILAR, Silvia, *Derecho jurisdiccional I. Parte General*, 26ª edición, Tirant lo Blanch, Valencia, 2018, p. 253.

El legislador griego, en el art. 7 de la Ley 4489 relativa a la Orden europea de investigación en asuntos penales (Transposición de la Directiva 2014/41/UE y otras disposiciones) manifiesta que la OEI se emite *de oficio* o a solicitud del sospecho o acusado o de sus abogados. De la misma manera se pronuncia el legislados búlgaro en la Ley relativa a la orden europea de investigación.

En Alemania, la Cuarta ley de modificación de la Ley sobre asistencia judicial internacional mutua en materia penal guarda silencio sobre el derecho de solicitar la OEI y se refiere sólo a las autoridades de emisión. Tampoco hacen ninguna referencia a este derecho el legislador belga y el lituano en sus respectivas leyes de transposición de la Directiva 2014/41.

En cuanto a las autoridades competentes para emitir la OEI, en la mayoría de los Estados miembros serán los fiscales o tribunales que conocen el caso concreto (por ejemplo, Alemania, Croacia, Eslovaquia, Estonia, Francia, Hungría, Italia, Lituania, Países Bajos, Portugal, Reino Unido y Rumanía). En algunos casos, además de las autoridades judiciales (fiscales y tribunales), el derecho de emitir la OEI (con validación posterior por la parte de una autoridad judicial) también se otorga a las autoridades competentes de llevar a cabo la investigación, es decir, las que actúan como policía judicial (por ejemplo, Finlandia, Grecia y Letonia).[19]

3. ALGUNAS REFLEXIONES SOBRE EL DERECHO DE LA VÍCTIMA A SOLICITAR LA ORDEN EUROPEA DE INVESTIGACIÓN

Considerando el derecho a solicitar la OEI como un derecho procesal, su otorgamiento a todas las partes contribuye al principio de igualdad de armas en el proceso. Como ha manifestado el Tribunal Europeo de Derechos Humanos, la igualdad de armas es uno de los elementos del concepto más amplio que es la tutela judicial efectiva y exige que cada parte tenga la oportunidad de presentar su caso bajo condiciones que no la ponen

---

[19]   GENERAL SECRETARIAT OF THE COUNCIL, "Directive 2014/41/EU of 3 April 2014 regarding the European Investigation Order in criminal matters. Competent authorities and languages. Paper by EJN", 15 de diciembre de 2017, Bruselas. Disponible en https://www.ejn-crimjust.europa.eu/ejnupload/EIO/Additional_info_EIO_EJN. PDF [consultada 20 de enero de 2019].

en situación menos ventajosa que su oponente.[20] Es verdad que los casos resueltos por este Tribunal se refieren a la situación del sospechoso o acusado frente a la acusación por parte del Ministerio Fiscal, pero el concepto se debería aplicar de igual manera a otras partes del proceso, incluyendo las víctimas. Actualmente, la igualdad en el derecho a solicitar la OEI es de gran importancia debido a la libre circulación de personas que se traduce, por un lado, en millones de desplazamientos cada año y, por otro lado, en un riesgo de convertirse en víctima de un delito en otro estado y la consiguiente necesidad de recabar pruebas transfronterizas para el proceso. Desde este punto de vista, nos parece adecuado otorgar este derecho no sólo a los sospechosos y acusados, sino también a las víctimas.

Como ya hemos mencionado, también se puede entender la omisión de este derecho de víctima por el legislador europeo teniendo en cuenta las diferencias en la posición procesal de la víctima en diferentes países. Sin embargo, en esta situación nos encontramos con una pregunta: ¿Puede el legislador nacional establecer tal derecho al nivel nacional o sería una mala trasposición de la Directiva 2014/41?

Para contestar a esta pregunta, analizaremos las disposiciones del legislador europeo de manera sistemática.

1. El considerando 11 de la Directiva 2012/29 afirma que "la presente Directiva establece normas de carácter mínimo. Los Estados miembros pueden ampliar los derechos establecidos en la presente Directiva con el fin de proporcionar un nivel más elevado de protección" de la víctima. Desde este punto de vista, consideramos que el legislador nacional está en pleno derecho establecer que para la presentación de las pruebas en el proceso penal la víctima puede solicitar la emisión de la OEI.

2. El apartado 4 del art. 1 de la Directiva 2014/41 sostiene que "la presente Directiva no podrá tener por efecto modificar la obligación de respetar los derechos fundamentales y los principios jurídicos enunciados en el artículo 6 del TUE [Tratado de la Unión Europea]". Dicho artículo se refiere a la Carta de los Derechos Fundamentales de la Unión Europea[21], cuyo art. 47 prevé a su vez que "toda persona cuyos derechos y libertades garantizados por el Derecho de la Unión hayan sido violados tiene derecho a la tutela judicial efecti-

---

[20]   Sentencia del Tribunal Europeo de Derechos Humanos del 6 de julio de 2010 en el caso *Užukauskas v. Lituania*, ECLI:CE:ECHR:2010:0706JUD001696504.

[21]   DO C 326, 26.10.2012, pp. 391-407.

va respetando las condiciones establecidas en el presente articulo. […] Toda persona podrá hacerse aconsejar, defender y representar." Como hemos mencionado, la jurisprudencia del Tribunal Europeo de Derechos Humanos ha reconocido la igualdad de armas en el proceso penal como uno de los elementos claves de la tutela judicial efectiva, y por eso consideramos que la ausencia de una disposición sobre el derecho de la víctima a solicitar la OEI en la Directiva 2014/41 no impide en modo alguno que se pueda establecer al nivel nacional para una correcta aplicación de la tutela judicial efectiva de los intereses de la víctima.

4. CONCLUSIONES

La introducción de la OEI en el proceso penal es un gran avance para conseguir la investigación y persecución eficaz de los delitos transfronterizos.

Dentro de las múltiples preguntas y dudas sobre su aplicación, que se irán resolviendo paulatinamente sólo después de algunos años de aplicación práctica y con la jurisprudencia del Tribunal de Justicia de la Unión Europea, hemos abordado la cuestión del derecho a solicitar la emisión de la OEI.

El legislador europeo prevé explícitamente el derecho de emisión de la OEI *de oficio* y a solicitud del sospechoso o acusado (o por medio de su defensa), dejando fuera de la articulación de la Directiva 2014/41 a la víctima y creando así una imagen de desigualdad entre las víctimas y sospechosos/acusados en cuanto a la posibilidad de obtener una prueba transfronteriza.

Sin embargo, consideramos que una interpretación conjunta y sistemática de las Directivas 2014/41 y 2012/29 y de la Carta de los Derechos Fundamentales de la Unión Europea permite llegar a la conclusión de que no hay obstáculos que impidan incorporar este derecho al nivel nacional, superando así la deficiencia de la legislación europea y asegurando la igualdad de armas de todas las partes del proceso.

España se encuentra entre los pocos Estados miembros que han previsto la posibilidad de solicitar la OEI para todas las partes del proceso. Sin embargo, a día de hoy muchos Estados miembros no incluyen a la víctima como sujeto de este derecho, limitando de este modo sus posibilidades de disfrutar del derecho procesal a aportar pruebas, también en los procesos con elementos transfronterizos.

Capítulo XXVII

ALGUNAS CONSIDERACIONES EN TORNO A LA EMISIÓN DE UNA ORDEN EUROPEA DE INVESTIGACIÓN POR LAS AUTORIDADES JUDICIALES ESPAÑOLAS[1]

Elisabet Cerrato Guri
Profesora agregada de Derecho Procesal
Universitat Rovira i Virgili

SUMARIO: 1. CONCEPTO Y ÁMBITO DE APLICACIÓN DE LA ORDEN EUROPEA DE INVESTIGACIÓN. 2. LA EMISIÓN DE UNA OEI POR EL ESTADO ESPAÑOL. 2.1. Tipos de procedimientos en los que España puede emitir una OEI. 2.2. ¿Quién puede solicitar una OEI?. 2.3. ¿Quién puede emitirla?. 2.4. Requisitos para su emisión. 2.5. ¿Cómo se transmite?. 2.6. Forma y contenido. 3. CONCLUSIONES.

RESUMEN: Este trabajo tiene por objeto analizar la problemática que puede derivarse de la emisión, por parte de un juez penal español, de una Orden Europea de Investigación para pedir pruebas y/o diligencias de investigación a otro Estado miembro de la Unión Europea para, posteriormente, poderlas incorporar al proceso del que está conociendo.

ABSTRACT: The aim of this paper is to analyse the problems that may arise from the issuance, by a Spanish criminal judge, of a European Investigation Order to request evidence and/or investigative measures from another Member State of the European Union, with the purpose of incorporating them later to the Spanish criminal process.

PALABRAS CLAVES: Orden europea de investigación, cooperación judicial penal, emisión, prueba, diligencias de investigación.

KEY WORDS: European investigation order, judicial cooperation in criminal matters, issuing, evidence, investigative measure.

---

[1] Este trabajo se enmarca en el proyecto I+D "Hacia una nueva regulación de la prueba pericial" (DER2016-7549-P), financiado por el Ministerio de Economía y Competitividad, y el Grupo de Investigación Consolidado *Evidence Law* (2017 SGR 1205) financiado por la AGAUR, en ambos como investigador principal el profesor Joan Picó i Junoy.

1. CONCEPTO Y ÁMBITO DE APLICACIÓN DE LA ORDEN EUROPEA DE INVESTIGACIÓN

Del análisis conjunto de los arts. 1 de la Directiva y 186.1 de la Ley 23/2014, podemos definir la Orden Europea de Investigación (en adelante OEI) como el instrumento de cooperación judicial penal, que adopta la forma de una resolución judicial emitida o validada por la autoridad judicial competente, que permite a un Estado miembro (emite y transmite la orden) pedir pruebas y/o diligencias de investigación a otro Estado miembro (el que reconoce y ejecuta la orden) para, posteriormente, poderlas incorporar a su proceso penal interno[2].

En concreto, su finalidad es alcanzar uno o ambos de los siguientes propósitos: a) practicar una o más medidas de investigación para la obtención de pruebas en otro u otros Estados miembros; y/o b) obtener pruebas que ya obren en poder de las autoridades competentes del Estado de ejecución. Asimismo, la Directiva ha querido incluir la posibilidad de utilizar la OEI para adoptar cualquier medida de investigación destinada a impedir de forma cautelar la destrucción, transformación, desplazamiento, transferencia o enajenación de un objeto que pudiera emplearse como prueba (art. 32 de la Directiva)[3].

De este modo, se pone de manifiesto que el legislador europeo ha querido ir más allá de la mera obtención de pruebas ya existentes[4], introduciendo, como

---

[2]   Sobre el concepto de la OEI vid. también, entre otros, BACHMAIER WINTER, L., *La cooperación judicial penal*, en "Tratado de Derecho y Políticas de la Unión Europea. Tomo VIII. Ciudadanía europea y espacio de libertad, seguridad y justicia", J.M. Beneyto Pérez (Dir.), Aranzadi, 2016 [BIB 2016\21236], p. 22.; BURGOS LADRÓN DE GUEVARA, J., "La orden de investigación penal en España: aplicación y contenido. Posible relación con la orden europea de protección", en M. Jimeno Bulnes y J. Pérez Gil (Coords.), *Nuevos horizontes del derecho procesal*, J.M. Bosch, Barcelona, 2016, p. 521; y MARTÍNEZ GARCÍA, E., *La orden europea de investigación: actos de investigación, ilicitud de la prueba y cooperación judicial transfronteriza*, Tirant lo Blanch, Valencia, 2016, p. 52.

[3]   De ello se percata también JIMENO BULNES, M., *Orden europea de investigación en materia penal*, en "Aproximación legislativa versus reconocimiento mutuo en el desarrollo del espacio judicial europeo: una perspectiva multidisciplinar", J.M. Bosch, Barcelona, 2016, p. 164.

[4]   Siguiendo a MARTÍNEZ GARCÍA, E., ob. cit., p. 52, la nueva OEI se diferencia del exhorto europeo de obtención de pruebas (EEP) –regulado por la ya derogada (art. 34.2 Directiva) Decisión Marco 2008/978/JAI– en el hecho de que a través de éste no se solicitaban medidas de investigación sino pruebas y datos que se hallaban en poder del país de ejecución. Según la autora, la diferencia entre ambos instrumentos es "cualitativamente muy importante, pues este instrumento –refiriéndose al EEP– es muy inferior a lo que supone la orden europea de investigación, donde un juez le dice a otra autoridad lo que debe de hacer para colaborar". En esta línea, JIMENO BULNES, M., "Orden europea de...", ob. cit., pp. 152 y 153, matiza "la vocación de provisionalidad" del exhorto

significativa novedad, la práctica de medidas de investigación transfronterizas, permitiéndose de esta forma la colaboración entre los Estados miembros durante cualquier fase del proceso penal[5], lo que sin duda debemos aplaudir.

En relación con el ámbito de aplicación, tanto la norma europea como la estatal (arts. 3 y 186.3, respectivamente) son claras al establecer que la OEI comprende "todas las medidas de investigación", con la única excepción de la creación de un equipo conjunto de investigación y la obtención de pruebas en dicho equipo[6]. A pesar de ello, tal y como plantea cierta doctrina autorizada[7], la Directiva no concreta qué se entiende por medida de investigación, lo que puede plantear dudas a los Estados miembros que deban practicar una medida que no esté prevista en su legislación interna. En cambio, de lo que sí se ha preocupado el legislador es de añadir normas adicionales que contemplan un régimen específico –arts. 22 a 31 de la Directiva– para determinadas medidas de investigación[8].

---

por su reducido ámbito de aplicación, restringido al "reconocimiento de resoluciones jurisdiccionales dictadas con el fin de reunir (y en su caso remitir) tales objetos, documentos o datos destinados a ser utilizados en un proceso penal pendiente en diferente Estado miembro, sin contemplar cualesquiera otros medios probatorios más allá de éste de carácter documental". Igualmente se pronuncia BACHMAIER WINTER, L., "La orden europea de investigación: la propuesta de Directiva europea para la obtención de prueba en el proceso penal", *Revista Española de Derecho Europeo*, núm. 37, 2011, pp. 5 a 7, quien añade que una de las consecuencias del incompleto del EEP era que "para cualquier otra petición probatoria los fiscales y jueces habrán de cursar la correspondiente rogatoria conforme a los convenios de asistencia judicial de 1959 y de 2000". Por último, sobre la ineficacia del anterior EEP, por cubrir sólo elementos de prueba, vid. también MARTÍN GARCÍA, A. L. y BUJOSA VADELL, L., ob. cit., pp. 23 y 117 a 122.

[5]   Ténganse en cuenta el Considerando (25) de la Directiva y el Preámbulo II.5 de la Ley 3/2018.

[6]   Así lo ha establecido el art. 13 del Convenio relativo a la asistencia judicial en materia penal entre los Estados miembros de la Unión Europea (Convenio celebrado por el Consejo de conformidad con el art. 34 del TUE – DO C 197 de 12 de julio de 2000) y Decisión Marco 2002/465/JAI del Consejo, de 13 de junio de 2002, sobre equipos conjuntos de investigación – DO L 162 de 20 de junio de 2002), salvo a efectos de la aplicación respectivamente del art. 13.8 del Convenio y de art. 1.8 de la Decisión Marco. En opinión de MARTÍNEZ GARCÍA, E., ob. cit., p. 55, ha sido una lástima que no se haya logrado consenso suficiente para regular en la propia Directiva los equipos de investigación conjunta, al entender que es "lo más adecuado, eficiente y seguro para obtener una prueba en condiciones de licitud". A mayor abundamiento sobre los equipos conjuntos de investigación, si bien con relación a la trata de seres humanos, vid. GARCÍA GARCÍA, T., "La cooperación jurídica internacional en la persecución del delito de trata de seres humanos. Especial consideración a los equipos conjuntos de investigación", *Revista Aranzadi Unión Europea*, núm. 3/2018, pp. 15 a 19.

[7]   JIMENO BULNES, M., *Orden europea de...*, ob. cit., pp. 170 y 171.

[8]   Estas son el traslado temporal de detenidos, las comparecencias por teléfono o videoconferencia, la obtención de información relacionada con cuentas o transacciones

2. LA EMISIÓN DE UNA OEI POR EL ESTADO ESPAÑOL

En España, una autoridad judicial puede emitir una OEI –configurándose como Estado de emisión (art. 2.c. de la Directiva)– cuando lo que pretenda sea practicar medidas de investigación y/u obtener pruebas transfronterizas, dentro del espacio de la Unión Europea, para introducirlas en el proceso penal español; y, a su vez, puede también reconocer y ejecutar una OEI –configurándose en esta ocasión como Estado de ejecución (art. 2.d. de la Directiva)– remitida por otro Estado miembro cuando quien la emita pretenda la práctica de medidas de investigación y/o la obtención de pruebas en España para su incorporación al proceso que corresponda del Estado emisor. De estas dos posibles situaciones, es objeto principal de nuestro trabajo centrarnos en la primera de las descritas, esto es, en la emisión por parte del Estado español de una OEI.

2.1. Tipos de procedimientos en los que España puede emitir una OEI

Una de las cuestiones a tener en cuenta para la emisión de una OEI es determinar en qué procesos puede aplicarse. La solución al respecto la encontramos tanto en la Directiva (art. 4) como en la Ley 23/2014 (art. 186.2). En concreto, la Directiva establece su aplicación en procedimientos penales, pero también la extiende a otros procedimientos incoados por autoridades administrativas, cuando su decisión pueda dar lugar a un procedimiento en materia penal, teniendo en cuenta, como indica MARTÍNEZ GARCÍA, que existen ordenamientos jurídicos "donde el proceso administrativo ocupa una mayor dimensión procesal, como ámbito sancionador que linda con el proceso penal"[9].

Por su parte, la ley española, en su art. 186.2, hace asimismo referencia a ambos procedimientos, esto es, el penal y el administrativo. Sin embargo, la lectura atenta de este precepto nos permite advertir que en realidad se está refiriendo a los procedimientos incoados por las autoridades competentes de otros Estados miembros, siendo a nuestro entender, únicamente aplicable este articulo cuando España es Estado de ejecución. Por ello es imprescindible conectar esta norma con el art. 187 del mismo cuerpo le-

---

bancarias, la obtención de pruebas en tiempo real, las entregas vigiladas o las investigaciones encubiertas y la intervención de telecomunicaciones. Sobre las medidas específicas vid. MARTÍNEZ GARCÍA, E., ob. cit., pp. 87 a 109; y JIMENO BULNES, M., *Orden europea de...*, ob. cit., pp. 184 a 191.

9   MARTÍNEZ GARCÍA, E., ob. cit., p. 56.

gal, del que se desprende que las autoridades competentes españolas solo podrán emitir una OEI en el marco de un proceso penal[10].

2.2. *¿Quién puede solicitar una OEI?*

Antes de la aprobación de la Directiva no existía instrumento alguno que permitiera al investigado o acusado la posibilidad de solicitar pruebas de índole transnacional para su defensa, siendo la única opción para ellos la disposición de recursos económicos suficientes para su obtención[11]. Esta ausencia provocaba un injustificado desequilibrio entre las partes procesales en beneficio de la acusación, quien veía colmada la necesidad de obtención de prueba transfronteriza por la labor de acusación pública del Ministerio Fiscal. Este desequilibrio, se subsana con la introducción del apartado 3 del art. 1 de la Directiva que, a diferencia del texto de propuesta anterior, reconoce expresamente "a una persona sospechosa o acusada" la posibilidad de solicitar la emisión de una OEI[12]. De este modo, se evidencia la posibilidad de solicitar una OEI tanto de oficio por el órgano judicial como por cualquiera de las partes inmersas en un proceso penal[13].

---

[10]   En este contexto, debe tenerse en cuenta como indica MARTÍNEZ GARCÍA, E., ob. cit., p. 56, que en el caso de España "no es de aplicación por la razón que nuestro proceso administrativo da lugar a un recurso ante lo contencioso administrativa y no en un proceso penal".

[11]   Así se constata en la Iniciativa del Reino de Bélgica, la República de Bulgaria, la República de Estonia, el Reino de España, la República de Austria, la República de Eslovenia y el Reino de Suecia con vistas a la adopción de una Directiva del Parlamento Europeo y del Consejo de ... relativa al exhorto europeo de investigación en materia penal (2010/C 165/02), que puede consultarse en https://eur-lex.europa.eu/legal-content/ES/TXT/PDF/?uri=CELEX:52010IG0624(01)&from=ES (consultado el 19 de julio de 2018). En este punto es interesante destacar lo que señalaba BACHMAIER WINTER, *La orden europea...*, ob. cit., p. 11, antes de la entrada en vigor de la Directiva en relación con la necesidad de aprobar, previamente a la OEI, "un instrumento europeo que defina de manera uniforme las garantías procesales mínimas que han de respetarse en todo proceso penal", al entender que, con la aprobación de este instrumento que favorece la transmisión de pruebas entre autoridades judiciales, se incrementa el desequilibrio entre la parte acusadora y la parte acusada.

[12]   En esta línea BACHMAIER WINTER, L., "La cooperación judicial...", ob. cit., p. 22, señala que ello permite "equilibrar la desigualdad en el acceso a la prueba transnacional entre acusación y defensa".

[13]   Asimismo lo reconoce MARTÍNEZ GARCÍA, E., ob. cit., p. 53, cuando indica que "en materia de legitimación activa para solicitar una OEI se estará a lo que determinen las normas nacionales, pero con toda seguridad se podrá solicitar de oficio por la autoridad judicial, a instancia de la parte acusadora o del Ministerio Fiscal y a instancia de la parte imputada o acusada o su abogado, como parte del derecho de defensa".

2.3. ¿Quién puede emitirla?

En virtud de lo establecido en el art. 2 c) de la Directiva podrá ser autoridad de emisión: "a) un juez, órgano jurisdiccional, juez de instrucción o fiscal competente en el asunto que se trate; o b) cualquier otra autoridad competente según la defina el Estado de emisión que, en el asunto específico de que se trate, actúe en calidad de autoridad de investigación en procesos penales y tenga competencia para ordenar la obtención de pruebas con arreglo al Derecho nacional". En este segundo supuesto, el legislador europeo exige, antes de su transmisión a la autoridad de ejecución, la validación de la OEI por una autoridad judicial, quien previamente deberá controlar el cumplimiento de los requisitos para su emisión de conformidad con la Directiva –en particular las condiciones establecidas en el art. 6.1–. Por lo tanto, en última instancia, la emisión de una OEI depende, en todo caso, de una autoridad judicial, ya sea porque es ella quien la emite directamente o porque la acaba validando[14].

En su caso, la Ley 23/2014 reconoce, en su art. 187.1, como autoridades competentes para emitir, pero también ejecutar[15], una OEI en España tanto a los órganos judiciales penales como al Ministerio Fiscal, con las siguientes matizaciones.

Por un lado, se atribuye competencia a los jueces del proceso penal en el que debe adoptarse la medida de investigación, esto es, los que conozcan de la fase de instrucción; y también los jueces o tribunales que hayan admitido la prueba si el procedimiento se encuentra en fase de enjuiciamiento.

Por otro lado, reciben también la consideración de autoridad de emisión los fiscales en los procedimientos que dirijan, siempre que la medida que contenga la OEI no sea limitativa de derechos fundamentales. En este caso, y siguiendo el dictado del art. 2 de la Directiva, entendemos que será necesaria su validación por la autoridad judicial competente, pues el Minis-

---

[14]   JIMENO BULNES, M., *Orden Europea de...*, ob. cit., pp. 174 y 176, critica que una autoridad distinta a la judicial pueda autorizar una medida de investigación "si posee competencia para ello en el estado de emisión de que se trate", por ejemplo, una autoridad policial o administrativa. En nuestra opinión, ello lo soluciona la propia Directiva al exigir que en estos casos la OEI sea validada por una autoridad judicial.

[15]   Si bien la autoridad competente para recibir una OEI es el Ministerio Fiscal, quien deberá remitirla a la autoridad judicial competente en caso de que la medida solicitada sea limitativa de derechos fundamentales, de acuerdo con el art. 187.2 de la Ley 23/2014.

terio Fiscal no tiene, en España, la consideración de autoridad judicial[16]. En este punto, nos atrevemos a decir que no es realista la atribución a los fiscales de la competencia para emitir una OEI ya que de momento, en nuestro ordenamiento jurídico, la instrucción sigue en manos del órgano judicial –salvo para el proceso penal contra menores de la LO 5/2000, de 12 de enero, reguladora de la responsabilidad penal de los menores[17], en cuyo art. 6 se reconoce expresamente la dirección de la investigación de los hechos al Ministerio Fiscal–. Si bien es cierto que los fiscales pueden iniciar el proceso penal y participar como acusadores públicos de la instrucción, debemos ahora recordar que el legislador no aprovechó la reforma de la Ley de Enjuiciamiento Criminal de 2015 para otorgarles la dirección de la instrucción[18].

2.4. *Requisitos para su emisión*

Para que un juez español pueda emitir una OEI deberá tener en cuenta los siguientes dos requisitos, previstos tanto en la Directiva como en la Ley 23/2014 (arts. 6 y 189, respectivamente). En primer lugar, deberá estar a los principios de necesidad y proporcionalidad, de manera que la medida de investigación que se pretenda practicar, y que ha motivado la emisión de la OEI, sea acorde a los fines del procedimiento para el que se solicita. Y, en segundo lugar, que tal medida de investigación pudiera haber sido dictada en las mismas condiciones en un caso interno español similar.

Respecto de los principios de proporcionalidad y necesidad, entendemos que deben tenerse especialmente en cuenta cuando la medida de investigación cuya práctica se pretende en el Estado de ejecución sea limitativa de derechos fundamentales.

---

[16]   Desde otra perspectiva, MARTÍNEZ GARCÍA, E., ob. cit., p. 59, considera que "en caso español, si somos autoridad de emisión al ser de tramitación exclusivamente judicial no ha lugar la necesidad de convalidación".

[17]   BOE núm. 11 de 13 de enero de 2000.

[18]   Este reconocimiento a los fiscales como directores de la investigación sí que se contenía en el Anteproyecto de Ley de Enjuiciamiento Criminal de 2011 (https://notin. es/wp-content/uploads/2013/01/anteproyecto-de-la-Ley-de-Enjuiciamiento-Criminal-de-27-de-julio-de-2011.pdf, consultado el 25 de julio de 2018); y en el Borrador de Código Procesal Penal de 2013. Sobre esta propuesta de reforma de la LECrim, CASANOVA MARTÍ, R., *Las intervenciones telefónicas en el proceso penal*, J.M. Bosch, Barcelona, 2014, p. 358, indica que "ambas reformas van por la misma línea, con una serie de cambios significativos de la estructura del proceso penal, entre las que destaca la asunción de la dirección de la investigación por el Ministerio Fiscal".

Por lo que atañe a estos principios, la doctrina es consciente de su difícil definición, más aun teniendo en cuenta, como indica BACHMAIER, la complejidad de "elaborar un concepto armonizado a nivel europeo" y el silencio de la Directiva sobre esta cuestión[19]. Siendo esto así, y ante la ausencia de previsión legal alguna –tampoco a nivel nacional– que lo concrete, al juez español no le quedará más opción que acudir a la doctrina jurisprudencial para valorar en cada concreto caso si se cumple con la exigida proporcionalidad y necesidad antes de emitir una OEI. Así, y en relación con el principio de proporcionalidad, nuestro TC, destaca la importancia de explicitar en el momento de adoptar la medida "todos los elementos indispensables para realizar el juicio de proporcionalidad y para hacer posible su control posterior, en aras del respeto del derecho de defensa del sujeto pasivo de la medida", lo que explica que a tal fin "el órgano judicial debe exteriorizar los datos o hechos objetivos que pueden considerarse indicios de la existencia del delito y de la conexión de la persona o personas investigadas con el mismo; indicios que han de ser algo más que simples sospechas (SSTC 167/2002, de 18 de septiembre, FJ 2; 184/2003, de 23 de octubre, FJ 11; y 197/2009, de 28 de septiembre, FJ 4)"[20-21]. Y, el TS sintetiza como presupuestos del juicio de proporcionalidad los hechos o datos objetivos que puedan considerarse indicios sobre: "1) la existencia de un delito; 2) que éste sea grave; y 3) sobre la conexión de los sujetos que puedan verse afectados por la medida con los hechos investigados"[22].

---

[19]   BACHMAIER WINTER, L., "La cooperación judicial...", ob. cit., p. 23. Ante esta realidad, la autora apunta que para el principio de proporcionalidad debería valorarse: "la gravedad del delito, la necesidad de la prueba para la investigación y el enjuiciamiento del mismo, la inexistencia de otra medida menos lesiva para alcanzar el mismo fin, las consecuencias de la adopción de la medida para el o los sujetos afectados, y por último si la medida es proporcionada a los fines del proceso".

[20]   STC 145/2014, de 22 de septiembre, ponente: Fernando Valdés Dal-Ré, f.j. 2°. En esta misma línea, lo recuerda, el TS en su reciente sentencia 86/2018, de 19 de febrero, ponente: Juan Ramón Berdugo y Gómez de la Torre, f.j. 13° [RJ\2018\1029].

[21]   Sobre la suficiencia de estos indicios, con cita a diversas sentencias del TEDH (caso Ludï contra Suiza, de 15 de junio de 1992; caso Klass y otros contra Alemania, de 6 de septiembre de 1978) se pronuncia la trascendente STC 49/1999 de 5 de abril, ponente: Tomás S. Vives Antón, f.j. 8°, que requiere que "existan datos fácticos o indicios que permitan suponer que alguien intenta cometer, está cometiendo o ha cometido una infracción grave o donde existan buenas razones o fuertes presunciones de que las infracciones están a punto de cometerse, o en otros términos, algo más que meras sospechas, pero también algo menos que los indicios racionales que se exigen por el art. 384 LECrim para el procesamiento".

[22]   Por todas, vid. STS 695/2013, de 22 de julio, ponente: Julián Sánchez Melgar, f.j. 2° [JUR 2013\302650].

En cuanto al principio de necesidad el TC ha señalado que "todo acto o resolución que limite derechos fundamentales ha de asegurar que las medidas limitadoras sean necesarias para conseguir el fin perseguido"[23], a lo que el TS ha matizado que "la necesidad de la medida significa que solo debe acordarse cuando, desde una perspectiva razonable, no estén a disposición de la investigación, en atención a sus características, otras medidas menos gravosas para los derechos fundamentales del investigado e igualmente útiles para la investigación"[24].

2.5. ¿Cómo se transmite?

La regla general es la remisión directa entre autoridades competentes, de manera que una vez emitida la OEI por la autoridad española, ésta debe dirigirla a la autoridad que corresponda del Estado ejecutante –según los arts. 7.1. de la Directiva y 8.1 de la Ley 23/2014–. A pesar de ello, la Directiva contempla alternativamente que dicha remisión pueda asimismo realizarse a través de una autoridad central expresamente designada. Esta opción se ha previsto en el art. 6.3 de la Ley 23/2014, en virtud del cual es Autoridad Central en España el Ministerio de Justicia, a quien "corresponde la función de auxilio a las autoridades judiciales". Pero, ¿qué sucede si el emisor desconoce a quien debe transmitir la orden? En este caso, el apartado 5 del art. 7 de la Directiva establece que la autoridad de emisión realizará las averiguaciones necesarias, previendo la posibilidad de acudir a los puntos de contacto de la Red Judicial Europea[25], Eurojust[26] u otros canales utilizados por las autoridades judiciales o policiales[27], para obtener la información del Estado

---

[23]   STC 154/2002 de 8 de julio, ponente: Pablo Manuel Cachón Villar, f.j. 8°.

[24]   STS (Sala Penal) 644/2012, de 18 de julio, ponente: Cándido Conde-Pumpido Tourón, f.j. 22° [JUR\2012\255443]. En esta línea, vid. también la reciente STS (Sala Penal) 39/2018, de 24 de enero, ponente: Miguel Colmenero Menéndez de Luarca, f.j. 1° [RJ\2018\247].

[25]   Para más información véase https://www.ejn-crimjust.europa.eu/ejn/ (consultado el 13 de julio de 2018).

[26]   Véase para más información http://www.eurojust.europa.eu/Pages/languages/es.aspx (consultado el 13 de julio de 2018). Sobre Eurojust como instrumento de cooperación penal de la Unión Europea vid. MARTÍN GARCÍA, A. L. y BUJOSA VADELL, L., ob. cit., pp. 87 a 113.

[27]   Estos mecanismos de coordinación y cooperación entre autoridades judiciales son señalados en el Considerando (13) de la Directiva y en el art. 9 de la Ley 23/2014. Este último se concreta en la obligación de transmisión de información y la petición de asistencia a Eurojust de acuerdo con lo establecido en la Ley 13/2015, de 7 de julio, por la que se regula el estatuto del miembro nacional de España en Eurojust, los conflictos de jurisdicción, la redes judiciales de cooperación internacional y el personal

ejecutante. Y añade, en el apartado siguiente, que cuando la autoridad del Estado ejecutante que reciba una OEI no sea competente para reconocerla y adoptar las medidas necesarias para su ejecución, deberá transmitirla de oficio a la que sí lo sea y notificarlo a la autoridad de emisión[28].

Además, tanto el legislador europeo como el español han querido hacer depender el éxito de la transmisión de la OEI de otra formalidad legal: su realización por cualquier medio que deje constancia escrita en condiciones que permitan al Estado de ejecución acreditar su autenticidad. En este punto debe indicarse que los conflictos surgidos respecto de la transmisión o autenticidad de la documentación necesaria para ejecutar la OEI serán resueltos a través de la comunicación directa entre las autoridades judiciales implicadas o, en su caso, mediante la intervención de las correspondientes autoridades centrales (arts. 7.7 de la Directiva y 8.1.II. de la Ley 23/2014).

2.6. *Forma y contenido*

Previo análisis del asunto que ahora nos ocupa se hace ineludible hacer una breve alusión a los arts. 7 y 188 de la Ley 23/2014, para aclarar la forma de la OEI, debiéndose valorar si ésta es un certificado o bien un formulario. Al respecto observamos que para el caso que una autoridad judicial española dicte una resolución penal (auto) que precise de la práctica de prueba transfronteriza a través de la OEI, el legislador nacional ha optado por su documentación mediante formulario –del mismo modo que se prevé para la orden europea de detención y entrega y la orden europea de protección–. La consecuencia de ello es que, a diferencia de lo que sucede con el certificado, no será necesario enviar el testimonio de la resolución judicial penal junto con el formulario.

El contenido de la OEI lo encontramos regulado en los arts. 5 de la Directiva y 188 de la Ley 23/2014. Siguiendo ambos preceptos la OEI se emitirá utilizando el formulario que figura en el anexo A y XIII, respectivamente, en el que constará la firma de la autoridad emisora. Además, las informaciones que contenga el formulario deberán ser certificadas como exactas y correctas por la propia autoridad de emisión.

---

dependiente del Ministerio de Justicia en el exterior, así como su normativa de desarrollo. Sobre estos instrumentos ahonda BACHMAIER WINTER, L., "La cooperación judicial...", ob. cit., pp. 5 a 7.

[28]   En este último sentido se pronuncia igualmente DE LA PARTE POLANCO, M., "Algunas cuestiones sobre la Orden Europea de Investigación", *Aranzadi digital*, núm. 1/2015, p. 2 [BIB 2015/4851].

En particular, el formulario de emisión incorporará la siguiente información[29]:

a)   los datos de la autoridad de emisión y, cuando proceda, de la autoridad validadora;

b)   el objeto y los motivos de la OEI;

c)   la información necesaria sobre la persona o personas afectadas;

d)   la descripción de la conducta delictiva que es objeto de la investigación o proceso y las disposiciones aplicables del Derecho penal del Estado de emisión;

e)   la descripción de la medida o medidas de investigación que se solicitan y de las pruebas a obtener.

A este contenido mínimo, el legislador español exige adicionalmente a la autoridad judicial competente que haga constar las formalidades, procedimientos y garantías cuya observancia solicita que sean respetadas por el Estado de ejecución (art. 188.1.f de la Ley 23/2014).

Finalmente, es objeto de consideración de este punto el idioma de emisión de la OEI. A pesar de la recomendación que hace el Considerando (14) de la Directiva a los Estados para que, además de su lengua o lenguas oficiales, incluyan, como mínimo, otra de uso común de la Unión, ésta es una potestad –y no una exigencia– del art. 5.2 de la Directiva. De este modo, será suficiente con que cada Estado indique su idioma oficial, que será el que, en todo caso, deberán utilizar los Estados miembros para remitirle una OEI.

Asentada la anterior premisa, cuando una autoridad judicial emita una OEI, traducirá el correspondiente formulario a la lengua oficial del Estado miembro al que se dirija, a no ser que dicho Estado hubiera indicado su aceptación en alguna de las lenguas oficiales de las instituciones comunitarias, en cuyo caso podrá asimismo remitirla en tal idioma (art. 5.3 de la Directiva). A ello, el art. 7.3 de la Ley 23/2014, añade la posibilidad que el idioma de emisión sea también el español en caso de existencia de una disposición convencional que lo permita.

En nuestra opinión, facilitaría de manera considerable el procedimiento de emisión de una OEI que los Estados miembros, además de su idioma oficial (o cualquier otra lengua oficial de la UE), aceptaran también las

---

[29]   Sobre cada uno de los indicados contenidos de la Directiva, se pronuncia MARTÍNEZ GARCÍA, ob. cit., pp. 58 a 65.

traducciones de la OEI al inglés, ya que es el idioma más utilizado por los Estados miembros de la Unión Europea[30].

3. CONCLUSIONES

PRIMERA.- La Directiva introduce un valiosísimo mecanismo de reconocimiento mutuo, la OEI, que logra superar el anterior régimen fragmentario existente hasta el momento, sustituyendo todos los instrumentos anteriores de obtención de prueba penal transfronteriza que únicamente eran capaces de dar una solución parcial a esta cuestión.

SEGUNDA.- Con la Directiva se incorpora por primera vez la posibilidad, más allá de las pruebas ya existentes en el Estado de ejecución, de practicar medidas de investigación en cualquier Estado de la Unión Europea con vistas a la obtención de pruebas, permitiéndose de esta forma también la colaboración entre los Estados miembros durante la fase de instrucción del proceso penal.

TERCERA.- Una de las cuestiones más controvertidas que suscitaba la propuesta de Directiva era el desequilibrio entre las partes procesales respecto de la solicitud de una OEI, en perjuicio del investigado o encausado. Ello lo soluciona el vigente apartado 3 del art. 1 de la Directiva, legitimando expresamente a la parte pasiva del proceso penal para solicitar la emisión de una OEI, garantizándose así el respeto a su derecho de defensa.

CUARTA.- A pesar de todas las ventajas que se desprenden de la entrada en vigor de la Directiva y la posterior Ley de transposición española, que recientemente ha incorporado la OEI como instrumento de reconocimiento mutuo al ordenamiento jurídico español, existen algunos aspectos a mejorar. Así, podemos destacar que el legislador español, a sabiendas que el Ministerio Fiscal carece, a fecha de hoy, de competencia para dirigir la instrucción penal en el genérico marco de los procedimientos desarrollados en la LECrim, lo reconoce como autoridad de emisión de órdenes europeas de investigación en los procedimientos que dirija, siempre que la medida que contenga la OEI no sea limitativa de derechos fundamentales. A nuestro juicio, el legislador desaprovechó en su momento una magnífica oportunidad para realizar una reforma integral del proceso penal y, con ella, atribuir a fiscal la dirección de la fase de instrucción, siendo conse-

---

[30]   http://ec.europa.eu/commfrontoffice/publicopinion/archives/ebs/ebs_243_sum_es.pdf (consultado el 17 de mayo de 2018).

cuencia de ello la imposibilidad de emitir una OEI, con carácter general. La única salvedad la encontramos en el proceso penal especial de menores, que sí le atribuye expresamente competencia para dirigir la investigación de los hechos. Por lo tanto, entendemos que los fiscales únicamente podrán emitir órdenes europeas de investigación cuando el investigado sea un menor y la medida no sea limitativa de derechos fundamentales.

Capítulo XXVIII

EL RÉGIMEN DE LOS RECURSOS EN LA ORDEN EUROPEA DE INVESTIGACIÓN EN MATERIA PENAL

Rubén López Picó

Profesor de Derecho Procesal
Universidad de Granada

RESUMEN: La investigación y obtención de pruebas en la lucha contra la delincuencia organizada internacional constituye una de las grandes preocupaciones de la Unión Europea a tener presente en la consecución del tan ansiado espacio de libertad, seguridad y justicia dentro de sus fronteras físicas. Tanto es así, que a raíz del Programa de Estocolmo "Una Europa abierta y segura que sirva y proteja al ciudadano" (2010/C 115/01) de 4 de Mayo de 2010, donde de nuevo se volvió a insistir en la necesidad de establecer un sistema general para la obtención de pruebas ante supuestos jurídicos de carácter transfronterizo, las autoridades competentes de los diferentes Estados de nuestro entorno (Unión Europea) decidieron apostar firmemente por la creación de instrumentos de cooperación judicial en asuntos penales basados en el reconocimiento mutuo. Entre ellos, destacamos de un modo significativo la Orden Europea de Investigación en materia penal contenida en la Directiva 2014/41/CE del Parlamento Europeo y del Consejo, de 3 de Abril de 2014, resultado del conjunto de normas ya anteriormente incluidas en la Decisión Marco 2008/978/JAI del Consejo Europeo, de 18 de Diciembre de 2008, relativa al exhorto europeo de obtención de pruebas para recabar objetos, documentos y datos destinados a procedimientos en materia penal y del Convenio Europeo, de 29 de Mayo de 2000, de Asistencia Judicial en materia penal entre los diferentes Estados miembros de la Unión Europea. Un instrumento de cooperación judicial transfronterizo en materia penal compuesto de multitud de elementos, entre ellos el régimen de recursos contra la emisión y en la ejecución de la Orden Europea de Investigación en materia penal que a continuación estudiamos.

ABSTRACT: The investigation and obtaining of evidence in the fight against international organized crime constitutes one of the great concerns of the European Union to bear in mind in the achievement of the long-awaited space of freedom, security and justice within its physical borders. So much so, that as a result of the Stockholm Program "An open and safe Europe that serves and protects the citizen" (2010/C 115/01) of May 4, 2010 where again the need to establish a general system for obtaining evidence against legal cases of cross-border nature, the competent authorities of the different States of our environment (European Union) decided to bet firmly on the creation of instruments of judicial cooperation in criminal matters based on mutual recognition. Among them, we highlight in a significant way the European Investigation Order in criminal matters contained in Directive 2014/41 / EC of the European Parliament and of the Council, of April 3, 2014, and result of the set of norms already included in the Framework Decision 2008/978/ JHA of the European Council of 18 December 2008 on the European Evidence Warrant for the collection of objects, documents and data intended for criminal proceedings and the European Convention of 29 May 2000, of Judicial Assistance in criminal matters between the different Member States of the European Union. An instrument of cross-border judicial cooperation in criminal matters composed of a multitude of elements, including the regime of appeals against the issuance and execution of the European Investigation Order, which we will now study.

PALABRAS CLAVES: Criminalidad organizada transnacional; Cooperación jurídica penal; Orden Europea de Investigación; Régimen de recursos.

KEY WORD: Transnational organized crime; Criminal legal cooperation; European Investigation Order; Resource system.

1. INTRODUCCIÓN

La lucha contra la criminalidad organizada trasnacional se ha convertido en una de las grandes prioridades de la Unión Europea a fin de poder garantizar a sus ciudadanos un espacio de libertad, seguridad y justicia sin fronteras interiores dentro del conjunto de territorios que la componen.

Para poder alcanzar este objetivo, diferentes instituciones y órganos de carácter comunitario han promovido la articulación y adopción por los diferentes Estados miembros de un conjunto de medidas de cooperación judicial en materia de derecho procesal penal, y en especial, de medidas orientadas a facilitar la coordinación de las investigaciones y las actuaciones judiciales llevadas a cabo por los órganos competentes de los diferentes Estados miembros de la Unión Europea.

Entre esas medidas, de manera quizás un poco más significativa, podemos destacar la Orden Europea de Investigación en materia penal (Ley 3/2018, de 11 de Junio, por la que se modifica la Ley 23/2014, de 20 de Noviembre, de reconocimiento mutuo de resoluciones penales en la Unión Europea, para regular la Orden Europea de Investigación) que persigue la consolidación de un único instrumento válido para la cooperación judicial de carácter penal entre los distintos Estados miembros de la Unión Europea, así como la creación de un sistema general de obtención de pruebas para aquellos casos en los que el ilícito penal que está siendo investigado posea una dimensión transfronteriza.

Este sistema, además de presentar como ventajas esenciales una mayor eficacia y una mejor gestión de los recursos humanos y materiales que existen, resulta plenamente compatible con las funciones que la legislación procesal penal atribuye en nuestro ordenamiento jurídico tanto a los jueces como a los fiscales. Son precisamente éstos últimos (los fiscales), quienes como resultado de la centralización de funciones en la esfera de las órdenes europeas, realizan el control de legalidad de todas las órdenes europeas de investigación en materia penal que se reciben y a quienes se le encomienda la tarea de supervisar su ejecución cuando esa misma orden europea de investigación en materia penal no contiene medidas limitativas de derechos fundamentales. En esos casos, la Orden Europea de Investigación en materia penal es remitida directamente al juez competente para conocer del asunto.

De este modo, frente a los múltiples elementos que componen la Orden Europea de Investigación en materia penal, el presente trabajo trata de aportar una visión general de los aspectos fundamentales relacionados con el régimen de los recursos contra la emisión y en la ejecución de la misma, es decir, de la Orden Europea de Investigación en materia penal.

2. EL RÉGIMEN DE LOS RECURSOS EN LA EJECUCIÓN DE LA ORDEN EUROPEA DE INVESTIGACIÓN EN MATERIA PENAL

La Orden Europea de Investigación en materia penal tras su transposición de la Directiva 2014/41/CE del Parlamento Europeo y del Consejo de 3 de Abril de 2014 (procedente de la sustitución de la Decisión Marco 2008/978/JAI del Consejo de 18 de Diciembre de 2008 relativa al exhorto europeo de obtención de pruebas para recabar objetos, documentos u otros datos destinados a procedimientos en materia penal y la Decisión Marco 2003/577/JAI del Consejo de 22 de Julio de 2003 relativa a la ejecución en la Unión Europea de las resoluciones de embargo preventivo de bienes y aseguramiento de pruebas) al derecho interno de nuestro Estado, queda, en la actualidad, regulada a través de la Ley 3/2018, de 11 de Junio, por la que se modifica la Ley 23/2014, de 20 de Noviembre, de reconocimiento mutuo de resoluciones penales en la Unión Europea, para regular la Orden Europea de Investigación en materia penal[1].

Con respecto al régimen de los recursos en la ejecución de la Orden Europea de Investigación en materia penal, el punto de partida lo encontramos en la afirmación que la profesora ARMENTA DEU[2] realiza con respecto a esta misma cuestión, al entender ella que conforme a lo dispuesto por el Considerando 22 y el art.14.2 de la Directiva 2014/41/CE, "el régimen de los recursos en la ejecución de la Orden Europea de Investigación en materia penal debería disponer, como mínimo, de las mismas vías de recursos que las que existen en el derecho interno de los diferentes Estados miembros de la Unión Europea contra las posibles medidas de investigación que se pudiesen acordar. Sin perjuicio de las posibles impugnaciones sobre motivos de fondo ante la autoridad de emisión y de su valoración posterior en el procedimiento penal que se siga en el Estado de emisión". Se prevé, de este modo, la posibilidad de interponer los recursos que procedan conforme a las reglas generales previstas en la Ley de Enjuiciamiento Criminal (Real Decreto de 14 de Septiembre de 1882 por el que se aprueba la Ley de Enjuiciamiento Criminal) contra las decisiones dictadas por las autoridades de emisión y ejecución españolas.

De este modo, la idea de equivalencia, es decir, la opción de poder utilizar contra la ejecución de la Orden Europea de Investigación en materia penal los mismos recursos que se utilizarían contra una decisión judicial de similares características a nivel nacional, se alza como uno de los elementos más destacables del régimen de recursos en la ejecución de la Orden Europea de Investigación en materia penal.

2.1. Derecho a recursos y legitimación

La regulación que existe acerca del régimen de los recursos en la ejecución de la Orden Europea de Investigación en materia penal destaca por la

---

[1]   *Vid.* JIMENO BULNES, M. "Orden Europea de Investigación en materia penal", en JIMENO BULNES, M. *Aproximación legislativa versus reconocimiento mutuo en el desarrollo del espacio judicial europeo: una perspectiva multidisciplinar.* Ed. Bosch, Barcelona, 2016, p.152.

[2]   *Vid.* ARMENTA DEU, T. *Lecciones de Derecho Procesal Penal. Décima Edición.* Ed. Marcial Pons, Madrid, 2017, pp.181.

posesión de un menor número de garantías con respecto a otros aspectos o elementos de la propia Orden Europea de Investigación en materia penal.

Frente a la situación existente en el exhorto europeo de obtención de pruebas para el hallazgo de objetos, documentos u otros datos destinados a procedimientos en materia penal (Decisión Marco 2008/978/JAI del Consejo de 18 de Diciembre de 2008) en el que encontramos la obligación para los Estados miembros de la Unión Europea de disponer en su legislación interna de los oportunos recursos para cuando se hubiesen adoptado medidas de carácter coercitivo, esa misma obligación no quedo recogida en el desarrollo de la Directiva 2014/41/CE del Parlamento europeo y del Consejo de 3 de Abril de 2014 relativa a la Orden Europea de Investigación en materia penal. Resultado de esta situación, en materia de impugnación, la Directiva 2014/41/CE descansa en la legislación del Estado de ejecución, incluido en lo que al propio derecho se refiere: "*los Estados miembros velarán por que las vías de recursos equivalentes a las existentes en un caso interno similar sean aplicables a las medidas de investigación indicada en la Orden Europea de Investigación*" (art.14.1 Directiva 2014/41/CE).

La remisión a la legislación interna de cada Estado ante casos similares hace dudar si el recurso cabe contra la denegación del reconocimiento o de la ejecución, o sólo frente a cómo debe tener lugar la ejecución de la medida. Parece pues que la Directiva 2014/41/CE recoge sólo la opción de interponer el recurso en aquellos supuestos en los que se reconozca y ejecute la Orden Europea de Investigación en materia penal, dejando de lado la posibilidad de recurrir el resto de decisiones que pudiesen ser adoptadas por las autoridades encargadas de su ejecución (la denegación o el aplazamiento ejecutivo, respectivamente, de la Orden Europea de Investigación en materia penal). Lo más acertado sería el permitir a las partes personarse debidamente en el procedimiento penal seguido en el Estado de ejecución de la Orden Europea de Investigación en materia penal a fin de que éstas pudiesen articular los recursos de que dispusiesen, favoreciendo, de este modo, la tutela judicial efectiva de todas las partes procesales. Tal y como sucede en el supuesto del exhorto europeo de obtención de pruebas al que antes hemos hecho referencia.

2.2. *Materias objeto de recurso*

El art.14.2 de la Directiva 2014/41/CE relativa a la Orden Europea de Investigación en materia penal diferencia entre las materias que pueden ser objeto de recurso ante la autoridad competente del Estado de ejecución (decisiones relativas al reconocimiento y la ejecución) y las materias que pueden ser objeto de recurso ante la autoridad competente del Estado de emisión (los motivos de fondo por los que se haya expedido la Orden Europea de Investigación en materia penal) de la Orden Europea de Investigación en materia penal.

Con respecto a las materias que pueden ser objeto de recurso ante la autoridad competente del Estado de emisión de la Orden Europea de Investigación en materia penal (los motivos de fondo por los que se ha expedido la Orden Europea de Investigación en materia penal) podemos plantearnos si en la expresión "los motivos de fondo" existe cabida para la interposición del oportuno recurso esgrimiendo cuestiones diferentes a las condiciones de emisión. Recordemos que la tarea para la determinación del cumplimiento de todos los requisitos exigido para la emisión de la Orden Europea de Investigación está encomendada a la autoridad del Estado de emisión de la misma, de ahí, que con carácter general, entendamos que los recursos que se fundamenten en el cumplimiento de las condiciones para la emisión de la Orden Europea de Investigación en materia penal deban ser resueltos de forma exclusiva por las autoridades competentes del Estado encargado de su emisión y no de su ejecución.

Pese a ello, al incorporar al contenido del art.14.2 Directiva 2014/41/CE la expresión "*sin perjuicio de las garantías de los derechos fundamentales en el Estado de ejecución*", entendemos que se posibilita la presentación del oportuno recurso sobre motivos de fondo contra la Orden Europea de Investigación en materia penal y, como resultado, contra la medida de investigación contenida en ella, no ante la autoridad competente del Estado de emisión sino ante la autoridad competente del Estado de ejecución de la misma. Para ello, es necesario que la autoridad competente del Estado de ejecución de la Orden Europea de Investigación en materia penal determine que no se dieron las condiciones legalmente exigidas para su emisión (Orden Europea de Investigación en materia penal. Tarea encomendada a la autoridad competente del Estado de emisión) y que, por ende, es posible la presentación del oportuno recurso sobre motivos de fondo en aras de poder proteger los derechos fundamentales de los afectados por la medida de investigación contenida en la Orden Europea de Investigación en materia penal[3].

---

[3]   *Vid.* RODRÍGUEZ-MEDEL NIETO, C. *Obtención y Admisibilidad en España de la Prueba Penal Transfronteriza. De las comisiones rogatorias a la orden europea de investigación.* Ed. Thomson-Reuters Aranzadi, Pamplona, 2006, p.393.

2.3. Características del recurso

Con relación a los plazos para el ejercicio de los recursos, el propio art.14 de la Directiva 2014/41/CE establece a través de su cuarto apartado que *"Los Estados miembros velarán por que todos los plazos para emprender las vías de recurso sean los mismos que los previstos en casos internos similares y se apliquen de forma que quede garantizada la posibilidad del ejercicio efectivo de estas vías de recurso para las partes interesadas"*. Como señala RODRÍGUEZ-MEDEL NIE-TO[4], ante la importancia de las medidas de investigación que pudiesen llegar a recogerse dentro de la Orden Europea de Investigación en materia penal, el legislador europeo debería ser más exigente y establecer la obligatoriedad para todos los Estados miembros de la Unión Europea de permitir a los afectados recurrir contra la decisión de ejecución de la propia orden.

Como señalamos, los plazos de los recursos deben aplicarse de tal modo que permitan garantizar a las partes interesadas disponer de un recurso legal efectivo. Para ello, la autoridad de ejecución competente velará porque se adopten todas las medidas necesarias para facilitar el ejercicio del derecho al recurso. De forma específica, informando pertinente y adecuadamente a las partes interesadas en su interposición acerca de las posibilidades y condiciones para la consecución de tal fin (interposición del recurso contra la Orden Europea de Investigación previamente solicitada y posteriormente acordada), pero sin que en ningún supuesto, el cumplimiento de esta obligación de información a la parte procesal interesada pudiese acabar por afectar al elemento de la confidencialidad recogido dentro de la propia Orden Europea de Investigación en materia penal (arts.14.3 y 4 Directiva 2014/41/CE)[5], ya que en ese supuesto, la autoridad de ejecución competente quedaría dispensada de cumplir su obligación de información. El momento de la transmisión de dicha información dependerá no solo del elemento de la confidencialidad, sino también de la naturaleza de la medida de investigación solicitada y contenida en la Orden Europea de Investigación en materia penal. Existen medidas de investigación que requieren que la persona afectada sea informada de manera anticipada a su ejecución, otras que la persona afectada sea informada al tiempo de su ejecución y, finalmente, otras que permiten que la persona afectada sea informada en un momento posterior a su ejecución.

---

[4]   *Ibídem,* p.457.
[5]   *Vid.* LLORENTE FERNÁNDEZ DE LA REGUERA, A. "Orden Europea de Investigación", en JUANES PECES, A. (Dir.). *Cooperación Jurídica Penal Internacional.* Ed. Francis Lefebvre, Madrid, 2016, p.422.

La legitimidad de la parte interesada para interponer frente a la ejecución de la Orden Europea de Investigación en materia penal cualquier recurso en plazo incluye a los terceros de buena fe, aunque ello no quede especificado de este modo en la Directiva 2014/41/CE. Realidad que sí tenía lugar en el supuesto del exhorto europeo de obtención de pruebas ya antes mencionado.

En ese sentido, durante la redacción de la Directiva 2014/41/CE, Alemania presentó una propuesta para que los recursos que se pudiesen interponer ante la Orden Europea de Investigación en materia penal quedasen regulados de forma similar o incluso de manera más garantista con respecto a la forma en la que venían siendo regulados hasta ese momento por la Decisión Marco 2008/978/JAI del Consejo de 18 de Diciembre de 2008 relativa al exhorto europeo de obtención de pruebas para recabar objetos, documentos u otros datos destinados a procedimientos en materia penal[6].

A través de esa propuesta se recogía la idea de que el derecho a interponer el oportuno recurso contra la Orden Europea de Investigación en materia penal debía conferirse a cualquier parte interesada para preservar sus legítimos intereses, permitiendo que incluso quien no fuese formalmente parte del procedimiento penal, pero sí afectado por éste, pudiese disponer de la capacidad para interponer el oportuno recurso. En esa misma propuesta, se excluía la denominación de tercero de buena fe al entender que la buena fe no es un requisito imprescindible para el ejercicio del oportuno recurso en el procedimiento penal.

2.4. Consecuencias de la interposición del recurso

Tras el reconocimiento de la Orden Europea de Investigación en materia penal en el Estado en el que ésta deba ejecutarse, si durante su ejecución, se interpusiese algún recurso, las consecuencias serían las siguientes:

a) La obligación de informar a la correspondiente autoridad del Estado de emisión de la Orden Europea de Investigación en materia penal de la interposición del recurso. Pese a la propuesta presentada por Alemania (a la que antes hemos hecho referencia), tras la interposición del recurso no se da traslado a la otra parte procesal para que pueda articular las correspondientes alegaciones.

---

[6]   Vid. GÓNZALEZ MONJE, A. *Cooperación jurídica internacional en materia penal e intervención de comunicaciones como técnica especial de investigación*. Ed. Comares, Granada, 2017, pp.116-118.

Adicionalmente, existe un deber de informar a la correspondiente autoridad del Estado de emisión de la Orden Europea de Investigación en material penal para aquellos supuestos en los que el recurso interpuesto finalmente se hubiese estimado favorablemente y, por consiguiente, admitido a trámite (art.14.5 Directiva 2014/41/CE).

b) La impugnación de la Orden Europea de Investigación en materia penal no supondrá en ningún caso la suspensión de la ejecución de la medida de investigación contenida en la misma, salvo en aquellos supuestos nacionales de características similares en los que ante la interposición del correspondiente recurso, la suspensión de la medida de investigación, previamente acordada, si estuviese prevista jurídicamente (art.14.6 Directiva 2014/41/CE).

La posibilidad de recurrir es algo que en teoría parece sencillo, pero que en la práctica encuentra muchísimas dificultades, tal y como afirma MARTÍNEZ GARCÍA[7], quien alude a las complicaciones de recurrir por cuestiones de forma o de fondo en los dos Estados implicados, así como por motivos económicos (gastos derivados del nombramiento de la representación y defensa). Pese a ello, la Directiva 2014/41/CE no hace mención alguna a esta cuestión, con la salvedad recogida en su art.14.7: "*sin perjuicio de las normas procesales internas, los Estados miembros velarán por que, en los procesos penales en el Estado de emisión, se respeten los derechos de la defensa y la equidad del proceso al evaluar las pruebas obtenidas a través de la OEI*".

Tanto es así, que durante su desarrollo, la Directiva 2014/41/CE fue objeto de análisis con respecto a la forma en la que el recurso interpuesto contra la Orden Europea de Investigación en materia penal incide en su suspensión y, como resultado, en la suspensión de la ejecución de la medida de investigación contenida en ella, así como en la suspensión de su traslado al Estado miembro de la Unión Europea donde ésta (la Orden Europea de Investigación en materia penal -solicitada y acordada- y la medida de investigación contenida en ella) debiese ejecutarse. Planteándose tres propuestas posibles:

a) Si la parte procesal es informada del acuerdo favorable de la Orden Europea de Investigación en materia penal con anterioridad a su ejecución y decide recurrir, la decisión del recurso podrá incidir, o no, en la ejecución de la medida de investigación contenida en ella (Orden Europea de Investigación en materia penal).

---

[7]   *Vid.* MARTÍNEZ GARCÍA, E. *La Orden Europea de Investigación. Actos de Investigación, Ilicitud de la prueba y Cooperación judicial transfronteriza.* Ed. Tirant lo Blanch, Valencia, 2016, p.75.

b) Si la parte procesal es informada del acuerdo favorable de la Orden Europea de Investigación en materia penal durante la ejecución de la medida de investigación que se hubiese solicitado a través de ella (Orden Europea de Investigación en materia penal) o con posterioridad a la misma, el recurso sólo podrá interponerse una vez finalizada la ejecución de la medida de investigación cuya práctica se hubiese acordado a través de la Orden Europea de Investigación en materia penal, y sin que su interposición, en ningún momento, pudiese llegar afectar a su suspensión. En este supuesto, el recurso interpuesto tiene un impacto directo en el traslado de la prueba obtenida a través de la medida de investigación contenida en la Orden Europea de Investigación en materia penal, cuestionándose, como resultado, si se debería, o no, suspender su traslado al Estado de ejecución de la Orden Europea de Investigación en materia penal hasta que el recurso interpuesto fuese resuelto.

c) Si la parte procesal es informada de la ejecución de la Orden Europea de Investigación en materia penal en una fase final del procedimiento, el recurso sólo podrá interponerse una vez que la prueba de investigación contenida en la misma (Orden Europea de Investigación en materia penal) ya haya sido practicada y sus resultados trasladados. El recurso sólo podrá interponerse ante el Estado de emisión de la Orden Europea de Investigación en materia penal, pues si el recurso fuese interpuesto ante el Estado de ejecución, habría que dilucidar el efecto que éste tendría.

En cualquier caso, si la parte procesal afectada por la medida de investigación contenida en la Orden Europea de Investigación en materia penal entendiese que sus derechos fundamentales se han visto vulnerados como resultado de la práctica de ésta (medida de investigación), podrá recurrir ante el Estado de ejecución.

3. EL RÉGIMEN DE LOS RECURSOS CONTRA LA EMISIÓN DE LA ORDEN EUROPEA DE INVESTIGACIÓN EN MATERIA PENAL

El artículo 14 "Vías de recurso" del Capítulo III "Procedimientos y salvaguardias para el Estado de la Ejecución" de la Directiva 2014/41/CE del Parlamento Europeo y del Consejo de 3 de Abril de 2014 relativa a la Orden Europea de Investigación en materia penal (transpuesta a nuestro ordenamiento jurídico a través de la Ley 3/2018, de 11 de Junio, por la que se modifica la Ley 23/2014, de 20 de Noviembre, de reconocimiento mutuo de resoluciones penales en la Unión Europea, para regular la Orden Europea de Investigación en materia penal) es el encargado de regular el régimen de los recursos contra la emisión de la Orden Europea de Investigación en materia penal.

Por su ubicación dentro de la Directiva 2014/41/CE se podría llegar a pensar que este artículo 14 relativo al régimen de los recursos en la Orden Europea de Investigación en materia penal sólo se ocupa de la regulación de aquellos recursos que caben contra las decisiones de la autoridad encargada de la ejecución de la Orden Europea de Investigación en materia penal. Sin embargo, y pese a que principalmente es así, ese mismo artículo14 de la Directiva 2014/41/CE también prevé la regulación de aquellos recursos que pudiesen interponerse ante la autoridad de emisión de la Orden Europea de Investigación en materia penal[8].

La realidad descrita deriva en gran medida de la falta de previsión en la Directiva 2014/41/CE del momento procesal en el que cabría la interposición del oportuno recurso ante el Estado encargado de la emisión de la Orden Europea de Investigación en materia penal. De ahí, que de forma generalizada se entienda o se piense que únicamente cabe interponer recurso contra la Orden Europea de Investigación en materia penal una vez que ésta ya haya sido emitida, está siendo ejecutada o ya ha sido ejecutada. Durante el desarrollo de la Orden Europea de Investigación en materia penal, finalmente, se acordó que fuese la legislación nacional de los diferentes Estados integrantes de la Unión Europea la que decidiese el momento procesal oportuno para la interposición del recurso contra el Estado de emisión de la Orden Europea de Investigación en materia penal, aunque ello pudiese conllevar la vulneración de la efectividad del derecho al recurso del que disponen las partes, tal y como prevé el art.14.3 de la Directiva 2014/41/CE, ya antes visto.

4. CONCLUSIONES

Resultado de la transposición al derecho interno de nuestro Estado (Ley 3/2018, de 11de Junio, por la que se modifica la Ley 23/2014, de 20 de Noviembre, de reconocimiento mutuo de resoluciones penales en la Unión Europea, para regular la Orden Europea de Investigación en ma-

---

[8]   *Vid.* RODRÍGUEZ-MEDEL NIETO, C. *Obtención y Admisibilidad en España de la Prueba Penal Transfronteriza. De las comisiones rogatorias a la orden europea de investigación. Óp., Cit.,* p.391.

teria penal) de la Directiva 2014/41/CE del Parlamento Europeo y del Consejo de 3 de Abril de 2014 relativa a la Orden Europea de Investigación en materia penal, a través de un simple formulario estándar, es posible solicitar la adopción de ciertas medidas de investigación en materia penal. Minimizándose, así, las dificultades inherentes a toda investigación en la que confluyen elementos transnacionales y en la que hasta la actualidad se encontraba sometida al complejo y dilatado mecanismo de las comisiones rogatorias[9].

Se trata pues de un instrumento de cooperación jurídica internacional en materia procesal penal sumamente importante para el fortalecimiento y la consolidación del principio de reconocimiento mutuo (no de carácter puro, sino combinado con aspectos típicos de la asistencia judicial) en el campo de la investigación penal que se desarrolla dentro de las fronteras y límites geográficos de la Unión Europea. Sobre todo, si atendemos su pretensión unificadora con respecto a la adopción de medidas de investigación del delito y la dificultad de desarrollar ésta tarea teniendo presente la disparidad de las normas procesales que existen en los ordenamientos jurídicos de los diferentes Estados miembros de la Unión Europea.

Continuando con el argumento esgrimido, el desarrollo de este nuevo instrumento de cooperación jurídica internacional en materia procesal penal dentro del Espacio Europeo de Justicia evidencia el problema de la necesidad de dotar a los distintos Estados miembros integrantes de la Unión Europea de una confianza recíproca como condición imprescindible para la consecución del reconocimiento mutuo y, como resultado, la libre circulación probatoria a nivel comunitario; así como el correcto y normal funcionamiento no solo de la Orden Europea de Investigación en materia penal, sino también del espacio de cooperación judicial en el ámbito de la Unión Europea[10].

---

[9]   Vid. MARTÍN GARCÍA, A.L. y BUJOSA VADELL, L. La obtención de prueba en materia penal en la Unión Europea. Ed. Atelier, Barcelona, 2016, pp.124-128.
[10] Vid. JIMENO BULNES, M. Aproximación legislativa versus reconocimiento mutuo en el desarrollo del espacio judicial europeo: una perspectiva multidisciplinar. Ed. Bosch, Barcelona, 2016, p.195.

SEXTA PARTE

RECONOCIMIENTO Y EJECUCIÓN DE LA ORDEN EUROPEA DE INVESTIGACIÓN. ESPECIAL CONSIDERACIÓN DE LAS CAUSAS DE DENEGACIÓN

Capítulo XXIX

RECONOCIMIENTO MUTUO Y PRUEBA ADMINISTRATIVA Y PENAL EUROPEA EN EL ESPACIO EUROPEO DE JUSTICIA PENAL

John A.E. Vervaele
Catedratico de derecho penal economico y Europeo
Universidad de Utrecht

SUMARIO: 1. INTRODUCTION. 2. RATIONALE, SCOPE AND MEANING OF JUDICIAL COOPERATION BASED ON MUTUAL TRUST IN RELATION : AN AUTONOMOUS CONCEPT OF "CRIMINAL PROCEEDINGS"? 3. MUTUAL TRUST, MUTUAL RECOGNITION AND HARMONISATION OF PROCEDURAL SAFEGUARDS ; SCOPE OF APPLICATION. 4. MUTUAL TRUST- EUROPEAN INVESTIGATION ORDER- EUROPEAN ADMINISTRATIVE ENFORCEMENT AGENCIES. 4.1. Relevant authorities and their mandate. 4.2. European administrative enforcement agencies and their cooperation with national authorities. 5. MUTUAL TRUST- EUROPEAN INVESTIGATION ORDER- EPPO. 6. CONCLUSION.

ABSTRACT: Directive 2014/41 on the European Investigation Order (EIO) aims at gathering evidence abroad by issuing investigation orders for the aim of prosecution and adjudication of criminal cases. This mutual recognition instrument does replace the classic MLA letters rogatory or rogatory commissions based on Council of Europe Conventions or EU MLA conventions. Competent judicial authorities will recognize each other's investigation orders in all stages of the criminal procedure, based on mutual trust and mutual recognition.

KEY WORDS: Issuing authority, European Investigation Order.

1. INTRODUCTION

Directive 2014/41[1] on the European Investigation Order (EIO) aims at gathering evidence abroad by issuing investigation orders for the aim of prosecution and adjudication of criminal cases. This mutual recognition instrument does replace the classic MLA letters rogatory or rogatory

---

[1] Directive 2014/41/EU of 3 April 2014 regarding the European Investigation Order in criminal matters, OJ L/130/1, 01.05.2014.

commissions based on Council of Europe Conventions or EU MLA conventions. [2] Competent judicial authorities will recognize each other's investigation orders in all stages of the criminal procedure, based on mutual trust and mutual recognition.

From the definition of issuing authority in art. 2© it becomes however clear that the circle of authorities than can use the EIO can be broader than classic judicial authorities and can also be broader in scope, even beyond the investigation, prosecution and adjudication of criminal offences:

"c) 'issuing authority' means:

(i) a judge, a court, an investigating judge or a public prosecutor competent in the case concerned; or

(ii) any other competent authority as defined by the issuing State which, in the specific case, is acting in its capacity as an investigating authority in criminal proceedings with competence to order the gathering of evidence in accordance with national law. In addition, before it is transmitted to the executing authority the EIO shall be validated, after examination of its conformity with the conditions for issuing an EIO under this Directive, in particular the conditions set out in Article 6.1, by a judge, court, investigating judge or a public prosecutor in the issuing State. Where the EIO has been validated by a judicial authority, that authority may also be regarded as an issuing authority for the purposes of transmission of the EIO

(d) 'executing authority' means an authority having competence to recognise an EIO and ensure its execution in accordance with this Directive and the procedures applicable in a similar domestic case. Such procedures may require a court authorisation in the executing State where provided by its national law.".

In Art. 4 it becomes even more evident as under the heading of "type of proceedings for which the EIO can be issued" is stipulated that it can also be issued, beside for judicial proceedings (a):

"b) in proceedings brought by administrative authorities in respect of acts which are punishable under the national law of the issuing State by virtue of being infringements of the rules of law and where the decision may give rise to proceedings before a court having jurisdiction, in particular, in criminal matters;

---

[2]   Vervaele, J 2015, Mutual legal assistance in criminal matters to control (transnational) criminality. in N Boister & R Currie (eds), *Routledge Handbook of Transnational Criminal Law*. Routledge, London & New York, pp. 121-136.

(c) in proceedings brought by judicial authorities in respect of acts which are punishable under the national law of the issuing State by virtue of being infringements of the rules of law, and where the decision may give rise to proceedings before a court having jurisdiction, in particular, in criminal matters; and

(d) in connection with proceedings referred to in points (a), (b), and (c) which relate to offences or infringements for which a legal person may be held liable or punished in the issuing State."

Logically and in the same vein art. 33 provides that each Member State shall notify the Commission of the following:

"(a) the authority or authorities which, in accordance with its national law, are competent according to Article 2(c) and (d) when this Member State is the issuing State or the executing State".

From the overview of competent authorities to issue and to receive EIO orders, as listed by the European Judicial Network[3], it does become indeed very clear that not all countries do limit the use of EIO orders to judicial authorities in criminal matters. Several countries have broadened the scope to the administrative authorities involved in enforcement of so-called administrative offences, and this for issuing and executing the orders. Germany clearly includes "Administrative authorities competent for prosecuting and punishing administrative offences". Portugal does also extend it in the same way, but submits it to authorization by the public prosecution: "When an administrative authority with regard to an administrative offence proceeding issues an EIO, it needs to be validated by the public prosecution".

Poland goes even further and has recognized as competent authorities for the EIO: "Other investigating authorities or authorities entitled to conduct investigation, such as: Police, Border Guard, Internal Security Agency, National revenue Administration, Central Anticorruption Bureau, Military Police, Trade Inspectorate and the State Sanitary Inspectorate, the President of the Office of Electronic Communications, State Hunting Guard, Forest Service, heads of Customs and Revenue Offices and heads of Revenue Offices, the Military CounterIntelligence Service and Military Intelligence Service".

Also the UK is very clear on the extension to all type of regulatory or administrative offences. For England, Wales and Northern Ireland, the

---

[3]   http://www.ejtn.eu/Documents/About%20EJTN/Criminal%20Justice%20 2018/CR201802-BCN/Competent-authorities-and-languages-accepted-EIO-26-February-2018.pdf

competent authorities able to execute an EIO are the following: "• The Chief Constable of the British Transport Police Force • The Chief Constable of the Police Service of Northern Ireland • The Chief Officer of police for a police area in England and Wales • The Director of Public Prosecutions and any Crown Prosecutor • The Director of Public Prosecutions for Northern Ireland and any Public Prosecutor • The Director of the Serious Fraud Office and any person designated under section 1(7) of the • Criminal Justice Act 1987 • The Financial Conduct Authority • The Health and Safety Executive • Her Majesty's Revenue and Customs • The Land Registry • The Ministry of Defence Police Service • The National Crime Agency • The Northern Ireland Department for Communities • The Northern Ireland Department of Justice • The Port of Dover Police • The Secretary of State for Business, Energy and Industrial Strategy • The Secretary of State for Defence • The Secretary of State for Environment, Food and Rural Affairs • The Secretary of State for the Home Department • The Secretary of State for Justice • The Secretary of State for Transport • The Secretary of State for Work and Pensions, For Scotland, the competent executing authority is the Lord Advocate".

The reading of all these references triggers of course a set of questions. First, what is the meaning of this broadening of the scope of application of the EIO, which authorities come into play by it and for which type or proceedings can the EIO be issued? Second, although all mutual recognition instruments are horizontal cooperation instruments and as such not tools for EU enforcement agencies, it is not excluded that also for EU enforcement agencies EIO is a relevant tool in their investigative work. This is certainly the case when these agencies have decentralized, national networks or use national laws and tool, as for instance in the area of enforcement of competition law or banking law.

2. RATIONALE, SCOPE AND MEANING OF JUDICIAL COOPERATION BASED ON MUTUAL TRUST IN RELATION : AN AUTONOMOUS CONCEPT OF "CRIMINAL PROCEEDINGS"?

For answering the question in the title, we have to analyse the concept of mutual trust, both in relation to mutual recognition instrument as such, but also in relation to directives that harmonise minimum rules of procedural safeguards, based on art. 82 TFEU (the so-called Swedish roadmap), to aim at improving mutual recognition.

The legal instruments based that have been used to fill in the mutual recognition instruments in the Area of Freedom, Security and Justice (AFSJ), being framework decisions under the Amsterdam Treaty and Directives under the TFEU, only apply to the field of criminal law *strictu sensu*; punitive administrative proceedings do in principle not fall under the scope of the instruments. This can be concluded from the wording of the preambles as well as from the substantive provisions. Sometimes the subject-matter of the Framework Decisions ensures that punitive administrative proceedings cannot be considered. For example, the Framework Decision on the recognition of judgements *in criminal matters imposing custodial sentences* cannot apply to administrative proceedings, because it expressly refers to criminal matters and concerns custodial sentences. Moreover, many Framework Decisions require a judicial decision issued by a court competent in criminal matters. Only such decisions can be recognized under the mechanisms of the instruments. For example, Article 1 (1) of Framework Decision 2006/783/JHA on confiscation orders refers to "a court competent in *criminal matters*" and Article 4 (a) of Framework Decision 2009/829/JHA on decisions on supervision measures as an alternative to provisional detention mentions "an enforceable decision taken in the course of *criminal proceedings* by a competent authority". A notable exception in this regard is found in Framework Decision 2005/214/JHA on the application of the principle of mutual recognition to financial penalties. Article 1 (a) (ii) states that a "decision" within the meaning of the mutual recognition instrument can also entail a decision that was made by "an authority of the issuing State other than a court in respect of a criminal offence under the law of the issuing State, provided that the person concerned has had an opportunity to have the case tried by a court having jurisdiction in particular in criminal matters".

This widening of the scope is not a novelty at all in Union law and is related to the panoply of enforcement systems in the Member States. The Schengen Conventions aimed i.a. at improving the mutual legal assistance between the Schengen states and included in art. 49 of the Schengen application Convention of 1990 :

"Mutual assistance shall also be afforded:

(a) in proceedings brought by the administrative authorities in respect of offences which are punishable in one of the two Contracting Parties or in both Contracting Parties by virtue of being infringements of the rules of law, where the decision may give rise to proceedings before a criminal court; (…)"

This magic formula was retaken later on in art. 3 the 2000 Convention on Mutual Assistance in Criminal Matters between the Member States of the European Union provides that:

"1. Mutual assistance shall also be afforded in proceedings brought by the administrative authorities in respect of acts which are punishable under the national law of the requesting or the requested Member State, or both, by virtue of being infringements of the rules of law, and where the decision may give rise to proceedings before a court having jurisdiction in particular in criminal matters.

2. Mutual assistance shall also be afforded in connection with criminal proceedings and proceedings as referred to in paragraph 1 which relate to offences or infringements for which a legal person may be held liable in the requesting Member State".

The Second 2001 Additional Protocol to the European Convention on Mutual Assistance in Criminal Matters of the Council of Europe did include it also in art. 1(3) :

"Art. 1(3) Mutual assistance may also be afforded in proceedings brought by the administrative authorities in respect of acts which are punishable under the national law of the requesting or the requested Party by virtue of being infringements of the rules of law, where the decision may give rise to proceedings before a court having jurisdiction in particular in criminal matters".

So it is no surprise that already the predecessor to the 2014 Directive on the EIO, the framework decision on the European Evidence Warrant, included a provision with the same scope in art. 5 (3), stating that the EEW may be issued:

"(…) (c) in proceedings brought by judicial authorities in respect of acts which are punishable under the national law of the issuing State by virtue of being infringements of the rules of law, and where the decision may give rise to further proceedings before a court having jurisdiction in particular in criminal matters; and

(d) in connection with proceedings referred to in points (a), (b) and (c) which relate to offences or infringements for which a legal person may be held liable or punished in the issuing State."

The origin of these clause was clearly inspired by the fact that some Member States had a double track for punitive enforcement, like Austria with a Verwaltungsstrafgesetz (Administrative Criminal Law) And Strafgezetz (Criminal law) and that in some of them, like in Germany under the Ordnungwidrigkeiten regime (a regime of punitive administrative enforcement) appeal procedures could be launched before the criminal courts. However, once a legal construct is part of EU law it obtains an EU status with an autonomous meaning, that is mostly filled in by the ECJ at the request of national courts under the procedure of preliminary rulings.

The ECJ had the opportunity to define this autonomous meaning in *Marián Baláž* .[4] *Marián Baláž*, a Czech national, had committed a traffic road offence in Austria and was fined by the Austrian administrative authority to o pay a fine of EUR 220, together with 60 hours' imprisonment should payment not be made within the prescribed period. The Austrian administrative authorities did ask to a Court in the Czech Republic to recognize the certificate with the fine, as Mr Baláž had been informed of his right to contest the decision in a court having jurisdiction in particular in criminal matters and of the time-limits for doing so. Section 460o of the Czech Code of Criminal Procedure provided at the time:

> "(1) The provisions of this part shall apply to the procedure for the recognition and enforcement of a final sentence for a criminal or other offence, or of a decision issued on the basis thereof, if issued in accordance with legislation of the European Union,
>
> (a) imposing a financial penalty,
>
> (...) if issued by a court of the Czech Republic in criminal proceedings ..., or by a court of another Member State of the European Union in criminal proceedings or by an administrative authority of such a State, provided that the administrative authority's decision on the criminal or other offence is subject to an appeal heard by a court having jurisdiction in particular in criminal matters (...)".

The defense did fully disagree with the execution as the appeal in Austria is before a higher administrative court. The High Court in Prague stayed proceedings and did submit the following – for us relevant - preliminary questions to the ECJ:

"(1) Must the term "court having jurisdiction in particular in criminal matters" in Article 1(a)(iii) [of the Framework Decision] be interpreted as an autonomous concept of European Union law?

(2a) If the answer to the first question is in the affirmative, what general defining characteristics must a court of a State which can, on the initiative of the person concerned, hear that person's case in relation to a decision issued by an authority other than a court of law (an administrative authority) have in order to qualify as a "court having jurisdiction in particular in criminal matters" within the meaning of Article 1(a)(iii) of the Framework Decision?

(2b) May an Austrian independent administrative tribunal (Unabhängiger Verwaltungssenat) be regarded as a "court having jurisdiction in particular in

---

[4]   Judgement of the Court (Grand Chamber) in Case C-60/12 (Baláž),

criminal matters" within the meaning of Article 1(a)(iii) of the Framework Decision? (…) "

In her opinion[5] Advocate General Sharpston clearly opts for an autonomous concept of "court having jurisdiction in particular in criminal matters" and fills it in, not with a organic-organizational approach, but with a approach based on substantive and procedural guarantees:

"51. I agree with the referring court and with those governments that consider that the defining characteristic of a 'court having jurisdiction in particular in criminal matters' is that it is a court which applies criminal procedure and guarantees, whether or not it also has jurisdiction in non-criminal cases (...)

56. When those twin aims are put together, it seems to me that Article 1(a)(iii) must be interpreted as meaning that a financial penalty decision made by an administrative authority will give rise to mutual recognition and consequent enforcement provided that the person concerned has had a proper opportunity to challenge that decision in a court which ensures that his fundamental rights are respected. That in turn implies that the court given jurisdiction over such financial penalty decisions in the issuing State must be one whose constitution, procedures and scope of review secure the minimum guarantees applicable under Articles 47 and 48 of the Charter when a person is charged with a criminal offence. In other words, although the competent court does not necessarily have to be the court in the issuing State that deals with matters that are formally labelled as 'criminal' under the law of that Member State, it must nevertheless afford the same procedural and substantive guarantees."

The ECJ did clearly follow the opinion of the Advocate General:

"36. To that end, the court having jurisdiction within the meaning of Article 1(a)(iii) of the Framework Decision must apply a procedure which satisfies the essential characteristics of criminal procedure, without, however, it being necessary for that court to have jurisdiction in criminal matters alone.

37. In order to determine whether, in circumstances such as those at issue in the main proceedings, the Unabhängiger Verwaltungssenat can be regarded as a court having jurisdiction in particular in criminal matters, within the meaning of the Framework Decision, an overall

---

[5]   delivered on 18 July 2013.

assessment of a number of objective factors that characterise that body and its operation has to be carried out.

38. In this connection, it should be pointed out, first, that, as the referring court rightly notes, the Court of Justice has already held that a body such as the Unabhängiger Verwaltungssenat displays all the characteristics required for it to be recognised as a court or tribunal within the meaning of Article 267 TFEU (Case C258/97 *HI* [1999] ECR I1405, paragraph 18).

39. Second, as is apparent from the information provided by the Austrian Government in its written and oral observations, even though the Unabhängiger Verwaltungssenat is formally established as an independent administrative authority, under Paragraph 51(1) of the VStG, it none the less has, inter alia, jurisdiction as an appeal body in relation to administrative offences, including, in particular, road traffic offences. In an appeal of that kind, which has suspensory effect, the Unabhängiger Verwaltungssenat has unlimited jurisdiction and applies a criminal procedure which is subject to compliance with the procedural safeguards appropriate to criminal matters.

40. In this respect, it should be pointed out that included, in particular, among the applicable procedural safeguards are the principle *nulla poena sine lege*, laid down in Paragraph 1 of the VStG, the principle that culpability should arise only where there is capacity or criminal responsibility, laid down in Paragraphs 3 and 4 of the VStG, and the principle that the penalty must be in proportion to the degree of responsibility and to the facts, laid down in Paragraph 19 of the VStG.

41. The Unabhängiger Verwaltungssenat must therefore be considered to be a 'court having jurisdiction in particular in criminal matters' within the meaning of Article 1 (a) (iii) of the Framework Decision".

The Court decided thus that the concept of a "court having jurisdiction in particular in criminal matters" is an autonomous concept of Union law and must be interpreted as covering any court or tribunal which applies a procedure that satisfies the essential characteristics of criminal procedure.[6] In other words, punitive administrative decisions that constitute a financial penalty also fall under the scope of the Framework Decision, but only if they comply with the procedural safeguards appropriate to criminal

---

[6]   Judgement of the Court (Grand Chamber) in Case C-60/12 (Baláž), par. 42.

matters. This means that mutual recognition instruments can also be used by administrative authorities -if recognized as competent authorities- even for the purpose of administrative punitive enforcement, as long as the procedural safeguards appropriate to criminal matters do apply.

Are these safeguards full discretion of the Member States? Of course not, under art. 6 ECHR they should be similar for all criminal charges and art. 6 ECHR is the minimum threshold for art. 47 EUCFR. Finally these safeguards have under the TFEU been harmonised in order to improve mutual trust and mutual recognition. What is the influence of this harmonisation?

3. MUTUAL TRUST, MUTUAL RECOGNITION AND HARMONISATION OF PROCEDURAL SAFEGUARDS ; SCOPE OF APPLICATION

Just as the Framework Decisions, the Directives that were adopted in the context of the Swedish *Roadmap* only apply to the field of criminal law. This is perhaps unsurprising in the light of their legal basis in Article 82 (2) TFEU. As seen, this article provides a competence in the case of "criminal matters". However, even if there was any doubt as to the strict interpretation of the concept of "criminal matters", the wording of the preambles and the substantive provisions of the instruments often reiterate that the Directives only covers criminal law *strictu sensu*. Thus, proceedings that would constitute a "criminal charge" but do not strictly belong to the sphere of criminal law are excluded in the Directives. For example, the preamble of Directive (EU) 2016/343 establishes: "This Directive should not apply to civil proceedings or to administrative proceedings, *including where the latter can lead to sanctions*, such a proceedings relating to competition, trade, financial services, road traffic, tax or tax surcharges, and investigations by administrative authorities in relation to such proceedings".[7] Another example is found in Article 2 of Directive 2012/13/EU. The first paragraph establishes that the Directive applies from the moment that a person is made aware of the fact that he is suspected of having committed a criminal offence. Thus, a suspect or accused person can rely on the rights flowing from the EU instrument from that moment onwards. However, Article 2 (2) entails: "Where the law of a Member State provides for the imposition

---

[7]   Preamble, 11.

of a sanction regarding minor offences by *an authority other than a court having jurisdiction in criminal matters* [e.g. an administrative authority] and the imposition of such a sanction may be appealed to such a court [e.g. a court having jurisdiction in criminal matters], this Directive shall apply only to the proceedings before that court, following such an appeal". In other words, the punitive administrative proceedings do not strictly fall under the scope of the Directive. Similar clauses are found in Article 2 (4) of Directive 2013/48/EU, Article 1(3) of Directive 2010/64/EU, Article 2 (6) of Directive (EU) 2016/800 and Article 2 (4) of Directive (EU) 2016/1919. Although the wording of the Directives is strict, there seems that be some room for a more nuanced reading of the scope of application. Firstly, we have already seen that the CJEU has recognised in Baláž that "court having jurisdiction in particular in criminal matters" is an autonomous concept of Union law and must be interpreted as covering any court or tribunal which applies a procedure that satisfies the essential characteristics of criminal procedure.[8] This could mean that punitive administrative proceedings fall under the scope of the Directive even if the wording of the provisions does not foresee it. Secondly, judgements of the CJEU regarding the material scope of the procedural rights in the Directives will not only govern the provisions in those instruments, but also influence the material scope of the defence rights flowing from the CFR and the general principles. It is difficult, perhaps even impossible, to image that the CJEU would differentiate between the various sources of procedural rights and restrict or increase the material scope accordingly; the Court has certainly not taken such a course in regard to the interplay between the CFR and the general principles.

It is also relevant to state that the Directives apply to *natural persons*; legal persons cannot rely on the provisions from the instruments. In some cases, this is rather obvious. The subject-matter of Directive (EU) 2016/800 –procedural safeguards for *children* – precludes that the rights that are guaranteed in that instrument apply to legal persons. However, sometimes the exclusion of legal persons is clearly a legislative choice. For example, the preamble of Directive (EU) 2016/343 declares that the instrument "[...] should apply to natural persons who are suspects or accused persons in criminal proceedings".[9] It later states: "At the current stage of development of national law and of case-law at national and Union level, it is premature to legislate at Union legal on the presumption of innocence with regard

---

[8]   Judgement of the Court (Grand Chamber) in Case C-60/12 (Baláž), par. 42.
[9]   Preamble 12

to legal persons. This Directive should not, therefore, apply to legal persons".[10] The wording of the preamble leaves room for an amendment of the Directive in the future, but at present legal persons are forced to call upon other sources of protection than the EU instruments from the AFSJ.

Overall, the harmonisation of the procedural safeguards, via the case-law of the ECHR and the increasing case-law of the ECJ on the one hand and the legislative harmonisation has resulted in quite similar procedural safeguards in administrative punitive proceedings and criminal proceedings. This means thus that administrative authorities dealing with punitive administrative proceedings can trigger the EIO cooperation mechanism, if they have been recognized by as competent authorities.

What does this mean now for the EU enforcement agencies and their national counterparts/networks?

4. MUTUAL TRUST- EUROPEAN INVESTIGATION ORDER- EUROPEAN ADMINISTRATIVE ENFORCEMENT AGENCIES[11]

4.1. Relevant authorities and their mandate

European administrative enforcement of relevance in this respect are-seen the fact that they can impose punitive administrative sanctions or act in the pre-field of criminal judicial investigations- are DG Competition (DG COMP), the European Central Bank (ECB), (ESMA) and the European anti-fraud Office (OLAF).

Let me first briefly indicate their enforcement powers. DG COMP covers the four traditional pillars of competition law: cartels and other agreements, abuse of a dominant position, mergers, and state aid. The most relevant investigative powers are provided in the field of antitrust, i.e. the agreements between undertakings (Art. 101 TFEU) and the abuse of a dominant position (Art. 102 TFEU). DG COMP also has punitive sanctioning powers in relation to these areas.

---

[10]   Preamble 14.
[11]   Part 4 is mainly based on Michiel Luchtman & John Vervaele (eds), Report,Investigatory powers and procedural safeguards: Improving OLAF's legislative framework through a comparison with other EU law enforcement authorities (ECN/ESMA/ECB), April 2017, file:///D:/Report_Investigatory_powers_and_procedural_safeguards_Utrecht_University_1_.pdf

As of November 2014, the ECB has become exclusively competent for the financial supervision of 'significant' credit institutions, representing almost 85% of total banking assets in the euro area. The ECB can conduct investigations and on-site inspections as a matter of daily supervision (by JSTs and the Centralised On-site Inspections Division) and when a breach of EU law is suspected (in this case by the Enforcement and Sanctions Division, in the legislation referred to as the 'Investigating Unit'). ECB has also punitive sanctioning powers in this field.

ESMA's objectives include establishing a sound, effective and consistent level of financial regulation and supervision and preventing regulatory arbitration and promoting equal conditions of competition (Article 1 of Regulation 1095/2010

These regulations give ESMA the ultimate responsibility to deal with the registration, authorization, supervision of and enforcement vis-à-vis credit rating agencies (CRAs) and trade repositories (TRs).

The European Securities and Markets' Authority (ESMA) has its own investigation and sanctioning powers. It has the power to request information (a simple request or by a decision), conduct general investigations by supervisors on an ongoing basis and investigations into alleged breaches of EU law by independent investigation officers (IIOs), and impose supervisory measures and punitive administrative fines for breaches of relevant EU laws.

OLAF is competent to exercise the powers of investigation conferred upon the Commission by the relevant Union acts, 'in order to step up the fight against fraud, corruption and any other illegal activity affecting the financial interests of the European Union'. OLAF has no sanctioning powers, but the OLAF-evidence is often used in national criminal proceedings.

4.2. *European administrative enforcement agencies and their cooperation with national authorities*

To extent to which DG Comp, ECB, ESMA and OLAF trigger the national enforcement dimension is important for the relation with the EIO, as this is a horizontal cooperation instrument.

Both DG Comp and the Member States have enforcement powers at their disposal and can exercise them on the same facts. The investigating authorities are part of the European Competition Network (ECN), a 'network of public authorities'. It is not a new legal entity or organisation, but provides a framework where DG Comp and national competition authorities (NCAs) discuss the sharing of work in order to determine the allocation of cases. The ECN as such does not have specific powers. The powers are exerted by either national authorities or the Commission, which basically may act in two ways: (a) DG COMP may request national competition authorities to undertake inspections on its behalf using 'their powers in accordance with their national law'; Compared with other policy areas, the COM also has direct enforcement powers, in the sense that it does not have to rely on the assistance of NCAs: NCAs may be requested to provide assistance to DG COMP (when NCAs assist DG COMP in conducting an inspection they have the same investigative powers provided by EU law for DG COMP).

The ECB has, in principle, all investigative and sanctioning powers of its own According to the SSM Regulation, the ECB has the power to request information (Article 10), to conduct necessary investigations, including examining books and records and interviewing (Article 11), to make on-site inspections (Article 12), to impose administrative pecuniary penalties for violations of EU law but also sanctions for 'breaches of its decisions' (Article 18(7) SSM Regulation). Furthermore, the ECB has all the powers which NCAs shall have under relevant Union law (Article 9 (1) SSM Regulation) and the ECB may also instruct NCAs to use a ´purely´ national power (Article 9(1) SSM Regulation).

ESMA has, in principle, all investigative and sanctioning powers of its own: it may request information by a simple request or by decision, conduct investigations, including the powers to summon witnesses and ask for oral and written explanations concerning facts and documents (The 'sharing' of tasks with national authorities concerns only the possibility for ESMA to ask competent national authorities to carry out specific supervisory and investigatory tasks and on-site inspections on its behalf.

OLAF does not have sanctioning powers: OLAF's investigations conclude with a report that is sent to the national authorities, which are not compelled to take any action. This report indicates the facts established and the precise allegations, as well as recommendations on the appropriate follow-up to be undertaken at the national level. However the EU legal framework provides that the final report constitutes admissible evidence in administrative or judicial proceedings in the Member States in the same way and under the same conditions as administrative reports drawn up by national administrative inspectors. OLAF is thus de facto acting in the pre-field of criminal investigations and its legal framework obliges OLAF to apply with procedural safeguards that are common for criminal procedure as to secure the admissibility of evidence in the criminal law follow-up.

Basically three ways of conducting OLAF's tasks can be identified: (a) OLAF can provide assistance to Member States 'in organising close and regular cooperation between their competent authorities in order to coordinate their action aimed at protecting the financial interests of the Union against fraud' ('coordination cases'); (b) OLAF can ask national authorities to conduct an investigation on suspected fraud or irregularities, and can participate in such investigations ('mixed inspections'). Since investigations are opened and conducted at the national level, national law applies; OLAF staff act as seconded experts or joint investigators, with the same powers as the national authorities. (c) OLAF conducts proper autonomous investigations Various investigative activities can be performed by OLAF investigation units; the most relevant, which require the authorisation of the Director-General, are: interviews with persons concerned and witnesses, the inspection of EU premises (in internal investigations) and on-the-spot checks of economic operators (in external investigations). As regards external investigations, OLAF can conduct on-the-spot checks according to Regulation No. 2988/95 and Regulation No. 2185/96. These regulations do not lay down an exhaustive EU law procedure, but refer to sectoral regulations and to national law. This entails that the extent of OLAF's powers may vary from one country to another. According to these regulations, checks and inspections shall be prepared and conducted in close cooperation with the Member States concerned; Member States' authorities may participate therein and normally they do so, at least at the beginning of the inspection; however, on-the-spot checks are carried out under OLAF's authority.

From this analysis we can thus derive that European law enforcement through national counterparts and based on horizontal network cooperation can be a very relevant dimension, which triggers also the interest for the use of EIO in this setting, even for punitive administrative enforcement. Of course all the restrictions of the EIO does or would apply. This means for instance recognition as competent authority, reciprocity of investigative measures in the issuing and receiving state, equal protection of procedural safeguards, etc.

This dimension can maybe even better illustrated by the recently approved regulation on the European Public Prosecutor's Office (EPPO).

5. MUTUAL TRUST- EUROPEAN INVESTIGATION ORDER- EPPO

Athough the EPPO[12] will operate as a single office across the jurisdiction of all participating Member States, the reference to a single legal area – included in the original Commission proposal of 2013- was abolished in the negotiation process. The main reason is that the EPPO will to a large extent operate through its European Delegated Prosecutors in the national jurisdictions. Investigating and prosecuting crimes by using actors in the domestic criminal justice systems does of course directly trigger the dimension of judicial cooperation between the European Delegated Prosecutors. Art. 31 of the EPPO regulation deals explicitly with this new dimension under the title cross-border investigations:

"1. The European Delegated Prosecutors shall act in close cooperation by assisting and regularly consulting each other in cross-border cases. Where a measure needs to be undertaken in a Member State other than the Member State of the handling European Delegated Prosecutor, the latter European Delegated Prosecutor shall decide on the adoption of the necessary measure and assign it to a European Delegated Prosecutor located in the Member State where the measure needs to be carried out.

2. The handling European Delegated Prosecutor may assign any measures, which are available to him/her in accordance with Article 30. The justification and adoption of such measures shall be governed by the law of the Member States' of the handling European Delegated Prosecutor. Where the handling European Delegated Prosecutor assigns an investigation measure to one or several European Delegated Prosecutors from another Member State, he/she shall at the same time inform his supervising European Prosecutor. (…)

6. If the assigned measure does not exist in a purely domestic situation, but would be available in a cross-border situation covered by legal instruments on mutual recognition or cross-border cooperation, the European Delegated Prosecutors concerned may, in agreement with the supervising European Prosecutors concerned, have recourse to such instruments."

The basic rule for gathering evidence in cross border situations is that the EPPO system has a proper sui generis system of cooperation between the European Delegated Prosecutor's, based on the concept of single office. However the text leaves room for the use of the EIO in a fall-back position, as clarified also in the recitals:

---

[12]   EU regulation 2017/1939 of 12 October 2017 implementing enhanced cooperation on the establishment of the European Public Prosecutor's Office ('the EPPO')

"(72) In cross-border cases, the handling European Delegated Prosecutor should be able to rely on assisting European Delegated Prosecutors when measures need to be undertaken in other Member States. Where judicial authorisation is required for such a measure, it should be clearly specified in which Member State the authorisation should be obtained, but in any case there should be only one authorisation. If an investigation measure is finally refused by the judicial authorities, namely after all legal remedies have been exhausted, the handling European Delegated Prosecutor should withdraw the request or the order.

(73) The possibility foreseen in this Regulation to have recourse to legal instruments on mutual recognition or cross- border cooperation should not replace the specific rules on cross-border investigations under this Regulation. It should rather supplement them to ensure that, where a measure is necessary in a cross-border investigation but is not available in national law for a purely domestic situation, it can be used in accordance with national law implementing the relevant instrument, when conducting the investigation or prosecution."

So, even in the case of the EPPO the European Delegated Prosecutors may make use of the EIO for the purpose of gathering evidence. The handling European Delegated Prosecutor are also entitled to issue or request European Arrest Warrants within the area of competence of the EPPO (art. 33 regulation). Cross-border investigations and cross-border surrender through the EIO and EAW are this entirely part of the vertical enforcement design of the EPPO.

6. CONCLUSION

The increasing integration in the European legal order has substantially affected the law enforcement in the EU, not only through harmonisation of substantive enforcement law, but also through the harmonisation of applicable procedural safeguards and the enhancing of new mutual recognition instruments in the area of transnational cooperation.

In this article with have analyzed if and to which extent Directive 2014/41[13] on the European Investigation Order (EIO) could also be of used by administrative enforcement agencies that are investigating irregularities

---

[13]   Directive 2014/41/EU of 3 April 2014 regarding the European Investigation Order in criminal matters, OJ L/130/1, 01.05.2014.

and imposing punitive sanctions and for similar European enforcement agencies, be it through their national counter-parts that act on behalf of them or in an transnational enforcement network.

From this analysis clearly results that the administrative/criminal law divide and the national/European competence divide is far from being like a Chinese wall. This means automatically that the line of division between administrative mutual assistance and judicial cooperation in criminal matters based on mutual recognition is fluid.

Would it not be better to recognize that administrative punitive enforcement could be governed by the same principles as criminal punitive enforcement, as both fall under the notion criminal charge of art. 6 ECHR)? Could we not use the same cooperation instruments, to the extent of course that that the instruments are functional to administrative enforcement?[14] It makes no sense to use the European arrest warrant for administrative enforcement, as this instrument is related to pre-trial detention or execution of prison sentencing, issues that are under ECHR-law excluded from the administrative enforcement.

The example of the EPPO shows also clearly that the European dimension cannot be excluded anymore from the horizontal MR instruments. If the European dimension is not fully equipped in a supranational setting, it must and shall fall back upon existing national tools and related horizontal cooperation.

The ECJ has underlined in the *Marián Baláž*[15] case that the concepts in EU, also in this area, have an autonomous definition, that can set aside national differences in enforcement design. The bottom line is however that be doing so the EU legal order is improving the enforcement of legal interest in the legal order and doing it be equivalent standards of procedural safeguards and fundamental rights.

Is it not high time for the legislator to come in and elaborate this transnational dimension of the single legal area in the EU in relation to punitive administrative enforcement and to trigger an initiative under Article 74 TFEU[16]?

---

[14] Vervaele, JAE & Klip, AH 2001, Cooperation between tax, customs and judicial authorities in France. in JAE Vervaele & AH Klip (eds), *European cooperation between tax, customs and judicial authorities*. Kluwer Law International, The Hague-London-New York.

[15] Judgement of the Court (Grand Chamber) in Case C-60/12 (Baláž),

[16] The Council shall adopt measures to ensure administrative cooperation between the relevant departments of the Member States in the areas covered by this Title, as well

The EU legislator could take advantage of the ReNEUAL Project[17] on Administrative Law Reform in the EU, although their subproject on administrative enforcement cooperation does not take into account the bridges between the administrative and judicial enforcement and the relevance of the EIO.

---

as between those departments and the Commission. It shall act on a Commission proposal, subject to Article 76, and after consulting the European Parliament

[17] https://law.yale.edu/system/files/area/conference/compadmin/compadmin16_hofmann_schneider_reneual.pdf

Capítulo XXX

RECONOCIMIENTO Y EJECUCIÓN DE LA ORDEN EUROPEA DE INVESTIGACIÓN

Montserrat de Hoyos Sancho

Profesora Titular de Derecho Procesal – Acred. Catedrática
Universidad de Valladolid

SUMARIO: 1. INTRODUCCIÓN. 2. PRINCIPALES CARACTERÍSTICAS DEL RECONOCIMIENTO Y EJECUCIÓN DE LA OEI EN ESPAÑA. 3. CAUSAS DE DENEGACIÓN DEL RECONOCIMIENTO Y EJECUCIÓN DE LA OEI PREVISTAS EN LA ACTUAL LEY DE RECONOCIMIENTO MUTUO DE RESOLUCIONES PENALES EN LA UNIÓN EUROPEA. 3.1. Causas de denegación generales, de todos los instrumentos de reconocimiento mutuo. 3.2. Causas de denegación específicas de la orden europea de investigación. 3.3. Causas de denegación de algunas concretas medidas de investigación. 4. MOTIVOS DE SUSPENSIÓN OBLIGATORIA DEL RECONOCIMIENTO Y EJECUCIÓN DE LA OEI.

RESUMEN: En el análisis de los instrumentos de cooperación judicial internacional basados en el principio de reconocimiento mutuo, la amplitud operativa y efectividad práctica de éstos vendrá determinada por la manera en que el legislador de la UE haya diseñado dos aspectos que resultan esenciales en cualquiera de ellos: su concreto ámbito de aplicación material, por un lado, y los motivos que permiten una denegación de tal reconocimiento, por otro.

ABSTRACT: In the analysis of international judicial cooperation instruments based on the principle of recognitionmutual benefit, the operational breadth and practical effectiveness of these will be determined by the way in which the EU legislator has designed two aspects that are essential in any of them: its concrete scope of material application, on the one hand, and the reasons that allow a denial of such rcognition, on the other.

PALABRAS CLAVE: cooperación judicial internacional, motivos que permi-00ten una denegación, orden europea de investigación.

KEY WORDS: international judicial cooperation, reasons thatallow a denial, European research order.

1. INTRODUCCIÓN[1]

Según hemos tenido ocasión de comprobar al analizar otros instrumentos de cooperación judicial internacional basados en el principio de reconocimiento mutuo[2], la amplitud operativa y efectividad práctica de éstos vendrá determinada por la manera en que el legislador de la UE haya diseñado dos aspectos que resultan esenciales en cualquiera de ellos: su concreto ámbito de aplicación material, por un lado, y los motivos que permiten una denegación de tal reconocimiento, por otro.

Por lo que respecta a la primera cuestión, según puede leerse en la propia LRMRP[3] –art. 186.1–, la orden europea de investigación –OEI en lo sucesivo– es "una resolución penal emitida o validada por la autoridad competente de un Estado miembro de la Unión Europea, dictada con vistas a la realización de una o varias medidas de investigación en otro Estado

---

[1] Este trabajo es una versión del publicado en la *Revista General de Derecho Procesal*, núm. 47, enero 2019, y se elaboró en el marco de los siguientes Proyectos y Grupos de Investigación: Plan Nacional I+D+i –Excelencia– Ministerio de Economía y Competitividad: *"Garantías procesales de investigados y acusados: necesidad de armonización y fortalecimiento en el ámbito de la Unión Europea"*–DER 2016-78096-P–; Junta de Castilla y León: *"Sociedades seguras y garantías procesales: el necesario equilibrio"*-VA-135-G18-; Generalitat Valenciana *"Claves de la justicia civil y penal en la sociedad del miedo"* –Prometeo 2018/2011–; Grupo de Investigación Reconocido de la Universidad de Valladolid: *"Garantías procesales y Unión Europea"*.

[2] Vid. ARANGÜENA, C. / DE HOYOS, M. / RODRÍGUEZ-MEDEL, C. (Dirs.): R*econocimiento mutuo de resoluciones penales en la Unión Europea.* , Cizur Menor, 2015.

[3] Ley de Reconocimiento Mutuo de Resoluciones Penales en la Unión Europea, Ley 23/2014, de 20 de noviembre, modificada por medio de la Ley 3/2018, de 11 de junio, que incorporó a nuestro ordenamiento la Directiva 2014/41/CE del Parlamento europeo y del Consejo, de 3 de abril de 2014. Tras esta reforma, el Título Décimo de la LRMRP es el que se dedica a la regulación de la OEI, arts. 186-223, aunque serán también de aplicación los preceptos generales de los Títulos Preliminar y Primero de dicha Ley. Un análisis de esta Directiva OEI puede encontrarse en BÖSE, M.: "Die Europäische Ermittlungsanordnung – Beweistransfer nach neuen Regeln?", *ZIS*, 4/2014; BACHMAIER WINTER, L.: "Prueba transnacional penal en Europa: la Directiva 2014/41 relativa a la orden europea de investigación", *RGDE*, núm. 36, 2015; CAIANIELLO, M.: "La nuova direttiva UE sull'ordine europeo di indagine penale tra mutuo riconoscimento e ammisione reciproca delle prove", *Processo penale e giustizia*, 3/2015; JIMENO BULNES, M.: "Orden europea de investigación en materia penal", en *Aproximación legislativa versus reconocimiento mutuo en el desarrollo del espacio judicial europeo*, Barcelona, 2016, pp. 151 y ss.; MARTÍNEZ GARCÍA, E.: *La orden europea de investigación*, Valencia, 2016; RODRÍGUEZ-MEDEL NIETO, C.: *Obtención y admisibilidad en España de la prueba penal transfronteriza*, Cizur Menor, 2016; ARANGÜENA FANEGO, C.: "Orden europea de investigación: próxima implementación en España del nuevo instrumento de obtención de prueba penal transfronteriza", *RDCE*, núm. 58, 2017; LEONHARDT, A.: *Die Europäische Ermittlungsanordnung in Strafsachen*, Wiesbaden, 2017.

miembro, cuyo objetivo es la obtención de pruebas para su uso en un proceso penal. También se podrá emitir una orden europea de investigación con vistas a la remisión de pruebas o de diligencias de investigación que ya obren en poder de las autoridades competentes del Estado miembro de ejecución. (…)" y –art. 186.2– "podrá referirse a procedimientos incoados por las autoridades competentes de otros Estados miembros de la Unión Europea, tanto administrativas como judiciales, por la comisión de hechos tipificados como infracciones administrativas en su ordenamiento, cuando la decisión pueda dar lugar a un proceso ante un órgano jurisdiccional, en particular en el orden penal".

Además, la OEI se podrá emitir también –art. 203 LRMRP– para adoptar medidas de aseguramiento de pruebas o diligencias de investigación: "La autoridad española competente podrá emitir una orden europea de investigación con la finalidad de impedir de forma cautelar la destrucción, transformación, desplazamiento, transferencia o enajenación de un objeto que pudiera emplearse como medio de prueba (…)".

A través de este instrumento se puede solicitar de la autoridad judicial de otro Estado miembro la práctica de cualquier diligencia de investigación o prueba que pueda ser necesario acordar en el transcurso de un proceso penal. Aunque no se mencionan expresamente en la normativa aplicable actuaciones tan relevantes como la posibilidad de ejecutar en otro Estado miembro una orden entrada y registro domiciliario, o pruebas periciales en general, también éstas tienen cabida en el instrumento. Por lo demás, el legislador europeo ha optado por no restringir el uso de la OEI a la investigación y prueba de delitos por encima de un determinado umbral punitivo; sin embargo, cuando el delito lleve aparejada una pena en abstracto inferior a tres años de prisión o medida de seguridad privativa de libertad, operará el control de "doble incriminación", que según la ley española, es de carácter obligatorio[4].

La propia Directiva 2014/41/CE establece en su art. 3, que la OEI podrá contener la petición de cualquier medida de investigación[5], pero ésta

---

[4]   En el art. 11 de la Directiva 2014/41/CE aparece con carácter facultativo: "(…) se podrá denegar el reconocimiento (…)".

[5]   Ya destacó RODRÍGUEZ-MEDEL que habría sido muy pertinente que la Directiva sobre OEI hubiera definido qué ha de entenderse por "medida de investigación", cosa que finalmente no se hizo, a pesar de ser el concepto neurálgico sobre el que se asienta toda la regulación. También se estima necesario que se hubiera concretado qué se entiende por "medidas de investigación coercitivas"; la Directiva también guarda silencio al respecto, a pesar de que las consecuencias y diferencias con las medidas que no lo son, serán relevantes. Vid. *Obtención y admisibilidad en España…, op. cit.*, pp. 308 y 309.

no será aplicable a la creación de equipos conjuntos de investigación y a la obtención de fuentes de prueba por esos equipos –vid. art. 186.3 LRMRP-[6], tampoco a la vigilancia transfronteriza en virtud del Convenio de aplicación del Acuerdo de Schengen –CAAS–[7], ni al régimen de transmisión de información sobre antecedentes penales –vid. art. 186.4 LRMRP–[8].

De otro lado, conviene también delimitar el ámbito de utilización de la OEI del de otros instrumentos que pueden ser concomitantes, pero diferentes, con sus propios requisitos, presupuestos y efectos. Así, deberá emplearse la Orden Europea de Detención y Entrega –OEDE–, y no la OEI, si es preciso trasladar a una persona a otro Estado miembro para su enjuiciamiento[9]; tengamos en cuenta también que la entrega del sujeto en virtud de la OEDE puede ir acompañada de la entrega de objetos o instrumentos del delito con fines probatorios[10]. Sin embargo, sí se empleará la OEI cuando, por ejemplo, sea necesario el traslado de una persona privada de libertad en el Estado de ejecución porque tiene que participar de una diligencia de investigación en el Estado de emisión y ésta requiere su presencia física–v.gr.: rueda de reconocimiento–[11].

---

[6]   Que seguirán regulados por el art. 13 del Convenio de asistencia judicial penal UE, por la DM 2002/465/JAI, y en España por la Ley 11/2003, de 21 de mayo. Ahora bien, si un ECI precisa que ciertas diligencias de investigación se lleven a cabo en otro Estado miembro que no participa en el Equipo, podrá emitirse una OEI solicitándolas a las autoridades competentes en tal Estado.

[7]   Vid. Considerandos 8º y 9º de la Directiva. Se entiende que la vigilancia transfronteriza es cooperación policial, no judicial. No obstante, si la vigilancia transfronteriza requiere la colocación y uso de balizas de geolocalización, previa autorización judicial, sí podrá y deberá utilizarse la OEI.

[8]   Será aplicable la DM 2009/315/JAI y la DM 2009/316/JAI, por la que se establece el sistema ECRIS –Sistema europeo de información de antecedentes penales– como instrumento preferente. Si los antecedentes penales que se quieren conocer son los de ciudadanos de terceros Estados –no UE–, sí se empleará la OEI, pues esa información no figura en el sistema ECRIS.

[9]   Vid. Considerando 25º Directiva 2014/41/CE.

[10]   Vid. art. 42 LRMRP: "Cuando la autoridad judicial española emita una orden europea de detención y entrega podrá solicitar, cuando sea necesario, a las autoridades de ejecución que, de conformidad con su derecho interno, entreguen los objetos que constituyan medios de prueba o efectos del delito y que se adopten las medidas de aseguramiento pertinentes.
        La descripción de los objetos solicitados se hará constar en el Sistema de Información Schengen".

[11]   En todo caso, a fin de hacer un uso proporcionado de las medidas que implican el traslado forzoso de personas, las autoridades de emisión deben valorar si una OEI puede ser también un medio eficaz y menos gravoso que una OEDE en el caso concreto; en particular, si la OEI solicitando la comparecencia de un investigado o de un acusado

Es pertinente igualmente deslindar dos tipos de actuaciones cautelares transfronterizas que se pueden solicitar en el marco de un proceso penal, y que tienen objetivos distintos. Si tales medidas van encaminadas a asegurar la posterior obtención de pruebas –v.gr.: evitar su destrucción o desaparición–, se empleará la OEI, pero si lo que se pretende es el embargo preventivo de bienes para hacer posible su posterior decomiso[12], el instrumento a emplear será el específico para este fin –Título VII LRMRP–[13].

Por lo demás, si bien la OEI se inspira expresamente en el principio de reconocimiento mutuo de resoluciones judiciales, que desde hace más de quince años informa la cooperación judicial en el Espacio de Libertad, Seguridad y Justicia de la Unión, debe partirse en su análisis del hecho de que se trata de un instrumento más bien de carácter híbrido, a medio camino entre la asistencia convencional moderna y la cooperación judicial más avanzada. Es más, a nuestro modo de ver, en cierta medida supone un retroceso si lo comparamos con otras herramientas de cooperación directa también vigentes en el ámbito espacial de aplicación del reconocimiento mutuo transfronterizo de resoluciones judiciales[14].

Seguramente la Directiva en cuestión es el resultado del máximo grado de consenso que se pudo alcanzar en su día. Vid. expresamente el Considerando 6º de la Directiva 2014/41/CE: "(…) es necesario un nuevo planteamiento basado en el principio de reconocimiento mutuo, pero que tenga también en cuenta la flexibilidad del sistema tradicional de asistencia judicial".

---

mediante videoconferencia puede constituir también una alternativa eficaz. Vid. Considerando 26º de la Directiva 2014/41/CE.

[12] Vid. los capítulos que sobre el reconocimiento mutuo de resoluciones de embargo preventivo firman F. GASCÓN INCHAUSTI y J.J. NAVAS BLÁNQUEZ en la obra *Reconocimiento mutuo de resoluciones penales…, op. cit.,* pp. 323 y ss. y pp. 363 y ss.

[13] Téngase en cuenta que Dinamarca e Irlanda no participan de la OEI, por lo que el Título VII de la LRMRP sigue siendo de aplicación con estos Estados con la finalidad de obtener un aseguramiento de pruebas.

[14] Como afirma COSTA RAMOS –con citas de KLIP y RUGGERI–, en la regulación de la OEI encontramos disposiciones que no son características de un instrumento "típico" de reconocimiento mutuo, pues se permite la oposición de motivos de denegación más amplios, como el requisito de la doble legalidad de la medida o el análisis de la proporcionalidad en el Estado de ejecución, o incluso modificaciones en la medida solicitada. Concluye la autora que el resultado de la OEI aprobada se acerca más a una asistencia judicial "de segunda generación", un "modelo combinado" entre reconocimiento mutuo y solicitud de asistencia. Vid. "Medios procesales de impugnación de la OEI: aportaciones a la interpretación del art. 14 de la Directiva", en *Garantías procesales de investigados y acusados*, Dirs.: C. ARANGÜENA y M. DE HOYOS, Valencia, 2018, pp. 337 y ss., esp. pp. 340 y 341.

Téngase también presente que no se dispone al día de hoy de la necesaria y suficiente armonización / aproximación previa de las legislaciones nacionales sobre requisitos mínimos, presupuestos imprescindibles, o concretos parámetros para determinar la proporcionalidad u otras condiciones que permitan acordar las diligencias de investigación y prueba en el ámbito UE; ni siquiera están armonizadas las diligencias de carácter más invasivo en los derechos fundamentales de los ciudadanos. La previa armonización sobre la materia habría facilitado sin duda la tarea de elaboración de la Directiva OEI, se habrían alcanzado mejores resultados y se evitarían problemas ulteriores en la aplicación del instrumento.

Suponemos que este sistema "híbrido" es el que se finalmente se logró consensuar tras las largas y complejas negociaciones previas a la aprobación del instrumento. Una vez más parece que, con altas dosis de optimismo, se confía en que el propio devenir de las cosas provoque una aproximación de las legislaciones nacionales sobre estas materias tan complejas[15].

La consecuencia de todo lo antedicho no es otra que la aprobación de una OEI en la que la *regla general* es que las medidas de investigación y prueba solicitadas por la autoridad de emisión sólo se acordarán si se pudieran adoptar en una "caso interno similar" en el Estado de ejecución, lo que sin duda implica una valoración de los aspectos esenciales del asunto en el que trae su origen la OEI, así como la adopción de una decisión sobre reconocimiento y ejecución aplicándole a aquel asunto extranjero las normas y jurisprudencia nacionales –las del Estado de ejecución– que serán las que finalmente determinen la licitud, pertinencia y proporcionalidad de las concretas medidas de investigación y prueba cuya ejecución se solicita. El principio de reconocimiento mutuo[16] se presenta por tanto muy desdibujado en este instrumento[17], y la tarea que le

---

[15]   Vid. CAIANIELLO, M.: "La nuova direttiva…", *op. cit.*, esp. p. 10, quien considera que la utilización de los instrumentos de reconocimiento mutuo en materia de investigación y prueba podría llegar a producir una "hibridación" de los sistemas en la praxis.

[16]   BARONA VILAR entiende que este principio, junto con la armonización de legislaciones en el ámbito UE, son manifestación de la actual tendencia a la "glocalización" jurídica. Vid. más ampliamente su monografía *Proceso penal desde la historia. Desde su origen hasta la sociedad global del miedo,* Valencia, 2017, pp. 539 y ss., esp. pp. 549 y 550.

[17]   Pone de relieve LEONHARDT que la OEI es más bien un instrumento de consolidación de la asistencia judicial ya implantada en otros instrumentos, unifica los regímenes fragmentarios previos, más que implicar una verdadera novación en la materia. Vid. *Die Europäische Ermittlungsanordnung…, op. cit.,* pp. 336 y 337.

corresponde a las autoridades competentes en el Estado de ejecución no parece precisamente sencilla.

Además, este principio rector de la cooperación judicial más avanzada pierde también mucha intensidad si se consideran y valoran debidamente todas las diversas posibles causas de denegación, suspensión o aplazamiento del reconocimiento y ejecución de la OEI que se contienen en la Directiva 2014/41/CE, casi todas ellas de carácter obligatorio. Aunque, según veremos, éstas se enuncian de manera acotada en la norma, son ciertamente muy amplias en sus contenidos y en la posible invocación por las autoridades de ejecución[18]. En definitiva, son posibles muchas excepciones a una cooperación ágil, eficaz, con reconocimiento mutuo amplio y efectivo[19].

Por otro lado estimamos que, particularmente en este instrumento de cooperación, su mayor o menor éxito, su utilidad y eficacia real dependerá en gran medida del *verdadero* grado de confianza recíproca entre las autoridades implicadas en la emisión y el reconocimiento[20], que –insistimos– además no contará con el apoyo o referente de unas previas normas de armonización probatoria en el ámbito UE.

También la comunicación directa, el "diálogo" fluido y sin dilaciones entre dichas autoridades constituye un elemento esencial en la tramitación de la OEI. El sistema ya tradicional de utilización de formularios multilingües ayu-

---

[18]　Destaca PILLADO GONZÁLEZ que la lectura de los motivos de denegación del reconocimiento, incrementados en la versión final respecto a los contenidos en la propuesta de Directiva, ya evidencia una desconfianza entre los Estados miembros en la cooperación judicial penal. Vid. "Los motivos de denegación del reconocimiento y la ejecución por las autoridades españolas de una orden europea de investigación que requiera medidas específicas de investigación", en *Adaptación del Derecho procesal español a la normativa europea y a su interpretación por los tribunales,* Dir.: F. Jiménez Conde, Valencia 2018, pp. 59 y ss., esp. pp. 61 y 65.

[19]　Muy significativo a modo de conclusión el título del trabajo de FIORELLI, G.: "I motivi di rifiuto dell'ordine investigativo europeo, quando fidarse è bene, ma non fidarse e meglio", en *L'ordine europeo di indagine. Criticità e prospettive.* Torino, 2016, pp. 78 y ss.

[20]　Tendremos que esperar a ver cómo se desarrolla y evoluciona la aplicación de la OEI entre los distintos Estados miembros para poder valorar los aciertos y las deficiencias de las respectivas regulaciones con datos más precisos. Como bien explica LUPÀRIA no basta analizar estos instrumentos de cooperación judicial europea con una óptica abstracta, es decir, simplemente teorizando desde la norma, pues son mecanismos destinados a operar en la praxis de los juzgados y tribunales, y no son ajenos a las concretas relaciones interestatales en cada momento. Vid. más ampliamente sus valoraciones en "Note conclusive nell'orizzonte d'attuazione dell'Ordine europeo di indagine", en *L'ordine europeo d'indagine…, op. cit.,* pp. 249 y ss., esp. p. 249.

dará[21], pero este tipo de medidas de investigación y prueba, en las que el riesgo de frustración por el mero paso del tiempo puede ser determinante, exige algo más que el uso de formularios. Hoy en día los medios tecnológicos ofrecen muchas posibilidades de comunicación personal directa y en tiempo real, aunque hará falta también que las autoridades implicadas no estén sobrecargadas de trabajo y puedan efectivamente hacer un uso seguro de los mismos.

2. PRINCIPALES CARACTERÍSTICAS DEL RECONOCIMIENTO Y EJECUCIÓN DE LA OEI EN ESPAÑA

El legislador español optó por el Ministerio Fiscal como autoridad competente en nuestro país para recibir todas las OEI emitidas por las respectivas autoridades de los otros Estados miembros –art. 187.2 LRMRP–[22].

La concreta Fiscalía que ha de recibirlas se determina en función del tipo delictivo –terrorismo, tráfico de drogas, corrupción, etc.– y del territorio de ejecución de la medida de investigación o prueba solicitada. Así, el Atlas Judicial Europeo en materia penal ayuda a la autoridad de emisión

---

[21] Por cierto, no encontramos formulario alguno relativo a los motivos de denegación del reconocimiento, por lo que la autoridad nacional competente para el reconocimiento deberá en esos casos redactar la pertinente resolución motivada y traducirla para enviarla a la autoridad de emisión. Habría sido conveniente preparar también un formulario multilingüe con los posibles motivos de denegación.

[22] El Informe al Anteproyecto de regulación de la OEI elaborado por el Consejo Fiscal, p. 34, se refiere a las ventajas que conlleva atribuir esta competencia para la recepción a las Fiscalías especiales y a las Fiscalías provinciales. No obstante, no faltaron en su día otros informes críticos con esta atribución competencial –vid. Informe del CGPJ al mismo Anteproyecto, conclusión 10ª–, ni otras voces cualificadas que abogaron por la atribución de la competencia para el reconocimiento y ejecución de la OEI sólo a los Jueces de Instrucción. Vid. RODRÍGUEZ-MEDEL, C.: *Obtención y admisibilidad…, op. cit.,* pp. 395 y ss.: Entiende la autora que, partiendo de la legislación vigente española, es decir, de que en nuestro país la investigación de los delitos corresponde al Juez instructor –salvo en menores–, no se debería crear un procedimiento diferente al previsto en la LECrim sólo por el hecho de que la diligencia de investigación que se practique en España deba surtir efectos en procedimientos que se siguen en otro Estado miembro. Vid. más ampliamente los numerosos argumentos teóricos y prácticos que expone y fundamenta la citada autora en la monografía de referencia. Véase también AGUILERA MORALES, M.: "La orden europea de investigación: nuevas atribuciones para el Ministerio Fiscal", *en prensa.* Cfr. con todos los razonamientos que en sentido contrario –ventajas de la intervención del MF como autoridad de ejecución– formula el Fiscal JIMÉNEZ–VILLAREJO en su trabajo "Orden europea de investigación", *Memento Experto. Cooperación jurídica penal internacional,* AA.VV., Madrid. 2016, pp. 410 y ss.

a individualizar la Fiscalía española a la que debe remitir su OEI –Fiscalía especializada, Fiscalía Audiencia Nacional, Fiscalía Provincial–. En último término, si la autoridad de emisión no tiene elementos suficientes para concretar estos extremos, podrá contar con la ayuda de la Unidad de Cooperación Judicial Internacional de la Fiscalía General del Estado, cuyo contacto se ofrece también en el referido Atlas[23].

Para el reconocimiento y ejecución de la OEI la autoridad competente puede ser el propio Ministerio Fiscal, o bien un Juez. Dispone el art. 187.2 LRMRP que el Fiscal competente decidirá sobre el reconocimiento y ejecución –lo hará por decreto–, si la diligencias de investigación o pruebas solicitadas "no contiene medida alguna limitativa de derechos fundamentales"[24]; o bien cuando, conteniendo alguna, el Fiscal decida que puede sustituirse por otra que no restrinja ese tipo de derechos, informando previamente a la autoridad de emisión[25].

Cuando la OEI recibida contenga alguna medida limitativa de derechos fundamentales y no pueda ser sustituida por otra que no los restrinja, el Ministerio Fiscal remitirá dicha orden al juez competente para el recono-

---

[23] https://www.ejn-crimjust.europa.eu/ejn/AtlasAuthorityData.aspx?Id=4145

[24] Esta expresión es muy poco precisa, pues el MF sí puede acordar algunas medidas limitativas o restrictivas de derechos fundamentales. Entendemos que para determinar y concretar este extremo habrá que estar a lo que dispone nuestra LECrim y el EOMF y, además, atender a la Circular 4/2013 de la FGE, sobre la diligencias de investigación del Fiscal, donde se indica qué medidas puede ordenar/practicar éste, y cuáles no. Sí podrá tomar declaración a investigados y a testigos que comparezcan a su citación, ordenar ruedas y reconocimientos fotográficos, practicar inspecciones oculares, registros fotográficos, reconstrucción de hechos, ciertas medidas limitativas del derecho a la intimidad –intervenir agendas o dietarios, vigilancia y grabaciones de video de personas o cosas en espacios públicos –no audio–, acceso a documentos en teléfono u ordenador, fuera de procesos de comunicación, v.gr.: examen de agenda telefónica, exhumación de cadáveres, investigaciones patrimoniales solicitando datos a entidades bancarias, a entes públicos o a registros diversos, acceder a la información que obre en registros públicos, ordenar la circulación o entrega vigilada de drogas, autorizar la técnica del agente encubierto. El Ministerio Fiscal no podrá ordenar / practicar entradas y registros en domicilios, ni intervenir comunicaciones telemáticas. En cuanto a las medidas cautelares, según indica el EOMF, el Fiscal puede ordenar la detención de un investigado y la intervención de efectos del delito en el seno de sus diligencias –vid. arts. 4 y 5–. Tengamos también en cuenta que el Ministerio Público no puede decretar el secreto de sus actuaciones, por lo que si fuera necesario, tendría que judicializar la investigación, promoviendo la declaración del secreto de las actuaciones judiciales. Vid. más ampliamente, M. AGUILERA MORALES, *Las diligencias de investigación fiscal*, Cizur Menor, 2015.

[25] Si ésta no retira o no completa la OEI en 10 días, se ejecutará tal medida alternativa. Vid. art. 206, apdos. 2 y 4 LRMRP.

cimiento y ejecución[26], al que lo sea conforme a las reglas contenidas en el art. 187.3 LRMRP: Jueces de Instrucción, de Menores, Centrales de Instrucción, Centrales de lo Penal o Central de Menores[27].

También se remitirá la OEI al Juez competente, y no resolverá el Fiscal aunque la orden no contenga medida limitativa de derechos fundamentales, cuando la autoridad de emisión haya indicado de forma expresa que la medida de investigación o prueba debe ser ejecutada necesariamente por un órgano judicial –art. 187.2.b) LRMRP–.

En todo caso, tales remisiones irán acompañadas de un informe preceptivo del Ministerio Fiscal, en el que éste se pronunciará sobre si concurre o no causa de denegación de la ejecución de la orden, y sobre si entiende ajustadas a Derecho la adopción de todas y cada una de las medidas de investigación que se solicitan en la OEI –art. 187.2 *in fine* LRMRP–.

El Juez competente resolverá sobre el reconocimiento y ejecución por medio de auto, y deberá notificar al Ministerio Fiscal sus decisiones, así como las correspondientes remisiones que vaya efectuando a la autoridad judicial solicitante –vid. art. 187.3 *in fine* LRMRP–.

Los plazos para el reconocimiento y ejecución, son los siguientes[28]:

El Ministerio Fiscal acusará recibo de la OEI en el plazo máximo de una semana desde la recepción, haciendo uso de los formularios establecidos al efecto –art. 212 LRMRP–.

Dispone el art. 208 LRMRP que, si no concurre causa de denegación o suspensión, la autoridad competente para el reconocimiento y ejecución

---

[26] El Ministerio Fiscal podrá practicar las diligencias oportunas a fin de determinar el órgano jurisdiccional competente a quien remitir la OEI para su ejecución. El cambio sobrevenido del lugar donde deba practicarse la medida de investigación no implicará una pérdida sobrevenida de la competencia que acordó el reconocimiento y ejecución de la OEI, dispone el art. 187.3 LRMRP.

[27] Si se tuvieran que practicar diligencias de investigación o prueba en territorios competencia de distintos juzgados, será competente para el reconocimiento y ejecución de la OEI el órgano jurisdiccional al que se lo remita el Fiscal receptor de la solicitud. En todo caso, el Ministerio Fiscal atenderá a las reglas de competencia enunciadas en el propio art. 187.3 LRMRP y a las normas de preferencia competencial contenidas en el Título II de la LECrim para la determinación del concreto juzgado.

[28] Destaca LEONHARDT que no se prevé en la Directiva ninguna consecuencia, ninguna sanción para los supuestos en que se incumplieran estos plazos. Vid. *Die Europäische Ermittlungsanordnung...*, *op. cit.*, p. 337.

–Fiscal o Juez– dictará "sin dilación"[29] auto o decreto acordándolo, resolución que contendrá ya las instrucciones necesarias para la práctica de las medidas de investigación solicitadas. Tal decisión deberá tomarse "cuanto antes", y a más tardar en el plazo de 30 días desde la recepción, resolverá sobre el reconocimiento y ejecución, o denegación; este plazo podrá prorrogarse hasta otros 30 días si fuera necesario, ampliación que deberá comunicarse a la autoridad de emisión, explicando las razones y comunicando el plazo estimado de ejecución.

La autoridad española competente para ordenar la ejecución de las medidas de investigación o traslado de pruebas solicitadas actuará "sin demora" a tal fin, y a más tardar en el plazo de 90 días desde la resolución de reconocimiento y ejecución deberá haber cumplimentado la solicitud, a no ser que concurra motivo de suspensión –art. 209 LRMRP–, que abordaremos *infra*.

Téngase en cuenta también que la autoridad de emisión puede esgrimir razones de urgencia para una más rápida ejecución –v.gr: gravedad del delito o circunstancias concretas del curso de la investigación–, o bien la necesidad de que algunas medidas se adopten en periodos, fechas o momentos concretos. Si no se pudieran observar tales peticiones, o si no se pudieran cumplir los plazo antedichos, se comunicará también sin demora a la autoridad de emisión, indicándole las razones; se consultará con ésta los plazos o momentos que pudieran resultar adecuados a la vista de las circunstancias –vid. art. 208, apdos. 5 y 6 LRMRP–.

Expondremos a continuación la "regla general" sobre en qué supuestos se acordará el reconocimiento y ejecución, para a continuación abordar el tratamiento que recibirán algunas medidas que podemos calificar de "privilegiadas".

Dispone el art. 206.1 LRMRP que la autoridad competente española llevará a cabo la medida de investigación solicitada si ésta *"existiera en Derecho español y estuviera prevista para un caso interno similar"*. Tengamos en cuenta además que es posible la sustitución de la medida solicitada por otra medi-

---

[29]   También está previsto –vid. art. 212 apdo. 2 LRMRP– que la autoridad española de ejecución informe "sin dilación" a la autoridad de emisión en los casos siguientes: si es imposible adoptar resolución de reconocimiento y ejecución porque el formulario recibido está incompleto o es manifiestamente incorrecto, o no está debidamente traducido, si considera que en la ejecución de la OEI puede ser oportuno llevar a cabo otras medidas de investigación no previstas en la orden, o si no podrá cumplir con las formalidades, procedimientos o garantías expresamente indicados.

da menos restrictiva de derechos fundamentales[30] –art. 206.2 LRMRP–, o por otra también idónea en caso de que la solicitada no existiera en España o no estuviera prevista para caso interno similar –art. 206.3 LRMRP–. En todos los supuestos, tales posibles sustituciones se consultarían previamente con autoridad de emisión –art. 206.4 LRMRP–.

Por lo tanto, la que el propio sistema de OEI establecido en la Directiva 2014/41/CE plantea como "regla general" implica un control de pertinencia y legalidad de la medida solicitada, también desde la perspectiva del Estado de ejecución –de España, en el caso que nos ocupa–[31].

Tal control conforme a la *lex loci* que no se corresponden precisamente con la técnica del reconocimiento mutuo de resoluciones judiciales, implica un mínimo pero suficiente conocimiento y análisis de los aspectos esenciales del asunto extranjero. Para saber si tal medida se podría adoptar en España en un caso nacional similar, es preciso obviamente conocer el caso extranjero en el que la OEI encuentra su origen y justificación.

En principio, tal información se obtendrá únicamente del propio formulario de solicitud de la OEI [32]: "*Motivos de la emisión de la OEI. 1.- Resumen de los hechos: Indíquense los motivos por los que se ha emitido la OEI, con inclusión de un resumen de los hechos subyacentes, la descripción de los delitos imputados o investigados, la fase a la que ha llegado la investigación, las razones de todo factor de riesgo y demás información pertinente*". Téngase en cuenta que en este instrumento de cooperación no es preciso adjuntar copia de la resolución que acuerda la medida de investigación o prueba en el Estado de emisión; como regla general solamente se transmitirá el formulario OEI[33]. No obstante, si la autoridad de ejecución estimara que no es suficiente el relato de hechos y motivos que

---

[30]   O de derechos en general, aunque no fueran "fundamentales"; suponemos que se puede interpretar así este precepto.

[31]   Es decir, que se cumpla la *lex loci* en ejecución, respetando en lo posible los procedimientos o formalidades que indiquen las autoridades de emisión, lo que permite que entre en aplicación la *lex fori*. Vid. más ampliamente RODRÍGUEZ-MEDEL, C., quien aborda además las diferencias entre el proceso de decisión sobre el reconocimiento, y el de decisión sobre la ejecución, con ilustrativos ejemplos al respecto. *Obtención y admisibilidad en España…, op. cit.* pp. 408 y ss.

[32]   Vid. Sección G del formulario OEI.

[33]   Vid. el nuevo art. 7 LRMRP: "El testimonio de la resolución penal en la que se basa el certificado se remitirá obligatoriamente junto con éste, salvo que se trate de una orden europea de detención y entrega, una orden europea de protección o una *orden europea de investigación*, que se documentarán exclusivamente a través del formulario correspondiente. El original de la resolución o del certificado será remitido únicamente cuando así lo solicite la autoridad de ejecución".

se trasladan en la OEI para poder tomar una decisión al respecto, podría solicitarse a la autoridad de emisión que remitiese el original de la resolución, o que ampliase dicha información en lo que fuera menester.

En todo caso, la autoridad de ejecución española deberá controlar la conformidad con el Derecho español de la medida solicitada –presupuestos, requisitos, condiciones, etc.–, incluyendo lógicamente su adecuación a la interpretación jurisprudencial de la normativa española vigente sobre la materia, lo que desde luego incorporará también un *control de proporcionalidad*[34] de tal concreta medida de investigación o prueba desde la perspectiva de nuestro ordenamiento[35].

Este control de proporcionalidad es adicional al que ya habrá tenido que realizar la autoridad de emisión de la OEI[36], conforme a su propia normativa y jurisprudencia, que evidentemente puede no coincidir con la nuestra[37], más cuando no existe armonización sobre los presupuestos y requisitos de las medidas de investigación y prueba penal en el ámbito UE[38].

---

[34]   Vid. el trabajo de M. CAIANIELLO, "La nuova Direttiva…", *op. cit.*, esp. p. 10, quien destaca la importancia del control de proporcionalidad, tanto en la emisión como en la ejecución de la OEI. Más ampliamente, vid. sobre esta concreta cuestión otro trabajo del mismo autor, CAIANIELLO, M.: "Il principio di proporzionalità nel procedimento penale", *Diritto Penale Contemporaneo*, 34/2014, pp. 143 y ss. También BACH-MAIER llama la atención sobre el referido control, en "La propuesta de Directiva…", *op. cit.*, , p. 13, y en "La orden europea de investigación y el principio de proporcionalidad", *RGDE*, núm. 25, 2011. Vid. además RODRÍGUEZ-MEDEL, C.: la autoridad de ejecución ha de controlar las condiciones de legalidad y proporcionalidad de la medida, conforme a los parámetros que facilite su propia legislación –*lex loci*–, *Obtención y admisibilidad en España…*, p. 379. Por su parte, AMBOS, K.: *Derecho penal europeo, op. cit.*, p. 560, alcanza la misma conclusión: si bien el principio de proporcionalidad está explícitamente reconocido en el art. 6.1.a) de la Directiva en relación con la autoridad de emisión, la autoridad de ejecución también podrá considerar la proporcionalidad de la medida, pues este principio forma parte del control de no vulneración de derechos fundamentales que en todo caso debe realizar la autoridad de ejecución.

[35]   Vid. art. 588 bis a) LECrim, sobre el principio de proporcionalidad en las investigaciones tecnológicas "5. Las medidas de investigación reguladas en este capítulo *solo se reputarán proporcionadas* cuando, tomadas en consideración todas las circunstancias del caso, el sacrificio de los derechos e intereses afectados no sea superior al beneficio que de su adopción resulte para el interés público y de terceros. Para la ponderación de los intereses en conflicto, la valoración del interés público se basará en la gravedad del hecho, su trascendencia social o el ámbito tecnológico de producción, la intensidad de los indicios existentes y la relevancia del resultado perseguido con la restricción del derecho".

[36]   Vid. art. 189 LRMRP, proporcionalidad para la emisión desde España.

[37]   Muy interesante en este sentido el trabajo de CAIANIELLO, M.: "You can't always counterbalance what you want", *European Journal of Crime, Criminal Law and Criminal Justice,* vol. 25, núm. 2, 2017, pp. 283 y ss.

[38]   Véase el art. 7 de la Ley italiana, Decreto legislativo núm. 108, de 21 de junio de 2017, expresamente en relación con la ejecución de la OEI: "*Principio di proporzione*": "L'ordi-

Recordemos en este punto que la OEI se puede emitir en el marco de un proceso penal jurisdiccional –sin umbral punitivo mínimo[39]–, y también en el de un procedimiento administrativo –sin umbral sancionador mínimo–, siempre y cuando la resolución administrativa que pone fin al mismo sea recurrible ante un órgano jurisdiccional; no necesariamente del orden penal, puede ser ante autoridad jurisdiccional del orden contencioso-administrativo[40]. Por tanto, puesto que la norma no establece el requisito del mínima relevancia del asunto, ha de ser el órgano emisor quien controle la proporcionalidad de la solicitud, en particular cuando vaya a emitir una OEI para un asunto de naturaleza administrativa que, además, puede ser que sólo sea recurrible ante un órgano jurisdiccional del orden administrativo –no necesariamente penal, según se deduce la norma–; es decir, potencialmente de escasa entidad. Estimamos que tal control es fundamental, ya que no sería razonable/proporcionado emitir una OEI para asuntos de muy poca envergadura, por mucho que se pudiera cumplir el tenor de las exigencias normativas sobre emisión de OEI[41].

Si la autoridad de emisión no hubiese efectuado ese control[42], o no coincidiera que nuestra valoración de la proporcionalidad como Estado de ejecución, la autoridad española no debería reconocer y ejecutar esa concreta OEI, por economía procesal y uso racional de los medios personales y materiales disponibles –siempre escasos…–, criterios que también se deben incluir en el más amplio parámetro de la proporcionalidad de las actuaciones de los poderes públicos.

Este razonamiento enlaza con la no menos relevante cuestión del coste económico de ejecución de las medidas de investigación, que abordaremos

---

ne di indagine non e' proporzionato se dalla sua esecuzione puo' derivare un sacrificio ai diritti e alle liberta' dell'imputato o della persona sottoposta alle indagini o di altre persone coinvolte dal compimento degli atti richiesti, non giustificato dalle esigenze investigative o probatorie del caso concreto, tenuto conto della gravita' dei reati per i quali si procede e della pena per essi prevista".

[39] Sin perjuicio de que si el delito tiene aparejada pena o medida de seguridad de menos de tres años de limitación de libertad, la petición será sometida al control de doble incriminación.

[40] Vid. art. 186.2 LRMRP, que en este punto es una transposición cuasi literal del art. 4.b) de la Directiva 2014/41/CE.

[41] Téngase en cuenta además lo que establece el art. 207 g) LRMRP, como causa de denegación obligatoria en España: que se trate de infracciones administrativas y esa medida de investigación o prueba no esté autorizada en nuestro país para un caso similar.

[42] De oficio o a instancia de parte. Recuérdese que la legalidad y pertinencia de la medida de investigación, así como los motivos de fondo de emisión de la OEI, son aspectos recurribles por las partes personadas en el Estado de emisión. Vid. art. 14.2 de la Directiva 2014/41/CE.

infra con más detalle. Adelantamos ya que la regla general es que el Estado de ejecución asumirá los gastos de reconocimiento y ejecución de la medida solicitada, que será España en el caso que nos ocupa. Entendemos que, si se tratase de un asunto de bagatela, por mucho que la decisión administrativa fuera recurrible ante un órgano jurisdiccional, debería ponderarse muy cuidadosamente la necesidad y pertinencia, tanto de la emisión, como del reconocimiento y ejecución de la OEI, pues –insistimos– los medios personales y materiales son bienes escasos, y a nuestro juicio es preciso poder dedicarlos a los asuntos más relevantes y de la manera más eficiente posible.

En consecuencia, el control relativo a la "previsión de la medida para un caso interno similar" –art. 206.1 LRMRP– ha de incluir todos los extremos anteriormente mencionados, por lo que tal requisito puede fundamentar una respuesta por parte de la autoridad española de ejecución que consista en una propuesta de sustitución de la medida solicitada por otra o, incluso, una denegación del reconocimiento y ejecución. Todo ello resuelto de forma motivada y previa comunicación/diálogo con la autoridad de emisión.

Por lo que respecta a las que hemos llamado "medidas privilegiadas", es decir, aquellas que tienen un tratamiento diferenciado y preferente en la norma, éstas se mencionan en el art. 206.1 LRMRP, en los siguientes términos:

> " (…) En particular, sin perjuicio de lo dispuesto en el artículo siguiente, la autoridad competente ordenará la ejecución en todo caso si la medida de investigación solicitada fuera alguna de las siguientes:
>
> a) La obtención de información o de pruebas que obren ya en poder de la autoridad competente española siempre que, de conformidad con el Derecho nacional, esa información o esas pruebas hubieran podido obtenerse en el contexto de un procedimiento penal o a los fines de la orden europea de investigación;
>
> b) la obtención de información contenida en bases de datos que obren en poder de las autoridades policiales o judiciales y que sean directamente accesibles en el marco de un procedimiento penal;
>
> c) la declaración de un testigo, un perito, una víctima, un investigado o encausado o un tercero en territorio español;
>
> d) cualquier medida de investigación no restrictiva de los derechos fundamentales y garantías procesales prevista en el Derecho español;
>
> e) la identificación de personas que sean titulares de un número de teléfono o una dirección IP determinados".

Denominamos "privilegiadas" a este elenco de medidas por las siguientes razones: han de existir en todo caso en los respectivos ordenamientos nacionales, no pueden ser reemplazadas por otras, no estarán sometidas al requisito de la doble incriminación de los hechos ilícitos que las justifican y no se controlará si se adoptarían en España en tal supuesto delictivo o concreto umbral punitivo en el Estado de emisión –vid. art. 207.2 LRMRP–.

Es decir, salvo que concurran causas de denegación de las expresamente previstas en el art. 207 LRMRP, esas medidas de investigación del art. 206.1 LRMRP se van a ejecutar aunque no se pudieran adoptar en España en un "caso interno similar". Por lo tanto, es en ese preciso conjunto de diligencias donde realmente se manifiesta la operatividad del principio de reconocimiento mutuo de resoluciones judiciales en este instrumento de cooperación judicial transfronteriza que es la OEI.

Para comprender los aspectos esenciales del procedimiento de reconocimiento y ejecución de una OEI en España es preciso fijarse también en el sistema de recursos previsto contra las resoluciones que acuerdan, deniegan, suspenden o aplazan el reconocimiento de la orden, o bien de concretas medidas de investigación que en ella se contengan[43].

A este respecto la Directiva 2014/41/CE dispone en el art. 14 –*Vías de recurso*– que "1.– Los Estados miembros velarán por que las vías de recurso equivalentes a las existentes en un caso interno similar sean aplicables a las medidas de investigación indicadas en la OEI"[44]. Además, los motivos de fondo por los que se emitió la OEI sólo podrán ser impugnados mediante recurso interpuesto en el Estado de emisión[45], "sin perjuicio de las garantías de los derechos fundamentales en el Estado de ejecución" –vid. art. 14, apdo. 2°–.

---

[43]   Un detallado estudio de esta cuestión puede encontrarse en COSTA RAMOS, V: "Medios procesales de impugnación…", *op. cit.*, pp. 333 y ss.

[44]   RODRÍGUEZ-MEDEL destaca el hecho de que en el derogado "Exhorto" sí era obligatorio para los Estados miembros disponer en su legislación interna de un recurso en caso de que se hubieran adoptado medidas coercitivas. Sin embargo, esa obligación no la encontramos en la Directiva 2014/41/CE, la cual deriva toda la cuestión de la impugnación a lo que disponga la normativa nacional del que sea Estado de ejecución –vid. art. 14.1–. A la vista de la importancia de las medidas de investigación que puede contener una OEI, la autora concluye que el legislador europeo debería haber exigido expresamente que en todo caso los Estados miembros articularan una posibilidad de recurso para los afectados por la decisión de ejecución de la orden, o por la denegación del reconocimiento, de la ejecución, o incluso por su aplazamiento. Vid. con más detalle *Obtención y admisibilidad en España…, op. cit.*, pp. 457 y 458.

[45]   En el Estado de origen se debe poder recurrir la resolución que acuerda la emisión de la OEI. Pendiente de resolver por el TJUE la cuestión prejudicial planteada en el Asunto Gavanozov, Bulgaria, C-324/17, 31 de mayo 2017. Entre otros extremos se pregunta al TJUE: "¿Otorga el artículo 14, apartado 2, de la Directiva directamente al interesado el

El art. 24.1 LRMRP es el precepto que transpone en España este extremo de la Directiva, estableciendo lo siguiente: "Contra las resoluciones dictadas por la autoridad judicial española resolviendo acerca de los instrumentos europeos de reconocimiento mutuo se podrán interponer *los recursos que procedan en cada caso conforme a las reglas generales previstas en la ley procesal vigente*". Es el conocido como *principio de equivalencia*.

En consecuencia, contra los *autos* del Juez se podrá interponer recurso de reposición y de apelación. Tal impugnación puede implicar la suspensión del traslado de las pruebas obtenidas –vid. art. 211 LRMRP–.

Contra los *decretos* del Ministerio Fiscal cuando éste resuelva reconocer, denegar, suspender o aplazar la ejecución de diligencias de investigación que se le solicitan, en los casos en que hemos indicado que él es competente para decidir, no cabe en España recurso alguno. Como es sabido, es regla general que los decretos del Fiscal, y no sólo en materia de cooperación internacional, son resoluciones irrecurribles.

En el ámbito estrictamente nacional, cuando se discrepa del contenido de un decreto que dicta el Ministerio Fiscal en el contexto de las "diligencias de investigación del Fiscal"[46], por ejemplo, denegando una diligencia que solicita el que está siendo investigado por la Fiscalía y para cuya adopción es competente precisamente el Ministerio Público, siempre se puede reiterar la solicitud de esa diligencia de investigación ante el órgano jurisdiccional competente, quien resolverá lo que proceda, y cuya decisión –auto– sí será recurrible. En la propia Circular 4/2013 de la FGE "*Sobre las diligencias de investigación del Fiscal*"[47], puede leerse: "Los decretos dictados por el Fiscal en el seno de unas diligencias de investigación deben considerarse irrecurribles. Tal irrecurribilidad no puede considerarse generadora de indefensión, pues quien considere lesionados sus derechos puede reproducir sus pretensiones ante la autoridad judicial. (…)".

Sin embargo, en el ámbito del reconocimiento y ejecución de las OEI en España, además de que no va a ser posible recurrir el decreto del Fiscal resolviendo sobre la solicitud de cooperación que reciba, tampoco se podrá acudir nuestros órganos jurisdiccionales reiterando la petición de

---

derecho a impugnar la resolución judicial relativa a la orden europea de investigación aun cuando en el Derecho nacional no esté prevista tal posibilidad procesal?".

[46] Vid. Circular 4/2013 de la Fiscalía General del Estado, de 30 de diciembre 2013, precisamente "Sobre las diligencias de investigación". Véase también AGUILERA MORALES, M., *Las diligencias de investigación…, op. cit.*

[47] Vid. p. 42.

diligencia de investigación o prueba en los casos en que la LRMRP establece que el competente para resolver sobre ese tipo de diligencias es el Ministerio Fiscal. Y tampoco va a ser posible en nuestro país impugnar los concretos actos materiales de ejecución de la OEI que decida ordenar el Fiscal cuando él es el competente para el reconocimiento y ejecución, los cuales tampoco serán recurribles en el Estado de emisión.

A nuestro juicio, tal vacío en el sistema de impugnación de las decisiones sobre OEI puede provocar indefensión[48], y por tanto una vulneración del art. 6 TUE. Además, estimamos que esta opción del legislador español[49] no se corresponde con la garantía que informa el contenido del art. 14 de la Directiva 2014/41/CE, que si bien no garantiza de manera expresa la posibilidad de recurso también en el Estado de ejecución, se deduce de la totalidad del contenido del precepto que, tanto la emisión o no emisión de la OEI, como el reconocimiento y ejecución –o no– de la OEI, deben poder ser objeto de recurso/revisión por parte de las respectivas autoridades jurisdiccionales en ambos Estados, en el de emisión y en el de ejecución[50], en los concretos términos que después establezcan las distintas legislaciones nacionales.

Pensemos en el supuesto en que tal diligencia de investigación haya sido solicitada en el Estado de emisión por la defensa de un investigado/acusado[51]. Si el Ministerio Fiscal español, quien se considera competente

---

[48]   Se han manifestado también en este sentido, además del propio CGPJ en su Informe al Anteproyecto de ley de transposición de la OEI, apdo. 75; COSTA RAMOS, V.: "Medios procesales de impugnación…", *op. cit.* p. 343; RODRÍGUEZ–MEDEL, C.: *Obtención y admisibilidad en España…, op. cit.,* pp. 457 y ss, y AGUILERA MORALES, M.: "La orden europea de investigación: nuevas atribuciones para el Ministerio Fiscal", p. 10 –*en prensa*–.

[49]   Mantener la regla general de irrecurribilidad de los decretos del Fiscal, también en este ámbito de la OEI. Tengamos en cuenta además que los decretos del Fiscal que acuerdan emitir una OEI son igualmente irrecurribles, lo que abunda en la conclusión expuesta.

[50]   Vid. K. AMBOS, *Derecho penal europeo, op. cit.,* pp. 564 y ss.: La Directiva ofrece un sistema bifurcado de recursos, con la posibilidad de impugnar los motivos de fondo en el Estado de emisión, y el reconocimiento y ejecución de la OEI en el Estado ejecutor. Este último recurso no está garantizado de modo explícito, pero –argumenta AMBOS– se deriva de tres consideraciones: de la obligación general de los Estados miembros de ofrecer recursos –art. 14.1 Directiva–; de la obligación de la autoridad emisora y de ejecución de informarse mutuamente sobre los recursos interpuestos contra la emisión, reconocimiento o ejecución de la OEI –art. 14.5 Directiva– y del hecho de que el Estado emisor tendrá en cuenta toda impugnación que prospere contra el reconocimiento o la ejecución de una OEI –art. 14.7 Directiva–. Esta división de tareas o sistema bifurcado en relación con los recursos confirma la idea subyacente de un proceso transnacional compartido, concluye AMBOS.

[51]   Afirma R. KOSTORIS que aunque la Directiva no parece aludir a una posible investigación transnacional defensiva –es decir, que el defensor pueda solicitar la emisión de

por no contener la medida solicitada limitación de derechos fundamentales, decreta denegar su reconocimiento y ejecución por entender que no concurren los presupuestos normativos, o bien decida cambiar la medida solicitada por otra que considera menos gravosa, o incluso aplazar su ejecución por causa legalmente prevista, resulta que el investigado/acusado no tiene opción alguna, queda indefenso: no puede reiterar su solicitud ante un juez español –el competente para decidir es el Ministerio Fiscal si no se afectan derechos fundamentales–, y tampoco le servirían de nada los recursos contra la decisión de fondo en el Estado de emisión –la cual precisamente acordó tramitar la OEI en los términos solicitados por la defensa–.

En otros Estados miembros, por ejemplo en Italia, este decreto del Ministerio Fiscal sí es recurrible ante la autoridad jurisdiccional. El legislador italiano ha establecido un sistema de reconocimiento mutuo de OEI muy similar al español. Así, el Decreto legislativo núm. 108, de 21 de junio de 2017[52], norma de transposición de la Directiva 2014/41/CE, dispone –art. 4– que el Procurador de la República vinculado al tribunal de la capital del distrito donde deben ejecutarse los actos de investigación solicitados será el que resuelva, por medio de "*decreto motivato*", sobre el reconocimiento de la OEI en el plazo de 30 días desde su recepción. Por su parte, el art. 5 de este mismo Decreto legislativo dispone que el acto de investigación solicitado será ejecutado por el juez cuando

---

una OEI para recoger pruebas en el extranjero–, esta opción resultará perfectamente viable, si bien será la autoridad de emisión quien finalmente realice el control de admisibilidad y proporcionalidad previo a dar curso a la OEI solicitada. KOSTORIS valora esta opción de la defensa como una "innovación positiva" en el marco de la cooperación judicial, y compartimos plenamente su conclusión. No obstante, el hecho de que se tenga que canalizar la solicitud a través de la autoridad judicial de emisión de su país, obliga a la defensa "a descubrir sus propias cartas", precisamente ante la autoridad de investigación, que generalmente será el Ministerio Fiscal, "su antagonista natural", concluye el citado autor. Además, la solicitud de una OEI por la defensa del investigado/acusado presupone que conoce la existencia de pruebas en el extranjero que merezca la pena solicitar, lo cual implica la disponibilidad de fuentes de información que no son fácilmente asequibles a los particulares. La igualdad de armas con la acusación es muy difícil de garantizar en este punto. Vid. más ampliamente KOSTORIS, R.: "Orden europea de investigación…", *op. cit.* esp. pp. 325 y 326, con cita a su vez de sendos trabajos de CAIANIELLO y BACHMAIER. El mismo en KOSTORIS, R.: *Processo penale e paradigmi europei,* Torino, 2018, pp. 103 y ss. Vid. también GRIFANTINI, F.M.: "Ordine europeo di indagine penale e investigazioni difensive", *Processo penale e giustizia,* núm. 6, 2016, pp. 1 y ss.:" non è coordinato con il riconoscimento al difensore del potere di svolgere le indagini all'estero".

[52]　Una primera valoración de esta norma puede encontrarse en DANIELE, M: "L'ordine europeo di indagine penale entra a regime. Prime riflessioni sul d. lgs. n. 108 del 2017", *Diritto penale contemporáneo,* núm. 7-8, 2017.

la autoridad de ejecución así lo haya solicitado, o cuando ese acto deba ser reconocido y ejecutado por el juez –*giuidice per le indagini preliminari*–, según la ley italiana.

El art. 13 es del dedicado a los recursos –"*Impugnazioni*"–, y establece que contra el decreto de reconocimiento cabe "*opposizione*" ante el juez –*giudice per le indagini preliminari*–. El juez, oído el Procurador de la República –Ministerio Fiscal–, resuelve por medio de ordenanza, que se comunica también al interesado. Si se acepta la oposición, el decreto de reconocimiento emitido por el procurador de la República queda anulado.

Por lo tanto, la decisión del Ministerio Fiscal en Italia es recurrible ante la autoridad jurisdiccional. Estimamos que una solución similar se podría haber adoptado en nuestro país.

En todo caso, una opción previa que tiene la defensa del investigado, si es que conoce el sistema español y la irrecurribilidad que caracteriza los decretos de nuestro Ministerio Fiscal, es pedir a la autoridad de emisión que ésta indique expresamente en la OEI que se desea que el Fiscal receptor de la OEI en España la remita directamente al juez competente, y que sea éste último el que decida sobre el reconocimiento y ejecución, y no el Ministerio Fiscal, aunque pudiera legalmente hacerlo. Esta posibilidad que tiene la defensa del investigado/acusado se deduce de lo dispuesto en el art. 187.2.b) LRMRP[53].

No menos relevante nos parece para valorar los aspectos esenciales del reconocimiento y ejecución de la OEI en España la cuestión relativa al reparto de los costes económicos. Como después expondremos, puede convertirse también en un motivo de denegación o de modificación de las medidas de investigación solicitadas. Por otro lado, puede implicar la intervención de la Autoridad central –Ministerio de Justicia– en la decisión final sobre el reconocimiento y ejecución, factor que, como es sabido, ha de ser considerado un elemento "extraño" en el sistema de cooperación directa entre autoridades judiciales.

En este punto deberemos tener en cuenta lo dispuesto en los arts. 14 y 25.3 LRMRP.

---

[53]　"b) Cuando la orden europea de investigación contenga alguna medida limitativa de derechos fundamentales, y que no pueda ser sustituida por otra que no restrinja dichos derechos, ésta será remitida por el Ministerio Fiscal al juez o tribunal para su reconocimiento y ejecución. También será remitida por el Ministerio Fiscal al juez o tribunal para su reconocimiento y ejecución la orden europea de investigación en la que se indique expresamente por la autoridad de emisión que la medida de investigación debe ser ejecutada por un órgano judicial. (…)".

La regla general es que el Estado español financiará los gastos ocasionados por la ejecución de la OEI que se reciba en nuestro país, pero si la autoridad competente española considera que los costes de ejecución de una concreta OEI "*serían excepcionalmente elevados*"[54], lo deberá comunicar a nuestro Ministerio de Justicia para que éste, "*si así lo considera conveniente*"[55], realice una propuesta al Estado de emisión sobre el posible reparto de gastos, o bien de modificación de la OEI para que tales costes sean asumidos por ese Estado. Si no se alcanzara un acuerdo al respecto y finalmente el Ministerio español no estuviera dispuesto a asumir los referidos gastos extraordinarios, la autoridad de emisión se vería obligada a retirar total o parcialmente la OEI.

Finalmente, se mencionan también en la norma algunos supuestos especiales, en los que será siempre el Estado de emisión el que asuma los costes de la medida de investigación: aquellos que ocasione el traslado temporal de detenidos, así como los que origine la transcripción, descodificación y desencriptado de comunicaciones intervenidas.

3. CAUSAS DE DENEGACIÓN DEL RECONOCIMIENTO Y EJECUCIÓN DE LA OEI PREVISTAS EN LA ACTUAL LEY DE RECONOCIMIENTO MUTUO DE RESOLUCIONES PENALES EN LA UNIÓN EUROPEA

3.1. Causas de denegación generales, de todos los instrumentos de reconocimiento mutuo

Como primer motivo de denegación del reconocimiento y ejecución de la OEI podemos empezar haciendo referencia a los supuestos en que se pretende emplear este instrumento de cooperación judicial para fines que no le son propios; es decir, cuando se emite una OEI, pero lo procedente sería una OEDE o una orden de embargo de bienes para posterior decomiso, o incluso la utilización de mecanismos convencionales. Como se ha

---

[54] "*Gastos excepcionalmente elevados*" es un concepto jurídico indeterminado. Así, podemos preguntarnos: ¿cuándo una medida de investigación tiene un coste excepcionalmente elevado?, ¿por encima de un montante económico concreto?, ¿en función de la gravedad de los hechos delictivos que se investigan?, ¿a la vista de los fondos disponibles para la investigación de hechos delictivos en España?, ¿aplicaríamos la reciprocidad en función del Estado del que proviene la OEI?

[55] "*Conveniente*" es un término jurídicamente poco preciso. Conveniente, ¿para qué o para quién? ¿en función de qué indicadores?

expuesto anteriormente, es importante tener claro el ámbito de aplicación objetivo y material de cada uno de los instrumentos de cooperación judicial transfronteriza.

Por otro lado, en el art. 32 LRMRP se contienen los motivos generales de denegación de los instrumentos de reconocimiento mutuo de resoluciones judiciales penales; por tanto, aplicables también a la OEI.

Los referidos en el apdo. 1º del art. 32 son de carácter obligatorio –"Las autoridades judiciales españolas *no reconocerán ni ejecutarán* las órdenes o resoluciones transmitidas…", en los siguientes supuestos[56]:

a) Cuando se haya dictado en España o en otro Estado distinto al de emisión –Estado miembro, o no– una resolución firme, condenatoria o absolutoria, contra la misma persona y respecto de los mismos hechos, y la ejecución de la OEI supusiera una vulneración del principio non bis in ídem[57] en los términos previstos en las leyes y en los convenios y tratados internacionales en que España sea parte y aun cuando el condenado hubiera sido posteriormente indultado[58].

---

[56] En todo caso, antes de resolver una denegación total o parcial del reconocimiento y ejecución de la OEI, la autoridad competente española solicitará a la de emisión la información complementaria que pudiera ser necesaria, o bien la subsanación del defecto apreciado, si fuera posible.

[57] Como destaca JIMÉNEZ VILLAREJO, si bien la mayoría de las OEI se van a emitir en fase de investigación, antes de que se haya planteado el escrito de acusación, y por supuesto antes del juicio oral y de la sentencia que vaya a valorar la totalidad del material probatorio obtenido, la introducción de este principio *non bis in ídem* contenido en el art. 50 del CAAS pretende proteger al justiciable, no sólo frente a una doble condena, sino también frente a una segunda acusación. "Orden europea de investigación…", *op. cit.*, p. 428.

[58] En relación con la interpretación y amplitud del *non bis in ídem* transnacional en el ámbito UE, es preciso consultar la jurisprudencia del TJUE, en particular la más reciente sobre la materia. Vid. Sentencias de 20 de marzo de 2018, dictadas en los asuntos C-524/15, Luca Menci, C-537/16, Garlsson Real Estate SA y otros/Commissione Nazionale per le Società e la Borsa (Consob), y los asuntos acumulados C-596/16, Enzo Di Puma/Consob y C-597/16, Consob/Antonio Zecca. Contienen excepciones a la aplicación del *non bis in ídem* en ciertos casos en los que se acumulan procesos penales y procedimientos administrativo-sancionadores contra las mismas personas y por los mismos hechos. El juez nacional deberá comprobar que las cargas que se derivan de la posible acumulación no son excesivas a la vista de la gravedad de la infracción cometida y, además, que existe un interés general que pueda justificar la acumulación de procedimientos y sanciones, que tendrán finalidades complementarias, que existen normas claras y precisas que permiten al justiciable prever qué actos u omisiones pueden ser objeto de tal acumulación, se ha de garantizar que los procedimientos están coordinados entre ellos para limitar a lo estrictamente necesario la carga adicional que supone la acumulación, y deberá garantizarse también que la gravedad del conjunto

b) Cuando la orden o resolución se refiera a hechos para cuyo enjuiciamiento sean competentes las autoridades españolas y, de haberse dictado la condena por un órgano jurisdiccional español, el delito o la sanción impuesta hubiese prescrito de conformidad con el Derecho español.

c) Cuando el formulario o el certificado que ha de acompañar a la solicitud de adopción de las medidas esté incompleto o sea manifiestamente incorrecto o no responda a la medida, o cuando falte el certificado, sin perjuicio de lo dispuesto en el artículo 19[59].

d) Cuando exista una inmunidad que impida la ejecución de la resolución[60].

Los que se contienen en los apartados 2° y 3° del mismo art. 32 LRMRP son motivos de denegación facultativa. "La autoridad judicial española también *podrá* denegar el reconocimiento y ejecución…" en los siguientes casos:

Cuando la infracción en la que trae su origen la orden europea no es de las contenidas en el art. 20.1 LRMRP –"eurodelitos"- y no está tipificada en España. Volveremos sobre esta cuestión cuando abordemos los motivos específicos de denegación de la OEI, pues el art. 207 LRMRP convierte en obligatoria esta causa de no reconocimiento –facultativa en el art. 32 LR-MRP– y además añade un umbral punitivo a las categorías delictivas enunciadas en el art. 20.1 LRMRP. Tengamos presente en todo caso que este motivo de denegación no opera para las medidas "privilegiadas" del art. 206.1 LRMRP, que no están sometidas al control de doble incriminación.

El apdo. 3° del art. 32 LRMRP se podrá invocar en los supuestos en que la OEI trae su causa en hechos que el Derecho español considera cometidos totalmente o en parte importante o fundamental en territorio español. En tales casos la denegación del reconocimiento y ejecución de la OEI recibida será facultativa; si efectivamente se resuelve en ese sentido, se deducirá testimonio y se remitirá al órgano jurisdiccional competente para el conocimiento del asunto.

Destaca el propio art. 32 en su apdo. 4° que todas las decisiones sobre denegación del reconocimiento o ejecución de medidas deberán adoptarse "sin dilación", de forma motivada, y serán notificadas inmediatamente a las autoridades de emisión, así como al Ministerio Fiscal.

---

de las sanciones impuestas se limita a lo estrictamente necesario a la vista de la gravedad de la infracción de que se trate.

[59] Posibilidades de subsanación del formulario incompleto o erróneo.

[60] Téngase en cuenta el contenido del art. 31 LRMRP en relación con el posible levantamiento de inmunidades. Mientras se resuelve la solicitud de retirada de inmunidad, es posible adoptar medidas cautelares.

3.2. *Causas de denegación específicas de la orden europea de investigación*

En primer lugar, deberemos considerar aquel motivo de denegación que tiene que ver con el incumplimiento de la regla general sobre reconocimiento y ejecución contenida en el ya aludido art. 206.1 LRMRP: si la medida de investigación solicitada no existe en Derecho español, no está prevista para un "caso interno similar", y no se alcanza acuerdo entre las autoridades judiciales implicadas para sustituirla por otra también idónea –art. 206, apdos. 3 y 4–, se denegará el reconocimiento y ejecución por la autoridad española competente –art. 206 apdo. 5: "no ha sido posible proporcionar la asistencia[61] requerida"–; salvo que se trate de alguna de las medidas expresamente enunciadas en el art. 206.1, que está claro que deben existir y se adoptarán "en todo caso".

Además, la LRMRP refiere expresamente otros motivos de denegación del reconocimiento y ejecución de la OEI. A pesar de que la Directiva 2014/41/CE los establece –vid. art. 11– como motivos facultativos de denegación del reconocimiento –"*se podrá denegar*"[62]–, la ley española los convierte en obligatorios –art. 207 LRMRP: "*denegará*"–.

Esta diferencia de carácter del motivo de denegación, que por cierto no solo ocurre en la transposición de la normativa sobre OEI, puede provocar problemas en la práctica. Algunos Estados lo incorporarán a sus legislaciones como causas facultativas de denegación –según aparece en la Directiva–, y otros como España lo habrán hecho con carácter obligatorio. No parece que esta última solución sea la más proclive a la eficacia del reconocimiento mutuo de resoluciones penales; por otro lado, impide que el juez o fiscal competente pueda valorar las circunstancias concretas del caso, lo que no parece ser que fuera la intención del legislador de la Unión en este punto.

En la Ley alemana de transposición –*Gesetz* über *die internationale Rechtshilfe in Strafsachen,* reformada el 27 agosto 2017, algunos son motivos de de-

---

[61]   En el uso de la concreta terminología empleada en la norma se aprecia también que este instrumento está a medio camino entre la *asistencia* convencional y el reconocimiento mutuo –*cooperación*–.

[62]   El hecho de que las causas de denegación del reconocimiento sean de carácter facultativo favorece en cierta medida el reconocimiento mutuo, pero también provoca inseguridad jurídica por la falta de previsibilidad de las respuestas, pues las autoridades de los distintos Estados las aplicarán o no según sus respectivos criterios, aunque los supuestos fácticos sean análogos. Vid. BACHMAIER WINTER, L.: "La propuesta de Directiva europea sobre la orden de investigación penal: valoración crítica de los motivos de denegación", *Diario La Ley,* 28 diciembre 2012, núm. 7992, p. 13.

negación obligatoria, parágrafo 91 b) IRG –"Die Leistung der Rechtshilfe *ist nicht zulässig*"–, y otros facultativa, parágrafo 91 e) –"Die Bewilligung der Rechtshilfe *kann* nur abgelehnt werden, wenn (…)".

En la correspondiente italiana, el Decreto legislativo núm. 108, de 21 de junio 2017, norma de implementación de la Directiva 2014/41/CE, su art. 10 también los establece como motivos de rechazo obligatorios: "*non si provvede* al riconoscimento e all'esecuzione dell'ordine di indagine…".

Sin embargo, en la norma portuguesa de transposición de la Directiva, Ley núm. 88/2017, de 21 de agosto, en el art. 22.1 se dispone que serán motivos de denegación facultativos: "O reconhecimento ou a execuçao de uma DEI *podem* ser recusados se…"

A la vista de estas disparidades que aquí apuntamos[63], no debería extrañarnos que en algún momento el TJUE tuviera que pronunciarse sobre la admisibilidad de este tipo de variaciones en la transposición de las normas de armonización UE a los ordenamientos nacionales.

Entrando ya a analizar los motivos específicos de denegación, el apdo. 1º del art. 207 LRMRP dispone que la autoridad competente española *denegará* el reconocimiento y ejecución de la orden europea de investigación, además de en los supuestos del apartado 1º del artículo 32, en los siguientes casos[64]:

a) Cuando exista un privilegio procesal que haga imposible ejecutar la orden europea de investigación[65] o normas sobre determinación y limitación de la responsabilidad penal en relación con la libertad de prensa y la

---

[63] También se han dado, por ejemplo, en la transposición de otros instrumentos de cooperación judicial, como por ejemplo en la "orden europea de protección". Vid. DE HOYOS SANCHO, M.: "El reconocimiento mutuo de las medidas de protección penal y civil de las víctimas en la Unión Europea", *Revista de Derecho y Proceso Penal*, núm. 38, 2015, pp. 63 y ss.

[64] En los supuestos de los apdos. a), b), c) y d), antes de denegar total o parcialmente el reconocimiento y ejecución de la OEI, la autoridad española competente solicitará a la de emisión la información complementaria necesaria y, en su caso, la posible subsanación de los defectos apreciados.

[65] Se suele aludir en este punto a los supuestos en que legalmente se le reconoce a ciertos testigos el derecho a no declarar –v.gr. por parentesco o relación análoga-, así como a los privilegios que surgen de la relación profesional "abogado-cliente", o funcionarial en determinados supuestos. Vid. arts. 410 y ss. LECrim. No obstante, como se explica en los Considerandos de la Directiva 2014/41/CE –vid. núm. 20– "no existe una definición común de lo que constituye una inmunidad o un privilegio en el Derecho de la Unión, por consiguiente, corresponde al Derecho nacional establecer la definición exacta de esos términos, los cuales podrán incluir protecciones aplicables a las profesiones de médicos y abogados (…)".

libertad de expresión en otros medios de comunicación que imposibiliten a la autoridad competente española su ejecución[66].

b) Cuando la ejecución pudiera lesionar intereses esenciales de seguridad nacional, comprometer a la fuente de información o implicar la utilización de información clasificada relacionada con determinadas actividades de inteligencia[67].

c) Cuando la resolución se refiera a hechos que se hayan cometido fuera del Estado emisor y total o parcialmente en territorio español, y la conducta en relación con la cual se emite la orden europea de investigación no sea constitutiva de delito en España[68].

d) Cuando existan motivos fundados para creer que la ejecución de la medida de investigación indicada en la orden europea de investigación es incompatible con las obligaciones del Estado español de conformidad con

---

[66]   Se supone que se refiere a la protección de las fuentes de información periodística, motivo que podría fundamentar una denegación de la OEI.

[67]   K. AMBOS califica de anacrónico este motivo de denegación de la ejecución, vid. *Derecho penal europeo, op. cit.*, p. 562. Destaca BACHMAIER, "La propuesta de Directiva…", *op. cit.*, p. 5, que al igual que sucede a nivel doméstico, la mera alegación de que la prueba requerida afecta a intereses de seguridad nacional o a información clasificada no debería, sin más, justificar la denegación de la ejecución de la OEI. Se entiende que la autoridad del Estado requerido habría de proceder de modo análogo a aquel en que actuaría si la información requerida fuese necesaria para una investigación penal en nuestro país. JIMÉNEZ CRESPO, añade que puede resultar muy complejo para un juez o fiscal valorar la concurrencia en la OEI de circunstancias que puedan afectar a la seguridad nacional, comprometer fuentes de información o implicar el uso de información clasificada en relación con actividades de inteligencia. Por ello propone que, si se tienen sospechas de que eso pudiera suceder, podría tratar de recabar información adicional de las autoridades competentes, y una vez recibida contestación, denegar en su caso el reconocimiento por tales motivos. Vid. "Cuestiones prácticas relativas al Exhorto europeo de obtención de pruebas", en *Reconocimiento mutuo de resoluciones penales en la Unión europea, op. cit.,* pp. 521 y ss., esp. pp. 540 y 541.

[68]   JIMÉNEZ-VILLAREJO considera que la introducción de este motivo basado en el principio de territorialidad es una "causa de denegación inadecuada o excesiva en un contexto de libre circulación de pruebas", debiendo solventarse los problemas derivados de los conflictos de jurisdicción que puedan provocar la existencia de investigaciones paralelas a través de otros mecanismos supranacionales establecidos al efecto, y no mediante la denegación de la cooperación judicial. Vid. "Orden europea de investigación", *op. cit.*, p. 429. Vid. también GRANDE SEARA, P.: "Reconocimiento y ejecución en España de una orden europea de investigación", en *Integración europea y justicia penal*, Dir. GONZÁLEZ CANO, I., Valencia, 2018, pp. 435 y ss., esp. pp. 468 y 469, y E. PILLADO GONZÁLEZ, E.: "Los motivos de denegación del reconocimiento…", *op. cit.*, p. 68: la inclusión de este motivo evidencia una falta de confianza mutua y repercute negativamente sobre la lucha contra la delincuencia transnacional.

el artículo 6 del Tratado de la Unión Europea y de la Carta de los Derechos Fundamentales de la Unión Europea.

Este motivo de denegación de la cooperación judicial, al que en otros instrumentos se aludía solamente en los "Considerandos", como genérica declaración de principios, ahora se incluye ya expresamente como causa de denegación del reconocimiento o ejecución de la OEI; vid. art. 11.1 f) de la Directiva 2014/41/CE[69].

Destacan también los analistas el hecho de que el art. 1.4 de la misma Directiva añada, como novedad, una referencia expresa al derecho de defensa de las personas imputadas en el proceso penal, enfatizando además que cualesquiera obligaciones que correspondan a las autoridades judiciales a este respecto permanecen incólumes.

Debe llamarse la atención además sobre el hecho de que no se sitúa entre las causas de denegación del art. 32 LRMRP, que es dónde por su carácter general debería en su caso encontrarse, pues no deja de ser una declaración redundante[70]. Todos los operadores jurídicos han de saber que, tanto la CDFUE, como el TUE, son normas vinculantes y directamente aplicables[71].

Se nos insiste también en el "Considerando" 19º de la citada Directiva que la realización del espacio de libertad, seguridad y justicia de la Unión se basa en la confianza mutua y en una presunción de respeto por parte de los demás Estados miembros del Derecho de la Unión y, en particular, de los Derechos fundamentales. No obstante "se trata de una presunción *iuris*

---

[69]   Si bien en la Directiva aparece como causa facultativa de denegación del reconocimiento o ejecución de la OEI. Vid. RODRÍGUEZ-MEDEL, C.: *Obtención y admisibilidad en España…, op. cit.* p. 445, quien destaca que inicialmente la Propuesta de Directiva no contenía una causa de denegación basada en infracción de los derechos fundamentales, aunque la conveniencia de introducirla se debatió ya desde las primeras negociaciones. Fue finalmente el Parlamento europeo el que impuso como condición absoluta para aprobar la Directiva que se recogiera esa causa específica de denegación.

[70]   KOSTORIS califica estos múltiples "reenvíos" al deber de respetar los derechos fundamentales enunciados en el art. 6 TUE como "llamamientos pleonásticos", pues es claro que "todo instrumento de derecho derivado UE tiene que conformarse necesariamente con los derechos contenidos en la Carta y en el CEDH, en conexión con los derivados de las tradiciones constitucionales comunes a los Estados miembros". Vid. más ampliamente su trabajo "Orden europea de investigación y derechos fundamentales", en *Garantías y derechos…, op. cit.*, pp. 319 y ss.

[71]   No obstante, el "Considerando" 18º nos recuerda también que "Como en otros instrumentos de reconocimiento mutuo, la presente Directiva no podrá tener por efecto modificar la obligación de respetar los derechos fundamentales y los principios jurídicos fundamentales enunciados en el artículo 6 del TUE y en la Carta. *A fin de aclarar esta circunstancia, se ha incluido una disposición específica en el texto*". –la cursiva es añadida–.

tantum", de tal manera que si hubiere "*motivos sustanciales*" para creer que la ejecución de una medida de investigación indicada en la OEI vulneraría un derecho fundamental del interesado y que el Estado de ejecución ignoraría sus obligaciones relativas a la protección de los derechos fundamentales reconocidos en la Carta, "la ejecución de la OEI debe denegarse"[72].

e) Cuando la conducta que dio origen a la emisión de la orden europea de investigación no sea constitutiva de delito con arreglo al Derecho español y no esté recogida en las categorías de delitos a que se refiere el apartado 1 del artículo 20 LRMRP, siempre que la pena o medida de seguridad privativas de libertad previstas en el Estado de emisión para el delito a que se refiere la orden europea de investigación fuera de un máximo de al menos tres años.

Este motivo está en cierta medida repetido, pues ya se encuentra en el art. 32.2 LRMRP en las causas generales de denegación del reconocimiento, si bien como motivo de denegación facultativa. En el ámbito de la OEI pasa a ser motivo obligatorio de denegación, y se añade el umbral de los tres años para el caso de que se trate de uno de los llamados "euro–delitos" del art. 20 LRMRP.

Para comprobar si dicha conducta está o no incluida dentro de los delitos enumerados en el apartado 1 de ese artículo 20 y que alcanza el umbral de pena antes mencionado, se estará a lo indicado por la autoridad del Estado de emisión en el formulario de emisión remitido. Tengamos en

---

[72]   La STJUE dictada por la Gran Sala en el Asunto C-216/2018, de 25 de julio 2018, como respuesta a una cuestión prejudicial planteada por un Tribunal superior irlandés, resuelve lo siguiente en relación con una solicitud de entrega de un sujeto a las autoridades judiciales polacas en virtud de una OEDE: cuando la autoridad de ejecución disponga de datos, como los que pueden figurar en una propuesta motivada de la Comisión europea, presentada de conformidad con el art. 7 TUE apdo. 1, "que parezcan acreditar que existe un riesgo real de que se viole el derecho fundamental a un proceso equitativo garantizado por el art. 47, párrafo 2º de la CDFUE, *debido a deficiencias sistémicas o generalizadas en relación con la independencia del poder judicial del Estado miembro emisor*", dicha autoridad deberá comprobar, "concreta y precisamente", si, habida cuenta de la situación de esa persona, de la naturaleza de la infracción imputada, del contexto fáctico de la OEDE, así como de la información proporcionada por el Estado emisor, "existen razones serias y fundadas para creer que dicha persona correrá tal riesgo –de violación del derecho a un proceso equitativo– en caso de ser entregada a este último Estado". La lectura de esta sentencia nos hace pensar si también sería posible denegar el reconocimiento o ejecución de una OEI emitida –en este caso por un tribunal polaco– si se pudieran apreciar en el supuesto concreto esas mismas circunstancias de riesgo real de "falta de independencia del poder judicial en el Estado emisor", tal y como se plantean en la cuestión prejudicial *supra* mencionada, ya que la independencia de los jueces forma parte inescindible del contenido esencial del derecho fundamental a un proceso equitativo –art. 47.2 CDFUE–.

cuenta que al formulario de remisión de la OEI no le deberá acompañar la resolución que acuerda la medida de investigación o prueba[73].

f) Cuando el uso de la medida de investigación indicada en la orden europea de investigación esté limitado, con arreglo al Derecho español, a una lista o categoría de delitos, o a delitos castigados con penas a partir de un determinado umbral que no alcance el delito a que se refiere la orden europea de investigación.

Este motivo no es más que una plasmación o consecuencia de la causa de denegación general ya expuesta, consistente en que la medida de investigación o prueba solicitada no se acordaría en el Estado de ejecución en un "caso interno similar" –vid. art. 206.1 LRMRP–.

Tengamos presente también que, tanto el anterior motivo de denegación contenido en el apartado e), como este del apartado f), no operan en relación con las medidas de investigación del art. 206.1 LRMRP, es decir, respecto de aquellas que hemos denominado "privilegiadas", ya que necesariamente deben existir en el ordenamiento español y no pueden ser sustituidas por otras. En consecuencia, el reconocimiento mutuo de esas medidas del 206.1 LRMRP opera con mucha más intensidad que en los demás supuestos, pues no va a haber control de doble incriminación y, además, no se le aplicarán los requisitos de encuadre en un determinado tipo delictivo o de umbral punitivo concreto, que para esas medidas sí pudiera ser exigible en estricta aplicación de la legislación procesal española.

g) Cuando la orden europea de investigación se refiera a procedimientos incoados por las autoridades competentes de otros Estados miembros de la Unión Europea por la comisión de hechos tipificados como infrac-

---

[73]   Destaca RODRÍGUEZ-MEDEL que la denegación por falta de doble incriminación podría venir dada también en función del sujeto activo del delito; por ejemplo, si la conducta que provoca la emisión de la OEI no estuviera doblemente tipificada en relación con personas jurídicas. Así, si en la legislación del Estado de ejecución las personas jurídicas no pueden cometer el delito por el que se emitió la OEI, puede ser de aplicación la causa de denegación relativa a la ausencia de doble tipificación. Vid. *Obtención y admisibilidad…, op. cit.*, p. 423. Sobre la necesidad de crear mecanismos que, a pesar de la diversidad de sistemas de responsabilidad penal o administrativa de las personas jurídicas en el ELSJ, faciliten una cooperación "asimétrica" entre autoridades implicadas en la persecución de hechos delictivos / infracciones administrativas cometidas por estas personas jurídicas, vid. las reflexiones finales contenidas en mi trabajo DE HOYOS SANCHO, M.: "Sobre la necesidad de armonizar las garantías procesales en los enjuiciamientos de personas jurídicas en el ámbito de la Unión Europea. Valoración de la situación actual y algunas propuestas", *Revista General de Derecho Procesal*, núm. 43, 2017, pp. 1 y ss., esp. pp. 57 y ss.

ciones administrativas en su ordenamiento cuando la decisión pueda dar lugar a un proceso ante un órgano jurisdiccional en el orden penal y la medida no estuviese autorizada, con arreglo al Derecho del Estado de ejecución (el español, se entiende[74]), para un caso interno similar.

Un ejemplo de denegación del reconocimiento y ejecución de una OEI por este motivo podría ser un supuesto en el que se solicita por una autoridad de emisión una intervención de telecomunicaciones de un sujeto que reside en España, en el marco de un procedimiento administrativo-sancionador en el Estado de emisión, cuya decisión es recurrible jurisdiccionalmente. En nuestro país no es posible acordar esa diligencia de investigación en ese tipo de procedimientos –solo en procesos penales y con los requisitos de la LECrim–, por lo que se denegaría la ejecución de esa OEI recibida.

Este motivo de denegación del reconocimiento y ejecución de la OEI trae su origen en lo dispuesto en el art. 11.1) de la Directiva 2014/41/CE, en cuyo apdo. c) dispone: "cuando la OEI haya sido emitida para los procedimientos contemplados en el artículo 4, letras b) y c)[75], y la medida de investigación no estuviese autorizada con arreglo al Derecho del Estado de ejecución, para un caso interno similar".

Sin embargo, apreciamos una relevante diferencia en la transposición que se ha hecho a nuestro ordenamiento: cuando la Directiva se refiere en el apartado b) del art. 4 a los procedimientos incoados por autoridades administrativas, añade el requisito de que la decisión de tal autoridad administrativa debe poder ser recurrida "ante una autoridad jurisdiccional competente, *en particular, en materia penal*". Sin embargo, el legislador español lo limita a los supuestos en que la decisión "pueda dar lugar a un proceso *ante un órgano jurisdiccional en el orden penal*" –cursivas añadidas–, dejando fuera de cobertura entonces los supuestos en que la decisión administrativa es recurrible ante un órgano jurisdiccional *del orden administrativo*, lo que no era intención del legislador de la Unión, pues añadió la expresión "*en*

---

[74]   A veces las transposiciones de las Directivas son tan literales que no se efectúa el necesario acomodo en la norma nacional.

[75]   "La OEI podrá emitirse: (...) b) En los procedimientos incoados por autoridades administrativas por hechos tipificados en el Derecho interno del Estado de emisión por ser infracciones de disposiciones legales, y cuando la decisión pueda dar lugar a un procedimiento ante una autoridad jurisdiccional competente, en particular, en materia penal; c) En los procedimientos incoados por autoridades judiciales por hechos tipificados en el Derecho interno del Estado de emisión por ser infracciones de disposiciones legales, y cuando la decisión pueda dar lugar a un procedimiento ante un órgano jurisdiccional competente, en particular, en materia penal. (...)".

particular". Pensemos que en el "Espacio de libertad, seguridad y justicia UE" conviven también procedimientos administrativo-sancionadores, que pueden concluir con sanciones muy gravosas, recurribles ante el orden jurisdiccional contencioso-administrativo –v.gr.: contra personas jurídicas–, que no están comprendidos en este motivo de denegación tal y como lo ha formulado el legislador español al incorporarlo a nuestra LRMRP.

Finalmente, por lo que respecta a estos motivos específicos de denegación de la OEI, téngase en cuenta que el art. 207 LRMRP, en su apdo. 3º, dispone que en caso de que concurra alguno de los motivos de denegación del reconocimiento y ejecución de las letras a) o d) del art. 32 apdo. 1, o en las letras a), b), c) o d) del apdo. 1º del mismo art. 207, antes de denegar total o parcialmente el reconocimiento y la ejecución de la OEI recibida, la autoridad española competente solicitará a la de emisión "la información complementaria necesaria y, en su caso, la subsanación del defecto en que hubiere incurrido". Suponemos que la autoridad competente para la ejecución en España también podría "ofrecer" otra medida de investigación sustitutiva, la cual pudiera resultar igualmente útil a la autoridad de emisión. Como venimos destacando, la comunicación fluida y directa entre las autoridades judiciales implicadas en la cooperación resultará determinante del éxito de la misma.

3.3. Causas de denegación de algunas concretas medidas de investigación

La LRMRP establece en los arts. 214 y ss. algunos motivos *obligatorios*[76] de denegación del reconocimiento y ejecución de ciertas medidas específicas de investigación que pueden contenerse una OEI[77]. Son motivos adicionales a los contenidos en los arts. 32.1 y 207 LRMRP.

Es preciso tener en cuenta que en estas concretas diligencias de investigación y prueba a las que nos referiremos a continuación podrían darse algunos solapamientos con las medidas del art. 206.1 LRMRP, que son aquellas que han de existir en todos los Estados y cuyo reconocimiento, en general, no se puede rechazar. Debemos entender que estos preceptos, arts. 214 y ss. LRMRP, se refieren al tratamiento de concretas medidas de investigación y que, en consecuencia, son *lex specialis* a estos efectos.

---

[76]   Nuevamente debemos llamar la atención sobre el hecho de que estos motivos de denegación aparecen en la Directiva 2014/41/CE con carácter *facultativo*.

[77]   Se ha ocupado particularmente de esta cuestión PILLADO GONZÁLEZ, E.: "Los motivos de denegación...", *op. cit.*, pp. 59 y ss.

El art. 214 LRMRP se refiere a los supuestos en que se solicita el traslado temporal al Estado que emite la OEI de persona privada de libertad en España[78], cuando ésta no da su consentimiento; si debido a su edad o estado físico o psíquico no pudiera manifestar su opinión al respecto, ésta se recabará a través de su representante legal. También será motivo de denegación que el traslado pueda causar la prolongación de la privación de libertad de la persona.

El art. 215 LRMRP alude a la solicitud de traslado temporal a España de personas privadas de libertad en Estado de emisión. Será denegado el reconocimiento y ejecución de la OEI si éstas o sus representantes legales no den su consentimiento.

Respecto a las consecuencias de la falta de consentimiento del afectado por estas medidas consistentes en el traslado de sujetos privados de libertad, coincidimos con quien considera que, incluso aunque fuera causa de denegación facultativa –como aparece en la Directiva–, no se justifica su inclusión en estos instrumentos de reconocimiento mutuo. La Directiva debería haber ido más allá que los mecanismos convencionales de asistencia, de modo que la ausencia de consentimiento del detenido a ser trasladado nunca podría ser causa de denegación, aunque hubiera que reformar las legislaciones nacionales para ello. Esta conclusión se justifica en que debe ser posible en el ELSJ el traslado de aquel que está a disposición de las autoridades judiciales de un Estado miembro, al igual que es posible el traslado de detenidos dentro del espacio jurídico nacional cuando sea necesario, con o sin el consentimiento de éstos[79].

El art. 216 LRMRP establece que si se solicita la comparecencia de una persona por videoconferencia u otros medios de transmisión audiovisual, se denegará el reconocimiento y ejecución de la OEI cuando la autoridad española estime que esa diligencia de investigación o prueba es contraria a los principios jurídicos fundamentales del Estado español. Será un motivo

---

[78]   Se supone que a fin de practicar un interrogatorio, para un reconocimiento, para una pericial en la que tiene que intervenir el sujeto privado de libertad en España, actuaciones que en el caso concreto no puedan ser sustituidas por el uso de la videoconferencia.

[79]   Concluye RODRÍGUEZ-MEDEL que la inclusión de esta cláusula supone cuestionar que efectivamente estemos en un espacio común de libertad, seguridad y justicia. No obstante –matiza la autora–, si el detenido manifiesta con carácter previo su voluntad de no participar en la diligencia de investigación, en los casos en que le pueda asistir este derecho, esta circunstancia debería comunicarse a la autoridad de emisión, para ahorrar tiempo y costes, y en su caso buscar alguna alternativa a la diligencia de investigación que no conlleve desplazamiento. Vid. *Obtención y admisibilidad...*, *op. cit.*, p. 450.

facultativo de denegación si el investigado/acusado, simplemente, no consiente la práctica de la medida. La ley se refiere también a la comparecencia por estos medios de "testigos o peritos".

Será preciso entonces tomar la decisión sobre el reconocimiento y ejecución de la OEI aplicando el ordenamiento jurídico español sobre la materia[80], y además considerar la jurisprudencia de nuestro Tribunal Supremo cuando interpreta la normativa vigente en nuestro país en clave de excepcionalidad y proporcionalidad de la decisión de interrogar a los investigados/acusados a través de videoconferencia, pues se puede estar erosionando el derecho de defensa –comunicación directa con el Abogado– y la inmediación estricta –contacto visual directo del órgano jurisdiccional con el interrogado–.

El art. 217 LRMRP se refiere a los casos en que se solicita información sobre cuentas bancarias u otro tipo de cuentas financieras; ésta "se proporcionará *de conformidad con el Derecho español*, a menos que la entidad financiera no disponga de la misma". Es decir, no se ejecutará la OEI recibida por la autoridad española si esa medida de investigación en que la obtención de la información bancaria consiste, no se autorizaría en un caso interno similar en España.

Téngase en cuenta en este punto que, en virtud de lo genéricamente establecido en los arts. 4, 5 y 19.4 q) EOMF, en el art. 803 ter q) 3 LECrim –este dentro del específico marco de Fiscalía contra la corrupción y la criminalidad organizada–, y según dispone la Circular 4/2013 de la Fiscalía General del Estado[81], también los fiscales pueden obtener esa información sobre cuentas bancarias o financieras en general; en consecuencia, para este tipo de diligencias serían autoridad de reconocimiento y ejecución en España.

Por su parte, el art. 218 LRMRP distingue el supuesto anterior de la solicitud de información sobre operaciones bancarias u otro tipo de operaciones financieras, siendo de aplicación la misma solución anterior; es decir, no se autorizará la medida de investigación o prueba por la autoridad de

---

[80]   Vid. arts. 229.3 LOPJ, 325 y 731 bis LECrim.

[81]   *Sobre las diligencias de investigación del Ministerio Fiscal*, vid. esp. p. 22: "También podrá el Fiscal en el seno de sus diligencias de investigación solicitar datos a entidades bancarias (vid. STS nº 986/2006, de 19 de junio)". Véase también la anterior Circular 4/2010, de 30 de diciembre, *Sobre las funciones del Fiscal en la investigación patrimonial en el ámbito del proceso penal*, otras entidades públicas y privadas a las que el MF puede pedir información directamente.

ejecución española si no fuera legalmente posible a la luz de nuestro orde-namiento[82] obtener tal información en un "caso interno similar".

Esta diligencia de investigación supone un paso más allá de la prevista en el artículo precedente, pues incluirá la información relativa a los mo-vimientos bancarios o financieros de una determinada cuenta, depósito, fondo de inversión, etc., incluso en tiempo real. En todo caso, la petición de estas medidas a través de la OEI requiere que se justifique debidamente porqué es necesaria la colaboración de esas entidades bancarias o financie-ras en el país de ejecución[83].

Hemos de considerar también en relación con estos dos preceptos las especificaciones contenidas en el art. 186.5° LRMRP:

> "A efectos de la emisión y de la ejecución de órdenes europeas de investigación para obtener información sobre cuentas bancarias y otro tipo de cuentas financieras o sobre operaciones bancarias y otro tipo de operaciones financieras:
>
> a) Se considerará como entidad financiera aquélla que se ajuste a la definición establecida por la legislación de prevención del blanqueo de capitales y de la financiación del terrorismo.
>
> b) Se considerará como dato de la cuenta o el depósito al menos el nombre y el domicilio del titular, los pormenores de los poderes de representación y de las facultades de disposición relativas a esa cuenta, los datos relativos a la titularidad real y cualesquiera otros detalles o do-cumentos que haya suministrado el titular en el momento de la apertura o con posterioridad a ella".

El art. 219 LRMRP indica que, si se solicita realizar una medida de inves-tigación que requiera la obtención de pruebas en tiempo real, de manera continua y durante un determinado periodo de tiempo, se denegará la ejecución en los casos en aquellos no se autorizaría tal medida en un "caso interno similar".

Dentro de este tipo de medidas se pueden encontrar algunas que impli-can una notable injerencia en derechos y libertades fundamentales de los

---

[82]   JIMENO BULNES pone de relieve en este punto la falta de previsión legal expresa y suficientemente detallada en nuestro país de estas diligencias que se contienen en los arts. 26 y 27 de la Directiva 2014/41/CE relativas a la obtención de información sobre cuentas y/o operaciones bancarias y financieras, y lamenta que no se hayan aprovecha-do las últimas y numerosas reformas en nuestra LECrim para regular la cuestión con detalle. Vid. su trabajo "Orden europea de investigación…", *op. cit.*, p. 196, nota 111.

[83]   Destaca estos extremos MARTÍNEZ GARCÍA, E.: *La orden europea de investigación, op. cit.*, pp. 101 y 102.

afectados por las mismas, como la colocación de dispositivos o balizas de geo-localización –monitorización– o las grabaciones de audio–video de los suje-tos investigados; actuaciones estas que, en efecto, no serán puntuales, pues la captación de datos se mantendrá un periodo de tiempo. En tales casos, sólo se reconocerá y ejecutará la OEI que requiera este tipo de diligencias si, según la legislación española y la jurisprudencia que la interpreta, concurren todos los presupuestos para que éstas se pudieran adoptar en un caso similar en España –arts. 588 bis a) y ss. LECrim–. Será además la autoridad judicial española la competente para actuar, dirigir y controlas las operaciones de ejecución, aunque pueda concertar algunos aspectos prácticos con la auto-ridad competente del Estado de emisión –vid. art. 219 apdo. 2º LRMRP–.

El art. 220 LRMRP, respecto a la solicitud de realización de "investiga-ciones encubiertas" en nuestro país, dispone que también se denegará el reconocimiento y ejecución de la OEI si no se autorizarían en "casos internos similares", o si no se llegase a un acuerdo con la autoridad de emisión acerca de las condiciones para llevar a cabo la investigación co-rrespondiente.

Igual que sucede en el caso de la obtención de pruebas en tiempo real, la autoridad española de ejecución hará efectiva la investigación encubier-ta conforme a lo previsto en el ordenamiento jurídico español, asumien-do ésta la dirección y control de las operaciones, si bien la duración de la misma, las condiciones concretas y el régimen jurídico de los agentes intervinientes serán acordados con la autoridad competente del Estado de emisión. La falta de acuerdo sobre estos extremos podrían conformar también otro motivo de denegación de la ejecución de la OEI.

En cuanto a la solicitud de ejecución de una OEI para intervenir teleco-municaciones en España, el art. 221 LRMRP establece se denegará si no se autorizaría en nuestro país en un "caso interno similar". Es decir, de nuevo será de aplicación para la efectividad de la OEI lo dispuesto en los arts. 588 bis a) y ss. de nuestra LECrim, y la interpretación que de los mismos haya venido haciendo nuestra jurisprudencia.

En los supuestos en que se notifica a España la intervención de teleco-municaciones a través de la interceptación de la dirección de una determi-nada persona investigada o encausada que se encuentra en nuestro país, no siendo necesaria la asistencia técnica de las autoridades españolas[84], en

---

[84] Por ejemplo, porque la interceptación se ha podido realizar desde el otro lado de la frontera, en el país de emisión de la OEI, por encontrarse el sujeto investigado muy próximo a esa línea fronteriza.

el caso de que dicha intervención no fuera objeto de autorización en España en un "caso interno similar", el art. 222 LRMRP establece que, la autoridad española que fuere competente comunicará al Estado que está ejecutando la intervención, sin dilación y a más tardar en el plazo de noventa y seis horas desde la recepción de la notificación: que no podrá efectuarse la intervención y que se deberá poner fin a la misma, y que no podrá utilizarse el material ya intervenido mientras la persona objeto de la intervención se encontraba en España, o que sólo podrá utilizarse en las condiciones que se indiquen, explicitando también los motivos de tales condicionantes.

Como conclusión de este apartado se puede afirmar que en estas concretas medidas de investigación y prueba enunciadas en los arts. 214 y ss. LRMRP, tan utilizadas en la práctica y tan importantes en la investigación y prueba de hechos delictivos graves, no opera el reconocimiento mutuo en el sentido riguroso del término, pues, en definitiva, no se van a reconocer ni ejecutar en España estas medidas que pueden integrar una OEI si no se acordarían en España en un caso interno similar, conforme a los requisitos establecidos por la legislación y jurisprudencia española, incluyendo desde luego el de proporcionalidad de la medida de investigación.

Por otro lado, según se expuso *supra*, la referencia al "caso interno similar" como parámetro para acordar o denegar la OEI implica que la autoridad de ejecución española tiene que poder conocer en suficiente medida el asunto en el Estado de emisión, lo que no resultará fácil solo a la vista de la información más o menos sucinta que debe contener el formulario de la OEI. De nuevo, la posible comunicación directa y ágil entre las autoridades implicadas puede resultar determinante para la eficacia de estas formas avanzadas de cooperación.

No menos importante será que las autoridades extranjeras que vayan a emitir la OEI puedan conocer los requisitos esenciales que se exigen en España para acordar esas medidas de investigación mencionadas en los arts. 214 y ss. LRMRP. Desde luego, tal conocimiento evitará dilaciones y denegaciones en la cooperación.

4. MOTIVOS DE SUSPENSIÓN OBLIGATORIA DEL RECONOCIMIENTO Y EJECUCIÓN DE LA OEI

Abordaremos a continuación algunos supuestos de distinta naturaleza, previstos todos en la propia LRMRP, que si bien no son motivos de denegación del reconocimiento de la OEI en sentido estricto, pueden provocar similares efectos; esto es, que no se puedan ejecutar inmediatamente las medidas de investigación y prueba contenidas en la OEI que recibe la autoridad de ejecución española.

Dispone el art. 209 LRMRP que la autoridad competente española suspenderá el reconocimiento y la ejecución de una OEI cuando "pudiera perjudicar una investigación penal" o "actuaciones judiciales penales en curso", y "hasta el momento en que se considere necesario". O cuando los objetos, documentos o datos de que se trate estén "siendo utilizados en otros procedimientos, hasta que ya no se requieran con este fin".

Este motivo de suspensión del reconocimiento, de carácter *obligatorio,* es susceptible de ser interpretado muy ampliamente y puede llegar a asimilarse, *de facto,* a una denegación del reconocimiento y ejecución de la OEI; o como poco, a un considerable retraso en el cumplimiento de lo solicitado por la autoridad de emisión, con fundamento en motivos muy laxos.

Recuérdese nuevamente que si la medida de investigación o prueba solicitada no implica limitación de derechos fundamentales, esta suspensión de los efectos de la OEI, potencialmente dilatada en el tiempo, la va a decidir el Ministerio fiscal por decreto, contra el que no cabe recurso alguno.

Además, según se ha expuesto, los arts. 14 y 25, apdo. 3º LRMRP, en su nueva redacción tras la Ley 3/2018, establecen que la efectiva y completa ejecución de la OEI recibida en nuestro país puede estar condicionada a que se alcance un acuerdo con el Estado de emisión –a través de nuestro Ministerio de Justicia– sobre el reparto y asunción de los gastos cuando éstos puedan ser *"excepcionalmente elevados"* –concepto jurídico indeterminado, pues no conocemos los parámetros de referencia... La autoridad de ejecución se dirigirá a la Gerencia del Ministerio de Justicia para que éste, *"si así lo considera conveniente"* –no sabemos conforme a qué criterios...–, realice propuesta al Estado de emisión sobre un posible reparto de los gastos ocasionados, o bien la modificación de la OEI, para que cubra los gastos el Estado de emisión.

En definitiva, esta cuestión no poco importante del reparto y asunción de gastos por unas u otras autoridades puede dar lugar, si no se alcanza un acuerdo, a la sustitución de unas medidas de investigación por otras o, incluso, a la denegación de la ejecución. En tales decisiones intervendrán, de manera determinante, los respectivos Ministerios de Justicia, de los que dependerá finalmente que las medidas contenidas en la OEI se ejecuten totalmente y en los términos requeridos. Como es sabido, este tipo de intervenciones y decisiones extrajurisdiccionales son, por principio, elemento extraño en la toma de decisiones propias del sistema de reconocimiento mutuo de resoluciones judiciales en el ELSJ.

Finalmente debemos referirnos a los supuestos de devolución de la OEI, cuyas consecuencias pueden llegar a asimilarse a la denegación del reconocimiento:

Cuando la OEI no haya sido emitida por la autoridad competente en el Estado de emisión, o validada en su caso por el juez, tribunal o fiscal competente en ese Estado, "se procederá a su devolución", dispone el art. 205.2 LRMRP–.

Como destaca JIMÉNEZ-VILLAREJO[85], la necesidad de validación o convalidación judicial es un "mecanismo de salvaguardia", pues es posible que en otros Estados la OEI sea emitida por autoridad policial o administrativa –ni fiscal, ni juez–, ya que la investigación de los delitos –no sólo de infracciones al derecho administrativo sancionador– puede corresponder a tales autoridades policiales o administrativas –v.gr.: investigadores de Aduanas y de Hacienda–, facultados para realizar diligencias de investigación en el marco de sus respectivos procedimientos. No obstante, el posterior "escrutinio judicial" por parte de un juez, órgano jurisdiccional, fiscal o magistrado instructor en el Estado de emisión, será preceptivo, y se le considerará autoridad de emisión a los efectos de transmisión de la OEI[86].

También deberá el Fiscal español devolver la OEI si el formulario que recibe está incompleto o es manifiestamente incorrecto, o no está debidamente traducido, o cuando no se puede cumplir con las formalidades, procedimientos o garantías expresamente indicados por la autoridad de emisión en la OEI –vid. art. 212.2. a) y c) LRMRP–.

En estos casos de devolución, no necesariamente de denegación, se entiende posible que la autoridad de emisión corrija las deficiencias, o matice sus requerimientos, para poder reenviar la nueva OEI a fin de que sea reconsiderada en España.

La autoridad de ejecución española informará "sin dilación" a la autoridad de emisión sobre estos extremos que le impiden proceder al reconocimiento, dispone el art. 212.2 LRMRP.

---

[85] "Orden europea de investigación", *op. cit.*, pp. 407 y 408.

[86] Vid. art. 2 c) iii) de la Directiva 2014/41/CE. Este recurso a la "validación judicial" no es nuevo; se encontraba también en la ya derogada DM 2008/978/JAI, sobre el exhorto europeo de obtención de pruebas.

Capítulo XXXI

LAS DISTINTAS POSIBILIDADES DE ACTUACIÓN TRAS EL RECONOCIMIENTO DE UNA ORDEN EUROPEA DE INVESTIGACIÓN EN ESPAÑA

Lidia Domínguez Ruiz[1]
Profesora Ayudante Doctora de Derecho Procesal
Acred. - Contratada Doctora
Universidad de Almería

SUMARIO: 1. PLANTEAMIENTO. 2. BREVES CONSIDERACIONES SOBRE LA RE-CEPCIÓN DE LA OEI. 3. RESOLUCIÓN SOBRE EL RECONOCIMIENTO Y EJECU-CIÓN DE LA OEI. 3.1. Reconocimiento y ejecución de la OEI. 3.2. Reconocimiento de la OEI con sustitución de la medida de investigación solicitada. 3.3. Reconocimiento de la OEI sin ejecución de la medida de investigación solicitada. 3.4. Reconocimiento de la OEI con suspensión de su ejecución.

RESUMEN: Tras el reconocimiento propiamente dicho de una OEI, por la autoridad competente del Estado de ejecución, son distintas las posibilidades de actuación con las que cuenta esta última. Aunque la regla general sea la ejecución de la medida de investigación contenida en la OEI, también es posible que la misma se sustituya, que no se ejecute o que se suspenda su ejecución. El objetivo del presente trabajo es analizar cuándo se da cada una de estas situaciones, lo que abordaremos desde la perspectiva española.

ABSTRACT: The executing authority has different possibilities after recognising an EIO. The general rule is the execution to the investigative measure, but it is also possible recourse to an investigative measure other than that indicated in the EIO. In the same way the executing authority shall notify the issuing authority that it has not been possible to provide the assistance requested. Too the execution of the EIO may be postponed in the executing State. In this paper we want to study these diferente possibilities from the Spanish perspective.

PALABRAS CLAVE: – Orden Europea de Investigación. – Reconocimiento. – Ordenamiento Español.

---

[1] Estudio realizado en el marco del Proyecto "Asignaturas pendientes del sistema proce-sal español" (DER2017-83125-P), Ministerio de Economía, Industria y Competitividad (Gobierno de España); cofinanciado con FEDER.

KEY WORDS: – European Investigation Order. – Recognition. – Spanish legal system.

1. PLANTEAMIENTO

El 1 de abril de 2014 se publicó en el DOUE la *Directiva 2014/41/CE del Parlamento Europeo y del Consejo, de 3 abril de 2014, relativa a la orden europea de investigación en materia penal*[2] (en adelante, DOEI). Instrumento que ha sido transpuesto al ordenamiento español mediante la *Ley 3/2018, de 11 de junio, por la que se modifica la Ley 23/2014, de 20 de noviembre, de reconocimiento mutuo de resoluciones penales en la Unión Europea, para regular la Orden Europea de Investigación*[3], siendo así la Ley 23/2014, de 20 de noviembre (en adelante, LRM) la encargada de regular en nuestro ordenamiento la orden europea de investigación (en adelante, OEI).

Son numerosas las novedades y ventajas introducidas por la DOEI, ya que da cumplimiento a la finalidad perseguida por la Unión Europea de establecer un instrumento único, eficaz y flexible para obtener todo tipo de pruebas penales situadas en otro Estado miembro. Pero de todas las cuestiones que pueden abordarse al hilo del presente instrumento queremos detenernos en las distintas posibilidades de actuación con las que cuenta la autoridad competente del Estado de ejecución tras haber reconocido una OEI. Lo que haremos desde la perspectiva española.

Como a continuación veremos, la regla general es que nuestras autoridades competentes tras reconocer una OEI la ejecuten (art. 205.1 LRM). Ahora bien, pueden darse tres situaciones más: que se lleve a cabo el reconocimiento de una OEI, pero con sustitución de la medida de investigación solicitada en la misma (art. 206.2-4 LRM); que se reconozca la OEI sin más, es decir, sin que posteriormente pueda ejecutarse la medida de investigación contemplada en ella (art. 206.5 LRM); y que se reconozca la OEI, pero se suspenda su ejecución (art. 209 LRM). Supuestos todos ellos que vamos a analizar a lo largo del presente trabajo. En cambio, los motivos de denegación (arts. 207.1 y 32.1 LRM) no van a ser abordados, ya que entendemos que cuando la autoridad competente española deniega una OEI está denegando tanto el reconocimiento como la ejecución de la misma,

---

[2]   DOUE L 130, de 1 de mayo de 2014.
[3]   BOE núm. 142, de 12 de junio de 2018.
      Al igual que en la mayoría de los Estados miembros, la transposición se realizó fuera del plazo concedido por la DOEI.

por lo que no tendrían cabida dentro de las distintas posibilidades de actuación existentes tras el reconocimiento propiamente dicho de una OEI.

2. BREVES CONSIDERACIONES SOBRE LA RECEPCIÓN DE LA OEI

La autoridad competente para recibir la OEI es el Ministerio Fiscal (arts. 187.2 y 212 LRM), quien tendrá como máximo una semana, desde su recepción, para acusar recibo a la autoridad de emisión, utilizando para ello el formulario establecido al efecto en el Anexo XIV de la LRM. Formulario que es común para todos los Estados miembros, a diferencia de lo que sucede en los demás instrumentos de reconocimiento mutuo, lo que es considerado un acierto. Y ello debido a su utilidad y simplificación[4].

Para el caso de que la OEI se emita a una autoridad judicial distinta, ésta última tendrá que transmitírsela al Ministerio Fiscal y notificárselo al Estado de emisión (art. 16.2 LRM). Asimismo, si el Ministerio Fiscal recibe una OEI que no hubiese sido emitida por la autoridad de emisión competente o, que, en su caso, no hubiese sido validada judicialmente, procederá a su devolución (art. 205.2 LRM).

Ahora bien, conviene recordar que, aunque en nuestro ordenamiento el Ministerio Fiscal es la autoridad competente para recibir las OEI emitidas por las autoridades competentes de otros Estados miembros, una vez que el Ministerio Fiscal registra la OEI, y ha acusado recibo a la autoridad de emisión, pueden suceder dos cosas: que él mismo conozca del reconocimiento y ejecución o que la remita al juez competente (alguno de los establecidos en el artículo 187.3 LRM[5]). El Ministerio Fiscal sólo será competente para reconocer y ejecutar la OEI siempre y cuando la mis-

---

[4]   En este sentido, RODRÍGUEZ-MEDEL NIETO, Carmen, *Obtención y admisibilidad en España de la prueba penal transfronteriza. De las comisiones rogatorias a la orden europea de investigación*, Thomson Reuters Aranzadi, Cizur Menor (Navarra), 2016, pp. 406-407; y ROMERO PRADAS, Mª Isabel, "La prueba penal en Europa, una cuestión compleja. La orden europea de investigación como instrumento de obtención de pruebas en procesos penales transnacionales y su próxima incorporación al Derecho español", en *Integración europea y justicia penal* (dir. GONZÁLEZ CANO, Mª Isabel.), Tirant Lo Blanch, Valencia 2018, p. 388.

[5]   *"a) Los Jueces de Instrucción o de Menores del lugar donde deban practicarse las medidas de investigación o, subsidiariamente, donde exista alguna otra conexión territorial con el delito, con el investigado o con la víctima. Si no hubiera ningún elemento de conexión territorial para poder concretar la competencia, serán competentes los Jueces Centrales de Instrucción.*

ma no contenga alguna medida limitativa de derechos fundamentales. En caso contrario, y cuando la medida no pueda ser sustituida por otra que no restrinja dichos derechos, el Ministerio Fiscal remitirá la OEI para su reconocimiento y ejecución al juez o tribunal competente. Lo mismo sucederá cuando en la OEI se indique expresamente por la autoridad de emisión que la medida de investigación debe ser ejecutada por un órgano judicial. En cualquiera de ambos supuestos, el Ministerio Fiscal al remitir la OEI acompañará un informe preceptivo en el que se pronuncie sobre si concurren o no alguna de las causas de denegación, y si entiende ajustada a Derecho la adopción de las medidas de investigación contenidas en la orden (art. 187.2 LRM).

Por último, cabe realizar la siguiente precisión en cuanto al idioma en el que puede recibirse en España el formulario de emisión de la OEI (Anexo XIII LRM). La DOEI en su artículo 5.2 establece que cada Estado miembro, a los efectos de cumplimentación o traducción de la OEI, además de su lengua o lenguas oficiales, tiene que indicar al menos otra lengua oficial de las instituciones de la Unión Europea que se sume a la suya propia. En este sentido, en España, del artículo 17.1 de la LRM se desprende que la única lengua es el español[6], no dándose así cumplimiento a la exigencia contenida en la DOEI. Sin embargo, el artículo 212 de la LRM, relativo expresamente a la OEI, sí parece hacer referencia a dicha exigencia al establecer que la autoridad española competente encargada de la ejecución tendrá que informar sin dilación a la autoridad de emisión, entre otras cuestiones, si fuese imposible adoptar una resolución de reconocimiento y ejecución debido a que el formulario de OEI no estuviese traducido al castellano o a alguna de las lenguas admitidas en España [art. 212.2.a) LRM]. Pero no consta en ninguna parte del articulado de la presente Ley qué lenguas son las admitidas[7]. En cualquier caso, y al igual que parte de la doctrina, consideramos que, por ahora, la recepción de la OEI en una len-

---

b) Los Jueces Centrales de Instrucción, si la orden europea de investigación se emitió por delito de terrorismo u otro de los delitos cuyo enjuiciamiento competa a la Audiencia Nacional, o si se trata de la notificación prevista en el artículo 222.

c) Los Jueces Centrales de lo Penal o Central de Menores, en el caso de que el traslado al Estado de emisión de personas privadas de libertad en España, de conformidad con lo previsto en el artículo 214".

[6]   Artículo 17.1 de la LRM *"cuando el formulario o el certificado no venga traducido al español, se devolverá inmediatamente a la autoridad judicial del Estado emisor que lo hubiera firmado para que lleve a cabo la traducción correspondiente".*

[7]   Cfr., ARANGÜENA FANEGO, Coral, "Orden Europea de Investigación: próxima implementación en España del nuevo instrumento de obtención de prueba penal transfronteriza", en *Revista de Derecho Comunitario Europeo*, número 58, 2017, p. 931.

gua distinta a la española ralentizaría su tramitación y supondría un coste mayor debido a los servicios de traducción que tendrían que tener nuestras autoridades competentes[8].

3. RESOLUCIÓN SOBRE EL RECONOCIMIENTO Y EJECUCIÓN DE LA OEI

3.1. *Reconocimiento y ejecución de la OEI*

El reconocimiento y la ejecución de la OEI giran en torno al principio de equivalencia, principio que, como señala JIMÉNEZ-VILLAREJO FERNÁNDEZ, *"junto al principio de confianza recíproca sostienen el nuevo régimen de reconocimiento mutuo"*[9]. Y es que tal y como dispone el artículo 21.1 de la LRM la ejecución se regirá por el Derecho español y se llevará a cabo del mismo modo que si hubiese sido dictada por una autoridad judicial española. Sin embargo, en el párrafo II del mencionado apartado, se recoge la obligación que tiene la autoridad judicial española competente de observar las formalidades y procedimientos indicados por la autoridad del Estado de emisión. Sólo exenta en aquellos casos que esas formalidades y procedimientos sean contrarios a los principios fundamentales del ordenamiento español. De ser así, la autoridad competente española encargada de la ejecución informará sin dilación a la autoridad de emisión [art. 212.2.c) LRM]

Tal y como dispone el artículo 205.1 de la LRM, la regla general es que la autoridad competente española que reciba una OEI dictará auto o decreto de reconocimiento y ejecución de la misma, salvo que concurran alguno de los motivos de denegación (art. 207 y 32.1) o suspensión (art. 209) recogidos en su regulación[10]. Entiéndase auto cuando la competencia para reconocer y ejecutar la OEI corresponda a alguna de las auto-

---

8   Sobre esta cuestión véase, RODRÍGUEZ-MEDEL NIETO, Carmen, *Obtención y admisibilidad en España de la prueba penal transfronteriza. De las comisiones rogatorias a la orden europea de investigación*, cit., pp. 405-406.

9   JIMÉNEZ-VILLAREJO FERNÁNDEZ, Francisco, "Orden europea de investigación", en *Cooperación jurídica penal internacional* (dir. JUANES PECES, Ángel), Memento experto Francis Lefebvre, Madrid, 2016, p. 423; "Orden Europea de Investigación: ¿Adiós a las Comisiones Rogatorias?", en *Cooperación judicial civil y penal en el nuevo escenario de Lisboa* (coord. ARANGÜENA FANEGO, Coral), Editorial Comares, Granada 2011, p. 193.

10   El contenido del artículo 205.1 de la LRM es concretado de manera más precisa en el artículo 208.1.I de la misma Ley al establecer que, *"la autoridad competente española (...) dictará sin dilación auto o decreto, respectivamente, reconociendo la concurrencia de los requisitos*

ridades judiciales competentes en virtud del artículo 187.3 de la LRM, y decreto cuando la competencia corresponda al Ministerio Fiscal por no contener la OEI medida alguna limitativa de derechos fundamentales (art. 187.2 LRM).

Cualquiera de las autoridades competentes mencionadas llevará a cabo la ejecución de la medida solicitada en la OEI siempre y cuando la misma exista en Derecho español y esté prevista para un caso similar interno. Y, en particular, si la medida de investigación solicitada fuese alguna de las contenidas en el artículo 206.1 de la LRM, es decir, aquellas denominadas como "privilegiadas" por el hecho de tener que existir en cualquier Estado miembro y no poder ser sustituidas por otras distintas. Aunque, como posteriormente veremos, ello no impide que puedan invocarse alguno de los motivos de denegación del reconocimiento y la ejecución de la OEI.

El régimen de plazos del que dispone el Ministerio Fiscal o las autoridades judiciales competentes, según los casos, aparece regulado en el artículo 208 de la LRM[11]. Distinguiéndose entre los plazos para el reconocimiento y los plazos para la ejecución. Así, la resolución de reconocimiento de la OEI tendrá que ser adoptada por la autoridad española competente cuanto antes, y a más tardar, en el plazo de 30 días desde su recepción (art. 208.1.II LRM). Ahora bien, si la autoridad competente española no puede respetar dicho plazo, informará sin demora a la autoridad de emisión explicando las razones y comunicándole el plazo estimado necesario para adoptar la resolución. Supuesto en el cual el plazo de 30 días podrá prorrogarse hasta un máximo de 30 días más (art. 208.2 LRM). Por lo que respecta a la ejecución de la medida de investigación solicitada en la OEI, tendrá que ser llevada a cabo por la autoridad competente española sin demora, y a más tardar 90 días después de que se adopte la resolución de reconocimiento de la OEI. Esto será así, salvo que exista alguno de los motivos previstos para la suspensión o que la prueba mencionada en la medida de investigación incluida en la OEI ya se encuentre en posesión del Estado español (art. 208.4 LRM). Con todo, si la autoridad competente española no puede respetar el plazo de los 90 días

---

exigidos legalmente y ordenando su ejecución. El auto o decreto contendrá las instrucciones necesarias para la práctica de las medidas de investigación solicitadas".

[11]   Los plazos del artículo 208 de la LRM se aplican con carácter general para el reconocimiento o ejecución de las medidas de investigación contenidas en la OEI. Sin embargo, la DOEI prevé un plazo mucho más breve cuando la OEI se emite con vistas a la adopción de medidas cautelares para el aseguramiento de la prueba (art. 32.2 DOEI), lo cual es lógico dada su naturaleza asegurativa.

tendrá que informar sin demora a la autoridad competente del Estado de emisión por cualquier medio, explicándole las razones de la demora, y le consultará sobre el plazo adecuado para llevar a cabo la medida de investigación (art. 208.6 LRM). No obstante, si la autoridad de emisión indica en la OEI que, debido a los plazos procesales, la gravedad del delito u otras circunstancias particularmente urgentes, se requiere un plazo más corto para la ejecución de la medida, o si la medida de investigación tiene que llevarse a cabo en una fecha concreta, la autoridad competente española actuará conforme a esos plazos. Y si no fuese posible se lo comunicará a la autoridad de emisión sin demora (art. 208.5 LRM).

Debemos mencionar también la posibilidad de que autoridades del Estado de emisión puedan participar en la práctica de diligencias en el territorio español, lo que será solicitado por la propia autoridad de emisión y aceptado por la autoridad competente española, siempre y cuando dichas autoridades estén facultadas para participar en la ejecución de las medidas de investigación requeridas en la OEI en un caso interno similar de su Estado, y la participación no sea contraria a los principios jurídicos fundamentales ni perjudique los intereses esenciales de la seguridad nacional (art. 210.1.I LRM). Las autoridades competentes del Estado de emisión que participen en la ejecución de la OEI se someterán al Derecho español sin poder ejercitar competencia coercitiva en nuestro territorio, salvo que sea conforme con el Derecho español y ambas autoridades lo hubiesen acordado (art. 210.2 LRM). Asimismo, tendrán la consideración de funcionario público español a los efectos penales mientras se encuentren en España participando en la ejecución (art. 210.1.II LRM). Además, cuando el Estado de emisión participe en la ejecución de la OEI y la autoridad de emisión emita una OEI complementaria a la anterior, la autoridad competente española podrá recibir directamente la orden complementaria que la autoridad de emisión dicte mientras está en España (art. 208.3 LRM).

Por último, el artículo 213 de la LRM regula la obligación de confidencialidad que tiene la autoridad competente española al ejecutar una OEI. En este sentido, tendrá que guardar confidencialidad de los hechos y el fondo de la OEI, excepto en el grado en que sea necesario para ejecutar la medida de investigación, y cualquier publicidad será siempre objeto de previa consulta con la autoridad del Estado de emisión[12].

---

[12]   Cuando el objeto de la OEI sea la información sobre cuentas y operaciones bancarias o financieras (arts. 217 y 218 LRM), la autoridad competente española tendrá que adoptar medidas necesarias para garantizar que los bancos o entidades financieras no

3.2. Reconocimiento de la OEI con sustitución de la medida de investigación solicitada

Aunque, como acabamos de analizar, la regla general es que la autoridad competente española dicte resolución reconociendo y ejecutando la OEI, salvo que concurran alguno de los motivos de denegación o suspensión legalmente establecidos, cabe también la posibilidad de que se lleve a cabo el reconocimiento de la OEI con sustitución de la medida de investigación solicitada en la misma. Es decir, que la autoridad competente española sustituya la medida de investigación solicitada por el Estado de emisión, en vez de proceder a su denegación. Lo que conlleva el fomento entre las autoridades de los Estados miembros asegurando así la eficacia de la propia OEI[13].

La sustitución tendrá lugar, con carácter preceptivo, cuando se dé alguno de los supuestos recogidos en el artículo 206 de la LRM. En este sentido, cuando la medida de investigación solicitada no existiese en Derecho español o no estuviese prevista para un caso similar interno, nuestra autoridad competente ordenará la ejecución de una medida de investigación distinta a la solicitada, si dicha medida fuese idónea para los fines de la orden solicitada (art. 206.3 LRM). Asimismo, cuando el resultado perseguido por la OEI pueda conseguirse mediante una medida de investigación menos restrictiva de los derechos fundamentales que la solicitada en la OEI, la autoridad competente española ordenará la ejecución de esta última (art. 206.2 LRM).

En cualquier caso, el artículo 206.1 de la LRM enumera una serie de medidas de investigación denominadas privilegiadas, porque respecto de ellas no cabe sustitución alguna, debido a que son medidas que tienen que existir en cualquier Estado miembro[14]. Sin perjuicio de que respecto de las mismas puedan invocarse los motivos de denegación regulados en el

---

revelen al cliente bancario interesado ni a otros terceros el que se haya transmitido información al Estado de emisión o que se está llevando a cabo una investigación.

[13]   Cfr. MARTÍNEZ GARCÍA, Elena, *La orden europea de investigación. Actos de Investigación, Ilicitud de la prueba y Cooperación judicial transfronteriza*, Tirant lo Blanch, Valencia, 2016, p. 70; y JIMENO BULNES, Mar, "Orden europea de investigación en materia penal", en *Integración europea y justicia penal* (dir. GONZÁLEZ CANO, Mª Isabel), Tirant Lo Blanch, Valencia 2018, p.182.

[14]   Como señala ARANGÜENA FANEGO, esta regulación provoca un cierto efecto armonizador de las legislaciones procesales al igual que sucede en otros instrumentos de reconocimiento mutuo (ARANGÜENA FANEGO, Coral, "Orden Europea de Investigación: próxima implementación en España del nuevo instrumento de obtención de prueba penal transfronteriza", cit., p. 933).

artículo 207.1 de la LRM, con excepción de los contemplados en sus letras e) y f) (art. 207.2 LRM). Por tanto, la característica de estas medidas es que al tener que existir en cualquier Estado miembro no pueden ser sustituidas por otras, pero ello no impide que puedan invocarse alguno de los motivos de denegación del reconocimiento y la ejecución de la OEI[15].

Volviendo a los supuestos en virtud de los cuales cabe proceder a la sustitución de la medida de investigación contenida en la OEI, queremos detenernos en el contemplado en el apartado 2 del artículo 206 de la LRM. En este sentido, y en palabras de BACHMAIER WINTER, con el mismo se articula *"un control adicional del principio de proporcionalidad en el estado de ejecución, favorable a la protección de los derechos fundamentales, que no incide en la eficacia de la medida, lo cual debe valorarse positivamente"*. De manera que aunque la proporcionalidad de la medida de investigación es un requisito para la emisión de la OEI, cuya valoración corresponde a la autoridad de emisión y no a la de ejecución, es posible que la autoridad de ejecución obtenga el mismo resultado con una medida de investigación menos invasiva que la contenida en la OEI. Pero previa consulta a la autoridad de emisión[16].

En relación con los trámites a seguir en caso de llevarse a cabo la sustitución de la medida de investigación, por concurrir alguno de los supuestos señalados, la autoridad española competente antes de adoptar la resolución tendrá que informar a la autoridad de emisión para que retire o complete la OEI. Aunque si ésta última no comunica en el plazo de 10 días su decisión, la autoridad competente española ordenará la ejecución de la medida de investigación alternativa (art. 206.4 LRM).

Para concluir, y como señala AGUILERA MORALES, los supuestos referidos son reflejo de la relajación del principio de reconocimiento mutuo en materia de investigación delictiva transfronteriza, así como una clara manifestación de la importancia que en la misma juegan el principio de proporcionalidad y la flexibilidad[17].

---

[15]   En este mismo sentido, GONZÁLEZ MONJE, Alicia, *Cooperación jurídica internacional en materia penal e intervención de comunicaciones como técnica especial de investigación*, Editorial Comares, Granada, 2017, p. 106.

[16]   BACHMAIER WINTER, Lorena, "Prueba transnacional penal en Europa: la Directiva 2014/41 relativa a la orden europea de investigación", en *Revista General de Derecho Europeo (iustel)*, número 36, 2015, p. 23.

[17]   AGUILERA MORALES, Marien, "El exhorto europeo de investigación: a la búsqueda de la eficacia y la protección de los derechos fundamentales en las investigaciones penales transfronterizas", *Boletín del Ministerio de Justicia*, número 2145, 2012, p. 16.

3.3. Reconocimiento de la OEI sin ejecución de la medida de investigación solicitada

Hasta ahora hemos visto como la autoridad de ejecución tras reconocer la OEI puede ejecutar la medida de investigación contenida en ella o sustituirla por otra distinta en los términos analizados. Pues bien, tras el reconocimiento de la OEI existe una tercera posibilidad y es que no se lleve a cabo su ejecución. Lo que es posible debido al hecho de que se hayan establecido distintos plazos para el reconocimiento y la ejecución de la OEI[18].

Esta posibilidad de reconocimiento sin ejecución está ligada al artículo 206.3 de la LRM, es decir, a dos de los supuestos previstos para proceder a la sustitución de la medida de investigación contenida en la OEI. Como decíamos, si la medida de investigación indicada en la OEI no existe en el Derecho español o no existe en un caso interno similar, la autoridad competente española tendrá que recurrir a una medida de investigación distinta, si dicha medida fuese idónea para los fines de la OEI solicitada. El problema surge cuando no existe ninguna otra medida de investigación con la que pueda obtenerse el mismo resultado, ya que de ser así, dispone el artículo 206.5 de la LRM que, la autoridad española competente notificará a la autoridad de emisión que no ha sido posible proporcionar la asistencia requerida[19].

En definitiva, y siguiendo a RODRÍGUEZ-MEDEL NIETO, entendemos que no nos encontramos ante supuestos de denegación del reconocimien-

---

En palabras de JIMÉNEZ-VILLAREJO FERNÁNDEZ, la finalidad de que se permita a la autoridad de ejecución optar por una medida diferente a la recogida en la OEI es *"evitar que la rígida aplicación del principio de reconocimiento mutuo, por el que la autoridad de ejecución queda obligada a ejecutar la diligencia de investigación elegida por la autoridad de emisión, pueda dar al traste con el mismo y hacer fracasar esta iniciativa en la práctica y en aras de una recomendable flexibilidad"* (JIMÉNEZ-VILLAREJO FERNÁNDEZ, Francisco, "Orden Europea de Investigación: ¿Adiós a las Comisiones Rogatorias?", cit., p. 203).

[18] Cfr. ARANGÜENA FANEGO, Coral, "Orden Europea de Investigación: próxima implementación en España del nuevo instrumento de obtención de prueba penal transfronteriza", cit., p. 934.

[19] Asimismo, la posibilidad de que la autoridad competente española reconozca la OEI pero no la ejecute, tiene también reflejo en los supuestos en los que esté en desacuerdo con la autoridad de emisión sobre las condiciones de ejecución de la diligencia de investigación. En este sentido, por ejemplo, el artículo 214.2 de la LRM sobre el traslado temporal de detenidos al Estado de emisión, o el artículo 220.1 b) de la LRM en materia de entrega vigilada en el territorio del Estado de ejecución.

to y de la ejecución, sino ante supuestos de reconocimiento de la OEI con imposibilidad de ejecución de la medida[20].

3.4. *Reconocimiento de la OEI con suspensión de su ejecución*

Para finalizar con el análisis de las distintas posibilidades de actuación con las que cuentan nuestras autoridades competentes tras reconocer una OEI, tenemos que referirnos a los supuestos de suspensión regulados en el artículo 209.1 de la LRM. Realmente dicho precepto se refiere tanto a la suspensión del reconocimiento como de la ejecución de la OEI, pero entendemos que la suspensión sólo opera respecto de la ejecución[21]. Lo que gana más fuerza si ponemos el artículo 209 de la LRM en relación con su artículo 208. Y es que, como ya hemos analizado, la LRM establece dos plazos distintos, uno para el reconocimiento de la OEI y otro para la ejecución de la medida de investigación solicitada en ella. Pues bien, el

---

[20] RODRÍGUEZ-MEDEL NIETO, Carmen, *Obtención y admisibilidad en España de la prueba penal transfronteriza. De las comisiones rogatorias a la orden europea de investigación*, cit., p. 408. Siguiendo esta misma línea ARANGÜENA FANEGO, Coral, "Orden Europea de Investigación: próxima implementación en España del nuevo instrumento de obtención de prueba penal transfronteriza", cit., pp. 934-935; y ROMERO PRADAS, Mª Isabel, "La prueba penal en Europa, una cuestión compleja. La orden europea de investigación como instrumento de obtención de pruebas en procesos penales transnacionales y su próxima incorporación al Derecho español", cit., p. 390.

En cambio, hay otro sector doctrinal que considera que el artículo 10.5 de la DOEI –entiéndase, también, artículo 206.5 de la LRM– esconde realmente un supuesto de denegación (JIMÉNEZ-VILLAREJO FERNÁNDEZ, Francisco, "Orden europea de investigación", cit., p. 426; y GONZÁLEZ MONJE, Alicia, *Cooperación jurídica internacional en materia penal e intervención de comunicaciones como técnica especial de investigación*, cit., p. 108).

En palabras de BACHMAIER WINTER la regulación contenida en el artículo 10.5 de la DOEI –entiéndase, también, artículo 206.5 de la LRM– *"técnicamente no es una denegación sino una "imposibilidad de proporcionar la asistencia requerida" (...). En otras palabras, sin decirlo abiertamente el artículo 10 DOEI contempla dos causas de denegación facultativa adicionales a las previstas en el artículo 11 DOEI. Estos dos motivos de denegación suponen una de esas muestras de la "flexibilidad del sistema de asistencia mutua", pues representan una clara limitación del principio de reconocimiento mutuo. Al poder denegar la ejecución de una medida de investigación porque en el ordenamiento jurídico nacional del estado de ejecución tal medida no se contempla o se contempla únicamente para otro tipo de delitos o bajo otras condiciones a las que se describen en la OEI, se están admitiendo importantes concesiones a la aplicación automática del principio de reconocimiento mutuo"* (BACHMAIER WINTER, Lorena, "Prueba transnacional penal en Europa: la Directiva 2014/41 relativa a la orden europea de investigación", cit., pp. 21-22).

[21] En este mismo sentido, RODRÍGUEZ-MEDEL NIETO, Carmen, *Obtención y admisibilidad en España de la prueba penal transfronteriza. De las comisiones rogatorias a la orden europea de investigación*, cit., pp. 408-409.

apartado 4 del artículo 208 de la LRM relativo al segundo de los supuestos, es decir, al plazo establecido para la ejecución, es el único que contiene referencia alguna a los motivos de suspensión. Asimismo, el propio artículo 209 regulador de la suspensión, en su apartado 2, se pronuncia también en términos de ejecución.

Los supuestos de suspensión de la ejecución se aplican con carácter preferente a todos los analizados anteriormente (reconocimiento y ejecución de la OEI, reconocimiento de la OEI con sustitución de la medida de investigación, y reconocimiento de la OEI sin ejecución). Lo que se desprende de la regla general del artículo 205.1 de la LRM ya que, como veíamos, la autoridad competente española dictará auto o decreto de reconocimiento y ejecución de la OEI, salvo que concurran alguno de los motivos de denegación o suspensión establecidos legalmente. Es decir, sólo puede haber ejecución de la medida de investigación, sustitución de la misma o reconocimiento sin ejecución de la medida, si no concurren motivos de denegación del reconocimiento y ejecución o de suspensión de la ejecución.

En concreto, los motivos por los que la autoridad competente española está obligada a suspender la ejecución de una OEI son los siguientes: *"a) Que su ejecución pudiera perjudicar una investigación penal o actuaciones judiciales penales en curso, hasta el momento que se considere necesario. B) Que los objetos, documentos o datos de que se trate están siendo utilizados en otros procedimientos, hasta que ya no se requieran con este fin"*. Motivos no exentos de críticas, tanto por la falta de concreción en su redacción, al tener un contenido genérico y amplio[22], como por la falta de precisión respecto de la duración de la suspensión. En este último sentido puede observarse la utilización de términos tales como *"hasta el momento en que se considere necesario"* o *"hasta que ya no se requieran con este fin"*. Por ello se entiende que en cada caso concreto será necesaria una importante labor de colaboración y consenso entre las autoridades implicadas[23]. Evitándose así esperas muy prolongadas, con el consiguiente retraso que ello genera en la tramitación del procedimiento.

Por último, respecto a la manera de proceder en estos casos, dispone el artículo 209.2 de la LRM que, una vez dejen de existir las causas que

---

[22]   En este sentido, MARTÍNEZ GARCÍA, Elena, *La orden europea de investigación. Actos de Investigación, Ilicitud de la prueba y Cooperación judicial transfronteriza*, cit., p. 78; y, GRANDE SEARA, Pablo, "Reconocimiento y ejecución en España de una Orden Europea de Investigación", en *Integración europea y justicia penal* (dir. GONZÁLEZ CANO, Mª Isabel), Tirant lo Blanch, Valencia 2018, p. 479.

[23]   Cfr. GRANDE SEARA, Pablo, "Reconocimiento y ejecución en España de una Orden Europea de Investigación", cit., pp. 479-480.

provocaron la suspensión, la autoridad competente española tendrá que adoptar las medidas necesarias para la ejecución de la OEI, informando sin dilación a la autoridad competente del Estado de emisión. Artículo que, como ya hemos señalado, pone de relieve que la suspensión se refiere sólo a la ejecución. Lo mismo que hace el artículo 23 de la LRM, relativo al régimen general del reconocimiento y la ejecución de los instrumentos de reconocimiento mutuo, y que tiene por título *"suspensión de la ejecución de las resoluciones"*. En concreto, este último precepto viene a completar la forma en la que la autoridad española competente debe proceder a la hora de la suspensión. En este sentido, cuando la autoridad española informe a la autoridad de emisión en los términos anteriormente expuestos, tendrá que comunicarle también el motivo de la suspensión y, si es posible, la duración de la misma (art. 23.2 LRM). Además, si la causa de suspensión hiciera previsible que la misma no fuese alzada, se devolverá a la autoridad de emisión el formulario de emisión de la OEI con todo lo actuado (art. 23.4 LRM).

Capítulo XXXII

RECONOCIMIENTO Y EJECUCIÓN DE LA ORDEN EUROPEA DE INVESTIGACIÓN: ALTERNATIVAS AL RECONOCIMIENTO O LA EJECUCIÓN

Mª Isabel Romero Pradas
Catedrática EU de Derecho Procesal
Universidad de Sevilla

SUMARIO: 1. CONSIDERACIONES PREVIAS. 2. LA ESPERADA ORDEN EUROPEA DE INVESTIGACIÓN COMO INSTRUMENTO PARA LA OBTENCIÓN DE PRUEBA PENAL. 2.1. Asistencia judicial y apuesta por el reconocimiento mutuo. 2.2. La OEI como único instrumento de investigación y obtención de pruebas. 2.3. Transposición de la DOEI al ordenamiento español. 3. EL ESTADO RECEPTOR ANTE LA ORDEN EUROPEA DE INVESTIGACIÓN: LAS DISTINTAS OPCIONES. 4. ADVERTENCIA SOBRE EL NO CUMPLIMIENTO DE LOS REQUISITOS PARA LA EMISIÓN: ALCANCE. 4.1. Requisitos de fondo. 4.2. Formalidades. 5. RECONOCIMIENTO Y EJECUCIÓN DE LA ORDEN EUROPEA DE INVESTIGACIÓN: PRINCIPIO DE EQUIVALENCIA Y SUPUESTOS DE NO RECONOCIMIENTO O NO EJECUCIÓN. 5.1. Denegación del reconocimiento y de la ejecución. 5.1.1. Limitación del reconocimiento mutuo. 5.1.2. Los motivos de denegación. 5.2. Suspensión de la ejecución. 5.3. Reconocimiento con sustitución de la medida. 5.3.1. Supuestos de sustitución. 5.3.2. Imposibilidad de sustitución: las medidas privilegiadas. 5.4. Imposibilidad de ejecución. 6. RECURSOS EN LA EJECUCIÓN DE LA ORDEN EUROPEA DE INVESTIGACIÓN. 6.1. Principio de equivalencia con la legislación nacional en materia de recursos. 6.2. Recursos en la ejecución. 6.3. Reserva de la impugnación por motivos de fondo ante el Estado de emisión.

RESUMEN: En el presente trabajo se analizan, transpuesta finalmente a nuestro ordenamiento la DOEI hace pocos meses, mediante la Ley 3/2018, de 11 de junio, por la que se modifica la Ley 23/2014, de 20 de noviembre, de reconocimiento mutuo de resoluciones penales en la Unión Europea (en adelante, LRM), algunas de las principales cuestiones que se plantean cuando se solicitan medidas de investigación en el marco de este instrumento. En concreto, y tras una somera aproximación a la regulación del instrumento y su incorporación al Derecho español, hemos querido resaltar las facultades que la regulación ofrece al Estado de ejecución que recibe una OEI para desvincularse de la petición que la misma contiene en orden a su reconocimiento y ejecución.

ABSTRACT: In the present work we analyze, the DOEI is transposed finally to our order a few months ago, according to Law 3/2018, of June 11, which modifies Law 23/2014, of November 20, of mutual recognition of criminal resolutions in the European Union (hereinafter, LRM), some of the main issues that arise when investigative measures are requested under this instrument. Specifically, and after a brief approximation to the regulation of the instrument and its incorporation into Spanish law, we wanted to highlight the powers that the regulation offers to the State of execution that receives an OEI to disassociate itself from the petition that it contains in order to its recognition and execution.

PALABRAS CLAVE: Proceso penal transnacional. Cooperación judicial penal en la Unión Europea. Obtención de pruebas. Orden europea de investigación. Reconocimiento y ejecución de la Orden europea de investigación.

KEYWORDS: Transnational criminal process. Criminal judicial cooperation in the European Union. Obtaining evidence. European Investigation Order. Recognition and execution of the European Research Order.

1. CONSIDERACIONES PREVIAS

La eliminación de fronteras y la libre circulación de personas y bienes en el ámbito de la Unión han facilitado considerablemente la libre circulación de los ciudadanos europeos, pero, al mismo tiempo, han permitido a los delincuentes actuar con mayor libertad a escala transnacional[1].

La dimensión transfronteriza de los procesos penales ha determinado que las dificultades en la persecución y enjuiciamiento de la cada vez mayor delincuencia transnacional haya guiado en gran medida la actuación de la cooperación judicial en materia penal en el ámbito de la Unión Europea (UE), en la consecución del espacio europeo de libertad, seguridad y justicia[2].

En este sentido, bien sabido es que la regulación de la prueba transnacional viene siendo, además de objetivo prioritario en la política legislativa

---

[1]   Trabajo realizado en el marco del Proyecto I+D+I de Excelencia (Ministerio de Economía y Competitividad), convocatoria 2015 (DER2015-63942-P), "Instrumentos para el reconocimiento mutuo y ejecución de resoluciones penales: incorporación al derecho español de los avances en cooperación judicial en la Unión Europea".

[2]   GASCÓN INCHAUSTI, Fernando, "Investigación transfronteriza, obtención de prueba penal en el extranjero y derechos fundamentales", en *Juan Montero Aroca, El Derecho Procesal español del Siglo XX a golpe de tango, Liber Amicirun, en homenaje y para celebrar su LXX cumpleaños* (coords.: GÓMEZ COLOMER, Juan Luis; BARONA VILAR, Silvia; y CALDERÓN CUADRADO, Pia), Tirant lo Blanch, Valencia, 2012, págs. 1245 y ss.

de la UE, uno de los temas relativos a la cooperación europea en asuntos penales que más debate suscita[3].

El nuevo escenario en el que la delincuencia, especialmente la organizada y grave, actúa y produce efectos más allá del territorio de un solo Estado, tiene como consecuencia insoslayable la necesidad de obtener y practicar pruebas en el territorio de un Estado distinto a aquél en el que se sigue el proceso para la investigación y el enjuiciamiento de la infracción penal cometida.

El binomio seguridad *versus* justicia en materia de prueba penal determina que la necesidad de conseguir un sistema eficaz en el que resulte posible la obtención de fuentes de prueba en todo el ámbito de la Unión, tenga que compatibilizarse con su utilización con las debidas garantías en el enjuiciamiento penal que se siga en cualquiera de los Estados. En este sentido, resulta innegable, como advierten MARTÍN GARCÍA y BUJOSA VADELL, el inconveniente que supone la diferencia entre las garantías procesales del lugar donde se obtienen y donde se valoran las pruebas, por lo que se plantea que el futuro deberá asentarse en el principio del reconocimiento mutuo y en la armonización de los derechos procesales[4]. Sin embargo, no puede desconocerse que la expansión del principio de reconocimiento mutuo al proceso penal, exige asegurar la circulación de títulos judiciales que afectan a derechos fundamentales en la mayoría de los casos y, precisamente, tiene un efecto contrario, es decir, sirve para expandir restricciones y limitaciones a la libertad personal impuestas por una autoridad nacional sobre un individuo[5]. Por ello, como se ha afirmado, *hablar de armonización del derecho*

---

[3]   MORENO CATENA, Víctor y ARROYO ZAPATERO, Luis, Prólogo de la obra *La Prueba en el Espacio Europeo de Libertad, Seguridad y Justicia Penal* (VVAA), Aranzadi, Navarra, 2006, pág. 12; BACHMAIER WINTER, Lorena, "La orden europea de investigación y el principio de proporcionalidad", *Revista General de Derecho Europeo*, núm. 25, 2011, pág. 2.

[4]   MARTÍN GARCÍA, Antonio Luis y BUJOSA VADELL, Lorenzo, *La obtención de prueba en materia penal en la Unión Europea*, Atelier, Barcelona, 2016, págs. 15 y 16. Sobre la trasposición del principio de reconocimiento mutuo a la persecución penal el trabajo de DE HOYOS SANCHO, Monserrat, "El principio de reconocimiento mutuo de resoluciones penales en la unión europea: ¿asimilación automática o corresponsabilidad?", *Revista de Derecho Comunitario Europeo*, 2005, núm. 22, págs. 807 a 842, especialmente, pags. 818 y ss.

[5]   MARTÍNEZ GARCÍA, Elena, *La orden europea de investigación*, Titant lo blanch, Valencia, 2016, págs. 13 y 14. Sobre la diferente significación del principio de reconocimiento mutuo en el proceso civil y en el penal, vid. ORMAZÁBAL SÁNCHEZ, Guillermo, "La formación del espacio judicial europeo en materia penal y el principio de mutuo

procesal en lo tocante a la prueba es hablar de derechos fundamentales y de las garantías básicas del proceso penal[6].

Han sido muchos los avances que en el ámbito de la cooperación judicial se han producido en los últimos años en orden a conseguir una adecuada regulación de la obtención y la transmisión de pruebas entre los distintos Estados. En esta evolución, la aprobación de la Directiva 2014/41/CE del Parlamento Europeo y del Consejo de 3 de abril de 2014, relativa a la orden europea de investigación en materia penal (DOEI)[7] representa el final de un camino y el inicio de una nueva etapa en la investigación y enjuiciamiento de la delincuencia transnacional, con la asunción del principio de reconocimiento mutuo en la obtención de las fuentes de prueba en el ámbito de la UE.

A pesar de todo el camino recorrido, y de que, efectivamente, en la actualidad contamos con una regulación más adecuada que está permitiendo que la prueba penal circule de manera más fluida en la UE, la obtención de prueba transnacional y la posterior incorporación de su resultado a un proceso penal que se sigue en otro Estado, sigue constituyendo, a día de hoy, una de las cuestiones de mayor complejidad en el ámbito de la cooperación judicial penal en la Unión Europea. No en vano, la premisa que para el reconocimiento mutuo supone la confianza recíproca, trasladada al proceso penal y, en concreto, a la utilización de pruebas practicadas en otro Estado, encuentra la dificultad de los distintos estándares de protección de los derechos fundamentales. Como afirma MARTÍNEZ GARCÍA, especialmente, en materia de derechos fundamentales se hace compleja la materialización del principio de reconocimiento mutuo *sin unos mínimos legales comunes que aseguren el respeto del núcleo esencial de dichos derechos*[8], mínimos comunes no fáciles de alcanzar cuando se trata de homogeneizar la actuación de las autoridades de los distintos Estados en la investigación penal y la posible puesta en peligro de los derechos fundamentales de los investigados, partiendo de muy distintos sistemas de justicia penal.

---

reconocimiento. Especial referencia a la extradición y al mutuo reconocimiento de pruebas", "La formación del espacio judicial europeo en materia penal y el principio de mutuo reconocimiento. Especial referencia a la extradición y al mutuo reconocimiento de pruebas", en *El Derecho procesal penal en la Unión Europea* (coords.: ARMENTA DEU, TERESA; GASCÓN INCHAUSTI, Fernando; y CEDEÑO HERNÁN, Marina), Colex, Madrid, 2006, págs. 43 y 44.

6   MORENO CATENA, Víctor y ARROYO ZAPATERO, Luis, op. cit., pág. 12.
7   DOUE L 130, de 1.5.2014.
8   MARTÍNEZ GARCÍA, Elena, op. cit., pág. 14.

Son muchos y muy reconocidos los trabajos que en materia de obtención de prueba transnacional se han ido publicando a lo largo de estos años. En la presente aportación lo que pretendemos es detenernos, transpuesta finalmente a nuestro ordenamiento la DOEI hace pocos meses, mediante la Ley 3/2018, de 11 de junio, por la que se modifica la Ley 23/2014, de 20 de noviembre, de reconocimiento mutuo de resoluciones penales en la Unión Europea (en adelante, LRM), en algunas de las principales cuestiones que se plantean cuando se solicitan medidas de investigación en el marco de este instrumento.

En concreto, de los muchos e interesantes aspectos que suscita el régimen de la solicitud y práctica de medidas de investigación a efectos de la obtención de pruebas, nos ha parecido interesante reparar en las facultades que se ofrecen al Estado de ejecución que recibe una OEI para desvincularse de la petición que la misma contiene. Es cierto que los Estados miembros ejecutarán una OEI sobre la base del principio de reconocimiento mutuo y de conformidad con la DOEI (art. 1.2 DOEI), y que en aplicación del referido principio, "las autoridades judiciales españolas competentes reconocerán y ejecutarán en España dentro del plazo previsto, las órdenes europeas y resoluciones penales previstas en esta Ley cuando hayan sido transmitidas correctamente por la autoridad competente de otro Estado miembro y no concurra ningún motivo tasado de denegación del reconocimiento o la ejecución" (art. 1.2 LRM). Pero no lo es menos que la regulación del instrumento le otorga variadas opciones en orden a su reconocimiento y ejecución. Son en estas posibilidades de actuación del Estado miembro receptor de la OEI en las que hemos querido centrar este estudio y, al objeto de valorar la efectividad del instrumento, en la impugnación de las resoluciones que en tal sentido se adopten.

Somos conscientes de la amplitud del tema y de las limitaciones del trabajo que abordamos. Por ello no es nuestra intención exponer el régimen completo del reconocimiento y ejecución de la OEI, con un análisis exhaustivo de la norma europea y la española que regulan el instrumento. Lo que nos proponemos es resaltar el avance que la OEI ha representado en materia de obtención de prueba penal transnacional, con unas referencias breves que consideramos precisas sobre la evolución de la materia hasta la adopción de la DOEI y, sobre todo, detenernos en analizar las principales cuestiones que la emisión de una OEI suscita en relación al reconocimiento y ejecución en el Estado de ejecución por las posibilidades que se abren a éste en orden a no reconocerla o ejecutarla. Todo ello teniendo muy en cuenta la participación de las partes y sus posibilidades de impugnación de las decisiones que se vayan adoptando en el curso de la investigación transfronteriza. En este sentido, resultan muy descriptivas las palabras de BACHMAIER WINTER, analizando la Propuesta de Directiva, cuando afirma *que la regulación de los requisitos de emisión y los motivos de denegación del reconocimiento y ejecución de la OEI, además de la normativa sobre los recursos, son esenciales para valorar si este instrumento se adecúa al objetivo de facilitar la cooperación judicial en la obtención de pruebas*[9].

A estas y otras cuestiones relacionadas se dedica el presente trabajo[10], aprobada la DOEI y las normas de transposición, pues siguen siendo la clave para valorar la eficacia del actual instrumento de cooperación judicial en materia de obtención de pruebas en la UE. Como se verá, siguen existiendo muchos aspectos en la regulación que generan dudas en su aplicación práctica y que se podrían haber mejorado, al tiempo que se corroboran las dificultades de la pretendida armonización en materia de admisibilidad de pruebas.

2. LA ESPERADA ORDEN EUROPEA DE INVESTIGACIÓN COMO INSTRUMENTO PARA LA OBTENCIÓN DE PRUEBA PENAL

2.1. *Asistencia judicial y apuesta por el reconocimiento mutuo*

Como se sabe, en materia de obtención de pruebas en materia penal en la UE coexisten instrumentos convencionales basados en la asistencia judicial mutua y en la idea de una cooperación flexible pero en todo caso respetuosa con la soberanía nacional de cada Estado, e instrumentos normativos basados en el principio de reconocimiento mutuo, que en principio imponen como obligatoria para los Estados la prestación de la cooperación instada[11].

Fue a partir de Consejo Europeo de Tampere de 1999, cuando se acuerda impulsar la cooperación judicial sustituyendo paulatinamen-

---

9   BACHMAIER WINTER, Lorena, "La propuesta de Directiva europea sobre la orden de investigación penal: valoración crítica de los motivos de denegación", *Diario La Ley*, 28 de diciembre de 2012, núm. 7992, pág. 47.

10   Vid. MORÁN MARTÍNEZ, Rosa Ana, "Obtención y utilización de la prueba transnacional", *Revista de Derecho Penal*, núm. 30, mayo 2010, págs. 79 y ss.

11   BACHMAIER WINTER, Lorena, "La orden europea de investigación y el principio de proporcionalidad", op. cit., pág. 75.

te el sistema de asistencia judicial mutua[12] por el principio de reconocimiento mutuo, también en materia de prueba penal[13].

En este impulso del principio de reconocimiento mutuo desde las instituciones europeas, el primer paso, aunque tímido, en materia de prueba penal, se produce al abordar la necesidad de adoptar instrumentos que apliquen el principio de reconocimiento mutuo al embargo preventivo de bienes y al aseguramiento de pruebas, trabajos que abocaron en la Decisión Marco del Consejo 2003/577/JAI, de 22 de julio de 2003, relativa a la Ejecución en la Unión Europea de las resoluciones de embargo preventivo de bienes y aseguramiento de pruebas[14]. El instrumento resultó de escasa eficacia por cuanto se limitaba a la fase de embargo y las resoluciones de embargo tienen que ir acompañadas de una solicitud por separado de transferencia de la prueba de conformidad con las normas aplicables a la asistencia mutua en materia penal.

Un importante avance supuso abordar específicamente, dentro del plan de implementación del principio de reconocimiento mutuo, las resoluciones que tienen por objeto la obtención y admisibilidad de la prueba, trabajos que culminaron con la adopción de la Decisión Marco 2008/978/JAI del Consejo, de 18 de diciembre, relativa al exhorto europeo de obtención de pruebas para recabar objetos, documentos y datos destinados a procedimientos en materia penal[15]. Se argumentaba que las resoluciones adoptadas al amparo de la DMEPBAP sólo cubren la parte de la cooperación judicial en materia penal en cuanto a pruebas, y el traslado subsiguiente

---

[12]   Al tiempo que avanzaba la vía convencional para dotar de mayor agilidad a la tramitación y cumplimiento de las peticiones de asistencia judicial mutua: convenio europeo relativo a la asistencia judicial en materia penal entre los Estados miembros de la Unión Europea, de 29 de mayo de 2000 (en vigor desde el 25 de agosto de 2005) y Protocolo Adicional de 16 de octubre de 2001.
       Vid. ampliamente, ROMERO PRADAS, Mª Isabel, "La prueba penal en Europa, una cuestión compleja. La orden europea de investigación como nuevo instrumento de obtención de pruebas en procesos penales transnacionales y su próxima incorporación al Derecho español", en *Integración europea y justicia penal* (dira.: GONZÁLEZ CANO, Mª Isabel), Tirant lo Blanch, 2018, págs. 348 y ss.

[13]   Principio, consagrado entonces como «piedra angular» de la cooperación judicial civil y penal en la UE, que tiene como base la confianza mutua y "ha supuesto una auténtica revolución en las relaciones de cooperación entre los Estados miembros, al permitir que aquella resolución emitida por una autoridad judicial de un Estado sea reconocida y ejecutada en otro Estado miembro, salvo cuando concurra alguno de los motivos que permita denegar su reconocimiento" Preámbulo LRM (I).

[14]   DOUE L 196, de 2.8.2003, en adelante, DMEPBAP.

[15]   DOUE L 350, de 30.12.2008.

de la misma se deja a los procedimientos de asistencia judicial, por lo que era necesario mejorar más la cooperación judicial aplicando el principio de reconocimiento mutuo a una resolución judicial, bajo la forma de un exhorto europeo, con el fin de obtener objetos, documentos y datos para su uso en procesos penales[16]. El exhorto podrá, así, utilizarse para obtener cualquier objeto, documento o dato para su uso en los procedimientos en materia penal para los que puede emitirse[17].

Sin embargo, el exhorto sólo podrá emitirse para obtener los objetos, documentos o datos que ya obren en poder de la autoridad de ejecución antes de la emisión del exhorto (art. 4 DM), por lo que su escaso éxito estaba ya anunciado desde su nacimiento. En este sentido resulta muy ilustrativa la Exposición de Motivos que acompañaba a la Propuesta de DM, al considerar el EEP un "primer paso hacia un único instrumento de reconocimiento mutuo que en su momento sustituirá al actual régimen de asistencia judicial"[18]. Y es que, en esta primera fase que constituyo al fin y al cabo, el reconocimiento mutuo se refiere sólo a las pruebas preexistentes, como claramente se desprende del contenido del art. 4 en sus distintos apartados, lo que constata la estrecha cobertura de este instrumento que en ningún caso permite la práctica de pruebas nuevas por parte de la autoridad de ejecución, sino sólo el traslado de las preexistentes y su disposición[19].

2.2. *La OEI como único instrumento de investigación y obtención de pruebas*

La escasa utilización del EEP motivada fundamentalmente por su limitado ámbito de aplicación, provocó que pronto ya se hablara de su sustitución por un instrumento más completo, aprovechando el nuevo marco sentado por el Tratado de Lisboa[20].

En este sentido se fueron sucediendo y superponiendo distintas actuaciones tendentes a aclarar y solucionar en el ámbito de la UE la de-

---

[16]   Considerandos 5 y 6 DM 2008/978/JAI.
[17]   Considerando 7 DM 2008/978/JAI.
[18]   Punto 39 de la EM de la DM 2008/978 JAI
[19]   MARTÍN GARCÍA, Antonio Luis y BUJOSA VADELL, Lorenzo, op. cit., pág. 61.
[20]   Así lo mantuvo también el Parlamento Europeo años atrás, en su Informe de 22 de marzo de 2004 en el que calificó de "prematura" la Propuesta de DM del EEP. Se afirma en dicho informe que "sólo podrá aprobarse un exhorto europeo de obtención de pruebas una vez que entre en vigor un Tratado constitucional europeo que prevea la protección efectiva de los derechos fundamentales y el papel legislativo del Parlamento Europeo".

ficiente regulación de la obtención de pruebas en los procesos penales transfronterizos[21].

En primer lugar, el Programa de Estocolmo[22] reafirma el objetivo de alcanzar la implantación del principio de reconocimiento mutuo en la obtención de cualquier tipo de prueba en los procesos transnacionales en materia penal. El Consejo Europeo considera que debe proseguirse la creación de un sistema general para obtener pruebas en los casos con dimensión transfronteriza, basado en el principio de reconocimiento mutuo. Los instrumentos existentes en este ámbito constituyen un sistema fragmentario. Es necesario un nuevo planteamiento, basado en el principio de reconocimiento mutuo, pero que tenga también en cuenta la flexibilidad del sistema tradicional de asistencia judicial. Se concluye así con la necesidad de aprobar un sistema integral y completo que sustituya al exhorto europeo y al aseguramiento de las pruebas conforme a la DM de 2003, que cubra, en la medida de lo posible, todos los tipos de pruebas, preexistentes o no, que contenga plazos concretos de ejecución y limite en la medida de lo posible los argumentos para la denegación; así como que se estudie si hay otros medios para facilitar la admisión de pruebas en este ámbito[23].

Por otra parte, la Comisión adoptó el denominado "Libro Verde sobre la obtención de pruebas en materia penal en otro Estado miembro y sobre la garantía de su admisibilidad", con el objetivo de consultar a los Estados miembros, así como a todas las partes interesadas, sobre la configuración de un nuevo instrumento europeo para la obtención de pruebas y su admisibilidad en el proceso penal[24], que tiene por objeto pulsar opiniones y recoger experiencias para presentar una propuesta de regulación[25].

---

[21]   Vid. ampliamente, ROMERO PRADAS, Mª Isabel, op. cit., págs. 360 y ss.

[22]   "Una Europa abierta y segura que sirva y proteja al ciudadano", adoptado los días 11 y 12 de diciembre de 2009 (DO C 115, de 4.5.2010).

[23]   Punto 3.1.1.

[24]   COM (2009) 624 final.

[25]   Como se destaca en los antecedentes, "desde la entrada en vigor del Tratado de Ámsterdam, un cierto número de textos han puesto en evidencia la necesidad de facilitar la obtención de pruebas en un contexto transfronterizo y de fomentar la admisibilidad de tales pruebas en los tribunales": tras destacar las conclusiones de Tampere y aludir al Programa de la Haya, señala que la Comunicación de la Comisión «Un espacio de libertad, seguridad y justicia al servicio de los ciudadanos» –Comunicación de la Comisión al Parlamento Europeo y al Consejo, COM(2009) 262– prevé entre otras medidas el establecimiento de un sistema completo de obtención de pruebas en los asuntos transnacionales. Con arreglo a dicha Comunicación, para ello sería necesario un nuevo y único instrumento que sustituyera a todos los instrumentos jurídicos existentes en este ámbito. Este instrumento, reconocido automáticamente y aplicable en toda

Finalmente, en abril de 2010, superponiéndose al Libro Verde, y antes incluso de que llegara a aplicarse el exhorto europeo de obtención de pruebas, a iniciativa de varios estados miembros, la Comisión presentó la Propuesta de Directiva relativa al inicialmente denominado exhorto europeo de investigación[26] (EEI), con un ámbito mucho más extenso que el del EEP, que culminó, cuatro años después, con la aprobación de la DOEI en abril de 2014.

Se pretendía alcanzar el anhelado objetivo de lograr una cooperación más eficaz en la obtención de fuentes de prueba en materia penal –aunque no se abordó el propósito de establecer una regulación unitaria en materia de admisibilidad de pruebas, dada la ausencia de consenso sobre este punto por parte de las delegaciones de los estados miembros, aparcando el segundo objetivo del anterior Libro Verde–[27], siguiendo la ruta iniciada por el Programa de Estocolmo. Se apostaba, así, por un único instrumento que diera cobertura normativa a un sistema para la obtención de cualquier fuente de prueba con trascendencia penal, tomando como referencia la flexibilidad propia del sistema tradicional de asistencia mutua y como base el principio de reconocimiento mutuo consagrado en el Tratado de Lisboa (art. 82.1.a TFUE)[28].

El punto de partida que sirve de fundamento a la PDOEI para ofrecer un novedosa planteamiento que favorece la libre y eficaz circulación de pruebas no es otro que el "fragmentario y complicado" marco normativo vigente en materia de obtención de prueba transfronteriza, según se ha calificado por la doctrina y la propia Exposición de Motivos de la Propuesta[29]. La em-

---

la Unión, favorecería una cooperación flexible y rápida entre los Estados miembros. Además de fijar plazos de ejecución y limitar al máximo los motivos de denegación, podría incluir normas sobre la prueba electrónica y un sistema europeo de orden de comparecencia que haga uso de las oportunidades que ofrece la videoconferencia. También podrían establecerse unos principios mínimos para facilitar la admisibilidad mutua de las pruebas entre Estados miembros, incluidas las pruebas científicas.

[26]   DOUE C 165, de 24.5.2010.

[27]   JIMENO BULNES, Mar, "Orden europea de investigación en materia penal", *Aproximación legislativa versus reconocimiento mutuo en el desarrollo del espacio judicial europeo: una perspectiva multidisciplinar* (dira.: JIMENO BULNES, Mar), Barcelona, Bosch, 2016, pág. 158.

[28]   AGUILERA MORALES, Marien, "El exhorto europeo de investigación: a la búsqueda de la eficacia y la protección de los derechos fundamentales en las investigaciones penales transfronterizas", *Boletín del Ministerio de Justicia*, núm. 2145, Agosto de 2012, pág.3.

[29]   También de la DOEI. Vid. AGUILERA MORALES, Marien, op. cit., pág.5; y JIMÉNEZ-VILLAREJO FERNÁNDEZ, Francisco, "Orden europea de investigación: ¿adiós a

presa no era fácil y a pesar de la loable intención que la animaba, pronto se sucedieron críticas fundadas sobre todo en dos factores: de una lado, se cuestionaba el propio fundamento del principio de reconocimiento mutuo en relación con las resoluciones de obtención de pruebas; de otro, la ausencia de parámetros comunes acerca del estándar de protección que deben tener los derechos fundamentales y las garantías procesales básicas en relación con las diligencias de investigación penal[30].

Aprobada finalmente la DOEI que crea la denominada OEI, se consigue ese único instrumento que cubre cualquier medida de investigación, quedando superado el anterior *escenario desordenado*, como lo calificó JIMÉNEZ-VILLAREJO[31], provocado por la convivencia de distintos instrumentos convencionales y de reconocimiento mutuo en la UE en materia de prueba, con la sustitución de las comisiones rogatorias por un sistema de certificado único con base en el modelo de cooperación horizontal entre autoridades judiciales[32]. La OEI, según la define el art. 1 DOEI es "una resolución judicial emitida o validada por una autoridad judicial de un Estado miembro («el Estado de emisión») para llevar a cabo una o varias medidas de investigación en otro Estado miembro («el Estado de ejecución») con vistas a obtener pruebas con arreglo a la presente Directiva", pudiéndose emitir también "para obtener pruebas que ya obren en poder de las autoridades competentes del Estado de ejecución".

---

las comisiones rogatorias?", en Cooperación judicial civil y penal en el nuevo escenario de Lisboa (coorda.: ARANGÜENA FANEGO, Coral), Comares, Granada, 2011, pág. 178, donde muy gráficamente escenifica la situación con un símil teatral.

[30]   AGUILERA MORALES, Marien, op. cit., págs. 3 y 4.
Vid. JIMÉNEZ-VILLAREJO FERNÁNDEZ, Francisco, "Orden europea de investigación: ¿adiós a las comisiones rogatorias?", op. cit., págs. 180 y ss. Afirma este autor en "Orden europea de investigación", *Capítulo 12 Cooperación jurídica penal internacional* (dir.: JUANES PECES, Ángel), Memento experto Francis Lefebvre, Madrid, 2016, pág. 387, que la PDOEI responde al propósito declarado de transformar el desangelado y fragmentado sistema actual de aseguramiento, obtención y traslado de elementos de prueba entre los Estados miembros de la UE, sustituyéndolo por un nuevo marco normativo que reemplace al existente puzzle normativo de convenios, protocolos, acciones comunes, decisiones y decisiones marco vigentes, creando un régimen único y consolidado, evidentemente más consistente, previsible y eficaz, como "piedra angular" del "Derecho Probatorio Europeo", basado en un sistema de libre circulación de pruebas en materia penal dentro del Espacio de Libertad, Seguridad y Justicia Europeo.

[31]   JIMÉNEZ-VILLAREJO FERNÁNDEZ, Francisco, "Orden europea de investigación: ¿adiós a las comisiones rogatorias?", op. cit., pág. 178.

[32]   DE AMICIS, Gaetano, "Llimiti e prospettive del mandato europeo di ricerca della prova", https://www.penalecontemporaneo.it/upload/Relazione%20De%20Amicis.pdf, pág. 12; JIMENO BULNES, Mar, "Orden europea de investigación en materia penal", op. cit., págs. 159 y 160.

El acertado planteamiento de la norma europea ha sido el de combinar el principio de reconocimiento mutuo, con los que fundamentan los sistemas convencionales de asistencia judicial[33], lo que atribuye a la Directiva una naturaleza compleja, en la que se evidencia un significativo desplazamiento de la concepción del modelo de reconocimiento mutuo como alternativa al sistema de asistencia judicial, al modelo de reconocimiento mutuo combinado con el sistema de asistencia judicial[34].

La DOEI unifica la normativa sobre obtención de prueba[35], pues como el art. 34 dispone, sustituye –para los Estados miembros vinculados por la Directiva– a la Decisión Marco 2008/978/JAI, las disposiciones de la Decisión Marco 2003/577/JAI en relación con el aseguramiento de pruebas, y a las disposiciones correspondientes de los instrumentos convencionales de asistencia judicial que recoge, esto es, al Convenio Europeo de Asistencia Judicial en Materia Penal del Consejo de Europa, de 20 de abril de 1959, así como sus dos protocolos adicionales, al Convenio relativo a la aplicación del acuerdo de Schengen; y al Convenio relativo a la asistencia judicial en materia penal entre los Estados miembros de la Unión Europea y su Protocolo –aplicables a las relaciones entre los Estados miembros también vinculados por la Directiva–.

Entre las principales características de la DOEI deben citarse también las notas de simplificación y celeridad procedimental[36] en la obtención y traslado transfronterizo de fuentes de prueba con las que se ha concebido la OEI[37], y

---

[33] El propio Preámbulo, en el considerando 6 señala que "El Consejo Europeo indicó que los instrumentos existentes en este ámbito constituyen un régimen fragmentario y que es necesario un nuevo planteamiento basado en el principio de reconocimiento mutuo pero que tenga también en cuenta la flexibilidad del sistema tradicional de asistencia judicial".

[34] GONZÁLEZ MONJE, Alicia, *Cooperación jurídica internacional en materia penal e intervención de comunicaciones como técnica especial de investigación*, Comares, Granada, 2017, págs. 80 y 81, donde señala que este nuevo modelo podrá tener un alcance más amplio y deberá cubrir tantos tipos de pruebas como sea posible, teniendo en cuenta las medidas de que se trate. Vid. también BACHMAIER WINTER, Lorena, "La orden europea de investigación: la propuesta de Directiva europea para la obtención de pruebas en el proceso penal", *Revista Española de Derecho Europeo*, núm. 37, 2011, pág. 86; y "Prueba transnacional penal en Europa: la Directiva 2014/41 relativa a la Orden Europea de Investigación", *Revista General de Derecho Europeo*, núm. 36, 2015, págs. 29 y ss.

[35] JIMÉNEZ-VILLAREJO FERNÁNDEZ, Francisco, "Orden europea de investigación", op. cit., pág. 391; y AGUILERA MORALES, Marien, op. cit., págs. 5 y 6.

[36] AGUILERA MORALES, Marien, op. cit., pág. 6.

[37] Así, de un lado, la simplificación de trámites y requisitos formales se consigue mediante el empleo de un formulario estandarizado; y la aceleración que se imprime en la

el diseño de un verdadero procedimiento supranacional[38] para la obtención transfronteriza de material probatorio, ya que se ocupa de regular de manera bastante completa, la emisión y transmisión, el reconocimiento y la ejecución de una OEI, con plazos vinculantes de reconocimiento y ejecución (art. 12), el traslado de pruebas (art. 13), las vías de recurso (art. 14), así como otras cuestiones relevantes, aunque no siempre con el mismo acierto.

2.3. Transposición de la DOEI al ordenamiento español

La DOEI entró en vigor, de acuerdo con el art. 38, a los veinte días de su publicación en el DOUE, debiendo los Estados miembros tomar las medidas necesarias para dar cumplimiento a lo previsto en la norma europea "a más tardar el 22 de mayo de 2017", de conformidad con el art. 36. En la fecha inicialmente prevista, eran pocos los Estados que habían traspuesto la DOEI a sus legislaciones internas, lo que ha originado una situación de bastante incertidumbre, ya que la norma europea no contempla estos supuestos de falta de transposición.

En nuestro país, la Fiscalía General del Estado, a través de Fiscal de Sala de Cooperación Judicial Internacional, adoptó el 19 de mayo de 2017 el Dictamen 1/17 sobre el régimen legal aplicable debido a la no transposición en plazo de la DOEI.

No es hasta julio de 2017 cuando se presenta el Anteproyecto de Ley (ALMLRM), aprobado por el Consejo de Ministros el 24 de noviembre como Proyecto de Ley[39] (PLMLRM), finalmente aprobado como Ley 3/2018, de 11 de junio, por la que se modifica la Ley 23/2014, de 20 de noviembre, de reconocimiento mutuo de resoluciones penales en la Unión Europea[40].

La Ley se estructura en un artículo con veintisiete apartados, una disposición adicional, una disposición transitoria, una disposición derogatoria, seis disposiciones finales y un anexo que aglutina la modificación y creación de nuevos anexos en la ley vigente.

---

obtención de prueba transnacional, mediante la fijación de plazos para acusar recibo de la orden de investigación, reconocimiento y ejecución.
Vid. ARANGÜENA FANEGO, Coral, "Orden europea de investigación: próxima implementación en España del nuevo instrumento de obtención de prueba penal transfronteriza", *Revista de Derecho Comunitario Europeo*, núm. 58, 2017, pág. 914.

[38]   JIMÉNEZ-VILLAREJO FERNÁNDEZ, Francisco, "Orden europea de investigación", op. cit., pág. 391; y ARANGÜENA FANEGO, Coral, op. cit., págs. 913 y 914.

[39]   BOCG de 1 de diciembre de 2017.

[40]   BOE de 12 de junio de 2018.

El proceso de transposición conlleva modificar los artículos relevantes de la LRM, con la introducción de las previsiones que el Derecho de la Unión Europea requiere. Esta forma de transposición, como expresa el Preámbulo (III), "es la más idónea, la más adecuada desde el punto de vista de la técnica normativa y la que ofrece mayor seguridad jurídica, ya que se continúa con el sistema de inclusión y regulación en una sola norma –con rango de ley por exigencia formal y material– de los instrumentos y medidas de reconocimiento mutuo penales dentro de la Unión Europea, ofreciendo así a los operadores jurídicos una visión completa del sistema de reconocimiento mutuo penal dentro de la UE y de su regulación en un único instrumento jurídico en el ordenamiento interno y evitando la dispersión normativa". También se efectúan algunas modificaciones de cuestiones que era necesario adaptar y que se han puesto de manifiesto durante la aplicación de la LRM.

El apartado veintidós del artículo único introduce un nuevo Título X en la LRM, que regula la OEI, sustituyendo al EEP[41], que se estructura siguiendo el esquema de la Ley modificada, esto es, un capítulo de cuestiones generales de la orden de investigación, y sendos capítulos para emisión y ejecución[42]: capítulo I (arts. 186 y 187), Disposiciones generales; capítulo II (arts. 188 a 204), Emisión y transmisión de una orden europea de investigación; y capítulo III (arts. 205 a 223), Reconocimiento y ejecución de una orden europea de investigación. Los capítulos II y III contienen dos secciones, la primera dedicada al régimen general de la emisión y transmisión, y del reconocimiento y la ejecución, y la segunda referida a las órdenes europeas de investigación con medidas específicas de investigación.

3. EL ESTADO RECEPTOR ANTE LA ORDEN EUROPEA DE INVESTIGACIÓN: LAS DISTINTAS OPCIONES

Emitida y transmitida la OEI, no se produce, como se sabe, un reconocimiento automático por el Estado destinatario de la orden. Antes al contrario, y dado que se trata de que el Estado receptor lleve a cabo actividades de investigación que pueden ser incluso limitativas de derechos fundamen-

---

[41]   Derogado por la normativa europea; en particular, por el Reglamento (UE) 2016/95 del Parlamento Europeo y del Consejo, de 20 de enero de 2016, por el que se derogan determinados actos en el ámbito de la cooperación policial y judicial en materia penal.

[42]   En coherencia con lo anterior, se sustituye el anexo XIII, que se correspondía con el anexo correspondiente al EEP, incluyendo en la modificación los anexos correspondientes a la OEI.

tales, la normativa europea y las normas de transposición prevén diversas posibilidades alternativas al reconocimiento y, en su caso, a la ejecución de las medidas de investigación que se hayan solicitado[43].

Es cierto que el sistema de emisión, reconocimiento y ejecución de la OEI se articula en torno a la regla general de que las condiciones o requisitos de emisión, estos es, la necesidad, proporcionalidad y legalidad de la medida y la prueba a obtener, sólo han de ser examinadas por la autoridad de emisión (considerandos 10 y 11, y art. 6.2 DOEI), por lo que la de ejecución está, en principio, privada de controlar la idoneidad o proporcionalidad de la medida de investigación solicitada.

En este sentido, lo que dispone la DOEI (art. 6.3 DOEI) es que "cuando la autoridad de ejecución tuviera razones para creer que no se han cum-

---

[43]   No incluimos un epígrafe dedicado a la autoridad competente para el reconocimiento y ejecución de la OEI de manera consciente, por cuanto su regulación en la ley española suscita cuestiones que excederían el hilo conductor del presente trabajo. No obstante, sí deben exponerse las reglas fundamentales del sistema de la LRM.
En este sentido, con un inicial paralelismo con las autoridades de emisión, también el reconocimiento y ejecución de la OEI corresponde a Jueces y Fiscales, de conformidad con el art. 187.2 y 3 LRM. Basta, sin embargo, con acercarse al precepto para comprobar que el reparto de competencias en este caso no está exento de múltiples y complejas reglas que han sido precisas para articular el singular sistema que se establece.
En primer término, el Ministerio Fiscal es la autoridad competente en España para recibir las órdenes europeas de investigación emitidas por las autoridades competentes de otros Estados miembros, registrarlas y acusar recibo a la autoridad de emisión (art. 187.2.I LRM).
A partir de aquí, la competencia para reconocer y ejecutar la OEI se distribuye entre Jueces y Fiscales: el Ministerio Fiscal conocerá del reconocimiento y ejecución de la orden europea de investigación o la remitirá al juez competente, de conformidad con las reglas dispuestas en el apartado 2 del núm. 2 del art. 187 LRM. Resumidamente, en primer término, el Ministerio Fiscal decide si el reconocimiento y ejecución de la OEI le compete a él o al juez, correspondiéndole, en principio, cuando no contenga medida limitativa de derechos fundamentales. El órgano judicial tiene la competencia, sin embargo, no sólo cuando contenga alguna de estas medidas, que no pueda ser sustituida por otra que no restrinja dichos derechos, sino también cuando se indique expresamente por la autoridad de emisión que la medida de investigación debe ser ejecutada por un órgano judicial. Además, en los supuestos de remisión al juez, se acompañará de informe preceptivo del Ministerio Fiscal en el que se pronuncie sobre la concurrencia o no de causa de denegación de la ejecución de la orden, y si se entiende ajustada a Derecho la adopción de cada una de las medidas de investigación que la orden contenga.
Por lo demás, en el art. 187.3 se contiene reglas de competencia objetiva y territorial para la remisión por el Fiscal de la OEI al juez.
Vid. Acuerdo del Pleno CGPJ de 28 de septiembre de 2017, cit., apartados 69 a 83 sobre los inconvenientes del diseño que se adopta.

plido las condiciones a que se refiere el apartado 1, podrá consultar a la autoridad de emisión sobre la importancia de la ejecución de la OEI. Tras esta consulta, la autoridad de emisión podrá decidir la retirada de la OEI". Parecería, por tanto, que las facultades de la autoridad de ejecución respecto del cumplimiento de las condiciones de emisión quedan circunscritas a la referida consulta sobre la importancia de la ejecución de la OEI[44].

Sin embargo, el sistema de reconocimiento y ejecución de la OEI autoriza cierto grado de control de las condiciones de emisión en el Estado de ejecución a través del abanico de posibilidades que el marco normativo ha previsto en orden a que la OEI sea reconocida y, su caso, ejecutada, que vienen a suponer la revisión de los requisitos de necesidad, proporcionalidad y legalidad de la medida o medidas solicitadas en la OEI[45].

Estas opciones vienen presididas por la regla general, contenida en el art. 9.1 DOEI, de que la autoridad de ejecución deberá reconocer una OEI, transmitida de conformidad con la presente Directiva sin requerir otra formalidad, y se asegurará de que se ejecute de la misma manera y bajo las mismas circunstancias que si la medida de investigación de que se trate hubiera sido ordenada por una autoridad del Estado de ejecución, salvo que la autoridad de ejecución decida invocar alguno de los **motivos de denegación** del reconocimiento o de la ejecución de la OEI, o alguno de los motivos de **aplazamiento** contemplados en la presente Directiva. En el mismo sentido la norma española (art. 205.1 LRM) ha dispuesto que la autoridad competente española que reciba una orden europea de investigación dictará auto o decreto de reconocimiento y ejecución de la misma, salvo que concurra alguno de los motivos de denegación o suspensión a que se refieren los art. 207 y 209.

Debe tenerse en cuenta, no obstante, que el Estado de ejecución tiene un margen de actuación mayor, ya que además de la posible denegación de la OEI o de decidir su aplazamiento o suspensión, se han previsto otras opciones de control que van desde la devolución de la OEI emitida por au-

---

[44] Acuerdo del Pleno CGPJ de 28 de septiembre de 2017, cit., apartado 98, donde se añade que la importancia también se mide en términos de costes, y no estrictamente de eficacia para el proceso seguido en el Estado de emisión.

[45] Vid. las reflexiones al respecto de BACHMAIER WINTER, Lorena, "Prueba transnacional penal en Europa: la Directiva 2014/41 relativa a la Orden Europea de Investigación", *Revista General de Derecho Europeo*, núm. 36, 2015, op. cit., pág. 18; RODRÍGUEZ-MEDEL NIETO, Carmen, *Obtención y admisibilidad en España de la prueba penal transfronteriza: de las comisiones rogatorias a la orden europea de investigación*, Cizur Menor, Aranzadi, 2016, págs. 378 y ss.; MARTÍNEZ GARCÍA, Elena, op. cit., pág. 66; o GONZÁLEZ MONJE, Alicia, op. cit., págs. 98 y 99.

toridad no competente o no validada, la sustitución de la medida por otra menos restrictiva o prevista –no así la solicitada– en su ordenamiento o la imposibilidad de ejecución.

A todas estas opciones o posibilidades dedicamos los siguientes apartados del estudio que, como no podía ser de otra manera, finalizará con con unas consideraciones acerca de la impugnación de las resoluciones que se adopten en el reconocimiento y ejecución de la OEI.

4. ADVERTENCIA SOBRE EL NO CUMPLIMIENTO DE LOS REQUISITOS PARA LA EMISIÓN: ALCANCE

Si bien, como se viene diciendo, es la autoridad de emisión de la OEI, la que debe evaluar en cada caso los requisitos para su emisión (art. 6 y considerando 11 DOEI, y 189.1 LRM), por lo que la autoridad de ejecución está privada de controlar la idoneidad o proporcionalidad de la medida de investigación solicitada, la DOEI ha previsto cierta facultad de control cuyo alcance platea alguna dificultad de determinar[46].

Por otra parte, la DOEI también viene a atribuir al estado de ejecución competencia para analizar que la emisión de la OEI cumple los requisitos formales, como se desprende del art. 9.1 y 3.

4.1. Requisitos de fondo

Se ha puesto de manifiesto que sería frontalmente contrario al principio de reconocimiento mutuo –y a la propia cooperación judicial internacional– que la autoridad requerida entrara a valorar si la medida solicitada también cumple los requisitos de proporcionalidad, sobre todo, conforme a los criterios vigentes en el Estado emisor[47]. El propio art. 14.2 DOEI restringe las impugnaciones por motivos de fondo ante el Estado de emisión de la OEI.

Lo que dispone el art. 6.3 DOEI es que "cuando la autoridad de ejecución tuviera razones para creer que no se han cumplido las condiciones

---

[46]   BACHMAIER WINTER, Lorena, "La orden europea de investigación y el principio de proporcionalidad", op. cit., págs. 16 y ss.; y "Prueba transnacional penal en Europa: la Directiva 2014/41 relativa a la Orden Europea de Investigación", op. cit., pág. 18.

[47]   BACHMAIER WINTER, Lorena, "La orden europea de investigación y el principio de proporcionalidad", op. cit., pág. 17.

a que se refiere el apartado 1, podrá consultar a la autoridad de emisión sobre la importancia de la ejecución de la OEI" y que "tras esta consulta, la autoridad de emisión podrá decidir la retirada de la OEI". Esto debe significar que previamente a que la autoridad de ejecución decida ejercitar las facultades de revisión que le vienen atribuidas, tanto por la norma europea como por la de transposición, de los requisitos de legalidad y proporcionalidad, las autoridades de emisión y ejecución intercambien consultas sobre la importancia de ejecutar la OEI. En este sentido, indica RODRÍGUEZ MEDEL-NIETO que lo que permite el precepto es una consulta sobre la importancia de ejecutar la OEI (en definitiva, sobre la primera condición, la necesidad de la medida), pero no se menciona la consulta sobre la proporcionalidad o la legalidad de la medida. La autoridad de ejecución, por medio de esta consulta, está poniendo de manifiesto que es probable que acuda a una medida distinta o, en su caso, que deniegue el reconocimiento. Por eso se confiere la oportunidad a la autoridad de emisión de retirar la OEI, pues a esta última puede no convenirle que se acuda a una medida de investigación diferente porque lo así obtenido no sería admisible en su procedimiento o porque considere que de alguna forma con la nueva medida se perjudicaría la investigación[48].

4.2. Formalidades

Aparte de las posibilidades que por vía de consulta ofrece el art. 6.3 DOEI –y de las de sustitución, denegación y aplazamiento, además de la imposibilidad de ejecución, de las que nos ocupamos en los epígrafes siguientes– el art. 9 viene a atribuir al Estado de emisión competencia para controlar, con distinto alcance, el cumplimiento de las formalidades en la emisión de la OEI.

Así, el art. 9.1 DOEI dispone que la autoridad de ejecución deberá reconocer una OEI, "transmitida de conformidad con la presente Directiva", lo que parece significar que debe considerar si la OEI fue emitida conforme al Derecho de la UE en general y de la Directiva en particular. De este

---

[48] RODRÍGUEZ-MEDEL NIETO, Carmen, op. cit., pág. 380. Más allá llega MARTÍNEZ GARCÍA, Elena, op. cit., pág. 66, al afirmar que la no retirada voluntaria de la orden, conllevaría la denegación de la ejecución, salvo que reconsidere las apreciaciones que la autoridad de ejecución pudiera hacerle en relación, estrictamente, con los motivos expresados en el art. 11. Nos parece que estas consultas siempre deben poder realizarse y es conveniente que así sea.

modo, la autoridad de ejecución puede verificar si la OEI ha sido emitida por una autoridad competente conforma a la DOEI (art. 2.a), dentro de los límites del respectivo ámbito de aplicación (arts. 3 y 4), y cualquier otro requisito formal de los que figuran en el art. 5 DOEI[49].

Así entendido, la obligación de la autoridad de ejecución de reconocer y ejecutar la OEI si se ha emitido conforme a las formalidades de la DOEI tiene distinto alcance según las previsiones de la norma europea.

De un lado, debe ponerse en relación con las previsiones de los arts. 5 y 16.2.a DOEI, en los que se disponen los elementos que deben constar en el formulario y la obligación de informar al Estado de emisión de la imposibilidad de dictar una resolución sobre el reconocimiento si el formulario está incompleto o es manifiestamente incorrecto.

De otra parte y de manera más concreta, el art. 9.3 DOEI, y el 205.2 LRM, disponen la devolución de la OEI al Estado de emisión cuando no haya sido emitida por una autoridad competente o validada en su caso por el juez, tribunal o fiscal competente del Estado de emisión, todo ello como se especifica en el artículo 2.c DOEI.

En todos estos casos, entendemos con COSTA RAMOS, que no se trata de una competencia para decidir sobre si procede la emisión de la OEI o sobre la competencia de la autoridad de emisión al amparo de su Derecho interno, sino de una competencia para apreciar si la emisión observó los límites formales y las formalidades impuestas por la Directiva y que son un requisito procesal de la propia decisión de reconocimiento y ejecución.

En este sentido debemos concluir que si se trata de la falta de algún requisito formal en sentido estricto, su apreciación debe determinar que se consulte a la autoridad de emisión, como indica el art. 9.6 DOEI, de manera que sólo si no se corrige el defecto detectado, se informará a la autoridad de emisión de la imposibilidad de adoptar una resolución sobre el reconocimiento o la ejecución (art. 16.2.a DOEI). De forma similar y más concreta, en el supuesto de que la OEI no haya sido emitida por la autoridad competente se dispone la devolución, aunque entendemos que debería acudirse igualmente a las consultas a que se refiere el art. 9.6 DOEI.

---

[49]   Seguimos a COSTA RAMOS, Vânia, "Medios procesales de impugnación de la orden europea de investigación: aportaciones a la interpretación del art. 14 de la Directiva", en *Garantías procesales de investigados y acusados* (diras.: ARANGÜENA FANEGO, Coral y DE HOYOS SANCHO, Monserrat), Tirant lo Blanch, Valencia, 2018, pág. 345.

5. RECONOCIMIENTO Y EJECUCIÓN DE LA ORDEN EUROPEA DE INVESTIGACIÓN: PRINCIPIO DE EQUIVALENCIA Y SUPUESTOS DE NO RECONOCIMIENTO O NO EJECUCIÓN

Se parte de la regla de que recibida la OEI que haya sido transmitida de conformidad con la presente Directiva, conforme al denominado principio de equivalencia[50], la autoridad de ejecución deberá reconocerla y se asegurará de que se ejecute de la misma manera y bajo las mismas circunstancias que si la medida de investigación de que se trate hubiera sido ordenada por una autoridad del Estado de ejecución, salvo que decida invocar alguno de los **motivos de denegación** del reconocimiento o de la ejecución de la OEI, o alguno de los motivos de **aplazamiento** contemplados en la presente Directiva.

En el mismo sentido, el art. 205.1 LRM, bajo la rúbrica "requisitos para el reconocimiento y ejecución en España de una orden de investigación europea", dispone que la autoridad competente española que reciba una OEI dictará auto o decreto de reconocimiento y ejecución de la misma, salvo que concurra alguno de los motivos de denegación o suspensión a que se refieren los arts. 207 y 209.

A esto debe añadirse que para que se ejecute la medida solicitada en la OEI, debe existir en el Estado de ejecución y además, estar prevista para un caso interno similar. Esto es lo que viene a indicar el art. 10.1 DOE, y lo que la LRM en el art. 206.1 afirma con rotundidad, al referirse a la ejecución de las medidas solicitadas en la OEI. Se observa que dichas exigencias vienen a constituir los requisitos o presupuestos de la ejecución, no enunciados como tales en las normas, sino más bien como motivos de **sustitución** de la medida de investigación solicitada[51], porque en realidad los constituyen para la ejecución en los propios términos. Además, si no fuera posible la sustitución, nos encontraríamos ante un supuesto de **imposibilidad de ejecución** (arts. 10.5 DOEI y 206.5 LRM).

---

[50]   JIMÉNEZ-VILLAREJO FERNÁNDEZ, Francisco, "Orden europea de investigación: ¿adiós a las comisiones rogatorias?", op. cit., págs. 192 y ss; y JIMENO BULNES, Mar, op. cit., pag. 179.

[51]   Acuerdo del Pleno CGPJ de 28 de septiembre de 2017, cit., apartado 142.
       La regulación en cuanto a los supuestos de sustitución se completa con la previsión de una serie de supuestos en los que debe ordenarse en todo caso la medida solicitada, porque como indica la norma europea, "siempre tienen que existir en el Derecho nacional del Estado de ejecución", además de otro motivo con distinto fundamento.

En los siguientes apartados nos ocupamos de todos estos supuestos, para lo que resulta conveniente tener presente la distinción entre el reconocimiento de la OEI y su ejecución, por cuanto no es lo mismo la denegación del reconocimiento de la OEI por concurrir alguna de las causas previstas legalmente –lo que supone que la resolución de la autoridad del Estado de emisión que la acuerda no despliega sus efectos en el Estado de ejecución –, que la sustitución de la práctica de la OEI, en los supuestos en los que la medida interesada no existe en el derecho interno o no existe para un caso interno similar –o la imposibilidad de hacerlo por no ser posible su sustitución por otra–, o, en fin, el reconocimiento con aplazamiento de la ejecución, por poner algunos ejemplos.

5.1. *Denegación del reconocimiento y de la ejecución*

5.1.1. Limitación del reconocimiento mutuo

Aunque el Estado receptor de la OEI tiene otras posibilidades y motivos para no llevar a cabo la medida o medidas solicitadas a través del instrumento, que serían propiamente de no ejecución, la denegación del reconocimiento y, por ende, de la ejecución, viene a representar, como se ha afirmado, la *derogación parcial del principio de reconocimiento mutuo*[52] y constituye el *sismógrafo*[53] del referido principio, pues cuanto más limitados son aquellos motivos mayor es el deber de los Estados de contribuir a la cooperación reclamada y por lo mismo, mayor el grado de desarrollo de aquél. Como afirma BACHMAIER WINTER[54], cuanto más se reduzcan los posibles motivos de denegación, más virtualidad adquiere el principio de reconocimiento mutuo, y a la inversa[55]. No es de extrañar, sin embargo, que tratándose de un instrumento para la obtención de pruebas, los motivos de denegación hayan centrado gran parte de los debates y trabajos en la tramitación de la Directiva, en la que los referidos motivos se han visto incrementados desde los cuatro iniciales de la primera propuesta de Directiva. No olvidemos que los motivos de denegación permiten analizar si la

---

[52] JIMÉNEZ-VILLAREJO FERNÁNDEZ, Francisco, "Orden europea de investigación: ¿adiós a las comisiones rogatorias?", op. cit., pág. 196.

[53] AGUILERA MORALES, Marien, op. cit., pág. 19, nota 39.

[54] BACHMAIER WINTER, Lorena, "La propuesta de Directiva europea sobre la orden de investigación penal: valoración crítica de los motivos de denegación", op. cit., pág. 47.

[55] Vid. también, AGUILERA MORALES, Marien, op. cit., pág. 19, nota 39; y GRANDE SEARA, Pablo, "Reconocimiento y ejecución en España de una orden europea de investigación", en *Integración europea y justicia penal* (dira.: GONZÁLEZ CANO, Mª Isabel), Tirant lo Blanch, Valencia, 2018, pág. 458.

OEI es coherente con los principios que rigen en el Estado de ejecución y si logra ofrecer suficientes mecanismos de protección de los derechos fundamentales del acusado y de otros sujetos implicados, por lo que su concreción constituye una de las cuestiones más problemáticas en la regulación de la prueba transfronteriza. Y es que el reconocimiento automático de las pruebas obtenidas en otro Estado exigiría que la confianza mutua de los Estados en los sistemas de justicia penal de los demás Estados miembros fuera prácticamente plena[56].

5.1.2. Los motivos de denegación

Para abordar la exposición de los motivos de denegación de la OEI, sin duda una de las cuestiones más trascendentes y complejas en relación al instrumento que nos ocupa, hemos de partir de la previsión general del art. 29 LRM que dispone que "únicamente podrá denegarse, de manera motivada, el reconocimiento o la ejecución de un instrumento de reconocimiento mutuo que haya sido transmitido correctamente por la autoridad competente de otro Estado miembro de la Unión Europea cuando concurra alguno de los motivos tasados previstos en esta Ley". Por su parte, el art. 32 LRM se ocupa de los motivos generales para la denegación del reconocimiento o la ejecución de las medidas solicitadas, a los que habrá que añadir los dispuestos en la regulación de cada instrumento.

La DOEI se aprobó, como se ha dicho, con un incremento considerable de los motivos de denegación respecto a la primera propuesta, y los relaciona en el art. 11, a los que deben adicionarse algunos que se prevén para medidas concretas de investigación (v.gr., art 22.2)

Pues bien, transpuesta la Directiva a nuestro Derecho, la exposición ordenada de los motivos de denegación de la OEI debe hacerse considerando que a los previstos para todos los instrumentos de reconocimiento mutuo con carácter general en el art. 32 LRM, deben añadirse los que se establecen para este instrumento concreto en el 207 (art. 11 DOEI) y los que se disponen para medidas específicas de investigación, por ejemplo, en el art. 215 LRM (y el 22.2 DOEI).

De todos modos, el presente trabajo no puede abordar de una manera exhaustiva el análisis de todos ellos, por lo que nos limitaremos a una breve exposición con el objeto de poner de manifiesto la complejidad de la regulación y, sobre todo, la amplitud de los mismos.

---

[56] Vid. BACHMAIER WINTER, Lorena, op. el loc. ult. cit.

A) Carácter facultativo o imperativo

El primer aspecto que debemos destacar cuando España es el país receptor de la OEI es el carácter imperativo con el que el legislador español concibe la denegación del reconocimiento y ejecución de los instrumentos de reconocimiento mutuo, criterio que se ha seguido también en la transposición de la DOEI.

Esta opción supone un mayor control por España sobre la tutela de los derechos fundamentales y un límite más estricto al reconocimiento mutuo, ya que la autoridad competente deberá denegar el reconocimiento o la ejecución de la OEI cuando concurra alguno de los motivos, que en ningún caso resultan facultativos[57].

B) Motivos generales

Los motivos de denegación previstos en la ley española con carácter general para todos los instrumentos de reconocimiento mutuo son los relacionados en el art. 32.1 LRNM, representados por la vulneración del principio *non bis in ídem*, la prescripción del delito o de la pena conforme al Derecho español, las insuficiencias o incorrecciones relevantes del formulario de la OEI y la existencia de una inmunidad que impida la ejecución de la OEI[58]. De éstos, el primero y en parte el último vienen a coincidir con los recogidos en el art. 11.1.d y a DOEI.

---

[57] Acuerdo del Pleno CGPJ de 28 de septiembre de 2017, cit., apartado 51: "se aprecia que el prelegislador, dentro del margen que le concede la Directiva, quiere apurar en lo posible la eficacia del principio de reconocimiento mutuo y dotar de la mayor virtualidad a la libre circulación de las resoluciones penales en materia de prueba transfronteriza, pero sin renunciar a los principios fundamentales del proceso penal en España y, en general, a la tutela de los derechos fundamentales que pudieran verse concernidos en la ejecución de la OEI. De ahí que convierta en imperativa la denegación del reconocimiento y ejecución cuando concurren las causas para ello, superando los términos potestativos en que se regulan los motivos de denegación en la Directiva".

[58] Art. 32.1 LRM: "Las autoridades judiciales españolas no reconocerán ni ejecutarán las órdenes o resoluciones transmitidas en los supuestos regulados para cada instrumento de reconocimiento mutuo y, con carácter general, en los siguientes casos:
a) Cuando se haya dictado en España o en otro Estado distinto al de emisión una resolución firme, condenatoria o absolutoria, contra la misma persona y respecto de los mismos hechos, y su ejecución vulnerase el principio non bis in ídem en los términos previstos en las leyes y en los convenios y tratados internacionales en que España sea parte y aun cuando el condenado hubiera sido posteriormente indultado.

De estos, cuando concurran los relativos al *non bis in idem* y a la inmunidad, de conformidad con el art. 207.3 LRM, antes de denegar parcial o totalmente el reconocimiento y la ejecución de la orden europea de investigación, la autoridad española competente solicitará a la autoridad de emisión la información complementaria necesaria y, en su caso, la subsanación del defecto en que se hubiera incurrido.

C) Propios de la OEI

a) Generales

Los motivos específicos de denegación del reconocimiento y la ejecución de la OEI se contienen en el art. art. 207.1 LRM, que recoge, con carácter imperativo, como se ha dicho, todos los motivos de denegación previstos en el art. 11.1 DOEI, a excepción de los relativos a la existencia de inmunidad (art. 11.1.a DOEI) y al principio *non bis in idem* (art. 11.1.d DOEI), que se recogen por remisión al art. 32.1 LRM como se ha visto.

El primero de ellos (art. 207.1.a LRM), coincidiendo también en parte con el del art. 11.1.a DOEI, es la existencia de un privilegio procesal que haga imposible ejecutar la OEI o normas sobre determinación y limitación de la responsabilidad penal en relación con la libertad de prensa y la libertad de expresión en otros medios de comunicación que imposibiliten a la autoridad competente española su ejecución.

En segundo lugar, "cuando la ejecución pudiera lesionar intereses esenciales de seguridad nacional, comprometer a la fuente de información o implicar la utilización de información clasificada relacionada con determinadas actividades de inteligencia" (art. 207.1.b LRM, coincidiendo con el del art. 11.1.b DOEI[59]).

---

b) Cuando la orden o resolución se refiera a hechos para cuyo enjuiciamiento sean competentes las autoridades españolas y, de haberse dictado la condena por un órgano jurisdiccional español, el delito o la sanción impuesta hubiese prescrito de conformidad con el Derecho español.

c) Cuando el formulario o el certificado que ha de acompañar a la solicitud de adopción de las medidas esté incompleto o sea manifiestamente incorrecto o no responda a la medida, o cuando falte el certificado, sin perjuicio de lo dispuesto en el artículo 19.

d) Cuando exista una inmunidad que impida la ejecución de la resolución".

[59] Respecto al que entiende MARTÍNEZ GARCÍA, Elena, op. el loc. cit., pág.74, que nos encontramos ante un cajón de sastre donde a priori se hace difícil prever los casos en los que al Estado de ejecución le puede interesar no colaborar, y en el que se pueden cobijar motivos de calado eminentemente político.

El art. 207.1.c LRM recoge, en tercer lugar, el motivo de denegación de la OEI previsto en el art. 11.1.e DOEI, conocido como "cláusula de territorialidad": cuando la resolución se refiera a hechos que se hayan cometido fuera del Estado emisor y total o parcialmente en territorio español, y la conducta en relación con la cual se emite la orden europea de investigación no sea constitutiva de delito en España.

En cuarto lugar, y según el art. 207.2.d LRM, también se denegará el reconocimiento y la ejecución de la OEI cuando existan motivos fundados para creer que la ejecución de la medida de investigación indicada en la OEI es incompatible con las obligaciones del Estado español de conformidad con el artículo 6 del Tratado de la Unión Europea y de la Carta de los Derechos Fundamentales de la Unión Europea. El motivo, previsto en el art. 11.1.f DOEI, evidencia la clara voluntad del legislador europeo de que la cooperación judicial en materia penal se lleve a cabo con un escrupuloso respeto de los derechos fundamentales[60], como se pone de manifestó en los considerandos 18 y 19 y en el art. 1.4 DOEI.

En quinto lugar, y viniendo a coincidir con el motivo del art. 11.1.g DOEI, es motivo de denegación del reconocimiento y ejecución de la OEI la ausencia de doble incriminación, en la medida en la que se dispone que se denegará éste cuando la conducta que dio origen a la emisión de la orden europea de investigación no sea constitutiva de delito con arreglo al Derecho español y no esté recogida en las categorías de delitos a que se refiere el apartado 1 del art. 20, siempre que la pena o medida de seguridad privativas de libertad previstas en el Estado de emisión para el delito a que se refiere la OEI fuera de un máximo de al menos tres años. No obstante, este motivo de denegación no será de aplicación, en ningún caso, a las medidas de investigación a que se refiere el apartado 1 del artículo 206. En consecuencia, la autoridad española competente denegará la ejecución de la OEI cuando los hechos que motivaron la emisión de la misma no sean constitutivos de delito conforme al Derecho español, con dos salvedades: cuando la autoridad de emisión indique en el formulario que los hechos que motivaron la emisión de la OEI constituyen alguna de las categorías delictivas previstas en el art. 20.1 LRM y que son punibles en el Estado de emisión con una pena o medida de seguridad privativas de libertad de un máximo de al menos tres años; o cuando la medida de investigación solicitada en la OEI sea alguna de las previstas en el art. 206.1.II, las denominadas privilegiadas.

---

[60]   GRANDE SEARA, Pablo, op. cit., pág. 469.

Conforme al art. 207.1.f LRM, en correspondencia con el motivo previsto en el art. 11.1.g DOEI, procede la denegación cuando el uso de la medida de investigación indicada en la orden europea de investigación esté limitado, con arreglo al Derecho español, a una lista o categoría de delitos, o a delitos castigados con penas de a partir de un determinado umbral que no alcance el delito a que se refiere la orden europea de investigación, es decir, cuando la medida no esté prevista en España para un caso interno similar. También para este motivo se ha previsto su no aplicación a las medidas privilegiadas del art. 206.1.II LRM.

Finalmente, también procede la denegación del reconocimiento y ejecución de la OEI (art. 207.1.g LRM, en relación con el motivo del art. 11.1.c DOEI) cuando la OEI se refiera a procedimientos incoados por las autoridades competentes de otros Estados miembros de la UE por la comisión de hechos tipificados como infracciones administrativas en su ordenamiento cuando la decisión pueda dar lugar a un proceso ante un órgano jurisdiccional en el orden penal, y la medida no estuviese autorizada, con arreglo al Derecho del Estado de ejecución, para un caso interno similar.

Podría defenderse que para que se deniegue el reconocimiento y ejecución de una OEI por alguno de estos dos últimos motivos, aunque el art. 207 LRM no lo contemple así de manera expresa, debe no haber sido posible la sustitución de la media, conforme al art. 206.3 LRM, aunque no parece posible que se llegara a acordar la imposibilidad de prestar la asistencia conforme al núm. 5 del art. 206. A nuestro juicio, no existe propiamente un solapamiento de estos motivos de denegación con el supuesto de sustitución del art. 206.3 LRM, por cuanto la sustitución supone el reconocimiento de la OEI, lo que no llegaría a acontecer cuando concurre un motivo de denegación[61].

De los referidos motivos, como sucedía con los previstos en las letras a y d del art. 32.1, si se trata de los de las letras a), b), c) o d), los que hemos reseñado de primero a cuarto, también se ha dispuesto en el art. 207.3 LRM que antes de denegar parcial o totalmente el reconocimiento y la ejecución de la orden europea de investigación, la autoridad española competente solicitará a la autoridad de emisión la **información complementaria** necesaria y, en su caso, la subsanación del defecto en que se hubiera incurrido.

---

[61]   Cfr. Acuerdo del Pleno CGPJ de 28 de septiembre de 2017, cit., apartado 170; y GRANDE SEARA, Pablo, op. cit., pág. 473.

b) *Referidos a medidas específicas*

También se recogen por el legislador español, siguiendo las previsiones de la DOEI, otros motivos de denegación del reconocimiento y ejecución de la OEI que requiere medidas específicas de investigación. Con ellos termina de complicarse el abanico de los motivos de denegación; téngase en cuenta que se añaden a los generales del art. 32.1 LRM y a los propios de la OEI recogidos en el art. 207 LRM (en relación al art. 11.1 DOEI).

Entre estos otros motivos de denegación del reconocimiento y ejecución de la OEI puede destacarse, en primer lugar, para el traslado temporal al Estado de emisión de personas privadas de libertad en España o para el traslado temporal a España de personas privadas de libertad en el Estado de emisión, la falta de consentimiento de la persona privada de libertad (arts. 214.1.a y 215 LRM en relación a los arts. 22.2 y 23.2 DOEI, y 215 LRM[62]. El mismo motivo, aunque con carácter facultativo, se dispone para la medida prevista en el art. 216 LRM (en relación al 24.2.a DOEI), esto es, para la ejecución de una orden europea de investigación para una comparecencia por videoconferencia u otros medios de transmisión audiovisual.

También para el traslado temporal al Estado de emisión de personas privadas de libertad en España, constituye motivo imperativo de denegación del reconocimiento y ejecución de la OEI, la posible prolongación de la situación de privación de libertad.

En tercer lugar, si puede seguirse un orden, cuando la medida solicitada en la OEI sea una comparecencia por videoconferencia u otros medios de transmisión audiovisual, dispone el art. 216.1.I LRM (en relación al 24.2.b DOEI) que la autoridad española competente también denegará el reconocimiento y ejecución en caso de que la ejecución de dicha medida de investigación en un caso concreto sea contraria a los principios jurídicos fundamentales del Derecho español.

Finalmente, cuando se trate de la ejecución de una OEI para realizar investigaciones encubiertas, el art. 220.1 LRM (en relación con el 29.3 DOEI), la autoridad competente española denegará su ejecución cuando la realización de investigaciones encubiertas no se autorizaría en casos internos similares o cuando no se hubiera llegado a un acuerdo con la autoridad de emisión respecto a las condiciones para llevar a cabo la investigación correspondiente (letras a y b de los preceptos señalados).

---

[62] Se dispone, además, que cuando debido a su edad o estado físico o psíquico, no pueda dar su opinión, la misma se recabará a través de su representante legal.

5.2. Suspensión de la ejecución

Como señalan los arts. 9.1 DOEI y 2015.1 LRM, en los que se plasma el denominado principio de equivalencia, el Estado receptor de la OEI, en nuestro caso España, la reconocerá y ejecutará si no se aprecia la concurrencia de algún motivo de denegación del reconocimiento o de la ejecución o alguno de los de suspensión que se contemplan (arts. 15 DOEI y 209 LRM).

El legislador español reproduce los supuestos de suspensión previstos en la norma europea con la diferencia de que, de nuevo, los convierte en imperativos y no facultativos, como sucede con los de denegación[63].

De conformidad con los referidos preceptos, y siendo España el país receptor del instrumento, la autoridad competente suspenderá el reconocimiento y la ejecución de una orden europea de investigación cuando concurra alguno de los siguientes supuestos:

a) Que su ejecución pudiera perjudicar una investigación penal o actuaciones judiciales penales en curso, hasta el momento que se considere necesario.

b) Que los objetos, documentos o datos de que se trate están siendo utilizados en otros procedimientos, hasta que ya no se requieran con este fin.

A estos motivos previstos específicamente para la OEI debe añadirse el que con carácter general recoge el art. 23.1 LRM: cuando la autoridad judicial de emisión comunique a la autoridad española de ejecución la pérdida sobrevenida del carácter ejecutorio de la orden o resolución judicial transmitida.

La autoridad judicial española comunicará inmediatamente a la autoridad judicial del Estado de emisión la suspensión de la ejecución de la orden o resolución judicial recibida, los motivos de la suspensión y, si es posible, la duración de la misma, tal como dispone el art. 16.3 b DOEI y con carácter general el 23.2 LRM.

Además, también se prevé que tan pronto como desaparezcan los motivos o razones de suspensión, la autoridad de ejecución deberá adoptar inmediatamente –"la autoridad judicial española tomará de inmediato", es la expresión utilizada por la norma española–, las medidas necesarias para la

---

[63] Supra, 5.1.2 A).

ejecución de la OEI e informará de ello a la autoridad judicial competente del Estado de emisión (arts. 15.2 DOEI y 23.3 LRM).

Finalmente, dispone el art. 23.4 LRM que si la causa de suspensión hiciera previsible que la misma no fuera alzada, "se devolverá el formulario o certificado con todo lo actuado a la autoridad judicial de emisión".

El régimen que se ha previsto para la suspensión de la ejecución de la OEI resulta bastante sencillo, pero consideramos conveniente hacer algunas precisiones.

En primer término, aunque tanto la DOEI como la norma española de transposición se refieren al aplazamiento o suspensión del reconocimiento o/y la ejecución (arts. 15 y 209 LRM), en realidad y, en esto parece más acertada la dicción del precepto general de la LRM–también puede desprenderse así de la DOEI por el uso de proposición disyuntiva –, lo que queda en suspenso no sería el reconocimiento sino sólo la ejecución[64]. A mayor abundamiento, también puede entenderse así por la redacción de los arts. 15.2 DOEI y 23.3 LRM que señalan que tan pronto como desaparezcan los motivos de la suspensión se adoptarán las medidas oportunas para la "ejecución" de la OEI.

En segundo lugar, se ha puesto de manifiesto que los motivos de suspensión o aplazamiento del reconocimiento y ejecución de la OEI están formulados de modo excesivamente genérico o abierto[65], lo que puede dar lugar a controversias entre las autoridades de ejecución y emisión a la hora de apreciar su concurrencia en un caso concreto[66].

También parece poco precisa la determinación de la duración de la suspensión, lo que igualmente puede generar dudas interpretativas. En el caso de que se acuerde porque pudiera perjudicar una investigación penal

---

[64] Distingue estos momentos también RODRÍGUEZ-MEDEL NIETO, Carmen, op. cit., págs. 408 y 409.

[65] MARTÍNEZ GARCÍA, Elena, op., cit., pág. 78.

[66] GRANDE SEARA, Pablo, op. cit., pág. 479, donde expone: *Obsérvese que el contenido que puede atribuirse a la fórmula "pudiera perjudicar una investigación penal o actuaciones judiciales penales en curso" es muy amplio e indeterminado, pues ni siquiera se exige que se trate de un perjuicio relevante, o que pueda frustrar el éxito d tal investigación. Y lo mismo cabe decir, con respecto al segundo motivo, pues, aunque pueda deducirse del contexto del precepto, ni siquiera se exige que el procedimiento en el que está siendo utilizados los objetos, documentos o datos en cuestión sea de naturaleza penal.*
Por otra parte, los motivos de suspensión de la ejecución de la OEI no deben confundirse con los motivos por los que se puede suspender el traslado de las pruebas conforme a los arts. 13.2 DOEI y 211.2 LRM.

o actuaciones judiciales penales en curso, la suspensión será "hasta el momento que se considere necesario"; en el caso del segundo motivo hasta que los objetos, documentos o datos no deban ser utilizados en otros procedimientos.

Finalmente y a modo de conclusión de las consideraciones anteriores, entendemos que una correcta aplicación e interpretación de estas disposiciones en el caso concreto aconsejan una importante labor de negociación y consenso entre las autoridades de ejecución y emisión[67], avanzando un poco más respecto de las previsiones sobre el deber de información del art. 16.3.b DOEI[68].

5.3. Reconocimiento con sustitución de la medida

El reconocimiento de la OEI implica que la autoridad de ejecución procederá a llevar a cabo la medida que se ha solicitado, para lo que se exige que dicha medida de investigación exista en el Derecho nacional y que esté prevista para un caso interno similar. Así se deduce de la conjunción de los arts. 9.1 y 10.1 DOEI y 205.1 y 206 LRM, que permiten distinguir, ahora sí, el reconocimiento de la ejecución.

De no ser así, y considerando las diferencias entre los ordenamientos de los distintos Estados, lo que procede es acudir a una medida de investigación distinta a la solicitada, "si dicha medida fuera idónea para los fines de la orden solicitada", ya que de no existir ninguna otra medida de investigación que tuviera el mismo resultado que la medida de investigación solicitada, la autoridad de ejecución notificará a la autoridad de emisión que no ha sido posible proporcionar la asistencia requerida (arts. 10.1 y 5 DOEI y 206.3 y 5 LRM).

De todos modos, también se dispone en la norma europea y en la española que se acuda a una medida de investigación distinta a la indicada en la OEI que sea menos restrictiva.

---

[67] GRANDE SEARA, Pablo, op. cit., pág. 480. También se ha defendido un trámite de audiencia al fiscal y a las demás partes personadas; en este sentido, RODRÍGUEZ-MEDEL NIETO, Carmen, op. cit., pág. 408.

[68] Se dispone en el precepto que la autoridad de ejecución informará a la autoridad de emisión sin demora, por cualquier medio que pueda dejar constancia escrita "de cualquier resolución de aplazamiento de la ejecución o del reconocimiento de la OEI, de las razones a las que obedece el aplazamiento y, si ello fuera posible, de la duración probable de este".

Finalmente, la regulación de los supuestos de sustitución se completa con la relación de una serie de medidas respecto de las que, salvo que concurra algún motivo de denegación del reconocimiento y ejecución, los requisitos que con carácter general se prevén para la ejecución, esto es, que la medida exista y esté prevista para un caso interno similar, no se exigen al tratarse de medidas que siempre tienen que existir en el Derecho nacional del Estado de ejecución (arts. 10.2 DOEI y 206.1.II LRM).

5.3.1. Supuestos de sustitución

Una vez decidido el reconocimiento de la OEI, la autoridad de ejecución deberá pronunciarse sobre si ejecutará la misma medida que contiene la OEI o si procederá a su sustitución por otra medida distinta[69].

Se han previsto dos supuestos, con características distintas, en los que la autoridad de ejecución acudirá a medidas alternativas a la solicitada en la OEI.

En todo caso, se pone de manifiesto la amplitud de alternativas de las que dispone la autoridad de ejecución en orden a la práctica de la medida de investigación interesada, lo que evidencia la relajación que sufre el principio de reconocimiento mutuo en materia de investigación delictiva transfronteriza a la par que supone una clara manifestación de la indiscutible importancia que el principio de proporcionalidad y la flexibilidad juegan en esta materia[70].

A) Medida menos restrictiva

En primer término, siempre se debe acudir a una medida distinta a la solicitada cuando los mismos resultados puedan obtenerse con otra menos invasiva. En este sentido, lo que dispone la DOEI es que la autoridad de ejecución "podrá asimismo recurrir a una medida de investigación distinta a la indicada en la OEI cuando la medida de investigación elegida por la autoridad de ejecución tenga el mismo resultado por medios menos invasores de la intimidad que la medida de investigación indicada en la OEI" (art. 10.3). La redacción de la norma europea otorga así a la autoridad de ejecución la facultad de sustituir la medida solicitada acudiendo a una alternativa que resulte menos gravosa de la intimidad.

---

[69]   RODRÍGUEZ-MEDEL NIETO, Carmen, op. cit., pág. 410.
[70]   En este sentido, AGUILERA MORALES, Marien, op. cit., pág. 16.

Nuestra norma de transposición, sin embargo, avanza respecto de dicha previsión en dos importantes aspectos, al disponer el art. 206. 2 LRM que cuando el resultado perseguido por la OEI pudiera conseguirse mediante una "medida de investigación menos restrictiva de los derechos fundamentales que la solicitada en la orden europea de investigación, la autoridad competente española ordenará la ejecución de esta última". Así, de un lado, la sustitución en estos casos será obligatoria para la autoridad española; y de otro, se amplía la esfera de protección de los derechos a cualquier derecho fundamental y no sólo al derecho a la intimidad, como hace la norma europea.

B) Supuestos generales

Los supuestos generales de sustitución vienen a coincidir, como se ha dicho, con la falta de requisitos o presupuestos para la ejecución de la medida interesada por el Estado de emisión, ya que debe acudirse a la ejecución de medidas distintas a las solicitadas en la OEI cuando no exista en el Derecho nacional o no esté prevista para un caso interno similar. En estos casos, la autoridad de ejecución tiene que procurar, tras reconocer la OEI, acudir a otra medida de investigación distinta pero que sea idónea para los fines de la orden solicitada, como se desprende de los arts. 10.1 y 5 DOEI, y 206.3 y 5 LRM. Los términos, tanto de la norma europea como de la española son imperativos, porque debe primarse la ejecución, aunque sea de una medida distinta, en aras a obtener el resultado buscado por la autoridad emisora de la OEI.

C) Procedimiento para la sustitución

Interesa prestar atención al procedimiento que debe seguirse para el recurso a medidas alternativas, con independencia del motivo, a las solicitadas en la OEI, omitido por completo en la ley española de transposición, pero trazado en la DOEI.

En este sentido, se señala en el art. 10.4 DOI, que en los casos de sustitución, cuando la autoridad de ejecución decida hacer uso de las posibilidades contempladas en los apartados 1 y 3, informará en primer lugar a la autoridad de emisión, la cual podrá decidir retirar o completar la OEI (art. 10.4). La previsión de la información a la autoridad de emisión tiene como fundamento que ésta se pueda pronunciar a efectos de la admisibilidad de la prueba que pueda obtenerse con las medidas a las que acude la autoridad de ejecución[71]. Si la autoridad de emisión no comunicara su decisión de retirar o completar la orden europea de investigación en el plazo de diez días, la autoridad de ejecución ordenará la ejecución de la medida de investigación alternativa.

Por otra parte, como se dispone en el art. art. 16.3.a DOEI, la autoridad de ejecución informará a la autoridad de emisión "sin demora", por cualquier medio que pueda dejar constancia escrita, de cualquier resolución adoptada en virtud del art. 10.

5.3.2. Imposibilidad de sustitución: las medidas privilegiadas

La regla general para la sustitución de la medida que, según se ha indicado, representa a la vez la falta de requisitos para la ejecución de la que se había solicitado, cuenta, sin embargo, con una importante derogación en tanto que se ha previsto que, sin perjuicio de la concurrencia de algún motivo de denegación del reconocimiento y ejecución[72], deberá ordenarse la ejecución en todo caso si la medida de investigación solicitada fuera alguna de las cinco que se recogen (arts. 10.2 DOEI y 2016.1.II LRM) y que, como puntualiza la norma europea, "siempre tienen que existir en el Derecho nacional del Estado de ejecución". Se trata de alguna de las siguientes: la obtención de información o de pruebas que obren ya en poder de la autoridad de ejecución siempre que, de conformidad con el Derecho nacional del Estado de ejecución, esa información o esas pruebas hubieran podido obtenerse en el contexto de un procedimiento penal o a los fines de la OEI; la obtención de información contenida en bases de datos que obren en poder de las autoridades policiales o judiciales y que sean directamente accesibles a la autoridad de ejecución en el marco de un procedimiento penal; la declaración de un testigo, un perito, una víctima, un investigado o acusado o un tercero en el territorio del Estado de ejecución; cualquier

---

[71]   Así viene a ponerlo de manifiesto RODRÍGUEZ-MEDEL NIETO, Carmen, op. cit., págs. 410 y 411, cuando afirma que el informe explicativo de la propuesta (Documento 9288/10, de 3 de junio de 2010) vinculaba este deber de información a la admisibilidad de la prueba que se obtendría a través de la nueva medida. La comunicación previa –continua– sirve para asegurarse de que la nueva medida no tendrá consecuencias inesperadas en la investigación, especialmente en cuanto a la admisibilidad de las pruebas y en relación con los resultados que deben lograrse.

[72]   Téngase en cuenta que, de conformidad con los arts. 11.2 DOEI y 207.2 LRM, no resultan aplicables los motivos de denegación del art. 11.1.g y h DOEI, y 207.1.e y f LRM, esto es, cuando la ejecución de la medida no esté autorizada para un caso interno similar.

medida de investigación no invasiva definida con arreglo al Derecho nacional del Estado de ejecución; y la identificación de personas que sean titulares de un número de teléfono o una dirección IP determinados.

Se dice que las medidas que no permiten sustitución son privilegiadas porque tienen que ser mencionadas expresamente en todos los textos de transposición para dar cumplimiento a la norma europea[73].

5.4. Imposibilidad de ejecución

En los supuestos que hemos considerado generales de sustitución, puede darse la circunstancia, como ponen de manifiesto tanto la norma europea (art. 10.5 DOEI) como la nacional (art. 206.5 LRM), de que en el Estado de ejecución no exista ninguna otra medida de investigación con la que pueda obtenerse el mismo resultado que con la solicitada, en cuyo caso, lo que se dispone es que "la autoridad de ejecución notificará a la autoridad de emisión que no ha sido posible proporcionar la asistencia requerida".

Es un claro supuesto de reconocimiento de la OEI y no ejecución de la medida por no ser posible la ejecución de la que se ha solicitado ni su sustitución por otra con análogos efectos[74].

6. RECURSOS EN LA EJECUCIÓN DE LA ORDEN EUROPEA DE INVESTIGACIÓN

6.1. Principio de equivalencia con la legislación nacional en materia de recursos

Como se viene poniendo de manifiesto, la regulación sobre recursos en relación a las actividades para la obtención de pruebas frente a las decisiones que se adoptan en los Estados implicados resulta esencial para valorar si el instrumento realmente facilita la cooperación judicial en la obtención de pruebas[75]. Y precisamente su regulación en la DOEI adolece, como se ha afirmado, de menos garantías que otras previsiones[76].

---

[73] Vid. RODRÍGUEZ-MEDEL NIETO, Carmen, op. cit., pág. 410.
[74] Observa BACHMAIER WINTER, Lorena, "La propuesta de Directiva europea sobre la orden de investigación penal: valoración crítica de los motivos de denegación", op. cit., pág. 48, que a la postre equivale a denegar la ejecución.
[75] BACHMAIER WINTER, Lorena, "La propuesta de Directiva europea sobre la orden de investigación penal: valoración crítica de los motivos de denegación", op. cit., pág. 47.
[76] RODRÍGUEZ-MEDEL NIETO, Carmen, op. cit., pág. 457.

En efecto, las únicas previsiones que se refieren específicamente a la posible impugnación de las decisiones sobre medidas de investigación son las contenidas en el art. 14 DOEI, que bajo la rúbrica de "Vías de recurso", parte, como no podía ser de otra manera, y según indica el considerando 22, de la regla de que las vías de recurso existentes contra una OEI deben ser, como mínimo, "iguales a las existentes en un caso nacional contra la medida de investigación de que se trate. De conformidad con su Derecho nacional, los Estados miembros deben garantizar la aplicabilidad de dichas vías de recurso, inclusive informando a su debido tiempo a cualquier parte interesada sobre las posibilidades y condiciones para emprender las vías de recurso".

Pues bien, el art. 14 DOEI, en consonancia con el considerando 22, comienza aludiendo a la equivalencia que deben garantizar los Estados miembros entre las vías de recurso existentes en un caso interno similar y las que sean aplicables a las medidas de investigación indicadas en la OEI. En la misma línea, se establece que deben velar porque todos los plazos para emprender las vías de recurso sean los mismos que los previstos en casos internos similares y se apliquen de forma que quede garantizada la posibilidad del ejercicio efectivo de estas vías de recurso para las partes interesadas (art. 14.2). Igualmente se dispone la necesidad de que se facilite la información sobre los posibles recursos (art. 14.3), la información entre las autoridades de emisión y de ejecución sobre los recursos interpuestos contra la emisión, reconocimiento o ejecución de la OEI (art. 14.5), y la regla de que la impugnación no suspenderá la ejecución de la medida de investigación, a menos que esté previsto en casos internos similares.

En esta regulación general contamos, además, con los arts. 13 y 24 LRM, que, entre las disposiciones del régimen general de los instrumentos de reconocimiento mutuo, incluye estos preceptos dedicados a los recursos contra las resoluciones de transmisión y de reconocimiento y ejecución, respectivamente, de alguno de ellos, cuyas previsiones se vienen a corresponder con las de la norma europea.

Se aprecia así que se consagra el principio de equivalencia con la legislación nacional para los recursos, lo que dada la importancia de las medidas de investigación que pueden recogerse en la OEI, podría considerase, a todas luces, insuficiente[77].

---

[77]   Ha sido planteada una cuestión prejudicial por un tribunal búlgaro, en la que se interpela al TJUE sobre si el art. 14 DOEO otorga directamente al interesado el derecho a impugnar la resolución relativa a la OEI cuando en el Derecho nacional no está prevista dicha posibilidad (asunto C-324/17, *Ivan Gabanozob*, DO C 256, de 07.08.17).

6.2. Recursos en la ejecución

Esta es, por tanto, la regla también para los recursos en la ejecución de la OEI, como se desprende de los arts. 14 DOEI y 24 LRM.

Así, de acuerdo con lo dispuesto en el art. 24.1 LRM, "contra las resoluciones dictadas por la autoridad judicial española resolviendo acerca de los instrumentos europeos de reconocimiento mutuo se podrán interponer los recursos que procedan en cada caso conforme a las reglas generales previstas en la ley procesal vigente". Se añade en el núm. 2 del precepto que "la autoridad judicial competente comunicará a la autoridad judicial del Estado de emisión tanto la interposición de algún recurso y sus motivos como la decisión que recaiga sobre el mismo". Se recoge además, como general, la regla contenida en el art. 14.2 DOEI que reserva la impugnación por los motivos de fondo por los que se haya adoptado la orden o resolución al recurso interpuesto en el Estado miembro de la autoridad judicial de emisión (art. 24.3 LRM). Finalmente, en el múm. 4 del precepto se reitera la regla contenida en el art. 13.3 LRM de que contra las resoluciones del Ministerio Fiscal en ejecución de los instrumentos de reconocimiento mutuo no cabrá recurso, sin perjuicio de las posibles impugnaciones sobre el fondo ante la autoridad de emisión y de su valoración posterior en el procedimiento penal que se siga en el Estado de emisión.

Tratándose de la posibilidad de recurrir en el Estado de ejecución de la OEI, aplicando el reparto de tareas entre los Estados de emisión y de ejecución sobre la base del principio de reconocimiento mutuo, que preside el funcionamiento de la OEI, de conformidad con el art. 1.2 DOEI, las decisión de reconocimiento y ejecución, así como los actos de ejecución son los que serán impugnables ante el Estado de Ejecución[78]. Nos parece que ésta es la interpretación que debe defenderse, a pesar de que se ha cuestionado que pudiera recurrirse contra la denegación del reconocimiento o de la ejecución, ya que parece que la DOEI sólo está pensando en el recurso en el caso de que se reconozca y ejecute la OEI, para cuestionar precisamente cómo se ha ejecutado, que es lo que estará previsto para casos internos similares. Ésta es, además, la interpretación que mejor se corresponde con el derecho al recurso si se tiene en cuenta que la OEI ha podido ser emitida a instancia de parte y ésta puede querer cuestionar ante los tribunales del Estado de ejecución que la OEI por ella interesada no se ejecute en otro Estado miembro. Entendemos, así, con RODRÍGUEZ-MEDEL NIETO, que

---

[78]   COSTA RAMOS, Vânia, op. cit., págs. 342 y 343.

hubiera sido conveniente que la DOEI y –las leyes de transposición– contemplaran expresamente la posibilidad de recurrir en todo caso[79.]

Nos parece muy acertada la reflexión del CGPJ, cuando afirma que el adecuado respeto del principio de defensa y de igualdad de armas en el proceso exige que la regulación proyectada se vea completada con aquellas otras normas que han de permitir al investigado y a la parte afectada por la medida de investigación, no solo promover, en su caso, su adopción, sino también el efectivo control de la resolución que la acuerda, el control de la medida adoptada, y el control del reconocimiento de la resolución y la ejecución de la medida[80].

6.3. *Reserva de la impugnación por motivos de fondo ante el Estado de emisión*

Debe destacarse que tanto la norma europea como la española reservan de manera expresa la impugnación por motivos de fondo al recurso ante el estado de emisión (arts. 14.2 DOE y 24.3 LRM), cuando disponen que los motivos de fondo por los que se haya adoptado la orden sólo podrán ser impugnados mediante un recurso interpuesto en el Estado de emisión, si bien el texto de la DOEI añade: "sin perjuicio de las garantías de los derechos fundamentales en el Estado de ejecución".

Saber con exactitud qué son los motivos de fondo no resulta del todo sencillo, aunque nos parece que puede entenderse que se trata de las condiciones de emisión previstas en el art. 6.1 DOEI, esto es, los requisitos de necesidad, legalidad y proporcionalidad, que corresponden evaluar a la autoridad de emisión en cada caso, conforme al art. 6.2 DOEI.

La reserva de apreciación de la impugnación por el Estado de emisión tiene como límite "las garantías de los derechos fundamentales en el Estado de ejecución" (art. 14.2 *in fine* DOEI), por lo que no sería absoluta. De nuevo la cláusula se presta a distintas interpretaciones, pues pudiera defenderse que propicia que si la autoridad de ejecución entiende que no se han respetado las condiciones de necesidad, proporcionalidad y legalidad en la emisión de la orden pueda aceptar alegaciones de fondo sobre estos particulares en protección de los derechos fundamentales del afectado por la medida. También se defiende que el límite del art. 14.2.DOEI permite una apreciación de la conformidad de la emisión de la OEI con el Derecho de la UE (y con el propio Derecho del Estado miembro de ejecución, en

---

[79]   Vid. RODRÍGUEZ-MEDEL NIETO, Carmen, op. cit., págs. 457 y 458.
[80]   Acuerdo del Pleno CGPJ de 28 de septiembre de 2017, apartado 51 *in fine*.

lo relativo a sus derechos fundamentales consagrados en el ámbito nacional aplicables al caso) que, en el caso de medidas restrictivas de derechos fundamentales, implicará una apreciación de los motivos de fondo antes mencionados ya que, por ejemplo, la legalidad de la medida (en el sentido de una previsión legal concreta y completa y garantías suficientes) o insuficiencia de indicios de delito, en casos manifiestos, pueden constituir un problema cuando se observan desde la perspectiva de la CDFUE.

Capítulo XXXIII

LOS MOTIVOS DE DENEGACIÓN DEL LA OEI A LA LUZ DE LA LEGISLACIÓN ITALIANA DE TRASPOSICIÓN: ENTRE EL RECONOCIMIENTO MUTUO Y LAS GARANTÍAS DE LOS SUJETOS IMPLICADOS

Gianluca Borgia
Doctorando de Derecho Procesal Penal
Università degli Studi di Ferrara

SUMARIO: 1. INTRODUCCIÓN 2. UNA CUESTIÓN PREVIA: LA OBLIGATORIE-DAD DE LOS MOTIVOS DE DENEGACIÓN 3. LOS DIFERENTES SUPUESTOS DE RECHAZO 4. (*SIGUE*) LAS CAUSAS NO REPRODUCIDAS EN EL TEXTO DEL DE-CRETO LEGISLATIVO 108/2017. 5. LOS MOTIVOS IMPLÍCITOS: LA VIOLACIÓN DE LOS PRINCIPIOS FUNDAMENTALES DE LA *LEX LOCI* Y EL ACTO "DESPRO-PORCIONADO". 6. BREVES OBSERVACIONES FINALES.

RESUMEN: El presente trabajo analiza la difícil coexistencia entre la lógica del reconocimiento mutuo que subyace a la Orden Europea de Investigación, los motivos de denegación previstos en la Directiva 2014/41/UE y traspuestos en el ordenamiento italiano y las garantías de las personas involucradas.

ABSTRACT: This work examines the controversial relationship between mutual recognition, the grounds for refusing provided for by the Directive on the European Investigation Order as implemented by Italian legislation and the rights of involved parties.

PALABRAS CLAVES: Orden Europea de Investigación; motivos de denegación; reconocimiento y ejecución de resoluciones penales; reconocimiento mutuo; causas de rechazo; garantías del proceso penal

1. INTRODUCCIÓN

El de las causas de denegación es, sin duda, un tema que, como se ha afirmado, representa el "punto sensible" de los instrumentos de recono-

cimiento mutuo[1]. De hecho, la consecución completa de este principio –
identificado, en el Consejo Europeo de Tampere de 1999, como la «"piedra
angular" de la cooperación judicial en materia civil y penal en la Unión»[2]
y codificado, tras la entrada en vigor del Tratado de Lisboa, en el art. 82.1
TFUE– habría exigido la eliminación definitiva de las circunstancias en
virtud de las cuales la autoridad receptora de una solicitud de asistencia judicial puede no ejecutarla; todo ello, fundado en la "*confiance mutuelle*" que,
sin embargo, en el estado de la técnica puede considerarse un resultado
que debe lograrse, en lugar de un objetivo alcanzado[3].

Ahora bien, la eficacia de una investigación transnacional no es la única exigencia relevante en esta materia: también es necesario tener mucho
cuidado de no olvidar los derechos y prerrogativas de los sujetos involucrados, que no pueden ser sacrificados *tout court* en nombre de la eficiencia,
especialmente si estamos tratando de llevar a cabo actividades que se caracterizan por su tendencia natural a afectar materialmente estos derechos.

Este, por lo tanto, es el contexto en el que se insertan las disposiciones
de la Directiva 2014/41/UE relativas a la Orden Europea de Investigación
(OEI) y las del Decreto Legislativo n°. 108 de 21 de Junio de 2017 (d.lgs.
108/2017, en adelante), a través del cual el legislador italiano ha implementado dicha Directiva[4].

2. UNA CUESTIÓN PREVIA: LA OBLIGATORIEDAD DE LOS MOTIVOS DE DENEGACIÓN

Antes de examinar los diferentes motivos de denegación de la OEI, conviene efectuar una consideración general sobre el d.lgs. 108/2017. Y es

---

[1]   Así, MANGIARACINA, Annalisa, "L'acquisizione «europea» della prova cambia volto:
l'Italia attua la Direttiva relativa all'ordine europeo di indagine penale", *Dir. pen. proc.*,
2, 2018, p. 165.

[2]   Consejo Europeo de Tampere 15 y 16 de Octubre 1999 - Conclusiones de la Presidencia (http://www.europarl.europa.eu/summits/tam_es.htm).

[3]   *Vid.* más ampliamente, SPENCER, John R., "Il principio del mutuo riconoscimento",
en KOSTORIS, Roberto E. (Dir.), *Manuale di procedura penale europea*, 3° ed., Giuffrè,
Milán, 2017, p. 321; BELFIORE, Rosanna, *La prova penale "raccolta" all'estero*, Aracne,
Roma, 2014, pp. 181 ss.

[4]   El texto completo del Decreto Legislativo n°. 108 de 1 de junio de 2017 (GU Serie
Generale n. 162 del 13-07-2017), en vigor desde el día 28 de julio de 2017, puede
consultarse en www.gazzettaufficiale.it/eli/id/2017/07/13/17G00120/sg (fecha consulta: 07.02.2019).

que, en este sentido, se observa que la Directiva prevé una serie de causas de denegación que, aunque es mayor que la contemplada en la propuesta original de la Comisión, a la postre ha resultado limitada[5], especialmente si la comparamos con la lista de motivos de denegación prevista por la Decisión Marco 2008/978/JAI relativa al exhorto europeo de obtención de pruebas (art. 13), cuya amplitud ha sido una de las razones del fracaso de este instrumento.

Además, importa señalar a los efectos del presente trabajo que las causas de denegación tienen carácter facultativo u opcional: según lo establecido en el art. 11 Directiva («Motivos de denegación del reconocimiento o de la ejecución») la autoridad de ejecución «"podrá" denegar» la ejecución del acto con ocasión de una de las causas previstas en el dicho artículo. Esta expresión concede a los Estados miembros la libertad para reproducir o no, a nivel interno, los diversos motivos de rechazo recogidos en la Directiva. En cambio, no parece aceptable la lectura de que el legislador nacional no pueda asignar carácter obligatorio a estos motivos por la razón de que la valoración de la denegación es competencia exclusiva de la autoridad de ejecución[6]. Este enfoque, aunque está en consonancia con el tenor literal de la norma y con la necesidad –reiterada también por la jurisprudencia más reciente del Tribunal de Justicia de la Unión Europea sobre la Orden de Detención Europea (ODE)[7]– de evitar que la implementación determine un endurecimiento del sistema en detrimento de la eficiencia de la cooperación judicial, no tiene en cuenta las exigencias de legalidad y de unidad de tratamiento que requieren los actos que puedan afectar a las garantías de los sujetos involucrados en el proceso penal.

Así pues, puede afirmarse que la solución elegida por el legislador italiano consistente en reproducir solo algunos de los motivos de denegación y

---

[5]   Habla de «drástica reducción» SIRACUSANO, Fabrizio, "Tra semplificazione e ibridismo: insidie e aporie dell'Ordine europeo di indagine penale", *Arch. pen.*, 2, 2017, p. 685.

[6]   En sentido contrario se ha pronunciado FIORELLI, Giulia, "I motivi di rifiuto dell'ordine investigativo europeo, quando fidarsi è bene, ma non fidarsi è meglio", en BENE, Teresa - LUPÁRIA, Luca - MARAFIOTI, Luca (Dirs.), *L'ordine europeo di indagine. Criticità e prospettive*, Giappichelli, Turín, 2016, p. 84. Con respecto a la legislación española de trasposición cfr. DE HOYOS SANCHO, Montserrat, "La Orden europea de investigación: reflexiones sobre su potencial efectividad a la vista de los motivos de denegación del reconocimiento y ejecución en España", *Rev. Gen. Der. Proc.*, 47, 2019, apartado IV.

[7]   Como indica MANGIARACINA, Annalisa, "L'acquisizione «europea»", cit., p. 165, se alude a Tribunal de Justicia de la Union europea, 29 de Junio 2017, *Poplawski*, C-579/15, §§ 20-23.

atribuirles carácter obligatorio[8] satisface las necesidades apuntadas y, además, permite conseguir el resultado ulterior de colocar a la autoridad de emisión de otro Estado miembro en la situación de poder apreciar *ex ante* la conveniencia de emitir una OEI[9], evitando así un desperdicio de tiempo y recursos.

3. LOS DIFERENTES SUPUESTOS DE RECHAZO

En cuanto a los diferentes motivos de denegación, el d.lgs. 108/2017 se caracteriza por una trasposición parcial de las causas de rechazo, de modo que es posible analizarlas en función de si están –o no– incorporadas al instrumento de trasposición.

En este punto, se debe tener en cuenta el resultado que arroja la interpretación conjunta de lo dispuesto en los párrafos 1 y 3 del art. 9 d.lgs. 108/2017, en cuya virtud la autoridad italiana debe rechazar el reconocimiento de la OEI cuando el acto de ejecución solicitado «no esté previsto en la legislación italiana o no concurran los presupuestos» establecidos por la legislación nacional, al tiempo que el ordenamiento italiano no contempla «actos diversos (…) adecuados para lograr el mismo propósito». Estas previsiones son la repetición de los dos motivos de denegación de las letras a) y b) del art. 10.1 de la Directiva, que se refieren, respectivamente, al hecho de que la actividad de investigación solicitada a través de la OEI no esté –según la versión italiana– «prevista por el Estado de ejecución» (= «no existe en el Derecho nacional del Estado de ejecución», según la versión española) y al hecho de que dicha actividad «no está disponible en un caso interno análogo» (= «no existe en un caso interno similar», en la traducción española)

Pues bien, con respecto a la falta de previsión del acto solicitado cabe señalar que el d.lgs. 108/2017 no clara si es posible o no hacer referencia a la denominada "prueba atípica" (*id est,* no regulada por la ley) prevista en el art. 189 del Código Procesal Penal italiano (c.p.p., en adelante)[10].

---

[8]   En el art. 10 d.lgs. 108/2017 se afirma que "no se reconoce y ejecuta".

[9]   Cfr. MARCHETTI, Maria Riccarda, "Ricerca e acquisizione probatoria all'estero: l'ordine europeo di indagine", *Arch. pen.*, 1, 2018, p. 835.

[10]   Bajo el título *Pruebas no reguladas por la ley,* el art. 189 c.p.p. dispone que «cuando se pida una prueba no regulada por la ley, el juez puede aceptarla si resulta idónea para asegurar la fijación de los hechos y no perjudica la libertad moral de la persona. El juez acordará la admisión oídas las partes sobre la modalidad del medio de prueba a asumir». Sobre este tema cfr., por todos, GREVI, Vittorio, "Prove", en CONSO, Gio-

Sin embargo, la necesidad de fomentar la cooperación y, por lo tanto, de atender al acto «en su sustancia»[11], independientemente del *nomen iuris*, junto con la ausencia de indicaciones en sentido contrario, favorecen una respuesta afirmativa; sin menoscabo, por supuesto, de la obligación del juez de verificar– a semejanza de lo que sucede con las pruebas atípicas "nacionales" –que se trata de una diligencia de prueba «*idonea ad assicurare l'accertamento dei fatti*» y –lo que es más importante a efectos de este trabajo –que «*non pregiudica la libertà morale della persona*».

En cuanto a la identificación de los "presupuestos" cuya ausencia conduce al rechazo de la solicitud de asistencia, la solución adoptada por el legislador italiano resulta inequívoca, pues se exige el cumplimiento de todas las condiciones de admisibilidad previstas por la legislación nacional[12]; esto por tanto, excluye que solo algunas de ellas puedan ser respetadas.

Antes de proceder al examen de las otras situaciones que impiden el reconocimiento, conviene señalar que los motivos de denegación que nos ocupan y cuanto se refiere al requisito de la llamada "doble incriminación" no se aplican en la realización de un catálogo de actos, sino que su inclusión en el texto de la Directiva apunta a la homologación de las diferentes disciplinas nacionales, pues lo determinante es que estos actos «siempre tienen que existir en el Derecho nacional del Estado de ejecución»[13].En este sentido, resulta obvio que para lograr este fin el legislador nacional no debe tener un margen de maniobra demasiado grande, al objeto de evitar el "efecto secundario" de la armonización consistente en un reducción del nivel de protección que la legislación nacional otorga a las personas afectadas por la actividad solicitada. Ahora bien, el hecho de que el art. 9.5 letra d) d.lgs. 108/2017, al implementar las disposiciones de la Directiva que requieren que «las medidas de investigación "no invasiva"» «siempre tienen que existir en el Derecho nacional del Estado de ejecución», se refiera

---

vanni - GREVI, Vittorio, BARGIS, Marta (Dirs.), *Compendio di procedura penale*, 8° ed., CEDAM, Milán, 2016, pp. 291 ss.

[11]   DANIELE, Marcello, "L'impatto dell'ordine europeo di indagine penale sulle regole probatorie nazionali", *Dir. pen. cont.*, 3, 2016, p. 66.

[12]   En este sentido, DANIELE, Marcello, "I chiaroscuri dell'OEI e la bussola della proporzionalità", en ID. - KOSTORIS, Roberto E. (Dirs.), *L'ordine europeo di indagine penale. Il nuovo volto della raccolta transnazionale delle prove nel d.lgs. n. 108 del 2017*, Giappichelli, Turín, en prensa, apartado 1.

[13]   Cfr. arts. 10.2 letras a) - e) Directiva y 9.5 letras a) - e) d.lgs. 108/2017. Con respecto a la relación entre la armonización normativa y el reconocimiento mutuo, *vid.* DEL COCO, Rosita, "Circolazione della prova e poteri sanzionatori del giudice", en BENE, Teresa - LUPÁRIA, Luca - MARAFIOTI, Luca (Dirs.), *L'ordine europeo*, cit., pp. 167-172.

exclusivamente a actividades que no afectan a la libertad personal y al derecho a la inviolabilidad de domicilio, parece determinar exactamente la consecuencia disfuncional mencionada, porque no toma en consideración las otras libertades garantizadas por la Constitución, como, por ejemplo, las del art. 15 de la Constitución italiana relativas a la libertad y privacidad de la correspondencia y de cualquier otra forma de comunicación.

Pasemos ahora a analizar el art. 10.1 d.lgs. 108/2017, sobre los motivos específicos de denegación del reconocimiento o de la ejecución, que constituye, por lo tanto, el homólogo del art. 11 Directiva[14]. El primer motivo de denegación que encontramos se refiere al caso frecuente de que la información que figure en la OEI sea incompleta o contradictoria [letra a) del aptdo. 1 del art. 10].

Con el segundo motivo de denegación se impone a la autoridad italiana la obligación de rechazar el acto solicitado cuando la persona respecto de la cual se procede goza de inmunidad y no es posible removerla [letra b) del aptdo. 1 del art. 10]

En el texto del acto normativo interno también se ha reproducido el motivo de denegación consistente en el riesgo de que el reconocimiento o la ejecución de la OEI perjudique la «seguridad nacional» [letra c) del aptdo. 1 del art. 10]; formulación que, en opinión del legislador italiano, es adecuada para incluir las demás situaciones previstas en el artículo 11 Directiva, relativas al supuesto de que la realización del acto ponga en peligro la fuente de información o implique la utilización de información clasificada relacionada con determinadas actividades de inteligencia[15].

En relación con las posibles infracciones del principio *ne bis in idem*, no se encuentran diferencias entre la Directiva y el d.lgs. 108/2017 [letra d) del aptdo. 1 del art. 10]. Sin embargo, en la interpretación de esta norma es necesario tener en cuenta el *considerando* n°. 17 de la Directiva, donde se estrecha el ámbito de aplicación del principio y, por tanto, las garantías individuales, al afirmar que «dado el carácter preliminar de los procedimientos subyacentes a la OEI, su ejecución no debe ser objeto de rechazo cuando vaya dirigida a establecer la "existencia de un posible conflicto"

---

[14] Sobre los motivos de rechazo establecidos por la Directiva cfr., por todos, RODRÍGUEZ-MEDEL NIETO, Carmen, *Obtención y admisibilidad en España de la prueba penal transfronteriza*, Aranzadi, Cizur Menor, 2016, pp. 427-469.

[15] Así consta en la Exposición de motivos que acompaña al d.lgs. 108/2017 disponible en: http://documenti.camera.it/apps/nuovosito/attigoverno/Schedalavori/getTesto.ashx?file=0418_F001.pdf&leg=XVII.

con el principio *ne bis in idem*, o cuando la autoridad de emisión haya dado garantías de que la prueba transferida como resultado de la ejecución de la OEI no se utilizará para enjuiciar o imponer una sanción a una persona cuyo caso haya sido objeto de una resolución final en otro Estado miembro por los mismos hechos».

Por último, se prevén dos motivos de denegación –también reproducidos fielmente en el texto del art. 10.1 d.lgs. 108/2017, respectivamente, en la letras e) y f)– cuya introducción se ha visto influida por la regulación de la Orden de Detención Europea. Nos referimos, en primer lugar, a la existencia de fundados motivos para creer que la ejecución del acto solicitado no es compatible con las obligaciones establecidas en el artículo 6 TUE y en la Carta de los Derechos Fundamentales de la Unión Europea[16]. En esta materia, parece abrirse una ventana para superar la jurisprudencia del TJUE sobre la ODE que, en el ya conocido caso *Melloni*[17], ha hecho prevalecer el estándar más bajo de garantías otorgado por el ordenamiento europeo para evitar comprometer la primacía, la unidad y la eficacia de la legislación de la UE, en el supuesto, entre otros, de ausencia de una disposición similar a la que acabamos de examinar.

En cuanto a la segunda circunstancia, esta se refiere al principio de "doble incriminación", en virtud del cual la OEI debe rechazarse si el "hecho no está castigado por la ley italiana como delito". A esta expresión el legislador italiano ha considerado necesario añadir una especificación con la que, en concreto, se ha consolidado la jurisprudencia interna según la cual el requisito debe tenerse por cumplido aunque en el derecho nacional el *nomen iuris* del hecho sea diferente o el delito proteja un bien jurídico diferente[18].

Otros motivos de denegación se refieren a determinadas medidas de investigación[19]. En particular, para proceder a la entrega temporal de una

---

[16]   MANGIARACINA, Annalisa,("L'acquisizione «europea»", cit., p. 168) señala que el art. 11 de la Directiva (también contenido en el d.lgs. 108/2017) requiere "motivos serios", pero no "pruebas" para considerar que el motivo de rechazo en cuestión exista.

[17]   Tribunal de Justicia de la Unión europea, Gran Sala, 26 de Febrero 2013, *Melloni*, C-399/11.

[18]   Cfr. CAIANIELLO, Michele, "L'attuazione della direttiva sull'ordine europeo di indagine penale e le sue ricadute nel campo del diritto probatorio", *Cass. pen.*, 6, 2018, p. 2201 al que se remite también por la dicha jurisprudencia.

[19]   Sobre las medidas de investigación objeto de regulación específica cfr., por todos, JIMENO BULNES, Mar, "Orden europea de investigación en materia penal", en EAD. (Dir.), *Aproximación legislativa* versus *reconocimiento mutuo en el desarrollo del espacio judicial europeo: una perspectiva multidisciplinar*, Bosch, Barcelona, 2016, pp. 185 s.

persona retenida en Italia con el fin de realizar un acto en el Estado de emisión, es necesario no solo que el sujeto consienta según el art. 22.2 letra a) Directiva, sino también que se respeten las condiciones adicionales que el art. 16.4 d.lgs. 108/2017 establece para que la manifestación de voluntad sea inequívoca y fruto de una elección deliberada. De hecho, el consentimiento a la entrega debe considerarse válido solo si resulta de un acto escrito y si la persona detenida o internada ha tenido la posibilidad de consultar previamente con su propio abogado.

El consentimiento del sujeto involucrado también es necesario cuando se solicita la comparecencia por videoconferencia de un sospechoso o acusado, sin que en este caso sean necesarias condiciones adicionales [art. 24.2 letra a) Directiva y art. 18.2 d.lgs. 108/2017].

Finalmente, deben examinarse las causas de denegación relacionadas con las intervenciones de telecomunicaciones establecidas en los arts. 30 y 31 Directiva, que se ocupan, respectivamente, de los supuestos en que son necesarias, o no, labores de asistencia técnica de otro Estado miembro para llevar a cabo la intervención. En este sentido, lo más interesante es que la ejecución de la medida de investigación debe ser «autorizada en "casos internos similares"» a los previstos por el derecho del Estado de ejecución: de hecho, el incumplimiento de estas condiciones puede conducir, en el caso del art. 30, al rechazo de la ejecución del acto y, en el caso del art. 31, a una decisión de la autoridad del Estado donde se realiza la intervención por la que se disponga que la medida no puede efectuarse o, si ya está en marcha, que deba finalizar[20].

Antes de examinar la trasposición italiana, es necesario detenerse un momento en las disposiciones del Código Procesal Penal italiano que regulan la intervención de telecomunicaciones al objeto de señalar, en primer lugar, que estas medidas requieren que la investigación verse sobre alguno de los delitos que figuran en el art. 266 c.p.p.; que, en segundo lugar, existan "indicios" (según los casos, "graves" o "suficientes") de comisión de alguno de los delitos mencionados anteriormente; y, en tercer lugar, que las

---

[20]   El art. 31.3 letra b) Directiva establece también que «en los casos en que la intervención no se autorizaría en un caso interno similar, la autoridad competente del Estado miembro notificado podrá notificar sin demora a la autoridad competente del Estado miembro que realiza la intervención que (…) si fuera necesario, que no podrá utilizarse el posible material ya intervenido mientras la persona que sea objeto de la intervención se encontraba en su territorio, o que solo podrá utilizarse en las condiciones que aquella especifique. La autoridad competente del Estado miembro notificado informará a la autoridad competente del Estado miembro que realiza la intervención de los motivos de estas condiciones».

intervenciones sean indispensables para desarrollo de las investigaciones (art. 267 c.p.p.).

Dicho esto, para el caso de que el Estado italiano sea requerido para prestar la asistencia técnica el art. 23 d.lgs. 108/2017, con arreglo a la Directiva, obliga la autoridad nacional a comprobar el cumplimiento de las condiciones de admisibilidad establecidas por el derecho interno y a rechazar la OEI si no se han cumplido dichas condiciones. Desde este punto de vista, no surgen problemas específicos relativos a la comprobación de si el delito por el que se procede entra o no en el ámbito del art. 266 c.p.p., dado que la autoridad de emisión está obligada a expresar el delito con respecto al cual solicita la medida de asistencia.

En cambio, parece difícil que pueda realizarse una evaluación completa de los requisitos establecidos en el art. 267 c.p.p. basada exclusivamente en la indicación, que la autoridad de emisión debe incluir en su petición con arreglo al art. 23.2 d.lgs. 108/2017, de «los motivos que hacen necesaria la medida solicitada». Esto es especialmente importante porque la posibilidad de prescindir de alguno de los requisitos establecidos en el art. 267 c.p.p. permitiría, desde luego, lograr el resultado de fomentar la cooperación y reducir el ámbito de aplicación del motivo de denegación que se refiere a las condiciones de admisibilidad establecidas por el derecho nacional, pero supondría el riesgo real de legitimar el uso de una medida extremadamente invasiva, como la de las intervenciones, únicamente sobre la base legal de las condiciones previstas en otro ordenamiento[21], sin la posibilidad de verificar que el Estado de emisión garantiza, como mínimo, el mismo nivel de garantías previsto para el cumplimiento del acto en un caso interno similar.

La exposición de motivos del d.lgs. 108/2017 demuestra que el legislador italiano ha descuidado conscientemente este segundo aspecto: en el supuesto de que «il sistema della direttiva non può che fondarsi (…) su un atto di reciproca fiducia da parte degli Stati», este argumenta, por una parte, que «non è pensabile, a fronte del testo della direttiva che non contempla alcuna verifica in tema di "indizi" (né gravi, né sufficienti), imporre alle autorità straniere di avventurarsi in valutazioni calibrate sulle forme tipiche del sistema italiano e verosimilmente estranee alle abitudini ed alla cultura dello Stato richiedente» y, por otra parte, que «per una questione di tempi, non è pensabile che l'a.g. italiana possa e debba esaminare integralmente e direttamente gli elementi in fatto posti a fondamento delle richieste».

---

[21]   Así NOCERA, Andrea, "Il sindacato giurisdizionale interno in tema di ordine europeo di intercettazione", Dir. pen. cont., 1, 2018, p. 164.

Esta cuestión aflora de forma muy clara en el art. 24 d.lgs. 108/2017 según el cual, en el caso de que no sea necesaria la asistencia técnica y, por lo tanto, la autoridad italiana sea destinataria de una simple notificación, la existencia de evidencias y la absoluta necesidad del acto no se exigen, siendo suficiente comprobar que la intervención fue adoptada en relación con un delito entre los previstos en el art. 266 c.p.p.[22]

4. (*SIGUE*) LAS CAUSAS NO REPRODUCIDAS EN EL TEXTO DEL DECRETO LEGISLATIVO 108/2017

Al analizar los motivos de rechazo que no se han traspuesto, es posible distinguir entre las causas de denegación completamente excluidas y las que, aunque no se mencionen expresamente, están implícitamente incorporadas en el texto del d.lgs. 108/2017 .

Por lo que respecta a las primeras, la falta de transposición de la cláusula de territorialidad constituye el aspecto más notable, habida cuenta de las duras críticas que se le han hecho desde su inclusión en texto de la Directiva. En realidad, la posibilidad prevista en el art. 11.1 letra e) Directiva de rechazar la OEI cuando esta «se refiera a un delito que presuntamente ha sido cometido fuera del territorio del Estado de emisión y total o parcialmente en el territorio del Estado de ejecución, y la conducta en relación con la cual se emite la OEI no sea constitutiva de delito en el Estado de ejecución» no solo pone de relieve el rechazo de los Estados miembros de abandonar la idea de *primauté*, tradicionalmente asociada con el concepto de soberanía nacional que impide la plena afirmación del principio del reconocimiento mutuo[23], si no que constituye además un paso atrás con

---

[22]   En la opinión de CAIANIELLO, Michele, "L'attuazione della direttiva", cit., p. 2207,esta solucion se debe a que no es posible «*operare una verifica sul periculum in mora (la indispensabilità al fine di proseguire le indagini) e sulle modalità operative con cui le captazioni sono realizzate, dal momento che esse avvengono fuori dalla giurisdizione nazionale e restano sotto il solo controllo di legalità dello Stato emittente (che, in una ipotesi del genere, è di fatto anche lo Stato di esecuzione)*»; *contra* DANIELE, Marcello, "L'ordine europeo di indagine penale entra a regime. Prime riflessioni sul d.lgs. n. 108 del 2017", *www.penalecontemporaneo.it*, 28 luglio 2017, p. 3, que subraye como el «*art. 24 comma 2 non specifica che la regola speciale opera "in deroga" alla regola generale dell'art. 9 commi 1 e 3, che (…) richiede l'osservanza di tutti i requisiti di ammissibilità previsti dalla lex loci, compresi, dunque, quelli stabiliti dall'art. 267 c.p.p.*».

[23]   GALGANI, Benedetta, "Assistenza giudiziaria in materia penale tra gli Stati membri dell'Unione europea", en MARANDOLA, Antonia Antonella (Dir.), *Cooperazione giudiziaria europea in materia penale*, Giuffrè, Milán, 2018, p. 40.

respecto a los instrumentos anteriores que justamente no contemplaban una cláusula de esta naturaleza[24].

Incluso teniendo en cuenta el sistema global del d.lgs. 108/2017, no resulta encomiable la elección de no trasponer el art. 11.1 letra a) Directiva en relación con la posibilidad de denegar la OEI cuando exista un "privilegio" en el Derecho del Estado de ejecución que haga imposible ejecutar la medida.

En el ordenamiento italiano, esta fórmula evoca el derecho a no prestar declaración reconocida a los familiares con arreglo al art. 199 c.p.p., así como las normas sobre los secretos (art. 200 ss. c.p.p.). En este sentido, plantea dudas el hecho de que estas prerrogativas no están reconocidas si la OEI tiene por objeto un simple testimonio, en cambio si las mismas declaraciones deben hacerse por videoconferencia, el art. 16 apartado 6 del d.lgs. n° 108/2017 concede a los testigos y a los peritos la facultad de abstención reconocida por el derecho nacional[25].

En cuanto a los motivos que no se encuentran expresamente en el d.lgs. 108/2017, pero que pueden considerarse implícitamente transpuestos, la exposición de motivos que acompañe el d.lgs. 108/2017 clarifica que la falta de transposición de las cláusulas que se refieren a la «libertad de la prensa» y a «la libertad de expresión» [art. 11.1 letra a) segunda parte Directiva] se debe a que dichas libertades representan dos causas de exclusión de punibilidad[26], así que estos motivos de denegación pueden considerarse parte del motivo relativo al principio de doble incriminación.

Además, el motivo contemplado en el art. 11.1 letra h) Directiva («cuando el uso de la medida de investigación indicada en la OEI esté limitado, con arreglo al Derecho del Estado de ejecución, a una lista o categoría de delitos, o a delitos castigados con penas de a partir de un determinado umbral que no alcance el delito a que se refiere la OEI»), no se ha transpuesto porque se consideraron suficientes las condiciones establecidas por las determinadas medidas de investigación. En este sentido, piénsese en lo que se ha dicho en relación al art. 266 c.p.p. en materia de intervenciones.

---

[24]   Como señala FIORELLI, Giulia, "I motivi di rifiuto", cit., p. 88, nota n. 23, un análogo motivo de denegación ni siquiera estaba previsto en los actos normativos extraños a la lógica del reconocimiento mutuo.

[25]   Cfr. MANGIARACINA, Annalisa, "L'acquisizione «europea»", cit., p. 166.

[26]   V. la exposición de motivos del d.lgs. 108/2017 cit.

5. LOS MOTIVOS IMPLÍCITOS: LA VIOLACIÓN DE LOS PRINCIPIOS FUNDAMENTALES DE LA *LEX LOCI* Y EL ACTO "DESPROPORCIONADO"

Como se ha destacado en el apartado 2, el objetivo de facilitar la cooperación no puede ignorar el principio de legalidad. Por consiguiente, sería deseable que no existiera incertidumbre sobre las condiciones que den lugar el rechazo de la OEI.

Desde este punto de vista, conviene detenerse sobre el tema tradicional de la relación entre *lex loci* y *lex fori* y, en particular, en la identificación de la ley aplicable en el momento ejecutivo de la OEI.

Tanto la Directiva (art. 9.2) como el d.lgs. 108/2017 (art. 4.2) establecen que la autoridad de ejecución observará las "formalidades" y "procedimientos" expresamente indicados por la autoridad de emisión, siempre que tales formalidades y procedimientos no sean contrarios a los "principios jurídicos fundamentales" del Estado de ejecución[27].

Sin embargo, los dos textos normativos no permiten de identificar las consecuencias que resulten del incumplimiento de los principios fundamentales de la *lex loci*[28]: de hecho, entre los motivos de denegación no figura tal circunstancia y, además, tampoco se requiere acuerdo previo entre las dos autoridades. Por lo tanto, se podría plantear una competencia autónoma de la autoridad de ejecución de ejecutar el acto de forma distinta a la requerida en la OEI (y compatible con los principios de la *lex loci*). No obstante, esto es incompatible con la necesidad de evitar la realización

---

[27]   Sobre la ley aplicable en la ejecución de la, OEI cfr. ROMERO PRADAS, Mª Isabel, "La prueba penal en Europa, una cuestión compleja. La orden europea de investigación como nuevo instrumento de obtención de pruebas en procesos penales transnacionales y su próxima incorporación al Derecho español", en GONZALES CANO, Mª Isabel (Dir.), *Integración europea y justicia penal*, Tirant lo Blanch, Valencia, 2018, p. 391,

[28]   Sobre la constante repetición de esta cuestión en los actos anteriores a la OEI, cfr. CARCANO, Domenico, "I principi pattizi: da modalità di esecuzione a limiti alla concedibilità o utilizzabilità", en LA GRECA, Giuseppe - MARCHETTI, Maria Riccarda (Dirs.), *Rogatorie penali e cooperazione giudiziaria internazionale*, Giappichelli, Turín, 2003, pp. 120 s.; en la doctrina española v., en este volumen, GASCÓN INCHAUSTI, Fernando, "La eficacia de las pruebas penales obtenidas en el extranjero al amparo del régimen convencional: apogeo y declive del principio de no indagación", pp. 35-40; Id., "Investigación trasfronteriza, obtención de prueba penal en el extranjero y derechos fundamentales", in GÓMEZ COLOMER, Juan-Luis - BARONA VILAR, Silvia - CALDERÓN CUADRADO, Pía (Dirs.), *El derecho procesal español del siglo XX a golpe de tango*, Tirant lo blanch, Valencia, 2012, pp. 2251 s.

de medidas de instrucción que pudieran resultar inútiles por vulnerar las reglas establecidas por la *lex fori*.

En definitiva se perfila, sino un auténtico motivo de rechazo implícito, como mínimo el riesgo de un punto muerto.

Por si fuera poco, la incertidumbre no solo se refiere a las consecuencias, sino, antes aún, a los contornos de la cláusula que se refiere a los principios fundamentales del Estado de ejecución, habida cuenta de que corresponde exclusivamente a los diferentes Estados miembros identificarlos (y no podría ser de otra manera).

En este sentido habría sido preferible que el legislador italiano hubiera identificado los "principios fundamentales" para evitar que esta cláusula se convierta en un poder discrecional en las manos de la autoridad de ejecución, pero no ha sido así.

Una propuesta para reducir aún más el margen de incertidumbre y, al mismo tiempo, preservar las garantías de los sujetos involucrados podría ser , de conformidad con el "principio de no regresión" contemplado en el art. 53 de la Carta de Niza, atender a la *lex loci* en la medida en que ofrece mayor protección por los sujetos involucrados[29].

En otras palabras, y por lo que respecta específicamente al ordenamiento italiano, la autoridad italiana destinataria de una OEI debería, ante todos, tener claro la distinción entre los derechos de las personas implicadas y las protecciones relativas a los perfiles "objetivos" como las garantías epistemológicas de la prueba. Mientras que los primeros deberán ser objeto de comparación, las segundas no deberían considerarse: de hecho, come se ha dicho por parte de la doctrina ¿qué sentido tendría imponer el respecto de la *cross-examination* –que en el derecho italiano constituye la expresión directa del art. 111.4 Const.– en la ejecución de una OEI emitida por una autoridad de uno Estado miembro que no la contemple en su ordenamiento, sino que por el contrario solicita expresamente una forma distinta de examen?[30].

En segundo lugar, dicha autoridad debería evaluar si el cumplimiento del acto con la *lex fori* realiza una reducción de las garantías establecidas por la *lex loci* y, si es así (y solo si es así), considerar legítimamente que de

---

[29]   En opinión de CAIANIELLO, Michele, "L'attuazione della direttiva", cit., p. 2204, esta solución es admisible, siempre que, conformemente a los limites contenidos en la Decisión *Melloni*, no comprometa la eficacia de la cooperación.

[30]   Asì, KOSTORIS, Roberto E., *Processo penale e paradigmi europei*, Giappichelli, Turín, 2018, pp. 137 s.

la ejecución de la OEI puede derivarse una violación de los principios fundamentales del derecho nacional.

Se podría argumentar que, a diferencia de lo previsto en otros actos legislativos de la Unión, la Directiva no contiene ninguna referencia expresa a dicho principio, pero basta subrayar que el art. 53 de la Cartas de los Derechos Fundamentales de la Unión Europea tiene que respetarse. Por la posición que ocupa en la jerarquía normativa y de conformidad con el art. 1.4 Directiva establece la Directiva no modificará la obligación de respetar los derechos fundamentales y los principios jurídicos enunciados en el artículo 6 del TUE –que ,a su vez, prescribe el respecto de los principios de la Carta de Niza–[31].

También resulta problemática la norma que, de manera inédita con respecto a los instrumentos anteriores, introduce en la fase ejecutiva un verdadero juicio de proporcionalidad de la medida solicitada[32].

De hecho, de conformidad con el art. 10.3 Directiva, «La autoridad de ejecución podrá asimismo recurrir a una medida de investigación distinta a la indicada en la OEI cuando la medida de investigación elegida por la autoridad de ejecución tenga el mismo resultado por "medios menos invasores" de la intimidad que la medida de investigación indicada en la OEI».

Se trata de una norma que, aunque muestra una cierta desconfianza por las opciones tomadas por la autoridad de emisión (también obligada a evaluar la proporcionalidad a la hora de pedir la medida), tiene su fundamento en la necesidad de proteger los derechos de las personas involucradas: el hecho de que no todos los Estados miembros contemplen el mismo tipo de control judicial sobre la investigación preliminar (en algunos Países, en realidad, los actos de la investigación son establecidos directamente por la policía) ha contribuido de manera significativa a la adopción de la norma[33].

---

[31]   En relación con el significado de esta cláusola v., en este volumen, PEITEADO MARSICAL, Pilar, "¿ Es acertado fundar la denegación de la ejecución de una OEI en la poyencial vulneración de derechos fundamentales por parte del Estado emisor?", pp. 704 y 705.

[32]   FIORELLI, Giulia, "I motivi di rifiuto, cit., p. 98. En general, sobre el principio de proporcionalidad aplicado a la OEI, v. FALATO, Fabiana, "La proporzione innova il tradizionale approccio al tema della prova: luci ed ombre della nuova cultura probatoria promossa dall'ordine europeo di indagine penale", *Arch. pen.*, 1, 2018, pp. 1 s. y, por la doctrina española BACHMAIER, Lorena, "Towards the Trsaposition of Directive 2014/41 Regarding the European investigation Order in Criminal Matters", *Eucrim*, 2, 2015, pp. 50 s.; ARAGÜENA FANEGO, Coral, "Orden Europea de Investigación: próxima implementación en España del nuevo instrumento de obtención de prueba penal trasfronteriza", *Rev. Der. Com. Eur.*, 58, 2017 pp. 921 s.

[33]   TINOCO PASTRANA, Ángel, "L'ordine europeo di indagine penale", *Proc. pen. giust.*, 2, 2017, p. 351.

Esta exigencia ha llevado a el legislador italiano a ir más allá de las pequeñas indicaciones proporcionadas por el art. 6.1 letra a) Directiva que establece que la OEI debe ser «necesaria y proporcionada a los fines de los procedimientos a que se refiere el artículo 4 teniendo en cuenta los derechos del sospechoso o acusado».

En efecto, el art. 7 d.lgs. 108/2017 se refiere no solo a los derechos y libertades del sospechoso o acusado, sino también a las garantías de otros sujetos eventualmente involucrados.

Por otro lado, y a diferencia de la Directiva que –como se ha visto– habla de "posibilidad", el articulo 9.2 d.lgs. 108/2017 introduce la obligación para la autoridad italiana solicitada de una OEI de que constate si la medida es desproporcional y, en su caso, adoptar una medida diferencia previo acuerdo con la autoridad de emisión.

Pero ¿qué pasa si dicho acuerdo no se logra y la autoridad de emisión reitera la OEI en los mismos términos? Habida cuenta de que ambos textos (el nacional y el de la Unión) no prevén un motivo de denegación *ad hoc*, siguiendo la lógica del reconocimiento mutuo se debería rechazar la denegación de la OEI.

Pero aun así, si la condición previa para que se cumple el acto solicitado es que haya un acuerdo, no puede excluirse que también en este caso puede configurarse un punto muerto, es decir, un motivo de rechazo "oculto"[34].

6. BREVES OBSERVACIONES FINALES

De las cuestiones tratadas resulta que, específicamente en relación con el tema de los motivos de denegación, se ha dado un paso significativo hacia el fortalecimiento del reconocimiento mutuo, pero no sin efectos negativos sobre los derechos de las personas involucradas en la OEI. Lo demuestra la norma que considera "invasiva" los actos que afectan solo la libertad personal y derecho a la inviolabilidad del domicilio, así como la que permite que se realice una valoración superficial de las condiciones que justifican las intervenciones, por no mencionar la inseguridad jurídica creada por las normas relativas a los principios fundamentales de la *lex loci* y al principio de proporcionalidad.

---

[34] Así MANGIARACINA, Annalisa, "L'acquisizione «europea»", cit., p. 165; en el mismo sentido FALATO, Fabiana, "La proporzione", cit., p. 20; *contra* MARCHETTI, Maria Riccarda, "Ricerca e acquisizione probatoria all'estero", cit., p. 831.

En relación con estas últimas, debe tenerse en cuenta que los motivos de denegación son el parámetro que el juez debe valorar en la impugnación de la decisión de reconocer la OEI[35]; una impugnación, que, según lo establecido por la Directiva (art. 14) y transpuesta por el Decreto Legislativo 108/2017 (art. 13), ya es en si fuertemente perjudicial. Esta solo puede ser propuesta por el sospechoso o el acusado (*id est* no por parte de los terceros también afectados per el acto solicitado) dentro del plazo de cinco días a partir de la notificación del decreto de reconocimiento y no determina automáticamente efectos suspensivos. Como si esto no fuera suficiente, la decisión adoptada por el juez ni siquiera puede ser recurrida[36].

Por último, con miras al futuro y, por lo tanto, en una prospectiva *de iure condendo,* preocupaciones adicionales surgen de las propuestas que la Comisión europea ha presentado recientemente en materia de *e-evidence.* Nos referimos a la Propuesta COM(2018)225 *final* sobre las órdenes europeas de entrega y conservación de pruebas electrónicas a efectos de enjuiciamiento penal[37], las cuales pretenden paliar la lentitud de los instrumentos previstos hasta ahora, entre ellos la OEI.

---

[35]   Así PICCIRILLO Raffaele, *Circolare in tema di attuazione della direttiva 2014/41/UE relativa all'ordine europeo di indagine penale. Manuale operativo,* 2017, p. 29 disponible en: https://www   .penalecontemporaneo.it/upload/7708-29.10.2017--circolare-oei-con-indice.pdf.

[36]   Para facilitar la referencia, el texto del art. 13 d.lgs. 108/2017 se retoma aquí: «*1. Entro cinque giorni dalla comunicazione di cui all'articolo 4, comma 4, la persona sottoposta alle indagini e il suo difensore possono proporre, contro il decreto di riconoscimento, opposizione al giudice per le indagini preliminari. 2. Il giudice per le indagini preliminari decide, sentito il procuratore della Repubblica, con ordinanza. L'ordinanza è comunicata al procuratore della Repubblica e notificata all'interessato. 3. Il procuratore della Repubblica informa senza ritardo l'autorità di emissione della decisione. Quando l'opposizione è accolta, il decreto di riconoscimento è annullato. 4. L'opposizione non ha effetto sospensivo dell'esecuzione dell'ordine di indagine e della trasmissione dei risultati delle attività compiute. Il procuratore della Repubblica può comunque non trasmettere i risultati delle attività compiute se può derivarne grave e irreparabile danno alla persona sottoposta alle indagini, all'imputato o alla persona comunque interessata dal compimento dell'atto. 5. Il giudice per le indagini preliminari, quando è richiesto dell'esecuzione dell'ordine di indagine ai sensi dell'articolo 5, se ricorrono i motivi di rifiuto indicati dall'articolo 10, dispone, anche su richiesta delle parti, l'annullamento del decreto di riconoscimento emesso dal procuratore della Repubblica. 6. Non si dà luogo all'esecuzione dell'ordine di indagine in caso di annullamento del decreto di riconoscimento*».

[37]   En relación con el contenido de la propuesta cfr. MITIA, Jaluz - DELLA TORRE, Jacopo, "Lotta alla criminalità nel cyberspazio: la Commissione presenta due proposte per facilitare la circolazione delle prove elettroniche nei processi penali", *Diritto penale contemporaneo,* 5, 2018, pp. 277 ss. y, en la doctrina española, en este volumen, GÓMEZ AMIGO, Luis, "Prueba penal electrónica en la Unión europea: las futuras órdenes europeas de entrega y conservación", pp. 157 ss. y MONTORO SÁNCHEZ, Juan Ale-

En este sentido, la posibilidad de la autoridad de emisión de dirigirse directamente al *service provider* debería ser el "valor añadido" del nuevo mecanismo de cooperación, sin embargo esto también significa que no corresponderá a la autoridad "pública", sino al propio *service provider* evaluar –por lo menos en primer lugar– si es posible o no ejecutar la nueva euro-orden en el caso en que, por ejemplo, el acto solicitado «se desprenda que es claramente contrario a la Carta de los Derechos Fundamentales de la Unión Europea» (art. 9.5 Propuesta).

---

jandro, "Breves análisis acerca del futuroreglamento comunitario ""e-evidence" sobre las órdenes europeas de conservación y entrega de pruebas y evidencias electrónicas a efectos de enjuiciamiento penal", pp. 172 ss.

Capítulo XXXIV

¿ES ACERTADO FUNDAR LA DENEGACIÓN DE LA EJECUCIÓN DE UNA OEI EN LA POTENCIAL VULNERACIÓN DE DERECHOS FUNDAMENTALES POR PARTE DEL ESTADO EMISOR?

Pilar Peiteado Mariscal
Profesora Titular de Derecho Procesal
Universidad Complutense de Madrid

SUMARIO: 1. PLANTEAMIENTO DE LA CUESTIÓN 2. LA OBLIGACIÓN DE RESPETAR LOS DERECHOS FUNDAMENTALES Y EL RECONOCIMIENTO MUTUO. 3. LA CAUSA DE DENEGACIÓN. 4. ¿CÓMO VA A FUNCIONAR LA CAUSA DE DENEGACIÓN? 4.1. ¿Puede fundarse la denegación en la potencial vulneración de cualquier derecho fundamental? 4.2. Constatación de la potencial vulneración de un derecho fundamental. 5. CONCLUSIONES.

RESUMEN: El texto examina la obligación de respetar los derechos fundamentales por parte de los Estados miembros como causa de denegación de la OIE.

ABSTRACT: This text deals with EU Members States obligation to respect fundamental rights as a non recognition ground of OIE.

PALABRAS CLAVE: Reconocimiento de la OIE; derechos fundamentales.

KEY WORDS: OIE's recognition; fundamental rigths.

Hace muchos años, casi en el comienzo de mi vida académica, escuché una conferencia de quien hoy es un brillante magistrado del Tribunal Supremo que llevaba un título provocador, "Garantías, ¿para qué?", y que exponía cómo, en ocasiones, los mecanismos procesales dispuestos por el legislador como garantía de determinados derechos fundamentales se convertían en una trampa para el proceso, puesto que las defensas preferían centrar sus esfuerzos en la búsqueda de resquicios de vulneración de derechos en lugar de debatir los argumentos fácticos y jurídicos de lo que constituía el fondo del asunto. La hipertrofia de las garantías conducía así a la paradoja de que un sistema que se pretendía máximamente garantista resultaba finalmente máximamente vulnerador, acompañada de la consistente en que la mejor defensa posible se fundaba en acreditar la indefensión sufrida por el defendido, con todas las redundancias que ello conlleva.

Puesto que el lenguaje escrito carece de la complicidad entre emisor y destinatarios que sí permite el lenguaje oral, y teniendo en cuenta además que no soy tan buena como aquel conferenciante, es difícil que logre trasladar al papel el acierto con el que el orador logró transmitirme a mí lo que buscaba, que no era ni mucho menos un cuestionamiento sobre el sistema de garantías anudado a nuestro proceso penal, sino el recordatorio de que la norma tiene una finalidad, un espíritu, y que cuando comienza a separarse de él, sea mediante el propio desarrollo de la norma, sea a través de la interpretación que hacen los tribunales de ella, puede dejar de convertirse en regla, que rige, que regula, para convertirse en reja o jaula que aprisiona. Esta impresión ha vuelto a mí en ocasiones a lo largo de los años con determinadas instituciones jurídicas, y retorna en los últimos tiempos con lo que podríamos llamar "el orden público europeo" en el ámbito de la cooperación judicial en la Unión Europea. Mi reflexión se apoya sobre tres hitos diferentes y relacionados: la STJUE *Aranyosi*[1], la STJUE LM[2] y el artículo 11.1 f) de la Directiva 2014/41/CE del Parlamento Europeo y del Consejo de 3 de abril de 2014, relativa a la orden europea de investigación en materia penal[3].

1. PLANTEAMIENTO DE LA CUESTIÓN

La presencia del respeto a los derechos fundamentales en el marco de los instrumentos de cooperación penal en la UE no es nueva. Todas las normas de cooperación contienen una disposición –a veces en los Considerandos, con frecuencia en el primer artículo– que recuerda que la aplicación de la norma por parte de los Estados miembros no puede tener nunca como efecto que se vacíen de contenido sus obligaciones respecto de la observancia de los derechos, libertades y principios a los que se refiere el artículo 6 TUE. La Directiva 2014/41 incorpora, sin embargo, un elemento completamente novedoso en este sentido, puesto que formula estas obligaciones como causa de denegación de la ejecución de una OEI. Se trata de una causa facultativa –acogida como preceptiva por nuestra Ley

---

[1]   STJUE (Gran Sala) de 5 de abril de 2016, asuntos acumulados C404/15 y C659/15 *Aranyosi* y *Căldăraru*. ECLI:EU:C:2016:198.

[2]   STJUE (Gran Sala) de 25 de julio de 2018, asunto C216/18, LM. ECLI:EU:C:2018:586.

[3]   Así como su correlativo en la Ley 23/2014, de 20 de noviembre, de reconocimiento mutuo de resoluciones penales en la Unión Europea, el artículo 207. 1 d).

de Reconocimiento Mutuo– que procede "cuando existan motivos fundados para creer que la ejecución de la medida de investigación indicada en la OEI sería incompatible con las obligaciones del Estado miembro de ejecución de conformidad con el artículo 6 del TUE y de la Carta".

Nadie duda de la importancia que tiene, individualmente para cada Estado y en todo el conjunto de la UE, que cada tribunal que interviene en cada acto de cooperación confirme activamente su compromiso con el respeto de los derechos fundamentales en el proceso penal. La conversión de este compromiso en causa de denegación es una garantía máxima: no se van a ejecutar peticiones de cooperación si no está asegurado que esa petición se inserta en un contexto de observancia de los derechos fundamentales. Ninguno negaríamos la bondad de esta afirmación. Sin embargo, esta puede ser la espita por la que se desinfle el sistema de cooperación penal en la UE, circunstancia que también implicaría poner en riesgo derechos y garantías de muchos ciudadanos europeos. Por supuesto, los problemas no vienen dados por la existencia de garantías y la voluntad de respetarlas, sino por una en ocasiones inadecuada decisión sobre el modo en que deben ser aplicadas, exigidas y controladas.

2. LA OBLIGACIÓN DE RESPETAR LOS DERECHOS FUNDAMENTALES Y EL RECONOCIMIENTO MUTUO

El reconocimiento mutuo ha sido hasta ahora la pieza sobre la que ha girado la conversión de la UE en un espacio por el que las resoluciones judiciales en materia penal circulen con una cierta facilidad (el famoso espacio de libertad, seguridad y justicia). La cooperación penal no es un ámbito que hasta ahora haya podido apoyarse en la armonización de legislaciones –basta ver la dificultad para conseguir ciertos mínimos en garantías procesales para el sujeto pasivo–, de manera que se ha construido sobre la base de reconocer efectos en el propio sistema jurídico-penal a resoluciones que proceden de un sistema jurídico-penal equivalente. El primer marco de equivalencia, la base absoluta y total de cualquier equivalencia, es el respeto a los derechos y libertades fundamentales, de manera que existe espacio judicial común porque hay reconocimiento mutuo, y el reconocimiento mutuo es posible sobre la base de que el Estado solicitante o de emisión respeta los derechos fundamentales tanto como el Estado requerido o de ejecución, así que los sistemas jurídico-penales de ambos Estados pueden considerarse equivalentes aunque disten mucho de ser iguales o armónicos.

Miradas estas premisas con un poco de rapidez, parecería lógico que se pudiera denegar una petición de cooperación si el Estado requerido estima que en el proceso penal que se sigue en el Estado requirente y para el que se le solicita cooperación pueden resultar vulnerados derechos fundamentales: no hay equivalencia, luego tampoco colaboración. Sin embargo, no estoy segura de que esta sea la óptica correcta. Pienso, más bien al contrario, que la existencia de equivalencia es un *prius*, algo que se aceptó como presupuesto previo al sometimiento a instrumentos articulados sobre el reconocimiento mutuo. Así, el reconocimiento mutuo excluye, como regla general, la posibilidad de fiscalizar el funcionamiento del sistema jurídico-penal del Estado solicitante, precisamente porque se asienta sobre la base de que ese sistema es equivalente al propio. Si la pieza que está debajo de todo este esquema, el presupuesto de que se respetan los derechos fundamentales en todos los Estados miembros, puede dejar de tomarse como punto de partida general y examinarse para cada caso concreto, ¿se mantiene el edificio, sigue existiendo espacio común? ¿O todo cae y se fragmenta en pedazos porque se ha quitado la pieza que servía de suelo? Dicho de otro modo, ¿la respuesta correcta, adecuada, proporcionada, al déficit de derechos fundamentales, sería, no el rechazo de una solicitud de cooperación, sino del espacio común y del criterio común y la vuelta al criterio estatal individual?

3. LA CAUSA DE DENEGACIÓN

La cláusula de denegación del reconocimiento y ejecución de una OEI prevista en el artículo 11.1 f) de la Directiva procede, como se ha dicho, "cuando existan motivos fundados para creer que la ejecución de la medida de investigación indicada en la OEI sería incompatible con las obligaciones del Estado miembro de ejecución de conformidad con el artículo 6 del TUE y de la Carta". Tres observaciones son importantes respecto de la configuración de esta causa de denegación.

La primera es una cuestión de literalidad. Las incompatibilidades que permiten denegar la OEI lo son "con el artículo 6 del TUE y de la Carta". En una interpretación gramatical correcta, habría que entender "con el artículo 6 del TUE y con el artículo 6 de la Carta". En abstracto, que la causa de denegación se refiriera solo a unos derechos concretos podría no ser descabellado; es posible que en circunstancias determinadas haya derechos que merezcan mayor protección que otros, y puede haber momentos procesales más oportunos para la protección de unos y de otros. Esta construcción daría, además, un sentido posible al encabezamiento general del artículo 11 de la Directiva, que enuncia las causas de denegación "sin perjuicio del artículo 1 apartado 4", es decir, de la cláusula general de respeto a los derechos fundamentales. Sin embargo, hay varias razones que conducen a descartar esta interpretación y a inclinarse porque cualquier escenario de vulneración de derechos fundamentales conduce a la denegación de la OEI:

– El artículo 6 de la Carta, relativo a los derechos a la libertad y a la seguridad, no tiene ni el alcance general ni la vinculación con las fases de investigación y prueba suficientes como para explicar por qué habría sido elegido como fundamento de una causa de denegación excluyendo a otros artículos de la Carta que formulan otros derechos fundamentales.

– El artículo 1.4 de la Directiva declara la obligación de respetar los derechos fundamentales en términos claros, firmes y absolutos, concluyendo que "cualesquiera obligaciones que correspondan a las autoridades judiciales a este respecto permanecerán incólumes", afirmación que no se compadecería bien con el hecho de que posteriormente la denegación pudiese tener por fundamento solo la vulneración de algunos derechos fundamentales.

– El Considerando 18 de la Directiva se refiere a "la obligación de respetar los derechos fundamentales y los principios jurídicos fundamentales enunciados en el artículo 6 del Tratado de la Unión Europea (TUE) y en la Carta". La preposición "en" incluye todos los derechos de la Carta, mientras que la preposición "de" que se encuentra en el artículo 11.1 f) remite solo al artículo 6[4].

– El Considerando 19 de la Directiva alude a la denegación de la ejecución de la OEI "si hubiere motivos sustanciales para creer que la ejecución de una medida de investigación indicada en la OEI vulneraría un derecho fundamental del interesado y que el Estado de ejecución ignoraría sus obligaciones relativas a la protección de los derechos fundamentales reconocidos en la Carta", sin ninguna exclusión ni matiz.

---

[4]   En cambio, la versión en inglés del artículo 11.1 f) de la Directiva es equivalente a la traducción en español de este Considerando 18, y no a nuestra redacción del artículo 11.1 f), puesto que se refiere a (en traducción personal) "las obligaciones de los Estados de acuerdo con el artículo 6 TUE y la Carta" y no a "de la Carta", de modo que no puede entenderse que existe alusión a una norma concreta, como sí pasa en la versión en legua española: "*there are substantial grounds to believe that the execution of the investigative measure indicated in the EIO would be incompatible with the executing State's obligations in accordance with Article 6 TEU and the Charter*".

Todo este contexto conduce a considerar que, pese a su redacción, el artículo 11.1 f) de la Directiva permite denegar el reconocimiento y la ejecución de una OEI cualquiera que sea el derecho fundamental que se entienda amenazado o vulnerado. Es también el parámetro en el que tiene que apoyarse la interpretación de la norma española, el artículo 207.1 d) LRM, puesto que esta norma, copiada literalmente del artículo 11.1 f) de la Directiva, se refiere a las obligaciones del ESTADO español de proteger los derechos fundamentales "de conformidad con artículo 6 del Tratado de la Unión Europea y de la Carta de los Derechos Fundamentales de la Unión Europea".

En segundo lugar, hay que entender que la incompatibilidad con la obligación del Estado de ejecución de respetar los derechos fundamentales que conduce a la denegación de la ejecución de una OEI no está relacionada con una posible vulneración directa de los derechos fundamentales por parte del Estado de ejecución, sino con la vulneración indirecta que se derivaría de colaborar con un proceso penal potencialmente lesivo para los derechos fundamentales de las personas implicadas en él, aunque la actuación concreta solicitada al Estado de ejecución no sea la que provoque la lesión. Esto significa que recurrir a esta causa de denegación implica siempre un juicio sobre la vulneración de derechos fundamentales en otro ESTADO miembro.

Por último, pienso que la inclusión de la posible vulneración de derechos fundamentales como una causa de denegación entre otras hace que la valoración del sistema jurídico-penal de otros Estados miembros pierda excepcionalidad. Ya se ha visto que todos los instrumentos basados en el reconocimiento mutuo cuentan con una cláusula que recuerda y refuerza el respeto a los derechos fundamentales, cláusula que ha tenido repercusiones prácticas importantes como a continuación se dirá. Sin embargo, siempre que se ha acudido a esta cláusula para cuestionar la ejecución de un instrumento de cooperación basado en el reconocimiento mutuo se ha aludido a la situación de excepcionalidad que debe concurrir para permitir un rechazo que no se asienta en una causa de denegación. La Directiva 2014/41 normaliza este análisis y, con él, las excepciones al sistema de reconocimiento mutuo.

4. ¿CÓMO VA A FUNCIONAR LA CAUSA DE DENEGACIÓN?

Aunque el TJUE no se ha pronunciado todavía sobre la Directiva 2014/41[5], algunas decisiones recientes relativas a la orden europea de de-

---

5   Actualmente está formulada ya una cuestión prejudicial por parte de un tribunal búlgaro, asunto C-324/17, relativa al artículo 14 de la Directiva, que regula el sistema de

tención y entrega pueden servir para tener una primera visión del funcionamiento de la potencial vulneración de derechos fundamentales como causa de denegación de la ejecución de un instrumento de cooperación penal. Cualquiera de estos casos hay que contemplarlo desde la óptica de la sentencia *Melloni*[6], que estableció que el estándar de protección de derechos fundamentales para los Estados miembros cuando aplican el Derecho de la Unión es la CDFUE, y no las Constituciones internas[7]. En la Directiva 2014/41 resulta patente que el parámetro de protección al que atiende es la Carta, puesto que cuando el legislador europeo quiere dar paso a los derechos fundamentales y principios generales propios de las legislaciones internas de los Estados miembros lo formula expresamente[8].

> *Aranyosi* es en este punto incluso más tajante que *Melloni*, puesto que considera que la aplicación del Derecho de la Unión se produce "cuando la autoridad emisora y la autoridad judicial de ejecución aplican las disposiciones nacionales adoptadas en virtud de la Decisión Marco", sin entrar en el nivel de margen para la trasposición que, respecto de la Decisión Marco, tenía el legislador nacional a la hora de formular la norma interna. De *Melloni*, en cambio, se desprende que si la trasposición tiene que ceñirse completamente al contenido de la Decisión Marco, la aplicación de la normativa interna puede considerarse aplicación del Derecho UE y está sujeta por tanto a la CDFUE como parámetro de protección de los derechos fundamentales, mientras que si el legislador estatal tenía opciones diversas para trasponer la normativa de la Unión, la aplicación de la legislación interna puede responder a parámetros de protección también internos, siempre que estos no pongan en peligro la coherencia y la eficacia del Derecho de la Unión.

Las circunstancias de la STJUE *Aranyosi* son sobradamente conocidas, y también los puntos fundamentales de la decisión del tribunal. De resolu-

---

recursos contra las decisiones adoptadas por el Estado de ejecución respecto de la OEI solicitada.

[6] STJUE (Gran Sala) de 26 de febrero de 2013, Asunto C-399/11 – *Melloni*, ECLI:EU:C:2013:107.

[7] Es interesante en este punto la STJUE de 19 de septiembre de 2018, Asunto C-327/18, RO, ECLI:EU:C:2018:733, puesto que analiza la posibilidad de que los derechos fundamentales del sujeto pasivo sean vulnerados en un contexto de no aplicación de la Carta, como es el abandono de la UE por parte del Reino Unido. Se atiende entonces tanto a que el Reino Unido es parte del CEDH como a que ha incorporado a su legislación interna las exigencias de éste.

[8] Así, el artículo 24.2 b) permite rechazar una solicitud de comparecencia por videoconferencia o medios audiovisuales, además de por las causas del artículo 11, cuando "la ejecución de dicha medida de investigación en un caso concreto sea contraria a los principios fundamentales del Derecho del Estado de ejecución".

ción más reciente es el asunto LM, que deriva de una cuestión prejudicial formulada por un tribunal irlandés respecto de una OEDE solicitada por Polonia, frente a la que el sujeto pasivo se opuso alegando que las reformas emprendidas en el sistema judicial polaco implicarían la vulneración de su derecho a ser juzgado por un tribunal independiente e imparcial si la orden de detención y entrega era ejecutada.

4.1. ¿Puede fundarse la denegación en la potencial vulneración de cualquier derecho fundamental?

El derecho en torno a cuya potencial vulneración gira *Aranyosi* es la prohibición de penas o tratos inhumanos o degradantes. El TJUE considera que se trata de un derecho que desde la perspectiva de la CDFUE tiene carácter absoluto, apoyándose en su vinculación con la dignidad humana y en que es calificado como inderogable aun en tiempo de guerra por el CEDH, de modo que concluye que el tribunal de ejecución debe, al menos, suspender la aplicación del instrumento de cooperación cuando entienda que su ejecución puede determinar que el sujeto afectado sufra la vulneración de este derecho. Parece, en cierto modo, que la excepcionalidad de la decisión de no ejecutar el instrumento se funda en el carácter a su vez excepcional del derecho que puede ser vulnerado.

Posteriormente, en el asunto LM, se invoca un derecho que no forma parte del Capítulo I de la Carta, rotulado como "Dignidad", sino del V, rotulado "Justicia", el derecho a que la propia causa sea oída por un juez independiente e imparcial, contemplado en el artículo 47. El TJUE prescinde entonces de la necesidad de calificar este derecho como absoluto –como sí hace en la sentencia *Aranyosi*–, sino que se limita a justificar su carácter de derecho fundamental, como podría hacer con cualquiera de los que recoge la Carta. Y, como consecuencia, entiende que "la existencia de un riesgo real de que la persona que es objeto de una orden de detención europea sufra, en caso de ser entregada a la autoridad judicial emisora, una violación de su derecho fundamental a un juez independiente y, con ello, del contenido esencial de su derecho fundamental a un proceso equitativo, garantizado por el artículo 47, párrafo segundo, de la Carta, puede permitir a la autoridad judicial de ejecución abstenerse, con carácter excepcional, de dar curso a dicha orden de detención europea, sobre la base del artículo 1, apartado 3, de la Decisión marco 2002/584".

Siendo cierto que el rango de todos los derechos fundamentales es idéntico, también lo es que podría distinguirse legítimamente entre ellos en cuanto a las formas de protección, como sucede en nuestro ordenamiento jurídico con el recurso de amparo, teniendo en cuenta, además, que no todos ellos son susceptibles de ser vulnerados a través de un proceso penal. De momento, el TJUE no ha establecido diferencia alguna –y la Directiva 2014/41 tampoco–, aunque hay que considerar que, si se hubiese definido un elenco de derechos cuya potencial vulneración permitiese denegar una solicitud articulada mediante un instrumento basado en el reconocimiento mutuo, tanto el derecho a no sufrir penas ni tratos inhumanos o degradantes como el derecho a la tutela judicial efectiva se encontrarían en él, de manera que es posible que esta diferenciación surja el día en que se plantee la denegación con base en otros derechos. Hay que tener en cuenta, no obstante, que esta posición implica la apertura a un campo amplísimo de causas de denegación, puesto que entre la cincuentena de derechos formulados en la Carta hay al menos una docena que podrían entrar en colisión con el desenvolvimiento de un proceso penal.

4.2. *Constatación de la potencial vulneración de un derecho fundamental*

¿Y cómo se constata la potencial vulneración de un derecho fundamental en otro Estado miembro? Pues mediante una operación que tiene dos pasos, descrita ya en *Aranyosi* y perfeccionada en LM.

En primer lugar, la autoridad de ejecución debe tener en cuenta "elementos objetivos, fiables, precisos y debidamente actualizados" que hagan patente la existencia de "deficiencias sistémicas y generalizadas" respecto de derechos de la Carta. El TJUE explicita que estos elementos pueden proceder "de resoluciones judiciales internacionales, como las sentencias del TEDH, de resoluciones judiciales del Estado miembro emisor o de decisiones, informes u otros documentos elaborados por los órganos del Consejo de Europa o del sistema de las Naciones Unidas". Como puede verse, se trata de factores cualitativamente distintos, que no admiten un cómputo cuantitativo sencillo y que no se configuran como una lista cerrada.

> En *Aranyosi*, cumplen con este requisito las condenas que tanto Hungría como Rumanía habían recibido del TEDH por vulneración del artículo 3 del CEDH a causa de la sobrepoblación en las cárceles. En LM, la propuesta de la Comisión de conformidad con el artículo 7.1 TUE para que el Consejo declare que en Polonia existe un riesgo de violación grave de los principios contemplados en el artículo 2 TUE como consecuencia de las reformas que afectan a la independencia del poder judicial. En cambio, la ya citada STJUE RO, considera que el hecho de que un Estado miembro comunique su decisión de retirarse de la UE no

integra el requisito de concurrencia de una circunstancia excepcional de deficiencia respecto de los derechos de la Carta.

Y, en segundo lugar, aun constatadas estas deficiencias, hay que considerar concurrente un riesgo real y concreto de que sean vulnerados los derechos del sujeto pasivo del proceso penal en cuyo marco se inserta la petición de cooperación. Esta necesidad de valoración en el caso concreto, ya enunciada en *Aranyosi*, es desarrollada particularmente en LM, puesto que el TJUE señala que la suspensión de la aplicación con carácter general de un instrumento de reconocimiento mutuo solo puede producirse en el caso de una violación grave y persistente de los principios contemplados en el artículo 2 TUE, violación que debe ser declarada por el Consejo a través del procedimiento establecido en el artículo 7.2 TUE. Dos observaciones sobre la valoración del caso concreto.

–   Esta valoración se hará solicitando de la autoridad de emisión la información que el órgano de ejecución considere necesaria. Definir el alcance de esta información –que la Directiva 2014/41 también prevé, en su artículo 11.4– no es sencillo, como se desprende de la STJUE ML[9] (no confundir con LM), que aborda de nuevo, como en *Aranyosi*, una cuestión prejudicial relacionada con la denegación de una OEDE a causa de las condiciones de reclusión en Hungría. El TJUE señala, en primer lugar, que la solicitud urgente de información no es un trámite obligatorio, sino una última posibilidad a la que puede recurrir el tribunal de ejecución cuando estime que carece de los datos necesarios para realizar el examen individualizado que constituye este segundo paso. A continuación, y precisamente porque se trata de un examen individualizado, establece que la solicitud de información no puede abarcar el examen del completo sistema –penitenciario en este caso– de un Estado miembro[10].

–   En cualquier caso, la valoración consistirá siempre en un juicio hipotético, y no en la constatación de una vulneración producida.

---

[9]   STJUE de 25 de julio de 2018, Asunto C-220/18 – ML, ECLI:EU:C:2018:589.

[10] Hay que tener en cuenta que en el supuesto del que trae causa la resolución, la autoridad de ejecución alemana reclamó de la autoridad de emisión la respuesta a un cuestionario de 78 preguntas, algunas relativas a cuestiones que no afectaban a la concreta ejecución del arresto en el caso de la OEDE concreta. Como después se dirá, en la sentencia ML apunta un leve rastro de alarma ante el derrotero que puede tomar el control de la observancia de los derechos fundamentales en el Estado de emisión.

5. CONCLUSIONES

Estas reflexiones comenzaban con una pregunta relativa a las garantías. ¿Puede volverse el control del respeto a los derechos fundamentales en el proceso penal en contra de los propios derechos fundamentales y del proceso penal? En cierto modo sí, como el propio TJUE declara en la sentencia ML: un examen manifiestamente excesivo –en este caso, de las condiciones de reclusión que pueden implicar la violación del artículo 4 de la Carta– "podría demorar de forma sustancial la entrega de dicha persona y, por tanto, privar de todo efecto útil al funcionamiento del sistema de la orden de detención europea. De ello se derivaría un riesgo de impunidad de la persona reclamada (…). Pues bien, tal impunidad sería incompatible con el objetivo perseguido tanto por la Decisión Marco (…) como por el artículo 3 TUE apartado 2, en cuyo contexto se encuadra esta Decisión Marco y según el cual la Unión ofrece a sus ciudadanos un espacio de libertad, seguridad y justicia sin fronteras interiores, en el que está garantizada la libre circulación de personas conjuntamente con medidas adecuadas en materia de control de las fronteras exteriores, así como de prevención y lucha contra la delincuencia".

¿Qué se puede hacer, entonces? Porque, desde luego, la solución no pasa tampoco por rendirse a la eficacia ignorando que despegarse del respeto a los derechos fundamentales es socavar la base tanto de los Estados de Derecho como de la propia Unión. Pienso que el equilibrio necesario pasa, de algún modo, por los siguientes puntos, que implican a todos los actores del espacio de libertad, seguridad y Justicia.

– En primer lugar, hay que poner el respeto a los derechos fundamentales en perspectiva y en contexto. Todos los Estados miembros han sido condenados en alguna ocasión por el TEDH, y todos tienen también pronunciamientos de sus tribunales amparando las vulneraciones de derechos sufridas por los ciudadanos por parte de sus propios poderes públicos. En un nivel razonable, este contexto no habla de Estados incumplidores sino de una importante preocupación por precisar, perfilar y desarrollar los derechos fundamentales, que implica que inevitablemente se produzcan desajustes en la interpretación y aplicación de una materia viva que está en constante evolución. En la misma línea, el TJUE tendría que ir definiendo el contenido de los derechos de la Carta a medida que se vayan invocando ante él –como hace de un modo detallado con el derecho a la tutela judicial efectiva en las sentencias *Associaçao Sindical dos*

Juíces Portugueses[11] y LM; en cambio, la STJUE *Aranyosi* no define el contenido del artículo 4 CDFUE, ni siquiera respecto de las condiciones de reclusión que determina la formulación de las cuestiones prejudiciales, de modo que los órganos jurisdiccionales internos puedan mirar la aplicación de las normas europeas en este punto con criterios uniformes. Porque los órganos jurisdiccionales de los ESTADOS miembros son responsables de tutelar los derechos de la Carta y de hacerlos efectivos, pero no de interpretarlos ni de definir su contenido.

– Tal vez sería necesario poner un límite a los supuestos en que los tribunales de un Estado miembro pueden apreciar la concurrencia de deficiencias sistémicas respecto del respeto a algún derecho fundamental en otro Estado miembro. *Aranyosi* se dicta sobre centenares de condenas del TEDH, y LM sobre una situación todavía más extrema, la existencia de un procedimiento abierto por las propias instituciones europeas que puede conducir a la declaración de incumplimiento de los valores previstos en el artículo 2 TUE. Parecen más delicadas otras posibilidades, como la valoración o interpretación directa por parte de la autoridad de ejecución de la jurisprudencia o legislación del Estado de emisión. Es sabido que comprender un sistema jurídico ajeno requiere de un estudio riguroso, y que unas cuantas normas o resoluciones judiciales aisladas pueden producir una impresión falsa o deformada. Tal vez sería prudente haber exigido un pronunciamiento de una institución supranacional, o un conjunto de resoluciones de tribunales supranacionales en un periodo algo extenso de tiempo, de manera que no resulten ser el reflejo de una situación concreta posteriormente modificada, precisamente como consecuencia de las condenas.

– Sería igualmente necesario definir de un modo más completo los términos en los que debe producirse la valoración del riesgo individualizado de vulneración de derechos como consecuencia de la ejecución de una OEI, y esto en varios planos:

  • En primer lugar, habría que determinar si este riesgo puede ser apreciado de oficio o solo si es alegado por el titular del derecho supuestamente en riesgo. A favor de la apreciación a instancia de parte juegan tanto la referencia a la construcción de

---

[11] STJUE (Gran Sala) de 27 de febrero de 2018, Asunto C-64/16 - *Associaçao Sindical dos Juíces Portugueses*, ECLI:EU:C:2018:117.

la causa de denegación a partir de una presunción *iuris tantum* de respeto a los derechos fundamentales que se encuentra en el Considerando 19 de la Directiva[12] como lo ilógico que resultaría proteger de una potencial vulneración de derechos fundamentales por parte de su Estado de origen a un ciudadano que no ha solicitado tal protección. En contra, que dada la variedad de sistemas y ordenamientos existentes en la UE y también de medidas que pueden ser instadas mediante una OEI, tal vez resulte arriesgado fiar la protección de derechos fundamentales a la existencia de unas alegaciones que es posible que no tengan cauce u oportunidad para producirse.

- En segundo lugar, habría que establecer que si, a juicio de la autoridad requerida, no existe el contexto de desprotección sistémica dibujado por el TJUE, no se entrará en el examen de la concurrencia de riesgo individualizado. La potencial vulneración de derechos fundamentales en el ordenamiento jurídico de origen de la solicitud de cooperación es una causa de denegación muy fácil de alegar por parte del sujeto pasivo y que puede llevar mucho tiempo y esfuerzo para su comprobación por parte de la autoridad de ejecución, suponiendo solo eso ya un claro perjuicio para el sistema de cooperación, como ya se ha visto que resalta la STJUE ML, de modo que solo tiene sentido esa inversión de tiempo y esfuerzo si antes de realizarla se sabe que concurre al menos el primer presupuesto para que la cooperación pedida pueda ser rechazada.

- Y, aun concurriendo este primer presupuesto, estimo que el Estado de ejecución no debería entrar en el examen de la potencial vulneración de derechos fundamentales si la decisión de emitir la OEI fue impugnada por el sujeto pasivo conforme a la legislación procesal del Estado de emisión y los órganos jurisdiccionales competentes confirmaron la inexistencia de riesgo para los derechos fundamentales. Una conclusión equivalente

---

[12] "La realización del espacio de libertad, seguridad y justicia en la Unión se basa en la confianza mutua y en una presunción del respeto, por parte de los demás Estados miembros, del Derecho de la Unión y, en particular, de los Derechos fundamentales. No obstante, se trata de una presunción iuris tantum. Por consiguiente, si hubiere motivos sustanciales para creer que la ejecución de una medida de investigación indicada en la OEI vulneraría un derecho fundamental del interesado y que el Estado de ejecución ignoraría sus obligaciones relativas a la protección de los derechos fundamentales reconocidos en la Carta, la ejecución de la OEI I debe denegarse".

puede derivarse de la STJUE ML, que considera que, dada una garantía judicial procedente del Estado de emisión relativa al respeto del derecho fundamental que puede considerarse en riesgo de ser vulnerado –garantía que en el caso de autos no concurría, y que el TJUE insiste en que debe ser judicial– "la autoridad judicial de ejecución, a la vista de la confianza recíproca que debe existir entre las autoridades judiciales de los Estados miembros, en la que se basa el sistema de la orden de detención europea, deberá confiar en esta"[13].

---

[13] La afirmación del TJUE no se cierra aquí, sino que continúa "al menos a falta de todo elemento preciso que permita pensar que las condiciones de internamiento existentes en un centro de reclusión determinado son contrarias al artículo 4 de la Carta". La verdad es que si falta todo elemento preciso que indique la posible vulneración del derecho no hace falta confiar en ninguna garantía, sino que simplemente no se acredita la concurrencia de la causa de denegación.

SÉPTIMA PARTE
LA PRUEBA TRANSFRONTERIZA Y SU INCORPORACIÓN AL PROCESO PENAL ESPAÑOL. REGLAS DE EXCLUSIÓN, ADMISIBILIDAD E IMPUGNACIÓN

Capítulo XXXV

LA PRUEBA TRANSFRONTERIZA
Y SU INCORPORACIÓN AL PROCESO PENAL
ESPAÑOL[1]

Mar JIMENO BULNES
Catedrática de Derecho Procesal
Universidad de Burgos

El arte de la prueba parece particularmente
aplicable a la práctica de los tribunales; allí está
su punto sobresaliente; allí donde adquiere la ma-
yor importancia, donde parece que existe o puede
existir con el método más perfecto
(Jeremías Bentham)[2]

SUMARIO: 1. INTRODUCCIÓN 2. PRUEBA TRANSFRONTERIZA EN EL PROCE-
SO PENAL ESPAÑOL ANTES DE LA OEI. 2.1. Instrumentos legales. 2.2. Experiencias
prácticas. 3. ESPECIAL PROBLEMÁTICA DE LA PRUEBA TRANSFRONTERIZA EN
JUZGADOS Y TRIBUNALES ESPAÑOLES 4. ADAPTACIÓN DE LA OEI EN ESPAÑA Y
PERSPECTIVAS DE FUTURO EN EUROPA: 4.1. La incorporación de la OEI al proceso
penal español. 4.2. El reto de la prueba electrónica. 5. REFLEXIÓN FINAL.

RESUMEN: La presente contribución aborda el análisis de la prueba transfronteriza en el proceso penal español partiendo de una dimensión temporal
así como de un método concreto. La dimensión temporal utiliza la fecha de
la promulgación de la Orden Europea de Investigación y su adaptación en
España como hito a fin de analizar la práctica judicial anterior a la misma así

[1]   La presente contribución se enmarca dentro de diversos proyectos investigadores y así
        financiados por la Comisión Europea – DG Justicia "Best practices for European coor-
        dination on investigative measures and evidence gathering (EUROCOORD)" (Ref.
        JUST-2015-JCOO-AG-1-723198) como españoles del Plan Nacional "Un paso adelante
        en la consolidación del espacio judicial europeo y su aplicación en España: visión des-
        de el proceso civil y penal" (Ref. DER2015-71418-P) y autonómico "Los protagonistas
        del futuro proceso penal en el marco de la Unión Europea" (Ref.BU092G18), de los
        que la autora es investigadora principal.
[2]   Manejo la compilación de E. Dumont y traducción de M. Ossorio Florit, *Tratado de las*
        pruebas judiciales, vol. 1, Ediciones Jurídicas Europa – América, Buenos Aires, 1971, p. 22.

como las nuevas propuestas europeas ahora en desarrollo. El método concreto aquí utilizado parte de los resultados obtenidos mediante el trabajo de campo realizado en el seno del proyecto Eurocoord, a través del cual se examina la problemática hasta la fecha planteada en el seno de Juzgados y Tribunales españoles en la práctica de cooperación judicial internacional. Se concluirá con una breve reflexión final *pro futuro*.

ABSTRACT: This contribution studies the cross-border evidence in the Spanish criminal procedure employing special time dimension and method. The time dimension uses the date of the promulgation of the European Investigation Order and its implementation in Spain as a milestone in order to analyze the prior judicial practice as well as the new European proposals on cross-border evidence now under development. The method here is based on the results obtained through the field work carried out in Eurocoord project, which examines the problems that have arisen in Spanish Courts along the practice of international judicial cooperation. Finally, some conclusive remarks shall be presented too.

PALABRAS CLAVE: prueba transfronteriza – proceso penal – Unión Europea - Orden europea de investigación – cooperación judicial internacional – prueba electrónica – "buenas prácticas"

KEY WORDS: cross-border evidence – criminal procedure – European Union - European Investigation Order – international judicial cooperation – e-evidence – best practices

1. INTRODUCCIÓN

Sin duda la prueba constituye actividad esencial en el proceso y así ha sido defendido desde siempre por los grandes autores de la escuela de Derecho Procesal estudiosos de la misma[3]. Así la prueba, entendida como "el arte de recoger los hechos, de comprobarlos, de colocarlos en el orden debido para que se esclarezcan mutuamente y se deduzcan sus enlaces y sus consecuencias"[4], ha devenido hoy transfronteriza en cuanto la reunión

---

[3] Sirva aquí recordar al profesor Manuel SERRA DOMÍNGUEZ en España; entre su numerosa obra al respecto, a modo de ejemplo dentro de la más clásica, "Contribución al estudio de la prueba", *Revista Jurídica de Cataluña*, n° 1, 1962, pp. 317-330 afirmando en sus primeras líneas que la prueba "constituye la esencia del proceso" e, ítem más "abarca con mayor o menor influencia todo el ámbito del proceso" (p. 317); otros estudios y autores se enumeran por su parte en su trabajo "El derecho a la prueba en el proceso civil español", en *Libro homenaje a Jaime Guasp*, Comares, Granada, 1984, pp. 561-585, esp. pp. 561-562. Así también al gran maestro Jeremías BENTHAM en el panorama internacional, cuya cita de obra principal anticipa el presente trabajo.

[4] BENTHAM, Jeremías, *Tratado de las pruebas judiciales,* vol. I, op. cit., p. 22.

de tales hechos y su comprobación traspasa los límites territoriales de la jurisdicción española. Por ello que esta prueba transfronteriza que en el siglo XIX hubiera podido ser catalogada como "prueba inferior" dado su carácter a menudo preconstituido y/o escrito[5], resulta ser hoy de máxima actualidad dado el creciente incremento de la dimensión internacional del propio proceso. La prueba transfronteriza o transnacional se convierte así en *trendy topic* o *mainstream* por parte de la academia y foro; por tanto, resulta ser de obligada referencia en cualquier tratado procesal que se ocupe del análisis, bien de la institución de la prueba, bien del fenómeno de la cooperación judicial internacional.

No en vano los elementos de cooperación judicial internacional y prueba permanecen hoy estrechamente unidos[6] en tanto en cuanto los instrumentos procesales de mayor relevancia en el ámbito de la primera sin duda pasan por aquellos que se ocupan de la provisión de actividad probatoria, aquí en el seno del proceso penal español. Se trata de la obtención de "fuentes de prueba que se encuentran en un territorio distinto de aquél en que se está ejerciendo la potestad jurisdiccional"[7] en su doble vertiente de diligencias probatorias o medidas de investigación para proceder en su día al aseguramiento de prueba en función de la fase procesal operante[8]; ello bajo la perspectiva de un doble modelo,

---

[5]   De nuevo BENTHAM, Jeremías, *Tratado de las pruebas judiciales,* vol. II, op. cit., pp. 3 y ss.

[6]   Entre muchos y como bibliografía de referencia a lo largo de este trabajo junto a la anterior BUJOSA VADELL, Lorenzo M., "Cooperación procesal penal y prueba", en *La prueba en el proceso/ Evidence in the process,* II Conferencia Internacional & XXVI Jornadas Iberoamericanas de Derecho Procesal IIDP e IAPL, Atelier, Barcelona, 2018, pp. 525-554. En el ámbito de la Unión Europea, MARTÍN GARCÍA, Antonio Luis y BUJOSA VADELL, Lorenzo, *La obtención de prueba en materia penal en la Unión Europea,* Atelier, Barcelona, 2016, y en su día, AA.VV., *La prueba en el espacio europeo de libertad, seguridad y justicia penal,* Centro de Estudios Jurídicos – Thomson & Aranzadi, Cizur Menor, 2006. Desde la perspectiva comparada con carácter general VERMEULEN, Gert, *Free gathering and movement of evidence in criminal matters in the EU. Thinking beyond borders, striving for balance, in search of coherence,* Maklu, Antwerpen – Apledoorn – Portland, 2011; más amplia y recientemente el estudio de VERMEULEN, Gert, DE BONDT, Wendy y VAN DAMME, Yasmin, *EU cross-border gathering and use of evidence in criminal matters. Towards mutual recognition o investigative measures and free movement of evidence,* Maklu, Antwerpen – Apledoorn – Portland, 2010, como resultado también de un proyecto financiado por la Comisión Europea. *Last but not least,* desde la perspectiva española RODRIGUEZ-MEDEL NIETO, Carmen, *Obtención y admisibilidad en España de la prueba penal transfronteriza,* Aranzadi, Cizur Menor, 2016.

[7]   BUJOSA VADELL, Lorenzo M., "Cooperación procesal penal y prueba", op. cit., p. 531.

[8]   Como es sabido, fase de instrucción o de juicio oral, ello si bien por simplificación terminológica utilizaré en mi trabajo uno u otro término caso de no utilizar ambos. No obstante, se incidirá más adelante en la cuestión.

inicialmente de Derecho Internacional Clásico y así ha tenido lugar hasta la fecha, ahora de integración en el seno de un "espacio público común europeo"[9]. La diferencia no es baladí por cuanto en el primero opera, como es sabido, el principio de soberanía territorial por parte de las distintas jurisdicciones estatales mientras que el segundo se articula bajo la fórmula del principio de reconocimiento mutuo basado en la confianza mutua[10]; este último es reforzado hoy día cada vez en mayor medida por el principio de aproximación legislativa, especialmente por lo que atañe al ámbito procesal penal[11].

Tal modelo de integración en virtud de sendos principios de reconocimiento mutuo y aproximación legislativa que encuentran base jurídica en el artículo 82.1 del Tratado de Funcionamiento de la Unión Europea (en adelante, TFUE) es el modelo que opera en el momento actual a partir de la consolidación del Espacio de Libertad, Seguridad y Justicia[12] conocido bajo las siglas ELSJ e instaurado tras la firma del Tratado de Lisboa según es contemplado en el Título V, arts. 67-86 TFUE; comúnmente conocido en nuestro terreno como espacio judicial europeo, su conexión es ineludible con el proceso penal nacional[13]. De este modo y en concreto, ha de recordarse que el artículo 82.2.a) TFUE inserto en el Capítulo 4 del ante-

---

[9]   GONZÁLEZ CANO, Mª Isabel, "Presentación", en GONZÁLEZ CANO, Mª Isabel (Dir.), *Integración europea y justicia penal*, Tirant lo Blanch, Valencia, 2018, pp. 17-21, p. 17. Desde aquí vaya mi agradecimiento a la autora y directora de la presente obra colectiva por la invitación formulada para participar en congreso origen de la misma.

[10]   Por ello la denominación por algunos de este modelo de integración *trust-based horizontal integration*; de este modo, RIZCALLAH, Cecilia, "The challenges to trust-based governance in the European Union: assessing the use of mutual trust as a driver of EU integration", *European Law Journal*, 2019, DOI: 10.1111/eulj.12303, p. 2.

[11]   Amplia y aún recientemente, JIMENO BULNES, Mar, "Perspectiva de la orden europea de detención y entrega: el principio de reconocimiento mutuo y la cooperación judicial en la Unión Europea", en BURGOS LADRÓN DE GUEVARA, Juan (coord..), *La cooperación judicial entre España e Italia. La orden europea de detención y entrega en la ejecución de sentencias penales*, Instituto Vasco de Derecho Procesal, San Sebastián, 2017, pp. 5-33.

[12]   Extensamente y con carácter general, JIMENO BULNES, Mar, *Un proceso europeo para el siglo XXI*, Civitas & Thomson Reuters, Madrid, 2011, pp. 25 y ss. Así también, con mismo carácter general y entre muchos, DE JORGE MESAS, Luis Francisco, *Reconocimiento mutuo de las resoluciones penales en la Unión Europea*, Tirant lo Blanch, Valencia 2016, pp. 55 y ss.

[13]   A modo de ejemplo, por todos, JIMENO BULNES, M. (dra.) y MIGUEL BARRIO, R. (coord..), *Espacio judicial europeo y proceso penal*, Tecnos, Madrid, 2018, con examen también de dicha actividad probatoria de carácter transfronterizo. El libro es resultado de las jornadas celebradas con el mismo título en la Universidad de Burgos los días 4 y 5 de mayo de 2017.

rior Título V relativo a la cooperación judicial en materia penal se ocupa precisamente de proveer "normas mínimas" bajo la forma de directivas[14] referidas a "la admisibilidad mutua de pruebas entre los Estados miembros". Así hoy día la Directiva 2014/41/CE del Parlamento Europeo y del Consejo, de 3 de abril de 2014, relativa a la orden europea de investigación en material penal[15], en adelante OEI, cuya promulgación, adaptación en sede estatal y entrada en vigor han marcado un hito dentro el panorama de la prueba transfronteriza para el ámbito, no sólo de la Unión Europea sino también nacional.

El presente trabajo se centra precisamente en exponer la evolución de la prueba transfronteriza en el seno del proceso penal utilizando como parámetro de medición la OEI. De este modo y respecto a la estructura del presente estudio, se examinará en primer lugar la práctica de cooperación judicial en empleo de los instrumentos legales hasta la fecha disponibles, en segundo lugar, se abordará su problemática plateada a la luz de la experiencia judicial reunida en Juzgados y Tribunales españoles mientras que, en tercer lugar, se acometerá el previsible escenario en el empleo y adaptación de la OEI en nuestro país junto a las propuestas de futuro en materia de actividad probatoria transnacional, cuya discusión tiene ahora lugar en sede europea; por ello que podría resumirse esta panorámica en el examen de la prueba transfronteriza en el proceso penal como su examen antes, durante y después de la OEI. En todo caso se partirá como método de trabajo de los resultados alcanzados en el seno del proyecto "Best practices for European coordination on investigative measures and evidence gathering (EUROCOORD)" financiado por la Comisión Europea para los años 2017-

---

[14] Recuérdese, norma de alcance general y con efecto directo reconocido desde antaño por abundante jurisprudencia del Tribunal de Justicia, aún carente su aplicabilidad inmediata; esto es, "obligará al Estado miembro destinatario en cuanto al resultado que deba conseguirse dejando sin embargo, a las autoridades nacionales la elección de la forma y de los medios" (art. 288.III TFUE). Precisamente la aplicación de este efecto directo fue cuestionado para nuestro país dada la adaptación de la directiva de la OEI toda vez precluído el plazo de transposición. Sobre el siempre controvertido efecto directo de las directivas recientemente KOUTRAKOS, Panos, "Is there more to say about the direct effect of directives?", *European Law Review*, nº 5, 2018, pp. 621-622, dejando claro que no está agotado el debate.

[15] DOUE de 1 de mayo de 2014, nº L 130, pp. 1-36. Por todos, a la fecha, JIMENO BULNES, Mar, "Orden europea de investigación en materia penal", en JIMENO BULNES, Mar (coord..), *Aproximación legislativa versus reconocimiento mutuo en el desarrollo del espacio judicial europeo: una perspectiva multidisciplinar,* Bosch, Barcelona, 2016, pp. 151-208. Información sobre la misma puede encontrarse igualmente en página web de anterior proyecto EUROCOORD http://eurocoord.eu

2019 y coordinado por la Universidad de Burgos con participación de otras universidades española y extranjeras[16].

2. PRUEBA TRANSFRONTERIZA EN EL PROCESO PENAL ESPAÑOL ANTES DE LA OEI

En el sentido indicado, se parte de los resultados alcanzados en el proyecto europeo de referencia que incide de modo especial precisamente para la redacción de este capítulo, en el que se expondrá instrumentos legales, experiencia práctica y particular problemática presentada en los Juzgados y Tribunales de nuestro país en los que tiene lugar la necesidad de acudir a la cooperación judicial internacional en desarrollo de actividad probatoria durante el transcurso de procesos penales. Aún cuando se realizará particular referencia a la solicitud de nuestro país de tales diligencias probatorias (cooperación judicial activa) en su doble acepción de fuentes y medios de prueba[17], no ha de olvidarse su importante papel también como proveedor de las mismas con destino a autoridades judiciales de otros Estados (cooperación judicial pasiva), teniendo en cuenta que la referencia es hecha en especial a los Estados miembros de la Unión Europea.

---

[16] Universidad Complutense de Madrid con participación de profesoras Lorena Bachmaier Winter y Marien Aguilera Morales; *Università degli Studi di Palermo* (Italia) con dirección de la profesora Annalisa Mangiaracina y *Universytet Jagiellonski* (Polonia) con dirección del profesor Adam Górski. Mayor información de proyecto y participantes se encuentra en anterior página web http://eurocoord.eu

[17] Parto de la distinción obvia entre "medio" y "fuente" de prueba, ya apuntada en su día por BENTHAM, Jeremías, *Tratado de las pruebas judiciales*, vol. I, pp. 29 y ss, en relación con las diversas especies de pruebas y así la distinción entre un *medio* "que se utiliza para establecer la verdad de un hecho" y la *fuente* "de que proviene". Tal distinción es expuesta, como es sabido, en nuestro país para el proceso civil por MONTERO AROCA, Juan, en MONTERO AROCA, Juan, GÓMEZ COLOMER, Juan Luis, BARONA VILAR, Silvia y CALDERÓN CUADRADO, Mª Pía, *Derecho Jurisdiccional*, t. II, *Proceso civil*, 26ª ed., Tirant lo Blanch, Valencia, 2018, para quien "las fuentes de prueba son los elementos que existen en la realidad, y los medios consisten en las actividades que es preciso desplegar para incorporar las fuentes al proceso" (p. 324). De ahí que pueda tener lugar mediante la cooperación judicial la solicitud de actividad probatoria bajo una fórmula u otra, y así, por ejemplo, la solicitud de información sobre cuentas bancarias al amparo del art. 26 Directiva OEI (fuente de prueba), cuya aportación tendrá lugar en su día en España bajo la forma de prueba documental que introducirán ya el Juzgado o Tribunal competente a diferencia de la declaración testifical y/o pericial bajo el art. 24 Directiva OEI, cuya práctica se solicita realizar mediante cooperación judicial a la autoridad judicial extranjera (fuente y medio de prueba).

De este modo y como actividad relevante dentro del mencionado proyecto tiene lugar la realización de entrevistas personales a distintos operadores jurídicos con relevante experiencia práctica en cooperación judicial en el ejercicio de sus funciones (jueces y magistrados, fiscales y abogados[18]) a fin de conocer el estado de la cuestión y poder apreciar las dificultades presentadas en el desarrollo de tal cooperación judicial antes de la entrada en vigor de la OEI. A la fecha ha sido precisamente objeto de reciente publicación el informe en análisis de las mismas elaborado por parte de la Universidad de Burgos por lo que respecta a España[19], cuyos resultados preliminares con su correspondiente comentario se exponen aquí y ahora en este capítulo.

2.1. *Instrumentos legales*

A la luz del trabajo de campo acometido se pone de relieve el empleo de una doble tipología de instrumentos legales de cooperación judicial internacional aplicados por parte de las autoridades judiciales encargadas de la misma. De este modo ha de diferenciarse entre aquellos instrumentos de carácter contractual bajo la fórmula de convenios bilaterales o, en mayor medida, multilaterales de ámbito institucional y los instrumentos lega-

---

[18]   En suma, se realizó entrevista a 24 profesionales españoles durante las fechas de junio, julio y septiembre de 2017 por parte de Marien Aguilera, Lorena Bachmaier y Mar Jimeno, en su práctica totalidad de forma presencial, salvo contadas excepciones en que se acudió al empleo de Skype debido a la distancia geográfica (Marbella, Marruecos y Palma de Mallorca). De modo concreto, tuvo lugar entrevista a 12 jueces o magistrados, en su mayor parte titulares de Juzgados Centrales de Instrucción o magistrados de la Audiencia Nacional pero también magistrados de enlace o puntos de contacto en las redes judiciales europea y española además de autoridades en el seno del servicio de Relaciones Internacionales del Consejo General del Poder Judicial (en adelante, CGPJ); 6 fiscales, en gran parte pertenecientes a fiscalías especiales como las de Cooperación Internacional Penal y aquella ocupada en la Prevención y Represión del Tráfico Ilegal de Drogas, y 6 abogados, bien con experiencia en casos transfronterizos y/o con dimensión internacional (*White-collar crimes* o delincuencia económica), bien con labor en ONGs ocupadas en defensa de derechos humanos (*Fair Trials International* - FTI, *Rights International Spain* – RIS). Obra documentación escrita y en mi caso grabación autorizada de todas las entrevistas, si bien su carácter anónimo dado el régimen de confidencialidad asegurado a cada uno de los destinatarios al inicio de la conversación; vaya por ello desde aquí mi agradecimiento por la colaboración prestada a todos los profesionales jurídicos involucrados.

[19]   *Public Deliverable* D3.3, adscrito al *Workstream 3* (WS 3) tras compilación de informes de distintos países participantes en el proyecto y disponible en enlace http://eurocoord.eu/resources/public-deliverables/workstream-1-comparative-analysis-of-specific-national-and-european-jurisprudence-and-legislation/

les llamados de "reconocimiento mutuo" promulgados en el ámbito de la Unión Europea en virtud del artículo 82.1.a) TFUE[20]. Tal distinción y así el empleo de una u otra fórmula repercute también en la dimensión territorial de la cooperación judicial internacional ahora objeto de examen, por cuanto los primeros se extienden en su caso a países terceros, el examen de cuya práctica de cooperación judicial también resulta aquí de interés a fin de destacar las diferencias entre uno y otro tipo de cooperación judicial, europea e internacional *stricto sensu*.

Por lo que respecta a la primera tipología de instrumentos legales bajo la forma de convenio y dentro de aquellos de carácter multilateral, la experiencia judicial pone de manifiesto que dos son los convenios empleados en la práctica totalidad de solicitudes de cooperación judicial en materia penal cursadas desde Europa. Así, en primer lugar, el Convenio Europeo de Asistencia Judicial en Materia Penal firmado en Estrasburgo el 20 de abril de 1959[21] dentro del ámbito del Consejo de Europa, aún a fecha de hoy todavía utilizado entre los Estados Miembros de la Unión Europea[22]

---

[20]   Textualmente, "el Parlamento Europeo y el Consejo adoptarán, con arreglo al procedimiento legislativo ordinario, medidas tendentes a: a) establecer normas y procedimientos para garantizar el reconocimiento en toda la Unión de las sentencias y resoluciones judiciales en todas su formas". Un examen de los mismos a la fecha se realiza en JIMENO BULNES, Mar, *Un proceso europeo para el siglo XXI*, op. cit., pp. 100 y ss así como DE JORGE MESAS, Luis Francisco, *Reconocimiento de las resoluciones penales en la Unión Europea*, op. cit., pp. 87 y ss.

[21]   Disponible en portal del Prontuario de auxilio judicial internacional elaborado por el CGPJ en colaboración con la Fiscalía General del Estado y el Ministerio de Justicia, de gran interés para los operadores jurídicos de nuestro país: http://www.prontuario.org/prontuario/es/Penal/Consulta/ci.Convenio-Europeo-de-asistencia-judicial-en-materia-penal–hecho-en-Estrasburgo-el-20-de-abril-de-1959.formato1 (fecha de consulta: 16 de enero de 2019). Instrumento de ratificación en España de 14 de julio de 1982, BOE n. 223 de 17 de septiembre de 1982, pp. 25166-25174, disponible igualmente en anterior enlace junto con ulterior información. Un breve apunte le dedica BUJOSA VADELL, Lorenzo M. "Cooperación procesal penal y prueba", op. cit., pp. 541 y ss.

[22]   A modo de ejemplo, STS n. 116/2017, de 23 de febrero, conocida como *caso Falcianni*, disponible en buscador oficial del CGPJ http://www.poderjudicial.es/search y en cuyo FJ 4.IV se remite a anterior jurisprudencia como STS n. 1521/2002, de 25 de septiembre, y otras en defensa del llamado "principio de no indagación" aplicable en el examen de la existencia de prueba ilícita *ex* art.11.2 LOPJ. Esta y otra jurisprudencia es estudiada en el informe sobre la OEI realizado en el seno de anterior proyecto Eurocoord disponible en su página web como *Public Deliverable* D2.4 adscrito al *Workstream 2* (WS 2) http://eurocoord.eu/resources/public-deliverables/workstream-1-comparative-analysis-of-specific-national-and-european-jurisprudence-and-legislation/ (fecha de consulta: 16 de enero de 2019).

pues no en vano resulta ser antecedente del convenio de asistencia judicial firmado en el seno de esta institución, ahora de inmediata referencia. Dicho convenio establece además principios de suma importancia como son los principios de favor *cooperationis* junto al de *locus regit actum* a fin de determinar la legislación aplicable en la ejecución de la diligencia solicitada (aquí del país requerido o *lex loci*) establecidos ambos en su artículo 3.1[23], los cuales van a regir ulteriores legislación convencional firmada en esta materia.

En segundo lugar y como propio del ámbito de la Unión Europea es objeto de aplicación el Convenio relativo a la asistencia judicial en materia penal entre los Estados miembros de la Unión Europea, adoptado bajo acto del Consejo de 29 de mayo de 2000[24]; conocido bajo las siglas CAJ 2000 y hoy sustituido por la OEI, ha de sumarse al mismo el posterior Protocolo adoptado mediante acto del Consejo de 16 de octubre de 2001[25] en incorporación de otras medidas relacionadas con la información bancaria. Este segundo convenio, por el contrario, invierte la regla probatoria anterior y así la vigencia ahora del principio *forum regit actum* respecto de la legislación aplicable en la ejecución de la diligencia solicitada (aquí del Estado requirente o *lex fori*) según dispone su artículo 4.1[26] con las salvedades

---

[23]   Textualmente, "la parte requerida hará ejecutar, *en la forma que su legislación establezca*, las comisiones rogatorias relativas a un asunto penal, que le cursen las autoridades judiciales de la Parte requirente y que tengan como fin realizar actuaciones de instrucción o transmitir piezas probatorias, expedientes o documentos" (la cursiva es mía). Vid. PÉREZ GIL, Julio, "Convenio de asistencia judicial penal", en JIMENO BULNES, Mar (Coord.), *La cooperación judicial civil y penal en el ámbito de la Unión Europea: instrumentos procesales*, Bosch, Barcelona, 2007, pp. 259-295, pp. 267 y ss; el profesor Julio Pérez Gil forma parte también del equipo de la UBU junto el profesor Félix Valbuena González en anterior proyecto Eurocoord.

[24]   DOCE n. C 197 de 12 de julio de 2000, pp. 1-23, con información disponible igualmente en anterior página web http://www.prontuario.org/prontuario/es/Penal/Consulta/ci.Registro-en-el-Convenio-Europeo-relativo-a-la-asistencia-judicial-en-materia-penal-entre-los-Estados-miembros-de-la-Union–hecho-en-Bruselas-el-29-de-mayo-de-2000.formato1 (fecha de consulta: 16 de enero de 2019). Entre la bibliografía, por todos, PÉREZ GIL, Julio, "Convenio de asistencia judicial penal", op. cit., pp. 261 y ss así como "El Convenio de Asistencia Judicial en materia penal entre los Estados miembros de la UE: ¿un instrumento anclado en coordenadas superadas?", *Diario La Ley*, nº 6208, 11 de marzo de 2005, pp. 1-9.

[25]   DOCE n. C 326 de 21 de noviembre de 2001, pp. 1-7.

[26]   Textualmente, "en los casos en los que se conceda la asistencia judicial, el Estado miembro requerido observará los trámites y procedimientos indicados expresamente por el Estado miembro requirente, salvo disposición contraria del presente Convenio y siempre que dichos trámites y procedimientos no sean contrarios a los principios fundamentales del Derecho del Estado miembro requerido".

y límites allí dispuestos, cuales son, básicamente, el respeto al convenio y principios fundamentales del Estado requerido; no obstante y en ulteriores disposiciones especiales se permite también la aplicación de la *lex loci* en determinados supuestos[27].

Hay que decir además que la aplicación de dicho convenio, antecedente directo de la hoy OEI, supuso extraordinaria novedad en el ámbito de la cooperación judicial al permitir la introducción de las nuevas tecnologías en el seno de proceso penal. De este modo, por ejemplo y en concreto, se articula por vez primera la previsión de la videoconferencia para la audición de testigos y peritos (o incluso imputado, llegado el caso) al igual que la intervención de comunicaciones telefónicas o telemáticas por medio de proveedores de servicios[28]. Por ello el interés de los operadores jurídicos en extender en su día su aplicación en la mayor medida posible con el conjunto de Estados miembros de la Unión Europea dada el extenso ámbito objetivo de diligencias probatorias para el que resulta aplicable, ello si bien la dificultad de su entrada en vigor, a la fecha no homogénea en todos los países[29]; por ello la continuación de la aplicación del anterior Convenio de 1959 en el seno de la Unión Europea para aquellos en los que el CAJ 2000 no esté disponible.

Por lo que respecta a la segunda tipología de instrumentos legales y así los denominados instrumentos de reconocimiento mutuo ha de recordarse su compilación hoy en España bajo la Ley 23/2014, de 20 de noviembre, de reconocimiento mutuo de resoluciones penales en la Unión Europea (en adelante LRM)[30]. Entre ellos es obligado reconocer que, sin lugar a

---

[27]   A modo de ejemplo, arts. 10.5.e) CAJ 2000 en relación con la dispensa a declarar de la persona oída mediante uso de videoconferencia, quien podrá alegar el reconocimiento de esta dispensa "al amparo de la legislación, bien del Estado miembro requerido o bien del Estado miembro requirente". Otros ejemplos y más ampliamente, PÉREZ GIL, Julio, "Convenio de asistencia judicial penal", op. cit., pp. 275 y ss.

[28]   Arts. 10 y 19 CAJ 2000 respectivamente. Al respecto JIMENO BULNES, Mar, "Las nuevas tecnologías en el ámbito de la cooperación judicial y policial europea", *Revista de Estudios Europeos*, nº 31, 2002, pp. 97-104, esp. pp. 103 y ss.

[29]   Por ejemplo, en España y en gran parte de Estados miembros el 23 de agosto de 2005 conforme se publica en BOE núm. 258 de 28 de octubre de 2005, pp. 35347-35348. En cambio en Italia, país con el que es frecuente la cooperación judicial desde España, su entrada en vigor no ha tenido lugar hasta el pasado 12 de mayo de 2017 conforme *Decreto legislativo* n. 52 de 5 de abril de 2017, *Gazzetta Ufficiale, Serie Generale*, n. 97 de 27 de abril de 2017, disponible en enlace http://www.gazzettaufficiale.it/eli/id/2017/04/27/17G00065/sg (fecha de consulta: 16 de enero de 2017).

[30]   BOE núm. 282 de 21 de noviembre de 2014, pp. 95437-95593, acompañada de los correspondientes formularios y anticipada por LO 6/2014, de 29 de octubre, com

dudas, el instrumento estrella de la cooperación judicial es la Orden Europea de Detención y Entrega conocida bajo las siglas OEDE y cuya nueva redacción como es sabido procura la citada legislación compilatoria[31]. Ello aún cuando como también es conocido y su propia nomenclatura lo indica, su finalidad no es probatoria sino que constituye medida cautelar personal también articulada bajo el mandato del anterior artículo 82.1.a) TFUE arriba mencionado en aplicación del principio de reconocimiento mutuo de resoluciones penales. De este modo, según es afirmado, su práctica engrosa la cifra más alta de solicitudes de cooperación judicial dentro de las estadísticas europeas[32].

Junto a ella son otros también los instrumentos empleados con cierta asiduidad, aún tampoco ninguno de ellos de carácter específico en materia

---

plementaria en modificación de la Ley Orgánica del Poder Judicial en previsión de la nueva competencia de los juzgados y tribunales españoles; como es sabido y más tarde se expondrá esta legislación acaba de sufrir modificación mediante Ley 3/2018, de 11 de junio, en regulación de la Orden Europea de Investigación. Entre la bibliografía, a la fecha y con carácter general, ARANGÜENA FANEGO, Coral, DE HOYOS SANCHO, Montserrat y RODRIGUEZ-MEDEL NIETO, Carmen (Dras y Coords.), *Reconocimiento mutuo de resoluciones penales en la Unión Europea. Análisis teórico-práctico de la Ley 23/2014, de 20 de noviembre,* Thomson Reuters & Aranzadi, Cizur Menor, 2015; precisamente la última autora citada procura el análisis de tales instrumentos legales de cooperación judicial en esta misma obra, a cuyo capítulo me remito para completar el mío. Por otra parte, dicha obra colectiva posee el indiscutible mérito de reunir en el análisis de cada instrumento normativo la visión teórica aportada desde la perspectiva académica y la perspectiva práctica desde el sector judicial. También de interés para una panorámica general, CARRIZO GONZÁLEZ-CASTELL, Adán, "Ley 23/2014 de reconocimiento mutuo de resoluciones penales en la Unión Europea", *Revista General de Derecho Europeo,* nº 36, 2015, http://www.iustel.com

[31]   Título II (arts. 34-62), habiendo de tener lógicamente también en cuenta, como para todos los instrumentos aquí contemplados las disposiciones generales del Título I (arts. 1-33). En particular, JIMENO BULNES, Mar, "La orden europea de detención y entrega: análisis normativo" y RUZ GUTIÉRREZ, Pablo Rafael, "Cuestiones prácticas relativas a la orden europea de detención y entrega", en ARANGÜENA FANEGO, Coral, DE HOYOS SANCHO, Montserrat y RODRIGUEZ-MEDEL NIETO, Carmen (Dras y Coords.), *Reconocimiento mutuo de resoluciones penales en la Unión Europea...,* op.cit., pp. 35-76 y 77-104 respectivamente.

[32]   Véanse respuestas a los cuestionarios ODE disponibles en portal e-justicia, en concreto en enlace https://e-justice.europa.eu/content_european_arrest_warrant-90-es.do?init=true (fecha de consulta: 17 de enero de 2019). A modo de ejemplo, para el año 2015 (último año en el que obra respuesta por parte de los Estados miembros) se indica un número total de 16.144 ordenes europeas de detención emitidas y 5.304 ejecutadas; en el caso de España tales datos se corresponden con las cifras de 655 OEDEs dictadas y 513 personas entregadas según cuestionario disponible en *Commission Staff Working Document* de fecha de 28 de septiembre de 2017, SWD(2017) 320, disponible en anterior enlace.

probatoria. Así, por cercanía y además de algún otro respecto de otras materias[33], la Decisión Marco 2003/577/JAI del Consejo, de 22 de julio de 2003, relativa a la ejecución en la Unión Europea de las resoluciones de embargo preventivo de bienes y de aseguramiento de prueba[34] y la Decisión Marco 2006/783/JAI del Consejo, de 6 de octubre de 2006, relativa a la ejecución en la Unión Europea de resoluciones de decomiso[35]. Ha de tenerse en cuenta que precisamente ambas normas han sido objeto de reciente sustitución por Reglamento (UE) 2018/1805 del Parlamento Europeo y del Consejo, de 14 de noviembre de 2018, sobre el reconocimiento mutuo de las resoluciones de embargo y decomiso[36]; no obstante, la nueva normativa en previsión

---

[33] Decisión Marco 2005/214/JAI del Consejo, de 24 de febrero de 2005, relativa a la aplicación del principio de reconocimiento mutuo de sanciones pecuniarias, DOUE n. L 76 de 22 de marzo de 2005, pp. 16-30; Decisión Marco 2008/909/JAI del Consejo, de 27 de noviembre de 2008, relativa a la aplicación del principio de reconocimiento mutuo de sentencias en materia penal por la que se imponen penas u otras medidas privativas de libertad a efectos de su ejecución en la Unión Europea, DOUE n. L 325 de 5 de diciembre de 2008, pp. 27-46;... Ambas son objeto de transposición hoy en Título IX (arts. 173-185) y Título III (arts. 63-92) LRM respectivamente. Al respecto y sobre sendos instrumentos también respectivamente, ARANGÜENA FANEGO, Coral, "El reconocimiento mutuo de sanciones pecuniarias: análisis normativo" y RUIZ YAMUZA, Faustino Gregorio, "Cuestiones prácticas relativas al reconocimiento de sanciones pecuniarias", en ARANGÜENA FANEGO, Coral, DE HOYOS SANCHO, Montserrat y RODRIGUEZ-MEDEL NIETO, Carmen (Dras y Coords.), *Reconocimiento mutuo de resoluciones penales en la Unión Europea...*, op.cit., pp. 441-469 y 471-503; DE HOYOS SANCHO, Montserrat, "El reconocimiento mutuo de resoluciones por las que se impone una pena o medida privativa de libertad: análisis normativo" y FERNÁNDEZ PRADO, Manuela, "Cuestiones prácticas relativas al reconocimiento de resoluciones que imponen penas o medidas privativas de libertad", en ARANGÜENA FANEGO, Coral, DE HOYOS SANCHO, Montserrat y RODRIGUEZ-MEDEL NIETO, Carmen (Dras y Coords.), *Reconocimiento mutuo de resoluciones penales en la Unión Europea...*, op.cit., pp. 107-127 y 129-153.

[34] DOUE n. L 196 de 2 de agosto de 2003, pp. 45-55, objeto de regulación en Título VII (arts. 143-156) LRM. Véase comentarios de GASCÓN INCHAUSTI, Fernando, "Reconocimiento mutuo de resoluciones de embargo preventivo y aseguramiento de prueba: análisis normativo" y NAVAS BLÁZQUEZ, Juan José, "Cuestiones prácticas relativas al reconocimiento de resoluciones sobre embargo preventivo y aseguramiento de pruebas", en ARANGÜENA FANEGO, Coral, DE HOYOS SANCHO, Montserrat y RODRIGUEZ-MEDEL NIETO, Carmen (Dras y Coords.), *Reconocimiento mutuo de resoluciones penales en la Unión Europea...*, op.cit., pp. 323-362 y 363-385 respectivamente.

[35] DOUE n. L 328 de 24 de noviembre de 2006, pp. 59-78, contemplada en Título VIII (arts. 157-172) LRM. Sobre la misma BLANCO CORDERO, Isidoro, "Reconocimiento mutuo de resoluciones de decomiso: análisis normativo" y SÁNCHEZ SISCART, José Manuel, "Cuestiones prácticas relativas al reconocimiento de resoluciones de decomiso", ambos en ARANGÜENA FANEGO, Coral, DE HOYOS SANCHO, Montserrat y RODRIGUEZ-MEDEL NIETO, Carmen (Dras y Coords.), *Reconocimiento mutuo de resoluciones penales en la Unión Europea...*, op.cit., pp. 389-407 y 409-437.

[36] DOUE n. L 303 de 28 de noviembre de 2011, pp. 1-37.

de sendos modelos de certificado de embargo y decomiso, aún cuando esta vez no precisará de adaptación en sede nacional[37], no será objeto de aplicación hasta la fecha del 19 de diciembre de 2020[38].

En cambio, ha de apuntarse el estrepitoso fracaso del instrumento procesal europeo dispuesto de forma específica en materia probatoria; así, la Decisión Marco 2008/978/JAI del Consejo, de 18 de diciembre de 2008, relativa al exhorto europeo de pruebas para recabar objetos, documentos y datos destinados a procedimientos en materia penal[39] y conocido en el argot procesal como OEP. Como razones de peso puede alegarse, sin duda, su tardía adaptación en sede nacional, la que en España no tuvo lugar por vez primera hasta la promulgación de la mencionada LRM en 2014; además tuvo lugar poco tiempo después su derogación por Reglamento (UE) 2016/95 del Parlamento Europeo y del Consejo, de 20 de enero de 2016[40]. No obstante, como ya he comentado en otro momento y lugar, en mi opinión dicha normativa nació ya en su día con vocación de provisionalidad dado su ámbito en exceso reducido al prever de forma exclusiva el reconocimiento de resoluciones jurisdiccionales dictadas con el fin de reunir (y en su caso remitir) tales fuentes de prueba; así se trata de preconstituir la prueba en calidad de prueba documental pero no de practicar *stricto sensu* actividad probatoria mediante el empleo de cualesquiera otros medios de prueba[41].

---

[37]   Recuérdese, "el reglamento tendrá un alcance general. Será obligatorio en todos sus elementos y directamente aplicable en cada Estado miembro" (art. 288.II TFUE) a diferencia de la Directiva. Por tanto, en España no será necesaria la modificación de la LRM.

[38]   Art. 41, excepción hecha del art. 24 que ya entró en vigor el pasado 18 de diciembre de 2018. Dicho precepto alude a la designación de las correspondientes autoridades judiciales nacionales competentes para emisión y ejecución de tales solicitudes de embargo y decomiso además de autoridad o autoridades centrales en su caso.

[39]   DOUE n. L 350 de 30 de diciembre de 2008, pp. 72-92, adaptado por primera vez en España en Título X (arts. 186-200) LRM, hoy objeto de modificación mediante anterior Ley 3/2018 en introducción de la OEI. Entre la bibliografía, BACHMAIER WINTER, Lorena, "El exhorto europeo de obtención de pruebas: análisis normativo" y JIMÉNEZ CRESPO, Luis Miguel, "Cuestiones prácticas relativas al exhorto europeo de obtención de pruebas", en ARANGÜENA FANEGO, Coral, DE HOYOS SANCHO, Montserrat y RODRIGUEZ-MEDEL NIETO, Carmen (Dras y Coords.), *Reconocimiento mutuo de resoluciones penales en la Unión Europea...*, op.cit., pp. 507-520 y 521-544 respectivamente; la primera autora, quien participa igualmente en tantas veces mencionado proyecto Eurocoord, constituye una experta en la materia como prueba el gran número de publicaciones sobre el EOP.

[40]   DOUE n. L 26 de 2 de febrero de 2016, pp. 9-12, cuyo artículo 1 enumera los actos "obsoletos" de cooperación policial y judicial en materia penal objeto de tal derogación. Esta norma ocasionó gran debate entre literatura y práctica forense en nuestro país sobre la pervivencia de la legislación española en adaptación del EOP y así los mencionados arts. 186 y ss LRM.

[41]   Vid. JIMENO BULNES, Mar, "Orden europea de investigación en materia penal", op. cit., p. 153. En idéntico sentido y con mayor conocimiento, siquiera desde la perspecti-

2.2. Experiencias prácticas

Con carácter previo y así resultó palpable a partir de las entrevistas realizadas, puede afirmarse que la formación judicial en materia de cooperación judicial internacional es en gran parte autodidacta para los distintos sectores de profesionales jurídicos involucrados en la misma (de nuevo, jueces y magistrados, fiscales y abogados). Ello si bien es justo reconocer el creciente papel de las respectivas instituciones en procurar formación específica en sintonía con los objetivos marcados desde la Comisión Europea en promoción de dicha formación judicial al amparo del propio artículo 82.1.c) TFUE[42]; no en vano y según es anunciado en el propio portal europeo e-justicia, la Comisión Europea se propone como meta para el año 2020 la formación de 700.000 profesionales jurídicos[43].

---

va práctica, JIMÉNEZ CRESPO, Luis Miguel, "Cuestiones prácticas relativas al exhorto europeo de obtención de pruebas", op. cit., quien se pregunta de forma muy gráfica "¿para qué sirve entonces el exhorto europeo de obtención de pruebas?" (p. 523), más aún cuando su regulación europea (art. 4.2 DM) y estatal (art. 187.2 LRM) se inicia precisamente con las diligencias no contempladas en el ámbito de su aplicación. De nuevo resulta aplicable la anterior diferencia entre *fuentes* y *medios* de prueba.

[42]   Textualmente, "el Parlamento Europeo y el Consejo adoptarán, con arreglo al procedimiento ordinario, medidas tendentes a: c) apoyar la formación de magistrados y del personal al servicio de la administración de justicia" en sintonía con el objetivo d), cual es "facilitar la cooperación entre las autoridades judiciales o equivalentes de los Estados miembros en el marco del procedimiento penal y de la ejecución de resoluciones"; la previsión conjunta de ambos objetivos prueba la relevancia que dicho entrenamiento en cooperación judicial europea posee para las instituciones europeas como forma de potenciar tal cooperación judicial en el ámbito de la UE. Ya en su día y entre otras disposiciones, fue dictada Resolución 2008/C 299/01 del Consejo y de los Representantes de los Gobiernos de los Estados miembros reunidos en el seno del Consejo, relativa a la formación de jueces y fiscales y del personal al servicio de la administración de justicia en la Unión Europea, DOUE n. C 299 de 22 de noviembre de 2008, pp. 1-4; en ella se formulan interesantes objetivos tales como "a) contribuir al desarrollo de una genuina cultura judicial europea…; b) mejorar el conocimiento del Derecho primario y del Derecho derivado de la Unión Europea…; c) fomentar, mediante una formación adecuada, la aplicación del Derecho europeo…; d) fomentar el conocimiento de los ordenamientos jurídicos y la legislación de los demás Estados miembros…; e) (muy importante) mejorar las competencias lingüísticas…; f) fomentar una sensibilidad común…; g) fomentar la reflexión común sobre el desarrollo del espacio de libertad, seguridad y justicia…".

[43]   Sitio internet https://e-justice.europa.eu/content_the_european_judicial_training_policy-121-es.do, donde obra documentación al respecto con inclusión de programas europeos, estudios e informes anuales en evaluación de la situación con estadísticas para cada Estado miembro. Precisamente la frase de un juez español rubrica el estudio encargado por parte del Parlamento Europeo allí disponible bajo el título "La formación judicial en los Estados miembros de la UE" (2011).

De este modo y por lo que respecta a España, instituciones como el Consejo General del Poder Judicial se ocupan de incluir esta temática dentro del plan de formación continua proporcionado desde la Escuela Judicial[44], siquiera a modo de enseñanza no presencial. Al mismo tiempo procura la celebración de reuniones anuales presenciales en la ciudad de Murcia para aquellos miembros de la Red Judicial Española de Cooperación Judicial Internacional (REJUE)[45]. También la correspondiente formación se acomete desde otros órganos como el Centro de Estudios Jurídicos dependiente del Ministerio de Justicia[46], la Fiscalía General del Estado[47] o el Consejo General de la Abogacía Española[48].

---

[44] En concreto bajo la rúbrica de Formación especializada en Derecho Comunitario Europeo, cuyo título, por cierto, convendría hoy modificar a la luz del Tratado de Lisboa; así información disponible en enlace http://www.poderjudicial.es/cgpj/es/Temas/Escuela-Judicial/Formacion-Continua/Formacion-centralizada/Programa-de-actividades-del-Plan-Estatal-/

[45] Hoy regulada bajo Reglamento 1/2018 sobre auxilio judicial internacional y redes de cooperación judicial internacional adoptado bajo Acuerdo de 27 de septiembre de 2018, del Pleno del Consejo General del Poder Judicial, BOE núm. 249 de 15 de octubre de 2018, pp. 100017-100028. Como es sabido dicha red ha de diferenciarse de la Red Judicial Europea en materia penal hoy regulada por Decisión 2008/976/JAI del Consejo, de 16 de diciembre de 2008, sobre la Red Judicial Europea, DOUE n. L 348 de 24 de diciembre de 2008, pp. 130-134. Entre la bibliografía a la fecha, sobre una y otra red, ESCALADA LÓPEZ, Mª Luisa, "Instrumentos orgánicos de cooperación judicial: magistrados de enlace, red judicial europea y Eurojust", en JIMENO BULNES, Mar (Coord.), *La cooperación judicial civil y penal en el ámbito de la Unión Europea...*, op. cit., pp. 95-121, esp. pp. 108 y ss; así también, con carácter monográfico, ALONSO MOREDA, Nicolás, *La dimensión institucional de la cooperación judicial en materia penal en la Unión Europea: magistrados de enlace, Red Judicial Europea y Eurojust*, Universidad del País Vasco, San Sebastián, 2010, pp. 87 y ss, al menos en relación a la Red Judicial Europea.

[46] De modo especial con motivo de la promulgación de la LRM y así actividad formativa programada dentro del Plan de Formación Continuada "Reconocimiento mutuo de las resoluciones penales en el marco de la Unión Europea" los días 9 y 10 de marzo de 2015 en la que tuve el honor de participar. La difusión de tales actividades de formación continua e inicial junto a otra información y documentación se realiza mediante la red social Twitter cuya página web oficial es twitter.com/cejmjusticia

[47] A modo de ejemplo, *Jornada sobre la Orden Europea de Detención y Entrega* realizado a fecha de 6 de abril de 2017, cuyas ponencias figuran en enlace https://www.fiscal.es/fiscal/publico/ciudadano/documentos/ponencias_formacion_continuada (fecha de consulta: 17 de enero de 2019). También la institución dispone de twitter oficial gestionado por el Gabinete de Comunicación de la FGE https://twitter.com/fiscal_es

[48] Si bien para esta última no parece existir una formación específica en materia de procesal europea, más allá de aquella que puntualmente pudiera englobarse en el área de formación internacional dispuesta en enlace oficial http://www.formacionabogacia.es/course/index ; a fecha de consulta desde luego no existe celebración de ninguna jornada en materia de cooperación judicial en el marco de la UE. En todo caso dis-

Relatan también los operadores jurídicos que su aproximación al terreno de la cooperación judicial resulta ser diferente según dicha cooperación judicial pueda calificarse de europea o internacional *stricto sensu*. Obviamente, en el primer caso, las solicitudes de asistencia judicial tienen estrictamente lugar entre países europeos, bien que forman parte de la Unión Europea donde, en su caso, tiene lugar la aplicación de anterior CAJ 2000 o bien, sin aún ser Estados miembros (o en algún caso, incluso siéndolo como arriba ha sido argumentado) es posible la aplicación del Convenio Europeo de Asistencia Judicial de 1959 por formar parte del Consejo de Europa[49]. En cuanto a la cooperación judicial internacional no europea tiene lugar la intervención de terceros países situados en diferente continente; como es de imaginar y de inmediato será expuesto, las diferencias no son sólo geográficas sino temporales por lo que atañe a los plazos de ejecución de la/s respectiva/s comisión/es rogatoria/s.

En cuanto al instrumento legal aplicable en este último caso relativo a la cooperación judicial propiamente internacional habrá de estarse a la firma del respectivo convenio de asistencia judicial de carácter bilateral. Un listado de los mismos junto con otros convenios puede encontrarse en la propia guía dispuesta por el Ministerio de Asuntos Exteriores[50] o bien a través de la pertinente consulta que puede realizarse de modo telemático en las páginas especializadas en asistencia judicial internacional españolas y/o europeas[51]. Ni que decir tiene que en este punto cumplen papel fundamental, además de tales medios telemáticos, los medios personales y así, en concreto, instituciones y organismos como las referidas redes judiciales

---

pone igualmente de sección de formación en su twitter oficial https://twitter.com/search?q=%23FormacionAbogacia (fecha de consulta: 17 de enero de 2019).

[49] A la fecha y como es sabido 47 Estados miembros, cuya información tiene lugar en página oficial de la institución con enlace https://www.coe.int/es/web/about-us/our-member-states (fecha de consulta: 18 de enero de 2019). A la fecha parece, conforme mapa geográfico, es Belarús el único país europeo ausente de la organización, para el cual y a nuestros efectos, no podría ser aplicable el anterior Convenio de Asistencia Judicial de 1959.

[50] *Guía de Tratados bilaterales con estados,* actualizada a fecha de 7 de noviembre de 2018 y disponible en enlace http://www.exteriores.gob.es/Portal/es/PoliticaExteriorCooperacion/Tratados/TratadosEstados/Paginas/default.aspx (fecha de consulta: 18 de enero).

[51] Así, respectivamente, el Prontuario de auxilio judicial internacional con enlace http://www.prontuario.org/prontuario/es/Penal/Consulta y el portal e-justicia, en concreto enlace https://e-justice.europa.eu/content_cooperation_in_criminal_matters-89-es.do (en ambos casos, fecha de consulta: 18 de enero de 2019).

europea y española a través de sus respectivos puntos de contacto además de magistrados de enlace y, llegado el caso, Eurojust[52].

Dentro de ambos tipos de cooperación europea e internacional pueden también establecerse listados de países con los que más frecuentemente España mantiene relación. Así, por ejemplo, por lo que se refiere a la cooperación judicial producida en el seno de la Unión Europea resultan ser países como Alemania, Francia, Italia, Portugal y Reino Unido (hoy bajo la amenaza del Brexit[53]) aquellos con los que España comparte mayor número de diligencias, tanto como país de emisión que de ejecución; no en vano, posee magistrados de enlace en algunos de ellos[54]. Además, la mayor intensidad de esta práctica judicial deriva no sólo de la proximidad geográfica sino también de la atención por materias comunes; entre otras y de gran actualidad, es el caso concreto de la amenaza del terrorismo.

Por lo que respecta a la cooperación judicial internacional con terceros países fuera del ámbito geográfico europeo parecen ser Estados Unidos y los países latinoamericanos[55] aquellos con los que existe mayor relación

---

52   Agencia de la Unión Europea para la Cooperación Judicial Penal conforme la rúbrica del reciente Reglamento (UE) 2018/1727 del Parlamento Europeo y del Consejo de 14 de noviembre de 2018, DOUE n. L 295 de 21 de noviembre de 2018, pp. 138-183. En particular, sobre normativa y el papel de los instrumentos orgánicos en la cooperación judicial europea además de los referidos telemáticos, JIMENO BULNES, Mar, *Un proceso europeo para el siglo XXI*, op. cit., pp. 39 y ss además de la bibliografía arriba citada al respecto: ESCALADA LÓPEZ, Mª Luisa, "Instrumentos orgánicos de cooperación judicial: magistrados de enlace, red judicial europea y Eurojust", op. cit., pp. 101 y ss, así como ALONSO MOREDA, Nicolás, *La dimensión institucional de la cooperación judicial en materia penal en la Unión Europea*, op. cit., pp. 73 y ss. Para una breve información puede acudirse a las respectivas páginas web oficiales de la Red Judicial Española (REJUE) http://www.poderjudicial.es/cgpj/es/Temas/Redes-Judiciales/ Red-Judicial-Espanola—REJUE-/, Red Judicial Europea en materia penal https://www. ejn-crimjust.europa.eu/ejn/EJN_Home.aspx y Eurojust http://www.eurojust.europa. eu/Pages/languages/es.aspx (fecha de consulta: 18 de enero de 2019).

53   Sobre su posible futuro en particular relación con España véase JIMENO BULNES, Mar, "Brexit and the future of European Criminal Law – A Spanish perspective", *Criminal Law Forum*, vol. 28, nº 2, 2017, pp. 325-347.

54   En particular, Francia, Italia y Reino Unido, cuyos puestos son ocupados respectivamente por los magistrados Felisa Herrero Pinilla, Luis Rodríguez Sol y, hasta su reciente jubilación, por Miguel Carmona Ruano. Así también esta institución netamente europea se extiende a terceros países con los que España también mantiene abundante relación judicial como es el caso de Colombia, Marruecos y Estados Unidos. De la misma forma son varios los países europeos y no europeos que igualmente mantienen magistrados de enlace en España, operando de ordinario a la recíproca.

55   De modo especial Argentina, Brasil, Colombia y Méjico; con menos frecuencia Chile, Ecuador, Guatemala, Panamá, Paraguay, Perú y Venezuela. Singularmente llama

dentro del área geográfica americana. En el caso de África es, sin duda, Marruecos[56], de nuevo bajo la amenaza de terrorismo y tráfico de seres humanos; llama, sin embargo, la atención la reducida cooperación mantenida con otros países del continente africano de relativa proximidad geográfica como es el caso concreto de Mauritania y Argelia, con los que también tiene nuestro país firmados sendos convenios bilaterales[57]. En cuanto a otros países africanos y aquellos del continente asiático, los supuestos de cooperación judicial penal que mantiene nuestro país son ciertamente aislados y así pueden citarse casos puntuales de cooperación con Catar, Egipto, Hong-Kong, Israel, Nigeria y Yemen; con ninguno de ellos tiene además España suscrito convenio bilateral de asistencia judicial en materia penal por lo que habrá de acudirse a la legislación ordinaria[58].

Finalmente, más allá de las puntuales estadísticas de la cooperación judicial mantenida por parte de España con estos y otros países[59], interesa ha-

---

la atención la ausencia absoluta de cooperación con otros países latinoamericanos como es el caso concreto de Bolivia, aún la existencia de convenio bilateral como con anteriores países según se informa en la *Guía de Tratados bilaterales con estados,* arriba mencionada.

[56] Dónde además han sido exportadas instituciones europeas como es el caso de los magistrados de enlace, cuyo anterior titular ha sido entrevistado para esta ocasión; a la fecha es el magistrado José María Fernández Villalobos, quien ocupa dicha posición. Son además numerosos los convenios bilaterales existentes con este país en materia de cooperación judicial; con carácter general el Convenio relativo a la asistencia judicial en material penal entre el Reino de España y el Reino de Marruecos, firmado en Rabat el 24 de junio de 2009 (BOE núm. 238 de 2 de octubre de 2009, pp. 82831-82840), con aplicación provisional desde la misma fecha y definitiva entrada en vigor el 1 de enero de 2013.

[57] En concreto, Convenio relativo a la asistencia judicial en material penal entre el Reino de España y la República Argelina Democrática y Popular, firmado en Madrid el 7 de octubre de 2002, en vigor desde 26 de marzo de 2005 (BOE núm. 65 de 17 de marzo de 2005, pp. 9418-9420) y Convenio relativo a la asistencia judicial en material penal entre el Reino de España y la República Islámica de Mauritania, firmado en Madrid el 12 de septiembre de 2006, con aplicación provisional desde la misma fecha (BOE núm. 267 de 8 de noviembre de 2006, pp. 88838-88840; corrección de errores en BOE núm. 292 de 7 de diciembre de 2006, pp. 42955-42956).

[58] Arts. 193 y 194 LECrim que, en último término, se recuerda, remiten a la aplicación del principio de reciprocidad. Entre la literatura, a la fecha, GONZÁLEZ-MONTES SÁNCHEZ, José Luis, "La cooperación judicial internacional en el ámbito del proceso penal", *Revista de Derecho Procesal,* nº 1, 1996, pp. 33-80.

[59] Disponibles en el Plan Nacional de Estadística Judicial elaborado por el CGPJ y hecho público en su página institucional, en concreto enlace http://www.poderjudicial. es/cgpj/es/Temas/Estadistica-Judicial/Plan-Nacional-de-Estadistica-Judicial/Relaciones-con-organos-judiciales-extranjeros/Solicitudes-de-cooperacion-tramitadas-directamente-por-los-organos-judiciales (fecha de consulta: 18 de enero de 2019); un

cer mención de aquel tipo de diligencias probatorias que resultan ser más solicitadas por órganos jurisdiccionales españoles y extranjeros mediante la oportuna comisión rogatoria, en general tramitada durante la fase de instrucción. Sin duda es la declaración del imputado y/o investigado la asistencia judicial la que ocupa el primer puesto junto las declaraciones de testigos y peritos, en su caso y de ser admisible (Suiza, por ejemplo, no la admite), con recurso a la videoconferencia para unas y otras[60]. Cabría situar en segundo lugar la solicitud de información financiera al amparo del Protocolo de 2001[61], con frecuencia completada esta diligencia de investigación con la solicitud de adopción de medidas cautelares tales como el embargo o "bloqueo" de cuenta bancaria. Por último y dentro de tal elenco de diligencias de cooperación judicial de mayor demanda, ha de citarse la intervención de comunicaciones telefónicas[62] y la práctica de registros

---

    resumen de las mismas se realiza también en el informe D3.3 correspondiente al WS 3 arriba mencionado.

[60]   Art. 10.1 CAJ 2000 respecto de las declaraciones de testigos y peritos "en caso de que no sea oportuno o posible que la persona a la que se deba oír comparezca personalmente en su territorio". Ambos conceptos se encuentran explicitados en el informe explicativo al presente convenio en relación con este precepto y así, "el concepto de 'oportuno' podría aplicarse en los casos en que el testigo sea especialmente joven, de edad muy avanzada o no goce de buena salud, mientras que el concepto de 'posible' se aplicaría por ejemplo en los casos en que el testigo corra un grave riesgo si comparece en el Estado miembro requirente"; véase Informe explicativo del Convenio, de 29 de mayo de 2000, relativo a la asistencia judicial en materia penal entre los Estados miembros de la Unión Europea, texto aprobado por el Consejo el 30 de noviembre de 2000, DOCE n. C 379 de 29 de diciembre de 2000, pp. 7-29. De la misma forma la audición por videoconferencia será posible respecto del imputado conforme al posterior art. 10.9 CAJ 2000, "cuando sea apropiado y con el acuerdo de sus autoridades judiciales competentes... de conformidad con su Derecho interno y con los correspondientes instrumentos internacionales". Sobre la videoconferencia en el proceso español y en Derecho Comparado véase en particular VALBUENA GONZÁLEZ, Félix, "La intervención a distancia de sujetos en el proceso penal", *Revista del Poder Judicial*, n° 85, 2007, pp. 221-288 y "Una perspectiva de Derecho Comparado en la Unión Europea acerca de la utilización de la videoconferencia en el proceso penal: los ordenamientos jurídicos español, italiano y francés", *Revista de Estudios Europeos*, n° 53, 2009, pp. 117-127.

[61]   Art. 1 Protocolo del CAJ, con indicación de supuestos, requisitos y forma en que ha de tener lugar la solicitud de información sobre cuentas bancarias; en suma y aquí brevemente, exigencia de infracción sancionable con pena o medida de seguridad privativa de libertad de al menos 4 años en Estado requirente y 2 en el requerido (principio de doble incriminación, aún con desigual mínimo punitivo) o contemplada en los convenios citados, motivación suficiente e inclusión de información disponible.

[62]   Arts. 17 y ss CAJ 2000, no en vano es la medida "reina" del convenio y ahora de la OEI. A este respecto hay toda una práctica judicial en la que no siempre resultan cumplidas las disposiciones del CAJ 2000, especialmente por lo que atañe a la intervención de comunicaciones telefónicas sin asistencia técnica de otro Estado miembro (art. 20

domiciliarios, con la problemática de la diferencia en el establecimiento de requisitos procesales para su adopción, a la que a continuación se realiza referencia.

3. ESPECIAL PROBLEMÁTICA DE LA PRUEBA TRANSFRONTERIZA EN JUZGADOS Y TRIBUNALES ESPAÑOLES

En efecto, la práctica de cooperación judicial internacional europea o internacional *stricto sensu* no está exenta de dificultades y es aquí donde resulta más interesante, si cabe aún, el trabajo de campo realizado; por ello que me permitiré, en su momento, reflejar las propias palabras de los jueces, fiscales y abogados entrevistados en exposición de sus problemática particular, muchas veces unida a reclamaciones de medios materiales y humanos por oposición a otros países europeos[63]. Por otra parte y como ulterior nota preliminar, puede anticiparse que las dificultades en la práctica de cooperación judicial tienen en mayor medida con determinados países catalogados en la jerga forense como "menos cooperadores" a diferencia

---

CAJ) operando de distinta forma según que intervención tenga lugar en España o no. Como refería gráficamente un magistrado de la Audiencia Nacional "conversación se intercepta si es conversación que se practica en España aunque teléfono no sea español"; lo mismo que "conversaciones en barcos cercanos a playas españolas: se interceptan conversaciones directamente sin solicitud de permiso porque barcos están en aguas españolas" concluyendo que "siempre que conversaciones tengan lugar en España no hay previsión de notificación alguna". Por otra parte y desde la perspectiva pasiva, como relata otro magistrado de la misma "casa" quien igualmente corrobora la ausencia de notificación por parte de España, "nos es absolutamente indiferente que a un ciudadano suizo se le esté escuchando desde Suiza en los dos días que pasa en España". Ello forma parte de la especial problemática en la práctica de cooperación judicial a la que ahora se realiza referencia.

[63] Es el caso, por ejemplo, del titular de un juzgado de Marbella que expone como "la Costa del Sol tiene una especialidad que es la delincuencia organizada y los tribunales españoles tenemos déficit en materia de recuperación de activos financieros a diferencia de Holanda, cuya oficina lleva más de 20 años trabajando con personal especializado en recuperación de activos financieros (Oficina BOOM). En Marbella hay muchas casas de lujo, embarcaciones, coches de alta gama, cuentas bancarias… se trata de investigación de un (amplio) patrimonio criminal". BOOM corresponde a las siglas de *Bureau Ontnemingswetgeving Openbaar Ministerie*, agencia especializada en decomiso dependiente de la Fiscalía General del Estado y quien coopera con otras agencias europeas como Eurojust y Europol; véase información proporcionada por el Fondo Monetario Internacional, *Staff Country Reports*, informe correspondiente a Holanda, nº 11/92, Abril 2011, p. 37.

de otros "más cooperadores" según hagan uno en mayor o menor medida del principio favor *cooperationis*; así, a título de ejemplo y a la luz de dichas entrevistas, coinciden jueces y fiscales en señalar entre los primeros a Holanda y Reino Unido, siendo a este tenor ilustrativo las propias dilaciones que acarrea la ejecución de las diligencias solicitadas a estos países[64].

Es precisamente esta dimensión temporal la primera dificultad o problemática que acarrea la cooperación judicial pues en todo caso, aún en mayor o menor medida, su práctica siempre produce un aumento de dilaciones procesales en el seno del proceso penal en curso. Ciertamente esta dimensión temporal difiere además en función del tipo de cooperación judicial que tenga lugar, europea o internacional; así, la ejecución de una comisión rogatoria dentro del espacio geográfico de la Unión Europea puede alcanzar los 3-6 meses mientras que fuera del mismo la experiencia demuestra que no llega tramitarse hasta pasados 10-12 meses[65]. Por supuesto y en el sentido anticipado, la duración temporal en la tramitación de la diligencia también difiere en virtud del país así como del propio funcionamiento de instrumentos de apoyo o soporte de la cooperación judicial en los países involucrados; de ese modo y como ha sido destacado, resulta fundamental la contribución realizada por parte de las agencias u organismos ya mencionados, de nuevo, magistrados de enlace[66], redes judiciales y/o *Eurojust*.

Pero, sin duda, la principal dificultad, tanto por el sector judicial y/o fiscal como por la defensa, estriba en la diferencia aún existente entre las

---

[64] Como refiere algún magistrado una comisión rogatoria remitida al Reino Unido puede tardar "a) al menos 8 semanas; b) 3 meses; hasta un año"; ello aún formando parte hoy día de la Unión Europea. Por el contrario, las solicitudes de asistencia judicial a Alemania, Francia o Portugal pueden ejecutarse en una semana.

[65] Por parte de los operadores jurídicos se exponen ejemplos de comisiones rogatorias, cuya tramitación tiene lugar incluso el mismo día por medios electrónicos o bien, en el extremo opuesto, tarda en ejecutarse 3 o 7 años; capítulo aparte merece aquellas comisiones rogatorias que nunca han llegado a ser ejecutadas aún solicitadas y reiteradas.

[66] Quienes, sin duda, operan como "facilitadores" de dicha cooperación judicial llevando incluso a cabo la corrección de las propias comisiones rogatorias emitidas por autoridades judiciales españolas. Todavía es más patente el papel de estas instituciones y organismos en los supuestos de cooperación judicial con terceros países; en palabras del anterior magistrado de enlace español en Marruecos, "el factor aquí es el facilitador pues la vía legal utilizada en Marruecos es todavía la del convenio dado su carácter de tercer país. La red judicial hace un trabajo espectacular a un coste bajísimo; también Eurojust pero tiene mayor coste. En conclusión, cabe destacar la importancia del facilitador para la cooperación con Marruecos provocando una reducción drástica de plazos con misma estructura y convenios".

legislaciones procesales estatales a la hora de contemplar los distintos requisitos que ha de cumplir la práctica de las distintas diligencias sumariales estimándose aún presente la consideración de países "de segunda fila"[67]. Pero aún fuera del ámbito de este grupo de países, las diferencias son patentes incluso entre los primeros respecto de diligencias concretas dada la diversidad de presupuestos existentes a nivel nacional y así, un ejemplo gráfico[68] lo supone la exigencia (o no, como ocurre en Bélgica y en el Reino Unido) de autorización judicial para llevar a cabo la intervención de comunicaciones[69]. También resulta ser una diligencia problemática la

---

[67]   Tal es la expresión utilizada en una de las entrevistas realizadas a la defensa. Dicho profesional identificaba tales países de segunda fila con los que son fruto de las últimas adhesiones a la Unión Europea. En efecto, no le falta razón pues resulta particularmente problemático, por ejemplo, el cumplimiento de los estándares europeos exigidos en virtud de la Directiva 2013/48/UE en el cumplimiento del derecho a la asistencia letrada en Bulgaria. A este tenor puede citarse la labor desempeñada en este país por parte del *Bulgarian Helsinki Committee*, ONG ocupada en la defensa de derechos fundamentales, entre ellos, de modo importante los procesales; mayor información disponible en enlace http://www.bghelsinki.org/en/

[68]   Otros ejemplos para otro tipo de diligencias sumariales se exponen por los propios operadores jurídicos en sus respuestas a las entrevistas; muy interesante en este sentido la experiencia relatada desde diversos Juzgados de la Costa del Sol. Así, en concreto, en una entrevista el titular del Juzgado refiere distinta casuística: "Tuve un caso de entrega vigilada que se me solicitó de un vehículo que iba desde Marbella a Copenhague pero no pude acordarla porque no podía garantizar que cada juez competente tuviera conocimiento de traslado de vehículo con droga. Con agentes encubiertos el problema es su declaración en juicio pues conforme la legislación española están obligados a declarar pero no ocurre así en otros países; por ejemplo, recuerdo un caso en Marbella en el que los agentes franceses no quisieron declarar porque no se lo autorizó el Ministerio del Interior francés. La AP de Málaga condenó al acusado en virtud de la doctrina del testigo de referencia pero el TS revocó la condena por inexistencia de suficiente prueba de cargo (no comparecencia del principal testigo)". En otro caso por parte de otro magistrado se relata un supuesto de videoconferencia para declaración de testigo desde Suecia al que no se le permitió prestar juramento o promesa por no ser este requisito admisible conforme la legislación interna de este país y aceptando, en este caso España como país emisor, la exención.

[69]   Incluso en aquellos países en que resulta exigible dicha autorización judicial, en ocasiones el umbral de motivación es menor que el previsto por ejemplo en España en atención hoy al art. 588 bis c) 3 LECrim; es el caso de Alemania, Francia y Reino Unido. Sobre la exigencia de motivación en la intervención de comunicaciones a la fecha GIMENO SENDRA, Vicente, "La intervención de las comunicaciones", *Diario La Ley*, nº 7192, 9 de junio de 2009, http://diariolaley.laley.es, afirmando que esta exigencia de motivación de la autorización judicial deriva como exigencia del principio de proporcionalidad "según el cual toda resolución limitativa de un derecho fundamental ha de ser minuciosamente motivada por la autoridad o funcionario que la practique a fin de que, en ella, se plasme el indispensable 'juicio de ponderación' sobre la necesidad de la medida" (p. 9) con cita de abundante jurisprudencia constitucional.

declaración policial del imputado en presencia de abogado, cuya ausencia aún tiene lugar en algún país; así, por ejemplo, donde el abogado "no entra(ba) en comisaría" y por ello la reciente condena a este país por parte del Tribunal Europeo de Derechos Humanos en el caso Beuze c. Bélgica[70]. Es por esta razón, a efectos de asegurar la validez probatoria de la diligencia solicitada en prevención de su consideración como prueba ilícita, que el país emisor (España u otros) requiere al país ejecutor que tenga lugar la aplicación de la lex fori en la práctica de la diligencia requerida[71].

Otra problemática de gran calado se pone de relieve por parte de la defensa y así resulta de las entrevistas practicadas a los abogados y letrados participantes en nuestro estudio de campo. En suma, lamentan dichos profesionales la falta de información proporcionada a la defensa a la hora de decretar la práctica de cooperación judicial internacional para la obtención de diligencias sumariales. Ello deriva en buena parte de la aplicación del art. 302.II LECrim y así la extensión del secreto sumarial a las partes personadas obrando entonces restricción del principio de contradicción

---

[70]   Sentencia de 9 de noviembre de 2018, as. 71409/10, disponible en base de datos HUDOC con enlace https://hudoc.echr.coe.int El TEDH declara la violación de arts. 6.1 y 3.c) CEDH recordando la numerosas jurisprudencia a este tenor dictada como sentencias *Salduz c. Turquía*, de 27 de noviembre de 2008, e *Ibrahim and others c. Reino Unido*, de 13 de septiembre de 2016; precisamente interviene en este asunto presentando observaciones escritas la ONG especializada en defensa penal *Fair Trials International* (FTI), a cuyo red de expertos en justicia penal pertenezco junto con otros abogados españoles expertos en cooperación judicial internacional (*Legal Experts Advisory Panel* – LEAP; mayor información en sitio internet https://www.fairtrials.org/legal-experts-advisory-panel?what-is-leap, fecha de consulta: 18 de enero de 2019). La situación sería hoy bien diferente a la fecha de los hechos (2007) a la luz de la Directiva 2013/48/UE del Parlamento Europeo y del Consejo de 22 de octubre de 2013, sobre el derecho a la asistencia letrada en el proceso penal, DOUE n. L 394 de 6 de noviembre de 201, pp. 1-12; a respecto, JIMENO BULNES, Mar, "La Directiva 2013/48/UE del Parlamento Europeo y del Consejo de 22 de octubre de 2013 sobre los derechos de asistencia letrada y comunicación en el proceso penal: ¿realidad al fin?", *Revista de Derecho Comunitario Europeo*, vol. 18, nº 48, 2014, pp. 443-489.

[71]   Ello se traduce para el caso concreto en la especificación en la correspondiente comisión rogatoria de las prevenciones necesarias a la hora de practicar la concreta actividad investigativa y/o probatoria. Así, por ejemplo, en el caso de España se solicita tenga lugar la información de derechos al imputado y la prestación de asistencia letrada si tiene lugar su declaración en sede policial, por ejemplo, al hilo de orden de detención europea; así también de modo importante se requiere la preservación de la cadena de custodia en los supuestos de entrada y registro, etc. Lo mismo tiene lugar por parte de otros países, especialmente Holanda, Italia y Reino Unido; por ejemplo, el último de ellos requiere que la asistencia letrada tenga lugar, no sólo para la declaración del imputado sino también para la declaración de terceros como testigos.

(que no de publicidad)[72] por alguno de los motivos allí contemplados. Así tiene lugar especialmente en los supuestos de enjuiciamiento de delitos relativos al fenómeno de delincuencia organizada.

En este sentido, alegan, es muy distinta la posición del Ministerio Fiscal y la defensa en cuanto "partes personadas", pues la primera sí es informada pero no lo es la segunda hasta el alzamiento del secreto sumarial, al menos 10 días antes de la conclusión del sumario según anterior precepto. Dicho tiempo se estima insuficiente para preparar la participación en el extranjero por parte de la defensa, cuya intervención además no está siempre asegurada legal ni económicamente[73]. Por ello que la intervención física del respectivo abogado/a con traslado al país de origen le sustituye de ordinario el recurso a la videoconferencia o incluso, más cuestionable, la remisión de pliego de preguntas escritas a la autoridad de ejecución, a menudo muchas declaradas improcedentes. En suma, concluye la defensa, en la práctica de cooperación judicial se produce a menudo la lesión a tales principios de contradicción e igualdad procesal en la práctica de cooperación judicial internacional; todo ello unido a la infracción de otros principios si cabe de especial relevancia en esta materia como es la propia salvaguarda del derecho a la interpretación y traducción en calidad adecuada[74].

---

[72] Ampliamente, sobre la distinción entre ambos para el precepto que nos ocupa, JIMENO BULNES, Mar, "El principio de publicidad en el sumario", *Justicia*, n° III-IV, 1993, pp. 645-717, pp. 701 y ss. Pese a la ya antigüedad del estudio y de las fuentes consultadas, la argumentación teórica que contiene el mismo aún permanece válida para afrontar la diferencia entre sendos arts. 301 y 302 LECrim.

[73] En alguna entrevista se otorga una respuesta tan gráfica como que "si tu cliente tienes pasta, vas allí". En concreto el abogado defensor entrevistado tenía a la fecha "3 casos en Suiza". Por el contrario, el mismo abogado refería que en los casos en que le era obligada la remisión de preguntas escritas "a menudo las preguntas no se comprendían". En otros casos y por parte de distinto profesional se ha argumentado incluso "actitud obstruccionista" por parte de las autoridades de ejecución a la hora de realizar interrogatorio testifical por videoconferencia, en este caso por parte de autoridades francesas; parece ser el declarante era una persona relevante en su ámbito y de ahí la "sobreprotección". Finalmente, de nuevo en referencia al tema económico, como refiere algún otro profesional, si es necesaria la cooperación judicial internacional, "el desequilibrio entre las partes aún es mayor para el caso de operar la asistencia jurídica gratuita"; el mismo abogado refiere el distinto trato ofrecido desde el juzgado a acusación y defensa alegando que "si vas de *fishing expedition* se lo permiten a la fiscalía pero a la parte no".

[74] Por mi parte defiendo la configuración de un cuerpo de funcionarios de carrera al servicio de la administración de justicia similitud hoy día, por ejemplo, del cuerpo hoy día de médicos forenses conforme art. 479.4 LOPJ como ahora también se propone desde la defensa o siquiera, en tanto la constitución de dicho cuerpo tiene lugar, "un sistema de contratación y una retribución justa" junto a "un mecanismo de acceso a la

También se plantean dificultades específicas en relación a la práctica de determinadas diligencias como es el caso concreto de la intervención de comunicaciones. De esta forma y además de la mencionada diferencia en la exigencia de los requisitos procesales para su adopción como es el caso de la autorización judicial motivada según ha sido arriba expuesto, se pone también de manifiesto la existencia de cierta "mala praxis" por lo que respecta a su ejecución. En concreto y en alguna medida ha sido ya también arriba apuntado, dicha "mala praxis" tiene lugar en los casos en los que no es necesaria la asistencia técnica del país en cuestión donde físicamente habría de producirse la concreta intervención de comunicaciones, siempre que la tecnología lo permita y sin que opere de este modo información o solicitud de autorización al país afectado o a lo sumo después de iniciada la intervención[75]. Por otra parte, se lamenta la ausencia de transmisión electrónica de forma directa en el supuesto de operar intervención de comunicaciones telemáticas habiendo de acudirse a su archivo ("volcado" en

---

profesión" a fin de garantizar "la calidad del servicio"; así JIMENO BULNES, Mar, "El derecho a la interpretación y traducción gratuitas, *Diario La Ley,* n° 6671, 14 de marzo de 2007, pp. 1-10, esp. p. 7. Los abogados entrevistados denuncian la precariedad del sistema de contratación de intérpretes por parte de la administración de justicia española, ahora gestionado a través de una empresa privada cual es SeproTec con oficinas en varios países (mayor información disponible en http://seprotec.com/conocenos/ historia); ello en modo alguno permite asegurar la calidad y grado de conocimiento lingüístico de los intérpretes ofertados por la empresa.

[75]   Como relata en concreto un magistrado, se trata de "someter a control vía intervención telefónica a un teléfono que puedo seguir desde mi país. Ejemplo: teléfono español contratado con Movistar que va a Holanda pero yo 'engancho' desde Movistar aunque allí teléfono opera con compañía holandesa. Tienen que utilizarse redes españolas para poder intervenirlo desde España aunque persona está actuando en otro país. Los jueces de la AN no comunican así intervención al otro país si intervención tiene lugar de teléfono español. Era distinto supuesto con teléfonos fijos contratados *in situ* pero ahora enganche es posible desde *roaming* español aunque persona esté unos días o viva en Holanda. Se está haciendo pocas veces pero ya ha habido algún caso. Lo que pasa es que sí es obligatoria la solicitud de autorización a este país respectivo y es un problema de validez pero no constitucional ni contaminante sino defecto formal, salvo que juez insista en proseguir sin autorización que si daría a una invalidez contaminante". En definitiva, este magistrado diferencia dicha invalidez según tenga lugar la posterior información al país afectado en solicitud de su autorización, lo que de ordinario sucede en un plazo de 48 horas cuando lo correcto sería procurar dicha información al tiempo de realizar dicha intervención al menos si no pudiera tener lugar con anterioridad a la misma.

Por su parte otro magistrado quien defiende la no necesidad de proceder a notificación alguna llegar al extremo de alegar que "si estás en el club y el juez español es tan demócrata como el inglés no entiendo como la falta de notificación debe abocar a la inadmisibilidad de la prueba".

CD, DVD, USB, cuya originalidad certifica el Letrado de la Administración de Justicia) para su almacenamiento y posterior transmisión mediante funcionario policial o, en su caso, magistrado de enlace[76].

Dicha "mala praxis" se extiende también en ocasiones con carácter general al común de supuestos con relación a cuestiones específicas como es el tema de la observancia del principio de especialidad y, en suma, la protección de datos personales, materia en las que nuestro país no resulta ser especialmente cuidadoso a diferencia de otros más exigentes; en algunos de ellos incluso se solicita a la autoridad judicial emisora la suscripción de cláusulas de protección de los datos transferidos por el Estado requerido como es el caso de Francia. En cambio, en España, a la luz de las entrevistas realizadas especialmente a jueces y fiscales, este parece ser aún[77] un tema menor o de segundo nivel operando en la práctica judicial con frecuencia transferencia de datos entre distintos asuntos dentro del mismo juzgado o jurisdicción[78].

---

[76]   Ello aún cuando existe un proyecto por parte de la Unión Europea a fin de permitir la transmisión electrónica de datos denominado e-CODEX vía red digital de común acceso para los puntos de contacto judiciales existentes en los distintos Estados miembros, si bien el mismo se encuentra a la fecha aún en construcción y no es todavía operativo; mayor información en enlace https://www.e-codex.eu/

[77]   Recuérdese en cambio ahora nueva normativa europea en materia de protección de datos como es Reglamento (UE) 2016/679 del Parlamento Europeo y del Consejo, de 27 de abril de 2016, relativo a la protección de las personas físicas en lo que respecta al tratamiento de datos personales y a la libre circulación de estos datos, y especialmente Directiva (UE) 2016/680 del Parlamento Europeo y del Consejo, de 27 de abril de 2016, relativa a la protección de las personas físicas en lo que respecta al tratamiento de datos personales por parte de las autoridades competentes para fines de prevención, investigación, detección o enjuiciamiento de infracciones penales o de ejecución de sanciones penales, y a la libre circulación de dichos datos, ambas publicadas en DOUE n. L 119 de 4 de mayo de 2016, pp. 1-88 y pp. 89-131. Entre la literatura, SÁNCHEZ DOMINGO, Mª Belén, "La protección de datos personales en el Espacio de Libertad, Seguridad y justicia. Especial consideración a las transferencias de datos a terceros países y organizaciones internacionales según la Directiva 2016/680, *Revista de Estudios Europeos*, nº 69, 2017, pp. 17-36, proponiendo un "régimen específico en materia de protección y tratamiento de datos equivalente en todos los Estados miembros para lograr que la cooperación policial y judicial sea eficaz" (p. 17). Dicha normativa es objeto de adaptación en nuestro país mediante la reciente LO 3/2018, de 5 de diciembre, de Protección de Datos personales y garantía de los derechos digitales, BOE num. 294 de 6 de diciembre de 2018, pp. 119788-119857; por cierto que la norma susceptible de adaptación en sede estatal es y ha de ser en todo caso la Directiva y no el Reglamento como propone el legislador en artículo 1.a) olvidando en cambio la primera pues el reglamento según art. 288.II TFUE arriba expuesto es norma "directamente aplicable en cada Estado miembro".

[78]   Es ilustrativo el relato sobre esta práctica proporcionado por parte de un magistrado de la AN con gran experiencia en la materia: "en casos de cooperación judicial la co-

Ciertamente la legislación internacional como el artículo 23.1 CAJ 2000 permite dicho "trasvase" de datos en los supuestos legalmente contemplados[79] al igual que ahora la legislación interna en España fruto de la última gran reforma procesal penal[80].

Capítulo aparte merece el tema de los gastos que ocasiona la cooperación judicial y la forma de afrontar el reparto de los mismos entre los países emisor y ejecutor de la comisión rogatoria en cuestión. Aquí también el comportamiento difiere según cuales sean los países involucrados y, por supuesto, el coste empleado en la ejecución de la diligencia solicitada. Desde la perspectiva de España como país requirente, los entrevistados relatan que algunos países reclaman de inmediato el coste de la ejecución de la comisión rogatoria; es el caso concreto de Suiza y Reino Unido. Pero según se afirma, aún cuando ello tenga lugar, este coste suele ser en todo caso menor que si la práctica de la diligencia hubiera que tenido que tener lugar

---

misión rogatoria se 'replica' para cada procedimiento y no se solicita nuevamente ej. Casos de terrorismo con Francia: no se solicita de nuevo autorización a Francia sino que el dato se 'duplica' de un procedimiento a otro incorporándose copias en cada procedimiento. En un procedimiento concreto se utiliza una carta obtenida en un registro en Francia y se utiliza en todos los procedimientos aunque en un caso concreto no pudo utilizarse por alegarse por pare de la remitente torturas policiales"

[79] En suma, "los datos de carácter personal comunicados con arreglo al presente convenio podrán ser utilizados por el Estado miembro al que se hayan transmitido: a) para los procedimientos a los que se aplica el presente Convenio; b) para otros procedimientos judiciales y administrativos directamente relacionados con los procedimientos a que se refiere la letra a); c) para prevenir una amenaza directa y grave para la seguridad pública; d) para cualquier otra finalidad, únicamente previa autorización del Estado miembro transmisor, a menos de que el Estado miembro de que se trate haya obtenido el consentimiento de la persona interesada".

[80] Nuevo artículo 579 bis.1 LECrim dispuesto de forma específica respecto de la diligencia sumarial de intervención de comunicaciones postales permitiendo expresamente que "el resultado de la detención y apertura de la correspondencia escrita y telegráfica podrá ser utilizado como medio de investigación o prueba en otro proceso penal". Dicho precepto que en ulterior apartado contempla las llamadas investigaciones prospectivas o "descubrimientos casuales" es fruto de la reforma procesal penal operada por LO 13/2015, de 5 de diciembre, de modificación de la Ley de Enjuiciamiento Criminal para el fortalecimiento de las garantías procesales y la regulación de las medidas de investigación tecnológica, BOE núm. 239 de 6 de octubre de 2015, pp. 90192-90219. Sobre esta concreta diligencia sumarial tras la reforma véase RODRI-GUEZ LAÍNZ, José Luis, "La detención y observación de la correspondencia escrita y telegráfica en la Ley Orgánica 13/2015", *Diario La Ley*, nº 8792, 28 de junio de 2016, http://diariolaley.laley.es, aún cuando en nota 8 previene que reserva el análisis de nuestro precepto a posterior estudio.

en España[81]. Por ello que desde las instancias oficiales -en concreto, Servicio de Relaciones Internacionales del CGPJ- se aconseja proceder siempre a la ejecución requerida.

En cuanto a la actuación de España como Estado requerido, la mayor parte de los jueces y fiscales entrevistados coinciden en afirmar que nuestro país es bastante "generoso"[82] a partir de la recomendación efectuada desde el CGPJ de admitir la comisión rogatoria *a priori* y luego en su caso llegar a posterior acuerdo con el país emisor sobre la imputación de los gastos, especialmente si son elevados. Sin embargo, su visión difiere desde la perspectiva personal a la hora de emprender la ejecución concreta de una comisión rogatoria; así, existen opiniones de todos los tipos. Algunos jueces y fiscales defienden la posibilidad de denegar la ejecución de la diligencia solicitada si el coste para España fuera desproporcionado aplicando el mismo criterio que tendría lugar de tratarse una diligencia adoptada en el marco de un proceso nacional[83]. Otros, en cambio, consideran que la vía correcta sería acudir al Ministerio de Justicia a fin de obtener su compromiso para sufragar el coste de la ejecución de la comisión rogatoria aún antes de consultar al país requirente sobre la posibilidad de compartir tales gastos. Finalmente, una última postura mantiene la conveniencia de compartir en todo caso el coste de la diligencia entre Estado emisor y ejecutor, en cuyo defecto sería motivo suficiente para denegar la práctica solicitada[84].

---

[81]   Uno de los entrevistados relata una experiencia vivida con Lituania, a quien un Juzgado de Cataluña solicitó la práctica de videoconferencia para obtener la declaración de un testigo y Lituania reclamó los gastos de dicha videoconferencia que hubo de reclamarse a la Generalitat catalana; con todo el juez reconoce que "a la postre sería más caro si testigo tiene que venir a España"

[82]   No es un tema que interese a todos los entrevistados. En concreto expresa informalmente un magistrado "los jueces somos ricos y no nos importan los costes". Por otra parte, afirma que "España es tan generosa en cumplimentación de las comisiones rogatorias que estoy seguro de que perdemos dinero". Pero igualmente argumenta que el trato a determinados costes debe ser el mismo que otorgado en sede nacional y así, en concreto, "¿por qué no le cobró a un investigado en España de nacionalidad extranjera los costes de traducción y sí habría de cobrárselos cuando su declaración se pide por vía de cooperación?".

[83]   El magistrado expone un ejemplo muy ilustrativo a este respecto: "desmontar un barco para localizar si hay droga entraña medio millón de euros y no interesa, con o sin cooperación judicial". El mismo magistrado también reconoce que además del coste se tendrá en cuenta a la hora de ejecutar la diligencia solicitada el interés personal de España y así, por ejemplo, "la cooperación en materia de terrorismo suele prestarse porque interesa a España".

[84]   Esta postura procede en su mayor parte desde el sector institucional entendiendo que España actúa en mayor medida como Estado requerido que requirente, por lo que "aplicar la reciprocidad no es una buena respuesta" para España. Aduce por ejemplo

4. ADAPTACIÓN DE LA OEI EN ESPAÑA Y PERSPECTIVAS DE FUTURO EN EUROPA

En el trabajo de campo del que trae origen la presente contribución se diseñó un último apartado de preguntas relativas a las esperanzas deposita-das en la orden europea de investigación u OEI por parte de jueces y magis-trados, fiscales y abogados como nuevo instrumento de cooperación judicial penal en materia de prueba transfronteriza; no en vano la misma provee sustitución de los anteriores instrumentos legales a los que se ha realizado oportuna referencia y los que han sido utilizados hasta la fecha en el sen-tido arriba expuesto. Las reflexiones y comentarios por parte de quienes aplican/aplicarán la OEI en el proceso penal español pueden servir como primer diagnóstico para valorar su incorporación en el proceso penal espa-ñol así como la que se presume contribución a la mejora de la eficacia de la cooperación judicial en materia de prueba transfronteriza. Sin embargo y desde la perspectiva europea, el capítulo de prueba transfronteriza al hilo del artículo 82.2.a) TFUE[85] parece no agotarse con la OEI, por ello las nue-vas propuestas de futuro que se avanzan en la materia; por ejemplo y en concreto, la actual negociación en materia de prueba electrónica (*e-evidence*) a la que se realiza también aquí somera referencia.

4.1. *La incorporación de la OEI al proceso penal español*

No es por ello propósito aquí y ahora de proceder a un estudio del re-ciente instrumento de reconocimiento ni en su vertiente europea –labor que he realizado en otro momento[86]– ni en su vertiente española y con ello la adaptación realizada por nuestro país mediante la 3/2018, de 11 de junio, en regulación de la Orden Europea de Investigación ofreciendo

---

el coste de traducción o interpretación en las intervenciones telefónicas, el cual nunca ha sido reclamado por parte de España como ningún otro coste derivado de comi-siones rogatorias internacionales (CRI). A su juicio "en España este debate no existe, aunque debería abrirse".

[85] Recuérdese, dictado de "normas mínimas" por parte del Parlamento Europeo y del Consejo relativas a "la admisibilidad mutua de pruebas en los Estados miembros".

[86] Vid. JIMENO BULNES, Mar, "Orden europea de investigación en materia penal", op. cit., *passim*. Igualmente quiero ahora destacar los trabajos realizados sobre la OEI des-de una triple perspectiva europea, española y práctica por MANGIARACINA, Analisa, BACHMAIER WINTER, Lorena y MORÁN MARTÍNEZ, Rosa Ana en anterior obra colectiva en JIMENO BULNES, Mar (dra.) y MIGUEL BARRIO, Rodrigo (coord..), *Espacio judicial europeo y proceso penal*, op. cit., pp. 115-131, 133-162 y 163-186 respectiva-mente.

nueva regulación de los artículos 186-223 (Título V) LRM, sobre la que se van publicando nuevos y muy interesantes trabajos[87]. De origen belga en cuanto fue éste su país promotor[88], ha de reconocerse su carácter más bien "necesario" que innovador[89] dada la recopilación hecha de muchos de los caracteres y medidas de antiguos convenios de asistencia judicial penal como es el caso concreto del CAJ 2000.

Sin embargo y es aquí a mi juicio donde reside en su caso la innovación fundamental, supone un auténtico instrumento de reconocimiento mutuo[90] o "euro-orden" que, no sólo provoca la simplificación procedimen-

---

[87]   A título de ejemplo, con carácter general, destaca el trabajo de LÓPEZ JIMÉNEZ, Raquel, "La transposición de la orden europea de investigación en España por la Ley 3/2018, de 11 de junio", *Justicia*, nº 2, 2018, pp. 269-352, en cuyo número tiene lugar también la publicación de ulteriores trabajos sobre distintos aspectos de la OEI a los que se realizará oportuna alusión; del mismo modo, MONTÓN GARCÍA, Lidón, "Transposición de la orden europea de investigación en materia penal" en CACHÓN CADENAS, Manuel y FRANCO ARIAS, Just (coords.), *Derecho y proceso. Liber amicorum del Profesor Francisco Ramos Méndez*, vol. II, Atelier, Barcelona, 2018, pp. 1637-1652. Con carácter previo, aún al hilo del Proyecto de Ley, ARANGÜENA FANEGO, Coral, "Orden europea de investigación: próxima implementación en España del nuevo instrumento de obtención de prueba penal transfronteriza", *Revista de Derecho Comunitario Europeo*, nº 58, 2017, pp. 905-939; así también los trabajos de GRANDE SEARA, Pablo, "Reconocimiento y ejecución en España de una Orden Europea de Investigación (Análisis del Proyecto de Ley por la que se modifica la Ley 23/2014, de 20 de noviembre, de reconocimiento mutuo de resoluciones penales en la Unión Europea, para regular la Orden Europea de Investigación)", MARTINEZ GARCÍA, Elena, "La orden europea de investigación", ROMERO PRADAS, Mª Isabel, "La prueba penal en Europa, una cuestión compleja. La orden europea de investigación como nuevo instrumento de obtención de pruebas en procesos penales transnacionales y su próxima incorporación al Derecho español", en GONZÁLEZ CANO, Mª Isabel (Dra.), *Integración europea y justicia penal*, op cit., pp. pp. 435-481, 404-434 y 343-401 respectivamente.

[88]   Al respecto, HEARD, Catherine y MANSELL, Daniel, "The European Investigation Order: changing the face of evidence-gathering in EU cross-border cases", *New Journal of European Criminal Law*, 2011, disponible en https://www.fairtrials.documents/ NJECL_article_on_EIO.pdf; ambos autores ocupan cargos directivos en la ONG Fair Trials International ocupada en la defensa letrada en procesos penales de carácter transfronterizo.

[89]   De este modo TINOCO PASTRANA, Angel, "L'ordine europeo di indagine penale", Processo penale e giustizia, nº 2, 2017, pp. 346-358, esp. pp. 357-358 concluyen el autor que la OEI es "*uno strumento realístico, concreto, idoneo ad addatarsi all contesto attuale dell'UE*".

[90]   En esta línea DE AMICIS, Gaetano, "Dalle rogatorie all'ordine europeo di indagine: verso un nuovo diritto della cooperazione giudiziaria penale", *Cassazione penale*, nº 1, 2018, pp. 22-43, esp. p. 27, donde el autor refiere para el caso de la OEI una "*inusuale convergenza*" entre los típicos instrumentos de asistencia judicial mutua y aquellos de reconocimiento mutuo. Sobre esta misma evolución practicada desde la asistencia

tal en materia de prueba transfronteriza[91] (de ahí la necesidad) sino que aumenta/rá de modo extraordinario la eficacia de la cooperación judicial europea mediante la aplicación del susodicho principio de reconocimiento mutuo. Colaboración que, además, en este caso tendrá lugar de forma fundamental durante la fase de instrucción procesal siendo esta fase donde tiene lugar en la práctica judicial la mayor y más relevante cooperación judicial internacional como ya era demostrado a partir de anteriores instrumentos legales arriba examinados. De ahí también el importante cambio de nomenclatura operado respecto del anterior exhorto de obtención de pruebas, por cuanto ahora no se trata de solicitar "diligencias probatorias" *stricto sensu* sino "medidas de investigación" siendo así esta última la terminología empleada a lo largo del articulado del nuevo instrumento normativo tanto en su versión europea como española[92].

Ciertamente la adaptación de la OEI en España tuvo lugar en fecha tardía siendo el nuestro uno de los últimos países en llevar a cabo la misma[93],

---

judicial mutua hasta el reconocimiento mutuo véase también en su día MANGIARACINA, Annalisa, "A new and controversial scenario in the gathering of evidence at the European level: the Proposal for a Directive on the European Investigation Order", *Utrecht Law Review*, vol. 10, nº 1, 2014, pp. 113-133, esp. pp. 115 y ss.

[91] Vid. Considerandos 5 y 6 Directiva OEI en referencia respectivamente al anterior marco legislativo "fragmentario y complicado" y la necesidad de proceder a un "sistema general que sustituya a todos los instrumentos existentes en este ámbito". Por ello se ha dicho que el objetivo del texto europeo es ofrecer un nuevo marco legislativo "abarcador" y "simplificador"; así MANGIARACINA, Annalisa, "La orden europea de investigación: desde la perspectiva europea", *Espacio judicial europeo y proceso penal*, op. cit., p. 116. No en vano el anterior sistema de asistencia judicial se reputaba tenía lugar en un "escenario desordenado" donde "los actores carecen de un único guión, viéndose obligados a improvisar tratando de aunar la lectura de diferentes guiones de los más diferentes estilos"; "; de este modo y con alusión a este símil cinematográfico en su día JIMÉNEZ-VILLAREJO FERNÁNDEZ, Francisco, "Orden europea de investigación: ¿adiós a las comisiones rogatorias?", en ARANGÜENA FANEGO, Coral (coord..), *Cooperación judicial civil y penal en el nuevo escenario de Lisboa*, Comares, Granada, 2011, pp. 175-203, esp. p. 178.

[92] Ello si bien en algún momento se realiza referencia con carácter general a la institución probatoria; a modo de ejemplo, nuevo art. 188.2 LRM, textualmente, "la autoridad española competente podrá expedir una orden europea de investigación complementaria a otra ya cursada cuando sea necesario para obtener nuevas pruebas para el mismo proceso penal".

[93] A modo de ejemplo véase información proporcionada por la Comisión Europea a fecha de 15 de febrero de 2018, documento nº 5908/2/18, JAI 76, COPEN 24, EUROJUST 11, EJN 6, última disponible con acceso público en buscador oficial del Consejo de la Unión Europea https://www.consilium.europa.eu/register/es/content/int?typ=ADV; en el mismo figura ya la legislación estatal de todos los Estados miembros hecha excepción de Austria, Bulgaria, Chipre, España Luxemburgo. A fecha de hoy

toda vez expirado casi en una anualidad el plazo dictado por el artículo 36.1 Directiva OEI, en su día fijado el 22 de mayo de 2017. La extrañeza en esta tardía adaptación puede ser mayor si se recuerda que otra normativa europea de la misma fecha sí fue objeto de implementación en tiempo y forma, cual es la Directiva 2014/42/UE del Parlamento Europeo y del Consejo, de 3 de abril de 2014, sobre el embargo y decomiso de los instrumentos y del producto del delito[94]. De este modo tiene lugar nueva regulación ofrecida esta vez en la legislación procesal penal ordinaria y así artículos 803 ter a – 803 ter u LECrim introducidos por la Ley 41/2015, de 5 de octubre, de modificación de la Ley de Enjuiciamiento Criminal para la agilización de la justicia penal y el fortalecimiento de las garantías procesales.

Por ello que esta retrasada transposición por parte del legislador español hizo necesaria la resolución provisional por parte de los operadores jurídicos respecto de las ordenes europeas de investigación, cuya ejecución iba ya siendo solicitada a España bajo el nuevo formato del formulario contenido en el anexo a la Directiva europea y ahora también LRM[95]. Más aún cuando el nuevo instrumento de reconocimiento mutuo prevé en España la emisión así como ejecución en su caso de ordenes europeas de investigación por el Ministerio Fiscal conforme la redacción del nuevo artículo 187 LRM[96] en sintonía con la regulación ofrecida por anterior artículo

---

puede observarse ya el estado y normas de implementación en todos los Estados miembros en la página web de la Red Judicial Europea con enlace https://www.ejn-crimjust. europa.eu/ejn/EJN_Library_StatusOfImpByCat.aspx?CategoryId=120 (fecha de consulta: 5 de febrero de 2019).

[94] DOUE n. L 127 de 29 de abril de 2014, pp. 39-50. Amplia y recientemente, con referencia a antecedentes, normativa internacional, europea y estatal CARRILLO DEL TESO, Ana E., *Decomiso y recuperación de activos en el sistema penal español*, Tirant lo Blanch, Valencia, 2018, esp. pp. 70 y ss por lo que respecta a normativa europea y 219 y ss por lo que respecta a la transposición española.

[95] Anexo XIII en sustitución del anterior "certificado para la ejecución de exhorto de obtención de pruebas"; nótese la supresión ahora del término de "certificado" como tiene lugar para el conjunto de "euro-ordenes" allí contenidas aún cuando el art. 7.2 LRM modificado por Ley 3/2018 otorga al "formulario" el valor de "certificado". Un formulario interactivo acompañado del correspondiente manual general de uso (*compendium*) se dispone en versión inglesa la página de la Red Judicial Europea https:// www.ejn-crimjust.europa.eu/ejn/EJN_Compendium.aspx

[96] En clara crítica AGUILERA MORALES, Marien, "La Orden Europea de Investigación: nuevas atribuciones para el Ministerio Fiscal", *Justicia*, n° 2, 2018, pp. 193-221, esp. pp. 207 y ss, apuntando "un reducido papel del Fiscal" junto a cuestiones e inconvenientes prácticos que en gran medida comparto; en línea similar, CERRATO GURI, Elisabet, "Claves para la correcta emisión de una Orden Europea de Investigación por el Estado español", *Justicia*, n° 2, 2018, pp. 353-364, esp. p. 366 haciendo notar el carácter de instrucción judicial que aún tiene aquella que se realiza en nuestro país. Por el contrario,

188 LRM para el exhorto europeo de obtención de pruebas; precepto este primero que encarga además a la Fiscalía proceder al registro de aquellas recibidas. De este modo y ante tales tareas, tuvo lugar en su día el dictado del Dictamen 1/17, de 19 de mayo de 2017, de la Fiscal de Sala de Cooperación Internacional[97] a fin de articular el régimen transitorio en la tramitación de tales "euro-órdenes".

Si bien es cierto que el legislador español incumplió su deber europeo de proceder a la transposición de la mencionada Directiva relativa a la OEI en el plazo prescrito por la misma[98], al menos preparó el camino previo a la misma dando lugar a una reforma procesal penal a todas luces necesaria para la aplicación práctica de la OEI en nuestro país. Me refiero a la nueva regulación y, en su caso, incorporación de diligencias sumariales ofrecida por la Ley Orgánica 13/2015, de 5 de octubre, de modificación de la Ley de Enjuiciamiento Criminal para el fortalecimiento de las garantías procesales y la regulación de las medidas de investigación tecnológica. Sin duda, un pilar fundamental de la OEI se erige en la intervención de comunicaciones telefónicas y ahora también telemáticas; así lo prueba el hecho de

---

en apunte de sus ventajas, que también sin duda hay al acercar en mayor grado el concepto de autoridad judicial en los distintos Estados miembros, MORÁN MARTÍNEZ, Rosa Ana, "La orden europea de investigación desde la perspectiva práctica", op. cit., esp. pp. 171 y ss.

[97] Dictamen sobre el régimen legal aplicable debido a la no transposición en plazo de la Directiva de la Orden Europea de Investigación y sobre el significado de la expresión "disposiciones correspondientes" que sustituye dicha Directiva disponible en servidor oficial https://www.fiscal.es. Al respecto de nuevo MORÁN MARTÍNEZ, Rosa Ana, "La orden europea de investigación desde la perspectiva práctica", op. cit., esp. pp. 182 y ss, quien precisamente es la autora del citado dictamen en su calidad de Fiscal de Sala de Cooperación inernacional.

[98] Así conforme estipula el art. 4.3.II TUE, textualmente, "los Estados miembros adoptarán todas las medidas generales o particulares apropiadas para asegurar el cumplimiento de las obligaciones derivadas de los Tratados o resultantes de los actos de las instituciones de la Unión". Por otra parte, ha de recordarse que el recurso de incumplimiento regulado en arts. 258 y ss TFUE contempla como motivo específico para su interposición por parte de la Comisión Europea ante el Tribunal de Justicia la falta de información sobre "las medidas de transposición de una directiva adoptada con arreglo a un procedimiento legislativo", obligación que como su adaptación atañe a los Estados miembros; en este caso concreto la Comisión "podrá, si lo considera oportuno, indicar el importe de la suma a tanto alzado o de la multa coercitiva que deba ser pagada por dicho Estado" (art. 260.3 TFUE). A modo de ejemplo, por todas y en condena al respectivo Estado miembro por no haber adaptado Directiva en plazo, Sentencia del Tribunal de Justicia (Sala Sexta) de 1 de junio de 2006, *Comisión/Grecia*, as. C-475/04, disponible en buscador oficial http://curia.europa.eu/juris/recherche. jsf?language=es

su regulación independiente[99] así como, fundamentalmente, su creciente solicitud en las comisiones rogatorias internacionales según ha sido más arriba expuesto.

Respecto a la opinión vertida por los operadores jurídicos a la luz de nuestro estudio de campo tantas veces mencionado hay que decir que, por lo general, esta es bastante positiva y esperanzadora respecto de los beneficios de la OEI[100], teniendo en cuenta que cuando fueron realizadas las distintas entrevistas origen del citado estudio no había tenido aún lugar la adaptación de la OEI en España. Ello si bien, pese a la ausencia de norma española en materia de OEI, sólo a lo largo del año 2017 se recibieron en nuestro país 186 solicitudes de cooperación judicial bajo el formato de OEI (66 procedentes de Francia, 50 de Holanda y 45 de Alemania, países que es de suponer habían procedido ya entonces a la adaptación de la OEI) según datos obrantes en la Fiscalía General del Estado a la fecha[101]. Sin duda y tal es la percepción de los distintos profesionales, España es un país muy "colaborador" dentro del espacio judicial europeo y así lo muestran las estadísticas enunciadas, aún cuando, también aducen, siempre puede haber margen para mejorar esta cooperación judicial transnacional.

---

[99] Capítulo V, arts. 30-31 Directiva OEI. En particular, BACHMAIER WINTER, Lorena, "La orden europea de investigación: desde la perspectiva española", op. cit., pp. 136 y ss; así también GRASSIA, Rosa Gaia, "La disciplina delle intercettazioni: l'incidenza della direttiva 2014/41/UE sulla normativa italiana ed europea", en BENE, Teresa, LUPARIA, Luca y MARAFIOTI, Luca (eds.), *L'ordine europeo di indagine. Criticità e prospettive*, G. Giappichelli Editore, Torino, 2017, pp. 199-218. Sobre esta medida en concreto desde el panorama internacional GONZÁLEZ MONJE, Alicia, *Cooperación jurídica internacional en materia penal e intervención de comunicaciones como técnica especial de investigación*, Comares, Granada, 2017, esp. pp. 126 y ss por lo que respecta a la OEI.

[100] Una de las preguntas contenida en el cuestionario de la entrevista otorgaba distintas posibilidades de respuesta, en concreto *strongly favourable – somewhat favourable – slightly favourable – slightly unfavourable – somewhat unfavourable – strongly unfavourable*. Como resultado final un 80% de los jueces, fiscales y abogados optaron por las dos primeras posibilidades de respuesta; entre los distintos sectores el mismo orden rige por lo que respecta a esta opinión favorable, lo que muestra a la abogacía como el sector más reticente a la aplicación de la OEI en materia de prueba transfronteriza.

[101] Vid. MORÁN MARTÍNEZ, Rosa Ana, "La orden europea de investigación desde la perspectiva práctica", op. cit., esp. p. 185. No obstante, entre los expertos e instituciones españolas ocupadas en el espacio judicial europeo se pone de relieve la discrepancia que existe en España respecto de las estadísticas existente en materia de emisión y ejecución de "euro-ordenes", tanto de detención como de investigación o de otro carácter puesto que son diversos los canales utilizados para la transmisión de todas ellas.

Ni que decir tiene que entre los grandes beneficios de la OEI se encuentra la unificación que opera respecto de las distintas medidas de investigación (o, en suma, diligencias sumariales) objeto de comisión rogatoria permitiendo que a partir de ahora todas ellas puedan ser solicitadas en un mismo y único formulario por oposición a la práctica hasta ahora empleada. Desde luego ello ya de por sí supone un cambio de estructura en el ámbito de la cooperación judicial; no en vano se produce un salto en el tiempo desde el antiguo y aislado sistema de comisiones rogatorias propio del siglo XIX hasta el actual único y normalizado mediante el formulario de la OEI susceptible de solicitud mediante vía telemática como parece propio del siglo XXI[102]. Otras ventajas derivan del propio concepto de la OEI como instrumento de reconocimiento mutuo que configura la asistencia judicial de forma directa en ausencia de autoridad central, lo que obviamente facilita y reduce los tiempos de espera en la práctica de la diligencia solicitada; a ello se une ahora también, precisamente, la obligatoriedad de ejecutar la misma, además en plazo, a salvo de la concurrencia de algún motivo de denegación dentro de aquellos legalmente previstos[103].

---

[102]   Recuérdese anterior enlace de la Red Judicial Europea https://www.ejn-crimjust.europa.eu/ejn/CompendiumChooseCountry.aspx (fecha de consulta: 5 de febrero de 2019). Sobre el nuevo sistema de cooperación judicial y el "salto temporal" producido véase DE AMICIS, Gaetano, "Dalle rogatorie all'ordine europeo di indagine: verso un nuovo diritto della cooperazione giudiziaria penale", *Cassazione penale*, nº 1, 2018, pp. 22-43, en defensa del equilibrio propuesto por el nuevo modelo entre simplicidad y eficacia con garantías procesales; desde una perspectiva más crítica, MARAFIOTI, Luca, "Orizzonti investigativi europei, assistenza giudiziaria e mutuo riconoscimento", en BENE, Teresa, LUPÁRIA, Luca y MARAFIOTI, Luca (eds.), *L'ordine europeo di indagine...*, op. cit., pp. 9-24, esp. pp. 20 y ss aduciendo el difícil equilibrio entre reconocimiento mutuo y asistncia judicial, no en vano conceptos de épocas distintas según se ha dicho.

[103]   Arts. 12 y 11 Directiva OEI así como arts. 208 y 207 LRM respectivamente. Sobre los motivos de denegación en particular DE HOYOS SANCHO, Montserrat, "La orden europea de investigación: reflexiones sobre su potencial efectividad a la vista de los motivos de denegación del reconocimiento y ejecución en España", *Revista General de Derecho Procesal*, nº 47, 2019, http://www.iustel.com, extendiendo su examen no sólo a los motivos normativamente contemplados sino a aquellos de índole práctica, cuyo peso no es menos importante en la propia operatividad práctica de la OEI; así también, FIORELLI, Giulia, "I motivi di rifiuto dell'ordine investigativo europeo, quando 'fidarsi è bene, ma non fidarsi è meglio'", en BENE, Teresa, LUPARIA, Luca y MARAFIOTI, Luca (eds.), *L'ordine europeo di indagine...*, op. cit., pp. 79-99. En su día, BACHMAIER WINTER, Lorena, "La propuesta de Directiva europea sobre la orden de investigación penal: valoración crítica de los motivos de denegación", *Diario La Ley*, nº 7992, 28 de diciembre de 2012, http://diariolaley.laley.es

Por su parte también los distintos profesionales jurídicos señalan las que
prevén dificultades que tendrán lugar en la aplicación de la OEI, experiencia que ya comienza a percibirse toda vez puesto en práctica el mecanismo
de la OEI hecha transposición de la norma europea en todos los países a
la fecha[104]. De este modo y con carácter general se señala como dificultad
relevante a la hora de poner en marcha el empleo de la OEI la barrera
lingüística existente en nuestro país (y otros muchos)[105] debido al común
desconocimiento de idiomas en las profesiones jurídicas dado el carácter
hasta ahora "doméstico" de los ordenamientos jurídicos; a ello se suma las
muchas veces baja calidad de los servicios de interpretación y traducción
existentes en Juzgados y Tribunales en la línea arriba expuesta según se denuncia especialmente desde el sector de la abogacía[106]. Del mismo modo

---

[104] Véase anterior cuadro dispuesto en la página web de la Red Judicial Europea con
fechas de entrada en vigor de la normativa nacional relativa a la OEI para cada uno
de los Estados miembros, incluído el Reino Unido a pesar de su régimen de *opt-out*;
así enlace https://www.ejn-crimjust.europa.eu/ejn/EJN_Library_StatusOfImpByCat.
aspx?CategoryId=120 (fecha de consulta: 5 de febrero de 2019).

[105] Por ello la sugerencia en su día hecha a la Comisión desde la academia de reforzar
estas áreas deficitarias, tales como la formación lingüística y procesal en instrumentos
de cooperación judicial en lugar de la sucesiva promulgación de legislación específica
en materia de reconocimiento mutuo; así BACHMAIER WINTER, Lorena, "La Orden
Europea de Investigación: la propuesta de Directiva europea para la obtención de
pruebas en el proceso penal", *Revista española de Derecho Europeo*, n° 37, 2011, pp. 71-93,
esp. p. 93. En línea similar, sobre las barreras lingüísticas y materiales (por ejemplo,
ausencia de línea telefónica internacional) en Juzgados y Tribunales españoles MO-
RÁN MARTÍNEZ, Rosa Ana, "La orden europea de investigación desde la perspectiva
práctica", op. cit., esp. p. 171.

[106] Se relatan casos concretos por parte de la defensa en la prestación de asistencia a
detenidos en virtud, por ejemplo y en concreto, de ordenes de detención europeas;
en algunos casos esta asistencia se presta por abogados vinculados a ONGs como es el
caso de *Fair Trials International* (FTI) o *Rights International Spain* (RIS). De este modo y
a título de ejemplo se cita un caso de la detención de una ciudadana polaca de 50 años
residente en Londres a quien se la detienen en un hotel en Tenerife con motivo de un
viaje de vacaciones con su marido e hijos en virtud de condena en su país de 5 años por
apropiación indebida; trasladada a Madrid presta declaración de pie por espacio de 5
minutos en Juzgado Central de Instrucción n. 5 ingresando directamente en prisión
dónde no puede hablar con nadie porque no habla español. La misma abogada relata
el defectuoso servicio de traducción que opera en los Juzgados y Tribunales de Madrid
dada la privatización del servicio y la contratación con empresa que ofrece precio más
bajo como es ahora el caso de SeproTec arriba mencionada, cuya calidad de interpretación no resulta asegurada al igual que tampoco el suficiente nivel de idioma por los
prestadores del servicio por cuanto el mismo lo realizan intérpretes y traductores fuera
del listado "oficial". Ella como yo reclama la provisión de un servicio público de interpretación y traducción a cargo de la administración de Justicia en la línea también más
arriba defendida.

y con esta misma naturaleza general, de la forma también arriba indicada, se señala la escasa formación judicial recibida en materia de cooperación judicial europea por parte de la judicatura y fiscalía así como de la abogacía; ello si bien me consta personalmente la impartición de formación específica en el seno de las dos primeras instituciones y la falta de interés de la última de ellas.[107]

Desde la perspectiva científica, de nuevo se pone de relieve la falta de homogeneidad entre los procedimientos penales existentes en los diversos Estados miembros así como, *in genere*, la diversidad de sistemas legales contemplados en el conjunto de Europa que dan lugar a la disparidad de requisitos procesales a la hora de adoptar las medidas solicitadas en la línea también arriba anticipada[108]. Incluso la idea de una aproximación legislativa en virtud de un proceso penal común, siquiera mediante la promulgación de normas mínimas a modo de lo que ha tenido lugar para el dictado de las Directivas en materia de derechos procesales, tampoco es mal vista entre los profesionales. Desde luego, lo que supone una cuestión fundamental a la luz de la problemática anteriormente examinada, es la validez de la diligencia probatoria acordada extraterritorialmente a fin de incorporarla al proceso penal pendiente en el Estado miembro requirente, cuestión que tampoco parece resolver la OEI[109]; o, diría yo, da por "solven-

---

[107] En efecto, a modo de ejemplo, cursos celebrados por el Centro de Estudios Jurídicos del Ministerio de Justicia así como la Escuela Judicial - CGPJ dentro de sendos programas de formación continua con motivo de la promulgación de la LRM, en concreto a fecha de 9-10 de marzo de 2015 bajo el título *Reconocimiento mutuo de las resoluciones penales en el marco de la Unión Europea* y a fecha de 13 de abril de 2015 bajo el título *Efecto de la reciente normativa de la Unión Europea sobre el trabajo de los órganos judiciales penales españoles*. En cambio, hecha propuesta formativa de curso con rubrica "La cooperación judicial penal en la Unión Europea: instrumentos procesales" al Centro de Estudios del ilustre Colegio de Abogados de Madrid (ICAM), si bien inicialmente estimada para desarrollarse los días 8 y 10 de octubre de 2018, finalmente hubo de ser cancelada ante la falta de colegiales inscritos.

[108] Desde la academia y con carácter general, VOGEL, Joachim R., "La prueba transnacional en el proceso penal: un marco para la teoría y la praxis", en AA.VV. *La prueba en el espacio europeo de libertad, seguridad y justicia penal*, op. cit., pp. 45-60, esp. pp. 57 y ss en relación a la divergencia entre *lex loci* y *lex fori*.

[109] Al respecto en particular CASANOVA MARTÍ, Roser, "Aspectos problemáticos de la introducción en el proceso penal español de las pruebas derivadas de una Orden Europea de Investigación", *Justicia*, nº 2, 2018, pp. 413-433, esp. p. 418 unida a la problemática general de la carencia de valor probatorio para las diligencias sumariales salvo excepciones y con los requisitos jurisprudencialmente dispuestos, temática de la que también se ocupa la autora; en línea similar KUSAK, Martyna, "Mutual admissibility of evidence and the European investigation order: aspirations lost in reality", *ERA Forum,* 7 de enero de 2019, pp. 8 y ss, disponible en *open access* en enlace https://link.

tada" sin necesidad de acudir a la aproximación legislativa a partir de la aplicación del principio de reconocimiento obligando a la admisibilidad en su día de la "prueba"[110] practicada en el Estado miembro ejecutor. Tiene por ello lugar en el seno de la OEI la constitución de un sistema híbrido que conjuga la aplicación simultánea de las reglas derivadas de aplicar la *lex loci* y *lex fori*[111] a fin de hacer precisamente posible esta admisibilidad probatoria en el proceso penal pendiente respecto de la diligencia probatoria/medida de investigación practicada[112].

springer.com/article/10.1007/s12027-018-0537-0 así como PICCIRILLO, Rafaele, "I profili funzionali e strutturali dell'Oridne europeo di indagine penale", en BENE, Teresa, LUPARIA, Luca y MARAFIOTI, Luca (eds.), *L'ordine europeo di indagine...*, op. cit., pp.57-78, esp. pp. 64 y ss lamentando la ausencia de aproximación legislativa en materia de admisibilidad probatoria a tenor de la OEI. Como ya exponía en su día VERMEULEN el contexto de la admisibilidad probatoria exige tener en cuenta el contexto puramente "doméstico" con independencia del empleo o no de instrumentos de cooperación judicial; así VERMEULEN, Gert, *Free gathering and movement of evidence in criminal matters in the EU,* op. cit., pp. 45 y ss.

[110] Por cuanto, como es sabido y acaba de ser anticipado, las diligencias sumariales carecen en principio de valor probatorio a salvo de su imposibilidad de reproducción en el juicio oral y en cuyo caso habrán de trasladarse bajo los presupuestos constitucionalmente dispuestos según recuerda CASANOVA MARTÍ, Roser, "Aspectos problemáticos de la introducción en el proceso penal español de las pruebas derivadas de una Orden Europea de Investigación", op. cit., esp. pp. 420 y ss. Así también, con carácter general y a la fecha, BURGOS LADRÓN DE GUEVARA, Juan, *El valor probatorio de las diligencias sumariales en el proceso penal español,* Civitas, Madrid, 1992, con examen de jurisprudencia constitucional y supuestos concretos.

[111] Véase respectivamente previsiones de los artículos 10 Directiva OEI y 206 en el caso español en favor de la disposición de la regla de *lex loci* así como arts. 9.2 Directiva OEI y 21.1.II LRM dispuesto en España con carácter general para todos los instrumentos de reconocimiento mutuo en previsión de la regla de *lex fori*. Del mismo se prevén disposiciones especiales de vigencia ya directa de la *lex fori* para algunas medidas concretas como es el caso de la comparecencia por videoconferencia u otros medios de transmisión audiovisual que "será efectuada directamente ante la autoridad competente del Estado de emisión o bajo sud dirección con arreglo a su Derecho interno" (art. 24.5.c) Directiva OEI); al respecto, BOLOGNARI, Massimo, "Ordine europeo di indagine e desame a distanza", *Rivista di Diritto Processuale,* n° 4-5, 2018, pp. 1100-1119, esp. p. 1104 y ss. Por cierto, dicha previsión no se encuentra expresamente contemplada en la normativa española en la respectiva adaptación que se realiza del correspondiente precepto de la OEI; ello si bien es cierto se contiene la regla general de que dicha comparecencia por videoconferencia u otros medios de transmisión audiovisual se lleve a cabo "en la forma que hubiera acordado con la autoridad de emisión" (art. 216.2 LRM).

[112] En particular CAIANELLO, Michelle, "La nuova direttiva UE sull'ordine europeo di indagine penale tra mutuo riconoscimento e ammissione reciproca delle prove", *Processo penale e giustizia,* n° 3, 2015, pp. 1-11, esp. pp. 9 y ss. Por otra parte se defiende como precisamente el límite del respeto a los derechos fundamentales del Estado

Precisamente en relación con la redacción ofrecida por dicho artículo 10 Directiva OEI y su transposición en sede nacional en el posterior artículo 206 LRM surgen también voces críticas entre los entrevistados, por cuanto se atribuye en último término la decisión de proceder a la sustitución de la medida de investigación solicitada a cargo del Estado de ejecución, ello pese a la información que haya de otorgarse al Estado de emisión; tales son los casos en los que pudiera tener lugar la adopción de medida menos restrictiva de derechos fundamentales o bien la solicitada no existiera o no estuviera contemplada para caso similar en la *lex loci*[113]. Por último y como ulteriores críticas vertida al menos desde la perspectiva española, se lamenta la inclusión del procedimiento administrativo dentro del ámbito objetivo de la aplicación de la OEI[114], ello aún cuando la infracción administrativa de que se trate pueda derivar en un posterior proceso jurisdiccional, preferentemente de carácter penal.

---

miembro de ejecución constituye el nexo de unión en la aplicación conjunta de la *lex loci* y *lex fori*; en esta línea KOSTORIS, Roberto E., "Ordine di investigazione europeo e tutela dei diritti fondamentali", *Cassazione penale*, nº 5, 2018, pp. 1437-1449, esp. pp. 1441 y ss así como en "Orden europea de investigación y derechos fundamentales", en ARANGÜENA FANEGO, Coral, DE HOYOS SANCHO, M. (dras.) y VIDAL FERNÁNDEZ, Begoña (coord..), *Garantías procesales de investigados y acusados. Situación actual en el ámbito de la Unión Europea,* Tirant lo Blanch, Valencia, 2018, pp. 321-336, esp. pp. 325 y ss.

[113] Textualmente, "en los supuestos previstos en los apartados 2 y 3 , antes de adoptar la resolución, la autoridad competente informará a la autoridad de emisión. Si la autoridad de emisión no comunicara su decisión de retirar o completar la orden europea de investigación en el plazo de diez días la autoridad de ejecución ordenará la ejecución de la medida de investigación alternativa" (art. 206.4 LRM). Sobre la introducción del principio de proporcionalidad en la OEI, regla a la que alude el primer supuesto, véase en particular BACHMAIER WINTER, Lorena, "La orden europea de investigación y el principio de proporcionalidad", *Revista General de Derecho Europeo,* nº 25, 2011, http://www.iustel.com, esp. pp. 15 y ss, al hilo de la entonces Propuesta de Directiva. Para otros supone una negativa encubierta a la ejecución de la OEI si bien abre una tercera vía, por cuanto la ejecución de la OEI sí va a tener lugar aún de medida distinta a la solicitada; así FIORELLI, Giulia, "I motivi di rifiuto dell'ordine investigativo europeo, quando 'fidarsi è bene, ma non fidarsi è meglio'", op. cit., pp.97 y ss.

[114] Entre la literatura SAYERS, Debbie, "The European Investigation Order. Travelling without a 'roadmap'", *Centre for European Policy Studies (CEPS) Publications*, 30 de junio de 2011, disponible en enlace https://www.ceps.eu/publications/european-investigation-order-travelling-without-roadmap (fecha de consulta: 6 de febrero de 2019). En nuestro país MORÁN MARTÍNEZ, Rosa Ana, "La orden europea de investigación desde la perspectiva práctica", op. cit., esp. p. 176, argumentando que tendrá lugar el colapso del propio sistema de cooperación judicial.

4.2. El reto de la prueba electrónica

Pero el desarrollo en la regulación de la prueba transfronteriza no parece concluir con la OEI pues desde Europa se siguen abriendo nuevos campos y líneas para procurar el objetivo contenido en el artículo 82.2 a) TFUE relativo a la admisibilidad probatoria, aún todavía bajo la fórmula del principio de reconocimiento mutuo y no de la aproximación legislativa[115]. En efecto, la prueba electrónica es como las restantes objeto ya de regulación en la OEI en cuanto instrumento procesal que permite la obtención, traslado y aseguramiento de las distintas fuentes probatorias a partir de la solicitud de la práctica de tales diligencias probatorias o, en sentido estricto y como ha sido argumentado, medidas de investigación entre los distintos Estados miembros. No obstante, la Comisión Europea propone un paso más allá y así la creación de un certificado o, en sentido estricto dos, a fin de procurar, tanto la entrega como la conservación de fuentes de prueba digital[116] a solicitud de nuevo de las autoridades judiciales competentes de los distintos Estados miembros a efectos de un proceso penal nacional.

De este modo tiene actualmente lugar en curso la negociación en el seno del Consejo de la Unión Europea de la Propuesta de Reglamento del Parlamento Europeo y del Consejo sobre las ordenes europeas de entrega y conservación de pruebas electrónicas a efectos de enjuiciamiento penal[117].

---

[115] En cuanto principios que pueden presentarse de modo alternativo o complementario. Ampliamente JIMENO BULNES, Mar, *Un proceso europeo para el siglo XXI,* op. cit., pp. 32 y ss. Sobre el principio de reconocimiento mutuo en materia penal de forma específica y recientemente NIETO MARTÍN, Adán, "El reconocimiento mutuo en materia penal y el Derecho primario", en ARROYO JIMÉNEZ, Luis y NIETO MARTÍN, Adán (dres.), *El reconocimiento mutuo en el Derecho español y europeo,* Marcial Pons, Madrid, 2018, pp. 216-242, esp. pp. 222 y ss en defensa del modelo ideal de reconocimiento mutuo que vaya más allá de la optimización de la cooperación judicial y tenga en cuenta otros "intereses contrapuestos", esencialmente los derechos de los ciudadanos. Precisamente en materia de derechos fundamentales y en la misma obra MUÑOZ DE MORALES ROMERO, Marta, "El reconocimiento mutuo en materia penal y los derechos fundamentales: de la confianza "ciega" a la confianza reservada", en pp. 243-330, esp. pp. 250 y ss, entendiendo que el modelo de reconocimiento mutuo es un modelo más pero no "el único ni el primero".

[116] Adopto la nomenclatura de ARMENTA DEU, Teresa, "Regulación legal y valoración probatoria de fuentes de prueba digital (correos electrónicos, WhatsApp, redes sociales): entre la insuficiencia y la incertidumbre", *Revista de Internet, Derecho y Política,* nº 27, 2018, pp. 67-79.

[117] COM (2018) 225 final que incluye sendos documentos de normativa y anexos, esto es, los oportunos certificados y/o formularios. Entre la literatura, a modo de ejemplo, MANGIARACINA, Annalisa, "Nuovi scenario nell'accesso transfrontaliero alla prova

Presentada el pasado 17 de abril de 2018, la nueva normativa pretende crear un marco específico para el reconocimiento de tales fuentes probatorias de carácter digital y/o electrónica en virtud del "carácter volátil" que impregna las mismas así como su (mayor) "dimensión internacional" en palabras de la propia Exposición de Motivos. Precisamente, en el mismo párrafo en el que se justifica la oportunidad de la nueva propuesta al amparo de estas particularidades que reúne la prueba electrónica (*e-evidence*) se incluyen también dos pistas fundamentales que configuran de forma directa e indirecta el eje de la normativa en cuestión; por una parte, de forma directa, sus destinatarios, cuales son los proveedores de servicios de comunicaciones electrónicas y/o sociedad de la información definidos en el artículo 2 y por otra, de forma indirecta, la mención a Estados Unidos como "país tercero que recibe el mayor número de solicitudes de la UE"[118], en suma, *leit-motiv* de la presente propuesta.

De este modo se articulan dos modelos de certificados o "euro-ordenes" bajo la nomenclatura de Certificado de Orden Europea de Entrega" (*European Production Order Certificate* – EPOC) y Certificado de Orden Europea de Conservación (*European Preservation Order Certificate* – EPOC-PR) que se configuran como instrumentos adicionales a la OEI. Como su nombre indica, mediante la primera se pretende la obtención y traslado al Estado de emisión de la fuente probatoria de carácter electrónico y/o digital mientras que la segunda se ocupa de buscar su aseguramiento en el Estado de ejecución. En algunos aspectos la futura regulación recuerda al texto de la Directiva OEI[119], aún la insuficiencia normativa que le acusa y que justifica

---

elettronica", en MILITELLO, Vicenzo y SPENA, Alessandro (eds.), *Mobilità, sicurezza e nuove frontiere tecnologiche*, G. Giappichelli Editore, Torino, 2018, pp. 421-440; en nuestro país, GÓMEZ AMIGO, Luis, "Nuevas perspectivas para la obtención transfronteriza de prueba penal electrónica en la Unión Europea", *Diario La Ley*, nº 9349, 18 de enero de 2019, http://diariolaley.laley.es

[118] COM (2018), cit., p. 2. No en vano se cita como antecedente directo de la presente propuesta la *Clarifying Lawful Overseas Use of Data Act*, conocida como CLOUD Act y aprobada en este país el pasado 23 de marzo de 2018, dando lugar a la modificación de la *Stored Communications Act* (SCA) 1986, 18 *US Code*, par. 2713; dicha reforma fue dictada ante la dificultad de obtener precisamente pruebas electrónicas almacenadas por proveedores de servicios localizados en el extranjero y así fuera de la jurisdicción estadounidense como tuvo lugar en el caso *US v. Microsoft*, aún pendiente de resolución en el Tribunal Supremo. El texto del nuevo precepto se encuentra disponible en enlace https://www.law.cornell.edu/uscode/text/18/2713 Ampliamente MANGIARACINA, Annalisa, "Nuovi scenario nell'accesso transfrontaliero alla prova elettronica", op. cit., pp. 423 y ss.

[119] Así, por ejemplo, por lo que respecta a la definición de autoridades nacionales competentes para la emisión de tales "euro-ordenes" conocidas como EPOC y EPOC-PR, en

precisamente la adopción de la nueva iniciativa dado que, como se indica textualmente, la OEI "no contiene disposición específica alguna sobre este tipo de pruebas"[120]; por ello que la futura norma europea pretende completar pero no sustituir a la OEI.

De este modo, de forma similar a otros instrumentos de reconocimiento mutuo se articula un sistema de formularios y plazos[121] para la entrega así como conservación de datos por parte de la autoridad requerida con una particularidad si cabe aquí digna de señalar por lo que ocupa a esta introducción de carácter general. En efecto, la particularidad atañe a que la nueva regulación se acompaña de ulterior propuesta que en este caso hace uso del principio de aproximación legislativa; así, en concreto, la Propuesta de Directiva del Parlamento Europeo y del Consejo por la que se establecen normas armonizadas para la designación de representantes legales a efectos de recabar pruebas para procesos penales, presentada igualmente el 17 de abril de 2018[122]. Dicha norma resulta complementaria a la anterior por cuanto sus destinatarios serán los representantes legales de los proveedores de servicios obligados a la ejecución de tales "euro-ordenes" solicitando la entrega o conservación de los datos electrónicos.

---

su referencia, además de la autoridad judicial, a cualquier otra "autoridad competente, según la defina el Estado miembro emisor que, en el asunto específico de que se trate, actúe en calidad de investigación en procesos penales y tenga competencia para ordenar la obtención de pruebas con arreglo a la legislación nacional" (art. 4) con idénticas condiciones de validación que dispone el art.2 Directiva OEI. Por ello es de suponer que en el caso español también sea reconocida como autoridad de emisión al Ministerio Fiscal en igualdad de condiciones a la OEI.

[120]   COM (2018), cit., p. 3. A continuación se cita como otra alternativa posible que hubiera podido tener lugar la modificación de la propia Directiva OEI si bien se considera la nueva iniciativa "mejor alternativa… debido a los problemas específicos inherentes a la obtención de pruebas electrónicas, que no afectan a otras medidas de investigación cubiertas por la Directiva relativa a la orden europea de investigación en materia penal".

[121]   Por ejemplo, plazo de 10 días para la ejecución de la EPOC desde su recepción o incluso de 6 horas en supuestos de urgencia conforme (artículo 9) así como de 60 días para la conservación de datos solicitados mediante EPOC-PR, a salvo de inicio de solicitud de entrega por la autoridad nacional competente (artículo 10).

[122]   COM (2018) 226 final. Como se indica en su propia Exposición de Motivos "la presente Directiva establece la obligación de que los proveedores de servicios designen un representante legal en la Unión para recibir, cumplir y hacer cumplir las decisiones dirigidas a recabar pruebas emitidas por las autoridades nacionales competentes en procesos penales" (p. 4). Sobre tales autoridades emisoras así como dicho cumplimiento y ejecución de sendas "euro-ordenes" GÓMEZ AMIGO, Luis, "Nuevas perspectivas para la obtención transfronteriza de prueba penal electrónica en la Unión Europea", op. cit., pp. 4 y ss.

Excede del cometido aquí propuesto proceder al análisis de la nueva normativa, tanto más cuanto la misma aún se encuentra en proceso de negociación y, por tanto, susceptible aún de modificaciones en su articulado[123]. Sin embargo, sí deseo poner de relieve aquí la discusión sobre la oportunidad y conveniencia de la futura regulación, a poco más de un año (o en otros países como España menos) de la entrada en vigor de la OEI. El debate se halla presente en el contexto no sólo académico sino también político, especialmente en el sector no gubernamental[124]; así han surgido voces desde algunas asociaciones vinculadas a la protección de derechos fundamentales como es el caso de *Fair Trials International*[125], para quien la aplicación de la OEI parece ser suficiente a fin de conseguir la misma finalidad prevista en dicha normativa, cual es la obtención y admisibilidad de prueba transfronteriza. De nuevo la balanza justicia versus seguridad[126] se inclina a favor de la segunda justificada en la lucha contra las nuevas formas de criminalidad vinculadas a los delitos de terrorismo y criminalidad organizada; tanto más cuanto parece que la deriva a esta nueva regulación se halla orquestada por el poderoso amigo americano, no en vano el país más interesado en la nueva regulación[127].

---

[123] A fecha que se redactan estas líneas (6 de febrero de 2019) último documento es la Orientación general alcanzada entre las delegaciones de los Estados Miembros en el seno del Consejo de Justicia e Interior celebrado en Bruselas el 7 de diciembre de 2018, documento nº 15292/18, de 12 de diciembre de 2018, disponible en versión inglesa en servidor oficial del Consejo de la UE arriba indicado. En el mismo figuran en negrita las nuevas adiciones al texto y tachadas las suprimidas.

[124] A veces incluso entre ambos sectores conjuntamente; a modo de ejemplo STEFAN, Marco y GONZÁLEZ-FUSTER, Gloria, "Cross-border Access to electronic data through judicial cooperation in criminal matters – State of the art and latest developments in the EU and the US", *CEPS paper in liberty and security in Europe*, nº 2018-07, noviembre 2018, pp. 30 y ss disponible en página web de la institución https://www.ceps.eu/book-series/liberty-and-security-europe-papers; los autores se cuestionan la necesidad, legalidad y proporcionalidad de la futura normativa así como su tramitación práctica entendiendo que producirá una gran sobrecarga judicial y administrativa en el seno de la cooperación judicial europea.

[125] Vid. *Position Paper: The new proposed EU Production and Preservation Orders*, May 2018, disponible en enlace https://ec.europa.eu/info/law/better.../090166e5bc5c157e_fr (fecha de consulta: 6 de febrero de 2019) en donde FTI se cuestiona la necesidad, suficiencia y la proporción de adecuada garantía de derechos procesales por parte de la iniciativa europea.

[126] Ampliamente, a la fecha, JIMENO BULNES, Mar (coord..), *Justicia versus seguridad en el espacio judicial europeo. Orden de detención europea y garantías procesales*, Tirant lo Blanch, Valencia, 2011.

[127] Véase comunicado de prensa de la Comisión Europea del día de ayer, 5 de febrero de 2019, bajo el título "Unión de la seguridad: la Comisión recomienda que se negocien normas internacionales para la obtención de pruebas electrónicas", disponible en

5. REFLEXIÓN FINAL

Llegado el momento de poner punto final a este trabajo sólo resta reca-pitular algunas conclusiones o más bien reflexiones personales en materia de prueba transfronteriza y la evolución sufrida en el contexto europeo. Evolución aún imparable (*non stop*) así como vertiginosa por la que se su-pone que tendrá lugar todavía más rápida negociación de los próximos instrumentos europeos, tales como la anunciada prueba electrónica o *e-evi-dence*. Ciertamente la experiencia judicial demuestra la necesidad de con-tar con instrumentos de reconocimiento mutuo en el seno de la Unión Europea para, no sólo agilizar sino incluso hacer factible la cooperación judicial en materia de prueba penal transfronteriza; no en vano y arriba ha sido expuesto como a tenor de anteriores convenios internacionales las diligencias probatorias solicitadas no sólo eran muchas veces "retrasadas" sino caídas en el olvido o en el limbo judicial ante su inejecución.

Se ha puesto así de relieve la revolución operada en este ámbito por parte de la OEI, aún en proceso de desarrollo. Por otra parte, se ha iniciado el pro-ceso de publicación de guías y/o circulares en los distintos Estados miembros a fin de prestar apoyo a los diversos profesionales jurídicos involucrados en su tramitación; en el caso de España existe ya una "Guía sobre la Orden Europea de Investigación" elaborada por parte del Servicio de Relaciones Internacio-nales del Consejo General del Poder Judicial[128] a imagen y semejanza de la que en su día tuvo lugar para la Orden de Detención Europea (ODE) y lo mismo puede decirse de otros Estados miembros[129]. Por su parte las institucio-

---

enlace https://europa.eu/rapid/press_release_IP-19-843_es.pdf (fecha de consulta: 6 de febrero de 2019). De modo concreto se recomienda el "inicio de las negociacio-nes con Estados Unidos" a fin de "garantizar que las autoridades policiales de la UE y de Estados Unidos puedan acceder a su debido tiempo a las pruebas electrónicas reduciendo el plazo de facilitación de los datos solicitados a 10 días (en la actualidad son necesarios 10 meses por término medio)" (p. 1). Anteriormente tuvo lugar la De-claración conjunta entre UE y Estados Unidos con este mismo propósito a raíz de la reunión ministerial en materia de asuntos de justicia e interior celebrada en Washing-ton a fecha de a fecha de 9 de noviembre de 2018; mayor información disponible en enlace http://europa.eu/rapid/press-release_STATEMENT-18-6369_en.htm (fecha de consulta: 6 de febrero de 2019).

[128]   Disponible en la intranet del CGPJ con enlace http://www.prontuario.org/prontua-rio/es/Penal/Consulta/ci.Directiva-2014-41-CE-del-Parlamento-Europeo-y-del-Con-sejo–de-3-de-abril-de-2014–relativa-a-la-orden-europea-de-investigacion-en-materia-pe-nal.formato1

[129]   A modo de ejemplo en Italia *Circolare in tema di attuazione della direttiva 2014/41/UE rela-tiva all'ordine europeo di indagine penale – Manuale operativo*, de 26 de octubre de 2017, en interpretación del Decreto legislativo n. 108 de 21 de julio de 2017 que adapta en este

nes europeas también han anunciado la redacción del respectivo manual en materia de OEI como igualmente tuvo lugar a la fecha en materia de ODE[130]; en dicha labor participarán de forma notable las agencias europeas como es el caso concreto de la Red Judicial Europea pues su papel es fundamental en la contribución de tales instrumentos de reconocimiento mutuo en la línea ya anticipada. Tales organismos o agencias europeas procuran soporte en lo que es uno los ejes fundamentales de los mismos, cual es el contacto directo entre autoridades judiciales de emisión y ejecución según ha sido puesto de relieve en el último informe elaborado por Eurojust en materia de OEI[131].

También desde la academia mostramos interés en las debilidades y fortalezas así como en el funcionamiento práctico del nuevo instrumento procesal penal europeo[132] queriendo contribuir con nuestro granito de arena en uno y otro apartado. Desde luego hay escollos importantes en la OEI que incluso provocan frecuentes discusiones entre los distintos sectores profesionales en el seno de reuniones conjuntas; alguna de estas cuestiones ya ha aterrizado en Luxemburgo, aún pendiente a la fecha de resolución y que, a salvo de mi error, creo constituye la primera cuestión prejudicial planteada al hilo de la OEI. Me refiero a la cuestión prejudicial planteada por un tribunal búlgaro el 31 de mayo de 2017 en el caso *Gavonozov*[133]

---

país la OEI, disponible en servidor oficial del Ministerio de Justicia de este país con enlace en https://www.giustizia.it/giustizia/it/mg_1_8_1.page (fecha de consulta: 9 de febrero de 2018).

[130] Así conforme anuncio de la propia Red Judicial Europea en sus Conclusiones sobre la OEI de fecha de 7 de diciembre de 2018, documento nº 14755/18, JAI 1204, COPEN 420, EUROJUST 163 y EJN 56, p. 9, aún no hecho público pero sí puesto a disposición por el representante español Eurojust (Francisco Jiménez-Villarejo) en reciente reunión de expertos que mantuvimos en el seno del *Focus Group sobre la "Orden Europea de Investigación" del Proyecto europeo SAT LAW* celebrada en Granada los días 7 y 8 de febrero de 2019. Sobre el manual ODE me refiero Manual elaborado por el Consejo de la UE bajo el título "Manual europeo para la emisión y ejecución de órdenes de detención europeas", cuya última versión ha sido publicada en DOUE de 6 de octubre de 2017, nº C 335, pp. 1-83.

[131] *Eurojust meeting on the European Investigation Order – Outcome Report,* celebrado en La Haya los días 19-20 de septiembre de 2018, hecho público en documento nº 15735/18, de 20 de diciembre de 2018, p. 16, disponible en servidor oficial de la institución, enlace http://www.eurojust.europa.eu/doclibrary/Eurojust-framework/strategic-meetings-and-seminars/Pages/topical-events-reports.aspx (fecha de consulta: 9 de febrero de 2019).

[132] A modo de ejemplo en Italia SELVAGGI, Eugenio, "L'ordine europeo di indagine – EIO: come funziona?", *Cassazione Penale*, nº 1, 2018, pp. 44-49 con referencia a anterior circular así como puntos clave en la tramitación de la OEI.

[133] Asunto C-324/17, DOUE n. C 256 de 7 de agosto de 2017, p. 16, también disponible como todas en buscador oficial de la institución con enlace http://curia.europa.eu/

en la que se cuestiona de modo importante la inimpugnabilidad en sede estatal de la resolución judicial que decreta la emisión de una OEI; sobre dicha cuestión existe ya anterior precedente del TJUE que puede orientar el sentido de la futura resolución[134]. Dicho sea de paso, España habrá de estar también atenta a futura sentencia pues la misma irrecurribilidad opera para nuestro país en términos generales por lo que respecta a los decretos del Ministerio Fiscal en decisión de emisión y/o ejecución de cualesquiera instrumentos de reconocimiento mutuo (en suma, aquí y ahora, la OEI) conforme la redacción respectiva de artículos 13.4 y 24.4 LRM.

Esta cuestión junto a otras puestas de relieve en su día a lo largo de la tramitación de la Ley 3/2018 en adaptación de la OEI en España[135] son

---

juris/recherche.jsf?language=es; entre las cuatro preguntas planteadas dos se refieren al tema aludido, de forma clara y contundente la segunda cuestionando el órgano jurisdiccional *a quo* si el art.14.2 Directiva OEI "otorga al interesado el derecho a impugnar la resolución judicial relativa a la orden europea de investigación aún cuando en el Derecho nacional no esté prevista tal posibilidad procesal". A la fecha de consulta sólo consta información sobre órgano jurisdiccional remitente (*Septsializiran nakazatelen sad*), parte en el proceso principal (*Ivan Gavanozov*) y las cuatro cuestiones prejudiciales formuladas. Entre la literatura sobre esta cuestión en particular AGUILERA MORALES, Marien, "La Orden Europea de Investigación: nuevas atribuciones para el Ministerio Fiscal", op. cit., pp. 212 y ss aludiendo a los inconvenientes de la nueva facultad del Ministerio Fiscal en la emisión y ejecución de la OEI.

[134] A modo de ejemplo y en fecha reciente, Sentencia del Tribunal de Justicia (Gran Sala) de 27 de febrero de 2018, *Associaçao Sindical dos Juízes Portugueses c. Tribunal de Contas*, asunto C-64/16, en la que el alto Tribunal declara que "los Estados miembros establecerán las vías de recurso necesarias para garantizar a los justiciables la tutela judicial efectiva en los ámbitos cubiertos por el Derecho de la Unión"; de este modo "corresponde a los Estados miembros prever un sistema de vías de recurso y de procedimientos que garantice un control judicial efectivo en los referidos ámbitos" (FJ 34). Pero aún concluye de forma más clara recordando que "de lo anterior se deduce que todo Estado miembro debe garantizar que aquellos órganos que, en calidad de 'órganos jurisdiccionales' -en el sentido definido por el ordenamiento jurídico de la Unión-, formen parte de su sistema de vías de recurso en los ámbitos cubiertos por el Derecho de la Unión cumplan las exigencias del derecho a la tutela judicial efectiva" (FJ 37). Sin comentarios.

[135] Véase en su día Informe sobre el Anteproyecto de Ley por la que se modifica la Ley 23/2014, de 20 de noviembre, de reconocimiento mutuo de resoluciones penales en la Unión europea, para regular la orden europea de investigación, aprobado por el Pleno del CGPJ el 28 de septiembre de 2017 disponible en buscador oficial de la institución http://www.poderjudicial.es/cgpj/es/Temas/Transparencia/Actividad-del-CGPJ/Informes, p. 33, donde se plantea el problema de la inimpugnabilidad en términos generales; esto es, junto a la anterior ausencia de recurso respecto de las resoluciones dictadas por el Ministerio se sugiere también la posibilidad de ampliar las vías de impugnación al Estado de ejecución y no sólo de emisión. También se plantea el problema de la ausencia de recurso contra las resoluciones que desestimen la pro-

también objeto de propuesta de enmienda en tanto en cuanto tiene lugar la generalización de la aplicación de la OEI con desarrollo de "buenas prácticas"[136]. De este modo puede tener lugar la modificación de la legislación nacional o incluso, si fuera necesario, europea al hilo asimismo de futura jurisprudencia del Tribunal de Justicia en resolución de procedimientos prejudiciales como ha tenido lugar para la ODE[137]. Resulta además ser imprescindible el equilibrio entre reconocimiento mutuo y aproximación legislativa en desarrollo de ulterior legislación procesal, aún bajo la estrategia de *step by step* como ha tenido lugar en materia de derechos procesales. A este respecto puede recordarse que la hoja de ruta en su día prevista todavía no ha sido concluida[138] pudiendo sumarse a estas propues-

---

puesta de solicitar la emisión de un instrumento de reconocimiento mutuo conforme la redacción textual del art. 13.1 LRM, precepto que sólo prevé la impugnación de las resoluciones positivas en favor de acudir a la cooperación judicial; ello a diferencia del posterior art. 24.1 LRM que prevé la posibilidad de recurrir todas aquellas resoluciones que "resuelvan" en materia de ejecución de cualesquiera instrumentos de reconocimiento mutuo, por tanto, positivas y negativas.

[136] A modo de ejemplo la elaboración de *Code of Best Practices* en proyecto Eurocoord adscrito al *Workstream 4* (WS 4) que precisamente fué objeto de presentación pública en congreso internacional *European Investigation Order: a Code of Best Practices*, celebrado en la Universidad Complutense de Madrid el pasado día 15 de febrero de 2018. Según ha sido más arriba indicado el documento se encuentra disponible como los anteriores "entregables" (*deliverables*) en página web del proyecto con enlace http://eurocoord. eu/resources/public-deliverables/workstream-3-propolsal-for-a-code-of-best-practice-enactment-debate-and-training/

[137] Recuérdese Decisión Marco 2009/299/JAI del Consejo, de 26 de febrero de 2009, por la que se modifican las Decisiones Marco 2002/584/JAI, 2005/214/JAI, 2006/783/JAI, 2008/909/JAI y 2008/947/JAI, destinada a reforzar los derechos procesales de las personas y a propiciar la aplicación del principio de reconocimiento mutuo de las resoluciones dictadas a raíz de juicios celebrados sin comparecencia del imputado, DOUE n. L 81 de 27 de marzo de 2009, pp. 24-36, así como la numerosa jurisprudencia europea vertida por el Tribunal de Justicia; a la fecha JIMENO BULNES, Mar, "Régimen y experiencia práctica de la orden de detención europea", en JIMENO BULNES, Mar (coord..), *Justicia versus seguridad en el espacio judicial europeo...*, op. cit., pp. 109-200, esp. pp. 133 y ss.

[138] Aún pendiente la redacción de Libro Verde sobre "detención" provisional previsto como medida F en la Resolución del Consejo de 30 de noviembre de 2009, relativa a un plan de trabajo para reforzar los derechos procesales de sospechosos o acusados, DOUE n. C 295 de 4 de diciembre de 2009, pp. 1-3. Así también cabe discutir la posibilidad de completar otras medidas ya adoptadas como es el caso de la medida E relativa a la protección especial para imputados vulnerables que incluía también conforme al citado Plan de trabajo la vulnerabilidad por causa de "condición mental o física"; a la fecha en este ámbito sólo ha sido dictada la Directiva (UE) 2016/800 del Parlamento Europeo y del Consejo, de 11 de mayo de 2016, relativa a las garantías procesales de los menores o acusados en los procesos penales, DOUE n. L 132 de 25 de mayo de 2016,

tas otras más ambiciosas en materia de acercamiento de códigos procesales estatales, siquiera en aquellos trámites en los que han de incardinarse los instrumentos de reconocimiento mutuo (léase, tema de admisibilidad probatoria[139]).

Concluyo en el mismo punto que inicié la presente contribución: el arte de la prueba es la estrella principal del proceso y como tal "en una causa judicial todo concurre a mostrar este arte con mayor resplandor"[140] allende fronteras.

---

pp. 1-20. Al respecto, JIMENO BULNES, Mar, "Towards common standards on rights of suspected and accused persons in criminal proceedings in the EU?", *CEPS paper in liberty and security in Europe*, 26 de febrero 2010, disponible en enlace https://www.ceps.eu/publications/towards-common-standards-rights-suspected-and-accused-persons-criminal-proceedings-eu (fecha de consulta: 9 de febrero de 2019), pp. 12 y ss.

[139]   Tampoco sería la primera propuesta en este sentido; recuérdese el *Libro Verde sobre la obtención de pruebas en materia penal en otro Estado miembro y sobre la garantía de su admisibilidad,* presentado por la Comisión Europea en Bruselas el 11 de noviembre de 2009, COM (2009) 624 final. Sobre este y otros documentos véase KUSAK, Martyna, "Mutual admissibility of evidence and the European investigation order: aspirations lost in reality", op. cit., pp. 5 y ss, así como *in genere* sobre esta temática en particular.

[140]   BENTHAM, Jeremías, *Tratado de las pruebas judiciales*, vol. I, op. cit., p. 22

Capítulo XXXVI

ORDEN EUROPEA DE INVESTIGACIÓN Y EXCLUSIÓN PROBATORIA. ADMISIBILIDAD, IMPUGNACIÓN Y DENEGACIÓN EN EL ESTADO DE ENJUICIAMIENTO O EN EL DE EJECUCIÓN CUANDO SE APRECIE VULNERACIÓN DE UN DERECHO FUNDAMENTAL

Teresa Armenta Deu
Catedrática de Derecho Procesal
Universidad de Girona

SUMARIO: 1. INTRODUCCIÓN. 2. DIRECTIVA 2014/41/CE DEL PARLAMENTO EUROPEO Y DEL CONSEJO, DE 3 DE ABRIL DE 2014, RELATIVA A LA ORDEN EUROPEA DE INVESTIGACIÓN EN MATERIA PENAL. 2. UNA DELIMITACIÓN PREVIA Y TRES POSIBLES ESCENARIOS. 2.1. España como órgano emisor de la OEI. Primer control de exclusión. 2.2. España como emisor y ahora receptor de la o las diligencias practicadas en el Estado de ejecución en virtud de una OEI. Segunda hipótesis de control: Inadmisión de la prueba practicada. 2.3. España como Estado de ejecución. Tercera hipótesis de control: eventual denegación del reconocimiento y ejecución. 2.4. Recursos: una referencia general. 3. LOS PROBLEMAS EN MATERIA DE EXCLUSIÓN POR ILICITUD PROBATORIA, EN GENERAL. 3.1. La limitación de los derechos fundamentales en algunos países europeos. 3.2. Técnicas de ponderación entre los intereses en conflicto. A) El "Balancing aproach". B) Abwägung y doble función estabilizadora de la norma. C) Teoría de la conexión de antijuridicidad. 3.3. La proporcionalidad y el respeto al "núcleo del derecho fundamental" en la Unión Europea como referencia. 3.4. La jurisprudencia del TJUE, del TEDH y de los Tribunales Constitucionales. 4. A MODO DE SÍNTESIS: ORDEN EUROPEA DE INVESTIGACIÓN Y EXCLUSIÓN EN CASOS DE ILICITUD PROBATORIA CUANDO SE APRECIE VULNERACIÓN DE UN DERECHO FUNDAMENTAL: PROBLEMAS EN EL HORIZONTE.

RESUMEN: La Orden Europea de Investigación constituye un instrumento de colaboración entre jueces, en virtud del cual, se solicitan pruebas y datos que se hallan ya en poder de la autoridad de ejecución, indicándole qué actuaciones debe realizar. En este marco, completado por el de la Ley de trasposición al ordenamiento español; se acomete la aplicación de reglas de exclusión en el Estado de origen o de ejecución y la admisibilidad e impugnación en el Estado de enjuiciamiento, a partir de un examen de las tres hipótesis que pueden encauzar aquél. El análisis se centra en la valoración de diligencias practicadas a partir de una OEI con cuya ejecución se haya podido vulnerar alguno de los derechos contemplados en el art. 6 del Tratado de la Unión Europea (derecho a la libertad y a la seguridad), y 52 y 53 de la Carta Europea de Derechos Fundamentales (art. 207,1 ,d) Ley 11/2018); para, a partir de ahí, dedicar unas líneas breves pero ilustrativas, sobre la complejidad de cohonestar las garantías alcanzadas en cada país miembro y en concreto en España para la limitación de derechos fundamentales, con la compleja estructura que deriva de lograr el ansiado marco común de Seguridad y Justicia en una materia fragmentada en los diversos Textos Supranacionales y sus correspondientes Tribunales, con la doctrina de los tribunales nacionales, empezando por el Tribunal Constitucional; a lo que cabe añadir el eventual "efecto llamada" que la OEI pueda originar.

ABSTRACT: the european investigation order and exclusion of evidence. the admissibility of, challenging and rejecting such in the state in which a judgement or enforcement is passed when a fundamental right is found to have been violated. Within the framework of the European Investigation Order, used as an instrument of cooperation among judges, by virtue of which no investigation measures are requested, but evidence and information already in the hands of the enforcement authority clearly state what must be done, and also in the Law transposing this into the Spanish legal system, exclusion rules are applied and performed in the country of origin or the country in which enforcement is carried out, including admissibility and the right to challenge any ruling in the country where prosecution takes place. Based on an examination of the three hypotheses, which may be channelled through this country, our analysis focuses on evaluating procedures performed by the use of an EIO whose enforcement may have violated certain rights provided for in art. 6 of the Maastricht Treaty (right to freedom and security), and 52 and 53 of the European Charter of Fundamental Rights (Article 207.1, d) Law 11/2018); following this, a number of brief but enlightening lines will be used to describe the complexity in providing coverage of the guarantees achieved in each member country, and in particular Spain, limiting fundamental rights, with the complex structure that stems from achieving the coveted common framework of Security and Justice on such a fragmented subject in the sundry International Treaties and their corresponding Courts, using the doctrine of national courts, beginning with the Constitutional Court; to which we may add the eventual "pull" effect that may arise as a result of the EIO.

PALABRAS CLAVE: Orden Europea. Investigación. Exclusión probatoria. Derechos Fundamentales. Admisibilidad. Recursos. Reconocimiento mutuo

KEY WORDS: European Investigation Order. Research. Exclusion of evidence. Fundamental rights. Admissibility. Appeals. Mutual recognition

1. INTRODUCCIÓN[1]

En el largo desarrollo de la construcción del Espacio de Libertad, Seguridad y Justicia en la Unión Europea, los últimos años han contemplado un acelerón en materia procesal penal. Éste abarca: la Decisión Marco 2003/577/JAI del Consejo, de 22 de julio, relativa a la ejecución en la Unión Europea de las resoluciones de embargo preventivo de bienes y de aseguramiento de pruebas y la Decisión Marco 2008/978/JAI del Consejo, de 18 de diciembre de 2008, del Exhorto de Obtención de pruebas para recabar objetos, documentos y datos destinados a procedimientos en procedimientos en materia penal, ambos traspuestos actualmente en la Ley 23/2014, de 20 de noviembre, de Reconocimiento mutuo de resoluciones judiciales penales en la Unión Europea, y la Ley 11/2018, por la que se modifica la ley de reconocimiento mutuo, para regular la OEI.

Adviértase de antemano que la Directiva acoge en su artículo 11 ocho motivos de denegación del reconocimiento o de la ejecución de una Orden Europea de Investigación (OEI, a partir de ahora), que han sido traspuestos por la Ley 3/2018, de 11 de junio, en el art. 207 y cuyo examen y no digamos análisis pormenorizado excedería la extensión recomendada para este trabajo. En este contexto, mi exposición partirá y se referirá, en primer lugar, a unos aspectos generales de aquella, y de la admisión, exclusión o inadmisión en su tenor literal y en la Ley 3/2018 que la traspone a nuestro ordenamiento, para ceñirse posteriormente a la regla de exclusión, inadmisión o no valoración de diligencias practicadas a partir de una OEI con cuya ejecución se haya podido vulnerar alguno de los derechos contemplados en el art. 6 del Tratado de la Unión Europea (derecho a la libertad y a la seguridad)[2], y 52 y 53 de la Carta Europea de Derechos Fundamentales (art. 207,1 ,d) Ley 11/2018). Pero antes la anunciada aproximación general a la Orden Europea de investigación en materia penal.

---

[1]   Este trabajo se ha realizado en el marco del proyecto de investigación: I + D Referencia DER2017-82146-P; la *ayuda para la mejora de la productividad científica de los grupos de investigación de la Universidad de Girona*, referencia MPCUdG2016/002, y siendo *Miembro del Grupo de Investigación Consolidado de la Generalidad de Cataluña*, referencia 2017 SGR 618.

[2]   Artículo 6: 1. La Unión reconoce los derechos, libertades y principios enunciados en la Carta de los Derechos Fundamentales de la Unión Europea de 7 de diciembre de 2000, la cual tendrá el mismo valor jurídico que los Tratados. Los derechos, libertades y principios enunciados en la Carta se interpretarán con arreglo a las disposiciones generales del título VII de la Carta por las que se rige su interpretación y aplicación. 2. La Unión se adherirá al Convenio Europeo para la Protección de los Derechos Humanos y de las Libertades Fundamentales. 3. Los derechos fundamentales que garantiza el Convenio Europeo para la Protección de los Derechos Humanos y de las Libertades Fundamentales formarán parte del Derecho de la Unión como principios generales.

2. DIRECTIVA 2014/41/CE DEL PARLAMENTO EUROPEO Y DEL CONSEJO, DE 3 DE ABRIL DE 2014, RELATIVA A LA ORDEN EUROPEA DE INVESTIGACIÓN EN MATERIA PENAL

El desarrollo del Espacio de Libertad, Seguridad y Justicia, con cuya mención iniciaba éstas líneas encuentra determinados obstáculos y entre ellos, la compleja interconexión de ordenamientos y la alta fragmentación resultante que se manifiesta, una vez más, en lo relativo a la investigación penal en los diferentes países de la UE; aspecto que pretende aliviar la Orden Europea de Investigación (a partir de ahora, OEI), fijando cuando menos unos mínimos, unas normas comunes de coordinación. Algo que no había sido resuelto mediante la Decisión 2008/978/JHA de 18 de diciembre, del Exhorto Europeo de Obtención de Pruebas, como se ponía de relieve en la Ley 3/2018, de 11 de junio, que modifica la Ley de reconocimiento mutuo de 2014 y traspone la Directiva de la OEI y en la Decisión Marco 2003/557/JAI y 2008/978/JAI relativas al aseguramiento de pruebas y al exhorto europeo de obtención de pruebas[3].

En orden a señalar siquiera unas breves ideas sobre la incorporación de la prueba transfronteriza obtenida a partir de una OEI, y su control de admisión y recepción en España, es útil recordar los siguientes aspectos generales:

La OEI constituye un instrumento de colaboración entre jueces, en virtud del cual, no se solicitan medidas de investigación, sino pruebas y datos que se hallan ya en poder de la autoridad de ejecución, indicándole en definitiva lo que debe hacer, circunstancia que incrementa drásticamente el menor nivel de injerencia en la soberanía del país de que se trate[4].

Este instrumento no se limita, como el Exhorto Europeo de Obtención de Prueba a ser vehículo de cooperación judicial encaminado a solicitar

---

[3]   ORMAZABAL SANCHEZ, G, "El tortuoso camino hacia la construcción del espacio judicial europeo en materia penal. algunas consideraciones entorno al reconocimiento mutuo de pruebas, la euro-orden y la fiscalía europea" en "Derecho y Proceso (liber amicorum Prof. Francisco Ramos Mendez), AAVV (CACHÓN dir), Atelier, 2018, T.III, pp. 1797-1814. RODRIGUEZ-MENDEL NIETO, C, "Obtención y admisibilidad en España de la prueba penal transfronteriza: de las comisiones rogatorias a la orden europea de investigación", Cizur Menor, Aranzadi, 2016.

[4]   ARANGüENA FANEGO, C, "Orden Europea de investigación: próxima implementación en España del nuevo instrumento de obtención de prueba penal transfronteriza", Revista de Derecho Comunitario Europeo", n.58, 2017, pp. 905 a 939. SCHÜNEMANN, B. "The European Investigation Order: A Ruŝh into the Wrong Direction" en S.Ruggeri (ed) "Transnational Evidence and Multiculturals Inquiries in Europe", Heidelberg-New York, 2014, pp. 29-35.

que otro juez transfiera elementos probatorios que ya tiene en su poder, como fruto de un proceso o investigación[5]. La OIE permite al juez español pedir a un juez, fiscal o policía según la atribución de competencias del país de la Unión Europea en cuestión+, que realice determinado acto de investigación necesario para la investigación en un proceso español, solicitud que puede ir acompañada de ciertas exigencias para salvaguardas las garantías de nuestro sistema de protección de derechos fundamentales y evitar una eventual declaración de ineficacia o ilicitud[6].

La Directiva 2014/41/CE del Parlamento Europeo y del Consejo, de 3 de abril de2014, relativa a la orden europea de investigación en materia penal fue traspuesta a nuestro ordenamiento mediante la Ley 3/2018, de 11 de junio por la que se modifica la Ley 23/2014, de 20 de noviembre, de *reconocimiento mutuo de resoluciones penales en la Unión Europea, para regular la Orden Europea de Investigación* y extiende su ámbito objetivo de aplicación a los procesos penales, o a los de naturaleza administrativa con incidencia criminal o "infringements" de autoridad judicial de cualquier orden, o a los desarrollados por persona jurídica por el que pueda ser castigado en su país de origen[7].

Entre las condiciones y garantías de una OIE figuran: a) los datos de la autoridad de emisión o la de validación, si no es judicial; b) el objeto de la OEI y los motivos que argumenta la autoridad de emisión para que se lleve a cabo su reconocimiento mutuo; c) la información posible sobre la persona afectada; d) la descripción del hecho investigado y su fundamento

---

[5]   CASTILLEJO MANZANARES, R, "Exhorto europeo de medios de prueba", Diario la Ley, n. 6684, 2 abril, 2007. AGUILERA MORALES, M, "El exhorto europeo de investigación: a la búsqueda de la eficacia y la protección de los derechos fundamentales en las investigaciones transfronterizas" BIMJ, n.2145 (agosto 2012) pp. 1-25.

[6]   AGUILERA MORALES, M, "El exhorto europeo de investigación: a la búsqueda de la eficacia y la protección de los derechos fundamentales en las investigaciones penales transfronterizas", Boletín del Ministerio de Justicia, n2145, agosto de 2012, pp. 1 a 27. GONZALEZ CANO, M.I, "El proyecto de Decisión Marco sobre el exhorto europeo de medios de prueba" en "La prueba en el espacio europeo de Libertad, Seguridad y Justicia Penal, (AAVV), Aranzadi, 2006, pp. 95 a 116.

[7]   JIMENEZ VILLAREJO FERNÁNDEZ, F, "Orden Europea de investigación: ¿adiós a las comisiones rogatorias?" en "Cooperación civil y penal en el nuevo escenario de Lisboa" (coord.) Arangüena Fanego, Coral", Comares, 2012, pp. 175-203. BACHMAIER WINTER, L, "Prueba transnacional penal en Europa: la Directiva 2014/41 relativa a la Orden Europea de Investigación·, Revista General de Derecho Europeo, n.36, 2015, pp. 1 a 35. MARNTINEZ GARCÍA, E, "La Orden Europea de Investigación. Actos de investigación, ilicitud de prueba y cooperación judicial transfronteriza", Tirant lo Blanch, 2016, pp. 51ss.

legal; y e) la descripción de la medida de investigación solicitada y la fuente de prueba que se pretende obtener[8].

Pero no se trata ahora de abordar las "condiciones y garantías para el reconocimiento y ejecución de una OIE" (arts. 9,10 y 16 y 205ss de la Ley 11/2018) que versaría sobre las actuaciones de las autoridades españolas ante la recepción de una OEI, dictando auto o decreto de reconocimiento o ejecución de la misma, salvo de que concurra alguno de los motivos de denegación o suspensión contemplados en los artículos 207 y 208 Directiva. Bastarán algunos pormenores. En primer lugar, recordar, que la autoridad de ejecución controlará que el acto haya sido emitido por la autoridad competente y si la autoridad de emisión percibe la posibilidad de algún problema (por no tratarse un órgano jurisdiccional, por ejemplo) podrá pedir autorización a la de ejecución para estar presente, teniendo en cuenta que aquella carece de autoridad en el lugar de ejecución[9].

En segundo lugar, que el contenido para la emisión de la OEI debe ser supervisado y certificado por la autoridad de emisión, quien deberá efectuar el juicio de proporcionalidad en el auto motivador del acto de investigación que da lugar a la creación y emisión de dicho Anexo. En este último, que da lugar a la creación del Anexo A, debe constar toda la información posible en torno a: las personas afectadas; la descripción del hecho que da lugar a la OEI y su fundamentación jurídico-legal (ocultación o destrucción de pruebas, fecha de juicio inminente….); los fundamentos legales propios del Estado de emisión; y la descripción de la medida de investigación solicitada, así como la fuente de prueba que se pretenda obtener, que será necesaria y proporcionada según los criterios constitucionales del país de emisión[10].

Y en tercer lugar, que tras la emisión de la OEI y el control que ella debe haber efectuado el Estado de emisión, atendiendo a las *formalidades* que figu-

---

[8]   MORÁN GARCIA, R.A., "Obtención y utilización de prueba transnacional", Revista de derecho penal, n.30, 2010, pp. 79-102.

[9]   MARTIN GARCIA, A.L y BUJOSA VADELL, L, "La obtención de prueba en materia penal en la Unión Europa", Atelier, Barcelona, 2016. VERMUELEN, DE BONDT&-VAN DAMME, EU, "Cross-border gathering and use of evidence in criminal matters. Towards mutuall recognition of investigative measures and free movement of evidence?", vol, 37, Maklu (2010).

[10] RUGGERI,S, "Horizontal cooperation, obtaining evidence overseas and the respect for fundamental rights in the EU. From the European Commission's proposal for a directive on a European Investigation Order: Towards a single tool of evidence gathering in the EU? en S.Ruggeri (ed) "Transnational Evidence and Multiculturals Inquiries in Europe", Heidelberg-New York, 2014, pp. 288. BLACKSTOCK, J, "The European Investigation Order", New Journal of European Criminal Law, Vol.1, n.4, 2010.

ran en el art. 5 Directiva y 187, 188 Ley 11/2018; a las *condiciones para emisión y trasmisión* del art. 6 Directiva y 189 Ley 11/ 2018; y a los relativos a la propia *transmisión* (art. 7 Directiva y 189ss Ley 11/2018), que irá acompañada eventualmente de la *solicitud de información* a la autoridad de ejecución, conforme al art. 190 (si considera que en la ejecución de la OEI puede ser oportuno llevar a cabo otras medidas de investigación no previstas en ella, a fin de que pueda adoptar otras medidas, o si no puede cumplir con las formalidades, procedimientos o garantías expresamente indicados), la *solicitud de participación* de funcionarios del país que corresponda (españoles, en nuestro caso), justificando debidamente que participen en la ejecución y pudiendo incluso recibir directamente el resultado de las diligencias (191 ley 11/2018)[11].

Tras la recepción por el Estado ejecutor, éste habrá llevado a cabo las actuaciones que en el OEI se le requieren, en las condiciones y tiempos dispuestos, informado por el principio de celeridad y previo análisis de: a) si debe acelerarse la adopción de la medida en atención a los plazos procesales (los 6 meses de la instrucción vigentes en España, por ejemplo) o la gravedad del delito u otras circunstancias (art. 12,1 y 2 Directiva; y b) efectuarla lo antes posible, a más tardar en 30días, salvo lo dispuesto en el apartado 5 (imposibilidad, comunicación y prórroga de otros 30dd, máximo 90dd) o la falta de comunicación (art. 12,3 a 6 Directiva). Así como se habrá comunicado a la autoridad emisora que el resultado perseguido puede alcanzarse mediante una medida menos restrictiva, o que la medida que consta en la OEI no existe en su Derecho o no está prevista para caso similar, pero existe otra distinta que puede resultar idónea para los fines de la OEI solicitada (Art. 10 Directiva)[12].

Llegados a éste punto pueden plantearse las siguientes interrogantes: ¿cabe controlar, una vez practicada la prueba en el país de ejecución, cuando se remite e incorpora al proceso penal español en curso? ¿Qué cabe supervisar? ¿Es posible inadmitir una diligencia/prueba de determinadas características? ¿Hasta dónde llega el efecto del "mutuo reconocimiento"? ¿y el del doble control, en el estado de emisión y de ejecución?

En orden a dar respuesta a estos interrogantes propongo al lector recorrer tres posibles escenarios, en los que el Estado español emite la orden o

---

[11]   MARTINEZ GARCIA, E, "La Orden Europea de investigación..", cit, p. 58ss.
[12]   ROMERO PRADAS, I, " "La prueba penal en Europa, una cuestión compleja. La orden europea de investigación como nuevo instrumento de obtención de pruebas en procesos penales transnacionales y su próxima incorporación al Derecho español", en AAVV, I. GONZALEZ CANO, Mª.I (coord.) "Integración europea y justicia penal", Tirant lo Blanch, 2018, pp. 344-400

la recibe, pudiendo llevar a cabo una serie de actuaciones que se desarrollan a continuación.

2. UNA DELIMITACIÓN PREVIA
Y TRES POSIBLES ESCENARIOS

Recordemos, para empezar, que mi análisis incide en aquel punto de
vista que tiene bien presente el recordatorio del Cdo 19 de la Directiva de
2014, en atención al cual: *la realización del espacio libertad, seguridad y justicia
en la UE se basa en la confianza mutua y en una presunción del respeto por parte de
los demás Estados miembros del Derecho de la Unión, y en particular, de los Derechos
Fundamentales.*

Que, sin embargo, *se trata de una presunción "iuris tantum". Y, por consiguiente, si hubiere motivos sustanciales para creer que la ejecución de una medida de
investigación indicada en la OEI vulneraría un derecho fundamental del interesado
y que el Estado de ejecución ignoraría sus obligaciones relativas a la protección de los
DF reconocidos en la CEDF, la ejecución de la OEI debe denegarse*[13].

Expresado en otros términos, que enfocaré la admisión, ejecución o
exclusión en el motivo de denegación que figura en el art. 11.1f) Directiva, que se corresponde íntegramente con el ya citado del art. 207,1,d)
de la Ley 3/2018, tanto por su singular relevancia, como por poder servir
de referencia perfectamente asimilable, en líneas generales, a la concurrencia de los restantes motivos, sin perjuicio de sus respectivas singularidades.

A tenor del precepto citado en último lugar: *La autoridad competente española denegará el reconocimiento y ejecución de la orden europea de investigación,
(….) cuando existan motivos fundados para creer que la ejecución de la medida de
investigación indicada en la orden europea de investigación es incompatible con las
obligaciones del Estado español de conformidad con el art. 6 del Tratado de la Unión
Europea y de la Carta de los Derechos Fundamentales.*

El examen sobre la concurrencia de éste motivo, como de los restantes
que conducirían a la exclusión en el Estado de origen o en el de ejecución,

---

[13]   GASCON INCHAUSTI, F, "Investigación transfronteriza, obtención de prueba penal
       en el extranjero y derechos fundamentales (reflexiones a la luz de la jurisprudencia
       española)", en Gómez Colomer, J.L, Barona Vilar, S y CALDERÓN CUADRADO, M.P
       (Coord), "Derecho Procesal Español del S.XX a golpe de tango", Tirant lo Blanch,
       2012, pp. 1245-1272

a su admisibilidad o impugnación surgen en tres posibles hipótesis que resulta ilustrativo examinar de manera separada.

1ª) cuando se trate de una diligencia practicada en otro Estado miembro, siendo España la autoridad de emisión,

2ª) al incorporar la prueba –mejor diligencia o prueba preconstituida-practicada en otro país de la UE, inadmitiéndola, o

3ª) si España recibe la OEI, como Estado de ejecución, apreciando dicha eventualidad (207, d Ley 11/2018), y por ende, denegando el reconocimiento y ejecución.

2.1. *España como órgano emisor de la OEI. Primer control de exclusión*

Cuando se emita una OEI, el juicio de legalidad, necesidad y proporcionalidad que debe superar toda medida de investigación para no incurrir en un caso de exclusión probatoria, corresponde al Estado emisor (art. 6 Directiva y 188 Ley 11/2018), de ahí que la autoridad deberá significar en la solicitud todos los pormenores formales y de fondo que figuran en los art. 188 y 189 de la Ley 11/2018, entre los que destacan: *que la emisión de la OEI sea necesaria y proporcionada a los fines para los que se solicita, teniendo en cuenta los derechos del investigado o encausado* (necesidad y proporcionalidad) *y que la medida pudiera haberse ordenado en el proceso español en las mismas condiciones* (legalidad).

Resultará relevante a efectos de su incorporación, del control de admisión e incorporación o del rechazo de la medida: la necesidad o no de motivar el por qué se emite la OEI, requisito que sí figuraba para el Exhorto de Obtención de prueba (EOP), pero que no se menciona expresamente en este caso, dando por entendido que el juez de emisión habrá realizado el juicio de proporcionalidad correspondiente; carencia y suposición sin duda relevantes a efectos de llevar a cabo el correspondiente juicio de ponderación para determinar la licitud de la injerencia lícita en el derecho fundamental.

La revisión sobre si el Estado de ejecución ha salvaguardado los *requisitos de fondo* (art. 6 Directiva) y que no son sino los correspondientes al juicio de proporcionalidad que motiva la solicitud de cooperación judicial (gravedad de los hechos, pena asociada, el bien jurídico protegido o la alarma social), deberán unirse a los de necesidad y legalidad. También se señalará el respeto a los derechos del sospechoso y que la medida de investigación se adecua a la tradición en casos similares en el país de emisión, si bien hay que resaltar que es la autoridad de ejecución la que puede considerar que la de emisión no ha preservado estos mínimos, debiendo consultarle al respecto (art. 6,3) y frente a cuya respuesta podrá retirar la OIE.

Se consagran así, y se encomiendan a la citada autoridad de emisión, la aplicación del principio de legalidad, necesidad y proporcionalidad, conforme a lo dispuesto en el art. 52.1 de la Carta, que establece la posibilidad de limitar el ejercicio de los derechos y libertades previstos en la misma[14].

Por otra parte, y desde el punto de vista ahora de las condiciones y garantías de una OIE, a efectos de su incorporación, del control de admisión e incorporación, o de su rechazo frente a una eventual ilicitud probatoria, resultará relevante:

a) la necesidad de motivar o no el por qué se emite la OEI, requisito que sí figuraba para el Exhorto de Obtención de prueba (EOP), pero que no se menciona expresamente en este caso, presuponiendo que el juez de emisión realizará el juicio de proporcionalidad correspondiente, aspecto de singular trascendencia para valorar el correspondiente juicio de ponderación que pueda determinar la licitud de la injerencia lícita en el derecho fundamental, en su caso[15].

b) Y los presupuestos que figuran en los artículos 5 Directiva y en el art. 189 Ley 11/2018 (contenido para la emisión de la OEI), donde se efectuará el verdadero "juicio de proporcionalidad", concretamente en el auto motivador del acto de investigación que da lugar a la creación del Anexo A, donde debe constar toda la información posible en torno a: la/s persona/s afectadas, la descripción del hecho que da lugar a la OEI y su fundamentación jurídico-legal (ocultación o destrucción de pruebas, fecha juicio inminente....). En tanto, los fundamentos legales serán los propios

---

[14]   Artículo 52 Alcance de los derechos garantizados 1. *Cualquier limitación del ejercicio de los derechos y libertades reconocidos* por la presente Carta *deberá ser establecida por la ley y respetar el contenido esencial de dichos derechos y libertades.* Sólo se podrán introducir limitaciones, respetando el principio de proporcionalidad, cuando sean necesarias y respondan efectivamente a objetivos de internos general reconocidos por la Unión o a la necesidad de protección de los derechos y libertades de los demás. Sobre el alcance del principio de proporcionalidad, AHARON BARA, "Proporcionality. Constitutional Rights and their Limitations", Nueva York University Press (2012), p. 457. MEDINA GUERRERO, M, "El principio de proporcionalidad y el legislador de los derechos fundamentales", Cuadernos de Derecho Público, n.5, 1998, p. 133.

[15]   JIMENO BULNES, M, "Orden europea de investigación en materia penal" en JIMENO BULNES, M (dir) "Aproximación legislativa versus reconocimiento mutuo en el desarrollo del espacio judicial europeo: una perspectiva multidisciplinar", Bosch, Barcelona, 2016, ppp. 151 a 208.

del Estado de emisión, así como la descripción de la medida de investigación solicitada y la fuente de prueba que se pretenda obtener, (necesaria y proporcionada según los criterios constitucionales del país de emisión), como aspectos todos ellos de singular trascendencia a los efectos que nos ocupan[16].

De hecho, y en relación con éste último presupuesto, cabe que haya solicitado información a la autoridad de ejecución, por si considera, por ejemplo, que la medida que figura en la OEI se aplicará respetando las garantías indicadas, pudiendo, o no, adoptar otras medidas de investigación no previstas en la OEI (art. 190.1), o solicitando que una o varias autoridades o funcionarios españoles participen en la ejecución de la OEI, en la misma forma en que hubieran participado en España (art. 191).

A la vista de todo lo cual, la autoridad española comunicará a la autoridad de ejecución, en 10 días, si decide modificar o completar la OEI, ante la eventualidad de conseguir idéntico resultado mediante medida menos restrictiva que la solicitada (192, a), u obtener lo propio mediante medida distinta pero idónea (192 b). Y, en caso de que no fuera posible, *retirar la OEI*. Hipótesis en la que podríamos hablar de un primer control de aplicación de la regla de exclusión, no por inadmisibilidad o impugnación de la medida, sino con carácter previo, impidiendo ya de inicio acordar una medida para que sea ejecutada en el estado de ejecución.

Pero también cabe, que la exclusión proceda de estimar el correspondiente recurso frente a los motivos de fondo que sólo puede plantearse ante el órgano de emisión, articulándose a través del recurso de reforma o reforma y apelación, o incluso, si la medida la acordó el MF, esperando a incoar el procedimiento correspondiente. La autoridad que conozca del recurso deberá trasmitírselo al Estado de ejecución "salvaguardando los derechos de defensa y equidad" (art. 14.7 Directiva)[17]. El recurso no tendrá efecto suspensivo sobre la medida salvo que esté previsto en casos internos similares; y en caso de suspensión, ante un recurso por los motivos expuestos, cabrá adoptar las medidas cautelares que permitan asegurar la

---

[16]   BACHMAIER WINTER, L, "Prueba transnacional penal en Europa: la Directiva 2014/41 relativa a la Orden Europea de Investigación", Revista General de Derecho Europeo", n.36, 2015, pp. 1 a 35.

[17]   ROMERO PRADAS, I, " "La prueba penal en Europa, una cuestión compleja. La orden europea de investigación como nuevo instrumento de obtención de pruebas en procesos penales transnacionales y su próxima incorporación al Derecho español", en AAVV , I. GONZALEZ CANO, Mª.I (dir.) "Integración europea y justicia penal", Tirant lo Blanch, 2018, pp. 344-400

eficacia de la resolución, cuando la adopción de la recurrida pudiera crear situaciones irreversibles o causar perjuicios de imposible o difícil reparación (art. 24, 1,II Ley 23/2014, de 20 de noviembre, de Reconocimiento mutuo de resoluciones judiciales penales en la Unión Europea).

2.2. *España como emisor y ahora receptor de la o las diligencias practicadas en el Estado de ejecución en virtud de una OEI. Segunda hipótesis de control: Inadmisión de la prueba practicada*

En el supuesto en que se hubiera practicado prueba o diligencia en otro Estado de la Unión, en función de una OEI emitida en España, se produce, en primer término, el traslado de "la prueba" al país de emisión, conforme a lo dispuesto en el art. 13 Directiva, siempre que se solicite en la OEI, y si es posible con arreglo al derecho interno del Estado de ejecución, inmediatamente.

Dicho traslado podrá suspenderse a la espera de la decisión relativa a un recurso, conforme al art. 14.6 Directiva, salvo si en la OEI se indican razones suficientes que justifiquen que es indispensable el traslado inmediato para el adecuado desarrollo de la investigación o para preservar los derechos fundamentales; a menos que –excepción de la excepción– el traslado de pruebas origine un daño grave e irreversible a la persona interesada (art. 13.2 D).

En esta hipótesis, la aplicación de la regla de exclusión corresponde asimismo al Estado de origen, pero con carácter posterior a la práctica de la diligencia, de manera que se trataría de supuestos en que, recordando que me centro exclusivamente en los casos que conducirían a la inadmisión y exclusión por ilicitud probatoria, esto es: a aquellos en que no se han seguido correctamente en su práctica las indicaciones contenidas en la emisión de la OEI, la propia práctica vulnera algún derecho fundamental, no se ha prestado atención a la solicitud contemplada en el art. 190 o 191, o la medida sustitutiva adoptada conforme a lo dispuesto en el art. 192 comporta la vulneración de alguno de los derechos contemplados en el art. 6 del TUE y 52, 53 de la CEDF[18].

También en este caso cabrá la impugnación en el Estado de enjuiciamiento, conforme a las reglas que hemos examinado previamente.

---

[18] MARTÍNEZ GARCIA, E, "La orden europea de investigación" en AAVV , I. GONZA-LEZ CANO, Mª.I (dir.) "Integración europea y justicia penal", Tirant lo Blanch, 2018, pp.426ss.

2.3. *España como Estado de ejecución. Tercera hipótesis de control: eventual denegación del reconocimiento y ejecución*

España, como receptora de la OEI y autoridad de ejecución, dictará auto o decreto de reconocimiento o ejecución, salvo que concurran alguno de los motivos de denegación o suspensión de los artículos 207 y 208 Ley 3/2018, específicamente si *existen motivos fundados para creer que la ejecución de la medida de investigación indicada en la OEI es incompatible con las obligaciones del Estado español de conformidad con el art. 6 del Tratado de la UE y la CDF europea* (art. 207,1,d Ley 3/2018).

A tal efecto, la autoridad de ejecución habrá: controlado que el acto haya sido emitido por la autoridad competente y si la autoridad de emisión percibió la posibilidad de algún problema (por no tratarse un órgano jurisdiccional, por ejemplo); también revisado si se han salvaguardado los *requisitos de fondo* (art. 6 Directiva correspondientes) -en lo que nos ocupa, al juicio de proporcionalidad que motiva la solicitud de cooperación judicial- (gravedad de los hechos, la pena, el bien jurídico protegido, la alarma social..); y, finalmente, la necesidad y legalidad de la medida)[19].

Y a la par, habrá podido: pedir la suspensión del reconocimiento y ejecución en los casos del art. 209 Ley 11/2018 (por perjudicar una investigación en curso, o porque los objetos o documentos están siendo utilizados); pedir la participación de funcionarios españoles (210); ordenar una medida distinta pero que cumpla idéntica finalidad (206,2); o ejecutar una diferente, si la que consta en la OEI no existe en derecho español (206,3) previo informe a la autoridad de emisión, que podrá ordenar la retirada o completar la OEI

Las medidas realizadas en el Estado de ejecución podrán haber sido objeto de recurso en atención a lo previsto en el art. 14,6 Directiva (por afectar a las garantías de los derechos fundamentales), que no suspenderá la ejecución a menos que esté previsto en casos similares internos, debiendo ser tenido en cuenta en el Estado de emisión conforme a su propia normativa, e informándose al Estado de emisión y a las partes.

Circunstancia que puede incidir en el traslado de las pruebas a la autoridad de emisión, que debiendo ser inmediato, (art. 211 Ley 11/2018), (indicando, en su caso, si deben ser devueltas a las autoridades compe-

---

[19]   GRANDE SEARA, P, "Reconocimiento y ejecución en España de una Orden Europea", en AAVV , I. GONZALEZ CANO, Mª.I (dir.) "Integración europea y justicia penal", Tirant lo Blanch, 2018, pp. pp, 435-480.

tentes), podrá suspenderse en caso de recurso contra el reconocimiento y ejecución de la OEI, salvo indicación en la misma de razones suficientes que justifiquen el traslado inmediato (para el adecuado desarrollo de la investigación o para preservar los derechos individuales). Y que cabrá a su vez excepcionarse, impidiendo el traslado, si éste pudiera causar grave daño o irreversible a la persona interesada

Es posible el recurso en el Estado de ejecución, conforme a su normativa interna, sin que se suspenda la misma salvo que este previsto así en casos internos similares (art. 14.6 Directiva)[20].

Finalmente, dos extremos a resaltar: a) no olvidemos que en materia de impugnaciones, *contra las resoluciones del Ministerio Fiscal en ejecución de los instrumentos de reconocimiento mutuo no cabrá recurso, sin perjuicio de las posibles impugnaciones sobre el fondo ante la autoridad de emisión y de su valoración posterior en el procedimiento penal que se siga en el Estado de emisión* (art.8, Ley reconocimiento mutuo). En otros términos, que el derecho al recurso, como ocurría con el Exhorto Europeo de Obtención de Prueba, se limitaría a los aspectos formales. Y, que en los casos en los que la parte interesada plantee objeciones contra la OEI en el Estado de ejecución aduciendo motivos de fondo en relación con la emisión de la OEI, la información sobre esta impugnación se transmitirá a la autoridad de emisión para que informe de ello a la parte interesada.

2.4. *Recursos: una referencia general*

Las medidas realizadas en el Estado de ejecución podrán haber sido objeto de recurso en atención a lo previsto en el art. 14 Directiva[21]. Conforme a lo cual:

Ya inicialmente, y salvo que perjudique al secreto de la investigación, las autoridades de emisión y ejecución, habrán ya informado sobre los recursos pertinentes, de conformidad con el derecho nacional, esto es, tanto ante una autoridad como ante otra. Al igual, que las autoridades de emisión y ejecución informarán sobre los interpuestos, contra la emisión, el reconocimiento y ejecución de la OEI. Y a partir de ahí, los motivos de fondo por los que se ha emitido una OEI sólo podrán ser impugnados en

---

[20]   MARTÍNEZ GARCÍA, E., "La orden europea de investigación (Actos de investigación, Ilicitud de la prueba y Cooperación judicial transfronteriza)", Tirant monografías, 1021, 2016, p. 81
[21]   Art. 14 Directiva.

el Estado de emisión así como en garantía de los derechos fundamentales, habrán podido ser excluidos o no adoptadas, en su caso, tanto en el Estado de emisión como en el de ejecución (art. 14.2 Directiva). Los plazos serán los previstos en casos internos similares; aplicándose de manera que garanticen el efectivo ejercicio del recurso; el recurso no tendrá efecto suspensivo sobre la medida salvo que esté previsto en casos internos similares; y toda impugnación que prospere contra el reconocimiento o la ejecución de una OEI, será tenida en cuenta por el Estado de emisión con arreglo a su propio derecho interno.

El conjunto de esta normativa, para cerrar esta referencia general, debe cohonestarse con el artículo ocho de la Ley 11/2018, conforme al cual: "*Contra las resoluciones dictadas por la autoridad judicial española resolviendo acerca de los instrumentos europeos de reconocimiento mutuo se podrán interponer los recursos que procedan en cada caso conforme a las reglas generales previstas en la ley procesal vigente*"[22]. Y como se advierte del texto del art. 24 de la Ley de reconocimiento mutuo, la regulación corre paralela a la expuesta y sólo pudiendo destacar tan solo que: *Contra las resoluciones del Ministerio Fiscal en ejecución de los instrumentos de reconocimiento mutuo no cabrá recurso, sin perjuicio de las posibles impugnaciones sobre el fondo ante la autoridad de emisión y de su valoración posterior en el procedimiento penal que se siga en el Estado de emisión*, es decir, que en caso de quererse impugnar alguna de las medidas adoptadas en el Estado de ejecución, singularmente, las adoptadas por el MF en ejecución de la OEI, será en España donde deba denunciarse, y conforme a nuestra regulación.

En cuanto a la impugnación en el Estado de enjuiciamiento, partamos de varías "cuestiones previas"

1. *los actos de investigación realizados por el Estado de ejecución (..) se considerarán válidos en España, siempre que no contradigan los principios fundamentales del ordenamiento jurídico español ni resulten contrarios a las garantías procesales reconocidas en éste* (art. 186.1,II Ley 11/2018).

---

[22] El art. 24 de la Ley de reconocimiento mutuo continúa: 2. La autoridad judicial competente comunicará a la autoridad judicial del Estado de emisión tanto la interposición de algún recurso y sus motivos como la decisión que recaiga sobre el mismo. 3. Los motivos de fondo por los que se haya adoptado la orden o resolución sólo podrán ser impugnados mediante un recurso interpuesto en el Estado miembro de la autoridad judicial de emisión. 4. Contra las resoluciones del Ministerio Fiscal en ejecución de los instrumentos de reconocimiento mutuo no cabrá recurso, sin perjuicio de las posibles impugnaciones sobre el fondo ante la autoridad de emisión y de su valoración posterior en el procedimiento penal que se siga en el Estado de emisión.

2. Las vías de recurso existentes contra una OEI deben ser, como mínimo, iguales a las existentes en un caso nacional contra la medida de investigación de que se trate (Cdo 22 de la Directiva)

3. los Estados miembros deben garantizar, de conformidad con su Derecho nacional y, la aplicación de dichas vías de recurso, informando a su debido tiempo a cualquier parte interesada sobre las posibilidades y condiciones para emprender aquella.

4. Las autoridades de emisión y ejecución se informarán sobre los recursos interpuestos, contra la emisión, el reconocimiento y ejecución de la OEI, salvo que perjudique al secreto de la investigación, de conformidad con el derecho nacional y tanto ante una autoridad como ante otra[23].

De manera que, resumiendo: a) los *motivos de fondo* por los que se ha emitido una OEI sólo podrán ser impugnados en el Estado de emisión (art. 24,3, b) Directiva); b) Contra las resoluciones del Ministerio Fiscal en ejecución de los instrumentos de reconocimiento mutuo no cabrá recurso, sin perjuicio de las posibles impugnaciones sobre el fondo ante la autoridad de emisión y de su valoración posterior en el procedimiento penal que se siga en el Estado de emisión; y c) los plazos serán los previstos en casos internos similares, aplicándose de forma que garanticen el efectivo ejercicio del recurso.

Finalmente, también en sede de recurso y sin perjuicio de las normas procesales internas, dos recordatorios: a) Que los Estados miembros velarán porque en los procesos penales en el Estado de emisión, se respeten los derechos de la defensa y la equidad del proceso al evaluar las pruebas obtenidas a través de la OEI. Es decir, que el derecho al recurso asegurará internamente la protección de los derechos implicados en el acto de investigación, vinculándose con una eventual ilicitud probatoria; y b) (..) que *se considerarán válidos en España los actos de investigación realizados por el Estado de ejecución, siempre que no contradigan los principios fundamentales del ordenamiento jurídico español ni resulten contrarios a las garantías procesales reconocidas en éste* (art. 186.1,II Ley 11/2018).

---

[23]   Mandatos recogidos en el renovado art. 24 Ley reconocimiento mutuo, conforme al cual: "*Contra las resoluciones dictadas por la autoridad judicial española resolviendo acerca de los instrumentos europeos de reconocimiento mutuo se podrán interponer los recursos que procedan en cada caso, conforme a las reglas generales previstas en la ley procesal vigente*" Y cuyo tenor continúa así; 2. La autoridad judicial competente comunicará a la autoridad judicial del Estado de emisión tanto la interposición de algún recurso y sus motivos como la decisión que recaiga sobre el mismo.

3. LOS PROBLEMAS EN MATERIA DE EXCLUSIÓN POR ILICITUD PROBATORIA, EN GENERAL

En orden a esbozar siquiera unas breves ideas sobre la incorporación de la prueba transfronteriza, entendida como aquella obtenida a partir de una OEI, y su control de admisión y recepción en España, es importante tener bien presente una serie de ideas generales[24].

En primer lugar, y de manera relevante: la inexistencia de una regulación sobre derechos fundamentales en el ámbito de la UE, y por ende, sobre su limitación, lo que conduce inevitablemente a que una eventual reclamación deberá sortear una situación ciertamente compleja en la que concurren la normativa europea, la jurisprudencia del TEDH y del TJUE, así como la interna de los diversos Tribunales Constitucionales.

A efectos de la solicitud, así como del eventual debate deben tomarse en consideración, la aplicación del principio de necesidad y proporcionalidad, conforme a lo dispuesto en el art. 52.1 de la Carta, donde se establece la posibilidad de limitar el ejercicio de los derechos y libertades previstos en la Carta; circunstancia de singular relevancia que nos obliga a efectuar un breve *excursus* preliminar sobre los derechos fundamentales, en general y en el ámbito de la Unión Europea[25].

3.1. *La limitación de los derechos fundamentales en algunos países europeos*

Como ya señalaba en otros trabajos[26], a partir de la Segunda Guerra Mundial se ha ido elaborando un cuerpo de doctrina, comúnmente aceptada, que actúa como guía general sometiendo la limitación de los derechos fundamentales a la concurrencia de una serie de presupuestos aplicables a todas las medidas limitativas de derechos fundamentales[27]. Puede afirmarse, con carácter general, que las limitaciones de derechos fundamentales,

---

[24]   ILLUMINATI, G, "Transnational Inquiries in Criminal Matters and Respect for Fair Triall Guarantees", en S.Ruggeri (ed) ""Transnational Evidence and Multiculturals Inquiries in Europe", Heidelberg-New York, 2014, pp. 15-24.

[25]   GRANDE MARLASKA y M. DEL POZO PÉREZ, "La obtención de fuentes de prueba en la Unión Europea y su validez en el proceso español", RGDE 24 (2011), pp. 1-42.

[26]   ARMENTA DEU, T, "Limitación de derechos fundamentales y prueba ilícita", en "Estudios de Justicia Penal", Marcial Pons, 2014, pp. 229-251. Y, "Exclusionary Rule: Convergencias y divergencias entre Europa y América" en "Estudios de Justicia Penal", Marcial Pons, 2014, pp 260ss.

[27]   De hecho, la adopción de medidas limitativas de derechos fundamentales se contempla en diferentes textos normativos, Constituciones, Tratados Internacionales y nor-

deben someterse al cumplimiento de los requisitos recogidos en diferentes leyes nacionales, entre ellas los prescritos en la Ley de Enjuiciamiento Criminal, en el texto resultante tras su reforma mediante Ley Orgánica 13/2015, de 5 de octubre, de modificación de la Ley de Enjuiciamiento Criminal *para el fortalecimiento de las garantías procesales y la regulación de las medidas de investigación tecnológica*[28]: 1) Fin constitucionalmente legítimo de la medida; 2) previsión normativa (principio de legalidad formal y material); 3) adoptarse en el marco de un proceso, es decir, jurisdiccionalidad; 4) necesidad cualificada de motivación; 5) estar sujeta al principio de proporcionalidad "stricto sensu"; y 6) ejecución y control judicial de la medida.

Muy resumidamente: 1) La *finalidad constitucionalmente legítima* atiende al objeto de la medida que figurará en la norma habilitante y que debe acoger un fin aceptable según los parámetros constitucionales, como sucede pongamos por caso con la necesidad de investigar los delitos.

2) A tenor de la llamada "*previsión normativa*" cualquier restricción de derechos y libertades fundamentales, para ser legítima, debe estar prevista legalmente en la propia Constitución o en una norma legal habilitante (derecho a la libertad (art. 17.2 y 4 CE); inviolabilidad del domicilio (art. 18.2 CE; y derecho de asociación (art. 22.4 CE), (secreto de las comunicaciones (art. 20.5 CE) o en la ley procesal correspondiente. Esta categoría suele actuar como auténtica piedra de toque en medidas novedosas relacionadas con nuevas técnicas investigadoras a las que el ordenamiento procesal penal debe irse adecuando impidiendo vacíos legales, que pese al buen hacer general de los tribunales, provocan inevitablemente aplicaciones desiguales y situaciones de inseguridad jurídica. No es difícil encontrar ejemplos en los avances tecnológicos relacionados con las comunicaciones o los científicos en materia de sanidad o investigación médica, como la relativamente reciente regulación del las intervenciones corporales para la determinación del perfil de ADN[29].

3) Con arreglo a la *jurisdiccionalidad,* la medida ha de adoptarse por un órgano jurisdiccional y en el seno de un proceso. Deben existir indicios racionales de que los hechos se produjeron y además tales sospechas han de formalizarse en la correspondiente resolución procesal. La *previa autorización judicial,* plasmada en una resolución motivada que desgrane la

---

mas internas, (art. 12 Declaración Universal de Derechos del Hombre; art. 17 PIDCP y art. 8 CEDH).

[28] Reformando sustancialmente todo el Titulo VIII, del Libro II, relativo a las medidas de investigación limitativas del derecho contenido en el art. 18 CE.

[29] Art. 326 LECrim, y DM 2008/615/JAI.

atención a la proporcionalidad, es requisito común en la jurisprudencia europea con al Tribunal Europeo de Derechos Humanos a la cabeza (SS-TEDDHH de 25 de marzo 1998 (caso Kopp) y de 30 de julio de 1998 (caso Valenzuela).

4) La *exigencia de motivación suficiente* de las resoluciones judiciales limitativas de derechos fundamentales, por su parte, amén de ser un deber general consagrado para todo tipo de resoluciones, alcanza mayor intensidad cuando, como aquí sucede, las medidas adoptadas limitan un derecho fundamental o una libertad pública. Este requisito adquiere especial relevancia cuando la ley resulta especialmente parca y debe colmarse el vacío legal de alguna manera.

5) Resultado favorable del *juicio de proporcionalidad* centrado en la *idoneidad, necesidad y proporcionalidad "stricto sensu"*. *La idoneidad* hace referencia, objetiva y subjetiva, a la causalidad de las medidas en relación con sus fines, tanto cualitativamente (entrada y registro para conseguir pruebas) como cuantitativamente (duración de la intervención telefónica). La *necesidad,* también denominada como "*alternativa menos gravosa*", que compara y sopesa la medida restrictiva que se pretende acordar en relación con otras posibles, conduciendo a adoptar la menos lesiva para los derechos de los ciudadanos (la libertad provisional o la prisión provisional, por ejemplo, o la vigilancia en domicilio o la orden de no ausentarse). Y la *proporcionalidad en sentido estricto,* se aplica una vez examinada la concurrencia de los dos precedentes y conlleva la ponderación de intereses según la circunstancia del caso concreto, determinando si el sacrificio de los derechos individuales que comporta la restricción, guarda una relación proporcional con la envergadura del interés estatal que se trata de preservar en casos de tensión entre la necesidad de limitar el derecho al honor para salvaguardar la libertad de expresión; o el derecho a la información en aras del interés de persecución penal[30].

6) La *ejecución y control judicial de la medida* supone la revisión del órgano jurisdiccional en la ordenación, desarrollo y cese de la intervención. Tal será el caso, en la intervención de las comunicaciones, por ejemplo, al exigirse que sea el propio juez quien materialmente escuche las cintas –siempre originales, no copias- y seleccione lo relevante, y muy especialmente, cuando haya de decidir sobre la prórroga de la intervención o cese de la medida. También implicará la orden de destruir la información irrelevan-

---

[30]   GONZÁLEZ-CUÉLLAR, Nicolás. *Proporcionalidad y derechos fundamentales en el proceso penal.* Ed. Colex. 1990, *passim*.

te, o la necesidad de comunicar posteriormente la medida al intervenido, aunque haya resultado infructuosa y la entrega de las grabaciones originales una vez cumplida su finalidad, si bien estas dos últimas son objeto de un constante debate doctrinal. O en el caso de las intervenciones corporales, que exigirá en muchos casos su práctica limitada a personal sanitario, en centros médicos y conforme a la "lex artis" para no ocasionar riesgo para la salud, ni implicar trato vejatorio o degradante.

7) Y, *la cadena de custodia,* finalmente, se refiere a que el control sobre la medida, no sólo acabe en el órgano judicial, sino que hasta su incorporación al proceso mediante el medio de prueba adecuado se preserve dicha cadena de custodia. Tal es el caso, por acudir a la jurisprudencia española en el caso de "existencia de huellas o vestigios cuyo análisis biológico pudiera contribuir al esclarecimiento del hecho investigado", cuando prescribe que el juez adopte u ordene a la policía judicial o al médico forense las medidas necesarias para su recogida o custodia y examen garantizando su autenticidad y el respeto de la repetida cadena de custodia. De hecho, la concurrencia o ausencia, total o parcial, de alguno de estos presupuestos, incide y mucho, en la existencia de prueba ilícita, al margen de que la propia categoría de prueba ilícita se reserva en la mayoría de ordenamientos a la vulneración de derechos fundamentales y no a la de cualquier otro tipo de derecho. Los diferentes grados de ineficacia directa e indirecta se articula en los distintos ordenamientos legales en atención a la relevancia de los requisitos cuyo quebranto se alegue, en una arco que abarca de la nulidad hasta la mera irregularidad.

B) Por otro lado, la mayoría de ordenamientos, y entre ellos el español, acogen *prohibiciones legales* que atienden *a los medios de investigación para obtener fuentes de prueba,* prohibiendo las declaraciones bajo tortura, coacción o amenaza o determinados métodos en los interrogatorios (art. 389.2° y 3° LECrim).

3.2. *Técnicas de ponderación entre los intereses en conflicto*

También señalaba en otro trabajo, que la búsqueda de un equilibrio entre los intereses en juego ha obtenido múltiples respuestas en los diferentes países, aplicando diversas teorías cuya diferencia es más idiomática o de énfasis que de enfoque o contenido y cuyo objetivo común es aquilatar al máximo el resultado final[31]. Fórmulas muy semejantes al reiterado "principio de proporcionalidad" al que se refieren los tribunales supranacionales europeos.

---

[31]   ARMENTA DEU, T, "Exclusionary Rule: Convergencias y divergencias entre Europa y América" en "Estudios de Justicia Penal", cit, pp 260ss.

A) El "Balancing aproach"

El conocido como "balancing aproach" se usó inicialmente en la jurisprudencia de los USA. Tras la resolución de *Wolf v. Colorado* (1949) la perspectiva del mal menor se impuso en Mapp v. Ohio en 1961 declarando aplicable la doctrina a las jurisdicciones estatales por invocación al derecho al *procedural due process of Law* (art. XIV Enmienda). La conocida como "era Warren" aplicó el "balancing approach" consistente en ponderar el peso de los intereses en juego a partir de las Enmiendas IV,V, VI y XIV (Derecho a la seguridad en el hogar frente a entradas, registros y medidas faltas de fundamento; derecho a un proceso y al jurado...). Desde la asunción de la presidencia del Tribunal Supremo por Warren Burger, se inicia otra tendencia que marcaría el juez Renquist, y que acorde con el *Law and Order* en la sentencia *Stone v. Powell* (1976) advertía la imposibilidad de cerrar los ojos a los costos sociales de la regla de exclusión obligatoria en supuestos de impunidad de notorios criminales por infracciones policiales leves[32].

B) Abwägung y doble función estabilizadora de la norma

En Alemania, la doctrina admite la existencia de una colisión entre las prohibiciones de prueba y el principio de investigación (pgf. 155.II; 160, II y 244,II StPO) en la medida en que las prohibiciones probatorias constatan la existencia de limitaciones a la averiguación de la verdad en el proceso, debido a intereses contrapuestos de índole colectiva e individual. Tales límites, atienden, por un lado, a la *garantía de derechos fundamentales* en tanto protegen al inculpado ante la utilización de pruebas ilegalmente obtenidas en su contra. Y, por otro lado preservan –componente colectivo– la integridad constitucional, en particular a través de la realización de un proceso justo. La tensión entre ambos conduce a complejas decisiones de ponderación, que en términos de la teoría de los fines de la pena (en sentido funcionalista) permite hablar de una *doble función estabilizadora de la norma*: El Estado no solo debe estabilizar las normas jurídico penales a través de una persecución penal efectiva, sino también los derechos fundamentales de los imputados aplicando prohibiciones de utilización de pruebas en caso de violaciones de los derechos del individuo. Desde esta perspectiva,

---

[32]   ORMEROND, D y BIRCH, D, "The evolution of the Discretionary Exclusión of Evidence", Criminal Law Review, 2004; DAVIES, T.Y, "A Hard Lood at What We Know (and Still Need to Learn) About the "Cost" o the Exclusionary Rule: The NIJ Study an Other Studies of "Lost" Arrest, 1983; SKALANSKY, D, "Is the Exclusionary Rule obsolete?", 5 Ohio St.J.Crim.L,(2008) 567-572.

se contemplan en las repetidas prohibiciones una cierta función de control disciplinario de las autoridades de persecución penal en sentido de prevención general negativa. Con arreglo a la "teoría de la ponderación" (*Abwägungstheorie"*), de aplicación mayoritaria en la actualidad, los intereses a ponderar se concretan a partir de la gravedad del hecho y el peso de la infracción procesal. Esta ponderación corresponderá al juez de instancia, quien debe decidir en el juicio si puede subsanar la infracción procesal o ha de entender existente una prohibición de utilización no escrita. Elementos para tal enjuiciamiento podrían ser la existencia de una infracción legal de especial gravedad desde el punto de vista de los derechos humanos y/o si la infracción se manifiesta como un actuar calculado o consciente de las disposiciones procesales[33].

C) Teoría de la conexión de antijuridicidad

En España, la búsqueda de equilibrio se ha efectuado a través de la aplicación de la teoría de la conexión de antijuridicidad a la hora de decidir o no la exclusión de un medio probatorio o más frecuentemente de los efectos reflejos derivados de una prueba obtenida ilícitamente. Debe señalarse que esta doctrina, conforme a las exigencias del Tribunal Constitucional, se reserva para los casos de vulneración de derechos fundamentales.

En atención a esta teoría para ponderar los intereses en conflicto se recurre a una "perspectiva interna" y otra "perspectiva externa": La primera acomete la relevancia, desde el punto de vista de la causalidad, entre la vulneración del derecho fundamental y los efectos que conlleva directa e indirectamente. La perspectiva externa por su lado atiende al examen de las necesidades de tutela del propio derecho fundamental (secreto de las comunicaciones, inviolabilidad del domicilio, etc...) de manera, que exceptuar la regla general de exclusión de las pruebas obtenidas a partir del conocimiento que tiene origen en otra contraria al derecho fundamental en cuestión, no signifique, en modo alguno, incentivar la comisión de infracciones del repetido derecho fundamental, privándole así de una garantía indispensable para su efectividad. Este análisis se reconduce, en definitiva, a la correcta

---

[33]   AMBOS, K, "Las prohibiciones de utilización de pruebas en el proceso penal alemán" en AAVV, GÓMEZ COLOMER (dir), "Prueba y proceso penal", Tirant lo Blanch, 2008. GLESS, S, "Eine akademishe Kritik des "EU.Acquis" zur grenzüberschreitenden Beweissamlung" en "Dealing with European Evidence in Criminal Proceedings: National Practice and European Union Policiy", ERA-FORUM, SCRIPTA IURIS EUROPEI, Trier, 2005.

salvaguarda de las garantías en la limitación del derecho fundamental. Si se considera que se vulneraron frontalmente tales garantías (ausencia de resolución judicial, resolución carente por completo de motivación, por ejemplo) deberá estimarse que la apreciación de la prueba basada indirectamente en fuente ilícitamente obtenida contribuye a enervar la necesidad de tutela del derecho fundamental. Si, por el contrario, no existe tal vulneración, sino una simple irregularidad (ausencia en el auto que permite la intervención telefónica de datos objetivos, más allá de las simples sospechas, por ejemplo) la necesidad de tutela del derecho fundamental (en caso, por ejemplo, del secreto de las comunicaciones) se entenderá suficientemente satisfecha con la prohibición de valoración de la prueba originada directamente por la intervención, aquélla directamente constitutiva de la lesión, sin necesidad de extender la prohibición a las pruebas derivadas[34].

3.3. La proporcionalidad y el respeto al "núcleo del derecho fundamental" en la Unión Europea como referencia

Antes de centrarse en los aspectos que intitulan este apartado y de acometer su proyección en la Orden Europea de Investigación conviene recordar dos circunstancias relevantes:

a) La ya denunciada inexistencia de unas normas comunes en el ámbito de la UE en materia de derechos fundamentales[35]; y,

b) que el Tribunal Supremo había señalado hasta la fecha "*que en el marco de la UE (..) no cabe efectuar controles sobre el valor de lo realizado ante otras autori-*

---

[34] ARMENTA DEU, Y, *La prueba ilícita (Un estudio comparado)*. Segunda Edición. Marcial Pons. 2011, pp,103-130; DÍAZ CABIALE, José Antonio y MARTÍNEZ MORALES, Ricardo. *La teoría de la conexión de antijuridicidad*. Jueces para la democracia No. 43. 2002, pp. 39 – 49; GARRIDO LORENZO, María Ángeles. *Valoración en el juicio oral de la prueba y conexión de antijuridicidad*. Diario La Ley, No. 7573, Sección Tribuna, 21 de febrero de 2011, pp. 1709 – 1713; y MARTIN PASTOR, J, "Mínima actividad probatoria y fuentes de prueba obtenidas con violación de derechos fundamentales", en AAVV (ORTELLS RAMOS, M y TAPIA FERNANDEZ, I "El proceso penal en la Doctrina del Tribunal Constitucional (1981-2004) Thomson/Aranzadi,2005, pp. 587-651, especialmente, pp. 614-651.

[35] GLASER, S/MOTZ, A/ZIMMMERMANN, F, "Mutual Recognition and its implications for the Gathering of Evidence in Criminal Proceeding. A critical Analysis of the initiative for a European Investigation Order", Themis, 2010, p.1ss. y VERMUELEN, DE BONDT&VAN DAMME, EU, "Cross-border gathering and use of evidence in criminal matters. Towards mutuall recognition of investigative measures and free movement of evidence?", vol, 37, Maklu (2010).

dades judiciales de otros países de la Unión y menos de su adecuación a la legislación española cuando aquellos se hayan efectuado en el marco de una comisión rogatoria (…). En otros términos, no le corresponde a la autoridad judicial española verificar la cadena de la legalidad por los funcionarios de los países indicados[36].

A partir de ahí, el complejo entramado que conforman la normativa de los veintisiete países de la Unión Europea remite al concepto de proporcionalidad y al derecho de defensa como pilares del sistema probatorio de la UE y límites al principio de reconocimiento mutuo[37]. El principio de proporcionalidad se orienta claramente a resolver conflictos entre derechos, intereses o valores en concurrencia, sustancialmente orientado a los límites o parámetros que podrían conectar de un modo racional un derecho constitucional o fundamental y su limitación[38]. El juicio de proporcionalidad, por su parte, resulta en realidad una nueva fórmula de ponderación entre intereses opuestos que atiende a tres parámetros una vez fijada la controversia, el contexto y las circunstancias del caso, partiendo de la legitimidad de los fines atendidos por la norma, medida o actuación y analizando: su utilidad (idoneidad para alcanzar el fin pretendido), su necesidad (ausencia de alternativa igualmente eficaz y menos gravosa) y su proporcionalidad "strictu sensu" atendido el grado de injerencia en un ámbito protegido y el alcance del sacrificio que impone sobre los derechos e intereses afectados[39]. Un juicio prácticamente idéntico a los expuestos en el apartado 3.2.

Dicho juicio ponderativo resulta por otra parte algo perfectamente previsible si se tiene en cuenta la cláusula tipo recogida en el art. 52.1 *in fine* de la Carta de los Derechos Fundamentales de la UE:

> *Cualquier limitación del ejercicio de los derechos y libertades reconocidos por la presente Carta deberá ser establecida por ley y respetar el contenido esencial de dichos derechos y libertades. Dentro del respeto del principio de proporcionalidad, sólo podrán introducirse limitaciones cuando sean necesarias y respondan efectivamente a objetivos de interés general reconocidos*

---

[36]   STS 1281/2006, de 27 de diciembre.

[37]   SUOMINEN, A, "Limits of mutual recognition in cooperation in criminal matters within the EU –escially in light o recent Judgement of both European Courts", en "European Criminal Law Review", vol. 4, n.3, Diciembre 2104 y MARTINEZ GARCIA, E, "La orden europea de investigación…", cit, p. 32

[38]   ROBERT ALEXY, citado por E. ROCA TRIAS y M.A AHUMADA RUIZ, "Los principios de razonabilidad en la jurisprudencia constitucional española", Reunión de Tribunales Constitucionales de Italia, Portugal y España, Roma, Octubre 2013.

[39]   E. ROCA TRIAS y M.A AHUMADA RUIZ, "Los principios de razonabilidad en la jurisprudencia constitucional española", Reunión de Tribunales Constitucionales de Italia, Portugal y España, Roma, Octubre 2013

> *por la Unión o la necesidad de protección de los derechos y libertades de los demás.*

Así las cosas, el punto de referencia en la configuración elaborada por el TEDH, se supedita, sin embargo, a que cualquier limitación debe preservar el denominado "núcleo de derecho fundamental", al estar protegido por los artículos 6 del CEDH, el art. 47 de la Carta Europea de Derechos Fundamentales y el artículo 6 del Tratado de la Unión Europea, acorde, asimismo, con la doctrina sentada por el propio Tribunal Estrasburgo[40]. La dificultad emerge a la hora de establecer "qué es el núcleo duro de derecho fundamental", aspecto que no es objeto de una interpretación semejante en cada uno de los Estados miembros.

3.4. La jurisprudencia del TJUE, del TEDH y de los Tribunales Constitucionales

En orden a dilucidar qué constituye el referido "núcleo duro del derecho fundamental" y a falta de una normativa "de mínimos" común, la jurisprudencia del TEDH, del TJUE y de los respectivos Tribunales Constitucionales permite entresacar algunas directrices que pueden arrojar luz al respecto, aunque también alguna sombra centrada esencialmente en disensiones relevantes.

Recordemos inicialmente que a tenor de una doctrina indiscutida, la limitación de los derechos fundamentales se encuentra sometida a la concurrencia de tres requisitos (artículo 52.1 de la Carta):

a) Estar previstas legalmente en cuanto a los actos legislativos, pero no a los actos de ejecución; cumpliendo, como mínimo, los criterios del TEDDHH sobre rango y certeza;

b) No afectar al "contenido esencial" del derecho fundamental, salvo transformarlo en otro diferente; y

c) Efectuarse conforme al principio de proporcionalidad, ajustándose a la adecuación y necesidad, o lo que es igual, a que la medida resulte idónea para alcanzar los fines previstos, constituyendo la opción menos restrictiva para el derecho fundamental del sujeto pasivo.

---

[40] Casos Hadyside; Klass; Sunday Times; y especialmente, caso Yougn, James y Webster; Ciulla; y Malone.

Y para proseguir, que la competencia sobre estos extremos por parte del TJUE y del TEDH, que no sostienen idéntica doctrina, unido a que la prevalencia de ambos sobre la doctrina de los respectivos Tribunales Constitucionales esta está lejos de ser aceptada, abre un panorama ciertamente confuso al que quizás arroje algo de luz los siguientes recordatorios:

A) El art. 52.3 de la Carta atribuye al *CEDH* un carácter de *mínima protección para el Derecho de la Unión*, por lo que, en la medida que se adopte, cabe superar el CEDH, pero no rebajar la protección contemplada en él. Conforme a tal mandato, el Tribunal de Justicia ha elevado el grado de protección de un derecho fundamental cuando el Tribunal Europeo de Derechos Humanos así lo hacía; sin que haya rechazado incrementarlo "per se", al considerar que no había equivalencia entre el derecho fundamental contemplado en la Carta y en el CEDH.

B) En caso de *conflicto entre el Tribunal de Justicia y el TEDH* y a tenor de las sentencias del asunto Bosphorus (Bosphorus Airways c.Irlanda, de 30 de junio de 2005) se establece una *presunción de protección equivalente* entre ambos tribunales, de forma que el TEDH renuncia a controlar los actos de los Estados miembros que ejecuten de forma reglada y no discrecional actos de la Unión.

C) Los *conflictos entre los derechos fundamentales de la Carta y los garantizados en las Constituciones de cada país*, por su parte, resultan más complejos de resolver, ya que hasta la fecha los Tribunales Constitucionales nacionales, y el español entre ellos, no han reconocido la supremacía incondicional del Derecho de la Unión sobre las Constituciones nacionales, especialmente en lo relativo al "núcleo duro constitucional", donde lógicamente figuran los derechos fundamentales[41].

Para desentrañar este auténtico "nudo gordiano" cabe acudir a las directrices sentadas por la sentencias *Melloni y Akerberg Fransson*, señalando, que junto a la aplicación del primer criterio del *nivel de protección*, el TJUE diferencia entre dos supuestos:

a) *situaciones no determinadas por el Derecho de la Unión*, en las que el juez nacional podrá decidir entre el nivel de protección otorgado por la Carta o la CEDH, salvo que la Carta contemple un nivel más alto, o cuando la

---

[41]   En el caso Melloni, que resolvió un recurso de amparo, una dictada la sentencia prejudicial del TJ, el TC español, modificó su criterio, resolviendo conforme al Derecho de la Unión, por su propia autoridad, con carácter excepcional y negando el efecto vinculante (STC 26/2014, F.J.2º).

aplicación de la Constitución afecta a la primacía, la unidad y la efectividad del Derecho de la Unión; y

b) *situaciones contempladas por el Derecho de la Unión*, en cuyo supuesto se aplicará sólo el nivel de protección de la Carta, aunque sea inferior al de la Constitución; tesis de la que difieren absolutamente, como se ha adelantado, los Tribunales Constitucionales nacionales.

Para finalizar, a este ya de por sí complejo entramado se une la doctrina de T*ribunal Europeo de Derechos Humanos*, que como sabemos *diferencia*n en materia de limitación de derechos fundamentales entre:

a) un *grupo de derechos fundamentales* cuya vulneración conlleva la inmediata aplicación de la regla de exclusión y que comprende sólo dos derechos: el derecho a no auto incriminarse y a no sufrir torturas; y

b) los restantes derechos fundamentales sobre cuya valoración y consecuente exclusión de la correspondiente fuente probatoria existe una remisión a las jurisdicciones nacionales. Dicha reducción, consagra una discriminación totalmente criticable por establecer derechos fundamentales "de primera" y "de segunda", que abandona en el socorrido "principio de proporcionalidad" la verdadera tutela de los derechos fundamentales en su siempre difícil equilibrio entre la obligación del Estado de alcanzar los fines de la investigación –y la protección de los derechos fundamentales, que pueden ser limitados, pero que también deben ser protegidos por el "Estado garante"[42].

4. A MODO DE SÍNTESIS: ORDEN EUROPEA DE INVESTIGACIÓN Y EXCLUSIÓN EN CASOS DE ILICITUD PROBATORIA CUANDO SE APRECIE VULNERACIÓN DE UN DERECHO FUNDAMENTAL: PROBLEMAS EN EL HORIZONTE

Recapitulando sobre todo lo expuesto y centrándome ya en las conclusiones respecto a la OEI y la eventual exclusión probatoria, cabe recordar que el grado de protección de los derechos fundamentales sustantivos y del derecho al proceso con todas las garantías, es el establecido en la normativa europea, en tanto, el margen de actuación de los Estados para establecer el nivel de protección de los derechos fundamentales entra en

---

[42]   MARTÍNEZ GARCIA, E, "La orden europea de investigación...", cit, p. 32. SÁNCHEZ YLLERA, I, "La aparente irrelevancia de la prueba ilícita en la jurisprudencia del Tribunal Europeo de Derechos Humanos", Jornada sobre Pruebas Ilícitas, CEJ, 12 de marzo de 2012.

juego cuando dicho nivel no ha sido objeto de definición común, lo que se hará mediante la ley de trasposición. En caso de coexistencia de diferentes instrumentos de protección: no cabe negar el reconocimiento mutuo alegando que en el país se otorga mayor protección (*principio de primacia del derecho de la UE*). Será la Directiva y la Ley de trasposición el parámetro para decidir cuando el estado de emisión está dando *suficientes garantías*, algo que no queda a criterio del Estado de ejecución.

No se olvide, además, que con arreglo a la doctrina sentada en el *Caso Schenck*, el derecho al proceso debido se regula en el art. 6 CEDH y 47 de la CDFUE, resultando vinculante "ex" art. 10 CE. Según el TJUE, cuando la intervención ilícita atente contra cualquier otro derecho, se debe recurrir a la regla de ponderación de los intereses en conflicto, sin exclusión inmediata, debiendo examinar el tribunal si el proceso en su conjunto salvaguarda el "debido proceso"; el resto, incluyendo la admisibilidad probatoria, y el "juicio de ponderación" en torno a la ilicitud probatoria original y derivada, se delega en la legislación interna, correspondiendo a los tribunales nacionales señalar las consecuencias de pruebas obtenidas irregularmente (*Gäfen c. Alemania*, 1,6,2010).

Y, unido a ello, que como se ha comprobado, al examinar la Ley 3/2018, la autoridad de emisión y de ejecución deben asegurarse que la prueba y la medida de investigación escogidas son necesarias y proporcionadas, control que se ciñe a causas de denegación estrictamente reguladas (*Caso Pupino*). En tanto, conforme a lo dispuesto en la Directiva 2014/41, de 3 de abril, relativa a la orden europea de investigación penal, el Estado de ejecución interpretará la solicitud de una medida de investigación de acuerdo con sus propios cánones de constitucionalidad o *lex loci*, correspondiendo al país de emisión al recepcionar las pruebas, confiar en lo hecho en el país ajeno, o inadmitirlo, en su caso. La Exposición de Motivos de la Directiva menciona el eventual recurso al principio de subsidiariedad, de modo que en los ámbitos en que no sean de su competencia exclusiva, la Unión intervendrá sólo en caso de que, y en la medida en que, los objetivos de la acción pretendida no puedan ser alcanzados de manera suficiente por los Estados miembros, sino que pueda n lograrse mejor, debido a la dimensión o a los efectos de la acción pretendida, a escala de la Unión. Y que cuando el balance entre el derecho violentado y el proceso equitativo no resulte negativo, prevalecerá el interés social sobre el estatal; y en caso contrario, se impondrá la exclusión (*Lee Davis c. Bélgica*, citado *Göcmen c.Turquía*, 17,10,2006).

Añádase a todo ello el "doble filtro" que constituye la valoración en el Estado de emisión y en el Estado de ejecución, del principio de proporcionalidad, y del derecho de defensa, como elementos básicos del modelo probatorio y límites al principio de reconocimiento mutuo[43]. En tal sentido, deberán tenerse presente, además, las Directivas: 2010/64/UE, de 20 de octubre de 2010, sobre el *derecho a interpretación y traducción en los procesos penales*; Directiva 2012/13/UE, de 22 de mayo de 2012, sobre el *derecho a la información en los procesos penales*; Directiva 2013/48/UE, de 22 de octubre de 2013, sobre el *derecho a la asistencia de letrado en los procesos penales*; Directiva UE 2016/343, de 9 de marzo de 2016, por la que *se refuerzan en el proceso penal determinados aspectos de la presunción de inocencia y el derecho a estar presente en el juicio*; Directiva UE 2016/800, de 11 de mayo de 2016, relativa a las *garantías procesales de los menores sospechosos o acusados en los procesos penales*; y Directiva UE 2016/680, del Parlamento Europeo y del Consejo, de 27 de abril de 2016, relativa a la *protección de las personas físicas en lo que respecta al tratamiento de datos personales por parte de las autoridades competentes para fines de prevención, investigación, detección o enjuiciamiento de infracciones penales o de ejecución de sanciones penales, y a la libre circulación de dichos datos* y por la que se deroga la Decisión Marco 2008/977/JAI del Consejo.

Así las cosas, se busca la integración o armonización jurídica debería crearse una verdadera legalidad europea en muchas materias, pero muy singularmente en lo atinente a la protección de los derechos fundamentales. Sin rechazar el principio del mutuo reconocimiento claro está, pero alcanzando unos estándares mínimos y comunes que complemente aquél. Sirviéndome de una reflexión ajena que comparto: "si los ciudadanos europeos vamos despojando a nuestros Estados de poderes que antaño ostentaban, no lo podemos hacer a costa de privarnos de garantías propias del Estado de Derecho, tan penosamente logradas a lo largo de la historia. No tendría sentido que, habiendo saltado a un espacio transnacional, acabásemos añorando las garantías de las que otrora disfrutábamos cuando nuestros Estados se ocupaban de dichas cuestiones"[44].

---

[43]   SUOMINEN, A, "Limits of mutual recognition in cooperation in criminal matters within the EU –escially in light o recent Judgement of both European Courts", cit, y MANGIARACINA, A, "A new and controversial Scenario in Gathering of Evidence at the European Level: The porposal for a Directive on the European Investigation Order", Utrecht Law Review, vol. 10, Issue 1 enero) 2014.

[44]   ORMAZABAL SÁNCHEZ, G, "El tortuoso camino hacia la construcción del espacio judicial europeo en materia penal. algunas consideraciones entorno al reconocimiento mutuo de pruebas, la euro-orden y la fiscalía europea" en "Derecho y Proceso (liber amicorum Prof. Francisco Ramos Mendez), AAVV (CACHÓN dir), Atelier, 2018, T.III, p. 1814.

Estas ideas deberían guiar y orientar la repetida evaluación a la búsqueda de los motivos de exclusión de la fuente probatoria, en su caso, en el Estado de origen o en el de ejecución, así como la admisibilidad e impugnación en el Estado de ejecución Percibiendo, ya de inicio, que en términos generales, España ofrece una protección mayor de los derechos fundamentales, lo que permite vislumbrar un horizonte problemático en la aplicación de la OEI, o por mejor expresarlo, un serio riesgo de "factor de atracción" hacia nuestro juzgados y tribunales[45].

No olvidemos que en ausencia de normas que definan las reglas mínimas de protección de derechos fundamentales en la obtención de la prueba penal, corresponde a las autoridades judiciales medir la legitimidad con parámetros internos, huyendo tanto del *hipergarantismo* como del *hipermimetismo*[46]; pero también encontrando un punto de equilibrio entre las rígidas pautas de prevalencia de la jurisprudencia del Tribunal de Justicia de la UE sobre los Tribunales Constitucionales nacionales y las garantías alcanzadas en cada ordenamiento, a las que difícilmente se renunciará en atención, únicamente, a conseguir el tan repetido Espacio Único de Seguridad y Justicia. Quizás un trabajo más detallado en orden a preservar determinadas garantías internas en las correspondientes Leyes de trasposición ayudaría en tal sentido, a la espera de una regulación europea sobre la protección y limitación de los derechos fundamentales. Una importante asignatura pendiente.

---

[45] MARTÍNEZ GARCÍA, E, ""Actos de investigación e ilicitud de la prueba", Tirant lo Blanch, 2009, pp, 45ss.

[46] GASCÓN INCHAUSTI, F, "Investigación transfronteriza, obtención de pruebas y derechos fundamentales", en "El derecho procesal español del siglo XX a golpe de Tango", Valencia, Tirant lo Blanch, 2012, p.1271.

Capítulo XXXVII

LA ORDEN EUROPEA DE INVESTIGACIÓN. ESPECIAL CONSIDERACIÓN DE LOS PROBLEMAS QUE PLANTEA EL DOBLE CONTROL DE ADMISIBILIDAD EN LA OBTENCIÓN DE PRUEBA[1]

María Elena Laro González

Investigadora Contratada Predoctoral FPI (MINECO) de Derecho Procesal
Universidad de Sevilla

SUMARIO: 1. INTRODUCCIÓN. 2. LA DIRECTIVA 2014/41/UE Y SU TRANSPOSICIÓN AL ORDENAMIENTO JURÍDICO ESPAÑOL. LA ORDEN EUROPEA DE INVESTIGACIÓN Y LA ARMONIZACIÓN LEGISLATIVA COMO INSTRUMENTO DE RECONOCIMIENTO MUTUO. 3. LA INCORPORACIÓN DE LA PRUEBA OBTENIDA EN EL MARCO DE LA ORDEN EUROPEA DE INVESTIGACIÓN Y SU ADMISIBILIDAD EN EL PROCESO PENAL ESPAÑOL. 3.1. Doble control de legalidad y proporcionalidad. 3.2. Perspectivas de futuro. A modo de conclusión.

RESUMEN: Este estudio analiza la Directiva 2014/41/UE y su transposición al ordenamiento jurídico español. En estos términos, desde el punto de vista de la incorporación de la prueba obtenida al proceso penal español, se contempla el doble control de legalidad y proporcionalidad y la posible vulneración de derechos fundamentales en la obtención de la prueba transnacional en el ámbito de la Unión Europea.

ABSTRACT: This research analyses the Directive 2014/41/UE and the transposition to the Spanish legal system. In this terms, from the point of view of the incorporation of the evidence obtained to the Spanish criminal process, the double control of legality and proportionality is contemplated and the possible violation of fundamental rights in obtaining transnational evidence within the European Union.

---

[1]   El presente trabajo ha sido realizado en el marco del proyecto de investigación *"Instrumentos de reconocimiento mutuo y ejecución de resoluciones penales. Incorporación al Derecho español de los avances en cooperación judicial en la Unión Europea"* (MINECO, ref. DER 2015-63942-P).

PALABRAS CLAVES: Orden europea de investigación; Cooperación judicial penal; reconocimiento mutuo; prueba penal transfronteriza.

KEY WORDS: European investigation order; Judicial criminal cooperation; mutual recognition; transnational criminal evidence.

1. INTRODUCCIÓN

La promulgación de la Directiva 2014/41/UE, del Parlamento Europeo y el Consejo, de 3 de abril[2], relativa a la Orden Europea de Investigación en materia penal (en adelante, OEI) ha sido traspuesta al ordenamiento mediante la Ley 3/2018, de 11 de junio, por la que se modifica la Ley 23/2014, de 20 de noviembre, de reconocimiento mutuo de resoluciones penales en la Unión Europea (en adelante, LRM).

Con la Directiva lo que se ha pretendido es la creación de un único instrumento donde se regule la obtención de prueba transfronteriza en materia penal, comprendiendo todas las medidas de investigación, con excepción de los equipos conjuntos de investigación. Si bien, la OEI significa un gran avance en la cooperación judicial penal, se ha perdido una oportunidad para legislar sobre los contenidos mínimos comunes de la admisión de prueba y las reglas de exclusión probatoria.

Una vez implementada la Directiva a nuestro ordenamiento seguimos teniendo lagunas en relación a su posible admisibilidad o inadmisibilidad, sin que exista una solución a los problemas que se pueden originar con la obtención de pruebas que vulneren derechos fundamentales y el diferente grado de protección de dichos derechos en cada Estado miembro de la Unión Europea (en adelante, UE).

En cuanto a la admisión de la prueba en un proceso penal español, debemos atenernos a que la prueba haya sido propuesta en tiempo y forma, así como que sea pertinente y útil. Especial valoración habrá de hacerse en cuanto a la licitud de la misma conforme al artículo 11 de la Ley Orgánica del Poder Judicial (en adelante, LOPJ)[3].

---

[2]   Directiva 2014/41/UE del Parlamento Europeo y del Consejo, de 3 de abril de 2014, relativa a la orden europea de investigación en materia penal, DOUE L 130, de 1 de mayo de 2014.

[3]   FERNÁNDEZ FUSTES, María Dolores, "Procedimiento Probatorio", VVAA (dir. por GONZÁLEZ CANO, María Isabel), *La prueba, Tomo II, La prueba en el proceso penal*, Tirant lo Blanch, Valencia, 2017, pp. 328 y ss.

Por un lado, España goza de un fuerte nivel de protección de los derechos fundamentales, premisa que podría conllevar la exclusión probatoria obtenida en el marco de una OEI en el caso que se vulneraran dichos derechos. En esta línea cabe destacar la STC 114/1984, de 29 de noviembre, y la posterior configuración legal del artículo 11 de la LOPJ, donde se aboga por una línea garantista, expulsando del proceso aquellas pruebas que vulneren derechos fundamentales. Esta posición garantista ha sufrido cambios que derivan de la preocupación por "condenar al delincuente", so pena de la alarma social que podría producirse como consecuencia de declarar la ilicitud probatoria y dictar una sentencia absolutoria por ausencia de prueba de cargo que enerve la presunción de inocencia. Esta tendencia a reducir el garantismo ha sido consecuencia de las excepciones establecidas por la jurisprudencia donde se matiza sobre la validez de la prueba ilícita[4].

Por otro lado, la ausencia de normas mínimas en materia probatoria, podría conllevar a distintos estándares o niveles de valoración de la admisibilidad o inadmisibilidad cuando colisione con un derecho fundamental, pudiendo generar esta situación "paraísos" para los delincuentes en aquellos Estados miembros donde el nivel de protección de los derechos fundamentales es mayor y, por ende, hay mayores probabilidades que prospere la inadmisión de la prueba en un proceso penal por colisionar con un derecho fundamental[5], lo que viene denominándose *forum shopping*.

En este punto, conviene traer a colación, en el marco de la cooperación judicial penal, el tránsito sufrido de un sistema de auxilio judicial al de reconocimiento mutuo en el que nos encontramos en la actualidad. Como afirma GONZÁLEZ CANO supone *"un cambio de paradigma de la cooperación judicial penal en la Unión Europea"*[6].

---

[4]   La línea garantista definida por la STC 114/1984, de 29 de noviembre, donde cualquier prueba obtenida vulnerando derechos fundamentales era merecedora de la expulsión del proceso, ha evolucionado a través de las excepciones introducidas por la jurisprudencia. Estas excepciones son: teoría de los frutos del árbol envenenado; prueba independiente; descubrimiento inevitable; hallazgo casual; conexión de antijuridicidad; buena fe. Con estas excepciones se viene matizando lo establecido en la sentencia mencionada, considerándose que, a pesar, de la obtención ilícita de la prueba puede declararse válida en virtud de las excepciones referidas.

[5]   MARTÍNEZ GARCÍA, Elena, "La Orden Europea de Investigación", VVAA (dir. por GONZÁLEZ CANO, María Isabel), *Integración europea y justicia penal,* Tirant lo Blanch, Valencia, 2018, p. 429.

[6]   GONZÁLEZ CANO, María Isabel, "Nuevos paradigmas de la cooperación judicial penal en la Unión Europea", VVAA (Dir. BARONA VILAR, Silvia) *Justicia civil y penal en la era global,* Tirant lo Blanch, Valencia, 2017, pp. 339 y ss.

En este camino marcado por el reconocimiento mutuo, como así se manifiesta tanto en la Directiva como en la Ley que la implementa, conviene reflexionar si estamos ante un reconocimiento mutuo automático o, por el contrario, limitado; si esto implica la validez de lo acordado en otro Estado miembro de la UE; así como si se va a homogeneizar sobre las reglas de admisión y exclusión probatoria.

En definitiva, si bien es cierto que se ha avanzado en la homogeneización de garantías procesales de sospechosos e investigados, no es menos cierto que aún queda camino por recorrer en materia de obtención probatoria.

2. LA DIRECTIVA 2014/41/UE Y SU TRANSPOSICIÓN AL ORDENAMIENTO JURÍDICO ESPAÑOL. LA ORDEN EUROPEA DE INVESTIGACIÓN Y LA ARMONIZACIÓN LEGISLATIVA COMO INSTRUMENTO DE RECONOCIMIENTO MUTUO

La transición de un sistema de auxilio judicial a un sistema de reconocimiento mutuo nos hace situarnos en los orígenes de dicho reconocimiento y debemos cuestionarnos si estamos ante el reconocimiento mutuo que se preveía por aquél entonces o ha sufrido una mutación. El principio de reconocimiento mutuo toma un papel fundamental en el Consejo de Tampere de 1999, pues en sus conclusiones se considera dicho principio como piedra angular de la cooperación judicial de la Unión Europea[7]. Superando la idea de auxilio judicial y del exequatur, marca un hito en la cooperación judicial la adopción del Tratado de Lisboa en 2007[8]. En el Tratado de Lisboa desaparecen los antiguos pilares (el pilar comunitario; el referido a la política exterior y de seguridad común; y el de cooperación policial y judicial en materia penal), pasando a dedicar el Título V del TFUE a la cooperación policial y judicial, denominándose "Espacio de libertad, seguridad y justicia". De gran importancia resulta la intervención que va a tener el principio de reconocimiento mutuo en el TFUE, pues el mismo establece que la cooperación judicial en materia penal se basará en el principio

---

[7]   MORENO CATENA, Víctor, "El cambio de paradigma y el principio de reconocimiento mutuo y sus implicaciones. Perspectivas desde el Tratado de Lisboa", VVAA (dir. por CARMONA RUANO, GONZÁLEZ VEGA, MORENO CATENA), *Cooperación judicial penal en Europa*, Dykinson, Madrid, 2013, pp 41 y ss.

[8]   El tratado de Lisboa fue adoptado por el Consejo Europeo el 18 de octubre de 2007, siendo firmado el 13 de diciembre de 2007. Finalmente, entró en vigor el 1 de diciembre de 2009.

de reconocimiento mutuo. Como afirma GONZÁLEZ CANO *"no cabe duda de que el Tratado de Lisboa demuestra un firme propósito, y abre la senda hacia el camino de la aproximación de disposiciones legales y reglamentarias de los Estados miembros en el ámbito de la criminalidad organizada con dimensión transfronteriza, o cuando resulte imprescindible para garantizar la ejecución eficaz de una política de la Unión, en un ámbito que haya sido objeto de medidas de armonización"*[9].

Puestos en antecedentes de la evolución del principio de reconocimiento mutuo, cabe destacar que en el preámbulo de la Ley 3/2018, de 11 de junio[10], se recoge como principio fundamental de la cooperación judicial el de reconocimiento mutuo[11]. Dicho principio debe materializarse en conexión con el principio de asistencia judicial recogido en el propio preámbulo.

La exigencia de confianza mutua no debería significar aceptar cualquier resolución que viniera de otro Estado miembro, máxime cuando en materia de garantías constitucionales existen diferencias más que notables entre los 28 Estados que conforman la UE[12].

No se debe suplir la falta de armonización legislativa, legislando en materia probatoria unos mínimos, por la exigencia de confianza mutua o *"confianza a ciegas"* como acertadamente lo define MARTINEZ GARCÍA[13], lo cual dará lugar a una disparidad de criterios interpretativos y no a uniformidad deseada en búsqueda de la condena del delincuente.

En este sentido, se pronuncia MORENO CATENA en cuanto al papel que ha de jugar la armonización: *"la armonización habrá" de afanarse en conseguir, por un lado, que esté vigente en todo el espacio europeo el mismo sistema de garantías procesales, y tendencialmente en el máximo grado de protección; por otro lado, que la tipificación de las conductas delictivas y las sanciones que se impongan guarden una cierta uniformidad en todo el territorio de la UE y, finalmente, que sean estrictamente*

---

9   *cfr.* GONZÁLEZ CANO, María Isabel, "Nuevos Paradigmas de la cooperación judicial penal en la Unión Europea"... *op cit.* pp. 339 y ss.

10   *Vid.* Preámbulo Ley 3/2018: *"El sistema se basa también en la confianza mutua, lo que lleva a un reconocimiento y ejecución de las resoluciones dictadas por las autoridades competentes de emisión de otros Estados prácticamente de manera automática, con causas tasadas de suspensión y denegación del reconocimiento".*

11   DE HOYO SANCHO, Monserrat, "El principio de reconocimiento mutuo como principio rector de la cooperación judicial europea", JIMENO BULNES, Mar (coord.), *La cooperación judicial civil y penal en el ámbito de la Unión Europea: instrumentos procesales,* Barcelona, 2007, pp.67-93.

12   Actualmente existe un acuerdo entre Reino Unido y la Unión Europea para la salida de Reino Unido (Brexit), de forma que si se materializa la UE la formarían 27 Estados miembros.

13   *cfr.* MARTÍNEZ GARCÍA, Elena, "La Orden Europea de Investigación"..., *op.cit.* p. 429.

respetadas las garantías institucionales de los servidores públicos del sistema de justicia penal y, esencialmente, la independencia de los juzgadores"[14].

El modelo optado por la OEI no tardará en producir efectos negativos debido a la falta de regulación por parte de la norma sobre la admisibilidad probatoria, así como las reglas de exclusión. Ante estos déficits, consideramos necesaria la armonización normativa como premisa a un sistema probatorio con las mismas reglas de exclusión, que evite los distintos niveles en función del Estado miembro donde deba surtir efectos la actividad probatoria y, en aras, de garantizar la seguridad jurídica de cualquier ciudadano europeo objeto de una investigación penal.

Al respecto, resulta clarificador el pronunciamiento del TJUE emitido en el "caso Melloni"[15], donde se expresa la primacía del Derecho de la UE, informando el Abogado General que entenderlo de otro modo "*rompería la uniformidad del estándar de protección y obstaculizaría el principio de reconocimiento mutuo"*[16]. Igualmente, se establece la primacía del Derecho europeo en el "caso Pupino"[17]. Partiendo de la base del Derecho de la UE carecemos de normas que regulen la obtención de pruebas de forma ilícita, pues en caso que existieran tendrían aplicación preferente, dada la primacía del Derecho de la UE.

Objeto de análisis resulta el principio de proporcionalidad recogido en la Directiva reguladora de la OEI, en sus considerandos 11, 12 y 38, donde se recoge que la OEI debe utilizarse cuando la ejecución de una medida resulte proporcionada, adecuada y aplicable al caso concreto. En la Directiva se establece un doble control de legalidad y proporcionalidad, tanto por parte de la autoridad de emisión quien *debe asegurarse que, por consiguiente, la prueba buscada sea necesaria y proporcionada para el procedimiento,* así como por parte de la autoridad de ejecución en el procedimiento de validación. La autoridad de ejecución revisará dicha medida conforme a su *lex loci,* correspondiendo a la autoridad de emisión ejercer el doble filtro sobre la medida, admitiendo las medidas realizadas en el país de ejecución o inadmitiéndolas, en su caso, por contravenir su derecho interno. Especial papel

---

[14]   *cfr.* MORENO CATENA, Víctor, "El cambio de paradigma y el principio de reconocimiento mutuo y sus implicaciones. Perspectivas desde el Tratado de Lisboa"…, *op. cit.,* pp 41 y ss.

[15]   Sentencia TJUE (Gran Sala), C-399/11, de 26 de febrero de 2013.

[16]   MARTÍNEZ GARCÍA, Elena, *"La orden europea de investigación. Actos de investigación, ilicitud de la prueba y cooperación judicial transfronteriza",* Tirant lo Blanch, Valencia, 2016, p. 36.

[17]   Sentencia TJUE (Gran Sala), C-105/2003, de 16 de Junio de 2005.

juega en este momento la protección de los derechos fundamentales y la sujeción al principio de proporcionalidad.

La implementación que hace el legislador español cuando actúa como Estado receptor de una OEI –es decir, Estado de ejecución– es otorgarle la facultad de ejercer el doble control de legalidad y proporcionalidad, al que nos referíamos ut supra, al Ministerio Fiscal. Se le confiere al Ministerio Fiscal la posibilidad de aceptarla, denegarla en virtud de las causas establecidas en el artículo 207 de la LRM, o sustituirla por otra medida más adecuada y menos gravosa en el caso que la medida resulte limitativa de derechos fundamentales. En este último supuesto, en el caso de resultar limitativa de derechos fundamentales y no poder ser sustituida por otra, el Ministerio Fiscal dará traslado al juez o tribunal competente.

En consecuencia, este doble control de legalidad y proporcionalidad conlleva que el reconocimiento mutuo no opere de forma automática, sino de forma limitada, no siendo automático el reconocimiento y ejecución de una OEI.

3. LA INCORPORACIÓN DE LA PRUEBA OBTENIDA EN EL MARCO DE LA ORDEN EUROPEA DE INVESTIGACIÓN Y SU ADMISIBILIDAD EN EL PROCESO PENAL ESPAÑOL

3.1. *Doble control de legalidad y proporcionalidad*

Toda esta exposición sobre el doble control de legalidad y proporcionalidad hay que traerlo a colación como consecuencia de la limitación al principio de reconocimiento mutuo, pues no existe en sí un reconocimiento automático, a pesar del reconocimiento automático que indica el preámbulo de la Ley 3/2018, sino todo lo contrario, el Estado de ejecución está facultado para denegar la medida solicitada en virtud de los motivos de denegación establecidos. A tenor de lo dispuesto en el artículo 11 de la DOEI[18], se consideran causas de denegación:

a) cuando exista una inmunidad o privilegio en el Derecho del Estado de ejecución que haga imposible ejecutar la OEI, o normas sobre determinación y limitación de la responsabilidad penal en relación con la libertad de la prensa y la libertad de expresión en otros medios de comunicación que imposibiliten su ejecución;

---

[18]   *Vid.* arts. 32 y 207 de la LRM.

b) cuando la ejecución de la OEI pudiera lesionar, en un caso concreto, intereses esenciales de seguridad nacional, comprometer a la fuente de la información, o implicar la utilización de información clasificada relacionada con determinadas actividades de inteligencia;

c) cuando la OEI haya sido emitida para los procedimientos contemplados en el artículo 4, letras b) y c), y la medida de investigación no estuviese autorizada, con arreglo al Derecho del Estado de ejecución, para un caso interno similar;

d) cuando la ejecución de la OEI fuera contraria al principio de ne bis in idem;

e) cuando la OEI se refiera a un delito que presuntamente ha sido cometido fuera del territorio del Estado de emisión y total o parcialmente en el territorio del Estado de ejecución, y la conducta en relación con la cual se emite la OEI no sea constitutiva de delito en el Estado de ejecución;

f) cuando existan motivos fundados para creer que la ejecución de la medida de investigación indicada en la OEI sería incompatible con las obligaciones del Estado miembro de ejecución de conformidad con el artículo 6 del TUE y de la Carta;

g) cuando la conducta que dio origen a la emisión de la OEI no sea constitutiva de delito con arreglo al Derecho del Estado de ejecución, y no esté recogida en las categorías de delitos que figuran en el anexo D, conforme a lo indicado por la autoridad de emisión en la OEI, si en el Estado de emisión es punible con una pena o medida de seguridad privativas de libertad de un máximo de al menos tres años, o

h) cuando el uso de la medida de investigación indicada en la OEI esté limitado, con arreglo al Derecho del Estado de ejecución, a una lista o categoría de delitos, o a delitos castigados con penas de a partir de un determinado umbral que no alcance el delito a que se refiere la OEI.

En este sentido se pronuncia JIMÉNEZ VILLAREJO afirmando que "*la existencia de causas de denegación supone, en sí misma, una derogación del principio de reconocimiento mutuo, por lo que se deberían limitar a las estrictamente necesarias*"[19].

---

[19] JIMÉNEZ-VILLAREJO FERNÁNDEZ, Francisco, "Orden Europea de Investigación: ¿adiós a las comisiones rogatorias?", VVAA (Dir. por ARANGÜENA FANEGO, Coral) en *Cooperación judicial civil y penal en el nuevo escenario de Lisboa*, Comares, Granada, 2011, p. 426.

En cuanto al establecimiento de causas de denegación, consideramos que existen diferencias notables respecto del Exhorto Europeo de obtención de pruebas (en adelante, EEP)[20], pues mientras en este último el reconocimiento era de forma automática, dado que se basaba en pruebas preexistentes en otro Estado miembro, en la OEI se permite un doble control de admisibilidad y, por ende, el reconocimiento opera de forma limitada.

En definitiva, por los motivos expuestos, y por otros tantos, se hace necesaria la armonización de legislaciones, que contribuya a restablecer la confianza entre Estados, y que pueda ser viable la culminación del Espacio Europeo de Libertad, Seguridad y Justicia[21], donde entendemos que no puede materializarse el principio de reconocimiento mutuo mientras el legislador europeo no haga su trabajo, armonizando en materia de derechos fundamentales, pues sin las normas mínimas, en materia de exclusión probatoria por vulneración de derechos fundamentales, no podrá desplegar su eficacia plena el principio de reconocimiento mutuo, máxime cuando hay una fractura de la confianza mutua entre el poder judicial de los Estados miembros. Por un lado, una determinada prueba no puede quedar a merced de que el tribunal, donde se vaya a seguir el proceso, decida sobre su admisibilidad y, por otro lado, tampoco se puede entrar en el campo del reconocimiento mutuo de pruebas obtenidas en la fase de investigación porque podría llevar implícita la condición que el tribunal tenga que admitir una prueba que se considere ilícitamente obtenida conforme a su ordenamiento interno ¿significa que estamos ante una mutación del principio de reconocimiento mutuo?.

---

[20] El análisis comparativo con respecto al EEP, (Decisión Marco 2008/978/JAI del Consejo, de 18 de diciembre de 2008, implementada por la LRM en sus artículos 186 a 200) denota diferencias importantes. La OEI es mucho más ambiciosa de lo que en su día era el EEP, su ámbito era muy restringido la obtención, pues el EEP no preveía la práctica de diligencias de investigación, sólo de las pruebas que ya existieran en el Estado Miembro al que se le requiriera. Podríamos afirmar que con la promulgación de la Directiva relativa a la OEI el EEP va a perder toda su eficacia, debido a que el ámbito de aplicación de la OEI es mucho más amplio. Cabe resaltar, que para Dinamarca e Irlanda no resulta de aplicación la Directiva relativa a la OEI, por tanto, tendrán que aplicar el EEP con las consecuencias que implican gozar de un ámbito de aplicación más limitado.

[21] TIEDEMAN Klaus, *"El nuevo procedimiento penal europeo"*, *Publicaciones del Portal Iberoamericano de las Ciencias Penales*, Instituto de Derecho Penal Europeo Internacional, Universidad de Castilla-La Mancha, 2006, http://www.cienciaspenales.net. Apunta el autor que *"el proyectado espacio único europeo de la Libertad, Seguridad y Justicia mencionado también en el artículo 29 del Tratado de la Unión Europea, sólo puede crearse bien mediante la armonización de los ordenamientos jurídicos de los Estados miembros, bien mediante mecanismos sustitutorios, entre los cuales la clásica cooperación oficial y jurídica ha demostrado ser demasiado lenta"*.

La jurisprudencia del Tribunal Europeo de Derecho Humanos (TEDH) ha influido en la armonización de los ordenamientos jurídicos, definiendo unos estándares mínimos de los derechos fundamentales y garantías procesales.[22] Si bien es cierto que en este sentido se han conseguido logros con la promulgación de Directivas[23] que refuerzan las garantías procesales de los investigados o acusados, no resulta menos importante la ausencia del establecimiento de unas normas comunes en materia probatoria por parte del legislador europeo.

La doctrina del TEDH es el inicio de la armonización de ordenamientos jurídicos, pero no resulta suficiente ni es el culmen de la cooperación judicial penal[24]. En nuestra opinión la doctrina del TEDH no puede sustituir la aproximación de legislaciones, pues aunque establece unos mínimos comunes, no resultan lo suficientemente clarificadores[25]. Uno de los problemas que mayor regulación necesita es en materia de prueba ilícita que, a pesar que el TEDH[26] ha fijado unos mínimos, considerando como "infranqueables" los derechos fundamentales a la prohibición de tortura y a la no incriminación. Para el resto de supuestos en que se pueda colisionar con un derecho fundamental, el TEDH relega la valoración de la admisión de la prueba a los ordenamientos nacionales, pudiendo ser admitida a pesar que se haya obtenido de forma ilícita, si el proceso en su conjunto no ha sido vulnerado. Respecto a estos "otros derechos" que quedan a merced de

---

[22]   BACHMAIER WINTER, Lorena, "Obtención de pruebas en Europa: la función del TEDH en la implantación del principio de reconocimiento mutuo en el proceso penal", *Revista de derecho procesal*, n° 1, 2006, pp. 53 y ss.

[23]   Directiva 2010/64/UE, sobre el derecho a la interpretación y traducción; Directiva 2012/13/UE, sobre el derecho a la información; Directiva 2013/48/UE relativa al derecho a la asistencia letrada y comunicación de la detención; Directiva 2016/343/UE, por la que se refuerzan en el proceso penal determinados aspectos de la presunción de inocencia y el derecho a estar presente en el juicio; Directiva 2016/800/UE, relativa a las garantías procesales de menores sospechosos o acusados en los procesos penales; Directiva 2016/1919 relativa a la asistencia jurídica gratuita a los sospechosos y acusados en los procesos penales y a las personas buscadas en virtud de un procedimiento de orden europea de detención.

[24]   RODRÍGUEZ-MEDEL NIETO, Carmen, *"Obtención y admisibilidad en España de la prueba penal transfronteriza. De las comisiones rogatorias a la orden europea de investigación"*, Aranzadi, 2016, pp. 217-294.

[25]   GASCÓN INCHAUSTI, Fernando, "En torno a la creación de un derecho procesal penal europeo", en *Revista española de Derecho Europeo*, julio-septiembre 2007, p. 395.

[26]   En materia de ilicitud probatoria y vulneración de derechos fundamentales hay que destacar la STEDH, de 12 de junio de 1988 *(Tol 236.218)* el *caso Schenk*, donde se enfoca la admisibilidad de la prueba ilícita desde la perspectiva del artículo 6 CEDH. El tribunal consideró que la admisibilidad de la prueba ilícita no conlleva la vulneración del derecho al proceso justo con todas las garantías.

los ordenamientos jurídicos de cada Estado y que, con toda probabilidad, darán lugar a disparidad de pronunciamientos ¿tiene la UE intención de homogeneizar a corto plazo?.

En cuanto atañe a la obtención de pruebas transfronterizas, entendemos, pues, que la única vía posible es la armonización legislativa, regulando unos mínimos claros y concisos que sean aplicables y eficaces y que eviten la ilicitud de pruebas por entrar en colisión con los ordenamientos internos; cuestión esta compleja de resolver, dados los diferentes posicionamientos de cada uno de los 28 estados miembros[27], pero si realmente con la promulgación de la Directiva objeto de estudio se quiere una plena eficacia de la misma, por consiguiente la admisión de la prueba obtenida en la fase de investigación que permita incriminar al delincuente, es imprescindible la voluntad política que ponga en marcha el camino de la "armonización" y superen la tensa relación con la cesión de la soberanía nacional esgrimida por los Estados miembros. De lo contrario, si seguimos cobijándonos bajo el techo de la soberanía nacional no llegaremos a la armonización normativa, y estaremos indirecta o directamente contribuyendo a amparar a que los delincuentes utilicen estos resquicios legales para beneficiarse de la impunidad que se puede producir por la inadmisión de pruebas por inexistencia de unos mínimos uniformes reguladores de las mismas; si queremos continuar con el espíritu europeo tenemos que adaptarnos a las nuevas formas de delincuencia y avanzar en la uniformidad, haciendo las reformas necesarias en los ordenamientos internos que permitan la regulación única de los mínimos que impidan la exclusión probatoria.

Tanto el artículo 1 de la Directiva 2014/41/UE, como la LRM, que en este último caso determina, en su artículo 186.1 que *"Se considerarán válidos en España los actos de investigación realizados por el Estado de ejecución, siempre que no contradigan los principios fundamentales del ordenamiento jurídico español ni resulten contrarios a las garantías procesales reconocidas en éste"*, se han limitado a reseñar el respeto a los derecho fundamentales pero sin entrar a regular las consecuencias para el caso de transgresión de los mismos.

---

[27]   *cfr.* GASCÓN INCHAUSTI, Fernando, "En torno a la creación de un derecho procesal penal europeo"..., *op.cit.* pp. 371-417. Con buen acierto expone que *"a pesar de que las «recetas» propuestas sean aparentemente sencillas de formular, a nadie escapa que su regulación en concreto puede encontrarse con importantes dificultades, no sólo de técnica legislativa, sino también de índole política: en una materia tan estrechamente vinculada con la soberanía de los Estados, llevar a cabo estos objetivos podría requerir cesiones competenciales de relevancia e, incluso, reformas constitucionales en algunos Estados miembros".*

Asimismo, se introduce en el artículo 207 de la LRM como causa especí-fica de denegación de reconocimiento y ejecución de la OEI cuando exis-tan motivos fundados para creer que la OEI es incompatible con las obliga-ciones del Estado español de conformidad con el artículo 6 del Tratado de la Unión Europea y de la Carta de los Derechos Fundamentales de la UE.

En este sentido, como se ha manifestado ut supra, la citada Ley se redac-ta en términos casi literales del contenido de la Directiva, estableciéndose como línea roja la vulneración de los derechos fundamentales, sin entrar a valorar el contenido ni las consecuencias de dicha vulneración. En conse-cuencia, el legislador europeo deja, en su artículo 14.7, la valoración sobre la admisibilidad supeditada a las normas internas de cada Estado miembro, correspondiendo a los mismos velar que, en los procesos penales se respe-ten los derechos de la defensa y la equidad del proceso al evaluar las prue-bas obtenidas a través de la OEI[28]. En definitiva, lo que hace el legislador europeo es dejar en manos de cada Estado la valoración de la admisibili-dad, con las diferencias sustanciales que se van a producir en cada uno de los Estados miembros de la UE.

En lo que respecta a la admisión de la prueba, el TS viene sentando el criterio que no cabe convertir a los tribunales españoles en vigilantes de las actuaciones que se practiquen en otro Estado miembro. Esta admisibilidad de la prueba supeditada a la *lex loci* puede producir problemas de exclusión probatoria cuando entre en colisión con un derecho fundamental.

Con la nueva ley queda un resquicio legal para no admitir la prueba recabada en el Estado de ejecución cuando vulnere derechos fundamen-tales. A nuestro criterio, asumir la postura del Tribunal Supremo supon-drá que los jueces o tribunales otorguen plena confianza a las actuaciones practicadas en el Estado de ejecución. Esta labor judicial se facilitará en el momento que se fijen unos estándares mínimos probatorios de obligado cumplimiento para todos los Estados que integran la UE[29].

Con este panorama normativo, da la sensación como si la cuestión más compleja de la OEI, y por ello de cualquier proceso, como es la obtención de pruebas, quedase a merced del destino.

---

[28]   ARANGÜENA FANECO, Coral, "Orden Europea de Investigación: próxima imple-mentación en España del nuevo instrumento de obtención de prueba penal transfron-teriza", en *Revista de Derecho Comunitario Europeo*, 2017, núm.58, pp. 905 a 939.

[29]   *cfr.* RODRÍGUEZ-MEDEL NIETO, Carmen, *"Obtención y admisibilidad en España de la prueba penal transfronteriza. De las comisiones rogatorias a la orden europea de investigación,…*, *op. cit.* pp. 464-472.

Cabe recordar el conflicto que surge entre los tribunales constitucionales de los Estados miembros, entre ellos el TC español, y los tribunales europeos en lo que respecta a garantías constitucionales, haciendo prevalecer la constitución del Estado en cuestión frente a la injerencia de otro Estado[30].

Hay que destacar el principio de primacía del Derecho de la Unión Europea que rige sobre los Estados miembros, que puede entrar en colisión con el derecho de un determinado Estado miembro en la protección de los derechos fundamentales[31]; derecho de primacía que se vacía a sí mismo dejándose ciertas cuestiones de gran relevancia sin normativa específica al respecto, y depositando toda la carga de entrar a conocer la cuestión en manos de los ordenamientos internos de cada Estado miembro, como ocurre en el caso del artículo 14.7 de la Directiva objeto de análisis, que se deja al criterio de los ordenamientos internos la valoración sobre la admisión de la prueba obtenida en el marco de una OEI. Con esta situación, resulta más que obvia las diferencias interpretativas que van a surgir en materia de exclusión probatoria, dejando al arbitrio de lo que cada Estado decida[32].

En lo que respecta al límite marcado por los derechos fundamentales resulta especialmente relevante las facultades que se le atribuyen al Ministerio Fiscal en cuanto a la recepción de OEI, así como al reconocimiento y ejecución de la misma, estableciendo en este último supuesto límites a sus facultades.

Según el artículo 187 de la LRM, en la redacción dada por la Ley 3/2018, en España el Ministerio Fiscal es el competente para reconocer y ejecutar las órdenes europeas de investigación emitidas por las autoridades competentes de otros Estados miembros, salvo en el caso que haya alguna medida limitativa de derechos fundamentales o en el caso que el estado de emisión indique que debe ejecutarse por un órgano judicial. En base a ello, la apuesta del legislador español por dotar de mayor grado de intervención a los Fiscales en la OEI parece casar con el proyecto, aún no aprobado,

---

[30]   STC 177/2006, de 5 de junio, en la que se determina que «el principio de reciprocidad, carente de criterios uniformes de aplicación, no se proyecta en el presente caso sobre un aspecto concreto que pudiera involucrar a derechos fundamentales».

[31]   GRASSO, Giovanni, "La protección de los derechos fundamentales en el ordenamiento comunitario y su repercusión en los sistemas nacionales de los Estados miembros", VVAA (Ed. ARROYO ZAPATERO, Luis/TIEDEMANN, Klaus), *Estudios de Derecho penal económico*, Ediciones de la Universidad de Castilla- La Mancha (estudios 18), Cuenca, 1994, p. 302 http://www.cienciaspenales.net

[32]   *cfr.* MARTÍNEZ GARCÍA, Elena, "La Orden Europea de Investigación"...., *op.cit.* p. 428.

de reforzar el protagonismo del Ministerio Fiscal en la instrucción de las causas penales. La disposición adicional única de la Ley 3/2018, de 11 de junio, establece un incremento de los recursos del Ministerio Fiscal para el cumplimiento de las nuevas competencias que la Ley atribuye al mismo.

A modo introductorio, y sin ahondar en el ámbito competencial, el artículo 3.15 del EOMF atribuye al Ministerio Público *"promover o, en su caso, prestar el auxilio judicial internacional previsto en las leyes, tratados y convenios internacionales"*. Según JIMÉNEZ VILLAREJO *"estos expedientes de cooperación internacional no han de ser confundidos como diligencias de investigación propiamente dichas, ya que junto con éstas el párrafo último del artículo 5 del EOMF establece en su nueva redacción que también podrá el Fiscal incoar diligencias pre-procesales encaminadas a facilitar el ejercicio de las demás funciones que el ordenamiento jurídico le atribuye"*[33]. Esta argumentación resulta contrapuesta al Informe emitido por el CGPJ quien aboga porque el reconocimiento y ejecución de la OEI se realice por el órgano judicial y no por el Ministerio Fiscal, conforme a la actual configuración del proceso penal español[34]. Lo que está regulando el artículo 773.2 de la LECRIM y el artículo 5 del EOMF está circunscrito a las diligencias de investigación nacionales mientras el artículo 3.15 del EOMF se está refiriendo a los instrumentos de cooperación internacional. En cuanto a la tramitación de la OEI, para el supuesto que no se contemplen motivos de denegación ni deba darse traslado al juez por posible vulneración de derechos fundamentales, el Ministerio Fiscal dictará decreto y llevará a cabo la ejecución de la medida de investigación solicitada si existiera en Derecho español y estuviera prevista para un caso interno similar. En caso contrario, para el supuesto que no existiera en nuestro ordenamiento jurídico español, se podrá sustituir por otra medida distinta de la solicitada, si la medida persigue los mismos fines que la solicitada. Igualmente, en caso de existir una medida menos restrictiva de derechos fundamentales que la solicitada, se adoptará la menos restrictiva si el resultado perseguido por la OEI puede conseguirse igualmente. En ambos supuestos, antes de adoptarse dichas medidas, se informará a la autoridad de emisión y, en caso que la autoridad de emisión no comunique su deci-

---

[33]   JIMÉNEZ VILLAREJO, Francisco, Ponencia "Los modelos europeos de independencia del Ministerio Público, Experiencia desde Eurojust", actividad formativa Unión Progresista de Fiscales: Modelos de Autonomía e independencia de los Fiscales en el Derecho Comparado, 28 y 29 de septiembre de 2017.

[34]   Acuerdo adoptado por el pleno del CGPJ en su reunión del día 28 de septiembre de 2017 por el que se aprueba el Informe obre el Anteproyecto de Ley por la que se modifica la Ley 23/2014, de 20 de noviembre, de reconocimiento mutuo de resoluciones penales en la Unión Europea, para regular la orden europea de investigación.

sión de retirar o completar la OEI en el plazo de diez días, la autoridad de ejecución quedará facultada para ejecutar la medida alternativa que considere más idónea. Por el contrario, si no existiera la medida solicitada ni otra similar en el ordenamiento español, se notificará al Estado de emisión la imposibilidad de ejecución de la medida.

Resulta de especial interés el artículo 221 de la LRM, en lo que se refiere a la intervención de telecomunicaciones, cuando España es la autoridad de ejecución. En este supuesto podría infringirse la línea marcada por los derechos fundamentales (en concreto el artículo 18.3 CE). El artículo 588 bis de la LECRIM establece la obligatoriedad de la autorización judicial para la intervención de las telecomunicaciones, por tanto, entendemos que entra dentro del plano de la posible vulneración de derechos fundamentales, no siendo en este caso factible la ejecución de dicha medida por parte del Ministerio Fiscal, debiendo darse cuenta al juez para que autorice dicha medida en base a la legislación interna del Estado de ejecución (*lex loci*), en este caso España.

Un error en la autorización para la intervención de las telecomunicaciones podría entrañar la inadmisibilidad de la prueba obtenida por vulneración del artículo 18.3 CE o su admisión y la posible nulidad, por lo que se estaría dando mayor margen de actuación al delincuente que se vería beneficiado por esta irregularidad procesal[35]. Como afirman GÓMEZ COLOMER y PLANCHADELL DELGADO *la intervención de las comunicaciones telefónicas y telemáticas son uno de los actos de investigación que más riesgos corren de producción de prueba prohibida.*

Creemos que el criterio seguido por el legislador español es la simplificación de los procedimientos de cooperación judicial internacional, atribuyéndole al Ministerio Fiscal competencias al respecto, criterio que entendemos acertado, pero hubiera sido necesario una articulación más exhaustiva de las competencias atribuidas al fiscal, pues con el panorama procesal penal actual que tenemos en España algunas de las medidas previstas por la DOEI, y posterior Ley 3/2018, van a caer en saco roto debido a la limitación impuesta por la garantía de los derechos fundamentales que obligatoriamente van a tener que pasar a ser resueltas por un juez o tribunal que es en quien radica las competencias de decisión sobre las mismas.

---

[35] GÓMEZ COLOMER, Juan Luis y PLANCHADEL GALLARDO, Andrea, "Prueba Prohibida", VVAA (dir. por GONZÁLEZ CANO, María Isabel), *La prueba, Tomo II, La prueba en el proceso penal,* Tirant lo Blanch, Valencia, 2017, p. 365 y ss.

A estas premisas, hay que añadir que los actos de investigación practicados por el Ministerio Público no constituyen por sí mismos prueba, aunque si se le atribuye valor de autenticidad *iuris tantum*[36].

En el plano de los recursos, cabe traer a colación el artículo 24.4 de la LRM donde se dispone que "*contra las resoluciones del Ministerio Fiscal en ejecución de los instrumentos de reconocimiento mutuo no cabrá recurso, sin perjuicio de las posibles impugnaciones sobre el fondo ante la autoridad de emisión y de su valoración posterior en el procedimiento penal que se siga en el Estado de emisión*". Esta remisión a la LRM se hace ante la falta de previsión de la DOEI, la cual en su artículo 14 remite a la legislación interna. Ahora bien, si las resoluciones del Ministerio Fiscal son irrecurribles, resulta conveniente plantearse si se está produciendo una vulneración de derechos fundamentales, concretamente del derecho de defensa y al proceso celebrado con todas las garantías regulado en el artículo 24 de la Constitución Española. Este derecho tiene una especial importancia[37], el cual no ha sido regulado como debiera en la referida Directiva reguladora de la OEI, quizás por la existencia de una Directiva específica que regula el mismo[38]. Estamos ante una de las fases más importantes, la de investigación, en la que probablemente resulte mermado el derecho de defensa del investigado y la consecuente violación de derechos fundamentales porque no se está garantizando el derecho al recurso en los actos de investigación acordadas por el Ministerio Fiscal, sino que hay que esperar a la fase posterior, esto es a la incoación del proceso penal correspondiente, remitiéndonos, entonces, a la LECRIM. MARTÍNEZ GARCÍA argumenta que "*el derecho al recurso asegurará internamente la protección de los derechos implicados en el acto de investigación y, en definitiva, entra en entredicho el derecho al proceso celebrado con todas las garantías y su posible vinculación con la ilicitud e irregularidad de las pruebas obtenidas en el estado de ejecución*".

3.2. Perspectivas de futuro. A modo de conclusión

---

[36] Circulares de la Fiscalía General del Estado 4/2013, 1/1989; Instrucciones 2/2000 y 3/2004.

[37] *cfr.* MARTÍNEZ GARCÍA, Elena, "*La Orden Europea de Investigación*"... *op. cit.* pp. 47 y ss.

[38] Directiva 2013/48/UE del Parlamento Europeo y del Consejo, de 22 de octubre de 2013, sobre el derecho a la asistencia de letrado en los procesos penales y en los procedimientos relativos a la orden de detención europea, y sobre el derecho a que se informe a un tercero en el momento de la privación de libertad y a comunicarse con terceros y con autoridades consulares durante la privación de libertad.

Con carácter preliminar, debemos destacar que nuestro legislador ha incorporado al ordenamiento español la citada Directiva en el sentido más literal, pues, como viene siendo práctica habitual, la transposición se ha hecho en términos casi idénticos a los contenidos en la Directiva reguladora de la OEI.

En estos términos, la "nota definitoria" de la DOEI es la ausencia de pronunciamiento sobre las reglas de exclusión probatoria ni sobre los estándares mínimos de los derechos fundamentales a la hora de obtener y trasladar la prueba. En ausencia de pronunciamiento, la única referencia al respecto la encontramos en la jurisprudencia del TEDH, donde debemos reflexionar si esos mínimos establecidos por la jurisprudencia ¿resultan suficientes?.

El legislador europeo debería, cuando antes, legislar en materia de admisibilidad probatoria y sus reglas de exclusión, pues de lo contrario se producirán distintos niveles de protección de los derechos de los investigados o acusados, con los consecuentes "privilegios" procesales que se puedan producir en cada proceso, dependiendo del país donde se esté desarrollando.

Estas deficiencias legislativas a nivel europeo supondrán graves repercusiones por la "discriminación procesal" que tendrá que soportar el justiciable en función del Estado donde se esté desarrollando su proceso, suponiendo, para unos, altos índices de culpabilidad y, para otros ,unos altos índices de impunidad; Estas son las consecuencias de la falta de armonización legislativa.

Ante esta nueva realidad, y partiendo del convencimiento que queremos una Europa más próspera y más eficaz, en materia de cooperación judicial penal, hay que adoptar los mecanismos necesarios para que la normativa no se quede escrita sobre el papel, y pierda su utilidad jurídica por la falta de valentía de nuestros,gobernantes; hace falta mucha voluntad política para seguir avanzando; voluntad para regular normativamente unos mínimos exigibles en materia de obtención de pruebas que se aplique a todos los Estados miembros que conforman la Unión Europea, pues sin estos estándares mínimos seguiremos teniendo una Directiva reguladora de la OEI que propiciará la obtención de pruebas en el marco de una actividad delictiva y, a la vez, nos enfrentaremos a la más que probable inadmisión de dichas pruebas en aquellos Estados miembros en los que los derechos fundamentales gocen de mayor grado de protección.

La regulación de unas normas mínimas en materia de obtención de pruebas garantizará la plena aplicabilidad de la Directiva y, por consiguiente, el buen fin del proceso judicial y mayor probabilidad que existan pruebas de cargo suficientes que permitan la incriminación del delincuente. Si no se consigue regular el tan citado estándar mínimo y que con ello se produzca la admisión de las pruebas, los delincuentes buscarán el medio más idóneo que proteja sus fines delincuenciales y, por tanto, usando el derecho a la libre circulación que rige en la Unión Europea, buscaran el Estado más propicio que pueda asegurar una impunidad de sus delitos, consecuencia directa de la exclusión probatoria en caso de vulneración de derechos fundamentales, siguiendo a ROMERO PRADAS, se comparte su afirmación que *"la apertura de fronteras y la libre circulación de personas y bienes en el ámbito de la Unión determina no sólo un aumento de los intercambios entre las personas y empresas de los distintos Estados, sino, y en lo que nos interesa, una mayor facilidad para una delincuencia transnacional que busca la impunidad aprovechando esa libertad de circulación*[39]. Las consecuencias de estos déficits en materia probatoria hará temblar los pilares del Espació Judicial Europeo y no se obtendrá de la justicia las respuestas que los ciudadanos buscan, la condena del delincuente.

Al respecto se pronuncia GONZÁLEZ CANO, indicando que *"la culminación de un espacio judicial común se logrará el día en que pueda finalmente constatarse que las formas más graves de criminalidad transfronteriza son objeto de respuestas comunes en Europa, y también cuando pueda afirmarse que las inevitables diferencias de legislaciones y procedimientos no beneficien a los potenciales delincuentes, ni sea obstáculo a libre circulación de los ciudadanos europeos"*[40].

---

[39]   ROMERO PRADAS, María Isabel, "La prueba penal en Europa, una cuestión compleja. La orden europea de investigación como nuevo instrumento de obtención de pruebas en procesos penales transnacionales y su próxima incorporación al Derecho español", VVAA (dir. por GONZÁLEZ CANO, María Isabel), *Integración europea y justicia penal*, Tirant lo Blanch, Valencia, 2018, pp. 344 a 345.

[40]   GONZÁLEZ CANO, María Isabel, "Aproximación a la configuración de la cooperación judicial penal en el tratado por el que se establece una constitución para Europa", *Revista Unión Europea Aranzadi*, 2005, Vol. 32, núm. 3, p. 5. Desde aquí vaya mi agradecimiento a la Directora de esta obra colectiva por admitir la presente, y primera, publicación que realizo.

Capítulo XXXVIII

LA PRUEBA EN LA ORDEN EUROPEA DE INVESTIGACIÓN Y SU REPERCUSIÓN EN EL PROCESO PENAL ESPAÑOL[1]

Roser Casanova Martí
Profesora de Derecho Procesal
Universitat Rovira i Virgili

SUMARIO: 1. CONTEXTO. 2. INTRODUCCIÓN DE LAS PRUEBAS EN EL PROCESO PENAL ESPAÑOL. 2.1. Aplicación de las normas de derecho interno. 2.2. Cauce procesal para introducir las medidas de investigación al proceso penal. 2.2.1. La vía del art. 730 LECrim. 2.2.2. Su aplicación a las medidas de investigación derivadas de una OEI. 2.3. Admisibilidad de las pruebas derivadas de una OEI. 3. REFLEXIÓN FINAL.

RESUMEN: El presente estudio tiene por objeto examinar la problemática que plantea la introducción y posterior admisibilidad de las pruebas y medidas de investigación derivadas de una Orden Europea de Investigación que ha sido emitida por un juez español con la finalidad de incorporar su resultado en el proceso penal del que está conociendo.

ABSTRACT: The aim of this paper is to examine the problems set out by the introduction and subsequent admissibility of the evidence and investigative measure derived from a European Investigation Order that has been issued by a Spanish judge with the purpose of incorporating its result into the Spanish criminal process.

KEYWORDS: European investigation order, criminal process, admissibility, evidence, process guarantees.

PALABRAS CLAVE: Orden europea de investigación, proceso penal, admisibilidad, prueba, garantías del proceso.

---

[1]   Este trabajo se enmarca en el proyecto I+D "Hacia una nueva regulación de la prueba pericial" (DER2016-7549-P), financiado por el Ministerio de Economía y Competitividad, y el Grupo de Investigación Consolidado *Evidence Law* (2017 SGR 1205) financiado por la AGAUR, en ambos como investigador principal el profesor Joan Picó i Junoy.

1. CONTEXTO

El Estado español ha transpuesto recientemente la Directiva 2014/41/CE del Parlamento Europeo y del Consejo de 3 de abril de 2014 (en adelante, la Directiva), integrándola así en su ordenamiento jurídico. Para ello ha optado por su regulación en la ya existente Ley 23/2014, de 20 de noviembre, de reconocimiento mutuo de resoluciones penales en la Unión Europea, junto con el resto de mecanismos previstos sobre esta materia, obviando de este modo su incorporación en la Ley de Enjuiciamiento Criminal[2]. Este panorama legislativo contempla la posibilidad de que un juez español pueda emitir y ejecutar órdenes europeas de investigación en el marco de un proceso penal.

2. INTRODUCCIÓN DE LAS PRUEBAS EN EL PROCESO PENAL ESPAÑOL

Los arts. 13 de la Directiva y 211 de la Ley 23/2014 exigen que el Estado de ejecución traslade de manera inmediata al Estado de emisión las pruebas que se hayan obtenido tras la ejecución de la OEI. Una vez recibido el resultado de las pruebas o medidas practicadas, la autoridad judicial española deberá introducirlas al proceso penal.

2.1. *Aplicación de las normas de derecho interno*

En virtud del art. 1.1 de la Directiva y del art. 186.1 de la Ley 23/2014 podrá dictarse una OEI tanto para obtener pruebas que obren en poder de las autoridades competentes del Estado de ejecución como para practicar medidas de investigación. De este modo se pone de manifiesto la posibilidad de activar este mecanismo de reconocimiento mutuo en cualquier fase del proceso penal a efectos de obtención de pruebas. Se explica así que la citada norma española aclare, en el apartado 1 de su art. 187, que sean autoridades de emisión los jueces o tribunales que conozcan del proceso penal en el que se debe adoptar la medida de investigación –fase de instrucción– y los que hayan admitido la prueba cuando el procedimiento se encuentre en fase de enjuiciamiento. Ante esta realidad se pueden

---

[2]   Ley 3/2018, de 11 de junio, por la que se modifica la Ley 23/2014, de 20 de noviembre, de reconocimiento mutuo de resoluciones penales de la Unión Europea, para regular la Orden Europea de Investigación (BOE núm. 142, de 12 de junio de 2018).

plantear dos escenarios distintos respecto de la introducción en el proceso penal español de la prueba procedente de otro Estado miembro: cuando lo que se obtenga sea una prueba o bien cuando se trate del resultado de una medida de investigación.

El primero de ellos se presenta cuando las autoridades competentes del Estado de ejecución deban remitir las pruebas que ya estén en su poder al órgano judicial español que corresponda. Ello sucederá, siguiendo el dictado del Preámbulo II de la Ley de transposición, por ejemplo, cuando la autoridad española competente pretenda el traslado temporal o la realización de una comparecencia por videoconferencia de una persona que se encuentre en el Estado de ejecución (art. 197 de la Ley 23/2014), a efectos de su declaración como testigo o perito en el juicio oral[3], siendo esta última opción más beneficiosa para quien deba declarar, al evitar tener que desplazarse a España.

Sin embargo, la Ley de transposición nada dice sobre cómo introducir la prueba obtenida en otro Estado miembro en el proceso penal español, ni tampoco lo hace la Directiva. Este vacío legal encuentra cobertura en la doctrina jurisprudencial del TEDH quien afirma que, además de que la admisibilidad de las pruebas depende de las normas del Derecho interno, corresponde a los tribunales nacionales apreciar la fuerza probatoria de las pruebas practicadas[4]. En consecuencia, cuando la obtención de pruebas se produzca durante la fase de enjuiciamiento, entendemos que éstas tendrán la misma consideración, a efectos de su práctica, que las pruebas obtenidas en España, debiéndolas en todo caso valorar el órgano judicial de conformidad con las reglas de la LECrim.

El segundo escenario se plantea cuando lo que deba remitirse sea el resultado de las medidas de investigación practicadas por la autoridad competente del Estado de ejecución. En este caso, y como ya hemos indicado, durante la fase de instrucción (art. 299 LECrim), un juez español puede

---

[3]   No obstante, debe tenerse en cuenta que cuando el traslado de la persona sea a efectos de su enjuiciamiento, con inclusión de su puesta a disposición de un órgano jurisdiccional para ser sometida a juicio, en lugar de la OEI deberá emitirse una orden europea de detención y entrega (Preámbulo II.5).

[4]   STEDH 1989\21, de 20 noviembre 1989 (caso: Kostovski contra Países Bajos): "39. Hay que recordar de entrada que la admisibilidad de las pruebas depende, en primer lugar, de las normas del Derecho interno (Sentencia Schenk de 12 julio 1988 [TEDH 1988\4], serie A, núm. 140, pg. 29, ap. 46). De la misma manera, corresponde en principio a los tribunales nacionales apreciar la fuerza probatoria de las practicadas (Sentencia Barbera, Messegué y Jabardo de 6 diciembre 1988 [TEDH 1988\1], serie A, núm. 146, pg. 31, ap. 68)".

solicitar la práctica de cualquier diligencia de investigación prevista en la LECrim a otro Estado miembro para, posteriormente, introducir los resultados obtenidos en el proceso penal. Así, por ejemplo, sucede cuando el juez de instrucción acuerda mediante auto la intervención de las comunicaciones en otro Estado miembro y precise para ello de asistencia técnica (art. 202.1 de la Ley 23/2014).

Cuando se remita el resultado de la medida de investigación, éste pasará a formar parte del acervo instructor, junto con el resto de diligencias practicadas. Concluida la instrucción, el órgano judicial decidirá si abre el juicio oral o sobresee la causa (arts. 622, 632 y 779.1 LECrim). El problema se plantea cuando quiere utilizarse el resultado de una diligencia de investigación, por lo tanto también la derivada de una OEI, como prueba, en el juicio oral[5].

En este contexto, debemos recordar que las medidas de investigación carecen de valor probatorio, motivo por el cual el juez sentenciador no puede utilizarlas, de entrada, para enervar la presunción de inocencia[6]. Con carácter general, solo tienen la consideración de prueba las practicadas en el acto del juicio oral ante el juez sentenciador y con la debida contradicción, cumpliendo de este modo con "la triple exigencia constitucional de toda actividad probatoria: publicidad, inmediación y contradicción"[7]. En este sentido, la relevante STC 68/2010, de 18 de octubre[8], recuerda "que, como regla general, sólo pueden considerarse pruebas que vinculen a los órganos de la justicia penal las practicadas en el juicio oral, pues el procedimiento probatorio ha de tener lugar necesariamente en el debate contradictorio que en forma oral se desarrolle ante el mismo Juez o Tribunal que ha de dictar Sentencia; de manera que la convicción sobre los hechos enjuiciados se alcance en contacto directo con los medios de prueba aportados a tal fin por las partes (por todas, SSTC 182/1989, de 3 de noviembre, FJ 2; 195/2002, de 28 de octubre, FJ 2; 206/2003, de 1 de

---

[5]   Este problema ha sido asimismo advertido por GUZMÁN FLUJA, V. C., *Anticipación y preconstitución de la prueba en el proceso penal*, Tirant lo Blanch, Valencia, 2006, pp. 193 a 198.

[6]   Las diferencias entre prueba y diligencia de investigación han sido objeto de análisis, entre otros, por FERNÁNDEZ-GALLARDO, J.A., *Cuestiones actuales de proceso penal*, Dykinson, Madrid, 2015, pp. 127 y 128; y GONZÁLEZ JIMÉNEZ, A., *Las diligencias policiales y su valor probatorio*, J.M. Bosch, Barcelona, 2014, pp. 340 y 341.

[7]   STC (Pleno) 165/2014 de 8 de octubre, ponente: Ricardo Enríquez Sancho, f.j. 2º [ECLI:ES:TC:2014:165]; y STS (Sala Penal) 225/2018, de 16 de mayo, ponente: Juan Ramón Berdugo y Gómez de la Torre, f.j. 3º [ECLI:ES:TS:2018:1727].

[8]   Ponente: Elisa Pérez Vera, f.j. 5º [ECLI:ES:TC:2010:68].

diciembre, FJ 2; 1/2006, de 16 de enero, FJ 4; 345/2006, de 11 de diciembre, FJ 3)"[9].

A pesar de ello, como en toda regla general, existe una excepción, que avala el valor probatorio de las diligencias de investigación cuando concurran determinados requisitos, que en todo caso han de ser interpretadas restrictivamente, y que tanto el TS como el TC se han encargado de concretar[10]. Así, en la referida STC 68/2010, de 18 de octubre, se expresa "que esa idea no puede entenderse de manera tan radical que conduzca a negar toda eficacia probatoria a las diligencias judiciales y sumariales practicadas con las formalidades que la Constitución y el ordenamiento procesal establecen, siempre que puedan constatarse en el acto de la vista y en condiciones que permitan a la defensa del acusado someterlas a contradicción [SSTC 187/2003, de 27 de octubre, FJ 3; 1/2006, FJ 4; 344/2006, de 11 de diciembre, FJ 4 b)]. En este sentido, ya desde la STC 80/1986, de 17 de junio, FJ 1, nuestra doctrina ha admitido, también expresamente, que dicha regla general permite determinadas excepciones a través de las cuales es conforme a la Constitución, en limitadas ocasiones, integrar en la valoración probatoria el resultado de las diligencias sumariales de investigación si las mismas se someten a determinadas exigencias de contradicción"[11]. Es-

---

[9] Ésta es la doctrina asentada por el TC, tal y como el propio órgano reconoce, entre otras, en su sentencia 165/2014, de 8 de octubre, ponente Ricardo Enríquez Sancho, f.j. 2° [ECLI:ES:TC:2014:165], que la aplica en idénticos términos. Recuerda esta regla básica de la doctrina constitucional nuestro TS en su sentencia 270/2016, de 5 de abril, ponente: Carlos Granados Pérez, f.j. 1° del recurso interpuesto por el acusado Luis Urbano [ECLI:ES:TS:2016:1553], que insiste en que "las únicas pruebas de cargo que pueden ser valoradas" son las que se practican en el juicio oral de acuerdo con "los principios de oralidad, inmediación y contradicción", no pudiendo desprenderse tal consideración de las diligencias de investigación, cuya práctica se desarrolla durante la instrucción con la finalidad de "preparar la decisión sobre la apertura del juicio oral e identificar y asegurar los medios de prueba".

[10] De este modo lo ha reconocido y recogido en su propia doctrina jurisprudencial el TS, destacando sus sentencias 270/2016, de 5 de abril, ponente: Carlos Granados Pérez, f.j. 1° del recurso interpuesto por el acusado Luis Urbano [ECLI:ES:TS:2016:1553]; y 762/2016, de 13 de octubre, ponente: Luciano Varela Castro, f.j. 6° [ECLI:ES:TS:2016:4418]. A nivel doctrinal, así lo constata GONZÁLEZ JIMÉNEZ, A., ob. cit., p. 359, cuando indica que la incorporación en el juicio oral de las fuentes de prueba que derivan de las medidas de investigación realizadas durante la fase de instrucción debe ser excepcional.

[11] Igualmente se pronuncia la STEDH 1989\21, de 20 noviembre 1989 (caso: Kostovski contra Países Bajos): "41. Las pruebas deben ser presentadas, en principio, en presencia del acusado y en audiencia pública, de cara a un juicio contradictorio. (Sentencia Barberá, Messegué y Jabardo, anteriormente citada, serie A, núm. 146, pg. 34, ap. 78). No significa esto que la declaración de un testigo deba hacerse siempre ante el tribu-

tos requisitos se clasifican, como recuerda la reciente STS 225/2018, de 16 de mayo[12], en "materiales (su imposibilidad de reproducción en el acto del juicio oral), subjetivos (la necesaria intervención del Juez de Instrucción), objetivos (que se garantice la posibilidad de contradicción y la asistencia letrada el imputado, a fin de que pueda interrogar al testigo) y formales (la introducción del contenido de la declaración sumarial a través de la lectura del acta en que se documenta, conforme al art. 730 LECrim, o a través de los interrogatorios)". Precisamente a este último requisito dedicaremos nuestra atención en el siguiente epígrafe por cuanto posibilita que el resultado de la diligencia de investigación "acceda al debate procesal público y se someta a contradicción en el juicio oral ante el Juez o Tribunal sentenciador".

2.2. Cauce procesal para introducir las medidas de investigación al proceso penal

2.2.1. La vía del art. 730 LECrim

Dispone el art. 730 LECrim que "podrán también leerse o reproducirse a instancia de cualquiera de las partes las diligencias practicadas en el sumario, que, por causas independientes de la voluntad de aquéllas, no puedan ser reproducidas en el juicio oral [...]".

Con carácter preliminar, debemos destacar que nuestra doctrina judicial se ha referido mayoritariamente a la aplicación del art. 730 LECrim en relación a las declaraciones testificales[13]. A pesar de ello, teniendo en cuenta que la literalidad de esta norma hace referencia a "las diligencias practicadas en el sumario" –y no exclusivamente a los interrogatorios de testigos–, entendemos que debe hacerse una interpretación flexible de esta norma de modo que también pueda incorporarse por esta vía el resul-

---

nal y en público para que pueda utilizarse como prueba: si se utilizan declaraciones prestadas en la fase de la instrucción preparatoria no se infringen los apartados 3.d) y 1 del artículo 6, sin perjuicio de que se respeten los derechos de la defensa. Por regla general, estos derechos exigen que se dé al acusado una ocasión adecuada y suficiente para oponerse e interrogar al testigo, en el momento en que declare o más tarde (véase, mutatis mutandis, Sentencia Unterpertinger de 24 noviembre 1986 [TEDH 1986\14], serie A, núm. 110, pgs. 14 y 15, ap. 31)".

[12] Ponente: Juan Ramón Berdugo y Gómez de la Torre, f.j. 3º [ECLI:ES:TS:2018:1727].

[13] Véanse como ejemplo, las recientes SSTS (Sala Penal) 182/2017, de 22 de marzo, ponente: Andrés Palomo Del Arco [ECLI:ES:TS:2017:1061]; y 270/2016, de 5 de abril, ponente: Carlos Granados Pérez [ECLI:ES:TS:2016:1553].

tado de cualquier otra medida de investigación[14], que deberá introducirse al juicio oral a través del pertinente medio de prueba[15].

Por lo tanto, y aunque ello no se desprenda de la literalidad del art. 730 LECrim[16], el TS reconoce que éste es el cauce que el legislador ha previsto para dar validez probatoria a las diligencias de instrucción, y así lo ha declarado expresamente en su reciente sentencia 225/2018, de 16 de mayo[17], al señalar que "el artículo 730 de la Ley de Enjuiciamiento Criminal constituye uno de los excepcionales cauces para conferir validez como elemento de prueba al contenido de diligencias practicadas antes del juicio oral, fuera del marco general del artículo 741 de la misma y sin vulnerar la garantía constitucional de presunción de inocencia solamente enervable, en principio, por prueba lícita y practicada en juicio oral y público". Más ampliamente, el TC ha admitido la legitimidad constitucional del art. 730 LECrim, siendo de destacar su sentencia 345/2006, de 11 de diciembre[18], f. j. 3º, en virtud de la cual: "En aplicación de esta doctrina hemos admitido expresamente en anteriores pronunciamientos la legitimidad constitucional de las previsiones legales recogidas en los artículos 714 y 730 LECrim, siempre que el contenido de la diligencia practicado en el sumario se reproduzca en el acto del juicio oral mediante la lectura pública del acta en la que se documentó, o introduciendo su contenido a través de los interrogatorios (STC 2/2002, de 14 de enero), pues de esta manera, ante la rectificación o retroacción del testimonio operada en el acto del juicio oral (art. 714 LECrim), o ante la imposibilidad material de su reproducción (art. 730 LECrim) el resultado de la diligencia accede al

---

[14]   Cfr. CERRATO GURI, E., "La dificultad probatoria del delito de maltrato sobre la mujer", en *Peritaje y prueba pericial*, J.M. Bosch, Barcelona, 2017, pp. 519 a 529.

[15]   Sobre esta cuestión FERNÁNDEZ-GALLARDO, J.A., ob. cit., pp. 127 y 128, ha concretado que "para que puedan ser valorados los elementos probatorios que de estas diligencias pudiesen derivarse deben incorporarse al juicio oral mediante un medio probatorio aceptable en derecho, como por ejemplo la declaración testifical de los agentes intervinientes debidamente practicada en el juicio con las garantías de la contradicción y la inmediación". Por lo tanto, en este caso, la prueba será la declaración en el juicio oral del policía que practicó la medida de investigación. En esta línea, para GONZÁLEZ JIMÉNEZ, A., ob. cit., p. 350, "una mala o inadecuada selección de los medios probatorios para aportar las fuentes de prueba puede provocar su inadmisión por parte del Tribunal sentenciador, o impedir su valoración".

[16]   Al respecto GONZÁLEZ JIMÉNEZ, A., ob. cit., p. 360, critica la falta de regulación en la LECrim, y en consecuencia la inexistencia de unos estándares claros, de cómo incorporar el resultado de una diligencia en el juicio oral como prueba.

[17]   Ponente: Juan Ramón Berdugo y Gómez de la Torre, f.j. 3º [ECLI:ES:TS:2018:1727].

[18]   Ponente: Pascual Sala Sánchez, f.j. 3º. En la misma línea, vid. STC (Pleno) 68/2010, de 18 de octubre, ponente: Elisa Pérez Vera, f.j. 5º [ECLI:ES:TC:2010:68].

debate procesal público ante el Tribunal [...]. De esta forma se posibilita que el contenido de la diligencia se someta a confrontación con las demás declaraciones de los intervinientes en el juicio oral".

En consecuencia, podrá tener validez probatoria aquella diligencia de investigación que se reproduzca en el juicio oral a través la lectura del acta que la documentó o por medio del interrogatorio de quien la practicó, dando de este modo cumplimiento a la ineludible "triple exigencia constitucional de toda actividad probatoria: publicidad, inmediación y contradicción".

A mayor abundamiento, el TC y el TS han reconocido la naturaleza preconstituida de la prueba que resulta de las medidas de investigación introducidas al juicio oral por la vía del art. 730 LECrim. Por su claridad expositiva destacamos la STS 225/2018, de 16 de mayo[19], que da "validez como prueba de cargo preconstituida [a] las declaraciones prestadas en fase sumarial". De hecho esta resolución judicial considera "prueba preconstituida" aquellas "diligencias sumariales de imposible repetición en el Juicio Oral por razón de su intrínseca naturaleza, y cuya práctica, como sucede con una inspección ocular y con otras diligencias, es forzosamente única e irrepetible"[20]. Igualmente se ha preocupado de definir el término "prueba preconstituida" la doctrina procesal, siendo de destacar la aportación de GIMENO SENDRA respecto de su consideración como prueba documental y que, dada su relevancia, transcribimos a continuación: "La prueba preconstituida es una prueba documental, que puede practicar el juez de instrucción y su personal colaborador (policía judicial y Ministerio Fiscal) sobre hechos irrepetibles, que no pueden, a través de los medios de prueba ordinarios, ser trasladados al momento de realización de juicio oral. Por ello, dicha prueba tiene un carácter aseguratorio de los indicios y fuentes de prueba, que, bajo determinadas garantías formales, de entre las

---

[19]   Ponente: Juan Ramón Berdugo y Gómez de la Torre, f.j. 3º [ECLI:ES:TS:2018:1727]. Y en el ámbito de la doctrina constitucional, vid. STC (Pleno) 165/2014, de 8 de octubre, ponente: Ricardo Enríquez Sancho, f.j. 2º.

[20]   Según GUZMÁN FLUJA, ob. cit., p. 203, "es común en la doctrina hablar de valor probatorio de los actos de investigación, expresión con la cual se quiere hacer ver que hay casos en los que resulta necesario elevar una diligencia de instrucción o de investigación a la categoría de prueba apta para ser utilizada en la desvirtuación de la presunción de inocencia. Esta necesidad suele justificarse en el hecho de que se produce una situación de irrepetibilidad o de irreproducibilidad probatoria en el juicio oral, de manera que debe acudirse al material obtenido durante la investigación para poder probar los hechos". El autor deja claro que, en su opinión, no existen diligencias de investigación con valor probatorio, sino que los resultados de éstas pueden ser introducidos en el juicio oral, lo que es distinto.

que destaca la de garantizar la «posibilidad de contradicción», posibilitan su introducción en el juicio oral, a través de la lectura de documentos (art. 730), como documentos públicos oficiales suficientes para fundar una sentencia de condena"[21]. A pesar de ello, entendemos que debe completarse la anterior definición añadiendo que también puede incorporarse el resultado de una medida de investigación al juicio oral a través del interrogatorio de quien la practicó, resultando ello de la interpretación de la doctrina jurisprudencial y constitucional antes analizada.

2.2.2. Su aplicación a las medidas de investigación derivadas de una OEI

El art. 730 LECrim se desarrolló pensando en las diligencias de investigación practicadas en España. Por ello, y teniendo en cuenta nuestro objeto de estudio, nos preguntamos si su aplicación puede asimismo extenderse a las medidas practicadas en otro Estado miembro, de modo que su resultado pueda también introducirse al juicio oral. Piénsese, por ejemplo, en una entrada y registro realizada en Francia en virtud de una OEI emitida por un juez español.

En nuestra opinión, y sobre la base de la doctrina jurisprudencial, la respuesta debe ser afirmativa. El TS ha tenido ocasión de pronunciarse últimamente sobre esta problemática en su sentencia 118/2018, de 13 de marzo[22], reconociendo el valor probatorio de las declaraciones sumariales de los testigos que no comparezcan ante el tribunal por encontrarse fuera de España, siempre con la debida observancia de determinadas cautelas: "que hayan sido practicadas en la instancia de forma inobjetable", siendo para ello ineludible su práctica en presencia del juez instructor, y que las defensas hayan tenido "la oportunidad, cuando ello es posible, para que acudan a la diligencia e intervengan en ella de forma que resulte precedente", garantizando de este modo la debida contradicción y, en última instancia, su derecho a la defensa[23]. Por lo tanto, el TS reconoce el valor

---

[21]   GIMENO SENDRA, V., "La prueba preconstituida de la policía Judicial", *Revista catalana de Seguretat* pública, núm. 22, mayo 2010, p. 38.
(https://www.raco.cat/index.php/rcsp/article/viewFile/194212/260386, consultado el 30 de julio de 2018).

[22]   Ponente: Miguel Colmenero Menéndez de Luarca, f.j. 4° [ECLI:ES:TS:1782/2017].

[23]   Sobre el valor probatorio de la declaración de testigo fuera del juicio oral, la referida STS se ha encargado de concretar que el TC no exige que la contradicción sea efectiva y realmente practicada, sino en que "el órgano judicial hubiera hecho todo lo posible por proporcionarla" y ello al considerar que "no siempre va a ser posible asegurar la presencia del acusado o de su abogado en la declaración sumarial del testigo, ya porque el mismo acusado renuncia a aprovechar la oportunidad ofrecida y no acude a la

probatorio de las declaraciones de testigos durante la fase de instrucción. Pero, ¿qué sucede con el resto de diligencias? La propia STS parte de la base que el art. 730 LECrim "permite proceder, a instancia de cualquiera de las partes, a la lectura de las diligencias practicadas en el sumario que no puedan ser reproducidas en el juicio oral por causas independientes a la voluntad de las partes", por lo que su aplicación se extiende, como ya hemos tenido la oportunidad de señalar, a cualquier diligencia de la fase de instrucción.

Por todo ello, podemos concluir que el resultado de una medida de investigación practicada en otro Estado miembro puede igualmente introducirse en el juicio oral por la vía del art. 730 LECrim.

2.3. Admisibilidad de las pruebas derivadas de una OEI

Finalmente, tras determinar cómo introducir al proceso penal español las pruebas y las medidas de investigación obtenidas en otro Estado miembro, es momento de examinar su admisibilidad. Compartimos con JIMENO BULNES que el mayor escollo en la aplicación de la OEI es la admisibilidad probatoria. Esta problemática "constituye una de las mayores objeciones a la aplicación del principio de reconocimiento mutuo en el ámbito probatorio" porque hay distintos ordenamientos jurídicos nacionales que tienen diferente sensibilidad en cuanto a la vulneración de derechos fundamentales[24].

En relación con lo que acabamos de señalar, si bien es cierto que los Estados miembros han apostado por la OEI como mecanismo de cooperación judicial penal en materia de obtención de prueba, lográndose de este modo la aproximación de las cuestiones mínimas a tener en cuenta en el reconocimiento y práctica de prueba transfronteriza, no es menos cierto que cada Estado miembro tiene su sistema penal propio. Ello hace inevita-

---

declaración, ya por otras circunstancias", evitando con ello "dejar en manos del acusado la corrección del procedimiento". Por ello afirma el TS que "no es correcto negar a priori todo valor de esta declaración", siendo el criterio del TEDH que "la ausencia de contradicción no será contraria al derecho a un proceso equitativo si en el caso concreto existían medidas que permitieran una correcta evaluación de la fiabilidad de la declaración". Sobre la "posibilidad de contradicción" vid. también la STS (Sala Penal) 225/2018, de 16 de mayo, ponente: Juan Ramón Berdugo y Gómez de la Torre, f.j. 3º [ECLI:ES:TS:2018:1727].

[24]   JIMENO BULNES, M., "Orden europea de investigación en materia penal", *Aproximación legislativa versus reconocimiento mutuo en el desarrollo del espacio judicial europeo: una perspectiva multidisciplinar*, J.M. Bosch, Barcelona, 2016, p. 196.

ble la existencia de diferencias respecto de las garantías del proceso[25] y, en última instancia, el riesgo de ocasionar problemas de licitud de la prueba practicada en el Estado de ejecución en el momento de introducirse en el proceso penal del Estado de emisión[26].

Siendo esto así, la duda que se nos plantea es: ¿qué debe hacer un juez español cuando la prueba practicada en otro Estado miembro no lo ha sido de acuerdo con las garantías del proceso en España? A esta cuestión dan respuesta MARTÍN GARCÍA y BUJOSA VADELL, quienes entienden que una interpretación amplia del principio de reconocimiento mutuo implicaría una renuncia del Estado receptor –esto es, el Estado de emisión de la OEI– "a condicionar la validez de la misma a su adecuación al propio derecho interno", lo que podría conducir a un escenario atípico en relación con las garantías del debido proceso[27]. Así, siguiendo el ejemplo de los autores, cuando un testigo declarase en el Estado de ejecución sin la asistencia del letrado del investigado, teniendo en cuenta que no todas las normas procesales exigen esta garantía, el juez español no tendría más opción que admitir su declaración. Para evitar esta consecuencia debería aplicarse una interpretación más restrictiva del mencionado principio "por su vinculación directa con el papel del juez nacional como corresponsable y garante de los derechos y libertades fundamentales del ciudadano"[28]. De este modo, el juez español podría dejar de introducir en el proceso penal una prueba válidamente obtenida en el Estado de ejecución, pero no

---

[25]   MARTÍN GARCÍA, A. L., y BUJOSA VADELL, L., *La obtención de prueba en materia penal en la Unión Europea,* Atelier, Barcelona, 2016, p. 16.

[26]   En este sentido se pronuncia también MARTÍNEZ GARCÍA, E., *La orden europea de investigación: actos de investigación, ilicitud de la prueba y cooperación judicial transfronteriza,* Tirant lo Blanch, Valencia, 2016, p. 181, quien concluye que "la existencia de 26 versiones diferentes de lo que se entiende por prudencia puede traer problemas sobre la licitud de la prueba obtenida en otro Estado y puede llegar a constituir un verdadero subterfugio destinado a obviar garantías exigibles en el Estado requirente de ayuda".

[27]   Sobre el debido proceso, vid. PICÓ I JUNOY, J., *Las garantías constitucionales del proceso,* 2ª ed., J.M. Bosch, Barcelona, 2012, pp. 159 a 175.

[28]   MARTÍN GARCÍA y BUJOSA VADELL, ob. cit., p. 25. Asimismo, en esta línea MARTÍNEZ GARCÍA, E., ob. cit., pp. 181 y 182, afirma que el principio de reconocimiento mutuo tiene como límites "los principios y reglas de la Unión Europea, los propios límites de la cooperación en materia penal y los derechos fundamentales". A esta misma cuestión se ha referido ampliamente DE HOYOS SANCHO, M., "El principio de reconocimiento mutuo de resoluciones penales en la Unión Europea: ¿Asimilación automática o corresponsabilidad?", *Revista de Derecho Comunitario Europeo,* núm. 22, septiembre-diciembre (2005), pp. 807 a 842 (file:///C:/Users/39899072-y/Downloads/Dialnet-ElPrincipioDeReconocimientoMutuoDeResolucionesPena-1389135.pdf, consultado el 1 de agosto de 2018).

acorde con las garantías procesales del art. 24 CE[29]. En este punto, lo ideal sería fijar unas garantías procesales mínimas y comunes aplicables a toda cooperación judicial penal, cuyo incumplimiento debería poder permitir al Estado de emisión de una OEI inadmitir la prueba obtenida en el Estado de ejecución. Sin embargo, esto no se ha conseguido a fecha de hoy, lo que pone de manifiesto la fractura de la confianza mutua entre los Estados de la UE[30].

A pesar de todo ello, el criterio seguido por la jurisprudencia de nuestro TS es la no revisión en España del contenido de una prueba practicada en otro Estado miembro de conformidad con la legislación de este último, que deberá incorporarse en el proceso penal español sin que necesariamente tenga que ajustarse a la legalidad española.

Esta problemática ya se planteaba con anterioridad a la Directiva. En su momento, el alto tribunal declaró que no correspondía a la autoridad judicial española controlar la legalidad de las pruebas practicadas en otro Estado miembro, por lo que debía admitirlas directamente. Nos ilustra, en este sentido, la STS 1521/2002, de 25 de septiembre[31], subrayando que "en el marco de la Unión Europea, definido como un espacio de libertad, seguridad y justicia, en el que la acción común entre los Estados miembros en el ámbito de la cooperación policial y judicial en materia penal es pieza esencial, según el art. 29 del Tratado de la Unión en la versión consolidada de Maastricht (RCL 1994, 81, 1659; RCL 1997, 917 y RCL 1999, 2661 y LCEur 1992, 2465), [que] no cabe efectuar controles sobre el valor de los realizados ante las autoridades judiciales de los diversos países de la Unión, ni menos de su adecuación a la legislación española cuando aquéllos se hayan efectuado en el marco de una Comisión Rogatoria y por tanto de acuerdo con el art. 3 del Convenio Europeo de Asistencia Judicial en materia Penal de 20 de abril de 1959 (RCL 1982, 2423; ApNDL 13560) –BOE 17 de septiembre de 1982–. En tal sentido se pueden citar las Sentencias de esta Sala 13/1995, de 19 de enero (RJ 1995, 155) en relación a Comisión Rogatoria cumplimentada por Alemania; Sentencia núm. 974/1996, de 9 de diciembre (RJ 1997, 1121) donde expresamente se proclama que «... en el ámbito del espacio judicial europeo no cabe hacer distinciones sobre garantías de imparcialidad de unos u otros Jueces ni del respectivo valor

---

[29]   Refuerza esta idea MARTÍNEZ GARCÍA, E., ob. cit., pp. 182 a 184.
[30]   Vid. MARTÍN GARCÍA, A. L., y BUJOSA VADELL, L., ob. cit., p. 33.
[31]   Ponente: Joaquín Giménez García, f.j. 1° [RJ 2002\9846]. Sigue la misma línea la reciente STS (Sala Penal) 313/2017, de 3 de mayo, ponente: Juan Saavedra Ruíz, f.j. 3° [ECLI:ES:TS:2017:1688].

de los actos ante ellos practicados en forma...», en relación a Comisión Rogatoria ante las autoridades suecas; la STS núm. 340/2000, de 3 de marzo (RJ 2000, 1172) que en sintonía con las anteriores confirma la doctrina de que la incorporación a causa penal tramitada en España de pruebas practicadas en el extranjero en el marco del Convenio Europeo de Asistencia Judicial citado no implica que dichas pruebas deban ser sometidas al tamiz de su conformidad con las normas españolas; la STS núm. 1450/1999, de 18 de noviembre en relación a Comisión Rogatoria cumplimentado por las autoridades francesas, y en fin, la Sentencia núm. 947/2001, de 18 de mayo para la que «... no le corresponde a la autoridad judicial española verificar la cadena de legalidad por los funcionarios de los países indicados, y en concreto el cumplimiento por las autoridades policiales holandesas de la legalidad de aquel país ni menos sometidos al contraste de la legislación española...»[32].

Este criterio jurisprudencial se ha mantenido en el tiempo y así lo confirma la STS 312/2012, de 24 de abril[33], que por su relevancia traemos a colación. Con carácter preliminar, esta resolución del TS resalta la existencia de "un consolidado cuerpo jurisprudencial en relación a las consecuencias derivadas de la existencia de un espacio judicial europeo, en el marco de la Unión fruto de la comunión en unos mismos valores y garantías compartidos entre los países de la Unión, aunque su concreta positivación dependa de las tradiciones jurídicas de cada Estado, pero que en todo caso salvaguardan el contenido esencial de aquellos valores y garantías...", para a continuación, adentrarse en la problemática examinada con cita a la recurrente sentencia 13/1995, de 19 de enero[34], que hace referencia a la práctica de una declaración testifical en el Estado de ejecución –Alemania– ante la autoridad policial y no la judicial, como exige el Estado español. Pese a ello, en este caso el TS estima correcta la prueba practicada pues considera

---

[32]   Sobre la admisibilidad de las pruebas, antes de la entrada en vigor de la Directiva, cierta doctrina autorizada entendió que esta cuestión debía ser abordada por los Estados miembros, en función de cada sistema de justicia penal, al no ser función de las instituciones europeas aprobar normas relativas a cuándo debe considerarse admisible una prueba o no. Así, vid. BACHMAIER WINTER, L., "La orden europea de investigación: la propuesta de Directiva europea para la obtención de prueba en el proceso penal", *Revista Española de Derecho Europeo*, núm. 37/2011, Civitas, Pamplona, 2011, ob. cit., p. 12; y, de igual modo, SPENCER, J.R., "European Comission's Green Paper on obtaining evidenc from one member State to another and securing its admissibility", *Zeitschrift für Internationale Strafrechtsdogmatik*, núm. 9/2010, pp. 602 a 606. (http://www.zis-online.com/dat/artikel/2010_9_492, consultado el 19 de julio de 2018).

[33]   Ponente: Carlos Granados Pérez, f.j. 2º [ECLI:ES:TS:2012:3117].

[34]   Ponente: Joaquín Delgado García, f.j. 2º [RJ 1995\155].

que "ello no le resta el valor propio de una diligencia de prueba hecha en el extranjero, razón que justifica el que no se cumplieran las exigencias propias de los principios de inmediación, publicidad y oralidad, aunque sí las concernientes al de contradicción por la posibilidad que tuvieron las partes de formular las preguntas correspondientes, y el que, debidamente incorporada a los autos, tras lo cual se produjo el nuevo señalamiento del juicio oral, adquiriera aptitud, como prueba así documentada, para que el Tribunal la pudiera valorar, como lo hizo, en unión de las demás existentes, como suficiente para contrarrestar la presunción de inocencia"[35].

3. REFLEXIÓN FINAL

La incorporación al proceso penal español de los resultados obtenidos de la práctica de una OEI variará en función de si lo que se remite es una prueba ya existente en el país de ejecución o si es el resultado de una medida de investigación realizada en dicho Estado. En el primero de los casos, las pruebas remitidas por la autoridad competente del Estado ejecutor merecen la misma consideración que las que se obtienen en España, debiéndolas en todo caso valorar el órgano judicial de conformidad con las reglas de la LECrim, pues como ha señalado el TEDH corresponde a los tribunales nacionales apreciar la fuerza probatoria de las pruebas practicadas en el extranjero. En cambio, en el segundo caso, el resultado de la medida de investigación que pretenda introducirse en el juicio oral con eficacia probatoria deberá hacerse, como expresamente han reconocido el TS y el TC, por el cauce del art. 730 LECrim, del mismo modo que las diligencias de investigación realizadas en territorio español, ya sea a través de la lectura del acta que las documentó o por medio del interrogatorio de quien las practicó. Se cumplen así los principios de publicidad, inmediación y contradicción que deben regir en toda actividad probatoria.

Asimismo, debemos reflexionar también sobre la admisibilidad de la prueba resultante de la ejecución de una OEI y su afectación a las garantías constitucionales del proceso español. La problemática se plantea cuando la autoridad competente del Estado de ejecución, que ha reconocido la OEI emitida por un juez español, obtiene las pruebas o practica las medidas de investigación en ella solicitadas de conformidad con su ordenamiento jurídico interno y éste no contempla las mismas garantías procesales re-

---

[35] Asimismo vid. la STS (Sala Penal) 1281/2006, de 27 de diciembre, ponente: Juan Ramón Berdugo y Gómez de la Torre, f.j. 5º [RJ 2007\588].

conocidas en el orden constitucional español. Si bien reconocemos que lo ideal sería que el juez español pudiera exigir, con la emisión, el cumplimento de las garantías mínimas del art. 24 CE para su incorporación al proceso penal, somos conscientes también que ello dificultaría la finalidad de la cooperación judicial en materia de prueba transfronteriza. Por este motivo entendemos acertada la solución que ha dado el TS a esta compleja realidad y que, en última instancia, facilita la tan anhelada cooperación judicial penal, apostando por la no revisión en España del contenido de una prueba practicada en otro Estado miembro cuando esta se haya realizado respetando la legalidad de este último, de modo que el juez español deberá incorporarla al proceso penal, aun cuando no se ajustara a la legalidad española.